# HISTOIRE DES CROISADES
## ET DU ROYAUME FRANC DE JÉRUSALEM

DU MÊME AUTEUR

*en poche*

*L'épopée des croisades*, Paris, Perrin, tempus n° 6, 2002.

À PARAÎTRE

*HISTOIRE DES CROISADES ET DU ROYAUME FRANC DE JÉRUSALEM*

II. *1131-1187, L'équilibre*

III. *1188-1291, L'anarchie franque*

collection tempus

René GROUSSET
*de l'Académie française*

# HISTOIRE DES CROISADES ET DU ROYAUME FRANC DE JÉRUSALEM

## I. 1095-1130
## L'anarchie musulmane

Perrin
www.editions-perrin.fr

Ouvrage publié avec le concours de l'Association des Œuvres de l'Ordre du Saint-Sépulcre en France.


ISBN : 978-2-262-02548-9

**tempus** est une collection des éditions Perrin.

# PRÉFACE

La parution, en 1934, des deux premiers tomes de l'*Histoire des croisades et du royaume franc de Jérusalem*, qu'un troisième suivit en 1936, fut un événement. Le succès de cette œuvre monumentale récompensait un tour de force : rendre accessible une histoire qui s'ordonnait autour de grandes lignes sans perdre de vue les détails qui font la vie des hommes. Comme l'a écrit Robert Fazy dans sa contribution au volume d'hommage à René Grousset que publia en 1953 la revue *France-Asie*, l'histoire des croisades était alors au point mort. La bonne *Histoire des croisades* de Michaud avait plus d'un siècle. L'érudition avait marché d'un bon pas, avec Tobler et le comte Riant ; le *Recueil des historiens des croisades* et les *Regesta regni hierosolymitani* de Röhricht avaient accumulé les matériaux ; mais la *Geschichte des Königreichs Jerusalem* du même Röhricht, œuvre admirable, restait d'accès difficile. Le mandat français en Syrie et au Liban avait favorisé la recherche archéologique ; *le Crac des Chevaliers*, de Paul Deschamps, a paru en 1934 ; mais il s'adressait, lui aussi, aux spécialistes. Le livre de Grousset arrivait donc à son heure.

L'auteur avait publié en 1922 une *Histoire de l'Asie*, suivie d'une *Histoire de l'Extrême-Orient*. On le savait bon connaisseur des civilisations de l'extrême Asie et de l'art bouddhique ; conservateur de musée, il exerçait ses fonctions au musée Cernuschi, au contact des arts asiatiques. Or l'*Histoire des croisades* fit de lui, d'emblée, l'autorité incontestée dans le domaine de l'Orient latin : c'est à lui qu'on demanda une *Histoire des croisades* pour la collection « Que sais-je ? » et le volume sur l'Orient latin de la collection Glotz. L'*Histoire de l'Arménie* et *l'Empire du Levant* devaient confirmer sa réputation.

Néanmoins Grousset restait étranger à l'Université ; l'histoire des croisades aussi. Le signataire de ces lignes, qui avait découvert avec passion l'*Histoire des croisades* dès 1934, eut la bonne fortune, huit ans après, de se mettre à l'école de son auteur qui l'orienta vers l'histoire du comté de Tripoli et qui préfaça son *Royaume latin de Jérusalem*. Mais il ne rencontra guère d'enthousiasme en milieu universitaire, et il n'en sait que plus de gré à René Grousset d'avoir été, ici, son maître et d'avoir conforté sa vocation.

Au moment où paraissait l'*Histoire des croisades*, l'Orient latin et la croisade reprenaient leur actualité dans la recherche historique. Carl Erdmann publiait son étude sur la formation de l'idée de croisade (1935) en même temps que l'abbé Delaruelle menait des recherches parallèles dont le fruit ne fut réuni que plus tard dans *l'Idée de croisade au Moyen Âge* (1980). Jonathan Riley-Smith, dans *The First Crusade and the Idea of Crusading* (1986), et Alfons Becker dans son *Papst Urban II* (II, 1988), ont apporté de nouvelles précisions sur ce thème. Grousset avait essentiellement recherché les origines immédiates de la croisade dans les vicissitudes de la domination byzantine en Asie et la réponse de la papauté à l'invasion turque. Explication partielle, certes, mais qui reste fondée dans la perspective adoptée par l'auteur, qui se penchait moins sur le phénomène de la croisade que sur les circonstances qui avaient amené l'implantation d'une domination et d'un peuplement venus de l'Occident chrétien au Levant.

La façon dont la croisade fut sentie et vécue par les croisés a retenu l'attention de Paul Alphandéry et Alphonse Dupront (*la Chrétienté et l'idée de croisade*, 1954-1959), ses aspects juridiques celle de Michel Villey (1942), la conception pontificale en la matière celle de Maureen Purcell (1975), tandis que Palmer Throop (1940) et Elizabeth Siberry (1985) recherchaient les oppositions qu'elle a suscitées, la spiritualité des croisés faisant l'objet de notre *Esprit de la croisade* (1969). Ici aussi, il s'agit de l'exploration d'un champ nouveau ; mais il n'y a pas dépaysement complet, du fait que René Grousset a largement donné la parole aux témoins et qu'on retrouve sous la plume de ceux-ci les préoccupations des participants à ces entreprises.

John La Monte avait inauguré en 1932, avec *Feudal Monarchy in the Latin Kingdom of Jerusalem*, un renouveau des études sur l'organisation politique et sociale des États francs. Joshua Prawer entamait quinze ans plus tard la série de ses travaux qui devaient aboutir à la rédaction d'une *Histoire du royaume latin de Jérusalem* (traduite en français en 1969-1970) et dont les principaux furent réunis dans *Crusaders Institutions* (1980). Hans Mayer, à partir d'un réexamen critique des sources diplomatiques, proposait de nouvelles interprétations de l'histoire du royaume et suscitait la rédaction de nombreuses monographies de seigneuries. Jonathan Riley-Smith apportait des perspectives nouvelles sur les rapports de la royauté et de ses vassaux (1973). Mais, dès 1940, dans *la Syrie du Nord à l'époque des croisades*, Claude Cahen avait apporté une perspective globale de l'histoire de la principauté d'Antioche et de son insertion dans le monde oriental. Ajoutons notre travail sur *le Comté de Tripoli* (1946) et un tout récent livre sur le comté d'Édesse. Si le schéma des événements, tel que l'avait établi Grousset, reste dans l'ensemble ce qu'il avait reconstitué, les interprétations du rôle des hommes, du poids des institutions, demandent à être revues. Ce renouvellement, Grousset l'avait entrevu et souhaité ; il l'a dit dans la préface qu'il écrivit pour notre *Royaume latin de Jérusalem*, qui ne parut malheureusement qu'en 1953, peu après sa mort.

Pas plus que l'histoire des institutions, celle de l'économie ne faisait l'objet principal de l'*Histoire des croisades* ; Grousset, cependant, a tracé un tableau très vivant de ces grands ports où se coudoyaient pèlerins et marchands, Orientaux et Occidentaux, et il a été très attentif au rôle croissant qu'ont tenu dans le destin des États francs les villes marchandes, leurs comptoirs, leurs intérêts et leurs querelles. Ici aussi les perspectives se sont affinées. À Claude Cahen, nous devons d'avoir renouvelé notre connaissance des courants commerciaux et de leurs déplacements, grâce au recours aux sources orientales mises en œuvre, notamment, dans *Orient et Occident au temps des croisades* (1983) ; à Joshua Prawer, d'avoir étudié la colonisation agricole ; à Marie-Luise Favreau-Lilie, d'avoir repris entièrement l'étude des comptoirs italiens et de leurs privilèges (*Die Italiener im Heiligen Land*, 1989). Benjamin Kedar et Bernard Hamilton ont renouvelé l'histoire religieuse des États francs, et chacun des ordres militaires, ces créations originales des croisés, a bénéficié d'études nouvelles.

Ainsi les soixante années qui ont passé depuis que Grousset écrivait ont-elles fait de l'histoire de l'Orient latin un des champs les plus fertiles de l'enquête historique. En 1960, Hans Mayer publiait une *Bibliographie zur Geschichte der Kreuzzüge* qui faisait époque. Depuis, une Société pour l'étude des croisades et de l'Orient latin, faisant revivre la vieille Société de l'Orient latin, collecte régulièrement les informations qui viennent de tous les continents ; l'Orient latin tient sa place dans les congrès et colloques. Le même Hans Mayer, qui réédite régulièrement sa *Geschichte der Kreuzzüge*, vient de contribuer à la préparation d'une nouvelle bibliographie par laquelle s'achève l'*History of the Crusades* conçue par John La Monte, poursuivie sous la direction de Kenneth Setton, et dont les six volumes, sous de nombreuses signatures, donnent un panorama complet de ce qui a été acquis par la recherche sur l'histoire des croisades.

Une matière qui s'est considérablement enrichie, une bibliographie surabondante, des débats qui se poursuivent sur des points controversés : tel est le panorama que nous offre aujourd'hui ce domaine historique. On peut légitimement se demander ce que, soixante ans après qu'elle fut écrite, l'*Histoire des croisades* de René Grousset est en mesure de nous apporter.

Il faut ici faire état des réserves qui ont été émises à son propos. Parce que Grousset ne lisait pas l'arabe (pas plus que le khmer ou le mongol…), il lui a été reproché de n'avoir pas tenu compte de textes encore inédits d'auteurs arabes. Henri Massé, orfèvre en la matière, écartait cette critique, dans l'article qu'il écrivit en 1953 pour *France-Asie*, en soulignant qu'il avait consciencieusement utilisé ceux qui avaient été traduits dans des langues européennes (y compris Ibn al-

Qalanisi, alors tout récemment traduit). Il avait eu recours à Gaston Wiet pour compléter ses informations sur les Mamelûks. De nos jours, il aurait eu en outre à sa disposition la traduction anglaise d'Ibn al-Furât, qui utilise les données d'autres auteurs, et le florilège que nous devons à Francesco Gabrieli ; la moisson qu'il y aurait faite n'aurait sans doute apporté que des corrections mineures, mais qu'on ne saurait négliger. D'autres traductions sont encore attendues.

Il lui a aussi été reproché d'avoir cédé à des préjugés ; entendons que l'ouvrage porte l'empreinte du temps où il a été écrit. Grousset évoque en effet volontiers, à propos des croisades et de la naissance d'États qui constituaient une « nouvelle France », l'œuvre coloniale et la permanence de l'influence de la France au Levant. Au temps de la décolonisation, certains ont malaisément supporté cette évocation. Et un jugement positif sur les croisades pouvait, lui aussi, aller à l'encontre d'idées en vogue, parfois d'ailleurs encore moins nuancées : sir Steven Runciman, relevant malicieusement chez Grousset, à côté d'une ample érudition et d'une écriture de qualité, « un zeste de patriotisme gaulois », ne terminait-il pas son *History of the crusades* par ce jugement sans appel : les croisades furent « un long acte d'intolérance au nom de Dieu, ce qui est le péché contre le Saint-Esprit »...

Les années ont passé ; l'œuvre coloniale fait l'objet de réexamens ; les croisades, mieux étudiées et mieux comprises, d'autres interprétations. Mais si, dans sa reconstitution du phénomène des croisades et du passé des États latins, Grousset a apporté ses propres certitudes, du moins ne leur a-t-il jamais laissé prendre le pas sur la recherche de la vérité. Il n'a pas réservé sa sympathie aux seuls Francs, qu'il a parfois jugés sévèrement : il parle avec la même admiration des paladins musulmans qu'ils combattaient et des grands empereurs byzantins qui ne furent pas toujours leurs protecteurs. Notre époque serait peut-être même plus réservée sur le personnage de Saladin en qui il voyait, comme les Francs du XIIIe siècle, un héros de roman de chevalerie. S'il a vibré au récit des beaux exploits, de l'héroïsme d'un Baudouin IV, il a aussi été très sensible à tous les efforts de rapprochement et aux témoignages de compréhension et d'estime mutuelle.

Il faut surtout dire que l'*Histoire des croisades* est le récit d'une épopée, de cette *Épopée des croisades* dont il devait faire un livre. Grousset a senti l'aventure des Francs en Orient comme une geste épique dont il a su faire comprendre la grandeur et qu'il a admirablement narrée. Il s'est fait l'un des leurs, allant jusqu'à épouser leurs querelles. Ainsi a-t-il malmené l'empereur Frédéric II, coupable d'avoir voulu dénationaliser la Syrie franque. Ce qui ne l'a pas empêché, dans le portrait du même Frédéric II qu'il a tracé dans *Figures de proue* (1949), de rendre hommage au génie de ce même empereur. Et, si la victoire des barons du parti d'Ibelin lui paraît celle du caractère franc (et français) du royaume latin, il ne dissimule pas qu'elle porte en germe la dissociation de ce royaume. L'historien sait rester au-dessus de ses préférences.

C'est encore Robert Fazy qui a remarqué que Grousset avait eu « l'idée géniale de composer son récit avec le texte de ses garants », en donnant très largement la parole au traducteur de Guillaume de Tyr, « laissant ainsi revivre l'épopée dans la langue même de ses héros ». Mais à ce souci de permettre un contact direct avec les témoignages, il a joint celui de la plus scrupuleuse érudition, recherchant avec soin les identifications des noms de lieux, s'efforçant de rétablir une chronologie sans faille ; il a repris trois fois la datation des événements qui ont marqué les premières années du comté de Tripoli. L'importance de l'index dit assez la minutie avec laquelle il a travaillé.

Toutefois le mérite exceptionnel de l'*Histoire des croisades*, ce qui reste l'apport personnel le plus durable de René Grousset, réside ailleurs que dans le récit bien mené et soigneusement contrôlé. L'auteur était avant tout un historien de l'Asie, et Pierre Gaxotte, dans son discours de réception à l'Académie française où il lui succédait, disait qu'il avait « voué sa vie à rapprocher les deux parties disjointes du vieil héritage » eurasiatique : le Proche-Orient et l'extrême Asie. C'est celle-ci qui tient la plus grande place dans la liste bibliographique que Jeannine Auboyer avait jointe à l'hommage qu'elle lui consacra au tome I d'*Arts asiatiques* (1954). Mais son chef-d'œuvre fut peut-être cet *Empire des steppes* qui révéla au grand public, en 1938, les empires et les peuples nomades de l'Asie intérieure, avec une précision dans la synthèse qui en fait un instrument de travail pour les spécialistes eux-mêmes et dont une traduction anglaise récente atteste qu'il garde toute sa valeur.

Or l'histoire des croisades lui est apparue comme indissociable de celle des steppes. Qu'il s'agisse de la descente des Turcs dans le Proche-Orient ou de l'arrivée des Mongols sur l'Euphrate, les répercussions des ébranlements du monde des nomades se font sentir, suscitant la naissance, ou le déclin, des établissements des Francs. Personne comme René Grousset n'a su intégrer l'histoire de ceux-ci dans les grandes perspectives du passé de l'Asie. Avec lui, le frisson de l'épopée mongole vient relayer celui de la geste des croisades. Certes, ici aussi, il faut tenir compte des découvertes et des progrès de la recherche – nous avons cru pouvoir avancer que le plan de la campagne de Saint Louis, en 1270, tenait compte des projets de coopération ébauchés par l'Il-khan de Perse ; mais l'éclairage d'ensemble reste celui que nous devons à René Grousset.

Ainsi, tant par le récit des aventures des croisés et des Francs d'Orient que par la large vision, à l'échelle planétaire, du monde dans lequel venaient s'insérer ces aventures, l'*Histoire des croisades* reste un grand livre, et un livre admirablement écrit. Il est un classique : un de ceux qu'on ne saurait négliger de lire, même lorsque des travaux plus récents – et ils sont abondants – ont renouvelé l'état de nos connaissances. Pour tout dire, derrière mon bureau, il est trois volumes qui sont toujours là, souvent consultés, souvent relus et toujours avec profit, ces volumes à la première page desquels, un jour, dans son bureau du musée Cernuschi, René Grousset écrivit quelques mots d'amitié.

Jean RICHARD,
membre de l'Institut.

Pour les noms orientaux, j'ai, à défaut des signes diacritiques qui déroutent le lecteur, indiqué par des italiques les lettres arabes sans correspondance dans l'alphabet latin : *th* pour le *tsâ*, *j* pour le *jime* (son *dj* français), *h* pour le *h'â*, *dh* pour le *dzâl*, *s* pour le *sâd*, *d* pour le *dhâd*, *t* pour le *t'â*, *z* pour le *z'â*, apostrophe *'* pour le *aïne*, *w* pour le *ouaou*, et *u* pour le *dhamma* (son *ou* français).

On trouvera l'index des noms propres à la fin du troisième volume.

Qu'il me soit permis d'exprimer ma vive reconnaissance à M. Henri Massé, professeur à l'École des Langues Orientales, qui m'a rendu le très grand service de m'aider de ses conseils, ainsi qu'à MM. Calmette, membre de l'Institut, et Gaston Wiet, directeur du musée arabe du Caire, dont l'amitié m'a été si précieuse au cours de ce travail.

R. G.

# INTRODUCTION

# LA QUESTION D'ORIENT À LA VEILLE DES CROISADES

## § 1er. — La question d'Orient d'après Guillaume de Tyr.

« *L'Estoire de Éracles, empereur.* »

Ce n'est pas sans raison que le chroniqueur Guillaume de Tyr commence son histoire des Croisades par le récit de la lutte de l'empereur d'Orient Heraclius contre le roi de Perse Khosroès Parvîz[1]. Dans une large fresque liminaire, il nous montre le grand roi sassanide envahissant en 614 la Terre Sainte, détruisant les églises et pillant le Saint-Sépulcre, puis Héraclius, préfiguration de Godefroy de Bouillon, reconquérant la Syrie, reconquête dans laquelle notre auteur voit, en fait, la première des croisades (628). Au-dessus de ce grand duel il dresse, symbole et enjeu de la lutte, la Vraie Croix que nous retrouverons en 1098, aux journées d'Antioche. « Cosdroez, li puissanz rois de Perse, estoit venu à grant force en Surie et avoit destruites les citez et les chastiaus, arses (brûlé) les villes, les églises fondues, grant partie du peuple ocis et l'autre partie menée en chaitivoisons (= captivité). La cité de Jherusalem prist à force, et ocist dedenz XXXVI mile homes ; la Vraie Croiz, où Jhesucrist fu morz por nous, emporta. » Au contraire « quant Éracles ot conquis Perse et ocis Cosdroez, il en raporta la Vraie Croiz en Jherusalem... ; et faisoit les églises refere et atirier les sainz leus que Cosdroez avoit destruiz ». Restauration éphémère, car, neuf ans après la délivrance du Saint-Sépulcre, les armées du khalife 'Omar faisaient la conquête de la Palestine (638).

Détail à noter, *l'Estoire d'Éracles*, informée comme elle l'était des affaires syriaques, ne manque pas de remarquer que les débuts de la domination arabe furent singulièrement plus tolérants pour les chrétientés indigènes que ne l'avait été l'éphémère occupation des Sassanides : « Homar et ses pueples d'Arabe, quant il vindrent à la sainte cité de Jherusalem, il la trovèrent destruite et déserte. Un pou de pueple qui habitoient ès ruines, lessièrent demorer iluec, par treus (tributs) qu'il mistrent sur eus, et soufrirent qu'il vesquissent comme Crestien et refeissent leur églises et esleussent ilec un patriarche. » Après la tolérance des khalifes omaiyades, l'archevêque de Tyr nous vante celle du grand souverain 'abbâside Hârûn al-Rashîd et ses relations avec Charlemagne. « [Il avint que uns granz sires de cele loi ot presque toute la terre d'Orient, fors seulement Inde, en sa seignorie, qui ot non Aarons, en seurnon Ressit. Icil fu de grant cortoisie et de si grant largece et de si haute vigueur et de si grant afaire en toutes bonnes meurs que encore en parole-l'en (= on en parle) en toute paiennime, einsi com l'en parole en France de l'empereur Charlemaine.] Et por ce, en celui tens furent en un meilleur point la cité de Jherusalem et li Crestien de la terre qu'il n'avoient onques mès esté souz nul des mescréans ; car Charlemaines, li bons empereres, pour ce que la Crestientez de Surie fust plus débonairement et menée et traitée, porchaça tant que il ot l'amor et l'acointance de celui Aaron, par messages qui aloient et revenoient. Dont cil Aaron ot mout grant joie ; et sur touz les princes du monde voult-il l'empereur Charlemaine amer et ennorer. Et le pueple de la Crestienté qui estoit souz lui, et les sains leus qui estoient en son pooir, voult-il qu'il fussent atiriez et atornez (traités et ordonnés) si com Charlemaines li mandoit. Il sembloit que nostre gent (= les chrétiens de Syrie) fussent plus desouz le pooir (de) Charlemaine que desouz le pooir aus mescreanz[2]. » Texte bien curieux dans son exagération évidente, parce qu'il tend à transformer les interventions purement diplomatiques de Charlemagne en un protectorat effectif, c'est-à-dire à faire remonter au neuvième siècle les titres juridiques de la domination franque en Orient.

Après avoir mentionné le soi-disant protectorat carolingien sur la Terre Sainte, l'archevêque de Tyr passe directement à la persécution du khalife fâ*t*imide *H*âkim, puis à l'intervention de l'élément turc dans l'Islam, d'où devait également découler une aggravation dans la situation des chrétientés orientales, toutes causes qui provoquèrent à la fin du onzième siècle l'ébranlement de la Première Croisade. Bien renseigné sur le milieu arabe, notre chroniqueur ne nous laisse rien ignorer de la division de l'Islam entre les deux grandes confessions sunnite et shî'ite : « Cil, traduit son adaptateur, qui tiennent la loi de Perse[3] ont non en leur langage *Sonni ;* et cil de la loi d'Égypte[4] sont appelé *Siha*, et cist (= les Shî'ites) ne sont pas si loing de la vraie foi crestienne com sont li autre. » Plus loin, c'est l'éloge de la vaillance de « Haly, qui fu li meilleurs chevaliers et li plus esprovez de meillor cuer et de plus grant proece que li autre galife n'avoient esté[5] ». Cette préférence pour le shî'isme est d'autant plus à remarquer que ce fut un khalife shî'ite, le fâ*t*imide *H*âkim (996-1020), qui, comme on l'a dit, provoqua par ses persécutions insensées le mouvement de réprobation d'où devaient à la longue sortir les Croisades.

Malgré cette persécution isolée, *l'Estoire d'Éracles* se félicite, en somme, de la conquête de la Syrie par les Shî'ites de l'obédience fâ*t*imide : « Il avint que cil d'Égypte issirent de leur terres et conquistrent toutes les terres qui sont jusqu'en Antioche ; et avec les autres citez qui furent prises, la sainte cité de Jherusalem vint en leur pooir et soz leur seignorie. Assez li estut bien, selonc l'èse que l'en puet avoir en chaitivoison (en captivité). » Conformément à ce jugement, le chroniqueur franc ne considère la persécution du khalife *H*âkim que comme le fait purement individuel d'un Néron musulman et reconnaît loyalement que son successeur, le khalife al-Zâhir, rétablit à l'égard des chrétientés coptes et syriaques les habitudes de relative tolérance de sa famille[6].

Comme il préfère, au point de vue confessionnel, les Shî'ites aux Sunnites, Guillaume ne dissimule pas, au point de vue ethnique, sa préférence pour l'élément arabe par rapport à l'élément turc. Malgré les splendeurs de l'épopée seljûqide, les Turcs au douzième siècle étaient encore bien près de leurs origines barbares. *L'Estoire d'Éracles* nous montre ces clans nomades transhumant sans cesse à la suite de leurs troupeaux, à travers les steppes de l'Asie centrale. « Si furent gent moult rude et sanz atirement, ne n'avoient nul certein siège et queroient partout pastures à leurs bestes ; n'onques n'avoient abité n'en cité n'en chastel. Il menoient avec eus toutes leur choses, leur iveries (manades de chevaux), bues et vaches et berbiz : en teles choses estoient toutes leur richèces[7]. » Aussi la conquête de l'Orient musulman par le clan turc des Seljûqides au milieu du onzième siècle, et notamment leur domination en Syrie, à partir de 1071, apparaissent-elles à notre chroniqueur comme ayant sensiblement aggravé la condition des communautés chrétiennes : « Et descendirent (les Turcs) en Surie et conquistrent les terres, et, entre autres citez, pristrent la sainte cité de Jherusalem. Le peuple que il i troverent, menèrent moult mal et tormentèrent et grevèrent plus que il n'avoit esté devant[8]. »

*Guillaume de Tyr et les droits de Byzance.*

La grande défaite infligée à l'empereur byzantin Romain Diogène par le sultan seljûqide Alp Arslân, près de Malâzgerd (ou Manazgherd) le 26 août 1071, défaite qui assura aux Turcs la possession de l'Arménie, de l'Asie Mineure et de la Syrie, nous est donc présentée – avec raison d'ailleurs – par *l'Estoire d'Éracles* comme le pire désastre de l'histoire chrétienne. Ici encore, comme tout à l'heure à propos d'Héraclius et des Perses, le chroniqueur nous dépeint le duel du *basileus* et du sultan comme étant, déjà, un épisode de la Croisade : « Li mescreant combatoient pour essaucier leur loi ; li Crestien deffendoient la foi (de) Jhesucrist. » La défaite des Byzantins, imputée à leur lâcheté (« li Grec se metent au foïr si desconfitement et si laidement que nus ne prenoit retour de soi »), est suivie de la capture de Romain Diogène et de l'humiliation de tout l'hellénisme dans la personne de son *basileus* : « Belfeth (= le sultan Alp Arslân)[9] fist venir devant lui l'empereur qui estoit pris, et sist en son faudestuel et tint ses piez sur le col (de) l'Empereur en leu d'eschamel (= escabeau). » Ce désastre, suivi de la conquête de l'Anatolie et de la Syrie par les Seljûqides et de l'effacement de l'empire byzantin presque entièrement rejeté en Europe, ne laissait aux chrétientés syriennes d'autre espoir que dans l'intervention des Francs. « Ce fu une chose qui merveilles greva la sainte cité de Jherusalem et le pueple de la terre, car, tandis que li empires de Costantinoble estoit en grant pooir, mainz granz secors et maint bon confort de riches dons venoient d'iluec au pueple de Surie ; mès ore avoient-il tout perdu, ne n'avoient mès point d'espérance que aide ne secors leur venist jamès de là[10]. » Assertion grosse de conséquences, car elle tend à fonder en droit l'aventure de la croisade. Le désastre de Malâzgerd, la capture et l'humiliation de Romain Diogène sont nettement présentés ici comme équivalant à l'abdication de Byzance en Asie, à l'abolition de ses titres de possession et au remplacement des Byzantins par les Latins dans le protectorat des Lieux Saints.

Cette thèse, qui était sans doute vraie au point de vue purement militaire (car ce fut la Première Croisade qui permit seule aux Byzantins de réparer en partie les conséquences du désastre de Malâzgerd), fut toujours celle des théoriciens latins. Elle n'a qu'un tort, c'est qu'entre l'invasion arabe du septième siècle et l'invasion turque du onzième, elle omet de mentionner la reconquête byzantine du dixième siècle. Or cette reconquête, qui avait été en réalité, elle aussi, une croisade véritable, avait créé ou rendu à l'empire byzantin des titres juridiques incontestables sur la possession ou la suzeraineté d'une bonne partie de la Syrie. Avoir voulu l'ignorer devait causer aux Croisés et à leurs successeurs, les princes franco-syriens du douzième siècle, une série de difficultés sans cesse renaissantes.

Un retour sur le passé est donc ici nécessaire pour établir la situation respective, territoriale et juridique, du monde musulman et du monde byzantin à l'arrivée des Croisades.

### § 2. — L'AFFAISSEMENT DE LA PUISSANCE ARABE : LE MORCELLEMENT DE L'EMPIRE 'ABBASIDE ET LA CROISADE BYZANTINE DU DIXIÈME SIÈCLE.

*Affaissement de l'empire 'abbâside.*

La question d'Orient, si l'on entend par ce terme, comme l'eussent fait les gens du moyen âge, le problème syrien, paraissait au neuvième siècle définitivement tranchée. L'empire arabe des khalifes 'Abbâsides étendait de Bukhârâ à la Nubie sa domination incontestée ; dans les conflits qu'elle avait avec lui, en Cappadoce et en Phrygie, la Byzance des derniers empereurs isauriens était régulièrement vaincue et chaque fois contrainte à payer tribut. Si Charlemagne obtenait certains avantages moraux en Terre Sainte, il ne les tenait, comme on l'a dit, que de ses excellentes relations diplomatiques avec le khalife Hârûn al-Rashîd.

Au dixième siècle la situation changea. La question d'Orient, par suite de l'effondrement politique et du morcellement de l'Empire 'Abbâside, se trouva ouverte à nouveau. Dans tout l'ancien Iran et jusqu'en 'Irâq 'Arabî, l'élément iranien, sans rompre avec l'obédience religieuse 'abbâsside, prit sa pacifique revanche sur l'élément arabe et imposa aux khalifes son hégémonie. Tout l'Iran Oriental – Khorâsân, pays de Hérât, de Kâbul et de Balkh, Transoxiane, Ferghâna et Khwârizm – devint ainsi le fief de la dynastie purement iranienne des émirs Sâmânides qui, de Bukhârâ et de Samarqand, ses capitales, gouverna cette vaste région, avec une indépendance de fait, durant tout le dixième siècle (903-990). Une autre dynastie non moins iranienne, celle des Bûyides, se rendit maîtresse de la Perse occidentale – 'Irâq 'Ajemî, Fârs et Kirmân, Khûzistân – voire du 'Irâq 'Arabî et de Baghdâd qu'elle conserva de 945 à 1055. Iranienne même, cette dynastie, au point d'avoir, dans les palais de Baghdâd, en pleine capitale des khalifes sunnites, maintenu sa foi shî'ite, hérésie aux yeux des musulmans orthodoxes. Cependant les princes Bûyides ne renversèrent pas le khalifat 'abbâside. Ils se contentèrent de s'établir à titre de maires du palais – littéralement comme émirs des émirs *(amîr al umarâ)* – aux côtés des khalifes réduits au rôle de rois fainéants. Il s'ensuivit pour le khalifat arabe une période d'abaissement total : durant plus d'un siècle, le Commandeur des Croyants ne fut plus qu'un jouet aux mains des émirs bûyides. En dépit de ce fantôme de khalifat arabe par eux maintenu, les Bûyides étaient si conscients de la restauration persane incarnée en eux qu'ils se forgeaient – comme d'ailleurs le faisaient aussi les Sâmânides – de laborieuses généalogies pour se rattacher aux anciens rois de Perse de la dynastie sassânide renversée trois siècles plus tôt par l'Islam.

Cette double dissidence iranienne était singulièrement grave pour les Marches arabes du Levant. Véritables rois de Perse, Sâmânides et Bûyides limitaient leur horizon à l'Iran et à ses dépendances, Turkestan d'un côté, Chaldée de l'autre. Les terres purement arabes du Proche Orient – Jazîra, Syrie, Palestine, Égypte – ils s'en désintéressaient. Lorsque, aux environs de 964, le conquérant byzantin Nicéphore Phocas adressera un défi insultant au khalife de Baghdâd, à l'abbâside al-Mutî', ce brusque rappel aux réalités de la guerre sainte n'excitera aucune réaction guerrière chez l'émir bûyide régnant, Mu' izz al-Dawla, cependant responsable de l'honneur 'abbâside[11].

De même lorsqu'en 973 le peuple de Baghdâd, indigné de l'indifférence des pouvoirs publics en présence de la reconquête byzantine, fomentera une redoutable émeute pour contraindre ceux-ci à la guerre sainte, le Khalife al-Mutî' ne consentira que sous la menace à ouvrir ses trésors pour équiper l'armée du *jihâd* ; mais ce geste même sera inutile car le nouvel émir al-umarâ bûyide 'Izz al-Dawla Bakhtiyâr, qui avait feint de s'associer au mouvement populaire et contraint le khalife à s'exécuter, s'empressera de détourner pour son usage personnel les fonds de la guerre sainte[12]. En réalité les Bûyides étaient bien décidés à ne jamais dépasser l'Euphrate : la dissidence iranienne, la domestication du khalifat par les princes iraniens livraient l'Islam syrien à ses propres forces.

Et pour achever de l'affaiblir, l'Islam syrien était victime du même morcellement féodal que le reste du khalifat. Dans ce démembrement politique général que les khalifes de Baghdâd avaient été obligés d'accepter de bonne grâce, trop heureux de maintenir seulement, avec le principe de leur souveraineté nominale, leur primauté pontificale, la Palestine, la Syrie méridionale avec Damas et Ba'albek et la côte phénicienne avec Tyr, Sidon, Beyrouth et Tripoli étaient échues, en même temps que l'Égypte, à la maison turque des Ikhshîdites, dont le fondateur, Mu*h*ammed-Ikhshîd ibn Tughj, avait su transformer le gouvernement de l'Égypte en un fief héréditaire pratiquement indépendant (935-969)[13]. De même, une autre famille de gouverneurs locaux, mais arabe celle-là, la maison *H*amdânide, transformait en fiefs héréditaires ses gouvernements de la région de Mossoul, auquel elle ajoutait bientôt la Syrie du Nord[14]. Deux branches *h*amdânides distinctes se partagèrent le pays. L'aînée, fondée par Nâ*s*ir al-Dawla, régna sur Mossoul, le Diyârbékir et la Jazîra (929-991). La cadette, fondée par Saîf al-Dawla, frère de Nâ*s*ir, et qui dura de 944 à 1003, régna à Alep sur la Syrie du Nord (Alep, Antioche, Lattaquié, Shaîzar, *H*amâ et *H*om*s*), avec, comme dépendances, la Commagène et la Cilicie. Indépendamment de cette division qui affaiblissait nécessairement les forces *h*amdânides, la branche de Mossoul fut sans cesse aux prises avec les émirs bûyides de Baghdâd qui la dépossédèrent en 979. Quand aux *H*amdânides d'Alep qui avaient enlevé cette ville aux Ikhshîdites d'Égypte, ils restèrent en hostilité permanente avec ceux-ci, jusqu'au jour où ils furent finalement évincés par les Fâ*t*imides, successeurs des Ikhshîdites. Le fondateur de la branche d'Alep, le chevaleresque Saîf al-Dawla (944-967) allait de la sorte se trouver seul en face de la reconquête byzantine qui descendait du plateau d'Anatolie.

*Le réveil de Byzance sous la dynastie macédonienne.*

Les Byzantins, même au temps de leur pire affaiblissement, aux plus mauvais jours des dynasties héraclide et isaurienne, n'avaient cessé de guerroyer contre les Arabes aux marches-frontières de Cappadoce. Longtemps malheureux tant qu'ils se trouvaient en présence de l'immense empire unitaire des Omaiyades et des premiers 'Abbâsides, ils purent sentir, à partir du dixième siècle, que la force guerrière de leur ennemi, affaibli par ses divisions ethniques, politiques et religieuses, mollissait. Or c'était précisément l'heure où s'affermissait à Constantinople le pouvoir de la plus grande des dynasties de l'histoire byzantine, la dynastie « macedonienne », qui devait rendre au vieil empire une vigueur insoupçonnée, d'abord parce qu'avec elle se rétablit le principe de la continuité dynastique, puis, parce qu'elle trouva pour la servir une pléiade de chefs militaires de génie, sortis pour la plupart des thèmes anatoliens.

À cette époque, en effet, le siège de l'hellénisme n'était plus en Grèce, mais en Asie Mineure. À mesure que l'Hellade dépeuplée était recolonisée par les infiltrations slaves, la

« Romanie » véritable, une Romanie vaste, opulente et dense, se révélait entre le Bosphore et le Taurus. C'est que là – et là seulement – la terre était réellement byzantine. Depuis longtemps l'Égypte et la Syrie, rejetant la culture grecque, s'étaient abandonnées à la réaction indigène : bien avant l'invasion arabe, l'élément copte triomphait en Égypte, l'élément araméen en Syrie. En Asie Mineure, au contraire, l'hellénisation avait été totale, définitive, parce qu'elle n'avait pas porté seulement sur les populations urbaines, mais sur la masse de l'élément rural. Là, à Chalcédoine, à Nicomédie, à Nicée, à Nazianze, l'orthodoxie grecque, cette conscience nationale de l'hellénisme médiéval, s'était définie et fixée. Depuis qu'au huitième siècle l'infiltration slave et l'invasion bulgare avaient enlevé à l'hellénisme l'intérieur des Balkans, l'Asie Mineure était plus que jamais le cœur de l'empire. C'était le tribut des thèmes anatoliens qui remplissait le trésor impérial. C'était parmi les robustes paysans d'Anatolie que le basileus recrutait ses armées. Et c'étaient les grands propriétaires de *latifundia* anatoliens, les Gourgèn, les Phocas, les Tzimiscès, les Maniacès, les Diogènes et les Comnènes, qui, profitant du partage de l'empire 'abbâside, allaient conduire la croisade byzantine sur les chemins de la Syrie[15].

La croisade byzantine pour la reconquête de l'ancienne Asie romaine sur les Arabes commença au milieu du règne du troisième empereur de la dynastie macédonienne, Constantin Porphyrogénète, lequel occupa le trône de 913 à 959. C'était, on l'a vu, l'époque où le domaine 'abbâside achevait de se morceler entre les Bûyides à Baghdâd, les *H*amdânides à Mossoul et à Alep et les Ikshîdites en Égypte et à Damas. De 927 à 929 les Byzantins, commandés par un général de race arménienne, Jean Gourgèn, prirent pied sur la frontière de l'Arménie en s'emparant de Théodosiopolis (Erzéroum) et forcèrent les gouverneurs arabes de Mélitène (Mala*t*iya), d'Amida (Diyârbekir) et de Martyropolis (Miyâfâriqîn) à leur payer tribut. En 934 Jean Gourgèn rase Mélitène révoltée et annexe son territoire[16]. En 941-942 les Byzantins s'emparent de Martyropolis. L'émir d'Édesse (Orfa) n'obtient la paix qu'en cédant à Jean Gourgèn le Saint Suaire (944). Pendant les années suivantes l'émir *h*amdânide d'Alep, Saîf al-Dawla, qui, comme son nom l'indique, est vraiment le glaive de l'empire musulman, reprend l'offensive du côté de la Commagène, mais l'avantage reste finalement aux Byzantins. En 948-949 ceux-ci lui enlèvent Germanicée (Mar'ash) ; en 957 leur nouveau général, Léon Phocas, s'empare un moment de Tarse, capitale de la Cilicie, puis d'Amida (Diyârbekir) ; en 958 Samosate est occupée ; en 959 Léon Phocas s'avance jusqu'au delà du Tigre. « L'Euphrate était redevenu la base, le Tigre l'objectif des légions romaines. » Le peuple de Constantinople ne se trompait pas sur la signification de ces succès. « Gloire à Dieu qui a triomphé des Agarènes ! », s'écriait-il en acclamant dans le cirque ses généraux vainqueurs. C'était déjà le cri des croisés de 1095 : « Dieu le veut ! »[17].

*La Croisade byzantine sous Nicéphore Phocas.*

Ce n'étaient là que les premiers symptômes de la revanche. Quelques années après, un illustre capitaine byzantin que ses victoires portèrent au trône, Nicéphore Phocas, donna à la reconquête chrétienne une impulsion décisive[18]. « Il rêvait, écrit Schlumberger, de rendre à l'Empire les vieilles frontières romaines, de rejeter l'Arabe en Chaldée, de recouvrer la Syrie, de délivrer le Saint-Sépulcre, de restaurer à Jérusalem la foi du Christ. » Après avoir chassé les corsaires arabes de la Crète (961), Nicéphore envahit la Cilicie, province qui dépendait du *h*amdânide Saîf al-Dawla, et s'empara de deux des principales places du pays, Anazarbe et Sis (962). De là, à la fin de la même année 962, il passa dans la Syrie du Nord, et enleva aux lieutenants de Saîf al-Dawla l'importante place de 'Aintâb et Menbij, où le poète arabe Abû Firâs, cousin de Saîf al-Dawla, fut fait prisonnier. Nicéphore Phocas et son lieutenant Jean Tzimiscès marchèrent ensuite sur Alep, écrasèrent l'armée alépine aux portes mêmes de la ville et mirent le siège devant celle-ci. Le 23 décembre 962 Alep fut pris d'assaut par les guerriers byzantins et impitoyablement saccagé. « Les fantassins byzantins, poursuivant par les ruelles sombres et tortueuses, par le dédale des bazars, les femmes sarrasines d'Alep, vengeaient inconsciemment, écrit Schlumberger, trois siècles de désastres presque incessants, trois siècles de souffrances inouïes pour ces malheureuses populations chrétiennes d'Asie Mineure et de Syrie[19]. » La grande mosquée d'Alep fut transformée en écurie. Cependant, comme la citadelle elle-même tenait bon, Nicéphore Phocas, satisfait d'avoir dévasté la ville, rentra en Cilicie avec ses prisonniers.

Après être allé à Constantinople recueillir la couronne impériale, Nicéphore Phocas dirigea une nouvelle expédition contre les *H*amdânides (964). Précisément, au même moment, ceux-ci se trouvaient pris à revers par les Bûyides de Baghdâd : l'émir al-umarâ bûyide Mu'izz al-Dawla enleva au *h*amdânide Nâ*s*ir al-Dawla Mossoul et Nisibe, et, à la paix, garda Nisibe et ne lui rendit Mossoul que contre un lourd tribut. L'état du monde musulman favorisait donc, une fois de plus, la reconquête byzantine. Dans un curieux manifeste adressé à la cour de Baghdâd, le *basileus* énumérait les places de la Commagène, de la Jazîra et de la Syrie septentrionale conquises, pillées ou insultées au cours des années précédentes, et il annonçait le programme des expéditions suivantes : « Antioche n'est pas loin de moi, bientôt je l'atteindrai avec mes multitudes valeureuses, ainsi que Damas, demeure de mes ancêtres, dont la possession leur reviendra sous mon sceau ! Ô vous qui habitez les déserts de sable, malheur à vous ! Retournez dans votre pays de Sana (en Arabie), votre première patrie. Bientôt, par mon glaive, je conquerrai de force l'Égypte, et ses richesses viendront accroître mon butin... Malheur à vous, gens de *H*arrân ! Voici les troupes des Grecs qui fondent sur vous comme l'orage ! Il en sera de même pour les gens de Nisibe, de Mossoul, pour ceux même de la Jazîra de mes ancêtres et de tout notre antique royaume. Allons, gens de Baghdâd, hâtez-vous de fuir et malheur à vous, car votre empire affaibli ne va pas durer. Vous avez accepté comme khalife le Dailemite (= l'émir al-umarâ bûyide) et vous êtes maintenant les esclaves des Dailemites. Retournez, avilis, au pays du *H*ejâz et laissez-nous le pays des Grecs ! » Après cette insultante allusion à la décadence de la race arabe, à son effacement entre la renaissance persane et la reconquête romaine, le programme intégral de la Croisade byzantine : « Je marcherai vers La Mecque, traînant à ma suite une multitude de soldats pareils aux nuits obscures. Je m'emparerai de cette ville pour y dresser un trône au Meilleur des Êtres (le Christ). Puis je me dirigerai vers Jérusalem. Je conquerrai l'Orient et l'Occident et je répandrai en tous lieux la religion de la Croix ![20]. »

Manifeste vraiment historique, car ce qu'il annonçait à l'Islam, en lettres de feu, ce n'était rien de moins que le commencement de l'ère des Croisades. Il est symptomatique que, exception faite d'une belle réponse théologique rédigée par Al-Qaffâl de Tâshkend, l'Islam n'ait pas réagi. Car on ne peut compter comme une réaction sérieuse l'arrivée auprès des *H*amdânides, en 965, de contingents venus du Khorâsân sâmânide. Du reste, avant de songer à employer ces troupes à la guerre sainte, les *H*amdânides avaient voulu les utiliser dans leurs querelles contre les émirs al-umarâ bûyides[21]. En réalité, si l'arrivée de ces Khorâsânis répondait à la prédication d'un *jihâd*, elle ne produisit aucun résultat positif. Mal utilisés par les musulmans de Syrie qu'ils étaient venus défendre, les nouveaux arrivants se dispersèrent sans avoir rien fait. L'Islâm, paralysé par ses divisions, était alors incapable d'une action commune contre l'envahisseur chrétien. Cette situation, qui se reproduira au douzième siècle, expliquera alors le succès de la croisade latine, comme elle explique, au dixième, le succès de la croisade grecque.

Après avoir envoyé un de ses lieutenants, Nicétas Chalcoutzès, enlever aux Arabes l'île de Chypre (964-965), Nicéphore Phocas vint achever la reconquête de la Cilicie sur les *H*amdânides par la prise de Massissa (Missis, Mamistra) et de Tarse. Les deux cités furent prises après un long siège (13 juillet 965), une escadre de secours, envoyée par les Ikshîdites d'Égypte, étant arrivée trop tard. La population arabe fut déportée en masse et la Cilicie méthodiquement repeuplée par des immigrants chrétiens. Ce repeuplement (dont les effets survivront à l'éphémère occupation seljûqide du onzième siècle) rendra possible, cent trente ans plus tard, le succès de la croisade franque en ces régions[22].

En 966 Nicéphore Phocas vint ravager la Mésopotamie jusqu'à Nisibe, à mi-chemin de Mossoul, au cœur des possessions *h*amdânides, puis la Syrie du Nord où il s'empara de la place forte d'Artâ*h*, entre Alep et Antioche, et vint insulter cette dernière ville. Saîf al-Dawla mourut sur ces entrefaites, en janvier 967 ; lui disparu, rien ne s'opposait plus à la reconquête byzantine. Son fils, Sa'ad al-Dawla, qui lui succéda à Alep, n'était pas de taille à résister. Nicéphore Phocas en profita pour exécuter une nouvelle campagne en Syrie (968). Après être venu battre les *H*amdânides devant Alep, le basileus prit et saccagea Ma'arrat al-Nu'mân, Kafar*t*âb, Shaîzar, dont la grande mosquée fut réduite en cendres, *H*amâ et *H*om*s*, que la population arabe avait précipitamment évacuées et qui furent livrées aux flammes. À *H*om*s*, Nicéphore fit sa prière dans la grande mosquée – une ancienne église chrétienne – puis l'incendia également, non sans en avoir au préalable enlevé le chef de saint Jean-Baptiste. Après avoir saccagé la vallée de l'Oronte, le conquérant byzantin traversa le Liban pour se rabattre sur la côte phénicienne. Il prit Jabala, 'Arqa, Tortose et saccagea la banlieue de Tripoli. Le wâli de Laodicée (Lattaquié) se reconnut spontanément vassal de l'empire. Puis, traînant avec lui cent mille captifs, Nicéphore remonta vers le nord, par la route d'Antioche. En rentrant à Constantinople, il laissait en Syrie une armée commandée par son neveu, Pierre Phocas, et par le *stratigos* Michel Bourtzès qu'il chargea du blocus d'Antioche.

Sur ces entrefaites l'émir *h*amdânide d'Alep, Sa'ad al-Dawla, fut chassé de sa capitale par son propre général, Karghûyâ. La guerre ayant éclaté entre l'usurpateur et l'émir dépossédé, Michel Bourtzès, un des deux généraux laissés par le *basileus* devant Antioche, résolut de brusquer l'assaut. Il savait pouvoir compter sur la sympathie agissante des éléments chrétiens de la population, qui le tenaient au courant de l'état de la place. (Ce seront également les chrétiens d'Antioche – des Arméniens notamment – qui en 1098 livreront la ville aux Francs)[23]. Le 29 octobre 969, Bourtzès profita d'une nuit obscure pour escalader le rempart avec une troupe d'élite. La garnison, revenue de sa surprise, était sur le point de l'accabler sous le nombre, lorsque Pierre Phocas, arrivant avec des renforts, acheva la prise de la ville (1er novembre 969). La population musulmane fut expulsée en masse et remplacée par des éléments chrétiens appelés de toute la Syrie.

La reconquête d'Antioche par les Byzantins marque le couronnement de la croisade grecque. L'antique métropole syrienne, rendue par Michel Bourtzès à l'hellénisme et à la chrétienté, devait rester pendant cent quinze ans, de 969 à

1084, le boulevard de l'empire en ces régions[24]. Longue domination qu'il ne faut jamais perdre de vue quand on étudie l'histoire de la première croisade, d'autant qu'entre cette occupation byzantine et la conquête franque l'occupation turque ne devait durer que quatorze ans (1084-1098) ; à cette brève interruption près, bientôt considérée par les chrétiens comme un simple accident, la conquête franque devait succéder presque directement à la domination byzantine. On conçoit, dans ces conditions, la solidité de l'hypothèque byzantine sur Antioche, la valeur des titres juridiques que la dynastie impériale des Comnènes, successeurs des grands Macédoniens du dixième siècle, ne devait cesser, durant tout le douzième siècle, d'élever contre la prise de possession de la capitale syrienne par les Croisés d'Occident. C'est là un point de droit sur lequel il importe d'insister ici, car il éclairera toute l'histoire de la Syrie franque.

Après la prise d'Antioche, ce fut le tour d'Alep. Le nouveau seigneur de cette ville, l'usurpateur Karghûyâ, implorait l'aide des Byzantins contre un retour offensif de son maître le *h*amdânide Sa'ad al-Dawla. Pierre Phocas força le *h*amdânide à lever le siège, mais il se retourna brusquement ensuite contre Karghûyâ et s'empara de la ville. Cependant, comme la citadelle était restée au pouvoir de Karghûyâ, Pierre Phocas se contenta d'exiger de celui-ci, avec un tribut annuel, la reconnaissance de la suzeraineté byzantine (décembre 969 ou janvier 970). Le traité conclu à ce sujet est exposé tout au long dans Kemâl al-Dîn : on y voit que les Byzantins avaient su réduire l'émir d'Alep à une étroite vassalité. Signe visible de ce protectorat très effectif, les églises chrétiennes étaient partout relevées dans l'émirat[25]. À la mort de Nicéphore Phocas, toute la Syrie du Nord était rattachée directement ou indirectement à l'empire byzantin.

Cependant une révolution grosse de conséquences venait de se produire dans l'Islam. En 969 les Fâ*t*imides de Tunisie, qui appartenaient à la confession shî'ite, envahirent l'Égypte et détrônèrent la dynastie des Ikshîdites. L'Égypte, avec ses dépendances asiatiques, Palestine et Damascène, forma alors un khalifat shî'ite et dissident, dressé contre le khalifat 'abbâside et orthodoxe de Baghdâd. Pendant deux siècles pleins (969-1171) l'Islâm allait donc être partagé entre deux obédiences pontificales naturellement ennemies. Au morcellement politique, à l'émiettement féodal et aux réveils nationaux dont souffrait déjà la société musulmane venait s'ajouter le schisme religieux : « Grand-schisme islamique » qui, en troublant profondément la conscience musulmane, devait achever de favoriser la reconquête chrétienne. Toutefois le bénéfice de cette division ne devait se faire entièrement sentir qu'au douzième siècle, au profit de la croisade franque. Sur le moment l'installation de la jeune dynastie fâ*t*imide en Égypte ne pouvait que barrer à la descente byzantine la route des Lieux Saints. En 970 le général fâ*t*imide Jafar ibn-Fellâ*h* vint même assiéger Antioche, attaque qui d'ailleurs échoua et fut désavouée en Égypte.

*La Croisade byzantine sous Jean Tzimiscès.*

L'empereur Jean Tzimiscès qui succéda à Nicéphore Phocas sur le trône de Constantinople (969-975) se trouva donc en présence d'une situation nouvelle, en principe moins favorable. Heureusement pour lui les Fâ*t*imides rencontrèrent dans le milieu arabe de Syrie des difficultés qui amortirent leur élan. Ce fut ainsi que Damas tomba au pouvoir d'un aventurier turc nommé Aftekîn, ancien condottiere au service des 'Abbâsides de Baghdâd, passé nominalement au service des Fâ*t*imides, mais qui, une fois maître de la grande ville syrienne, profita de la querelle entre les deux khalifats pour se rendre pratiquement indépendant. Le morcellement politique de l'Orient musulman s'en trouva encore accru.

En 974, Jean Tzimiscès entreprit sa première campagne en Asie. Il commença par une promenade militaire aux frontières de l'Arménie, pays qui formait alors un royaume féodal indépendant sous la suzeraineté de la dynastie nationale des Pagratides. Le Pagratide régnant, Ashod III, s'engagea à lui fournir pour ses campagnes contre l'Islam un corps de dix mille soldats d'élite, contingent qui devait en effet rendre les plus précieux services à la reconquête byzantine. Après avoir ainsi formé le faisceau des deux grandes forces chrétiennes du nord, la byzantine et l'arménienne, Tzimiscès descendit vers la Mésopotamie (automne 974). Il rançonna Martyropolis (Miyâfâriqîn), Amida (Diyârbekir), et, le 12 octobre, entra dans Nisibe (Nisîbîn), évacuée par la population. L'émir *h*amdânide de Mossoul, Abû-Taghlib, fils et successeur de Nâ*s*ir al-Dawla, se sentant incapable de résister, se reconnut tributaire de l'Empire. Le basileus songea même un moment à tenter une marche de surprise sur Baghdâd[26].

Ce n'était là qu'une campagne de pillage. Au printemps de 975, Jean Tzimiscès exécuta en Syrie une expédition beaucoup plus sérieuse[27]. Parti d'Antioche dans le courant d'avril, il remonta la vallée de l'Oronte. *H*om*s* paya tribut sans opposition. Ba'albek ayant voulu résister fut châtiée durement. Jean Tzimiscès atteignit ensuite Damas. Cette ville, on l'a vu, appartenait maintenant en propre au Turc Aftekîn, qui, louvoyant entre l'obédience 'abbâside et l'obédience fâ*t*imide, cherchait à se maintenir contre l'une et l'autre. Aftekîn, à l'arrivée des Byzantins, comprit le parti qu'il pouvait tirer de ce facteur nouveau. Il se reconnut spontanément tributaire du *basileus* qui le confirma dans sa seigneurie, le combla de présents et assista à une brillante fantasia donnée en son honneur. « Tzimiscès, écrit à ce sujet Bar Hebraeus, ordonna à l'émir de galoper devant lui et de donner ce spectacle à ses troupes. L'émir courut donc et reçut l'approbation du *basileus* pour sa belle tenue. Il en fut si ému qu'il descendit de cheval et baisa la terre devant Tzimiscès. L'*autocrator* lui ordonna de remonter à cheval, mais comme il ajoutait qu'il se contenterait pour la ville prise du tribut d'une année, le chef musulman, une fois encore, se prosterna dans la poussière. Alors Jean, par assaut de courtoisie, lui demanda comme souvenir la noble bête avec laquelle il avait si superbement couru aux applaudissements de l'armée[28]. » Sans doute l'aventurier turc trouvait-il son compte au protectorat byzantin qui le garantissait contre un retour offensif des Fâ*t*imides. Quant aux Byzantins, leur réception à Damas et l'établissement de leur suzeraineté sur cette ville, succédant à l'annexion d'Antioche et à la vassalisation d'Alep, achevaient d'établir leur hégémonie sur la Syrie intérieure.

De Damas, la grande armée byzantine descendit en Galilée. « Nous nous dirigeâmes, raconte lui-même Jean Tzimiscès dans sa lettre au roi d'Arménie Ashod III, vers le lac de Tibériade, là où Notre Seigneur Jésus-Christ, avec deux poissons et cinq pains d'orge, fit son miracle. Nous résolûmes d'assiéger la ville de Tibériade, mais les habitants vinrent nous annoncer leur soumission et nous apporter, comme ceux de Damas, beaucoup de présents. Ils nous demandèrent de placer à leur tête un commandant à nous et s'engagèrent par écrit à nous rester fidèles et à nous payer tribut à perpétuité. Nous leur avons épargné le pillage, parce que c'était la patrie des saints apôtres. Il en a été de même de Nazareth, où la Vierge Marie entendit de la bouche de l'ange la Bonne Nouvelle. Étant allés au mont Thabor, nous montâmes au lieu où le Christ, notre Dieu, fut transfiguré[29]. » La marche du conquérant byzantin prenait les allures d'une croisade, croisade précédant de cent vingt-quatre ans la croisade latine, mais inspirée par les mêmes mobiles et trahissant les mêmes émotions.

L'objectif de la croisade byzantine était tout naturellement Jérusalem. C'est ce qu'indique expressément Jean Tzimiscès lui-même, dans sa lettre à Ashod III. Déjà des délégations venaient de la ville sainte reconnaître la suzeraineté impériale. « Pendant que nous faisions halte (près de Thabor), des gens vinrent à nous de Jérusalem solliciter Notre Royauté et implorer notre merci. Ils nous demandèrent un chef, se reconnurent nos tributaires et consentirent à accepter notre domination. Notre désir était d'affranchir le Saint Sépulcre des outrages des Musulmans. Nous établîmes des chefs militaires dans tous les thèmes soumis par nous et devenus nos tributaires, à Bethsan, à Génésareth et à Acre[30]. Les habitants s'engagèrent par écrit à nous payer chaque année un tribut perpétuel et à vivre sous notre autorité. De là nous nous portâmes au bord de la mer, vers Césarée qui fut réduite ; et si les maudits Africains[31] ne s'étaient pas réfugiés dans les forteresses du littoral, nous serions allés, soutenus par le secours de Dieu, dans la cité sainte de Jérusalem et nous aurions pu prier dans ces lieux vénérés. »

Ce texte est fort clair en ce qu'il montre à la fois les succès réels et les limites – on peut même dire l'échec final – de la croisade byzantine.

La croisade byzantine, lancée sur la route de Jérusalem, ne dépassa pas vers le sud la région de Bethsan (Beisân), par la nécessité où se trouva Jean Tzimiscès d'aller combattre les armées fâ*t*imides retranchées dans les forteresses du littoral. Se contentant d'accorder l'investiture impériale aux émirs locaux de la Judée qui, à l'exemple d'Aftekîn, cherchaient de ce côté une garantie contre la centralisation fâtimide, le basileus se rabattit donc vers la côte. Il nous dit lui-même qu'Acre accepta de devenir tributaire et que Césarée fut prise par ses troupes. La garnison fâtimide de Beyrouth résista. « Nous nous rendîmes maîtres de la ville après une lutte très vive, écrit Tzimiscès, nous fîmes mille Africains prisonniers, ainsi que leur général Nouceiry (Al-Nâsir). Cette ville fut confiée par nous à un chef de notre choix. De là nous résolûmes de marcher sur Sidon. Dès que les habitants eurent connaissance de notre dessein, leurs anciens vinrent nous implorer et demandèrent à devenir nos tributaires. Nous exigeâmes ce tribut et leur imposâmes des chefs ». Byblos (Jebail), au contraire, résista. Tzimiscès la prit d'assaut et réduisit la garnison fâtimide en servitude. Tripoli seule, protégée par sa situation péninsulaire (l'ancienne Tripoli est la presqu'île actuelle d'al-Mînâ) brava toutes les attaques (on sait qu'elle devait résister dix ans aux Croisés francs, 1099-1109). Tzimiscès se vengea sur la contrée. « Nous saccageâmes de fond en comble toute la province de Tripoli, détruisant vignes, oliviers et jardins. Les Africains qui y stationnaient voulurent marcher contre nous : nous les exterminâmes[32] ». En regagnant Antioche, le conquérant byzantin se rendit maître, sur le littoral, de Balanée (Valania, Bâniyâs) et de Jabala (Jeblé), et, à l'intérieur, de Sahiyûn et de Barzuyia (Qal' at Berze)[33], deux puissantes forteresses situées à l'est de Lattaquié. Le gouverneur de Sahyiûn avait lui-même remis la place à Tzimiscès, acquisition précieuse car quarante ans plus tard Sahyiûn et Barzuyia appartenaient encore aux Byzantins. « Maintenant, écrivait Tzimiscès en rentrant à Antioche, toute la Phénicie, la Palestine et la Syrie sont délivrées de la tyrannie des Musulmans. En outre la grande montagne du Liban a reconnu nos lois[34]. » En témoignage de son triomphe Tzimiscès énumérait au roi d'Arménie toutes les reliques rapportées de l'expédition.

*La barrière fâtimide. Arrêt de la Croisade byzantine.*

En réalité la croisade byzantine de 975 n'avait que partiellement atteint son but. Sans doute elle avait momentanément placé sous la suzeraineté impériale les émirs du haut Oronte, de la Damascène, de la Galilée et de la Phénicie. Mais elle avait tourné court avant d'aborder la Samarie. « Le Gibraltar de Tripoli » était resté aux mains des Fâ*t*imides. Surtout Jérusalem, objectif avoué de Tzimiscès, n'avait pas été atteinte. Il était dit que l'honneur de conquérir le Saint Sépulcre – de réaliser la croisade – n'appartiendrait pas aux Grecs. Fait gros de conséquences au point de vue juridique. L'hypothèque byzantine, incontestable (et implicitement reconnue par les Latins eux-mêmes) quand il s'agissait d'Antioche[35], n'existera plus à propos de Tripoli et de Jérusalem. Le résultat, après la conquête latine de 1098-1099, sera une situation bâtarde, juridiquement fausse et d'où découleront tous les malentendus entre Grecs et Francs.

Car la croisade de Jean Tzimiscès ne fut jamais reprise. Le conquérant byzantin mourut peu après son retour à Constantinople, le 10 janvier 976. Basile II qui lui succéda – un des plus grands empereurs cependant, lui aussi, de l'histoire byzantine – se contenta de maintenir sa domination directe sur Antioche, avec un protectorat plus ou moins effectif sur l'émirat d'Alep. À Alep, l'émir *h*amdânide Sa' ad al-Dawla avait, en 976, recouvré la ville sur ses lieutenants infidèles ; attaqué par le général byzantin Bardas Phocas, il dut, malgré ses premiers refus, se reconnaître à son tour vassal de l'empire. Les *H*amdânides, d'ailleurs, avaient besoin de la protection impériale pour résister aux Fâ*t*imides d'Égypte. Après avoir ramené Damas sous leur domination, les Fâ*t*imides vinrent à plusieurs reprises attaquer Alep, et l'armée byzantine dut protéger contre eux Sa'ad al-Dawla, puis le fils de Sa'ad, le jeune Sa'îd al-Dawla[36]. En septembre 994, en voulant dégager Alep, une fois de plus bloqué par les Fâ*t*imides, les Byzantins se firent battre au gué de l'Oronte. L'empereur Basile II accourut alors du fond de la Bulgarie ; sa seule présence mit les Fâ*t*imides en fuite et dégagea Alep (avril 995). Avant de regagner l'Europe, Basile II alla enlever aux Fâ*t*imides Shaizar qui se soumit le second jour, *H*oms qui résista davantage et fut pris de force et dévasté, et Tortose où il mit garnison après en avoir relevé les fortifications. Mais la garnison fâ*t*imide de Tripoli résista à toutes les attaques[37], et, après le départ du *basileus*, le « duc » d'Antioche se fit battre et tuer par les Fâ*t*imides devant Apamée (Qal' at-Mu*d*îq). Basile II, ne voulant pas rester sur cet échec, revint en Syrie en 999. Il reprit une fois de plus aux Fâ*t*imides Shaizar où il installa des colons arméniens, brûla *H*om*s*, atteignit Ba'albek, traversa le Liban et se rabattit sur la côte phénicienne. Depuis les campagnes précédentes, Beyrouth et Jebail avaient été réoccupés par des garnisons fâ*t*imides. Malgré des razzias fructueuses dans la banlieue, il ne semble pas que Basile II ait pu y reprendre pied, et une fois de plus il échoua contre Tripoli. Cette campagne marqua l'arrêt définitif de la croisade byzantine. Il devint évident que les possessions byzantines en Syrie se limiteraient au duché d'Antioche, avec une suzeraineté de plus en plus théorique sur Alep, tout le reste de la Syrie restant aux khalifes fâ*t*imides d'Égypte. Un traité en ce sens fut conclu en 1001 entre Basile II et le khalife fâ*t*imide al-*H*âkim. Les cruelles persécutions de *H*âkim contre les Lieux Saints ne déterminèrent pas Basile à reprendre les idées de croisade qui avaient été celles de Nicéphore Phocas et de Jean Tzimiscès. La cour de Constantinople laissa même le protectorat fâ*t*imide se rétablir à Alep (1015), jusqu'au jour où le parti fâ*t*imide fut chassé par un chef arabe, de la tribu des Banû Kilâb, *S*âlî*h* ibn Mirdâs, fondateur de la dynastie des Mirdâsides (1023).

Les Mirdâsides possédèrent Alep de 1023 à 1079, ou plutôt ils ne cessèrent, durant ce demi-siècle, de se voir disputer la ville et sa région par les Fâ*t*imides avec alternance de dépossessions et de restaurations, mais au milieu de ces luttes incessantes ils surent interdire aux Byzantins toute velléité contre leur émirat : la victoire que l'émir mirdâside, Shibl al-Dawla, remporta sur l'empereur Romain Argyre à 'Azâz (Hazarth) en 1030 consacra l'indépendance de la dynastie. Un capitaine byzantin, d'origine turque[38], Georges Maniakès, empêcha les Mirdâsides d'exploiter leur succès au détriment du duché d'Antioche[39]. Nommé gouverneur de Samosate, Maniakès profita des luttes intestines qui désolaient la ville d'Édesse (alors possédée, comme Alep, par une branche des Banû Kilâb) pour s'en emparer. S'étant assuré de la complicité d'un des chefs de la garnison, le Turc Sulaîmân ibn al-Kurjî, il fut mis par celui-ci, à la faveur d'une nuit d'orage, en possession des tours de l'enceinte. Il n'avait avec lui qu'une poignée d'hommes, mais la population chrétienne d'Édesse – Syriens monophysites, Nestoriens et Arméniens – s'insurgeait en même temps. Malgré leur aide, il était en tel état d'infériorité numérique qu'il se vit bientôt assiégé dans sa conquête. Les Mirdâsides d'Alep et les gouverneurs fâ*t*imides de la Syrie centrale accouraient pour sauver Édesse. Mais Maniakès put être secouru à temps et resta finalement maître, au nom de l'empire byzantin, de la grande cité (1031)[40]. Conquête non moins précieuse que celle d'Antioche, et qui ne devait pas avoir de moindre répercussions historiques. En effet Édesse restera en la possession de l'empire jusqu'à la veille même des Croisades et, de ce fait, à l'époque de la fondation des États francs de Syrie, l'*hypothèque byzantine* portera sur « le comté d'Édesse » comme sur « la principauté d'Antioche ».

*Basile II et la question arménienne.*

À côté du barrage fâ*t*imide, une des causes de l'arrêt de la croisade byzantine fut le détournement de la reconquête macédonienne en direction de l'Arménie.

Comme aux Byzantins l'effondrement de l'empire 'abbâside avait profité aux Arméniens. La famille des Pagratides, dont le siège était Ani, sut rétablir progressivement l'indépendance nationale. En 885-886 le khalife de Baghdâd avait lui-même rétabli la royauté arménienne en faveur du pagratide Ashod I^er^ Medz ou le Grand. Intronisé par le khalife, Ashod avait eu l'adresse de faire confirmer son élévation par la cour de Constantinople. Son fils Sempad I^er^ Nahadag (le Martyr) (890-914) reçut de même la double investiture du *basileus* et du khalife. Malheureusement pour l'Arménie, si les 'Abbasides avaient reconnu son autonomie – autonomie qui, dans l'état du monde oriental, équivalait à l'indépendance –, elle n'en restait pas moins exposée aux attaques de la féodalité turque. C'était en effet l'époque où des aventuriers turco-arabes, profitant du morcellement du khalifat, avaient établi des émirats particuliers autour du lac de Van, à Khilâ*t* et à Bitlis, et aussi au sud du lac de Goksha, à Tovin, sans parler du grand émirat d'A*dh*arbaijân, à l'est de l'Arménie, dont dépendait Tovin. En 914, l'émir d'A*dh*arbaijân, Yûsuf, fit prisonnier le roi Sempad I^er^ et le martyrisa. Le cadavre fut exposé sur une croix à Tovin. Le fils de Sempad, Ashod II, le roi de Fer (Ergathi) (914-930), réussit par son énergie à tenir en respect l'émir d'A*dh*arbaijân et à repousser les autres émirs de la frontière.

Cependant l'Arménie redevenue indépendante se trouvait, elle aussi, émiettée en petits États féodaux. Le domaine propre de la dynastie pagratide ne comprenait que la partie septentrionale du pays, dans la région de l'Ararat, autour d'Ani et de Kars[41]. Le roi Ashod III le Miséricordieux (952-977) laissa même Kars en fief à son frère cadet Mousheg qui y fit souche d'une dynastie particulière[42]. Tout le reste du pays appartenait à des principautés locales, dont les chefs, bien que vassaux du roi pagratide d'Ani, avaient également pris le titre royal. La principale de ces dynasties secondaires était celle des Ardzrouniens, rois du Vaspourakan ou pays de Van, à l'est du lac. La jalousie des rois du Vaspourakan envers leurs suzerains pagratides troubla sans cesse l'Arménie au cours du dixième siècle. Malgré l'affaiblissement politique qui résulta d'un tel émiettement, le royaume d'Arménie était à la fin du dixième siècle un des plus prospères de l'Orient. Sous l'influence byzantine, Ashod III le Miséricordieux (952-977), Sempad II le Dominateur (977-989) et Kakig Ier (989-1020) firent d'Ani une belle capitale dont les monuments nous frappent encore par leur puissance. C'est l'apogée de l'architecture arménienne ; c'est aussi une des périodes classiques de la littérature arménienne : citons l'historien Jean Catholicos (835-925), le chroniqueur Aristakès de Lastiverd, le grand lyrique Grégoire de Nareg (951-1003) et le polygraphe Grégoire Magistros († 1058).

L'Arménie était en pleine prospérité lorsque l'empereur Basile II forma le dessein de l'annexer au domaine byzantin. Le morcellement féodal du pays et la rivalité entre les divers roitelets locaux facilitèrent la réalisation de ce projet. La menace des Turcs Seljûqides qui commençaient à ravager les frontières orientales de l'Arménie acheva de pousser les Arméniens dans les bras de l'empire. Habilement circonvenu par les agents impériaux, le roi de Vaspourakan, Sénékérim Ardzrouni, céda en 1021 ses États à la cour de Constantinople[43]. Le roi d'Arménie (Ani) Sempad III le Pacifique (1020-1042) promit d'agir de même. Kakig II, fils de

Sempad, refusa d'abord de tenir la promesse de son père. Mais, s'étant laissé attirer à Constantinople, il y fut retenu dans une captivité dorée, tandis que les troupes byzantines occupaient la ville d'Ani (1043). De guerre lasse, Kakig II finit par consentir à la cession qu'on exigeait de lui (1045). Le dernier prince arménien, le roi de Kars, nommé lui aussi Kakig, céda à son tour ses États aux Byzantins (1064)[44].

La réduction de l'Arménie en province semblait à la fois porter à son apogée la puissance de l'Empire byzantin et garantir les Arméniens contre toute invasion turque. En réalité ce fut le contraire qui arriva. « Quand l'Arménie, écrit Rambaud, eut perdu ses dynasties, quand il fallut, pour repousser une invasion, attendre les ordres et les secours venus de Byzance, tout fut perdu. L'Arménie, jadis si vigilante, était toujours surprise[45]. » Elle qui, sous les Pagratides, avait été le boulevard de l'Asie Mineure, devint la partie vulnérable de l'empire byzantin, le point par lequel allait passer l'invasion turque qui le terrassa.

## § 3. — La conquête seljûqide. Effondrement de la puissance byzantine.

### *Tughril beg. Fondation de l'empire seljûqide.*

Au milieu du onzième siècle, l'empire byzantin englobait en Asie toute l'Anatolie, y compris la Cilicie, l'Arménie presque entière, y compris Kars, Ani, le Vaspourakan, Malâzgerd et le Daron[46] et la lisière septentrionale de la Syrie avec Édesse (Orfa), Doliché (Dulûk), Antioche et Lattaquié.

Le monde musulman était toujours partagé entre deux obédiences religieuses : le khalifat fâ*t*imide au Caire, de rite shî'ite, le khalifat 'abbâside à Baghdâd, de rite sunnite. Le khalifat fâ*t*imide, dont la force d'expansion avait atteint ses limites et que les folies du règne de *H*âkim avaient quelque peu ébranlé, comprenait l'Égypte, la Palestine et la Syrie presque entière. À Alep, les émirs Mirdâsides, tantôt ses vassaux, tantôt ses adversaires, tour à tour dépossédés par lui et restaurés, gravitaient dans son orbite. Dans l'obédience 'abbâside, l'Iran occidental appartenait toujours à la famille persane des émirs Bûyides, dont les différentes branches se partageaient le 'Iraq 'Ajemî, le Fârs et Baghdâd, ville où les émirs al-omarâ bûyides faisaient fonction de maires du palais auprès des khalifes 'abbasides, réduits à l'impuissance. Mais par leurs dissensions de famille et leurs partages territoriaux, les Bûyides étaient tombés dans une irrémédiable décadence. Dans l'Iran oriental, l'autre dynastie iranienne, celle des émirs sâmânides, qui, durant tout le dixième siècle, avait régné à Bukhârâ et à Samarqand, venait d'être renversée par la dynastie turque des Ghaznévides descendue du Turkestan en Afghanistan : en 999, le dernier sâmânide avait été définitivement chassé par le conquérant ghaznévide Ma*h*mûd.

Ma*h*mûd de Ghazna (998-1030) avait étendu sa domination sur le Khorâsân tout entier et enlevé même aux Bûyides une partie du 'Iraq 'Ajemî ; toutefois, au lieu de pousser plus loin de ce côté, il avait préféré se tourner du côté de l'Inde où il conquit presque tout le bassin de l'Indus. S'il n'est pas prouvé que Ma*h*mûd, à la suite de ces conquêtes, ait reçu du khalife lui-même le titre de sultan, il n'en est pas moins certain que la conquête ghaznévide dans l'Iran oriental annonce l'avènement de la race turque comme race impériale de l'Islam[47].

Tandis que les Ghaznévides faisaient la conquête de l'Iran oriental et de l'Inde, un autre clan turc, sorti lui aussi des steppes de l'Aral, et qui appartenait au rameau des tribus Ghuzes, celui des Seljûqides, avait pénétré au Khorâsân. Purs Turco-Mongols, ceux-là, avec leurs yeux bridés et l'exiguïté de leur taille[48]. Longtemps clients obscurs des sultans ghaznévides, les petits-fils de Seljûq finirent par se révolter. Les Ghaznévides, trop engagés dans l'Inde, ne purent les mater à temps. Dès 1038 le chef Seljûqide *T*ughril beg occupait Nishâpûr, capitale du Khorâsân[49]. Lorsque le sultan ghaznévide Mas'ûd voulut sérieusement réagir, il était trop tard. Le 22 mai 1040, *T*ughril beg le vainquit à Dandânaqân, bataille qui rejeta les Ghaznévides en Afghanistan et assura aux Seljûqides la possession indiscutée de tout le Khorâsân. À cette époque d'ailleurs, les autres chefs du clan seljûqide, parents de *T*ughril beg, tout en lui reconnaissant un certain droit de priorité, guerroyaient chacun pour son propre compte en terre bûyide, arménienne (c'est-à-dire byzantine) ou georgienne. Ce fut même cet éparpillement des coups de main seljûqides qui rendit la résistance difficile aux armées régulières tant des Persans que des Byzantins ou des Georgiens. Au milieu de ces incursions dispersées, *T*ughril beg semble avoir poursuivi un objectif plus méthodique et, une fois la conquête devenue définitive, restauré en Iran un gouvernement régulier. En 1042-1043 il occupait Reiy, et, après les excès de ses cousins, y rétablissait l'ordre ; en 1050, ayant fait capituler I*s*fahân après un long siège, il en faisait sa capitale. De là il intervenait dans les affaires du khalifat 'abbâside.

Le khalifat 'abbâside traversait alors une crise très grave. Depuis un siècle (945), il subissait la tutelle des émirs al-omarâ bûyides, tutelle d'autant plus odieuse que les Bûyides, shî'ites avérés, avaient installé l'hérésie persane sur les marches mêmes du Saint-Siège sunnite. Mais, qui pis est, le bûyide régnant au milieu du onzième siècle, Khusrû Firûz al-Ra*h*îm (1048-1055), personnage d'ailleurs assez faible, avait laissé le pouvoir effectif passer aux mains d'un de ses officiers, un aventurier turc nommé Basâsîrî, lequel, en plein Baghdâd, conspirait en faveur du khalifat fâ*t*imide du Caire. Dans l'entourage du khalife al-Qâ'im l'inquiétude devint telle qu'on en arriva à miser sur les Seljûqides. À la nouvelle de leur approche, Basâsîrî prit la fuite, et *T*ughril beg fit sans opposition son entrée dans Baghdâd (rama*dh*ân 1055). Il mit fin au pouvoir des Bûyides en faisant arrêter le dernier d'entre eux, al-Ra*h*îm, et reçut à sa place, du khalife, la délégation du pouvoir temporel avec le titre de roi de l'Est et de l'Ouest. Les discordes de la famille seljûqide faillirent compromettre ces résultats. Le cousin de *T*ughril beg, Ibrâhîm Inâl, se révolta contre lui. *T*ughril dut partir pour le 'Irâq 'Ajemî afin de le combattre. Pendant son absence Basâsîrî réoccupa Baghdâd où il proclama la déchéance des 'Abbâsides au profit des Fâ*t*imides (27 décembre 1058). Le khalife al-Qâim n'avait eu que le temps de s'enfuir. Lorsque *T*ughril beg eut écrasé la révolte de ses cousins, il ramena le khalife dans sa capitale (décembre 1059), puis il alla relancer Basâsîrî qui avait à son tour pris la fuite, le vainquit et le tua (janvier 1060).

Restaurateur de la dynastie 'abbâside et de la foi sunnite, le sultan seljûqide se présentait au monde musulman comme le protecteur providentiel de la légitimité et de l'orthodoxie. En même temps la force turque, qu'il mettait au service de ces grandes entités morales, rendait à la société musulmane son unité. Quand il mourut, après avoir épousé la fille du khalife (1063), l'Iran tout entier et le 'Irâq 'Arabî formaient de nouveau un immense empire unitaire obéissant au spirituel au pontife 'abbâside et au temporel à son lieutenant, le sultan turc.

Ainsi, les circonstances qui dans le monde musulman avaient favorisé la reconquête byzantine – émiettement ethnique et politique, schisme religieux, démilitarisation générale – avaient fait place à une situation tout opposée. Par suite de l'entrée en scène de la race turque, l'Islam arabo-persan du dixième siècle, si décrépit qu'il semblait voué à une définitive décadence, venait de retrouver la cohésion interne et la force d'expansion des premiers compagnons du Prophète.

Par un phénomène inverse l'épopée byzantine du dixième siècle s'arrêtait brusquement par suite d'un pacifisme, voire d'un défaitisme intérieurs précurseurs des pires désastres. Dès la mort de Basile II, en 1025, la puissante machine militaire des Phocas et des Tzimiscès se trouvait méthodiquement brisée par les politiciens byzantins eux-mêmes. La grande armée byzantine qui avait vaincu les Arabes et conduit jusqu'en Galilée la première croisade chrétienne se recrutait principalement, on l'a vu, parmi les populations anatoliennes. Ses chefs étaient les grands propriétaires de latifundia anatoliens qui avaient si souvent imposé leur régence à la dynastie macédoniennne. À partir de 1025, la bureaucratie, les cercles de la cour, le parti du Sénat jaloux des privilèges de l'aristocratie anatolienne et de son instrument, l'armée, poursuivirent systématiquement une politique antimilitariste qui, en moins d'un demi-siècle, brisa le ressort de la force byzantine. Cari Neumann a remarquablement décrit l'espèce de suicide national dont furent à cet égard responsables les beaux esprits de Byzance, à commencer par le plus brillant des humanistes, Psellos[50]. C'est à un empire en pleine décomposition antimilitariste que s'attaquèrent les Turcs Seljûqides.

Il ne faut pas croire d'ailleurs que l'invasion seljûqide ait pris la forme d'une irruption massive en territoire byzantin. Pendant longtemps elle ne se manifesta que par de brèves razzias en territoire ouvert, par de rapides incursions de bandes turques, conduites, indépendamment de *T*ughril beg, par des cadets seljûqides comme ses cousins Ibrâhîm Inâl et Qu*t*ulmish[51]. En 1048 Ibrâh*î*m Inâl conduisit dans les provinces arméniennes récemment annexées à l'empire byzantin une expédition plus importante au cours de laquelle il ravagea le Vaspourakan, pénétra jusqu'à Arzen (près d'Erzeroum), ville ouverte qu'il incendia, et se heurta près de là, à Gaboudrou, à une armée byzantino-georgienne, commandée par le prince georgien Liparid qui fut fait prisonnier, bien que le champ de bataille soit finalement resté aux chrétiens (18 septembre 1048)[52]. Du reste *T*ughril beg, à cette époque, ne désirait pas rompre ouvertement avec la cour de Constantinople. Il libéra sans rançon Liparid et envoya une ambassade à Constantinople pour conclure la paix. Mais les incursions personnelles des cadets seljûqides ne tardèrent pas à rallumer la guerre. En 1052 le pays de Kars fut ravagé. En 1054 *T*ughril beg en personne envahit l'Arménie, en dévastant toute la campagne, du lac de Van à la Georgie et à Erzeroum, mais les garnisons byzantines, enfermées dans les places fortes, ne se laissèrent nulle part surprendre et tous les assauts du sultan pour s'emparer de Malâzgerd échouèrent[53].

En somme, si, pendant le règne de l'empereur Constantin IX Monomaque (1042-1054), les Turcs avaient poussé leurs expéditions de pillage à travers toute l'Arménie, ils n'avaient pu s'emparer d'aucune place forte, prendre pied nulle part. La situation changea à la faveur des guerres civiles qui, de 1057 à 1081, désolèrent presque sans arrêt l'empire byzantin. Déjà pendant la lutte qui mit aux prises l'empereur Michel VI Stratiotikos et le prétendant Isaac Comnène (1057), les bandes seljûqides couraient la Cappadoce et saccageaient atrocement Mélitène (octobre 1057) (il est vrai qu'au retour, le prince du Sassoun, l'Arménien Thornig, leur reprit tout leur butin, 1057-1058). L'avènement d'Isaac Comnène, qui marquait le retour au pouvoir du parti militaire anatolien, eût pu revigorer l'empire. Son abdication et l'avènement de Constantin X Doukas, en 1059, ramenèrent le désordre. Cette même année les Turcs s'avancèrent jusqu'à Sébaste (Sîwâs) qu'ils surprirent et où ils massacrèrent une partie de la population (juillet 1059). Ils se retirèrent avec leurs chariots chargés des dépouilles de la province. Car – il convient d'insister avec J. Laurent sur ce point –, si loin que s'étendissent les ravages des Turcs, il ne s'agissait encore là que d'expéditions de pillage qui restaient le fait de bandes isolées et n'entraînaient pas encore l'occupation du pays. Il en fut de même jusqu'à la mort du sultan *T*ughril beg (1063).

### *Alp Arslân. Le désastre byzantin de Malâzgerd.*

Avec le sultan Alp Arslân (1063-1072), neveu et successeur de *T*ughril beg, la prise de possession du territoire byzantin allait remplacer les simples expéditions de pillage. En 1064, Alp Arslân en personne prit Ani, puis Kars, les deux anciennes capitales arméniennes, boulevards de la puissance byzantine dans le Nord-Est. La prise d'Ani fut suivie de la destruction de la ville[54]. Toutefois le sultan ne put poursuivre ses succès de ce côté, obligé qu'il fut d'aller dans l'Iran oriental ramener dans l'obéissance ses parents révoltés. Mais, le bastion d'Arménie une fois tombé, la route de l'Anatolie était ouverte ; sans avoir besoin pour cela d'une direction militaire, les bandes turques s'y engageaient, insaisissables, évitant les places fortes, détruisant les bourgs ouverts, dévastant ainsi toute la Cappadoce, courant jusqu'à Césarée (Qai*s*ariya) qui fut ruinée (1067), même jusqu'en Phrygie. Le *basileus* régnant, le frivole Constantin X Doukas (1059-1067), assistait, inerte, à l'effondrement de l'œuvre de Basile II. Lui mort, un empereur énergique, Romain Diogène, représentant du parti militaire anatolien, fut enfin associé au trône (1067-1071). Après des années de gouvernement de cour, d'incurie politique et de démilitarisation, tout était à reprendre. Tout de suite, Romain chercha à reconstituer l'armée où, malheureusement, des recrues indisciplinées et des mercenaires peu sûrs – Normands d'Italie et Turcs Comans de la Russie méridionale – remplaçaient désormais les vieilles légions anatoliennes. Avec ces éléments disparates Romain entreprit de nettoyer de bandes turques l'Anatolie jusqu'à l'Euphrate. Au cours de marches pénibles il y réussit à peu près, bien que la mobilité des coureurs turcs rendît bien précaire cette reconquête.

Dès 1068 Romain Diogène exécute à l'est de la Cappadoce une série de marches par Sébaste (Sîwâs), Colonée, Lykandos et Césarée pour aboutir à Mar'ash aux confins syro-ciliciens. À la fin de cette année, il s'empare, en Syrie, de Hiérapolis (Menbij), sur la rive occidentale de l'Euphrate[55], et met garnison dans Artâ*h* (Artésie), près de Ri*h*aniyé, à l'est d'Antioche. Mais pendant ce temps les coureurs turcs pillent Néocésarée dans le Pont et bloquent Tzamandos dans le thème de Lykandos. Les bandes turques poussent leurs courses jusqu'à Amorium, au cœur de la Phrygie, qu'elles saccagent. Cependant il y a lieu de noter que, si les Turcs en des raids inattendus vont ainsi saccager les places les plus éloignées, ils évitent de se mesurer avec l'armée impériale, et qu'au retour ils subissent le plus souvent de fortes pertes et doivent abandonner leur butin. En 1069, malgré la révolte du mercenaire normand Crispin, qui ravage la Petite Arménie, Romain Diogène chasse les Turcs des environs de Césarée, pénètre en Arménie occidentale, du côté de l'Euphrate, mais son lieutenant Philaretos qui commande à Mélitène se fait battre par les Turcs qui lui enlèvent cette ville. D'autres Turcs pillent Iconium (Qoniya) sans que Diogène puisse les arrêter à leur retour, en Cilicie. En 1070 les Turcs s'avancent même jusqu'à Khonae, l'ancienne Colosses, tout à l'ouest de la Phrygie, qu'ils pillent. La même année le général byzantin Manuel Comnène est battu et pris par les Turcs près de Sébaste (Sîwâs)[56]. Mais pendant ce temps, en Mésopotamie, Édesse, cependant si aventurée, résiste à tous les assauts[57].

Alp Arslân, en ayant fini avec les révoltes des cadets seljûqides, revint d'Iran prendre lui aussi la direction de la guerre sainte. En 1070, il saccagea Malâzgerd, au nord du lac de Van, une des dernières places arméniennes que les Byzantins possédassent encore, dévasta la Mélitène et descendit jusqu'à Édesse, mais sans pouvoir s'en emparer. Il tourna alors ses forces contre l'émir mirdâside d'Alep, Rashîd al-Dawla Ma*h*mûd, qui refusait de lui livrer ses contingents, força Alep à capituler et y maintint d'ailleurs le mirdâside comme vassal.

Pendant ce temps Romain Diogène entreprenait une nouvelle campagne pour reconquérir l'Arménie (printemps de 1071). Il avait une centaine de mille hommes, assemblage disparate de levées récentes et mal disciplinées et de mercenaires francs (Normands) et turcs-comans. Arrivé à Arzen

(Erzeroum), il commit la faute de diviser son armée. Il envoya les contingents comans et normands, sous les ordres de Joseph Tarchaniotès et du chef normand Roussel de Bailleul, attaquer la ville de Khilâ*t*, tandis que lui-même, avec le reste des troupes, se dirigeait sur Malâzgerd, qu'il reprit. Mais à ces nouvelles Alp Arslân était remonté d'Alep vers l'Arménie. Le 19 août 1071[58], il rencontra Romain Diogène au sud de Malâzgerd[59], entre cette ville et Khilâ*t*. Dans cette journée décisive, Romain fut trahi, non seulement par ses auxiliaires comans qui, fidèles à la voix du sang turc, passèrent aux Seljûqides, mais encore par ses propres lieutenants ; les Byzantins, animés par l'exemple de l'empereur, faisaient encore ferme contenance, lorsque Andronic Doukas, fils du César Jean Doukas, qui commandait les réserves, prit, en haine de Romain, l'initiative de provoquer la débandade. Romain, abandonné avec une poignée de fidèles, se défendit en héros jusqu'à ce que blessé, son cheval tué sous lui, il fut fait prisonnier et conduit à Alp Arslân.

La défaite de Malâzgerd fut peut-être le plus grand désastre de l'histoire byzantine. Les chroniqueurs occidentaux, comme Guillaume de Tyr que nous citions plus haut, ne s'y sont pas trompés. Ils y ont vu l'éviction de l'empire byzantin comme protagoniste de la Chrétienté face à l'Islam et la justification de l'entrée en scène des Francs pour remplacer Byzance à la tête de la Croisade. Aux yeux des Occidentaux la fatale journée de Malâzgerd signifia cela : l'annonce que le Byzantin hors de combat devait céder la place aux Latins, la justification, en fait comme en droit, de la Croisade franque : 1071 appelle 1095.

Mais ici encore il y a lieu de remarquer que, si la journée de Malâzgerd entraîna ces graves conséquences historiques, ce fut parce que les désordres de la société byzantine accrurent l'étendue du désastre. Aux yeux des vainqueurs eux-mêmes leur succès consacrait seulement leur prise de possession de l'Arménie, avec cession prochaine d'Antioche et d'Édesse. Ce fut en ce sens que le sultan Alp Arslân traita avec l'empereur prisonnier. Car le conquérant turc entre les mains duquel le hasard des batailles avait fait tomber le successeur des Césars mit son honneur à le traiter avec la plus insigne courtoisie. Après une courte captivité il le renvoya sous bonne garde en territoire grec, et, au lieu d'exploiter son succès en envahissant l'Asie Mineure dégarnie de troupes, alla à l'autre extrémité de son empire, soumettre la Transoxiane (1072). Ce furent les Byzantins eux-mêmes qui par leurs divisions insensées empêchèrent de circonscrire le désastre, et, après l'Arménie, ouvrirent l'Asie Mineure tout entière aux Turcs. Pendant la captivité de Romain Diogène, on avait vu le représentant du parti civil et de la bureaucratie métropolitaine, Michel VII Doukas, saisir la couronne impériale (1071-1078). Lorsque le héros malheureux fut de retour en terre byzantine, il fut déclaré déchu. Vaincu près d'Amasia par les généraux de Michel VII, il fut capturé à Adana, eut les yeux arrachés et mourut de ce supplice[60].

Alp Arslân, de son côté, était allé mourir en guerroyant au fond de la Transoxiane (1072). Son fils, le grand sultan Malik shâh (1072-1092), acheva d'asseoir l'empire seljûqide qui, de son temps, devait s'étendre des T'ien-chan à la Marmara et de l'Ararat au Yémen[61]. Cependant on aurait tort de croire que la poussée turque vers l'Ouest ainsi effectuée sous son règne ait été son œuvre personnelle. Chose curieuse : ce conquérant ne mit jamais le pied sur le sol de l'Anatolie. Ce fut son cousin Sulaîmân ibn Qu*t*ulmish qui, chargé par lui de poursuivre la guerre contre les Byzantins, leur enleva pour son propre compte les trois quarts de l'Asie Mineure. Il y fut aidé d'ailleurs par l'état social du pays[62]. L'accroissement des latifundia et les excès d'une fiscalité dévorante avaient depuis une cinquantaine d'années dépeuplé les thèmes anatoliens, particulièrement l'est et le nord de la péninsule. Cette oliganthropie appelait l'invasion. Les coureurs turcs devaient pénétrer sans obstacle dans ces campagnes désertées. La révolte de Roussel de Bailleul fit le reste.

### *La première tentative franque au Levant : Roussel de Bailleul.*

Roussel de Bailleul était cet aventurier normand entré au service des Byzantins que nous avons vu servir de lieutenant à l'empereur Romain Diogène dans la campagne de Malâzgerd. Venu des Deux Siciles où ses compatriotes étaient en train de se tailler un royaume au détriment des Byzantins comme des Arabes, il conçut le projet de profiter de même de la guerre entre les Byzantins et les Turcs pour se tailler un État indépendant aux dépens des uns et des autres en Anatolie. En 1073, chargé d'accompagner le général byzantin Isaac Comnène, il se révolta et se mit à conquérir pour son propre compte la Lycaonie (région d'Iconium) et la Galatie (région d'Angora), attaquant les Byzantins aussi bien que les Turcs. Isaac Comnène, pris entre deux ennemis, fut capturé par les Seljûqides près de Qai*s*ariya (1073). L'empereur Michel VII envoya en Asie Mineure une nouvelle armée commandée par son oncle, le César Jean Doukas. Jean Doukas rencontra Roussel au pont de Zompi, sur le haut Sangarios, au sud d'Amorium (Ammuriye). Il fut défait à son tour et fait prisonnier. Roussel vainqueur traversa toute la Bithynie et vint brûler Chrysopolis (Scutari) en face de Constantinople. Pour couvrir la conquête normande d'un prétexte de légitimité, il proclama empereur son prisonnier, Jean Doukas.

Ce fut alors que l'empereur Michel VII, pour empêcher les Normands de conquérir l'Anatolie comme ils avaient conquis la Grande Grèce, fit appel aux Seljûqides. Geste gros de conséquences, car l'établissement définitif de la race turque dans la péninsule date de là. Le seljûqide Sulaimân ibn Qu*t*ulmish, avec l'assentiment de son suzerain Malik shâh, conclut avec Michel VII le pacte demandé ; il s'engagea à envoyer des troupes au secours du *basileus* et obtint en échange cession des provinces byzantines déjà occupées (1074). Une forte armée seljûqide pénétra alors en Cappadoce. Roussel de Bailleul, qui n'avait pas plus de trois mille Normands avec lui, fut écrasé sous le nombre au mont Sophon. Il réussit cependant à se racheter et essaya encore de tenir campagne dans les montagnes du thème Arméniaque, dans la région de Sîwâs, battant de nouveau Impériaux et Turcs et menaçant les ports du Pont. Enfin un nouveau général byzantin, Alexis Comnène – le futur empereur – réussit où tous avaient échoué. Envoyé dans la région d'Amasia que ravageait Roussel, il rallia les troupes fidèles et resserra le pacte conclu avec les Seljûqides. Un nouveau capitaine turc, nommé Tutakh, ou Tutash, venait justement de pénétrer en Anatolie. Roussel et Alexis se disputèrent son alliance. Il se décida en faveur du second, attira Roussel dans une entrevue, s'empara de lui et le livra à Alexis. Les Normands, privés de leur chef, mirent bas les armes.

Ainsi s'évanouit la perspective d'un État normand d'Asie Mineure – précédant d'une vingtaine d'années la formation de la principauté normande d'Antioche. Les Normands étaient, pour le moment, écartés de la terre d'Asie, mais les Turcs se trouvaient définitivement établis en Cappadoce[63].

*Occupation de l'Anatolie par les Turcs Seljûqides.*

Une nouvelle guerre civile à Byzance allait livrer aux Seljûqides la Phrygie et la Bithynie jusqu'à la Marmara, la Lydie et l'Ionie jusqu'à l'Égée. Au début de 1078, l'incapable empereur Michel VII Doukas fut renversé par Nicéphore III Botaniatès, stratège du thème des Anatoliques (région d'Amorium, en Phrygie[64]. Or, pour triompher de son adversaire, Botaniatès avait enrôlé en masse les bandes turques. Ces Turcs occupèrent avec lui et pour lui les villes de l'Hellespont, de la Propontide et du Bosphore, Cyzique, Nicée, Nicomédie, Chalcédoine, Chrysopolis. Ce fut ainsi que les Turcs s'installèrent pour la première fois à Nicée : à titre de garnison impériale, comme mercenaires de Botaniatès (1078)[65]. Mais, comme l'écrit J. Laurent, « ces étranges gardiens se transformèrent en maîtres. Leurs bandes, parcourant le pays, attaquaient les paisibles petites villes bithyniennes, rançonnaient la campagne, coupaient les communications entre Constantinople et l'intérieur de l'Anatolie. À Chrysopolis, ils vivaient encore sous la tente, dans leur camp ; mais à Nicée, où ils étaient entrés en amis et sans lutte, ils éliminèrent rapidement la population chrétienne de la ville » ; dès la fin de 1078, les soldats de cette garnison turque de Nicée résistaient à Botaniatès qui les avait introduits dans la place. Leur révolte contre lui trouva bientôt pour se couvrir le plus opportun des prétextes : un nouveau prétendant byzantin, Nicéphore Mélissènos venait de surgir en Ionie. Les Turcs de Nicée prirent parti pour lui contre Botaniatès, et, sous son nom, continuèrent la lutte contre Byzance (1081)[66].

Comme trois ans plus tôt Botaniatès, Mélissènos en effet n'avait pas hésité à son tour à appeler les Seljûqides. Il conclut avec leur chef, Sulaîmân ibn Qu*t*ulmish, un pacte qui cette fois, en raison de la situation générale, constituait une véritable trahison envers la chrétienté. Au dire de certains chroniqueurs, tandis que Sulaîmân s'engageait à fournir à Mélissènos des troupes pour s'emparer de Constantinople, Mélissènos aurait par avance concédé au Seljûqide la moitié des villes et des provinces à conquérir sur Botaniatès. En réalité, il n'est pas sûr que le pacte ait eu cette précision[67]. Mais dans la pratique ce fut encore pire. Parti de Cos avec de nouvelles bandes seljûqides, Mélissènos les mena occuper – cette fois définitivement – Nicée et toute la Bithynie, de Chrysopolis à Cyzique, où les garnisons turques déjà établies par Botaniatès firent naturellement cause commune avec elles (1081). À ce moment les Turcs de Sulaîmân agissaient encore, au moins théoriquement, en tant qu'alliés du prétendant byzantin. Mais lorsque, quelques semaines plus tard, au cours de la même année 1081, Mélissènos se fut soumis à Alexis Comnène, devenu seul *basileus*, Sulaîmân et ses Turcs refusèrent de reconnaître le nouvel empereur, et, cessant de se couvrir du prête-nom d'un prétendant byzantin, ils gardèrent pour eux-mêmes Nicée et toutes les places de la Bithynie où Mélissènos, après Botaniatès, les avait si imprudemment installés. Ce fut alors, semble-t-il, que Sulaîmân établit officiellement sa résidence à Nicée qui devint ainsi la première capitale du futur sultanat seljûqide d'Anatolie (1081)[68].

Le sultanat seljûqide d'Asie Mineure qui devait durer plus de deux siècles (1081-1302) sortira de cet établissement. Les Byzantins perdirent même un moment Nicomédie (Izmîd) que l'empereur Alexis Comnène ne devait recouvrer qu'après la mort de Sulaîmân († 1086)[69]. Sur la mer Égée les Turcs occupèrent Smyrne où nous voyons établi en 1081 l'émir Tzakhas, aventurier audacieux qui se créa une marine et s'empara des grandes îles de la côte d'Asie[70]. Pendant ce temps, au nord-est de la péninsule la famille turcomane des Dânishmendites fondait en Cappadoce un puissant émirat autour de Qaisâriya, de Sîwâs et d'Amasia, émirat d'ailleurs primitivement indépendant du Seljûqide de Nicée et ne relevant que du sultan Malik shâh lui-même. Cette multiplicité d'émirats locaux créés simultanément par les diverses hordes turcomanes qui s'étaient associées à la poussée seljûqide et qui, sous le nom du Seljûqide, opéraient chacune pour son propre compte, rendait singulièrement difficile la contre-attaque chrétienne. Les trois Croisades anatoliennes de Raymond de Saint-Gilles, du comte de Nevers, de Guillaume IX d'Aquitaine et de Welf IV de Bavière, en 1101, échoueront devant le pullulement de cette féodalité turque en Galatie, en Paphlagonie et en Cappadoce[71].

Notons cependant, avec M. J. Laurent, que, si à l'avènement d'Alexis Comnène, en 1081, les Turcs se trouvaient en fait maîtres de l'Asie Mineure, depuis l'Euphrate jusqu'à la Marmara, il n'y avait nullement eu là le résultat d'une conquête méthodique, politiquement organisée. Rien d'analogue ici à ce qui se passa pour le sultanat seljûqide d'Iran avec *T*ughril beg et Malik shâh. Les émirs locaux comme Tzakhas à Smyrne ou Dânishmend en Cappadoce ne paraissent pas avoir obéi à Sulaîmân. Aucun pouvoir politique n'avait été créé (la création du sultanat unitaire d'Iconium sera l'œuvre de Qilij Arslân Ier, successeur de Sulaîmân, après 1092). « En 1081, écrit M. J. Laurent, les Turcs n'étaient encore que des pillards errants, leur installation dans le pays de Nicée n'était pas le résultat d'une politique voulue et réfléchie, mais un heureux hasard, dû aux divisions et à la faiblesse des Byzantins ; à part cette exception fortuite, ils étaient encore occupés à parcourir et à piller dans tous les sens l'Asie Occidentale dont les populations chrétiennes ou pactisaient avec eux, ou bien, réfugiées derrière les murs de leurs forteresses, résistaient un peu partout à l'invasion[72]. » Ce fut ainsi que le littoral de la mer Noire avec Trébizonde[73], et la côte méridionale de l'Anatolie jusqu'à la Cilicie paraissent être toujours restés en majeure partie au pouvoir de Byzantins. Bien mieux, tandis que, au seuil du Bosphore, Nicée était occupée par les Turcs depuis 1081, là-bas, au fond de la Syrie ou de l'autre côté de l'Euphrate, Antioche et Édesse se trouvaient toujours aux mains de garnisons byzantines ou de chefs arméniens théoriquement sujets de Byzance, Antioche jusqu'en 1085, Édesse jusque vers 1087. Au cœur même du plateau anatolien, tandis que la trahison de Mélissènos avait installé Sulaîmân sur l'Égée, nombre de places tenaient encore. C'est ainsi qu'on discute pour savoir si Iconium (Qoniya), la future capitale des Seljûqides, succomba dès 1072 ou (peut-être plus probablement) seulement vers 1084[74].

Bientôt, cependant, les villes les plus fortes durent capituler car autour d'elles la terre était détruite par les razzias périodiques des bandes turcomanes. « Le pays s'était vidé de ses habitants. Les Turcs passés, les survivants s'enfuyaient, craignant leur retour. En quelques années, la Cappadoce, la Phrygie, la Bithynie et la Paphlagonie perdirent la plus grande partie de leur population grecque. Les vallées et les plaines qui s'étendent de Césarée et de Sébaste à Nicée et à Sardes demeurèrent presque vides. Et, comme elles étaient devenues incultes, les Turcs y promenaient avec satisfaction leurs tentes et leurs troupeaux, tout comme dans les déserts d'où ils étaient sortis[75]. » Ajoutons que certains chefs turcs paraissent avoir heureusement exploité le malaise social de la population anatolienne. Comme le remarque Zetterstéen, « une grande partie de la population des campagnes était tombée sous la dépendance des riches propriétaires, et beaucoup de domaines étaient cultivés par des esclaves. Sulaîmân ibn Qu*t*ulmish les déclara libres contre versement d'un certain impôt et gagna ainsi leur ardente sympathie[76].

Ces considérations expliquent le sort ultérieur de la Croisade des Comnènes. Dans les régions restées cultivées et urbaines de la côte, en Bithynie, en Mysie, en Ionie, le peuplement grec avait survécu au coup de surprise de l'occupation turque et, du reste, cette occupation présentait déjà un certain caractère d'organisation politique régulière : pour ces deux raisons la reconquête des Comnènes et la Première Croisade qui s'en fera l'instrument pourront chasser l'envahisseur parce qu'elles trouveront sur qui s'appuyer et qui frapper. Au contraire sur le plateau ni le passage de la Croisade, de Godefroi de Bouillon à Frédéric Barberousse, ni les campagnes périodiques de Jean Comnène et de Manuel Comnène ne pourront reprendre la terre, car là la terre même a été transformée, l'antique Phrygie est devenue ce qu'elle est encore, un morceau de la steppe kirghize.

*Le premier État arménien du Taurus : Philaretos.*

La pénétration seljûqide avait progressé suivant une direction est-ouest, à travers l'Arménie, la Cappadoce, la Phrygie, la Bithynie et l'Ionie, dans toute la zone septentrionale et centrale de l'Asie Mineure. Comme on l'a dit, le sud-est de la péninsule – Taurus cilicien, Mélitène, territoire d'Édesse, territoire d'Antioche – n'avait pas été immédiatement occupé. Coupées du reste de l'empire, livrées à elles-mêmes entre l'effondrement byzantin et la conquête turque, ces régions devinrent le siège d'une très curieuse tentative de restauration arménienne, particulièrement importante pour l'historien des Croisades, car elle annonce la principauté roupénienne et explique la facile conquête, une vingtaine d'années plus tard, d'Édesse et d'Antioche par les Croisés.

On a vu que, lors de la dépossession des princes indigènes de la Grande Arménie dont le territoire avait été annexé à l'empire byzantin, les rois de Vaspourakan, d'Ani et de Kars avaient reçu de l'empire byzantin des fiefs en Cappadoce. Une forte immigration arménienne les y avait suivis, immigration que la poussée seljûqide après le désastre de Malâzgerd accrut encore. Lorsque les Turcs se furent établis à demeure en Cappadoce, ces immigrés arméniens cherchèrent refuge plus loin, dans les montagnes du Taurus cilicien, vers la Mélitène ou du côté d'Édesse et d'Antioche, ces deux places appartenant encore à l'empire. Ce fut ainsi que, lorsque le dernier roi d'Ani, Kakig II, déjà dépossédé par les Byzantins, eut été assassiné à leur instigation à Cybistra en 1079, un de ses parents ou lieutenants nommé Roupên se révolta contre Byzance et vint s'établir dans le massif de Partzerpert, entre Tyane (Nigdé) et Sis, en haute Cilicie, où il devait faire souche de l'illustre dynastie roupénienne. Son fils Constantin (1092-1100) enleva aux Byzantins la forteresse de Vahka qui devint la résidence de sa famille. De même, un autre seigneur arménien, Oshin, originaire de l'Arménie orientale, vint s'établir entre 1072 et 1080 au château de Lampron (Nemrûn), sur les crêtes du Taurus cilicien où il fonda la dynastie héthoumienne.

Cette immigration transforma le pays, d'autant que le gouvernement byzantin, malgré son hostilité confessionnelle envers l'élément arménien, y trouvait maintenant, au milieu du désastre général, des soldats contre l'invasion turque.

Parmi les hardis chefs arméniens qui profitaient ainsi de l'effondrement de l'empire byzantin pour s'emparer de ses dernières citadelles dans le sud-est de l'Anatolie – quitte à se réclamer de lui dans leur lutte contre les Turcs – une place de premier plan revient à Philaretos Brakhamios (= Vahram). Cet officier avait servi Byzance sous l'empereur Romain Diogène. À la chute de Romain, il refusa de reconnaître Michel VII. Fortement installé dans Mar'ash, dont Romain Diogène lui avait jadis confié le commandement, il forma autour de cette place, de Raban (Ra'ban) et d'Ablastha, sur les deux rives du haut Jihûn, une solide principauté d'où il élimina les fonctionnaires byzantins, comme il sut la défendre contre les attaques des Turcs. Il reprit même aux Turcs Mélitène (Mala*t*iya) que ceux-ci lui avaient enlevée en 1069[77]. D'autres chefs arméniens qui, agissant comme lui, avaient, vers le même temps, enlevé aux Byzantins les places de la Cilicie, notamment les nouveaux seigneurs arméniens de Tarse et de Lampron, se reconnurent ses vassaux et gravitèrent dans son orbite. Michel le Syrien nous dit qu'il commanda ainsi aux trois grandes villes ciliciennes, Tarse, Mopsueste (Mamistra, Massissa, Missis) et Anazarbe[78]. En 1077 il avait envoyé un de ces petits chefs arméniens, ses vassaux, Vasil fils d'Aboukab, enlever Édesse aux Byzantins. Après six mois de siège, les habitants (en majorité Arméniens) se soulevèrent contre leur gouverneur byzantin et remirent la ville d'Édesse à Vasil. À la mort de Vasil, en 1083, Philaretos occupa Édesse pour lui-même. Dès mars 1078, quand le dernier gouverneur byzantin d'Antioche, Vaçag Magistros, eut été assassiné, la noblesse d'Antioche, effrayée du péril seljûqide, et la garnison, sans doute en grande partie arménienne, appelèrent Philaretos qui annexa la ville[79].

À Antioche comme à Édesse, comme dans les autres places byzantines de la région, seuls îlots encore debout parmi la marée montante de l'invasion turque, les populations chrétiennes se tournaient vers cet Arménien énergique comme vers un sauveur. Coupées de toute possibilité de secours byzantin depuis l'occupation de l'Anatolie par les Seljûqides, elles n'avaient rien d'autre à faire qu'à se constituer en principautés autonomes sous la direction de l'élément arménien récemment immigré, seul élément militaire parmi elles. De fait c'est bien d'une Nouvelle Arménie que Philaretos-Vahram jetait les bases en ces années décisives d'après Malâzgerd. Et c'était du futur royaume roupénien et héthoumien du treizième siècle qu'il traçait le plan. Ou plutôt l'État féodal qu'improvisait cet aventurier lucide était singulièrement plus étendu que ne devait l'être plus tard le royaume régulier des Roupen et des Hethoum, car, appuyé sur une immigration arménienne dense et solidement assis sur le Taurus, il englobait à la fois la Cilicie, la Mélitène, Édesse et Antioche.

Après la courte réannexion byzantine d'une portion de ce territoire par les trois premiers Comnènes, la fondation de l'État arméno-cilicien ne sera qu'une restauration – partielle – de la principauté de Philaretos. Sans doute les chroniqueurs arméniens ont renié Philaretos, d'abord à cause de son attitude « hérétique » (il semble bien avoir adhéré au rite grec) et de ses empiétements en matière ecclésiastique (il n'hésita pas à créer deux antipatriarches à sa dévotion), puis pour ses complaisances envers l'Islam, complaisances qui seraient allées jusqu'à l'apostasie[80]. Il n'en est pas moins vrai que ce fut grâce à lui que l'élément arménien émigré de la Mélitène au Taurus et à la Méditerranée prit conscience de sa force.

Bien que Philaretos ait systématiquement dépouillé l'empire byzantin au détriment duquel le nouvel État arménien du Taurus s'était constitué, l'empereur Nicéphore Botaniatès (1078-1081), désespérant sans doute de reconquérir ces marches lointaines ou comprenant l'utilité d'un tel bastion chrétien resté debout au milieu de la conquête seljuqide, eut la sagesse de rétablir des relations amicales avec l'heureux aventurier. Philaretos, de son côté, s'empressa de reconnaître la suzeraineté du basileus dont l'investiture légitimait son pouvoir aux yeux des populations, tout en restant d'ailleurs pratiquement indépendant. Mais en même temps, comme on vient de l'annoncer, il jugeait prudent de contracter une contre-assurance musulmane, et, vers 1080, il se reconnaissait, pour la possession d'Antioche, vassal de la maison arabe des 'Oqailides qui régnait à Mossoul[81]. D'après Michel le Syrien, il aurait même cherché à se faire garantir ses possessions par le sultan seljûqide Malik shâh et n'aurait pas hésité, dans ce but, à feindre une conversion à l'islamisme[82].

Mais les Seljûqides ne pouvaient laisser s'affermir cette principauté arménienne qui, engagée comme un coin dans leurs possessions, leur barrait la route de la Syrie. Le Seljûqide

Sulaîmân ibn Qutu*l*mish, le conquérant de l'Anatolie, profita d'une absence de Philaretos et des divisions de sa famille (le fils de Philaretos, jeté en prison par son père, conspirait avec les Musulmans) pour se faire ouvrir en trahison les portes d'Antioche (janvier ou février 1085). Antioche tomba donc au pouvoir des Turcs, il est vrai pour bien peu de temps puisque, treize ans plus tard, le 3 juin 1098, elle devait être délivrée par les Croisés. Et le rapprochement de ces deux dates – 1085, 1098 – n'est pas sans intérêt pour l'intelligence de l'histoire des Croisades. En 1098, en effet, les souvenirs de la longue occupation chrétienne seront trop récents pour être oubliés : d'où l'espèce d'hypothèque juridique que la cour de Constantinople revendiquera dès le premier jour sur la principauté normande d'Antioche.

Il est à remarquer d'autre part que la principauté arménienne fondée par Philaretos ne disparut pas tout entière. À défaut d'Antioche, un des lieutenants de Philaretos, Arménien comme lui, Gabriel, conserva Mala*t*iya (Mélitène), non sans avoir eu l'habileté d'aller rendre hommage aux Seljûqides. De même, à Édesse, malgré une brève occupation turque sous l'émir Buzân (1087-1094 ?), un autre chef arménien, Thoros, fils de Héthoum, ancien lieutenant de Philaretos, lui aussi, parvint, sans rompre avec les Turcs, à recouvrer la ville où il se maintint jusqu'à l'arrivée des Francs. Le seljûqide Tutush, frère du sultan Malik shâh, s'étant emparé d'Édesse en 1094, y avait en effet confirmé l'habile Thoros dans ses fonctions de gouverneur[83]. Dans toute cette région l'occupation arménienne se trouva préparer l'occupation franque ; nous verrons l'importance de ce fait pour l'histoire de la Première Croisade et la fondation du comté franc d'Édesse (1097).

### *Conquête de la Syrie par les Seljûqides : Tutush.*

La conquête d'Antioche par les Turcs n'alla pas sans entraîner de graves querelles entre Musulmans. On a vu que Philaretos avait autrefois accepté, pour cette ville, de payer tribut à l'émir arabe de Mossoul, le 'oqailide Sharaf al-Dawla Muslim ibn Quraish. Ce dernier était en train de profiter du remaniement territorial de l'Asie antérieure pour se tailler un royaume important depuis le Kurdistan jusqu'à la Syrie du Nord. En 1078 il s'allia aux Seljûqides pour enlever Alep à la tribu arabe rivale, celle des Mirdâsides qui l'occupait depuis un demi-siècle[84]. Le prince seljûqide Tutush, frère du grand sultan Malik-shâh, vint en Syrie assiéger Alep de concert avec Muslim[85]. Mais Muslim ne tarda pas à se rendre compte de l'imprudence qu'il y avait pour lui à favoriser l'établissement des Seljûqides en Syrie. Il prit congé de Tutush qui, resté seul, ne put s'emparer d'Alep. Quand Tutush, découragé, eut levé le siège, Muslim obtint le résultat de ses manœuvres : ce fut à lui que le dernier émir mirdâside, Sâbiq, remit la ville d'Alep (1079). Ainsi maître d'Alep et de Mossoul, l'émir 'oqailide se crut de taille à résister ouvertement aux Seljûqides. Il avait, par ruse, frustré de la possession d'Alep le propre frère du sultan, Tutush. Il entra en lutte ouverte avec l'autre Seljûqide de l'Ouest, Sulaîmân ibn Qu*t*ulmish, le conquérant de l'Anatolie, lorsque ce prince se fut, en janvier 1085, emparé d'Antioche, ville sur laquelle les 'Oqailides prétendaient exercer un droit de suzeraineté. Entre le conquérant turc et l'émir arabe commença une lutte décisive dont l'enjeu était la possession de la Syrie. Une grande bataille fut livrée près d'Antioche au mois de juin 1085. Muslim fut vaincu et tué, et Sulaîmân vint aussitôt mettre le siège devant Alep. Les habitants, sous la conduite du shérif al-*H*utaitî, résistaient opiniâtrément, déclarant pour éviter le pillage, ne vouloir remettre la place qu'au sultan Malik shâh en personne. Comme, après un premier échec, Sulaîmân revenait à la charge, le shérif, plutôt que de lui livrer la ville, implora l'aide de l'autre prince seljûqide de la région, Tutush, frère de Malik shâh.

Après son échec sous Alep, Tutush, bien résolu à se tailler un fief en Syrie, était allé tenter fortune à Damas (1079). Il y trouvait d'ailleurs l'autorité seljûqide déjà installée. Sept ans plus tôt, un capitaine turc, Atsiz ibn Abaq, qui se réclamait du sultan seljûqide Alp Arslân, avait entrepris pour son propre compte la conquête de la Palestine et de la Damascène. Dès 1071 Atsiz avait enlevé aux Fâtimides d'Égypte Jérusalem et toute la Palestine sauf Ascalon. En 1075-1076 il leur enleva de même Damas et toute la Damascène. Jérusalem s'étant révoltée peu après au nom du khalife fâ*t*imide, Atsiz l'assiégea, la reprit et y organisa, par représailles, un terrible massacre (1076-1077). Il songea même à conquérir l'Égypte, mais sa tentative de ce côté échoua, agression qui provoqua une riposte fâ*t*imide : une armée fâ*t*imide sortie d'Égypte vint l'assiéger dans Damas. Ce fut alors que Tutush, qui n'avait pu s'emparer d'Alep, s'avança vers Damas. À son approche les Fâ*t*imides levèrent le siège de la ville et Atsiz, délivré par lui, l'accueillit en suzerain (1079). Mais Tutush, installé à Damas aux côtés d'Atsiz, ne tarda pas à le trouver gênant[86]. Il le fit assassiner et resta ainsi seul maître de Damas et de la Palestine (1079). Tutush était donc à la tête d'un royaume considérable, embrassant toute la Syrie méridionale, lorsque, sept ans après, les gens d'Alep l'appelèrent à leur aide contre son cousin Sulaîmân ibn Qu*t*ulmish (1086).

De nouveau l'enjeu de la lutte était la possession de la Syrie du Nord, mais cette fois elle était circonscrite entre deux princes seljûqides. L'un des deux, Sulaîmân ibn Qu*t*ulmish, avait conquis toute l'Anatolie, de Nicée à Antioche. Mais Tutush, bien qu'illustré par de moindres faits d'armes, se trouvait le propre frère du sultan régnant, le grand Malik shâh, qui, dans le partage de l'Ouest, semblait lui avoir dévolu la Syrie. Secondé par son lieutenant, Ortoq ibn Aksab, qu'il avait nommé gouverneur de Jérusalem, Tutush monta avec lui vers Alep pour disputer la ville à Sulaîmân. La bataille entre les cousins se livra près d'Alep. Les troupes de Sulaîmân plièrent et lui-même périt dans la mêlée ou se poignarda de désespoir (1086).

La mort de Sulaîmân ibn Qu*t*ulmish eut des conséquences fort considérables. Le conquérant de l'Anatolie disparaissait brusquement, ne laissant qu'un fils encore trop jeune, Qilij Arslân Dâwûd, si bien que, de 1086 à 1092, l'Anatolie seljûqide connut un véritable interrègne au cours duquel les petits émirs turcomans restèrent livrés à eux-mêmes. Entre eux, comme on le verra, l'habile politique de l'empereur Alexis Comnène put manœuvrer pour fixer enfin la poussée turque, en attendant de pouvoir, grâce à l'aide de la Première Croisade, passer à l'offensive et délivrer la Bithynie et l'Ionie. Car, lorsque les Croisés arriveront, le royaume seljûqide d'Anatolie, encore sous le coup du désastre d'Alep, en restera si ébranlé qu'il ne pourra opposer à la marche de Godefroi de Bouillon qu'une résistance insuffisante et que la prise de Nicée, puis la bataille de Dorylée seront la conséquence de cet affaiblissement. De plus après la journée fratricide d'Alep et la mort tragique de Sulaîmân ibn Qu*t*ulmish, un fossé de sang séparera des Seljûqides d'Iran et de Syrie la branche anatolienne de la famille. Jamais contre la Croisade le faisceau des forces seljûqides ne se reformera, jamais les parents de Malik shâh et de Tutush n'uniront leurs efforts à ceux des héritiers de Sulaîmân pour arrêter la marche des Francs. La Croisade, ils l'affronteront séparément et se feront battre isolément par elle. Cette division, à la veille de l'invasion franque, paralysera la force turque.

Après sa victoire devant Alep il semblait que toute la Syrie fût destinée à former un vaste fief seljûqide aux mains de Tutush. Mais le frère aîné du vainqueur, le sultan Malik shâh, n'entendait pas laisser se régler en dehors de lui le sort de la Syrie. Le pouvoir grandissant de son cadet commençait à lui porter ombrage ; du reste les gens d'Alep l'appelaient. Après la victoire de Tutush, le shérif d'Alep, al-*H*utaitî, avait, on l'a vu, refusé de livrer la ville à ce prince, déclarant ne vouloir la remettre qu'au sultan en personne. Tutush y entra cependant par trahison, mais le commandant de la citadelle, Sâlim ibn Quraish, continua à résister avec succès, déclarant à son tour ne vouloir ouvrir les portes qu'à Malik shâh.

En apprenant ces nouvelles, Malik shâh, d'I*s*fahân, sa capitale, se rendit, par la route de Mossoul, à Alep pour régler les affaires de Syrie (1086). À son approche, son frère Tutush s'éloigna prudemment de la ville. Arrivé à Alep, dont la citadelle lui fut aussitôt remise, le sultan procéda à une redistribution générale des émirats syriens. Alep même, il le donna en fief à son fidèle lieutenant Qâsim al Dawla Aqsonqor, l'ancêtre de la dynastie zengide (1087). Un autre général turc, Buzân, reçut Édesse (al-Ruhâ) que l'effondrement de l'éphémère principauté arménienne de Philaretos avait livrée aux Turcs. Un troisième émir turc, Yâghî Siyân, eut Antioche, restée sans maître depuis la mort de Sulaîmân ibn Qu*t*ulmish[87]. Quant au fils de Sulaîmân, au jeune Qilij Arslân, le sultan l'emmena avec lui en Perse. Et pour ce qui est de Tutush, qui se voyait ainsi dépossédé de la Syrie du nord, il resta maître de Damas et de la Palestine, avec, comme lieutenants à Jérusalem l'émir

Ortoq, puis, après la mort d'Ortoq (1091), le fils de celui-ci, Soqmân I^er[88].

En arrêtant par avance la formation du royaume turc de Syrie qui tendait à se constituer au profit de son cadet, Malik shâh semblait avoir travaillé pour le maintien d'un grand empire seljûqide unitaire, s'étendant de la Caspienne à Antioche. Les annalistes musulmans nous le montrent en effet trempant son sabre dans les eaux de la Méditerranée et attestant que sa domination n'avait de limites que celles mêmes de la terre. En réalité, si son entrée en scène maintenait pour le moment l'autorité du pouvoir central seljûqide, si d'Isfahân, sa capitale, il commandait désormais directement à l'Asie musulmane presque entière, son initiative devait avoir à brève échéance des résultats assez inattendus. De même que l'entrée en scène de son frère Tutush, en 1086, avait pour des années arrêté la formation du sultanat d'Asie Mineure et replongé ce pays dans l'anarchie féodale, de même l'intervention de Malik shâh contre Tutush empêcha la formation d'un sultanat turc syrien et rejeta la Syrie dans le morcellement féodal : situation dont, ici encore, bénéficiera la Croisade. Quant à maintenir dans une unité plus vaste l'immense empire seljûqide, tel que Malik shâh l'avait, à cette époque, réalisé, c'était là un espoir chimérique qui devait s'évanouir dès le lendemain de la mort du grand sultan.

## § 4. — L'ÉCLIPSE DE LA PUISSANCE TURQUE : MORCELLEMENT DE L'EMPIRE SELJUQIDE.

*Règne de Barkiyârûq. Dissensions dans le sultanat de Perse.*

Malik shâh semble avoir eu par instants la notion de ce que pouvait être un grand État unitaire, d'un empire turco-arabe suffisamment centralisé sur le modèle de l'ancien empire arabo-persan des 'Abbâsides au temps des Rashîd et des Mâmûn. Du moins avait-il confié le gouvernement à un homme d'État imbu de ces conceptions, le vizir Nizâm al-Mulk. La force turque mise au service des idées politiques de Nizâm al-Mulk eût pu en effet maintenir l'unité d'action de l'Islam sunnite. Mais si le vieux vizir avait conservé la notion persane de l'État, il n'était assurément pas parvenu à l'inculquer à ses élèves turcs. On peut dire que l'empire seljûqide fut frappé à mort le jour où Nizâm al-Mulk fut assassiné par un Ismâ'ilien (automne 1092). Et cependant jamais Malik shâh n'avait caressé à cet égard de plus vastes projets. Il avait marié sa fille au khalife al-Muqtadi. Dès qu'elle lui eut donné un petit-fils, – Ja'far –, le sultan n'eut plus qu'un désir : faire asseoir cet enfant sur le trône des khalifes, de manière à réunir dans sa personne le double héritage 'abbâside et seljûqide. Dans ce but il transporta sa résidence d'hiver à Baghdâd (Isfahân restant sa résidence d'été), puis il invita le khalife Muqtadi à abdiquer en faveur du jeune Ja'far. Malik shâh mourut quelques jours après cette invite, le 19 novembre 1092 : il semble qu'il ait été empoisonné à l'instigation du khalife[89].

Malik shâh disparu, l'empire seljûqide se disloqua. Le grand sultan avait trois fils adolescents, Barkiyârûq, Mu*h*ammed et Sanjar[90]. Dans ses dernières années il avait épousé une nouvelle femme, de race transoxianaise, la princesse Tarkân Khâtûn, qui, en 1087, lui avait donné un quatrième fils, Ma*h*mûd, lequel n'avait donc que cinq ans au décès de son père. L'aîné des fils de Malik shâh, Barkiyârûq, alors âgé d'une quinzaine d'années, devait régulièrement lui succéder[91]. Mais la veuve du sultan, l'ambitieuse Tarkân Khâtûn cacha la nouvelle du décès, pour avoir le temps de s'emparer du pouvoir au nom de l'enfant Ma*h*mûd. De fait elle obtint du khalife la désignation comme sultan de Ma*h*mûd, qui se trouvait d'ailleurs sur place à Baghdâd (25 novembre 1092), puis elle donna des ordres pour faire arrêter à Isfahân le prince Barkiyârûq. Cependant les amis du défunt vizir Nizâm al-Mulk, restés fidèles à Barkiyârûq, accoururent en foule à Isfahân, le délivrèrent et allèrent le proclamer sultan à Reiy. Comme la Tarkân Khâtûn était venue, de Baghdâd, prendre possession d'Isfahân, Barkiyârûq marcha contre elle. Une bataille décisive se livra en janvier 1093 à Burûjird dans le Luristân. Barkiyârûq, vainqueur des troupes de la sultane, vint assiéger celle-ci dans Isfahân. Après un long siège elle dut signer la paix. Elle obtint de garder pour elle et pour son fils, Ma*h*mûd, Isfahân et le Fârs et reconnut tout le reste de l'héritage seljûqide, avec le titre de sultan, à Barkiyârûq. Du reste la sultane et son fils devaient mourir peu après presque coup sur coup (septembre-novembre 1094) et Isfahân et le Fârs devaient ainsi faire retour à Barkiyârûq.

Une nouvelle et plus sérieuse compétition menaçait Barkiyârûq. Comme on l'a vu, son oncle Tutush, frère cadet de Malik shâh, était mécontent du partage des fiefs effectué par le grand sultan en 1086-1087. Alors qu'il avait espéré obtenir toute la Syrie, il avait été évincé d'Alep, donné par Malik shâh à Aq Sonqor, et n'avait conservé que Damas et la Syrie méridionale. À la nouvelle du décès de Malik shâh, il résolut de profiter du désordre général pour dépouiller ses neveux. Il se présenta devant Alep et somma l'émir Aq Sonqor de se joindre à lui. Malgré son hostilité secrète, Aq Sonqor n'osa résister. Yâghî Siyân, émir d'Antioche, et Buzân, émir d'Édesse, obtempérèrent de même, et Tutush, renforcé par ces trois émirs, marcha sur la Perse. Il prit et saccagea en route Ra*h*éba et Nisibe (février 1093), vainquit l'émir 'oqailide de Mossoul, Ibrâhîm ibn Quraish, et s'empara de la ville (avril 1093)[92], enleva de même Maiyâfâriqîn à la dynastie kurde des Marwânides[93] ; puis entra en Perse par l'Ad*h*arbaijân pour détrôner Barkiyârûq.

Il allait en venir aux mains avec Barkiyârûq lorsque l'émir d'Alep Aq Sonqor et l'émir d'Édesse Buzân l'abandonnèrent. Les deux émirs ne l'avaient suivi que contraints et forcés. Leur loyalisme envers la maison de Malik shâh fit le reste et ils passèrent à Barkiyârûq[94]. Tutush dont cette défection ruinait les projets n'eut que le temps de battre en retraite. Il rentra précipitamment en Syrie, tandis que Barkiyârûq faisait à Baghdâd une entrée triomphale (décembre 1093).

Tutush n'avait pas renoncé à ses projets. Il commença par se venger d'Aq Sonqor et de Buzân, les émirs d'Alep et d'Édesse qui l'avaient trahi. En mai-juin 1094 il vint attaquer Alep. Aq Sonqor et Buzân se réunirent pour le combattre et Barkiyârûq envoya à leur secours l'émir Kurbuqa. La rencontre eut lieu à Ruyân près d'Alep. Tutush remporta une victoire complète. Aq Sonqor, étant tombé entre ses mains, fut aussitôt exécuté. Buzân et Kurbuqa essayèrent de se défendre encore dans Alep, mais la ville fut livrée par trahison et les deux émirs furent capturés à leur tour. Tutush se fit livrer de même Édesse (il avait fait décapiter Buzân), puis il marcha sur la Perse, bien décidé cette fois à abattre Barkiyârûq[95]. Après avoir reçu la soumission de l'A*dh*arbaijân, il occupa Hama*dh*ân et Reiy. Barkiyârûq, dont la situation fut un moment désespérée (abandonné à ses mignons et à ses chanteuses, il n'avait rien fait pour prévenir l'invasion) finit par réunir une armée, et, d'I*s*fahân, remonta sur Reiy pour livrer bataille. La rencontre eut lieu près de Reiy le 26 février 1095. Tutush, de nouveau trahi par les siens, fut vaincu et tué. Il y a lieu de remarquer que si, à l'heure décisive, les émirs avaient ainsi pris parti contre Tutush, c'est que l'énergie et la redoutable sévérité de ce roi les effrayaient dans leur désir d'indépendance. Au contraire ce qui les attirait dans Barkiyârûq, c'était son caractère débonnaire et sa faiblesse. Le triomphe de ce prince annonçait donc l'affaiblissement définitif de la puissance seljûqide à l'heure même où la prédication de la Croisade allait commencer en Occident.

Satisfait de régner sur l'Iran et sur Baghdâd, Barkiyârûq ne fit rien pour exploiter sa victoire en allant annexer la Syrie, Tutush laissait deux fils, Ri*d*wân et Duqâq. À la nouvelle du désastre paternel, ils se firent reconnaître rois, Ri*d*wân à Alep et Duqâq à Damas (1095). Barkiyârûq ne tenta rien contre eux. Duqâq lui ayant député une ambassade, Barkiyârûq consacra son pouvoir[96]. Il renvoya même régner en Asie Mineure le jeune Qilij Arslân, fils de Sulaîmân ibn-Qu*t*ulmish, jusque-là retenu en Perse dans une captivité dorée. Du côté de l'Orient, Barkiyârûq donna à son frère cadet, Sanjar, la royauté du Khorâsân et de la Transoxiane ; il le conduisit lui-même prendre possession du pays, de Nishâpûr à Balkh (1096). À cette date l'empire seljûqide était donc partagé sous la suzeraineté purement nominale du faible Barkiyârûq entre cinq royaumes rivaux : le sultanat de Perse et de Baghdâd, possédé par Barkiyârûq lui-même ; le royaume constitué au Khorâsân et en Transoxiane en faveur de son frère Sanjar ; les deux royaumes jumeaux d'Alep et de Damas possédés par les deux fils de Tutush, Ri*d*wân et Duqâq ; enfin le sultanat d'Anatolie (sultanat de Nicée, puis d'Iconium), possédé par Qilij Arslân, fils de Sulaîmân ibn-Qu*t*ulmish ; encore faut-il noter à ce dernier propos que, pour ajouter à la confusion, la famille turcomane des émirs dânishmendites, établie en Cappadoce, avait profité de la captivité de

Qilij Arslân ibn-Sulaîmân et de l'espèce d'interrègne qui s'en était suivi chez les Seljûqides de Nicée-Iconium pour se rendre pratiquement indépendante de ceux-ci.

Comme on le voit, à la veille de la Croisade les partages de famille avaient brisé la force seljûqide, épée de l'Islam.

Ce partage d'ailleurs ne mit nullement fin aux dissensions de la famille seljûqide. Dans le sultanat de Perse, l'autorité du faible Barkiyârûq ne tarda pas à être remise en question. Son plus jeune frère Sanjar, fieffé par lui au Khorâsân, était satisfait. Mais son autre frère Mu*h*ammed, n'ayant reçu que l'Arrân, se révolta en 1099. Il s'empara de l'A*dh*arbaijân, et descendit sur Reiy où se trouvait Barkiyârûq. Barkiyârûq, abandonné par les siens, n'eut que le temps de s'enfuir et Mu*h*ammed occupa Reiy le 20 septembre 1099. À Baghdâd le khalife fit réciter la khu*t*ba au nom du vainqueur (4 novembre 1099). Cependant Barkiyârûq qui s'était réfugié au Khûzistân gagna l'aide de la puissante tribu arabe des Banû Mazyad qui nomadisait à l'ouest de l'Euphrate, depuis Bassora jusqu'à Hit[97]. Le chef de ces bédouins, l'habile Sadaqa, lui accorda son appui, grâce auquel Barkiyârûq put réoccuper Baghdâd (décembre 1099-janvier 1100). De là Barkiyârûq remonta sur le 'Irâq 'Ajemî pour se venger de son frère, mais il fut défait par celui-ci près de Hama*dh*ân (mai-juin 1100). Mu*h*ammed triomphant fut de nouveau reconnu sultan à Baghdâd, tandis que le lamentable Barkiyârûq s'enfuyait au Khorâsân en essayant de s'y dédommager au détriment de son second frère Sanjar. Mais Sanjar, à son tour, le mit en fuite. Barkiyârûq erra quelque temps en véritable aventurier jusqu'à ce que, ayant de nouveau réuni des troupes, il put recommencer la lutte contre Mu*h*ammed. Cette fois la chance le favorisa. Le 5 avril 1101 il défit Mu*h*ammed près de Hama*dh*ân, victoire à la suite de laquelle il réoccupa Reiy et tout le 'Irâq 'Ajemî. Ce fut au tour de Mu*h*ammed de se réfugier au Khorâsân où Sanjar lui fit le meilleur accueil et conclut avec lui un pacte contre leur aîné. Les deux cadets marchèrent alors contre Barkiyârûq qui venait imprudemment de disperser son armée, et occupèrent Reiy et Hama*dh*ân, tandis que Barkiyârûq prenait une fois de plus la fuite. Barkiyârûq rétablit ses affaires en allant à Baghdâd où le khalife, prêt à sanctionner chaque fois le fait accompli, fit refaire la prière en son nom (13 septembre 1101). Il regarnit son trésor en extorquant au khalife et aux habitants une contribution considérable. Il est vrai que ses exactions lui aliénèrent l'appui du chef bédouin sadaqa, qui vers ce temps profitait de l'anarchie seljûqide pour se rendre indépendant autour de *H*illa, sa nouvelle capitale, et chasser les autorités sultaniennes de Kûfa et des autres villes euphratésiennes[98]. En même temps Mu*h*ammed et Sanjar descendaient de Hama*dh*ân sur Baghdâd qu'ils occupèrent le 23 octobre 1101. À leur approche Barkiyârûq s'était enfui vers Wâsi*t*. Mais Mu*h*ammed et Sanjar ayant presque aussitôt repris le chemin du 'Irâq 'Ajemî (novembre 1101), Barkiyârûq se lança, de Wâsi*t*, à leur poursuite. De guerre lasse un accord intervint alors (décembre 1101). Il fut entendu que Barkiyârûq resterait sultan, Mu*h*ammed se contentant du titre de roi avec la possession de l'Arrân, de l'A*dh*arbaijân, de Hama*dh*ân, de Qazwin, du Diyârbékir et de Mossoul.

Simple trêve. Quelques mois après Mu*h*ammed recommençait la guerre. Il fut d'ailleurs battu près de Reiy et se réfugia à I*s*fahân où Barkiyârûq vint l'assiéger (février 1102). Le siège dura jusqu'au 25 septembre 1102, « et rien ne peut mieux donner une idée de l'état d'affaiblissement auquel était déjà arrivée la puissance seljoukide que la résistance opposée pendant si longtemps à une armée de 15 000 hommes par une ville dont la garnison ne s'élevait guère qu'au dixième de ce chiffre et qui était réduite à la famine[99] ». À la fin Mu*h*ammed réussit à s'enfuir durant la nuit et se réfugia en A*dh*arbaijân (novembre 1102). Barkiyârûq vint l'y relancer et le battit à Khoi (19 mars 1103). Enfin en janvier 1104, une nouvelle paix fut conclue entre les deux frères. Barkiyârûq garda avec le titre de sultan I*s*fahân, le 'Irâq 'Ajemi et le Fârs. Mu*h*ammed eut l'A*dh*arbaijân, l'Arménie, le Diyârbékir et Mossoul. Bien entendu le troisième frère, Sanjar, restait maître du Khorâsân et de la Transoxiane. Ainsi à cette date, après tant de luttes fratricides qui avaient ruiné le prestige de la dynastie seljûqide et brisé sa force, le sultanat de Perse restait divisé en trois royaumes pratiquement indépendants. L'ancien empire de Malik shâh était plus morcelé, divisé contre lui-même et irrémédiablement paralysé que ne l'avait été jadis, lors de la reconquête byzantine, vers le milieu du dixième siècle, l'ancien empire 'abbâside. Une telle situation explique, mieux que tout commentaire, le succès de la première Croisade.

Naturellement ces partages et ces guerres fratricides entraînèrent dans chacun des nouveaux États seljûqides un affaiblissement sensible. Dans le sultanat de Perse la cour 'abbâside de Baghdâd profita de la lutte entre Barkiyârûq et Mu*h*ammed pour commencer le lent mouvement d'affranchissement qui, au treisième siècle, devait finir par aboutir à une complète restauration d'indépendance temporelle du khalifat en 'Irâq'Arabî. La khu*t*ba, aux heures où on ne savait s'il fallait la prononcer au nom de Barkiyârûq ou au nom de Mu*h*ammed, finit par être prononcée au nom du khalife seul (c'était alors al-Musta*z*hir 1094-1118) sans mention d'un nom de sultan.

D'autre part sur la rive occidentale de l'Euphrate, la tribu bédouine des Banû Mazyad profita de sa rupture avec Barkiyârûq pour se rendre indépendante. Son sheikh, l'habile *S*adaqa, fixa les courses de ces nomades autour de *H*illa qu'il construisit en 1101 et qui devint sa capitale. Le royaume arabe ainsi fondé et qui s'étendit de Hît à Kûfa et à Wâsi*t* devait, sous les émirs *S*adaqa (1086-1107) et Dubaîs (1107-1134), devenir un grave péril pour l'hégémonie turque en Islam. Protagonistes de la révolte arabe contre les sultans et leurs âtâbegs, les émirs de *H*illa n'hésiteront pas à faire dans ce but alliance avec les Croisés[100].

*Recul des Seljûqides en Syrie.*
*Reprise de Jérusalem par les Fâtimides.*

En Syrie, la domination seljûqide était également en recul. Les deux fils de Tutush, Ri*d*wân, émir d'Alep (1095-1113) et Duqâq, émir de Damas (1095-1104), n'étaient plus que des roitelets incapables d'une politique de quelque envergure. Quant à Jérusalem et à la Palestine, Tutush, on s'en souvient, en avait fait don au chef turcoman Ortoq auquel avaient succédé (1091) ses deux fils Soqmân (ou Sokmân) et Il Ghâzî[101]. Mais en 1098, les Fâ*t*imides d'Égypte, profitant, comme on le verra, de ce que les Seljûqides avaient sur les bras l'invasion des Croisés, envoyèrent une puissante armée en Palestine, sous le commandement du vizir al-Af*d*al en personne. Al-Af*d*al vint assiéger Jérusalem avec de nombreuses machines (près de 50). Après quarante jours d'une énergique résistance, les Ortoqides durent évacuer la ville (août 1098)[102]. À la suite de cette capitulation la majeure partie de la Palestine fit retour au khalifat du Caire[103].

En revanche, sur la côte de Phénicie où les Fâ*t*imides s'étaient en général maintenus grâce à leur maîtrise de la mer, ils avaient perdu Tripoli depuis que, vers le milieu du onzième siècle, un de leurs fonctionnaires, le qâ*d*î shî'ite Ibn 'Ammâr[104], s'y était rendu indépendant. Ibn 'Ammâr et ses deux successeurs, Jalâl al-Mulk[105] († 1098) et Fakhr al-Mulk 'Ammâr[106] (1098-1108), firent de Tripoli une principauté riche et cultivée que rendit célèbre son école, dotée d'une bibliothèque de plus de 100 000 volumes[107]. Mais la formation de ce petit État maritime ajoutait encore au morcellement territorial de la Syrie.

Ce morcellement de la Syrie musulmane à la veille des Croisades devait être un des facteurs essentiels de leur succès. C'est ce qu'a remarquablement mis en lumière l'historien Guillaume de Tyr : « Eu tens que li bon pélerin vindrent premièrement en la terre d'Orient, li pooirs des Turcs (c'est-à-dire ici des Musulmans en général) estoit ausi com touz départiz (morcelé) ; car près en chascune cité avoit un seigneur qui ne s'entramoient mie. Quant li uns avoit afaire, li autres ne li aidoit pas volentiers. Por ce, fu légière chose de metre ces petiz pooirs au desouz (de les subjuguer) l'un après l'autre[108]. » L'histoire de la Première Croisade et les annales du Royaume de Jérusalem au premier demi-siècle de son existence ne seront que l'illustration de ce fait.

### *La féodalité seljûqide d'Anatolie et les débuts d'Alexis Comnène.*

Le royaume seljûqide d'Anatolie n'était pas, à cette date, moins affaibli que les autres États seljûqides. Il avait failli sombrer après la mort tragique de son fondateur, Sulaîmân ibn Qu*t*ulmish, tué, comme on l'a vu, en 1086 par Tutush, le seljûqide de Syrie. De 1086 à 1092 le fils de Sulaîmân, le jeune Qilij Arslân, avait été retenu dans une demi-captivité en Perse par le sultan Malik shâh. Durant cet interrègne, les émirs locaux comme Abu'l Qâsim, émir de Nicée, Tzakhas, émir de Smyrne, et Malik Ghâzî le Dânishmendite, émir de Cappadoce, avaient été pratiquement indépendants. Abu'l Qâsim, maître de Nicée, qui était alors la capitale seljûqide d'Anatolie, paraît avoir songé à remplacer la maison de Sulaîmân. D'après Anne Comnène il aurait aussi rêvé de prendre Constantinople et construit pour cela une flotte qui fut détruite par le général byzantin Tatikios (le même que nous retrouverons comme associé de la Première Croisade)[109]. Mais en cette même année 1086, le sultan Malik shâh, inquiet de son ambition, envoya une armée qui l'assiégea dans Nicée. Abu'l Qâsim fit alors appel à l'empereur Alexis Comnène qui chargea Tatikios de le dégager[110]. Peu après Malik shâh envoya en Anatolie une armée plus considérable sous les ordres de l'émir d'Édesse Buzân avec mission de prendre Nicée et d'abattre Abu'l Qâsim. Buzân devait détacher de l'émir Alexis Comnène, contre promesse de certaines rétrocessions territoriales à consentir aux Byzantins en Anatolie. Matthieu d'Édesse affirme même que Malik shâh demandait pour un de ses fils la main d'une fille d'Alexis –. Alexis pensa que mieux valait pour l'empire le voisinage d'un simple émir de Nicée que celui du grand sultanat seljûqide de Perse. Il éconduisit l'ambassadeur et secourut Abu'l Qâsim. Son aide permit à l'émir de défendre victorieusement Nicée contre Buzân qui leva le siège. Du reste Abu'l Qâsim, ayant voulu obtenir son pardon, se rendit auprès de Malik shâh et fut mis à mort (1092).

Malik shâh étant lui aussi mort sur ces entrefaites, son successeur, Barkiyârûq, libéra enfin l'héritier du royaume seljûqide d'Anatolie, le jeune Qilij Arslân ibn Sulaîmân[111]. Celui-ci revint se mettre en possession de Nicée que le frère et successeur d'Abu'l Qâsim n'osa lui disputer (fin 1092). Mais l'autorité du jeune sultan restait bien précaire. Alexis Comnène en profita pour reprendre aux Turcs l'importante place de Cyzique. Bien plus redoutable était pour l'empire l'émir de Smyrne, Tzakhas. S'étant créé une flotte, cet énergique aventurier avait enlevé aux Byzantins Phocée, Clazomène et les îles de Lesbos, Chios, Samos et Rhodes. Alexis Comnène lui reprit d'ailleurs presque aussitôt la majeure partie de ces territoires. Le danger venait de ce que Qilij

Arslân avait épousé la fille de Tzakhas. L'habile Comnène réussit à détacher le gendre de son beau-père et à obtenir que Qilij Arslân aille prendre Tzakhas à revers au moment où l'émir avait mis le siège devant Abydos, clé des Dardanelles. Cette intervention inattendue dégagea les Dardanelles et força Tzakhas à renoncer à ses agressions[112].

Ces événements font paraître le sultan seljûqide d'Asie Mineure dans une situation assez peu brillante. Pour éviter d'être évincé par son principal vassal, devenu son beau-père, il n'avait eu d'autre moyen que de se faire l'allié d'Alexis Comnène et d'aider de ses propres mains à la mise en mouvement de la reconquête byzantine.

Si le pouvoir du sultan Qilij Arslân était si restreint près de Nicée sa capitale, il était à peu près nul au nord-est de l'Anatolie. Là, le seljûqide se trouvait en présence d'un puissant émirat congénère, celui des Dânishmendites[113]. Le fondateur de cette principauté, le turcoman Dânishmend A*h*med Ghâzî (mort vers 1084 ?) avait fondé au détriment des Byzantins ce vaste royaume qui comprenait toute la Cappadoce, avec Amasia, Gangra (Kiangri) et Néocésarée (Nîksâr). S'il était sujet du sultan de Perse Malik shâh, Dânishmend n'avait jamais reconnu la suzeraineté de Sulaîmân ibn Qu*t*ulmish. Le fils de Dânishmend, Malik Ghâzî Gümüshtékîn (1084-1126 ?), devait encore enlever aux Byzantins Qas*t*amûnî en Paphlagonie. Sa puissance fut dès lors égale, sinon supérieure à celle du seljûqide de Nicée. Entre Seljûqides d'Anatolie et Dânishmendites une rivalité mal dissimulée commençait déjà à apparaître. Les deux maisons ne se réconcilieront que temporairement quand l'invasion des Croisés les menacera toutes deux. Le reste du temps, elles seront en état d'hostilité à peu près permanente et feront ainsi le jeu de la politique byzantine qui pendant les règnes de Jean et de Manuel Comnène les opposera sans cesse l'une à l'autre pour poursuivre à leur détriment la reconquête de la péninsule.

De ces faits il résulte qu'aux environs de l'an 1095, l'élan seljûqide vers l'Ouest était arrêté. Les circonstances redevenaient assez propices, au moins dans la zone côtière, en Bithynie et en Ionie, à un rétablissement byzantin. Entre Byzantins et Turcs, les forces, grâce aux divisions de ces derniers, avaient tendance à s'équilibrer de nouveau. Vienne aux

Byzantins un concours extérieur du poids de la Première Croisade, la balance penchera une fois encore en faveur du *basileus*.

*Désaffection des Arméniens et des Syriens Jacobites envers Byzance.*

Si dans le monde musulman les divisions entre dynasties turco-arabes préparaient le succès militaire de la Croisade, dans le monde chrétien les divisions des Églises orientales devaient faciliter leur subordination à l'Église romaine, c'est-à-dire, sur ce terrain aussi, l'établissement des États croisés. Entre Grecs, Arméniens et Syriens Jacobites, les haines de secte avaient pris en effet, à la suite de la conquête byzantine du dixième siècle, une violence que la catastrophe commune au onzième siècle ne fit qu'accroître et dont les Latins allaient être les premiers à bénéficier.

Peu après l'annexion d'Antioche à l'empire, dès le règne de Jean Tzimiscès, le clergé byzantin avait commencé à persécuter le clergé arménien de la capitale syrienne. Après l'annexion d'Ani, le katholikos arménien Pierre, puis son neveu Kakig, furent l'objet de nouvelles tracasseries, dans le but de les obliger à se rallier au symbole chalcédonien (1048-1053). Les rois arméniens qui avaient cédé leurs États héréditaires à l'empire pour recevoir de lui des fiefs en Cappadoce s'y trouvèrent en proie aux mêmes sollicitations et aux mêmes menaces en vue de leur ralliement à l'orthodoxie grecque. Aussi les chroniqueurs arméniens comme Matthieu d'Édesse saluent-ils avec satisfaction le désastre byzantin de Malâzgerd, et vont-ils jusqu'à faire l'éloge du sultan Malik shâh comme ayant donné le repos à l'Arménie. En revanche les Byzantins accusent les troupes arméniennes d'avoir lâché pied à Malâzgerd, et après Malâzgerd les immigrés arméniens de Cappadoce se vengent des persécutions du clergé grec. L'ancien roi d'Ani, Kakig II, saisit l'archevêque grec de Césarée et le fait mourir atrocement en l'enfermant dans un sac avec un chien furieux. Les Byzantins, avant d'être définitivement dépossédés par l'invasion turque, attirent Kakig II dans un guet-apens et l'exécutent (1079).

La désaffection des chrétiens de rite syriaque envers les Byzantins qui avaient un moment réoccupé Antioche et Édesse n'était pas moindre. Ici encore le clergé byzantin s'était fait haïr de l'Église indigène. Déjà, quand l'empereur Romain Argyros est vaincu près d'Alep par les Musulmans (1030), Michel le Syrien nous dit la joie de ses coreligionnaires : « Ces Grecs iniques, persécutant les chrétiens (syriaques), avaient jeté en exil le patriarche et les évêques (jacobites) : le Seigneur les brisa en face de leurs ennemis. » À la tyrannie confessionnelle de l'Orthodoxie grecque – des « Chalcédoniens », comme il écrit –, Michel le Syrien préfère encore la domination turque : « Au dehors les Chrétiens (= les Syriens) étaient persécutés par les pillages des Turcs. Au dedans ils étaient encore plus opprimés par les Chalcédoniens, ce que la Justice (divine) ne toléra pas. » Et ailleurs, du même Michel : « Si nous avons subi des dommages du fait de la conquête de la Syrie par les Musulmans, ce ne fut pas un léger avantage pour nous d'être délivrés de la cruauté des Romains (= Byzantins), de leur méchanceté, de leur colère, de leur zèle cruel contre nous (c'est-à-dire du prosélytisme "chalcédonien") et de nous trouver en repos. » Aussi ce cri de joie de Bar Hebraeus parlant du désastre byzantin à Malâzgerd : « Dieu soit loué qui a abaissé les orgueilleux[114] ! » Un fait encore montrera l'étendue de cette désaffection à une heure où on pourrait croire que Grecs et Syriaques vont se solidariser contre la conquête seljûqide triomphante. En décembre 1090, le patriarche jacobite Athanase VII (Abu'l Faraj) vient d'être intronisé à Mélitène, grâce au concours du gouverneur de la ville, Gabriel (de rite grec), qui a repoussé les présents d'un autre prélat concurrent. Gabriel se porte à la rencontre du nouveau patriarche, pour recevoir sa bénédiction. Mais Athanase refuse avec hauteur : « Tu es Grec, et nous sommes Syriens ! » Sur quoi Gabriel furieux met le prélat aux arrêts chez une courtisane[115].

De tels sentiments attestent le divorce définitif entre l'orthodoxie byzantine et les chrétientés indigènes, arménienne ou syriaque. En s'identifiant à cette orthodoxie, la reconquête byzantine du dixième siècle avait préparé la désaffection de tous les éléments qui eussent dû être ses alliés naturels. À l'heure où les Turcs s'emparaient du sol, cette désaffection avait fait perdre à Byzance l'empire des âmes. Désormais, malgré la dureté de la conquête turque, Arméniens et Syriens jacobites ne souhaiteront plus que la délivrance vienne, comme au dixième siècle, sous la forme d'une restauration byzantine, aussi redoutée que le Turc lui-même. Au contraire ils n'auront aucun préjugé contre le rite latin, étranger aux vieilles haines de voisinage, et avec lequel ils s'accommoderont assez vite. De fait les Arméniens de Cilicie et ceux d'Édesse accueilleront Baudouin Ier en libérateur, l'époque des Croisades verra l'Église arménienne se réconcilier avec la Papauté, tandis que l'Église syriaque aura sa place dans la hiérarchie du royaume franc de Jérusalem, et que les Maronites, au douzième siècle, s'allieront en masse aux Latins.

Ces dispositions de l'Orient chrétien à la veille des Croisades expliquent à bien des égards la facilité avec laquelle purent se fonder les États latins de Syrie.

*La poussée normande vers l'Orient : Robert Guiscard et Alexis Comnène.*

Tandis que Byzance, depuis la mort de Basile II (1025), ne cessait de reculer en Asie, l'Occident latin, dans la personne des Normands, se mettait en marche vers l'Orient.

C'est dans le second quart du onzième siècle que des bandes d'aventuriers normands, descendues du duché de Normandie dans l'Italie méridionale, avaient commencé à enlever ce pays aux Byzantins en même temps que la Sicile aux Arabes. En 1042 un de leurs chefs, Guillaume de Hauteville, occupait déjà la Pouille occidentale. Mais c'est à Robert Guiscard qu'est dû l'établissement définitif de l'État normand. Proclamé duc de Pouille et de Calabre en 1059, il enlevait aux Byzantins leurs dernières places italiennes, Otrante, Brindisi (1062), Bari enfin, leur capitale, le 16 avril 1071 – l'année même de la bataille de Malâzgerd. Dès lors il n'eut plus qu'une ambition : poursuivre ses conquêtes de l'autre côté du Canal d'Otrante. Comme il avait enlevé aux Byzantins leurs thèmes italiens, il entendait maintenant leur enlever l'Épire, la Macédoine et Constantinople elle-même, en attendant, sans doute, d'aller sanctifier son œuvre en continuant en Asie la lutte contre l'Islam si brillamment commencée par l'expulsion des Arabes de Sicile.

Tandis que les compagnons de Guillaume de Hauteville et de Robert Guiscard s'emparaient de l'Italie byzantine, d'autres aventuriers normands, entrés au service de l'empire byzantin, étaient allés guerroyer en Asie Mineure où ils avaient profité des désastres byzantins devant les Turcs pour essayer de s'y tailler au détriment des Byzantins comme des Turcs des principautés militaires. Nous avons raconté l'aventure de Roussel de Bailleul, un moment maître de la Cappadoce et des provinces voisines (1073-1074). L'exemple de Roussel de Bailleul, qui, avec une poignée de « Francs », avait réussi à tenir en échec les forces de Byzance et celles des Seljûqides et failli transformer l'Anatolie en principauté normande, était de nature à accroître l'ambition de Robert Guiscard. En mai 1081 Robert débarquait à Avlona. Vainqueur de l'empereur Alexis Comnène sous les murs de Durazzo, le 18 octobre 1081, il s'empara, après un long siège, de cette importante place (21 février 1082). De là, s'enfonçant dans les montagnes de la Macédoine, il avait pris Kastoria et marchait sur Constantinople, lorsque les affaires d'Italie l'obligèrent à rentrer dans ses États en laissant le commandement de l'expédition à son fils Bohémond, le futur héros de la Première Croisade (avril-mai 1082). Bohémond, deux fois encore vainqueur d'Alexis Comnène, prit Janina et Arta, en Épire, Okhrida, Veria et Moglena en Macédoine et vint assiéger Larissa en Thessalie. L'Empire semblait si près de sa chute – 1082 devançant 1204 ! – qu'Alexis Comnène n'hésita pas à faire appel au seljûqide d'Anatolie, Sulaîman ibn Qu*t*ulmish, qui lui envoya 7 000 hommes. Enfin un succès d'Alexis sous Trikala dégagea la Thessalie. Bohémond étant allé chercher des renforts en Italie, Alexis reprit Kastoria (octobre-novembre 1083). Robert Guiscard et Bohémond revinrent cependant d'Italie avec les renforts nécessaires et défirent même devant Corfou la flotte vénitienne, alliée de Byzance, mais la guerre traîna ensuite en longueur sur les côtes de l'Épire et de l'Acarnanie jusqu'à ce que Robert mourût d'une épidémie à Képhalonie le 17 juillet 1085. Lui disparu, les Normands évacuèrent leurs conquêtes et rentrèrent en Italie[116].

Mais dans leur pensée ce n'était là qu'un ajournement. Les successeurs de Robert Guiscard – à commencer par son fils Bohémond – ne devaient jamais oublier la route de Constantinople sur laquelle leur chef s'était avancé jusqu'au cœur de la Macédoine. Cette route, la Première Croisade allait leur fournir l'occasion de la prendre à nouveau. Car pour Bohémond la Croisade – jusqu'à Constantinople et jusqu'à Antioche – ne devait pas être autre chose que cela : la reprise de l'expédition de 1081. Sa mainmise sur Antioche devait le prouver[117].

# HISTOIRE DES CROISADES ET DU ROYAUME FRANC DE JÉRUSALEM

## CHAPITRE PREMIER

## LA PREMIÈRE CROISADE

### § 1er. — Prédication de la Croisade.

*L'initiative d'Urbain II : la Croisade.*

La révolte de Roussel de Bailleul en Asie Mineure, puis l'invasion de Robert Guiscard en Macédoine avaient fait courir à l'empire byzantin de trop graves dangers pour que nous puissions prêter foi à la prétendue lettre que l'empereur Alexis Comnène aurait, en vue d'obtenir l'envoi d'une Croisade, écrite au comte de Flandre Robert Ier le Frison[1]. Cette lettre, dont le chroniqueur Guibert de Nogent prétend nous donner le texte (ou la traduction latine)[2], doit être considérée comme apocryphe, bien que basée sans doute sur un fait réel : vers 1087 le comte de Flandre, revenant de pèlerinage et traversant l'empire byzantin, avait promis à Alexis Comnène l'envoi de cinq cents cavaliers ; dans une lettre de 1088 ou 1089 environ, Alexis dut lui rappeler sa promesse. Il s'agissait simplement là d'un recrutement de mercenaires, comme Byzance en enrôlait tant, depuis la Scandinavie jusqu'à l'Italie. Et ce fut encore dans le même sens, pour demander que fût facilité le recrutement des mercenaires, qu'Alexis Comnène s'adressa au pape Urbain II. La démonstration du regretté Chalandon nous semble à cet égard définitive[3], encore que, comme le fait remarquer Rœhricht, on ne puisse nier qu'il y ait eu appel de la cour byzantine à toutes les forces sans emploi de l'Occident[4]. Mais il est bien vrai qu'il y a un abîme entre les envois de mercenaires ainsi sollicités et la mise en branle d'une grande expédition latine opérant pour son propre compte, indépendamment de Byzance. Une telle expédition – la « Croisade » – il ne faut en attribuer l'initiative ni à un appel d'Alexis Comnène, ni au pèlerinage et à la prédication de Pierre l'Ermite – légende à rayer définitivement de l'histoire – mais au génie du pape Urbain II.

D'où put venir chez Urbain II l'idée de la Croisade ? Point n'est besoin de chercher pour cela une demande du *basileus* ni les exhortations de Pierre l'Ermite. Il suffit de se reporter à la chronique indigène de Michel le Syrien, bien placé pour connaître les raisons de l'intervention latine dans les affaires palestiniennes. « Comme les Turcs, écrit-il, régnaient dans les pays de Syrie et de Palestine, ils infligeaient des maux aux chrétiens qui allaient prier à Jérusalem, les frappaient, les pillaient, prélevaient la capitation à la porte de la ville et aussi au Golgotha et au Sépulcre. Et en outre toutes les fois qu'ils voyaient une caravane de chrétiens, surtout de ceux qui venaient de Rome ou des pays d'Italie, ils s'ingéniaient à les faire périr de diverses manières[5]. » Les vexations dont le pèlerinage était systématiquement l'objet depuis la conquête seljûqide suffisent à expliquer le projet d'Urbain II.

Le grand pape dut garder longtemps son plan secret. Dans son dernier et magistral ouvrage, Chalandon a définitivement établi que l'idée d'une expédition latine pour refouler les Musulmans en Asie, comme on commençait à les refouler en Espagne, ne se forma qu'assez tard dans l'esprit d'Urbain II et qu'il ne la manifesta qu'une fois pleinement mûrie[6]. Il semble qu'il n'en ait pas été question dans la circulaire qu'Urbain adressa pour convoquer le concile de Clermont, concile destiné à régler différentes affaires ecclésiastiques dont l'excommunication du roi de France Philippe I^er^. Au concile même, qui s'ouvrit le 18 novembre 1095, les neuf premières journées furent consacrées, comme il était annoncé, à des questions de discipline ecclésiatiques, et ce ne fut que le dixième jour, le 27 novembre, qu'Urbain II invita les chrétiens à s'unir pour aller délivrer les Lieux Saints. À travers les diverses restitutions littéraires qu'ont essayé de nous en donner les chroniqueurs[7], nous pouvons supposer que le pape traça un éloquent tableau des malheurs de la Terre Sainte. Déjà en octobre 1009, le khalife fâ*t*imide al-*H*âkim avait fait détruire l'église de la résurrection à Jérusalem. Mais c'était surtout la conquête seljûqide qui avait aggravé la situation des Lieux Saints ; ce sont les Turcs et leur barbarie que, d'après les chroniqueurs, incrimine Urbain II[8]. De fait la conquête de Jérusalem sur les Fâ*t*imides par le général seljûqide Atsiz en 1071 avait provoqué de nouvelles catastrophes. Jérusalem s'étant révoltée contre lui au nom des Fâ*t*imides, Atsiz la reprit de force et se vengea par un terrible massacre « auquel échappèrent seuls ceux qui se réfugièrent dans la Mosquée d'Omar (la Qubbet al-Sakhra), tandis que ceux qui se réfugiaient dans la Mosquée al-Aq*s*â étaient exterminés » (1076-1077)[9]. Jamais la ville sainte n'avait été aussi malheureuse que depuis qu'elle était devenue l'enjeu sans cesse pris et repris de la guerre entre Arabes Fâ*t*imides et Turcs Seljûqides. En même temps, comme le dit Foucher de Chartres, Urbain II pouvait montrer les Seljûqides atteignant non seulement, en Syrie, la Méditerranée, mais en Asie Mineure, l'Hellespont (le « Bras Saint-George ») et campant en face de Constantinople[10].

De l'aveu des chroniqueurs les plus qualifiés, ce fut de ce discours éloquent et nullement de la soi-disant prédication préalable de Pierre l'Ermite que sortit la Croisade. Le cri de « *Deus lo volt !* » poussé par la foule attesta que les paroles du pape avaient créé un mouvement populaire qui ne s'arrêterait plus[11]. L'évêque du Puy, Adhémar de Monteil, de la famille des comtes de Valentinois, s'agenouillant aux pieds d'Urbain II fut le premier à s'enrôler. Urbain le nomma chef de la Croisade. Comme le fait remarquer Chalandon, le pape désirait conserver ainsi la direction du mouvement, les territoires à conquérir par les Croisés devant, sans doute, former dans sa pensée un autre patrimoine du Saint-Siège. De fait, après la conquête de la ville sainte, nous verrons l'archevêque Daimbert en revendiquer la possession au nom du patriarcat et entrer bientôt en lutte à ce sujet avec Baudouin Ier, fondateur du royaume laïque de Jérusalem. En tous cas le choix d'Adhémar de Monteil fut heureux. Sa haute autorité devait toujours s'exercer parmi les barons de la Croisade dans le sens de la conciliation et de la sagesse.

Dès le début ce caractère ecclésiastique de la Croisade fut menacé. Un des plus puissants seigneurs de France, Raymond IV de Saint-Gilles, comte de Toulouse et marquis de

Provence (1088-1105), prit la croix. La lutte contre l'Islam lui était déjà familière puisqu'il avait combattu en Espagne contre les Arabes. D'après Michel le Syrien, il avait même fait le pèlerinage de Jérusalem[12]. À tous ces titres et comme étant le premier des barons à prendre la croix, il semble que Raymond ait brigué la direction de la Croisade, tout au moins la direction militaire, à côté d'Adhémar de Monteil, chef religieux. Auquel cas la croisade eût pris les allures d'une expédition provençale, tout au moins d'une entreprise laïque analogue par exemple aux expéditions des Normands en Italie. Il semble que le pape, désireux de conserver aux conquêtes ultérieures un caractère ecclésiastique, ait décliné ces offres[13]. Par ailleurs cette ambition d'hégémonie chez Raymond de Saint-Gilles continuera à se manifester durant toute la campagne. C'est elle qui le fera d'abord s'opposer violemment aux droits de l'empire byzantin, puis qui l'amènera à se faire l'homme de l'empire pour essayer de commander au nom de celui-ci aux autres Croisés. Ce ne sera que tout à fait à la fin, plus tard que tous les autres, qu'il abandonnera ce rêve d'hégémonie générale pour se tailler au Liban un domaine limité.

L'initiative de la Croisade était si bien l'œuvre propre d'Urbain II et il entendait si nettement en conserver la direction personnelle qu'après le concile de Clermont il continua à la prêcher lui-même, tenant dans ce but un concile à Limoges (23-31 décembre 1095), parlant à Angers, au Mans, à Tours, à Poitiers, à Saintes, à Bordeaux, à Toulouse et à Carcassonne (janvier-juin 1096), réunissant enfin dans un concile à Nîmes Raymond de Saint-Gilles et la noblesse de langue d'oc (6-14 juillet 1096). Ce fait prouve que, si le comte de Toulouse n'avait pu se faire nommer chef de la Croisade, il n'en fut pas moins, aux côtés du pape, à l'origine de toute l'organisation du mouvement. Au point de vue maritime, un rôle analogue fut dévolu aux Génois. À la demande des légats pontificaux, les Génois armèrent pour seconder l'expédition douze galères et un navire de transport. Gênes devait ainsi s'acquérir dans la future Syrie franque un droit d'antériorité dont la concurrence des Vénitiens et des Pisans fut longue à lui arracher le bénéfice.

*Démagogie de Croisade : Pierre l'Ermite et ses émules.*

L'initiative d'Urbain II aboutit d'abord à un mouvement populaire auquel est attaché le nom de Pierre l'Ermite. L'éloquence ardente de ce personnage exerçait une action profonde sur les foules qui, à son instigation, se mettaient en marche vers Constantinople, sans attendre que le pape et les barons aient eu le temps de donner une organisation politique et militaire sérieuse au mouvement. Déjà d'ailleurs sa figure était déformée par la légende : ne racontait-on pas que, se trouvant en pèlerinage au Saint-Sépulcre, il avait vu en songe le Christ qui lui avait ordonné de se rendre auprès du pape pour faire prêcher la Croisade[14] ? La prédication de l'Ermite, commencée dans le Berri, se continua à travers l'Orléanais, la Champagne, la Lorraine et la Rhénanie. En sortant de France il entraînait à sa suite quinze mille pèlerins environ, qui arrivèrent avec lui à Cologne le 12 avril 1096, tous gens du peuple ou simples sergents, vagabonds même et criminels auxquels il remettait leurs péchés.

En même temps que lui, un autre entraîneur de foules, Gautier-sans-avoir, s'était mis en marche, le précédant même. Gautier et ses bandes traversèrent la Hongrie avec l'autorisation du roi Coloman, puis entrèrent en territoire byzantin. Niketas, gouverneur byzantin des provinces de l'actuelle Serbie (Belgrade, Nish), fit bon accueil à ces troupes trop mal armées et encadrées pour constituer un péril, et qui, par Sofia, Philippopoli et Andrinople, gagnèrent Constantinople (20 juillet 1096). Alexis Comnène les autorisa à attendre sous les murs de sa capitale l'arrivée de Pierre l'Ermite. Pendant cette marche le *basileus* avait assuré partout leur ravitaillement[15].

Pierre l'Ermite, avec d'autres bandes non moins inorganiques, partit de Cologne vers le 19 avril 1096, traversa l'Allemagne et la Hongrie, régulièrement ravitaillé par les seigneurs germaniques, puis par le roi Coloman. Arrivés à Semlin, la dernière place hongroise, en face de la place byzantine de Belgrade, les Croisés, à la suite de contestations avec les Hongrois, sans doute pour des achats de denrées, prirent d'assaut Semlin où quatre mille Hongrois furent tués[16]. Pierre l'Ermite et les siens n'évitèrent la vengeance du roi de Hongrie que parce qu'ils entrèrent aussitôt après en territoire byzantin. Mais le coup de main de Semlin avait naturellement mis les Byzantins en défiance. Constatant qu'ils avaient affaire à des bandes indisciplinées bien plutôt qu'à une armée régulière, ils cherchèrent à les encadrer à la fois pour les guider et pour les surveiller, afin de leur interdire le pillage et de les conduire le plus rapidement possible en Asie où les nouveaux arrivants pourraient être utilisés contre les Turcs. Comme l'a établi Chalandon[17], le duc byzantin Niketas, qui commandait sur la frontière de la Save, voulut, dans ce but, « canaliser » la marche des Croisés à l'aide de ses auxiliaires Comans et Petchénègues. Il n'y put réussir, évacua Belgrade et se replia sur Nish. Les bandes de Pierre l'Ermite pillèrent aussitôt Belgrade. Naturellement la méfiance et les craintes des Byzantins s'en accrurent. Néanmoins quand Pierre l'Ermite arriva devant Nish, vers le 3 juillet 1096, Nikétas consentit à ravitailler les Croisés, moyennant, pour la sécurité de la ville, remise temporaire d'otages. Mais ici encore les plus regrettables excès se produisirent. Pierre l'Ermite avait enrôlé quantité de gens sans aveu qui cherchaient, en prenant la croix, à obtenir la rémission de leurs brigandages. Ces pécheurs mal convertis eurent tôt fait de revenir à leurs mauvais instincts. Pillards ils étaient, pillards ils se retrouvèrent. En quittant Nish, ils saccagèrent les faubourgs. Cette fois Niketas fit attaquer les Croisés et leur infligea un châtiment sévère. Après avoir perdu plusieurs milliers des siens, Pierre l'Ermite eut grand'peine à rallier le reste pour reprendre sa marche. Arrivé à Sofia, il rencontra les envoyés d'Alexis Comnène qui lui posèrent leurs conditions : le gouvernement byzantin recommencerait à ravitailler les Croisés à condition que ceux-ci ne s'arrêtassent jamais plus de trois jours devant aucune ville. Ces conditions furent observées de part et d'autre, et par Philippopoli et Andrinople Pierre l'Ermite atteignit, le 1er août 1096, Constantinople, ville sous les murs de laquelle il retrouva Gautier-sans-avoir.

Malgré les incidents qui avaient jalonné la marche de la Croisade, l'empereur Alexis Comnène fit bon accueil à Pierre l'Ermite. Il lui donna audience, fit ravitailler ses gens et leur conseilla d'attendre sous les murs de Constantinople l'arrivée de la croisade des seigneurs : « L'empereur leur dit : “Ne traversez pas le Bras (le Bosphore) avant l'arrivée du gros de l'armée chrétienne, car vous n'êtes pas assez nombreux pour pouvoir combattre les Turcs[18].” Conseil plein de sagesse et même de charité, comme le fait observer Chalandon[19]. Il était en effet évident que cette cohue indisciplinée de manants, de moines en rupture de couvent, de pécheurs repentis, voire de femmes et d'enfants était incapable de se mesurer avec les Turcs. Mais inaptes à faire la guerre, ces bandes ne pouvaient s'empêcher de piller. À peine campées sous les murs de Constantinople, elles se mirent à piller les faubourgs, les villas de la banlieue, même les églises byzantines[20].

Devant ces méfaits Alexis Comnène, craignant pour la sécurité de Constantinople, résolut de faire passer les Croisés en Asie. Le 7 août 1096 sa flotte commença à les transporter sur l'autre rive du Bosphore vers Chrysopolis et Chalcédoine. Là leurs pillages reprirent. C'est ce qu'avouent les *Gesta :* « Après qu'ils eurent passé, ils ne cessaient de commettre toute espèce de méfaits, brûlant et dévastant les maisons et les églises. » Alexis Comnène leur assigna comme séjour, pour attendre les barons, la place forte de Kibotos ou Civitot, sans doute l'actuel Hersek, sur la rive méridionale du golfe de Nicomédie (golfe d'Izmîd), près de l'entrée du golfe. La flotte byzantine les y ravitaillait avec régularité et les Croisés n'avaient qu'à y attendre paisiblement l'arrivée des barons. Mais la frontière turque était toute proche, puisque à 35 kilomètres au sud-est de Civitot se trouvait Nicée (Iznîq), capitale du souverain seljûqide d'Anatolie, Qilij Arslân ibn Sulaîmân. Les bandes de Pierre l'Ermite ne purent se défendre d'aller piller de ce côté en terre seljûqide. Vers la mi-septembre une course qu'elles exécutèrent dans ce but jusqu'aux portes de Nicée ramena un butin important, malgré l'intervention des Turcs, qui furent battus. Ce succès encouragea les Croisés. Un de leurs chefs, Renaud, réussit à enlever aux Turcs le château de Xérigordon, sans doute dans la banlieue de Nicée. Mais il y fut bientôt assiégé par les Turcs (29 septembre 1096). Complètement enveloppés, manquant d'eau jusqu'à endurer de ce fait les pires tortures[21], les gens de Renaud eurent un sort tragique. Le 17 octobre les

Turcs reprirent Xérigordon et tuèrent ou réduisirent en esclavage tous les occupants[22].

Cette aventure eût dû assagir les pèlerins. Elle les poussa au contraire aux pires imprudences. Pierre l'Ermite, « ne pouvant discipliner cette troupe disparate qui ne voulait entendre ni lui ni ses paroles[23] », était retourné à Constantinople, auprès d'Alexis Comnène. Les pèlerins profitèrent de son absence pour entreprendre, malgré les quelques chevaliers qui se trouvaient parmi eux (comme Gautier-sans-avoir, le comte de Tubingen et Gautier de Teck), une marche sur Nicée. Le 21 octobre, au nombre de vingt-cinq mille hommes environ, dont cinq cents chevaliers au plus, ils commencèrent leur mouvement sans se faire éclairer et dans le plus grand désordre. Bien avant d'avoir atteint Kiz Dervend, à moins de trois kilomètres au sud de l'actuel Hersek, ils furent surpris par les Seljûqides et massacrés. Les chevaliers s'étaient bien battus, mais la foule des pèlerins s'était montrée incapable de résistance. Gautier-sans-avoir, le comte de Tubingen et Gautier de Teck restèrent parmi les morts. Trois mille survivants purent regagner le château de Civitot qui fut aussitôt assiégé. Alexis Comnène envoya en hâte dans le golfe de Nicomédie des navires de guerre avec des renforts commandés par Euphorbenos Katakalon. À leur approche les Turcs levèrent le siège de Civitot[24]. Les débris des Croisés furent, par les soins des Byzantins, rembarqués pour Constantinople où l'empereur les installa dans la banlieue en attendant la Croisade des barons, mais non sans les avoir préalablement désarmés.

La Croisade populaire conduite par Pierre l'Ermite et Gautier-sans-avoir avait, comme il était inévitable, misérablement échoué. Les mouvements analogues dirigés par Volkmar, Gottschalk et Emich de Leisingen eurent une destinée plus regrettable encore : ils faillirent déshonorer la croisade. Les bandes de Volkmar – environ 12 000 hommes – en arrivant à Prague, massacrèrent les Juifs de la ville, malgré l'intervention de l'évêque ; étant descendues en Hongrie, elles furent à leur tour exterminées par les habitants qu'elles avaient pillés. Une autre bande de 15 000 hommes, pour la plupart Allemands, descendit de même en Hongrie en se livrant au pillage. Le roi de Hongrie, Coloman, fit massacrer ces étranges pèlerins comme ceux de Volkmar (été de 1096). Enfin un chevalier-brigand du Rhin, le comte Emich de Leisingen, se mit à la tête d'une troisième bande comprenant, à côté de pèlerins du menu peuple, plusieurs représentants de la féodalité pillarde à laquelle il appartenait lui-même. Le comte de Leisingen commença sa croisade en massacrant les Juifs des villes rhénanes pour enlever leurs biens[25]. Le massacre, commencé à Spire le 3 mai 1096, dura un mois plein, à Mayence, Cologne, Trèves et Worms. À Metz 22 Juifs furent tués dont le précepteur de la communauté, Rabbi Samuel ha Cohen. L'épiscopat se fit le protecteur des victimes. À Spire, l'évêque Jean abrita les Juifs dans son palais et fit couper les mains aux meurtriers qu'il put arrêter. À Trèves, les Juifs, réfugiés de même dans le palais de l'évêque, y échappèrent aux égorgeurs. À Mayence l'évêque Rothard ouvrit lui aussi son palais aux Juifs : mais alors les bandes d'Emich attaquèrent le palais épiscopal, mirent l'évêque en fuite et massacrèrent les réfugiés. De même à Worms, prise d'assaut du palais de l'évêque où se sont réfugiés les Juifs. En vain à la prière de rabbi Kalonymos, chef de la communauté juive de Mayence, l'empereur Henri IV, puis le duc de Basse-Lotharingie, Godefroi de Bouillon avaient-ils protesté contre le mouvement d'antisémitisme. Le 29 mai Kalonymos fut massacré à son tour[26].

On peut se demander quelle était la cause de cet antisémitisme populaire qui allait contre toutes les intentions de l'Église et du pouvoir impérial. Faut-il y voir, puisque la Croisade avait pour but de venger les offenses faites au Saint-Sépulcre, un souvenir des émeutes antichrétiennes de Jérusalem, émeutes au cours desquelles les Juifs s'étaient si souvent solidarisés avec les Musulmans ? En 966 par exemple Musulmans et Juifs avaient mis le feu aux portes de la basilique du Saint-Sépulcre, fait effondrer la coupole, envahi et pillé le sanctuaire, puis dévasté de même l'église de Sion[27]. Mais sans doute n'est-il pas besoin d'invoquer ces vieux griefs. Les émeutes antisémites de la vallée du Rhin, dirigées contre les autorités épiscopales, par la populace de la région, sont, sous prétexte de croisade, un simple mouvement de jacquerie auquel furent trop heureux de s'associer les chevaliers-brigands de la région, ennemis jurés du pouvoir ecclésiastique.

Les bandes du comte Emich eurent le sort qu'elles méritaient. Le roi de Hongrie Coloman, connaissant leurs exploits, leur interdit l'entrée de son territoire. Elles passèrent outre et vinrent assiéger la ville hongroise de Wieselburg. L'armée hongroise tomba sur elles et les massacra impitoyablement. Le comte Emich, échappé presque seul grâce à la vitesse de son cheval, rentra en Allemagne. Il ne devait même pas prendre part à la croisade des barons.

Pour nous résumer, nous répéterons que la Croisade populaire fut, sous le couvert d'un mouvement religieux, un prétexte de jacqueries et de manifestations anarchiques. Occasion pour les ennemis spontanés de l'ordre social, de détruire autour d'eux, ainsi qu'il arrive sous le couvert de toute révolution religieuse ou politique.

*La Croisade des barons :*
*Godefroi de Bouillon et l'armée lotharingienne.*

La Croisade populaire n'avait été qu'une agitation anarchique et dangereuse : telle la levée des volontaires de 1792 avec l'accompagnement des massacres de Septembre. En 1792 l'épopée révolutionnaire ne devait commencer que lorsque – la mystique jacobine reléguée à sa place – les anciens cadres et toute l'organisation de la vieille armée monarchique assumèrent la responsabilité de la guerre. De même la Croisade ne parvint à lancer ses armées vers l'Orient que lorsque l'enthousiasme dangereux des foules et les agitations de la démagogie chrétienne firent place à des expéditions féodales, régulièrement organisées dans les cadres de l'ordre social existant et méthodiquement conduites.

Tandis que – jacques et chevaliers brigands – la démagogie de Croisade massacrait les Juifs et tombait sous les coups des Hongrois, des Byzantins et des Turcs exaspérés par ses pillages, la Croisade des barons se mettait en mouvement par groupes réguliers. Le premier groupe qui fut prêt était commandé par le duc de Basse-Lotharingie, Godefroi de Bouillon. Partie importante de l'empire romain germanique, le duché de Basse-Lotharingie, connu peu après sous le nom de duché de Brabant, comprenait sur la rive gauche du Rhin la région ardennaise, le Hainaut, le Brabant, la Hesbaye et le pays de

Liége, la Toxandrie (Breda), la région d'Aix-la-Chapelle, plus, sur la rive droite du Rhin, la zone en face de Cologne. Le cœur du duché était constitué par le pays wallon où se trouvait d'ailleurs le château de Bouillon d'où le duc Godefroy IV tire son appellation historique. Godefroi IV de Bouillon était le fils du comte Eustache II de Boulogne et d'Ida, sœur du précédent duc de Basse-Lotharingie, Godefroi III le Bossu. « Il fut nez en règne de France, à Boloigne seur la mer », spécifie Guillaume de Tyr. À la mort de son oncle, en 1076, il hérita d'une partie seulement de ses fiefs, le comté de Verdun et la marche d'Anvers, l'empereur Henri IV ayant réservé la succession du duché de Basse-Lotharingie pour son propre fils Conrad. En 1089, enfin, Henri IV avait inféodé le duché à Godefroi de Bouillon. – Avec Godefroi de Bouillon partirent pour la Croisade son frère cadet Baudouin de Boulogne, le futur roi de Jérusalem, leur autre frère, Eustache III, comte de Boulogne, et leur cousin Baudouin du Bourg, fils du comte Hugue Ier de Rethel[28]. Dans le même groupe il faut citer Baudouin II, comte de Hainaut[29], Garnier de Grez[30], le comte Reinard de Toul, Pierre de Stenay, Dudon de Conz-Sarrebrück, Baudouin de Stavelot, Henri et Geoffroi d'Esch[31]. En général le gros de l'expédition était fourni par les pays wallons. Mais la haute dignité dont le duc de Basse-Lotharingie était investi dans le Saint-Empire et la situation géographique de ses barons, mouvant les uns, comme lui, de l'empire, les autres, comme ses frères, de la royauté capétienne (plusieurs fieffés dans l'un et l'autre pays), autant de facteurs qui concouraient à maintenir à cette armée un caractère international, ou, plus exactement, international latin. Toutefois, – bien que la majorité des compagnons de Godefroi relevassent du Saint-Empire – dès qu'ils seront établis en Syrie et la distance aidant, la mouvance impériale sera oubliée, aucun souvenir de la suzeraineté germanique ne se manifestera ; au contraire le sang wallon parlera alors seul en eux et deviendra le facteur dominant de la civilisation qu'ils établiront là-bas : la royauté fondée à Jérusalem par la maison de Lotharingie-Boulogne sera une royauté française, le royaume latin de Jérusalem – on le verra par toute la suite de cette histoire – sera un royaume français.

Les deux célèbres frères Godefroi de Bouillon et Baudouin de Boulogne présentaient un contraste physique et moral que les chroniqueurs se sont plu à accuser. Godefroi très grand, poitrine large et membres vigoureux, mais taille mince et élancée, a les traits fins, la barbe et les cheveux d'un blond vif ; vaillant guerrier au combat, il sera en dehors du champ de bataille un pèlerin pieux, plein de bonne grâce, de douceur, de charité, d'humilité chrétienne[32]. Le chroniqueur lotharingien Albert d'Aix, son biographe, n'a pas eu à forcer la note pour nous le rendre sympathique à tant d'égards[33]. Chalandon soupçonne que ses qualités avaient pour contrepartie une certaine absence de personnalité. De fait ce vaillant chevalier devait être un général assez secondaire et, aux heures difficiles, à Dorylée et à Antioche, ce seront les autres chefs de la Croisade, comme Bohémond et Tancrède, qui détermineront la victoire. Après la délivrance de Jérusalem il cédera sans difficulté aux suggestions de l'épiscopat qui ne désirait nullement une royauté laïque forte ; par docilité envers les tenants de la thèse ecclésiastique, autant que par humilité chrétienne, Godefroi évitera donc de prendre le titre de roi et restera jusqu'à sa mort simple avoué du Saint-Sépulcre. Chalandon estime même que c'est en raison de ces facultés d'effacement, pour le peu de relief de sa personnalité, voire pour une certaine médiocrité de caractère, que le duc de Basse-Lotharingie devait être choisi par l'épiscopat comme par les barons[34]. Il y a lieu toutefois de remarquer que dans la direction d'une armée aussi hétérogène que celle de la Croisade les qualités peut-être purement négatives de Godefroi de Bouillon ne devaient pas laisser d'avoir leur utilité. Son caractère conciliant et facile contribuera à apaiser bien des différends. Si le succès militaire de la Croisade devait plutôt être l'œuvre de ses compagnons que de lui-même, le caractère assez effacé de sa personnalité morale permit souvent de sortir sans trop de mal des crises que la violence ou l'astuce de Bohémond, de Tancrède, de Raymond de Saint-Gilles et du propre frère de Godefroi, Baudouin de Boulogne, provoquait à chaque instant.

Car Baudouin, comme nous le disions, formait en tout un singulier contraste avec lui. Encore plus grand que Godefroi de Bouillon, la barbe et les cheveux noirs tranchant sur un visage très blanc, il affectait une gravité de démarche, un ton de langage sévère, une attitude imposante et même hautaine qui, joints à son amour du faste, lui composaient un extérieur plein de majesté[35]. Sa gravité comme sa culture littéraire provenait sans doute, comme Dodu le pense, du temps qu'avant de devenir chevalier il avait passé dans la cléricature, à Reims, à Cambrai et à Liége[36]. Mais ce passé religieux n'entravait guère chez lui un caractère orgueilleux et cupide et un tempérament singulièrement fougueux. Avec cela une puissance de personnalité et des qualités d'organisateur qui devaient faire finalement de ce politique le principal bénéficiaire de la Croisade. Du reste, pendant la première partie de l'expédition, il eut l'habileté de servir correctement de second à son frère aîné Godefroi.

Enfin, avec Godefroi de Bouillon, une armée régulière se mettait en route. Comme les Croisades populaires qui l'avaient précédée, elle prit le chemin de la Hongrie. Là elle risquait de se heurter aux rancunes que les pillages des compagnons de Pierre l'Ermite, de Volkmar, de Gottschalk et d'Emich avaient laissées dans l'esprit des Hongrois. À la frontière germano-hongroise, Godefroi, pour dissiper ces craintes, eut avec le roi de Hongrie Coloman une entrevue au pont d'Œdenburg. Il rassura ce prince, lui confia en otage son frère Baudouin de Boulogne durant toute la traversée du pays, publia les règlements les plus sévères pour interdire le moindre acte de pillage, et parvint ainsi sans encombre à Semlin, sur la frontière hungaro-byzantine[37].

### § 2. — La Première Croisade et l'Empire Byzantin.

*Le fait de la Croisade et le droit byzantin.*
*Godefroi de Bouillon et Alexis Comnène.*

L'arrivée de Godefroi de Bouillon sur la frontière byzantine posait pour l'empereur Alexis Comnène le problème de la Croisade. Dès ce moment l'habile *basileus* avait arrêté sa politique, qui ne cessera pas d'être celle de la cour de Constantinople pendant un siècle. Ne discutant pas le fait de la Croisade, la protégeant au contraire, il cherchera à la canaliser et à l'utiliser à ses fins, à la servir pour s'en servir. Tout d'abord il exigera d'elle qu'elle s'abstienne des actes de brigandage qui ont déshonoré le passage de Pierre l'Ermite, de Volkmar, de Gottschalk et d'Emich von Leisingen. Moyennant cette promesse, il s'engagera à assurer jusqu'à la frontière seljûqide le ravitaillement des Croisés. Godefroi de Bouillon reçut entre Belgrade et Nish la visite d'envoyés byzantins qui conclurent en ce sens une entente avec lui.

Par Philippopoli et Andrinople, le duc de Basse-Lotharingie et son armée descendirent donc sans encombre jusqu'à la mer de Marmara sur les bords de laquelle ils firent halte à Selymbria (Selivri), vers le 12 décembre 1096. Là l'armée lotharingienne, jusque-là si disciplinée, semble avoir échappé au contrôle de son chef : elle pilla Selymbria. Albert d'Aix voit ici un acte de représailles contre le fait que le *basileus* aurait alors retenu dans une demi-captivité un des chefs de la Croisade française, Hugue de Vermandois, frère du roi de France Philippe Ier[38]. Chalandon, confrontant Anne Comnène[39] et Albert d'Aix, a établi que le comte de Vermandois n'était nullement prisonnier et qu'il faut voir dans les désordres de Selymbria de simples excès de la soldatesque[40].

Autrement sérieux était le problème juridique qui se posait entre la cour byzantine et les Croisés. La croisade, fait nouveau pour les Occidentaux, était depuis des siècles, et sans le mot, une des données permanentes de la vie byzantine, si du moins on entend par là la lutte quotidienne contre l'Islam. L'expédition de Godefroi de Bouillon devait apparaître à Alexis Comnène comme un renfort survenant en pleine bataille pour rendre l'avantage aux armées du Christ et chasser les envahisseurs seljûqides de leurs récentes conquêtes. Car, à l'arrivée des Croisés lotharingiens (1096), il y avait quinze ans à peine que les Turcs s'étaient installés en Bithynie et en Ionie (1081) et seulement une dizaine d'années qu'ils avaient enlevé à l'Empire Antioche et Édesse (1085, 1087). La reconquête de ces vieilles terres chrétiennes, objectif mystique des Croisés, était pour la cour byzantine un but politique parfaitement positif et précis. Le tout était d'embrigader à ce sujet les Croisés au service de la politique impériale. Les anciennes terres chrétiennes d'Asie Mineure et de Syrie n'étaient pas au point de vue juridique *res nullius*, terres bonnes à prendre pour quiconque les délivrerait de l'Islam. Possession de fait de leurs récents occupants turcs, elles étaient non moins sûrement, aux yeux des Grecs, possession de droit de l'empire byzantin. Les Croisés qui venaient en entreprendre la délivrance ne pouvaient le faire qu'au nom de l'empire et pour son compte. Ils devaient donc se considérer comme les soldats de l'empire, tout comme les centaines de mercenaires francs qui depuis des siècles guerroyaient là-bas au profit de l'autokrator, et l'empire à son tour devait leur accorder comme à ceux-ci aide, ravitaillement, solde et honneurs. Aux yeux d'Alexis Comnène, Godefroi de Bouillon apparaissait comme un autre Roussel de Bailleul, plus puissant, il est vrai, donc à la fois plus utile et plus dangereux, et envers lequel il s'agissait d'éviter les fautes qui avaient fait de Roussel un révolté, allié des Turcs contre l'empire. Pour cela la première assurance à prendre était d'obtenir le serment de fidélité et, pour les reconquêtes asiatiques éventuelles, le serment de vassalité de Godefroi de Bouillon.

La politique d'Alexis Comnène n'eut d'autre but que d'inculquer au duc Godefroi ces notions juridiques. Dès qu'il avait appris les désordres de Selymbria par les Croisés lotharingiens, Alexis lui envoya en ambassade deux Français à son service, Raoul Peeldelau et Roger fils de Dagobert, pour lui demander de faire cesser le pillage et l'inviter à venir camper avec son armée devant Constantinople. Conformément à cette invitation l'armée lotharingienne vint camper devant les murs de la capitale le 23 décembre 1096. Pour achever de se concilier Godefroi, Alexis lui envoya alors son hôte, le capétien Hugue de Vermandois qui pouvait témoigner des avantages de l'hospitalité et de l'amitié impériales[41]. Hugue était chargé d'inviter Godefroi à se rendre auprès de l'empereur.

Godefroi de Bouillon déclina cette invitation. Si nous songeons au rang qu'il occupait dans l'empire romain germanique – l'empire d'Occident, en droit latin, – on comprendra sa répugnance particulière à prêter serment de vassalité à l'empire d'Orient. Lige de l'empereur « romain » Henri IV, pourquoi porterait-il sa foi au *basileus* grec[42] ? Fils de la papauté, parti pour obéir au pape romain Urbain II, pourquoi se mettrait-il au service de la cour byzantine, c'est-à-dire de l'hérésie grecque ? Évitant l'entrevue où il aurait à se prononcer, il chercha à gagner du temps jusqu'à l'arrivée des autres armées croisées dont la concentration devant Constantinople obligerait le *basileus* à s'incliner.

Comprenant cette tactique, Alexis Comnène voulut brusquer la décision : il coupa le ravitaillement des Croisés. Mais Baudouin de Boulogne, frère de Godefroi de Bouillon, exerça par représailles de tels ravages dans la banlieue qu'Alexis fit assurer de nouveau le ravitaillement. En même temps il offrit comme cantonnement aux Croisés le faubourg de Péra, le long de la Corne d'Or, « où ils seraient plus à l'abri pour l'hiver et où aussi la surveillance serait plus facile à exercer[43] ».

Ces mesures, qui se placent au début de janvier 1097, n'amenèrent aucune détente. Durant les trois premiers mois de 1097, Godefroi de Bouillon resta dans ses cantonnements de Péra, se refusant à tout serment de fidélité envers Alexis et n'acceptant même pas de se rendre à l'entrevue que lui proposait ce dernier. C'est ce que, sur une nouvelle démarche impériale, vinrent de sa part signifier à Alexis Conon de Montaigu, Baudouin du Bourg et Geoffroi d'Esch[44]. Le duc savait que les croisés normands d'Italie allaient arriver, sous les ordres de Bohémond, par l'Épire et la Macédoine, et il attendait ce renfort pour obliger le *basileus* à abandonner ses prétentions. Pour la même raison, Alexis faisait étroitement surveiller le camp lotharingien et cherchait à intercepter les courriers que Bohémond eût pu envoyer à Godefroi. Mais, comme Bohémond approchait, Alexis résolut de brusquer les choses avant leur jonction. Il entrava de nouveau le ravitaillement du camp lotharingien (2 avril 1097), sur quoi des rixes se produisirent entre Grecs et Latins, suivies d'escarmouches et d'un véritable état de guerre. Les Byzantins bloquant les Croisés dans Péra, Godefroi et son frère Baudouin se dégagèrent par une brusque sortie, évacuèrent Péra après l'avoir pillé et incendié, et, s'étant portés de l'autre côté de la Corne d'Or, vinrent attaquer les murailles de Constantinople du côté de la porte de Gyrolimne, tout près du palais impérial des Blakhernes. Ce coup de main, qui annonçait cent sept ans auparavant celui de la Quatrième Croisade, échoua. Les Croisés, restés hors des murailles et menacés de famine, se mirent alors à piller la banlieue pour se ravitailler. Une dernière fois Alexis, par l'intermédiaire de Hugue de Vermandois, offrit à Godefroi de Bouillon un accord sur la base des thèses juridiques byzantines. Sur le refus du duc de Lotharingie, il le fit attaquer. Godefroi de Bouillon vaincu dut accepter les conditions impériales[45].

Godefroi de Bouillon, accompagné des principaux barons lotharingiens, se rendit donc au palais des Blakhernes pour rendre hommage à Alexis Comnène. « Devant l'empereur assis sur son trône, il s'agenouilla et prêta le serment de fidélité. Il s'engagea à être l'homme du *basileus* et promit de lui rendre tous les territoires et toutes les villes ayant appartenu à l'empire, dont il s'emparerait. Une fois le serment prêté, Alexis s'inclina, embrassa le duc et déclara qu'il l'adoptait comme fils. Un serment analogue à celui de Godefroi fut prêté par les chefs qui accompagnaient le duc[46] ». Acte capital par lequel le prince lotharingien mettait la croisade au service du *basileus* pour rendre à celui-ci les *thèmes* récemment occupés par les Turcs seljûqides. La croisade franque se soudait ainsi à la croisade byzantine et c'est par une reconquête byzantine qu'elle allait commencer son œuvre. Il était entendu que tous les territoires qui avaient appartenu aux Byzantins avant le désastre de Malâzgerd et surtout avant la débâcle de 1081 et dont les Croisés chasseraient le Turc, ils les remettraient au *basileus*. L'engagement valait donc non seulement pour les villes anatoliennes comme Nicée, mais aussi pour les villes syriennes récemment encore byzantines comme Antioche et Édesse. Là-dessus, le traité d'avril 1097 était formel et tout le développement des rapports franco-byzantins au douzième siècle devait s'en ressentir. Une fois maîtres d'Antioche, les Francs auront beau violer le traité, les Byzantins ne se lasseront pas d'en revendiquer l'exécution et ils n'auront de cesse avant d'avoir réussi. La question se pose même de savoir si le principe de l'hypothèque impériale ne portait pas, non seulement sur les anciens thèmes byzantins du début du onzième siècle, à l'époque de Basile II, mais encore sur les anciennes provinces de l'empire d'Orient au temps de Justinien par exemple. Auquel cas ce n'était pas seulement Antioche mais aussi Jérusalem que les Croisés eussent dû remettre aux Impériaux. Sur ce point d'ailleurs il semble que les prétentions byzantines n'aient pas été aussi précises. La suite de l'histoire du royaume latin prouve que, tandis que la cour des Comnènes ne cessa pas de réclamer la souveraineté ou, à défaut, au moins la suzeraineté d'Antioche et d'Édesse, elle n'émit, du moins en pratique, aucune prétention de cet ordre sur Tripoli et Jérusalem, villes auxquelles la reconquête byzantine du dixième siècle ne s'était pas étendue.

Toutefois, et toute discrimination territoriale à part, au point de vue moral la prestation du serment de fidélité faisait entrer Godefroi de Bouillon dans la vassalité générale de Byzance. Lige de l'empereur germanique dans l'empire romain d'Occident, il devenait, et ses barons avec lui, lige du *basileus* dans l'empire romain d'Orient. L'espèce d'adoption que lui octroya Alexis Comnène achevait cette transformation juridique. Elle signifiait qu'en droit la croisade franque s'encadrait dans la croisade byzantine. Habituée depuis des siècles à employer en Asie, dans sa lutte presque cinq fois séculaire contre l'Islam, des mercenaires francs, normands ou varègues, la cour de Constantinople considérait désormais le duc de Basse-Lotharingie comme l'un d'entre eux ; elle allait lui accorder les mêmes faveurs et lui demander les mêmes services.

Les faveurs, d'abord. À peine le serment prêté, Alexis Comnène comble Godefroi et les siens de présents, gratifications en or et en argent, vêtements d'honneur, tissus précieux, chevaux, et mulets. Le ravitaillement recommence, abondant, et sera continué durant toute la traversée de la Bithynie byzantine. Surtout une véritable solde impériale fut régulièrement versée aux Croisés, preuve que ceux-ci étaient désormais considérés comme de véritables mercenaires byzantins. Les ordres ensuite. Au lendemain de l'accord, vers le 9 ou le 10 avril 1097, Alexis Comnène fit transporter l'armée de Godefroi de Bouillon sur la côte d'Asie, à Pélekan près de Héréké, à l'ouest de Nicomédie. Là Godefroi de Bouillon attendit l'arrivée de la croisade normande.

Car les Normands de l'Italie méridionale arrivaient, conduits par Bohémond de Tarente, fils de Robert Guiscard. Leur arrivée dut presque coïncider avec le départ de Godefroi de Bouillon pour l'Asie, toute la politique d'Alexis Comnène, depuis des mois, n'ayant eu d'autre but que d'empêcher leur jonction sous les murs de Constantinople.

*La Croisade normande.*
*Bohémond comme agent d'Alexis Comnène.*

Le sujet normand des Deux-Siciles à qui nous devons les *Gesta Francorum* nous a laissé un récit singulièrement vivant des origines de la Croisade de Bohémond[47].

C'était au début de 1096. Bohémond, fils aîné de Robert Guiscard et comte de Tarente et de Bari, assiégeait, aux côtés de son oncle Roger Ier, comte de Sicile, la ville d'Amalfi révoltée, lorsque la nouvelle lui parvint que, de France, de Lotharingie et d'Allemagne, de grandes armées occidentales se mettaient en marche vers Jérusalem. À peine prit-il le temps de demander quelques renseignements sur la nature et les objectifs du mouvement. Qu'importait le prétexte ? C'était l'appel de l'Orient qui se faisait entendre, cet appel qui, au temps de Guillaume de Hauteville, avait conduit les Normands de Neustrie en Grande Grèce et qui avec Robert Guiscard et Bohémond lui-même les avait déjà lancés à la conquête des Balkans. Abandonnant le siège d'Amalfi, Bohémond prépara hâtivement son départ. Avec lui se croisèrent son neveu Tancrède[48], son cousin Richard de Salerne[49], Robert d'Anse, Hermann de Cannes, Robert de Sourdeval, Boel de Chartres, Aubré de Cagnano, Onfroi de Monte Scabioso, tous chevaliers normands fieffés en Grande Grèce. En novembre 1096, l'expédition débarquait à Avlona sur la côte d'Albanie ; le 25 décembre elle campait à Kastoria, d'où, par Pelagonia, Ostrovo et Serres, elle gagna la Thrace et Constantinople.

La croisade des Normands d'Italie devait, beaucoup plus que celle des barons lotharingiens, alarmer la cour de Constantinople. Était ce seulement une croisade ? Ayant à sa tête le fils même de Robert Guiscard, n'était-ce pas le renouvellement des tentatives de ce dernier pour conquérir l'empire byzantin ? Les souvenirs de 1081 étaient trop récents pour qu'en apprenant le débarquement de Bohémond à Avlona, Alexis Comnène n'ait pas cru que l'histoire recommençait. De 1081 à 1085, Robert Guiscard, on s'en souvient, avait occupé l'Épire, la Macédoine, envahi la Thessalie, tenu Constantinople sous sa menace. Le zèle de son fils pour la Croisade n'était-il pas un simple prétexte pour reprendre la marche sur Constantinople, tandis que la présence de Godefroi de Bouillon devant la ville immobilisait les Byzantins ? Ayant conquis sur Byzance leur domaine italien, les Normands ne désiraient-ils pas étendre leur conquête jusqu'à Byzance elle-même ?

Ces craintes n'étaient pas fondées, du moins pour l'instant. Bohémond, qui, au cours de l'expédition paternelle, de 1081 à 1085, avait éprouvé la solidité de l'empire byzantin, ne désirait pas, pour le moment, s'aliéner le *basileus*. Non certes qu'il renonçât à l'espérance de profiter de la Croisade pour se tailler un royaume au détriment des Byzantins. La facilité avec laquelle, en dépit des plus solennels serments, il devait les frustrer de la reconquête d'Antioche montre assez ses sentiments à leur égard. Mais précisément le fait prouve que ce n'était pas du côté des thèmes européens et de Constantinople, trop bien défendue, qu'il portait ses convoitises. Ce n'était pas son père, l'envahisseur des Balkans, qu'il entendait continuer, c'était Roussel de Bailleul. Aussi bien une agression normande contre les provinces byzantines d'Europe ne pouvait sans scandale être perpétrée sous le couvert de la Croisade. Au contraire la Croisade fournira à Bohémond un prétexte excellent pour recommencer et faire réussir à Antioche la tentative de Roussel de Bailleul : la fondation, au détriment de Byzance comme des Turcs, d'une principauté normande en Asie.

Pour le moment, donc, Bohémond combla la cour de Constantinople de protestations d'amitié et imposa à ses troupes une conduite exemplaire. « Bohémond, disent les *Gesta Francorum*, tint conseil avec son armée, encourageant les siens, les exhortant à la bonté, à l'humilité et à s'abstenir de ravager cette terre (byzantine) qui appartenait à des chrétiens et à ne rien prendre en dehors de ce qui était nécessaire à leur nourriture[50]. » En dépit de ces bonnes dispositions, les Byzantins voyaient arriver la Croisade normande avec une invincible défiance. Son itinéraire même qui était celui de Robert Guiscard lors de l'invasion de 1081-1084 suffisait à ranimer les vieilles haines. Les populations de la Macédoine, terrorisées, se retranchaient comme devant une nouvelle invasion. Les Normands avaient profité de ce qu'une forteresse byzantine de la Pelagonie était occupée par des hérétiques (Manichéens ?) pour l'incendier. Plus méfiants que jamais, les fonctionnaires impériaux firent attaquer l'arrière-garde de Bohémond sur les bords du Vardar par leurs auxiliaires petchénègues et turcs : étrange prolégomène à l'accord franco-byzantin pour la croisade commune ! Tancrède rétablit la situation en repassant le Vardar à la nage ; il tomba sur les Turcs, les défit et leur enleva des prisonniers qui avouèrent que l'ordre d'attaquer émanait des généraux byzantins eux-mêmes. Néanmoins Bohémond, résolu à tout faire pour maintenir l'entente avec Alexis Comnène, relâcha sur-le-champ ses captifs (18 février 1097)[51].

Sans doute en partie rassuré par ces preuves de bonne volonté, Alexis Comnène ordonna de ravitailler tout le long de la route l'armée normande, mais en redoublant de précautions à son égard : si on assurait la subsistance des Croisés, villes et bourgs se fermaient peureusement devant eux. Tancrède et les autres barons, irrités des ménagements de Bohémond, brûlaient de se venger sur les Grecs d'une hostilité aussi persistante. Bohémond les força, non sans peine, à respecter sa politique ; à Serres par exemple, il obligea ses troupes à restituer aux fonctionnaires impériaux tout le bétail qu'elles avaient capturé en maraude. À Rossa en Thrace, l'actuel Keshân, où il arriva le 1er avril 1097, Bohémond, voulant consommer sa réconciliation avec Alexis, accepta, sur la demande de ce dernier, de se rendre seul à Constantinople en devançant son armée dont il confia le commandement à Tancrède.

Tandis que l'armée normande célébrait les fêtes de Pâques à Rossa (5 avril 1097), Bohémond arriva donc à la cour d'Alexis Comnène avec qui il eut aussitôt plusieurs conférences. Fidèle à sa politique, il ne fit aucune difficulté pour prêter le serment de fidélité et de vassalité exigé par le *basileus*. Au témoignage d'Anne Comnène, Alexis le récompensa par des monceaux d'or, d'argent et de pierreries, geste qui attestait que le prince normand devenait l'homme lige et le mercenaire du *basileus*. Mais une telle vassalisation rentrait justement dans les plans de Bohémond. Il entendait, grâce à elle, se faire donner une sorte de délégation impériale sur les terres d'Asie : ce fut en ce sens qu'il sollicita d'Alexis la charge de grand-domestique d'Orient, titre qui eût fait de lui, aux yeux des autres croisés comme des chrétiens indigènes, le mandataire officiel de l'empereur[52]. Alexis ayant éventé l'astuce et évité de répondre, Bohémond localisa sa demande : il sollicita et obtint d'Alexis la promesse d'un vaste fief dans la région d'Antioche. « L'empereur lui promit, au delà d'Antioche, une terre de quinze journées de marche en longueur et de huit journées en largeur. Il lui jura que, s'il tenait fidèlement son serment, lui-même n'oublierait jamais le sien »[53]. Le fils de Robert Guiscard avait vu, ce jour-là, singulièrement loin : la principauté normande d'Antioche devait sortir de cet accord. Il est vrai que, du même coup, elle devait – si du moins les serments étaient respectés – naître vassale de l'empire byzantin.

Muni de cet accord, Bohémond se constitua parmi les autres chefs croisés l'agent zélé d'Alexis Comnène. La délégation impériale sur les anciens thèmes d'Asie qu'il avait vainement sollicitée, il essayait de l'obtenir par les services mêmes qu'il rendait au *basileus*. Ce fut lui, en effet, qui confirma Godefroi de Bouillon dans son ralliement à la cour byzantine et qui s'efforça d'y gagner à son tour le comte de Toulouse. Politique d'autant plus réfléchie et méthodique chez Bohémond qu'elle se heurtait à la répugnance instinctive des autres chefs normands, ses lieutenants. Tancrède, son neveu, et Richard de Salerne, son cousin, passèrent précipitamment le Bosphore pour éviter de prêter le serment de fidélité[54]. Vaines bouderies. Grâce à la politique à longue portée de Bohémond, l'armée normande, qui eût pu causer de tels embarras à Constantinople, alla docilement camper aux côtés de l'armée lotharingienne sur le golfe de Nicomédie.

### *La Croisade provençale. Raymond de Saint-Gilles et Alexis Comnène.*

La Croisade provençale arriva presque en même temps que la Croisade normande. Son chef, Raymond IV de Saint-Gilles, comte de Toulouse et marquis de Provence, avait, en se croisant le premier d'entre les princes latins, essayé d'obtenir d'Urbain II la direction de la guerre sainte. Le pape, désireux de conserver la direction morale du mouvement, avait, on s'en souvient, éludé l'offre et désigné comme chef de l'expédition le légat Adhémar de Monteil, évêque du Puy. Adhémar de Monteil appartenait à la famille des comtes de Valentinois ; il rentrait donc, au titre du marquisat de Provence, dans la clientèle de Raymond de Saint-Gilles. Aussi les deux hommes s'associèrent-ils sans difficulté, et ce fut avec la croisade provençale que le légat se mit en route pour Constantinople (milieu d'octobre 1096). Avec eux partaient plusieurs des principaux seigneurs de langue d'oc, Rambaud, comte d'Orange, Gaston de Béarn[55], Gérard de Roussillon, Guillaume de Montpellier, Raymond du Forez, Isoard de Gap. Comme le fait observer Chalandon, le récit de Raymond d'Agiles, l'historien de cette croisade, atteste que la marche de l'armée provençale à travers l'Italie du Nord, l' Istrie, la Croatie, la Dalmatie, l'Albanie et la Macédoine, s'effectua avec discipline, le ravitaillement ayant été bien organisé par les barons, en dépit de l'hostilité des Croates d'abord, des Byzantins ensuite[56]. Pendant la traversée de la Croatie, Raymond de Saint-Gilles dut se défendre avec énergie contre les agressions des habitants.

Par Raguse et Scodra (Scutari), Saint-Gilles descendit sur Dyrrachium (Durazzo), d'où il prit d'ouest en est la route de la Macédoine, *via* Deabolis (Devol), Pelagonia, Ostrovo, Vodena, Salonique, Serres et Christopolis (Kavala). À Dyrrachium, le comte de Toulouse était entré en rapports amicaux avec le gouverneur byzantin de la ville, Jean Comnène, fils de l'empereur Alexis. Cependant, comme ils l'avaient fait pour les autres armées croisées, les Byzantins faisaient étroitement surveiller les colonnes provençales par leurs auxiliaires – Petchénègues, Comans, Turcs et Bulgares. – Près de Pelagonia, les auxiliaires petchénègues attaquèrent le légat Adhémar de Monteil qui s'était quelque peu écarté du gros de l'armée provençale et le blessèrent à la tête. À Vodena, ce fut Raymond de Saint-Gilles qui faillit être victime d'un guet-apens des Petchénègues. À Salonique, le légat, malade de ses blessures, resta pour se guérir. Sa haute sagesse avait, jusque-là, arrêté les Provençaux sur la voie des représailles. À Rossa (Keshân) les habitants témoignèrent d'une telle hostilité envers les Croisés que ceux-ci ne purent plus y tenir. Aux cris de « Toulouse ! » ils donnèrent l'assaut à la ville et s'en emparèrent. À Rodosto les Impériaux essayèrent de se venger en attaquant les Croisés : ils furent repoussés. Alexis Comnène invita alors Raymond de Saint-Gilles à devancer l'armée pour venir conférer avec lui à Constantinople. Malheureusement, à peine Raymond, obtempérant à cette invitation, était-il parti pour le Bosphore que l'armée provençale, laissée par lui à Rodosto, était de nouveau attaquée par les Byzantins et subissait, cette fois, une grave défaite.

Ces incidents fâcheux eurent leur contre-coup sur l'attitude que Raymond de Saint-Gilles, dès son arrivée à Constantinople, adopta envers l'empereur. Alexis Comnène l'invita à prêter le serment de fidélité et d'hommage, comme l'avaient fait Hugue de Vermandois, Godefroi de Bouillon et Bohémond de Tarente. Raymond refusa énergiquement : il n'avait pas pris la croix pour se donner un maître ni pour combattre pour un autre que Celui pour lequel il avait quitté son pays et ses biens. Attitude catégorique qui posait la Croisade latine comme un fait nouveau, créant un droit nouveau, indépendant des vieilles hypothèques byzantines. Au reste Saint-Gilles ajoutait que, si le *basileus* acceptait de se mettre à la tête de cette Croisade et de la conduire jusqu'à la Terre Sainte, les Provençaux de leur côté le reconnaîtraient volontiers pour chef. À quoi Alexis Comnène répondit en substance que, dans l'état troublé du monde oriental, devant la menace que faisaient peser sur ses provinces européennes, de l'autre côté du Danube, les Allemands, les Hongrois, les Comans et Petchénègues et les autres barbares du Nord, il ne pouvait, sans risque pour Constantinople, s'enfoncer aux côtés des Croisés dans les profondeurs de la Syrie[57]. Réponse qui, somme toute, ne manquait pas de justesse, encore qu'un Nicéphore Phocas ou un Jean Tzimiscès eût eu, peut-être, une attitude plus hardie.

Cependant l'armée provençale était arrivée à Constantinople, et avec elle, le légat Adhémar de Monteil. L'influence de celui-ci dut s'exercer, comme toujours dans le sens de la conciliation. Godefroi de Bouillon, maintenant sincèrement rallié à l'entente franco-byzantine, Bohémond et le comte de Flandre, Robert II, agirent de même. Raymond de Saint-Gilles, furieux de l'insulte faite aux siens à Rodosto, ne rêvait que vengeance. Godefroi de Bouillon et le comte de Flandre lui démontrèrent qu'il était stupide de faire la guerre à des chrétiens à Constantinople, tandis que les Turcs étaient à quelques kilomètres de là, à Nicée[58]. Bohémond surtout, fidèle à sa tactique d'étroite alliance avec le *basileus*, se déclara ouvertement en faveur d'Alexis Comnène contre l'attitude des Provençaux : en agissant comme l'homme de confiance et le représentant du *basileus* parmi les autres barons francs, il comptait, on l'a vu, justifier ses prétentions à une sorte de délégation impériale en sa faveur dans cette Syrie qu'on allait prochainement délivrer.

La pression exercée sur le comte de Toulouse par ses compagnons d'armes amena un compromis. Raymond de Saint-Gilles refusa jusqu'au bout de prêter le serment d'hommage et de fidélité exigé par Alexis : il eût préféré mourir, nous dit son biographe ; mais il consentit à jurer de respecter et de faire respecter par les siens la vie et l'honneur du *basileus*.

*La Croisade « française » et Alexis Comnène.*

Une quatrième et dernière armée de Croisés arriva au rendez-vous général sur le Bosphore. Elle était composée de Français et était conduite par le comte de Normandie Robert Courteheuse, fils de Guillaume le Conquérant, et par son beau-frère Étienne, comte de Blois et de Chartres, fils du comte de Champagne Thibaud III. Après être passés par l'Italie, où ils avaient reçu à Rome la bénédiction du pape Urbain II, les deux comtes descendirent dans la Pouille chez le duc normand du pays, Roger Borsa, d'où ils s'embarquèrent à Brindisi, pour les Balkans (5 avril 1097). Débarqués à Durazzo, ils suivirent, comme les corps précédents, la Voie Égnatienne qui, par Elbassan, Ochrida, Bitolia, Ostrovo et Vodena, les conduisit à Salonique. Après un repos de quatre jours devant cette ville, ils reprirent leur marche vers Constantinople par Christopolis (Kavala), Makre, Rodosto et Selymbria.

Il semble qu'avec ces contingents français, Alexis Comnène n'eut pas les difficultés qu'il avait rencontrées avec les Croisés précédents. Le chroniqueur Foucher de Chartres, qui accompagnait l'expédition, s'émerveille sur les richesses de

Constantinople qu'il fut admis à visiter : il ne relate aucune friction, entre Byzantins et Français[59]. Les Croisés, bien ravitaillés, furent autorisés à venir prier dans les églises de la ville, mais par petits groupes et à certaines heures pour éviter tout incident. Le comte de Normandie et le comte de Blois ne firent aucune difficulté pour prêter le serment d'hommage à Alexis Comnène. Celui-ci combla les Croisés de distributions de vivres et d'argent et remonta leur cavalerie. Le comte Étienne de Blois, dans une lettre à sa femme Adèle de Normandie, vante la générosité du *basileus* qui l'a traité « comme son propre fils » et comblé de cadeaux. Au témoignage du baron champenois, Alexis Comnène a ravitaillé et entretenu à ses frais, de Constantinople en Bithynie, toute l'armée de la Croisade. « En vérité, s'écrie le comte, un homme pareil, il n'en existe pas aujourd'hui sous la voûte du ciel[60] ! »

## § 3. — La Première Croisade et les Seljuqides d'Anatolie.

*Prise de Nicée. Remise de la ville aux Byzantins.*

À l'exception du comte de Toulouse et de Tancrède, tous les chefs croisés avaient prêté serment de fidélité à l'empereur Alexis Comnène. Ils s'engageaient à lui rendre toutes les anciennes possessions byzantines qu'ils pourraient recouvrer sur les Turcs, de Nicée à Antioche. Ils se reconnaissaient, en terre d'Asie, les vassaux du *basileus*. En revanche celui-ci s'engageait à les seconder de toutes ses forces, à prendre lui-même la croix, et, s'il ne pouvait les accompagner jusqu'au bout, à adjoindre à leurs armées un corps byzantin (ce fut le corps de Tatikios). Chalandon estime qu'un traité formel fut conclu en ce sens au milieu de mai 1097 entre Alexis Comnène et Bohémond, ce dernier cherchant toujours à agir comme fondé de pouvoir du *basileus*[61].

Conformément aux termes de ce traité les Croisés entreprirent de chasser les Turcs de Nicée (Iznîq). Depuis que, seize ans plus tôt, le seljûqide Sulaîmân ibn Qu*t*ulmish s'en était emparé à la faveur des guerres civiles de Byzance (1081), Nicée était devenue le siège de la puissance seljûqide en

Anatolie[62]. Le seljûqide régnant, Qilij Arslân Ier, fils de Sulaîmân, y avait sa résidence ; lors du siège de la ville par les Croisés, sa femme, ses enfants et ses trésors s'y trouvaient encore. Lui-même cependant eut la sagesse de ne pas se laisser enfermer dans la forteresse. La raison, d'ailleurs, en est peut-être que la Croisade le surprit entièrement. Au moment où elle se préparait à envahir ses États, il était occupé à contenir en Cappadoce la dynastie turque rivale des Dânishmendites. Il leur disputait notamment la suzeraineté de Mélitène (Mala*t*iya), ville où un aventurier arménien nommé Gabriel avait su se maintenir sous le protectorat seljûqide. Qilij Arslân assiégeait Mélitène lorsque l'invasion des Croisés le força à revenir précipitamment en Bithynie[63].

Les armées des Croisés, après avoir été transportées sur la côte d'Asie, s'étaient concentrées autour de Nicomédie (Izmid), la dernière place de la région qui appartînt encore aux Byzantins, en face de la turque Nicée. À Nicomédie, où il séjourna trois jours, Godefroi de Bouillon fut rejoint par Pierre l'Ermite qui lui amenait les débris de la croisade populaire. De Nicomédie à Nicée, la chaîne de l'Uzun Tshaïr Dagh, avec ses sommets de 1130 et 1620 mètres, constituait un obstacle naturel assez sérieux. Godefroi de Bouillon envoya une avant-garde de trois mille hommes armés de haches pour déblayer et élargir le sentier qui, par les villages actuels de Dermen-Keui, Kirmisli et El-Baili, réunit les deux villes[64]. L'armée put ainsi arriver sans encombre devant Nicée le 6 mai 1097. Pendant ce temps « le sage Bohémond », resté à Constantinople, y réglait avec Alexis Comnène la question des subsistances. Les mesures qu'ils prirent ensemble pour assurer le ravitaillement à la fois par terre et par mer, grâce à la flotte byzantine, firent régner l'abondance dans le camp des croisés[65]. Alexis Comnène, qui était venu s'établir à Pélékan, au sud de Chalcédoine, près du golfe de Nicomédie, fournit aussi les Croisés de machines de siège.

En réalité tous les contingents croisés étaient loin d'être à pied d'œuvre. Bien que l'attaque fût commencée depuis le 14 mai, l'encerclement de la ville n'était même pas complet, la porte méridionale de l'enceinte restant libre. Aussi est-ce de ce côté que les renforts turcs envoyés par le sultan Qilij Arslân comptaient entrer dans la place. Mais ils furent prévenus par le comte de Toulouse et par le légat Adhémar de Monteil qui, arrivés enfin devant Nicée, venaient prendre de ce côté leur secteur de siège. Quand les renforts turcs se présentèrent, dévalant sans doute par la route de Dervend, ils se heurtèrent à Raymond de Saint-Gilles qui les mit en fuite. Les têtes des vaincus, lancées parmi les assiégés, propagèrent la démoralisation parmi eux : une force supérieure à la force turque venait de surgir, qui pendant un siècle allait faire reculer l'Islam[66].

Raymond de Saint-Gilles essaya d'exploiter son succès en minant une tour de défense située en face de son secteur. Ses sapeurs réussirent à la faire écrouler durant la nuit, mais au matin les Turcs avaient réparé la brèche. Il fallut se résigner à un blocus méthodique que l'arrivée du comte de Normandie et du comte de Blois permit de rendre total, du moins du côté de la terre, car la ville, appuyée au sud-ouest au lac Ascanios (lac d'Iznik), pouvait par là se ravitailler impunément : les barques turques, maîtresses du lac, rapportaient de la région du Karsak dagh du bois, des vivres et des armes. Les chefs croisés firent alors appel à la flotte byzantine. Alexis Comnène envoya une flottille à Civitot (Hersek), sur la rive méridionale du golfe de Nicomédie, d'où des convois de bœufs les transportèrent jusqu'au lac Ascanios. « La nuit étant venue, on lança les barques dans le lac, montées par des Turcoples bien armés. Au petit jour on vit la flottille voguer en bon ordre au milieu du lac et se diriger vers la ville. À cette vue les Turcs furent saisis d'étonnement, ignorant s'ils avaient affaire à leurs gens ou à ceux de l'empereur. Quand ils reconnurent que c'était bien une troupe impériale, pris d'un effroi mortel, ils se répandirent en pleurs et en gémissements, tandis que les Francs exultaient et glorifiaient Dieu »[67]. Dès ce moment les assiégés, que Qilij Arslân n'avait pu secourir, cherchèrent à se rendre. Redoutant la brutalité des Croisés et les horreurs d'une prise d'assaut, ils s'abouchèrent avec Alexis Comnène. Celui-ci, de son côté, craignait, si la ville était conquise par les Latins, qu'un Raymond de Saint-Gilles ou un Tancrède, refusant d'exécuter l'accord franco-byzantin, ne la gardât pour lui-même. Le *basileus* pouvait craindre en tous cas de n'être mis en possession que d'une ville saccagée et incendiée par une prise d'assaut. Il avait déjà fait faire des propositions aux assiégés par Manuel Boutoumitès. Après la construction de la flotte, ses nouvelles propositions furent acceptées. Il fut entendu que les Turcs de la ville se rendraient au *basileus* qui leur accorderait la vie sauve et les libérerait ultérieurement. Les Francs ayant préparé un assaut général, les assiégés hâtèrent l'exécution de ce pacte[68]. À l'heure où les bataillons croisés se préparaient à escalader les murailles, ils virent flotter sur les tours les étendards impériaux. Après seize ans d'occupation seljûqide, Nicée était redevenue byzantine (26 juin 1097)[69].

Ceux des croisés qui, avec Tancrède et Raymond de Saint Gilles, restaient réfractaires à l'alliance byzantine crièrent bien haut que les machinations du *basileus* les frustraient de leur victoire[70]. Cependant il est certain que la remise de Nicée aux Byzantins était de tous points conforme à la lettre comme à l'esprit de l'accord intervenu entre Alexis Comnène et les chefs de la Croisade. Si les autorités byzantines, une fois maîtresses de la ville, ne permirent aux Croisés latins de la visiter que par petits groupes, ce fut pour éviter le pillage. Mais Alexis Comnène n'hésita pas à recruter parmi les Croisés qui voulurent entrer à son service la nouvelle garnison de Nicée[71]. Du reste, comme le remarque Chalandon, son attitude était si conforme aux accords intervenus que, au, lendemain de la reconquête de Nicée, les chefs de la Croisade se rendirent auprès de lui, à Pélékan, pour prendre congé de lui avant de s'enfoncer dans l'intérieur du plateau anatolien.

Tous les chefs de la Croisade se rendirent en effet au rendez-vous du *basileus*. Tous, à l'exception de Tancrède, obstiné dans son refus, renouvelèrent leur serment de fidélité. À l'exception de Tancrède et aussi de Raymond de Saint-Gilles, ils estimaient, visiblement avec raison, l'alliance byzantine indispensable au succès de la Croisade. Alexis, il est vrai, ne les accompagnait pas personnellement sur la route d'Iconium. Mais il leur laissait un corps d'armée impérial commandé par le général grec Tatikios et par Pierre d'Aups[72]. Du reste il semble que croisés et Byzantins se soient alors très logiquement partagé la lutte contre les Turcs d'Anatolie. Tandis que les croisés, s'engageant sur le plateau de Phrygie, marchaient sur Dorylée et Iconium, Alexis Comnène, exploitant le succès moral et matériel de la délivrance de Nicée, devait reconquérir sur les Turcs les anciennes provinces de Mysie, d'Ionie et de Lydie : et cela aussi était une croisade[73].

*Bataille de Dorylée.*

Quant aux croisés, ils quittèrent Nicée entre le 26 et le 29 juin 1097 pour entreprendre la traversée de l'Anatolie suivant une diagonale orientée du nord-ouest au sud-est, à travers l'ancienne Phrygie. La première étape les conduisit au pont du Gœk-su (la rivière Bleue), où ils campèrent deux jours, sans doute près de l'actuel Lefké. En quittant ce point, le troisième jour, ils se séparèrent en deux corps ; Bohémond et Tancrède, avec Robert de Normandie – Normands d'Italie et Normands de France réunis – partirent en premier échelon. Le reste de l'armée suivait avec le légat Adhémar de Monteil, Godefroi de Bouillon, Raymond de Saint-Gilles et Hugue de Vermandois. Le chroniqueur provençal Raymond d'Agiles, toujours défavorable aux Normands, accuse Bohémond de s'être écarté par témérité[74] ; plus impartial, le chroniqueur lotharingien Albert d'Aix nous dit que l'armée se divisa en deux corps pour pouvoir plus facilement se ravitailler dans les plaines de Phrygie[75].

Le 1er juillet, au matin, Bohémond et les Normands cheminant de la sorte, à part du reste de l'armée, étaient arrivés à hauteur de Dorylée, l'actuel Eskishéhir, sur le Pursaqchaï, lorsqu'ils furent assaillis par toutes les forces seljûqides[76]. Devant la catastrophe que constituait pour l'Islam la perte de Nicée, les deux dynasties turques d'Anatolie, Seljûqides et Dânishmandites, avaient fait trêve à leurs rivalités. Le sultan seljûqide Qilij Arslân et l'émir Ghâzi ibn-Dânishmend s'étaient retrouvés unis pour barrer la route à la Croisade. Apport considérable pour Qilij Arslân, au lendemain de la perte de sa capitale, car le Dânishmendite, maître de la majeure partie de la Cappadoce et du Pont représentait une force considérable[77].

Ce dut être à la tête de toutes les forces turques d'Asie Mineure rassemblées en hâte que Qilij Arslân vint attaquer l'armée franque dans la plaine de Dorylée. « Les nôtres se demandaient avec étonnement d'où avait pu sortir une pareille multitude de Turcs, d'Arabes, de Sarrasins et autres, impossibles à énumérer, car toutes les hauteurs et les collines et les vallées et toutes les plaines à l'intérieur et à l'extérieur étaient entièrement couvertes de cette race excommuniée[78]. »

La brusquerie de l'attaque laisse supposer que les Turcs épiaient depuis Nicée l'armée franque et qu'ils avaient attendu sa séparation en deux corps pour l'écraser isolément. Le chroniqueur italo-normand, auteur des *Gesta Francorum*, qui assistait dans l'armée de Bohémond à la bataille de Dorylée nous donne bien l'impression de la surprise dont les siens faillirent être victimes. « Les Turcs attaquèrent isolément Bohémond et ses compagnons. Ils commencèrent à grincer des dents, à pousser des huées et des cris retentissants, répétant je ne sais quel mot diabolique dans leur langue. Le sage Bohémond, voyant ces innombrables Turcs poussant au loin leurs clameurs et criant d'une voix démoniaque, fit aussitôt descendre les chevaliers de leurs montures et dresser rapidement les tentes. Avant que les tentes fussent dressées, il répéta à tous les chevaliers : "Sires et vaillants chevaliers du Christ, voici que de tous côtés nous attend une bataille difficile. Que tous les chevaliers aillent donc droit devant eux avec courage et que les piétons dressent prudemment et rapidement les tentes." Quand tout ceci fut accompli, les Turcs nous entouraient déjà de tous côtés, lançant des javelots et tirant des flèches à une distance merveilleuse. Et nous, bien qu'incapables de leur résister et de soutenir le poids d'un si grand nombre d'ennemis, nous nous portâmes cependant à leur rencontre d'un cœur unanime. Jusqu'à nos femmes, qui ce jour-là nous furent d'un grand secours en apportant de l'eau à boire à nos combattants et peut-être aussi en ne cessant de les encourager au combat et à la défense[79] ».

Il résulte de ce récit que le matin du 1er juillet le sultan Qilij Arslân surprit et encercla l'armée normande aventurée seule, loin des Lotharingiens, des Français et des Provençaux. La situation des Normands fut un moment critique, comme l'avoue l'auteur des *Gesta Francorum*, témoin oculaire : « Si le Seigneur ne nous avait pas envoyé rapidement l'autre armée, aucun des nôtres n'eût échappé car de la troisième à la neuvième heure le combat fut ininterrompu[80] ».

Selon la tactique de leurs ancêtres nomades, les escadrons turcs s'approchaient à distance de trait, vidaient leur carquois, puis faisaient demi-tour, en cédant la place à d'autres bandes d'archers montés. En vain les Francs que cette grêle de flèches décimait chargeaient pour accrocher l'adversaire. Celui-ci se dérobait. Ce ne fut que lorsque l'armée normande fut épuisée par ce harcèlement meurtrier que les Turcs, dégainant, chargèrent à leur tour les Normands. Ceux-ci, rejetés jusque sur leur convoi, s'y abritèrent de leur mieux, résistant avec opiniâtreté, pour permettre aux secours d'arriver[81]. Car Bohémond, dès l'apparition des Turcs, avait envoyé des coureurs à l'autre armée franque, avertissant le légat, Godefroi et Saint-Gilles du péril où il se trouvait et les pressant d'accourir.

À l'appel de Bohémond, les autres chefs de la Croisade se précipitèrent à son secours. Godefroi de Bouillon arriva le premier avec, seulement, cinquante chevaliers, le reste des Lotharingiens le suivant au galop[82]. Presque en même temps arrivèrent Hugue de Vermandois, puis le légat Adhémar de Monteil et enfin Raymond de Saint-Gilles. À deux heures de l'après-midi tous intervenaient dans la bataille. L'arrivée de ces masses franques devait déjà, au point de vue tactique, changer l'issue de la journée. Mais, du récit de l'Anonyme, il apparaît en outre qu'il y eut, de la part des Croisés, manœuvre stratégique pour prendre l'armée seljûqide à revers, et que cette manœuvre fut plus particulièrement due au légat Adhémar de Monteil. Adhémar, nous dit ce témoin oculaire, chevaucha à l'abri d'une ligne de hauteurs différente de la butte au pied de laquelle combattait Bohémond. Il vint appuyer celui-ci en esquissant un mouvement enveloppant sur le flanc des Turcs[83]. Le mouvement dut être imité sur la droite par d'autres éléments croisés, de sorte que Qilij Arslân se trouva bientôt menacé d'encerclement par l'armée franque déployée au grand complet : à l'aile gauche les forces normandes sous Bohémond, Tancrède et Robert de Normandie à qui l'arrivée des renforts avait rendu toute leur vigueur ; à gauche aussi Raymond de Saint-Gilles qui avait dû suivre la manœuvre du légat, et le légat lui-même ; et enfin, à droite, achevant de déborder l'armée turque, les Lotharingiens et les

Français de Godefroi de Bouillon, du comte de Flandre et du duc de Vermandois.

Ce mouvement assura la victoire. « Les Turcs, les Arabes et tous les peuples barbares s'enfuirent à travers les défilés des montagnes et les plaines. Ils s'enfuirent avec une vitesse extraordinaire jusqu'à leurs tentes, mais ils ne purent y demeurer longtemps. Ils reprirent leur fuite et nous les poursuivîmes tout un jour, et nous prîmes un butin considérable, de l'or, de l'argent, des chevaux, des ânes, des chameaux, des brebis, des bœufs et beaucoup d'autres choses. » Après sa femme et ses enfants capturés à Nicée, Qilij Arslân perdait son camp et toutes ses richesses de chef encore à demi nomade.

La déroute des Turcs était en effet complète. Survenant au lendemain de la reprise de Nicée, elle trancha pour près d'un siècle la question de force dans le Proche Orient. Depuis la journée de Malâzgerd et la capture de l'empereur Romain Diogène par le sultan seljûqide Alp Arslân, la puissance turque dominait l'Orient. La bataille de Dorylée annonçait au monde l'intervention d'un nouveau facteur militaire, la force franque, qui, relayant Byzance affaiblie, prévaudrait à son tour sur les Turcs. À cet égard la journée de Dorylée, effaçant celle de Malâzgerd, revêt dans l'histoire une importance aussi grande que les journées du Granique ou d'Arbèles. L'émir Usâma ibn Munqidh, qui déniera aux Francs toute supériorité de civilisation sur le monde musulman, leur reconnaîtra hargneusement la supériorité militaire : « Quiconque s'est renseigné sur les Francs a vu en eux des bêtes qui ont la supériorité du courage et de l'ardeur au combat, mais aucune autre, de même que les animaux ont la supériorité de la force et de l'agression[84]. » Deux siècles d'hégémonie européenne en Asie découleront de cette constatation, imposée à l'Islam par la bataille du 1er juillet 1097, deux siècles durant lesquels l'avance turque reculera non seulement devant la reconquête latine en Syrie et en Palestine, mais même devant la reconquête byzantine en Anatolie. La prise de Constantinople par les Turcs, qui semblait à la veille de se produire dès 1081, quand un sultan turc et des émirs turcs campaient à Nicée et à Smyrne, reculera dans les lointains de 1453. Résultat plus important peut-être pour le salut de l'Europe que la délivrance même de Jérusalem.

Chose curieuse, dès cette première rencontre Francs et Turcs apprirent à se connaître comme les deux principales races militaires du Proche Orient, et à s'estimer. Rien de plus remarquable que les impressions vécues que nous livre à ce sujet l'auteur des *Gesta Francorum :* « Qui sera assez savant pour décrire la sagacité, les dons guerriers et la vaillance des Turcs ? Ils croyaient (à Dorylée) effrayer les Francs par la menace de leurs flèches comme ils ont effrayé les Arabes, les Arméniens, les Syriens, les Grecs. Mais, s'il plaît à Dieu, ils ne vaudront jamais les nôtres. À la vérité ils prétendent que nul, à part les Francs et eux, n'a le droit de se dire chevalier. Je dirai la vérité et nul ne la contestera : certainement, s'ils avaient toujours gardé fermement la foi du Christ[85], on ne trouverait personne qui puisse leur être égalé en puissance, en courage, en science de la guerre. Et pourtant, par la grâce de Dieu, ils furent vaincus par les nôtres[86] ! »

Après s'être reposés deux jours près de Dorylée, sur les bords du Pursaqchai, les Croisés reprirent le 4 juillet leur marche en direction sud-est à travers la Phrygie. Les Turcs avaient fait le vide devant eux. De Dorylée à Polybotos (Bulwadin), la route suivait une steppe sauvage, dont la traversée était rendue plus difficile encore par les contreforts occidentaux du massif de l'Émir-dagh ou Keshir-dagh. Après Polybotos, on entrait dans le bassin fermé de Lycaonie, rongé en son centre par le désert salé et dont les rares torrents vont se perdre au nord-est dans le Tuz Göl et au sud-ouest dans l'Egherdir et le Beishehir Göl, marais salins sans écoulement. De Polybotos (Bulwadin) à Philomelion (Aqshehir), les Croisés longèrent, comme le fait aujourd'hui le chemin de fer d'Anatolie, les contreforts orientaux du Sultân dagh, traversée singulièrement pénible si on remarque, avec Bréhier, qu'ils ont suivi cet itinéraire « en plein mois de juillet, dans un pays où la température moyenne de l'été atteint vingt-six degrés et où il n'y a, en fait d'eau, que des marécages et des étangs salés ». « Nous poursuivions les Turcs, écrit l'Anonyme, à travers les déserts et une terre dépourvue d'eau et inhabitable d'où nous eûmes du mal à sortir vivants. La faim et la soif nous pressaient de toutes parts, et nous n'avions presque rien à manger sauf les épines (les cactus et les aloès, spécifie Bréhier) que nous arrachions et frottions dans nos mains. Là mourut la plus grande partie de nos chevaux. Par pénurie de montures nous nous servions de bœufs en guise de destriers et dans cette extrême nécessité, des chèvres, des moutons, des chiens étaient employés à porter nos bagages[87]. »

*Les Croisés à Iconium et en Cappadoce.*

Enfin, après Tyriaion (Ilghun) et Laodicée (Jorgan-Ladhiq), l'armée entra dans une zone plus fertile, la région d'Iconium, l'actuel Qoniya, où sa cavalerie trouva des pâturages pour se refaire (environs du 15 août 1097). Il ne semble pas que les Seljûqides aient songé à défendre Iconium. Qilij Arslân dont la tactique consistait, depuis son désastre de Dorylée, à faire le vide devant les envahisseurs, le fit évacuer selon la méthode radicale que nous décrivent les *Gesta Francorum* et Guillaume de Tyr : « Comment li Crestien trovèrent vuide la cité de Licoine (Iconium) et grant partie des autres où il venoient[88]. » Les Croisés qui comptaient se refaire dans l'antique cité n'y trouvèrent ni habitants, ni ravitaillement d'aucune sorte. Des *Gesta* il ressort cependant que quelques Arméniens de la région, restés ou reparus, aidèrent les Croisés, leur conseillant notamment d'emporter des outres d'eau pour la traversée du désert qui s'étend entre Iconium et Héraclée-Cybistra (Eregli) et qui n'est coupé que par la rivière Tsharshambé où l'armée s'arrêta deux jours[89]. Devant Héraclée les Seljûqides essayèrent une dernière fois de s'opposer à la marche des Croisés. Ceux-ci prirent les devants et les mirent de nouveau en fuite[90]. Les Croisés se reposèrent ensuite quatre jours dans Héraclée, du 10 au 13 septembre. Puis ils se divisèrent. Tancrède et Baudouin de Boulogne, frère de Godefroi de Bouillon, se séparant, vers le 14 septembre 1097, des autres barons, se dirigèrent droit au sud, vers la Cilicie. Par Podandos, l'actuel Bozanti[91], ils franchirent les Pyles Ciliciennes qui séparent le Taurus Cilicien de l'Anti-Taurus, et descendirent sur la plaine de Tarse. Nous étudierons plus loin leur œuvre en ce point. Pendant ce temps, tout le reste de la Croisade, avec le légat, Godefroi de Bouillon,

Bohémond. Raymond de Saint Gilles et les autres barons, remontait vers le nord-est, pour contourner le massif de l'Anti-Taurus, poussant de ce côté par la route de Nigde et la région du mont Argée jusqu'à Césarée de Cappadoce (Qaisâriya). On peut se demander la raison de ce crochet quand la route de Cilicie était la plus naturelle. Peut-être faut-il voir là le désir de rendre à la chrétienté une zone mal soumise aux Turcs et où l'immigration arménienne du onzième siècle fournissait un élément solide de reconquête. De fait nous voyons les Croisés, avant d'arriver à Césarée, « bailler la terre » à un chef arménien local nommé Siméon. « Il y avait là un homme appelé Siméon qui était né dans le pays et qui demanda cette terre afin de la défendre contre les entreprises des Turcs. Ils (les Croisés) lui baillèrent cette terre et il y demeura avec sa gent[92]. » Exemple intéressant qui nous montre la Croisade latine procédant à une restauration arménienne en Cappadoce, comme elle avait procédé à une restauration byzantine à Nicée. À cette époque les Croisés apparaissaient vraiment comme les sauveurs des anciennes chrétientés orientales.

De Césarée, qu'ils atteignirent vers le 27 septembre, les Croisés se rabattirent vers le sud-est, afin de traverser l'Anti-Taurus. Vers le 3 octobre, ils atteignirent Placentia, l'ancienne Comana[93], forteresse certainement peuplée d'Arméniens et qui, grâce à sa position dans l'Anti-Taurus, avait pu résister jusque-là, mais que, peu avant l'arrivée des Croisés, les Turcs – sans doute les Dânishmendites de Sîwâs – avaient assiégée pendant trois semaines. L'arrivée des Croisés, le 3 octobre, la sauva. La population accueillit avec joie les nouveaux venus et se donna à eux. Ici se place un fait fort intéressant. Le général byzantin Tatikios qui commandait le corps impérial adjoint à la Croisade demanda la place au nom de son maître, l'obtint des Croisés et en nomma gouverneur Pierre d'Aups, chevalier provençal au service du *basileus*. Le texte des *Gesta Francorum* est explicite à cet égard : « Pierre d'Aups demanda la ville à tous les seigneurs afin de la défendre en toute fidélité de Dieu et du Saint-Sépulcre, des seigneurs et de l'empereur[94] ». Ainsi, à cette date, les Croisés restaient fidèles à la promesse qu'ils avaient faite de remettre à l'empire les anciennes cités byzantines. Quant aux Dânishmendites, Bohémond, ayant appris qu'ils rôdaient dans les environs, essaya de les accrocher pour les écraser : mais ils ne se montrèrent pas. Bohémond, s'aventurant avec un détachement isolé, parcourut ainsi la Petite Arménie, depuis le massif de l'Argée jusqu'à Mar'ash où il devait enfin rejoindre le gros de l'armée.

Pendant ce temps, après avoir traversé la première ligne de plissements de l'Anti-Taurus dominée par le Soghan dagh et ses 2 700 mètres, les Croisés, se dirigeant vers le sud-est, arrivèrent vers le 5 ou le 6 octobre à un autre bourg habité en majorité par des Arméniens, Coxon ou Goeksun, le Cucusos des Byzantins, le Gocuse des Arméniens. La population arménienne ouvrit aussitôt les portes aux Francs qui y trouvèrent des vivres en abondance et s'y reposèrent trois jours. Ainsi l'amitié franco-arménienne se manifestait dès le premier contact comme un fait durable, l'élément indigène arménien s'offrant partout comme substrat du futur Orient latin.

Après Goeksun, pour descendre vers Mar'ash à travers les gorges du canton de Zeitûn, l'armée dut traverser la partie la plus rude de l'Anti-Taurus, dominée par le massif du Bertut dagh, puis par l'Akhir dagh, tous deux à une hauteur de 2 400 mètres, région d'un tel enchevêtrement tectonique, si sauvage et si coupée de précipices que les chroniqueurs latins l'ont appelée le pays des Montagnes Diaboliques[95] : « Nous sortîmes de Coxon, écrit l'Anonyme normand, et pénétrâmes dans la Montagne Diabolique si élevée et si étroite que, dans le sentier situé sur le flanc, nul n'osait précéder les autres ; les chevaux se précipitaient dans les ravins et chaque bête de somme en entraînait une autre[96]. » L'armée descendit enfin sur Mar'ash, l'ancienne Germanicée, dans la plaine du haut Jihûn[97].

La ville de Mar'ash, on s'en souvient, avait, après la débâcle byzantine de Malâzgerd, fait partie de l'éphémère royaume arménien de Philaretos dont elle avait formé le noyau[98]. Quand il eut été dépouillé de ses autres places par les Seljûqides en 1085-1087, Mar'ash était resté jusqu'à sa mort en sa possession[99]. La ville était d'ailleurs tout arménienne. Les montagnes voisines étaient tenues par un partisan arménien, moitié prince, moitié chef de bandits, Kogh Vasil, c'est-à-dire Basile le Voleur, qui dans le partage de l'ancienne principauté de Philaretos, s'était rendu maître des deux forteresses de Kaisûn et de Ra'bân, situées la première à l'est de Mar'ash, tout près de Behesnî[100], la seconde au sud de Kaisûn, entre Kaisûn et Dulûk (Dolikhé)[101]. Néanmoins il ne semble pas que Kogh Vasil, qui devait avoir de fréquents rapports avec les Croisés, ait étendu ses conquêtes jusqu'à Mar'ash. En fait nous savons seulement qu'en arrivant à Mar'ash, vers le 13 octobre 1097, les Croisés furent accueillis comme des protecteurs providentiels par la population arménienne. « Les habitants, disent les *Gesta Francorum*, sortirent à notre rencontre tout joyeux en nous apportant un copieux ravitaillement et nous y fûmes dans l'abondance[102]. » Toujours fidèles au pacte de Constantinople, les Croisés remirent Mar'ash aux Byzantins[103].

De Mar'ash, où Bohémond rejoignit le gros de l'armée, les Croisés descendirent en Syrie. Le 20 octobre leur avant-garde atteignait le Pont de Fer sur l'Oronte (Jisr al-*H*adîd) à l'est d'Antioche[104]. La conquête de la Syrie, but de la Croisade, commençait.

Avant de suivre les Croisés sur ce nouveau terrain, il nous reste, pour achever l'étude de leur action en Anatolie, à résumer d'abord la reconquête de l'Ionie et de la Phrygie par Alexis Comnène, croisade byzantine qui fut la conséquence de la croisade franque ; puis à parler de l'œuvre de Tancrède et de Baudouin de Boulogne parmi les Arméniens de la Cilicie et de la région d'Édesse.

### *La « croisade » d'Alexis Comnène en Ionie et en Phrygie.*

La chute de Nicée, capitale de Qilij Arslân, puis la défaite de ce prince à Dorylée avaient porté le coup le plus rude à la puissance et au prestige de la jeune dynastie seljûqide d'Anatolie. La possession de Nicée avait la valeur d'un symbole. À la suite de leur installation dans cette ville en 1081, les Turcs avaient pu occuper sans combat presque toute l'Anatolie occidentale. Inversement la reconquête de Nicée par les Byzantins en 1097 valut à ceux-ci la réoccupation pacifique de la même région. La victoire de Dorylée, en brisant la force seljûqide, acheva de provoquer l'effondrement de la domination turque à l'ouest d'une ligne Brousse-Adalia.

Les Croisés, pénétrant au cœur des États de Qilij Arslân, en Phrygie orientale, en Pisidie, en Lycaonie, campaient à leur gré à Eskishéhir, à Aqshéhir, à Qoniya, à Eregli, sans que l'héritier des Seljûqides osât leur opposer de résistance. Comment aurait-il pu songer à aller défendre, aux marches mêmes de Byzance, la Bithynie, la Lydie et la Phrygie occidentale ? Les petits émirs de la côte égéenne, Tzakhas, émir de Smyrne, Tangriperme[105], émir d'Éphèse, abandonnés à eux-mêmes, ne pouvaient songer à la résistance.

L'empereur Alexis Comnène profita habilement de ces dispositions. Au lendemain de la prise de Nicée, il envoya en Ionie une armée commandée par son beau-frère Jean Doukas et une escadre commandée par son amiral Kaspax. Pour impressionner les Turcs, il confia à Jean Doukas les prisonniers seljûqides faits à Nicée, notamment la femme du sultan Qilij Arslân, fille de Tzakhas, émir de Smyrne[106].

Ce plan réussit de tout point. Quand Jean Doukas arriva devant Smyrne, l'émir Tzakhas se rendit sans combat, sous la seule condition de pouvoir se retirer librement. De là Doukas marcha sur Éphèse, dont il s'empara également sans grande difficulté. L'ancienne Ionie, « le Thème de Samos », comme disaient les Byzantins, était délivrée.

Vers le printemps de 1098, Jean Doukas entreprit de même la reconquête du Thème Thracésien, l'ancienne Lydie et la Phrygie occidentale. Remontant la vallée de l'Hermos (Ghediztshaï), il réoccupa Sardes (Sart) et Philadelphie (Alashéhir). De là, gagnant le moyen Méandre, il réoccupa encore Laodicée-Hiérapolis, près de l'actuel Denizli. Cette campagne dut rendre à l'empire tout l'ancien Thème Thracésien et même la Doride, la Lycie et la Pamphylie – ancien Thème Cibyrrhéotique – jusqu'à Adalia. Le général byzantin, remontant ensuite vers le nord-est, par delà la région du Hoiran Göl et du Sultân dagh, atteignit Polybotos (Bulwadin), où il battit les Turcs[107]. Il semble, comme le pense Chalandon, qu'à ce moment il allait à la rencontre d'Alexis Comnène. Pendant ce temps, en effet, le *basileus* avait achevé la réoccupation de la Bithynie, évacuée par les Turcs après la bataille de Dorylée. La jonction d'Alexis et de son lieutenant dut s'effectuer au cœur du plateau de Phrygie. La reconquête de l'Anatolie occidentale ainsi effectuée, Alexis Comnène se dirigeait maintenant à travers ses nouvelles possessions vers la Cilicie et la Syrie pour aller se joindre aux Francs qui assiégeaient Antioche. En juin 1098 il campait à Philomélion (Aqshéhir), au cœur de l'ancien Thème Anatolique dont toute la partie occidentale venait de faire retour à l'empire, lorsque les nouvelles du siège d'Antioche le firent, comme on le verra, renoncer à son dessein[108].

À cette date il n'en est pas moins vrai que Byzance avait récupéré le tiers de l'Anatolie, la partie la plus fertile de la péninsule. Et cette reconquête inespérée était la conséquence directe de la Première Croisade, conséquence historiquement aussi importante que la délivrance de la Palestine. Comparons la carte de l'Orient en 1095 et en 1098. En 1095 la frontière turco-byzantine passe entre Nicée et Nicomédie en pleine Bithynie occidentale, à quelques heures de la Marmara et du Bosphore. Des émirs turcs règnent à Smyrne et à Éphèse. La chevauchée venue du Turkestan atteint de toutes parts la mer Égée. Prenons maintenant la carte de l'Orient en 1098. La Bithynie, l'Ionie, la Lydie, la Phrygie sont dégagées. Les Turcs sont rejetés en Galatie, dans le Désert Salé et la Lycaonie. Les conséquences de l'effondrement byzantin de 1081 sont en grande partie réparées. La vie de la civilisation byzantine est prolongée de trois siècles et demi. Et cela est si vrai qu'au jour où la Quatrième Croisade abattra l'empire byzantin en Europe, en 1204, ce sera dans les provinces asiatiques récupérées par Byzance à la faveur de la Première Croisade, ce sera à Nicée reconquise par Godefroi de Bouillon, que le byzantinisme trouvera un refuge et un tremplin pour son nouvel essor.

La Première Croisade, c'est, au point de vue byzantin, la revanche du désastre de Malâzgerd.

## § 4. — La Première Croisade et le peuple Arménien. Fondation du Comté d'Édesse.

*Délivrance de la Cilicie par Tancrède et par Baudouin de Boulogne.*

Comme on l'a vu, Baudouin de Boulogne, frère de Godefroi de Bouillon, et Tancrède, l'ardent neveu de Bohémond, avaient quitté, vers le 14 septembre 1097, le gros de la Croisade pour aller conquérir sur les Turcs Seljûqides la province de Cilicie. Ces deux cadets étaient à coup sûr les plus aventureux des barons qui avaient pris la croix. Pour l'un comme pour l'autre – la suite de cette histoire le prouvera – l'expédition sainte n'était qu'une entreprise politique : la conquête du Levant. Envisageant les choses d'un point de vue positif, ils estimèrent sans doute que le détour par la Cappadoce, *via* Qaisâriya-Mar'ash, était une erreur ; de fait ce détour ne pouvait s'expliquer que par l'intention d'exécuter le traité franco-byzantin en brisant la puissance des Turcs d'Anatolie au cœur même de leur domination et en remettant l'empire en possession de ces provinces de l'ancienne « Petite Arménie » encore peuplées d'éléments chrétiens. Mais Tancrède avait jusqu'au bout refusé de souscrire au pacte franco-byzantin. Il conservait donc les mains libres. Et il semble que Baudouin de Boulogne, qui était loin d'apporter dans l'exécution des serments échangés le même esprit religieux que Godefroi de Bouillon, devait, de son côté, se soucier assez médiocrement des droits de l'empire. Évitant le détour par la Cappadoce, les deux barons descendirent directement d'Éregli sur la fertile plaine cilicienne, proie que se disputaient les chefs arméniens du Taurus et les émirs seljûqides installés près du littoral, sans parler des droits toujours affirmés de l'empire byzantin.

En 1097, c'était l'élément arménien qui avait les plus fortes chances de succès. Dévastée par les guerres entre Byzantins et Musulmans, la Cilicie avait été repeuplée par une immigration arménienne dense qui, au cours du onzième siècle, avait entièrement transformé son caractère ethnique[109]. Nous avons même vu qu'au cours des années 1077-1083 elle avait fait partie des possessions de Philaretos, l'audacieux aventurier à qui revient l'honneur d'avoir fondé la première principauté arménienne en ces régions[110]. À la chute de l'éphémère domination de Philaretos, les Turcs Seljûqides avaient soumis la majeure partie de la plaine cilicienne, notamment les villes de Mamistra et de Tarse. Mais des chefs arméniens se maintenaient dans les gorges du Taurus Depuis 1080 environ, un de ces chefs, l'ishkan Roupên, ancien officier du dernier roi d'Arménie Kakig II, s'était installé sur un des points les plus inaccessibles de la montagne, à Partzerpert, au nord-ouest de Sis, dans le massif du Kozan et du Ghedin Beli. Le fils de Roupên, Constantin Ier (1092-1100), accrut sa puissance en chassant les Turcs de la région et en s'emparant de la forteresse de Vahka (Féké), dans l'Anti-Taurus, sur le Goek-su, château réputé imprenable, où les Byzantins avaient pu, jusque-là, se maintenir. Occupation précieuse : Vahka devait être le point de départ d'où la conquête roupénienne devait s'étendre un jour à toute la Cilicie.

Un autre chef arménien de la montagne qui va également jouer un rôle dans l'histoire de la Croisade est le fondateur de la maison héthoumienne, *l'asbed* Oshin, seigneur de Lampron († 1110). Émigré arménien venu vers 1072 de la région de Kantzag (Gandja, Élisabethpol) jusqu'au Taurus, il s'était établi dans la forteresse de Lampron (Nemrûn), au pied du massif du Metdezis, nid d'aigle d'où il commandait la haute vallée de la rivière de Tarse. En 1081 il avait pris du service chez les Byzantins : il était venu en Europe guerroyer contre Robert Guiscard sous les drapeaux d'Alexis Comnène. Celui-ci l'avait récompensé en le nommant stratopédarque de Cilicie[111]. Si, comme le pense Chalandon, c'est bien Oshin qu'Albert d'Aix et Robert de Caen désignent sous le nom d'Ursinus, le seigneur de Lampron, à l'arrivée des Croisés, s'était déjà rendu maître de la ville d'Adana, au cœur de la plaine cilicienne[112].

Telle était la situation de la Cilicie lorsque Tancrède et Baudouin de Boulogne survinrent dans le pays. Tancrède arriva le premier. Il dut descendre directement du débouché des Pyles Ciliciennes par Podandus (Bozanti), distançant de trois jours Baudouin qui semble s'être d'abord égaré dans le massif du Bulghar-dagh. Tous deux misaient sur l'amitié de l'élément arménien. Baudouin s'était lié avec un chef arménien nommé Pakrad (Bagrat, Pancrace) qui, depuis Nicée, s'était associé à sa fortune et peut-être était-ce sur les conseils de Pakrad qu'il avait organisé sa marche sur la Cilicie[113]. En tout cas, il est certain que, par sa connaissance du pays, le chef arménien allait rendre les plus précieux services à Baudouin dans la campagne de Cilicie, puis lors de son établissement à Édesse. De fait, comme le remarque Guillaume de Tyr, si les citadelles des villes ciliciennes étaient occupées par des garnisons turques, la population même des villes, comme celle de la campagne, était purement arménienne et grecque[114].

Aussi dès que Tancrède, devançant Baudouin, vint mettre le siège devant Tarse, son premier soin, après avoir vivement repoussé une sortie de la garnison turque, fut de nouer des intelligences avec la population arménienne de la ville (vers le 21 septembre 1097). Ses négociations étaient sur le point d'aboutir lorsque Baudouin, à son tour, arriva avec plusieurs barons lotharingiens attachés à sa fortune comme son cousin Baudouin du Bourg, Reinard de Toul et Pierre de Stenay[115]. L'arrivée de ces nouveaux adversaires effraya la garnison turque qui prit la fuite à la faveur de la nuit. Le lendemain les Arméniens et les Grecs de la ville invitèrent les chefs francs à venir en prendre possession ; en attendant ils arborèrent sur le mur la bannière de Tancrède avec qui ils étaient depuis plusieurs jours en pourparlers. Quant à remettre la place aux représentants de l'empereur Alexis Comnène, conformément au traité franco-byzantin, Tancrède paraît n'y avoir même pas songé. N'ayant jamais reconnu le traité, il entendait conquérir la Cilicie pour lui-même.

Mais Baudouin avait la même ambition. Son amitié avec Pakrad décèle chez lui dès cette époque une véritable politique arménienne dont la fondation du comté d'Édesse sera l'aboutissement. Sur-le-champ il contesta la priorité de Tancrède. Albert d'Aix nous dit que les habitants de Tarse désiraient se donner à Tancrède, tant était grand le renom des Normands dans l'ancien empire byzantin depuis les expéditions de Robert Guiscard et de Bohémond[116]. Mais les forces des deux chefs croisés étaient loin d'être égales. Au témoignage de Raoul de Caen, Baudouin avait 500 chevaliers et 2 000 piétons, Tancrède seulement 100 chevaliers et 200 piétons[117]. Le chef normand dut s'incliner. La rage au cœur, il abandonna Tarse à Baudouin et partit pour Adana. La rancune de Baudouin n'était pas apaisée non plus. Trois cents fantassins de l'armée de Tancrède arrivaient en retardataires devant Tarse. Malgré leurs supplications, Baudouin, qui avait pris possession de la ville, refusa de les laisser entrer pour se ravitailler et les obligea à camper en rase campagne où ils furent massacrés dans la nuit par un parti de Turcs[118]. La colère de la masse des Croisés contre Baudouin et ses chevaliers, rendus responsables de ce massacre, fut telle qu'une véritable émeute s'ensuivit, émeute que Baudouin eut grand'peine à apaiser par de bonnes paroles.

L'autorité de Baudouin fut raffermie par l'arrivée sur les côtes de Cilicie, dans le golfe de Mersina, d'une forte escadre de Croisés flamands, frisons et danois[119], commandée par un ancien pirate, Guynemer de Boulogne[120]. Baudouin était précisément le fils du comte de Boulogne, Eustache. Quand le corsaire devenu croisé apprit qu'il avait affaire au fils de son seigneur, il accourut à terre, se déclara son homme lige et lui offrit son concours, offre non négligeable car « moult estoit riches de ce mauvès gaeng »[121]. Il donna trois cents soldats à Baudouin pour remplacer la garnison boulonnaise de Tarse[122]. Guynemer devait d'ailleurs rendre de non moindres services aux autres chefs croisés, puisque c'est avec son concours que, quelques semaines plus tard, Tancrède put s'emparer d'Alexandrette.

Pendant ce temps, Tancrède s'était rendu à Adana et à Mamistra (fin septembre, début d'octobre 1097). Guillaume de Tyr nous dit qu'Adana venait d'être enlevée aux Turcs par un chevalier bourguignon nommé Welf qui, s'étant détaché en avant-coureur du gros de l'armée, cherchait lui aussi fortune en ce pays : à la demande de Tancrède, Welf lui aurait permis d'entrer dans Adana pour s'y ravitailler[123]. Chalandon, interprétant un passage de Raoul de Caen[124], pense au contraire qu'Adana dépendait de l'Arménien Oshin, seigneur de Lampron[125], lequel aurait appelé Tancrède. Quoi qu'il en soit, il est certain que Tancrède put se ravitailler dans Adana, et qu'il entra en rapports d'amitié avec Oshin de Lampron, si du moins Oshin est bien le même personnage que l'Arménien Ursinus de Raoul de Caen : « Ursinus » invita en effet Tancrède à aller enlever aux Turcs Mamistra (Mopsueste ou Missis), ville de population tout arménienne[126]. De fait après un siège d'un jour et d'une nuit, la garnison turque de Mamistra prit la fuite et les Arméniens ouvrirent les portes à Tancrède (fin septembre 1097). Comme on le voit par chaque exemple, le rôle de l'élément indigène arménien fut capital dans la réussite de la Croisade. Ce fut lui qui livra aux Croisés les avenues de la Syrie. C'est là un fait dont l'importance ne saurait être exagérée.

Une fois encore la rivalité de Baudouin de Boulogne et de Tancrède faillit tout compromettre. À peine Tancrède venait-il d'enlever Mamistra aux Turcs que Baudouin, débouchant de Tarse, apparut devant la place. Naturellement Tancrède lui ferma les portes de la ville. Baudouin campa dans les jardins de la banlieue où Tancrède consentit d'ailleurs à lui faire passer des vivres. Mais dans l'entourage même de Tancrède on se montrait moins généreux. Le cousin du chef normand, Richard de Salerne, l'incitait à profiter de la dispersion des gens de Baudouin dans la plaine pour se venger d'eux. Tancrède se laissa persuader et, descendant brusquement des remparts avec cinq cents cavaliers, il attaqua à l'improviste le camp de Baudouin[127]. Mais la première surprise passée, les gens de Baudouin se ressaisirent et, profitant de la supériorité du nombre, ils mirent les agresseurs en fuite, puis les poursuivirent jusqu'aux portes de Mamistra. Tancrède et ses chevaliers eurent grand'peine à repasser le pont de Jihûn qui séparait le camp de la ville. L'instigateur de l'attaque, Richard de Salerne, resta aux mains de Baudouin. La nuit mit fin à l'échauffourée. Le lendemain les deux rivaux, honteux d'une lutte impie au seuil de la terre sainte, se réconcilièrent. Baudouin, apprenant que son frère Godefroi avait été blessé à la chasse par un ours[128], alla le retrouver. Il rejoignit ainsi le gros de l'armée qui se trouvait alors à Mar'ash (vers le 15 octobre 1097). Quant à Tancrède, il acheva la conquête de la plaine cilicienne à la tête de ses Normands auxquels se joignirent les Croisés flamands, frisons et danois arrivés par mer sous Guynemer de Boulogne[129]. Il est vraisemblable que l'aide de l'ancien corsaire ne lui fut pas inutile pour s'emparer de la cité maritime d'Alexandrette. À Alexandrette il était déjà sur le sol syrien et pouvait aller rejoindre la grande armée franque qui descendait de Mar'ash sur Antioche.

La querelle de Tancrède et de Baudouin en Cilicie ouvre une phase nouvelle dans l'histoire juridique de la Croisade. Elle atteste que les chefs francs avaient déjà moralement répudié l'accord précédemment conclu avec le *basileus*. Si Baudouin et Tancrède en étaient venus aux mains, au lieu de remettre aux Byzantins les places ciliciennes délivrées, c'est qu'ils entendaient fonder dans la région des principautés franco-arméniennes indépendantes de Byzance. La politique arménienne qu'ils cherchaient à inaugurer tous deux n'a pas d'autre signification. Trouvant dans l'élément arménien local un substrat chrétien solide, ils ne songeaient qu'à y asseoir un État franc particulier. Mais précisément la rivalité de Baudouin et de Tancrède entrava la réalisation de ces velléités. Aucune baronnie franque ne se constitua finalement dans le pays. Des garnisons franques de peu d'importance durent bien rester dans les trois principales places arméno-ciliciennes, à Tarse, à Adana et à Mamistra, et, lorsque Bohémond en 1098 se fut installé dans la principauté d'Antioche, ces garnisons durent reconnaître son autorité ; mais presque aussitôt, sans doute vers 1100, l'empereur Alexis Comnène devait envoyer une expédition reprendre les trois villes. De nouveau reconquises en 1101 par Tancrède, agissant comme lieutenant de Bohémond, Tarse, Adana et Mamistra furent une fois encore réoccupées en 1104 par les Byzantins auxquels la dynastie arménienne des Roupéniens devait finir par les arracher un peu plus tard[130]. Finalement donc les rivalités entre chefs francs, puis la lutte entre Francs et Byzantins pour la possession de la plaine de Cilicie devaient tourner au profit du seul élément arménien qui réussit, comme on le verra, à restaurer un royaume national en ce pays.

*Baudouin de Boulogne et les dynastes arméniens du Taurus et de l'Euphrate.*

Ce n'est pas en Cilicie que Baudouin de Boulogne devait réaliser son projet de principauté franco-arménienne. Mais ce projet, il n'y renonçait pas. Après avoir, vers le 15 octobre 1097, rejoint à Mar'ash son frère Godefroi de Bouillon et la grande armée de la Croisade, Baudouin, au bout de deux jours, quitta une fois encore ses compagnons pour chercher un nouvel établissement en terre arménienne[131].

Si l'immigration arménienne au onzième siècle avait transformé la Cilicie, son importance était à peine moindre sur les deux rives du moyen Euphrate, dans les anciennes provinces de Mélitène (Mala*t*iya), de Commagène (Samosate et Mar'ash), de Cyrrhestique ('Aintâb et Tell-bâsher) et d'Osrhoène (Édesse-Orfa). N'oublions pas en effet que toute cette région avait peu auparavant fait partie de l'éphémère principauté arménienne de Philaretos. De petits chefs arméniens locaux, menue monnaie de Philaretos, avaient su se maintenir dans le pays après sa chute. C'est à eux que Baudouin allait avoir affaire, rencontre précieuse pour les Francs dont l'arrivée, à tort ou à raison, paraissait à ces dynastes arméniens comme une aide providentielle.

À Mélitène (Mala*t*iya), le pouvoir appartenait à un de ces aventuriers arméniens, nommé Gabriel ou Khôril, ancien lieutenant de Philaretos dans cette place[132]. À la mort de Philaretos, Gabriel lui succéda dans la ville. Comme jadis Philaretos, Gabriel eut l'adresse de rester en bons termes avec Byzance, désormais trop lointaine pour être génante. Il semble que, bien qu'Arménien de race, il ait tenu, comme d'ailleurs Philaretos, à rester plus ou moins rattaché au rite grec, bénéficiant ainsi des avantages des deux nationalités. « Cil Gabriel estoit nez d'Ermenie, note Guillaume de Tyr. D'abit et de langage se contenoit comme Hermins, mès de foi et de créance estoit-il Grifons (Grec)[133]. » Par ailleurs, la conquête seljûqide battant son plein et Mélitène se trouvant de toutes parts environnée par les possessions turques, le souple Gabriel n'avait pas hésité à se déclarer spontanément vassal du sultan et du khalife. Michel le Syrien affirme même qu'il envoya à cet effet sa femme à Baghdâd et qu'elle en revint avec un édit le confirmant dans sa principauté[134].

Cependant, malgré cette contre-assurance, Gabriel sut résister aux Turcs quand une attitude plus énergique devint nécessaire. En 1096 le sultan seljûqide d'Anatolie, Qilij Arslân, étant venu assiéger Mélitène, le chef arménien refusa catégoriquement de lui livrer la place. L'élément syriaque, très hostile à la domination de ce gréco-arménien faisait, semble-t-il, des vœux pour l'ennemi. Du moins le métropolite syriaque de Mélitène, Jean Sa'id bar Sabuni, conseillait-il à Gabriel de livrer la ville aux Turcs. Gabriel le fit exécuter (4 juillet 1096)[135]. Quant à la menace seljûqide, l'arrivée en Bithynie de la Première Croisade en avait délivré Gabriel. Le sultan Qilij Arslân, vaincu, à Nicée, puis à Dorylée et pris à revers en Lydie par Alexis Comnène, avait trop à faire chez lui pour songer encore à prendre Mélitène. Le danger turc désormais devait venir d'un autre côté, des

Dânishmendites de Sîwâs. L'émir dânishmendite Malik Ghâzî Gümüshtekîn, rival des Seljûqides et craignant peut-être que, par l'annexion de Mélitène, la puissance de ces derniers ne s'étendît du côté de la Cappadoce, avait d'abord plus ou moins protégé Gabriel. De fait Michel le Syrien nous montre le dânishmendite rétablissant la paix entre les Turcs (= les Seljûqides ?) et Gabriel[136]. Mais, les Seljûqides une fois vaincus par les Francs, ce fut Gümüshtekîn lui-même qui entreprit la conquête de Mélitène. « Pendant trois ans il venait l'été, dévastait le pays, dévorait les récoltes et s'en allait pendant l'hiver[137] ». Devant cette menace, le seigneur de Mélitène devait chercher aide auprès des Francs : nous verrons comment il donna sa fille Morfia à Baudouin du Bourg[138].

À Mar'ash, on l'a vu, les Croisés qui en octobre 1097 avaient délivré la ville de la menace turque l'avaient correctement mise à la disposition des représentants d'Alexis Comnène, conformément au pacte franco-byzantin. Mais la ville était si arménienne de population qu'Alexis Comnène ne crut pouvoir mieux faire que d'y nommer gouverneur le chef arménien Thatoul ou Thathoul, lequel devait en rester maître jusqu'à l'annexion franque de 1104[139].

À l'est de Mar'ash, un autre aventurier arménien, Kogh Vasil (Basile le voleur), s'était rendu maître des forteresses de Kaisûn et de Ra'bân, près de Béhesnî. C'était le frère de ce Kogh Vasil, Pakrad ou Pancrace qui, depuis Nicée, s'était attaché à la fortune de Baudouin et qui semble avoir inspiré à celui-ci la première idée d'une politique franco-arménienne.

Enfin à Édesse – le Ruhâ des historiens arabes, le Rohés de nos chroniqueurs, l'actuel Orfa, – un autre chef arménien, Thoros fils de Héthoum, s'était également maintenu par un prodige d'habileté. Thoros avait été l'un des lieutenants de Philaretos. Après la mort de Philaretos, Édesse avait subi une brève période d'annexion seljûqide sous le gouvernement de l'émir Buzân à qui le sultan Malik shâh l'avait donnée (1087-1094). Mais, Buzân ayant été bientôt dépossédé par le cadet seljûqide Tutush, frère de Malik shâh, Thoros eut l'adresse de se concilier la faveur de ce prince qui, sans doute pour la commodité des opérations fiscales dans cette ville alors purement arménienne, lui confia tout ou partie de l'administration d'Édesse (1094). Tutush, à son tour, ayant péri presque aussitôt (1095), et les guerres de famille entre les autres Seljûqides causant une éclipse de leur pouvoir en Syrie, Thoros, appuyé sur la population, se trouva pratiquement maître d'Édesse. Il semble d'ailleurs qu'il évita soigneusement de rompre avec la fiction de la souveraineté des Seljûqides. En tout cas il évita d'entrer en lutte avec eux. Selon la remarque de Guibert de Nogent[140], s'il préserva Édesse des attaques turques, ce fut moins par les armes que par des négociations, en se rachetant à l'aide de tributs opportunément distribués. En même temps, comme jadis Philaretos, il légitimait son pouvoir en se reconnaissant sujet du basileus. La cour de Constantinople, heureuse de cette allégeance, dut lui accorder la consécration qu'il sollicitait, car Matthieu d'Édesse le présente comme « gouverneur romain d'Édesse », et Michel comme curopalate[141].

Malgré son titre officiel byzantin et sa contre-assurance du côté turc, Thoros devait sentir toute la fragilité de la principauté arménienne que son adresse seule avait maintenue jusque-là. Édesse, enveloppée de tous côtés par les possessions seljûqides, ne pouvait échapper bien longtemps au sort commun. L'arrivée des Francs en Syrie parut au prince arménien un salut inespéré.

Pour les Francs aussi le concours de l'élément arménien constituait une chance de premier ordre. Dans cet Orient presque entièrement dominé par l'Islamisme, quel avantage initial pour eux que de rencontrer cette population chrétienne, établie à l'entrée de la Syrie et prête à leur en ouvrir les portes ! Même dans ceux des districts de cette région où les Arméniens n'avaient pu éliminer la domination turque, ils constituaient la majorité de la population urbaine et rurale. Tel était le cas à Tell-bâsher (sur la route d'Édesse à Antioche) et à Râwendân (sur la route de Mar'ash à Antioche). « Li habitéeur de ce païs estoient crestien, remarque Guillaume de Tyr, fors que un peu de Turs qui estoient saisis des fortresces[142] ». Ce fut de ce côté que Pakrad, l'associé arménien de Baudouin de Boulogne, conduisit ce dernier en quittant Mar'ash.

La conquête de « Turbessel » et de « Ravendel », comme les Francs appelèrent Tell-bâsher et Râwendân, fut facile.

Dès l'approche des Francs, la population arménienne s'était soulevée contre les garnisons turques. « Quant cil qui estoient de nostre foi virent Baudoin et sa gent, mout orent grant joie. Tout li baillièrent à délivre le païs où ils avoient pooir, si que, en pou de tens, ot toute la terre conquise jusque au grant flum qui a non Eufrates... Et li Crestien qui l'avoient receu en la terre devindrent si fier et si hardi que il chacoient touz les mescréanz de cele terre. Aucuns i avoit des barons du païs qui à tout leur pooir servoient Baudoin et li aidoient à tous amener à sa volenté[143] ». En d'autres termes, ce fut à un soulèvement arménien que fut due la facilité de la conquête franque de Turbessel et de Ravendel, la population arménienne chassant spontanément les Turcs et accueillant les Francs en libérateurs.

Parmi les chefs arméniens qui s'étaient constitués les fourriers de la cause franque, le plus ambitieux était Pakrad. S'il avait conduit Baudouin de Boulogne en pays arménien, s'il l'avait en particulier orienté vers la région de Turbessel, c'est qu'il comptait bien, grâce à l'appui des Francs, s'y tailler un fief propre, quitte, le cas échéant, à se retourner ensuite contre eux pour se débarrasser d'alliés trop puissants. C'était ainsi que jadis Philaretos et ses émules avaient manœuvré entre Byzantins et Turcs. Après la délivrance de Ravendel, Baudouin avait confié la place à Pakrad, de même qu'il avait confié Turbessel à un autre partisan arménien du nom de Fer. Mais Baudouin douta bientôt de la fidélité de Pakrad ; Fer lui-même dénonça son compatriote comme sur le point de comploter avec les Turcs. Sur quoi Baudouin s'empara de la personne de Pakrad et le menaça de la torture jusqu'à ce que l'Arménien se fût résigné à rendre la place de Ravendel[144].

*Baudouin à Édesse. Son adoption par Thoros.*

À la nouvelle de la délivrance de Turbessel par les Francs, le prince arménien d'Édesse, Thoros, invita Baudouin à venir à son aide. Thoros était vieux, sans enfants. Nous avons vu sa situation précaire au milieu de possessions turques. Sa principauté d'Osrhoène, débris de l'ancienne domination de Philaretos, était chaque jour plus menacée. L'arrivée des

Croisés lui parut, à lui aussi, une aide providentielle. Il résolut de s'appuyer sur la force franque, persuadé d'ailleurs qu'il pourrait l'utiliser sans en devenir l'esclave. « Rempli de joie, nous dit Matthieu d'Édesse, il envoya vers le comte franc à Thelbashar (Turbessel) pour le prier de venir à son secours contre ses ennemis, les émirs du voisinage, qui l'inquiétaient beaucoup[145] » (début de février 1098).

Cet appel cadrait trop avec la politique arménienne de Baudouin pour qu'il n'y répondît pas aussitôt. Ne prenant avec lui, pour aller plus vite, que quatre-vingts chevaliers, le comte de Boulogne passa l'Euphrate, échappa à une embuscade que lui tendit la garnison turque de Samosate et arriva à Édesse où Thoros l'accueillit en sauveur. « Les habitants, courant au-devant de lui, l'introduisirent avec empressement dans la ville. Sa présence causa une vive joie à tous les fidèles. Thoros lui témoigna beaucoup d'amitié et le combla de présents[146]. » Le clergé arménien, corrobore Guillaume de Tyr, le reçut « à procession » avec les plus grands honneurs, détail à noter, car il prouve qu'entre l'Église arménienne et les Latins n'existait pas le fossé qui la séparait des Byzantins[147].

Les pires ennemis de la principauté arménienne d'Édesse étaient les Turcs de Samosate dont l'émir, Balduk, était peut-être un cadet dânishmendite[148]. Sur la demande de Thoros, Baudouin alla sur-le-champ attaquer la place (seconde quinzaine du mois de février 1098). Il avait avec lui le chef arménien Constantin de Gargar, et son armée, à part sa poignée de chevaliers francs, consistait en milices arméniennes, tant de la ville d'Édesse que de toute la région. On prit les faubourgs ouverts de Samosate, mais, tandis que les bataillons chrétiens s'y livraient au pillage, un détachement de 300 cavaliers turcs fit une brusque sortie et les mit en complète déroute. Un millier de soldats arméniens furent massacrés[149].

Il est possible que la fuite des milices édesséniennes à Samosate ait convaincu Baudouin Ier de la nécessité de transformer la principauté arméno-franque d'Édesse en un État franco-arménien. En tout cas la situation respective du chef arménien et du comte franc était assez équivoque. Au début l'idée de Thoros, en appelant Baudouin, avait été d'enrôler un chef de mercenaires. Thoros, écrit Guillaume de Tyr, « disoit que, se Baudoins vouloit défendre la cité vigueureusement et oster les torz et la force que li Turc fesoient tout entor, il donroit à lui et à ses genz resnables soldées et bon loiers. Quant Baudoins oï ce, qu'il estoit là venuz por estre sodoiers (mercenaire), grant desdaing en ot, et dist que il ne remaindroit (demeurerait) mie einsi ; por ce appareilloit (préparait) son retour[150]. » Thoros avait trop besoin de la protection de Baudouin pour le laisser partir. Mais Baudouin n'acceptait de rester qu'à condition de partager le pouvoir avec lui. On s'était alors arrêté à une fiction juridique. Thoros, qui était sans enfants, avait adopté Baudouin et l'avait désigné comme son héritier. Suivant le cérémonial de l'adoption arménienne au onzième siècle, « il fit passer Baudouin, dépouillé de ses vêtements, entre sa chair et sa chemise, le serra sur son sein, et scella par un baiser l'engagement que tous deux contractaient. La femme de Thoros fit de même[151] ».

*La révolution édessenienne de mars 1098.*
*Baudouin comte d'Édesse.*

Sous le symbole de cette adoption, il s'agissait d'un condominium arméno-franc sur Édesse, condominium dans lequel l'élément franc était déjà donné comme l'héritier très proche de l'élément arménien. Mais le compromis ne survécut pas à l'échec en commun devant Samosate. Peu de jours après, Thoros fut tué dans une émeute populaire arménienne, au cours de laquelle la conduite de Baudouin fut assez équivoque. Les sources arméniennes, comme Matthieu d'Édesse, reconnaissent que l'initiative du complot provint d'éléments arméniens hostiles à leur compatriote et qui voyaient dans le nouvel allié franc un instrument pour satisfaire leurs rancunes. « Lorsque Baudouin fut de retour de Samosate à Édesse, écrit Matthieu, il se trouva des traîtres, conseillers pervers qui complotèrent avec lui de faire périr Thoros. Certes, celui-ci était loin de mériter un sort pareil, après avoir rendu tant de services à la ville, car c'était par sa prudente habileté, par son ingénieuse industrie et sa bravoure qu'elle avait été affranchie du vasselage des Musulmans. Quarante conjurés, associés pour cette œuvre de Judas, se rendirent, la nuit, chez Baudouin, et, après l'avoir initié à leurs criminels desseins, promirent de lui livrer Édesse. Baudouin y donna son adhésion. Ils gagnèrent aussi le chef arménien Constantin (seigneur de Gargar sur l'Euphrate, en Commagène, au nord-est de Samosate). La cinquième semaine du carême, ils soulevèrent contre Thoros la multitude qui, le dimanche suivant (= 7 mars 1098), pilla la maison des grands, attachés au service du curopalate (= Thoros) et s'empara du corps supérieur de la citadelle. Le lendemain ils se réunirent pour cerner le corps intérieur de la place où Thoros s'était renfermé et en firent le siège avec vigueur. Réduit aux abois, il leur dit que, s'ils s'engageaient par serment à l'épargner, il leur abandonnerait la citadelle et la ville et se retirerait avec sa femme à Mélitène. Alors il leur présenta la croix de Varak et celle de Makenis[152] et Baudouin jura sur ces vénérables reliques, au milieu de l'église des Saints Apôtres, de ne lui faire aucun mal. Il prit à témoin les archanges, les anges et les prophètes, qu'il exécuterait ce que Thoros lui avait demandé dans sa lettre. Après que le comte eut prêté se serment sanctionné par l'invocation de tous les saints, Thoros lui remit la citadelle, et Baudouin, ainsi que les principaux de la ville, y firent leur entrée. Le mardi fête des Quarante Saints (= 9 mars), les habitants se ruèrent en foule contre Thoros, armés d'épées et de gros bâtons, et le précipitèrent du haut du rempart au milieu d'une populace déchaînée. Ces furieux, se jetant à la fois sur lui, le firent périr dans des tourments affreux et en le criblant tous à la fois de coups d'épée. Lui ayant attaché une corde aux pieds, ils le traînèrent ignominieusement par les places publiques, parjures au serment qu'ils avaient fait. Baudouin fut aussitôt mis en possession d'Édesse[153] ».

Albert d'Aix nous dit simplement que les notables et le peuple d'Édesse formèrent le projet de se débarrasser de leur vieux curopalate qui les tyrannisait et de remettre le pouvoir à Baudouin, pour être assurés de posséder à leur tête un guerrier éprouvé, capable de les défendre contre les Turcs. Dans ce récit, ils se rendent en armes auprès de Baudouin et l'invitent à se mettre à leur tête pour aller se défaire de Thoros. Baudouin refuse avec indignation de verser le sang du vieillard qui est devenu son père adoptif. Il s'offre seulement à aller haranguer Thoros réfugié dans la citadelle. Agissant ainsi en médiateur, le comte de Boulogne suggère à Thoros de désarmer par des présents l'émeute qui gronde. Thoros, tout heureux d'en être quitte à ce prix, ouvre ses trésors à Baudouin et demande seulement à celui-ci l'assurance de pouvoir se retirer sain et sauf. Baudouin s'y engage et cherche à faire évader Thoros de la tour qui lui servait de refuge. Mais, dès que Thoros est descendu, la populace se jette sur lui et le massacre[132].

Même récit chez Guillaume de Tyr sauf que, pour justifier l'attitude équivoque de Baudouin, on commence par accuser Thoros d'intentions déloyales à son égard[155]. Le vieux prince arménien cherche à se dégager du pacte qu'il a si imprudemment conclu avec le comte de Boulogne. Thoros est d'ailleurs présenté comme un oppresseur dont l'arrivée des Francs permet enfin à la population de briser la tyrannie, « car moult avoient en grant haine cet home qui les avoit grevez lonc tens en maintes manières car il leur tolloit (enlevait) or, argent et quan que (tout ce qui) li plesoit en la cité ». Guillaume de Tyr va jusqu'à ajouter que Thoros avait pris les Turcs comme exécuteurs de ses vengeances. « S'il i avoit (quelqu'un de) si hardi qui li ôsast veer (refuser) chose qui li pleust, tantost par les Turcs dont il estoit acointés, fesoit à celui (-là) estreper ses vignes et ses courtilz, ardoir ses blez, tolir ses bêtes ; et, se il meismes issist fors la vile, bien poîst avoir peor de (peur pour) sa teste ». Ses compatriotes, les Arméniens d'Édesse, ne songent donc qu'à se venger de lui. Ils s'abouchent avec un autre chef arménien, Constantin de Gargar, son ennemi juré, pour organiser le coup de force qui remplacera Thoros par Baudouin. « Li citéien de la ville virent que Baudoins estoit moult gracieus, sages, preuz et vaillanz en toutes choses ; si orent moult grant despit de ce que cil home (= Thoros), qui riens ne valoit et mainz maus leur avoit fez, estoit si audesus d'eus et de toute la ville ; por ce pristrent conseil entr'eus et envoyèrent querre un puissant home qui avoit, iluec assez près, de bonnes forteresses ez montagnes : Constantins avoit non. Si s'accordèrent à ce qu'il occiraient leur duc (= Thoros) et feraient Baudoins duc et prince sur eus ». L'émeute une fois déchaînée et Thoros étant assiégé dans sa tour par la populace, Baudouin essaie cependant de le sauver. « Par prières et par menaces » il tente en vain d'apaiser la foule. N'y parvenant pas, il se rend auprès du vieillard et lui suggère de se racheter et de fuir « comme il porrait, car il ne pooit à cela gent rien fere. Cil, com hom désespérez, lia une corde à sa fenestre et s'en descendoit aval ; mès quand il l'aperçurent, il fu féruz de saietes (frappé de flèches) ainz (= avant) qu'il venist à terre ; lors le pristrent tout mort et traînèrent par la la ville et puis li coupèrent la teste : ne se povoient saouler de fère en lui leur cruautez. Lendemain pristrent Baudoin à force, et, sur soi défendant, l'eslurent à conte et à seigneur ».

Du rapprochement de ces textes, il résulte que la chute de Thoros fut le fait d'une émeute de ses propres concitoyens, les Arméniens d'Édesse. L'histoire des derniers Pagratides, celle de Philaretos, celle de Gabriel de Mélitène nous montrent les Arméniens divisés entre eux par des haines politiques inexpiables, sans parler de leurs querelles avec l'élément syriaque[156]. Philaretos, cet aventurier de génie qui avait failli asseoir un grand État arménien dans le sud-est de l'Asie Mineure, ne réussit finalement qu'à s'attirer, pour des raisons théologiques ou liturgiques, la réprobation de ses compatriotes, réprobation passée jusque chez leurs chroniqueurs. Le cas de Thoros d'Édesse, son ancien lieutenant et son successeur, ne dut pas être différent. Les concitoyens de Thoros, les Arméniens d'Édesse, oubliant qu'il les avait, par son adresse, préservés de la domination turque, lui reprochaient maintenant ses ménagements pour les Turcs et la dictature que cet aventurier devenu prince avait si longtemps exercée sur eux. Aux griefs des notables se joignit la rivalité d'un autre aventurier arménien devenu, lui aussi, prince territorial, Constantin de Gargar. L'intervention de la populace, heureuse de se livrer à l'émeute, fit le reste, étant entendu qu'ici l'élément syriaque, ennemi juré de la domination arméno-grecque, dut volontiers se joindre aux adversaires du curopalate.

La révolution édessenienne du 9 mars 1098 fut donc à cet égard une révolution intérieure arménienne. Il n'en est pas moins vrai – Albert d'Aix et Guillaume de Tyr ne parviennent pas à nous le dissimuler – qu'elle se déroula en liaison avec Baudouin de Boulogne, que celui-ci fut mis dès le début au courant de la conspiration, qu'il ne la découragea en rien, qu'il ne s'entremit entre le curopalate et les émeutiers que pour mieux laisser le champ libre à ceux-ci. Le résultat de cette intervention fut de semer le découragement dans l'esprit de Thoros, de le dissuader de toute idée de résistance et de l'amener à se livrer à une populace en furie. Quoi que cherchent à nous faire croire les chroniqueurs latins, l'émeute que Baudouin se déclarait impuissant à arrêter se fût sans doute calmée à la première intervention des chevaliers francs.

Mais si, au point de vue moral, le rôle de Baudouin de Boulogne nous paraît des plus suspects, son adresse politique s'avère remarquable. Tout d'abord il a sauvé la face et paru obéir à une poussée populaire irrésistible. Puis, alors qu'il désirait se débarrasser de Thoros pour régner seul, il a su opérer cette révolution sans s'aliéner l'élément arménien qui formait la force de la principauté ; tout au contraire, c'est le soulèvement des Arméniens qui l'a porté au trône. Le baron boulonnais est parvenu ainsi à substituer dans Édesse une seigneurie franque à la seigneurie arménienne en faisant imposer cette transformation par la population arménienne elle-même, avec la sanction du prince arménien le plus voisin. Quoi qu'on pense de sa déloyauté personnelle envers son malheureux « père adoptif », le nouveau comte d'Édesse donnait là les preuves d'un esprit politique supérieur dont les manifestations, sur un théâtre plus vaste, feront un jour de lui le véritable fondateur du royaume latin de Jérusalem. La transformation, voulue par les intéressés eux-mêmes, de la principauté arménienne d'Édesse en un comté franco-arménien nous annonce ce que sera sous la même direction l'adaptation franco-syriaque du domaine royal palestinien.

Les conditions dans lesquelles Baudouin de Boulogne s'était rendu maître d'Édesse eurent une autre conséquence, internationale celle-là. Bien qu'Arménien de race et commandant à une population arménienne, Thoros, théoriquement, tenait son pouvoir de la cour de Constantinople. C'est sous le titre byzantin de curopalate qu'il est communément désigné. Le fait que Baudouin dut son pouvoir à un soulèvement populaire l'affranchit d'une telle suzeraineté. Il se considéra comme également affranchi de toute obligation envers le pacte franco-byzantin conclu par les autres Croisés. De ces obligations, les origines locales, révolutionnaires et arméniennes de son pouvoir durent lui permettre de ne plus tenir aucun compte. Thoros avait été un chef arméno-byzantin. Baudouin fut un prince exclusivement franco-arménien. Fait considérable, car, dès avant la « querelle d'Antioche » le pacte de Constantinople – la promesse de restauration de la domination byzantine en Syrie par les Croisés – se trouva ainsi violé.

Le caractère si particulier de la nouvelle seigneurie franco-arménienne d'Édesse, ne relevant jusqu'à nouvel ordre que d'elle-même, est bien mis en lumière par Guillaume de Tyr : les habitants de la ville, nous dit-il, c'est-à-dire les Arméniens, avec, secondairement, les éléments syriaques, « eslurent Baudoin à conte et à seigneur ; serment li jurèrent de féeuté, puis li rendirent la grande forteresce de la ville. Richesces et trésors trop granz, que li Grieu (Grecs) avoient assemblez par lonc tens, li baillèrent à sa volenté ; einsi fu la cité de Rohèz (Édesse) bailliée à Baudoin sans contredit[157]. »

*Occupation de Samosate et de Sarûj par Baudouin.*

Aussitôt, pour légitimer son élévation aux yeux de ses nouveaux sujets arméniens, Baudouin reprit ses projets contre Samosate, la ville forte qui, de l'autre côté de l'Euphrate, menaçait la sécurité d'Édesse. Samosate, on l'a vu, était au pouvoir d'un Turc que les chroniqueurs latins appellent Balduk et qui appartenait peut-être à la famille dânishmendite de Cappadoce[158]. Après la révolution édessénienne, Balduk, se sentant incapable de défendre longtemps sa seigneurie, vendit Samosate à Baudouin pour dix mille besants d'or. Cette somme fut évidemment prélevée sur le trésor provenant de la succession de l'infortuné Thoros. Le comte trouva dans la forteresse de Samosate un grand nombre de prisonniers ou d'otages édesséniens qu'il rendit à leurs familles, ce qui accrut sa popularité parmi ses sujets. « Il receut la cité et les ostages que Bauduc tenoit des citeiens de Rohèz (= Édesse). Lors parot-il si conquis tous les cuers à touz ceus de la ville que il le clamoient leur père ; tout fesoient quanqu'il li plesoit, prest et apareilliez à lui obéir en toutes choses, neis jusqu'à la mort[159]. » La possession de Samosate élargissait d'ailleurs singulièrement les frontières de son nouvel État, puisque la Commagène s'ajoutait ainsi à l'Osrhoène.

Quant à Balduk, il se donna à Baudouin et vint s'établir comme mercenaire à sa cour. Un émir turc vivant dans l'entourage d'un baron latin, à la manière de ses chevaliers, quel exemple plus saisissant de la rapide adaptation des Croisés au milieu oriental, de la facilité, aussi, avec laquelle le monde musulman lui-même acceptait le fait de la conquête franque ?

La délivrance de Samosate permettait aux Édesséniens de respirer du côté nord-ouest. Une autre place forte musulmane dont le voisinage leur causait de graves ennuis, était Sarûj, situé tout près d'eux, au sud-ouest, à la première étape de la route d'Alep. Sarûj appartenait à un émir qu' Albert appelle Balas et dans lequel il faut sans doute voir Balak ibn Bahrâm ibn Ortoq, cadet de l'énergique dynastie turcomane des Ortoqides, un moment établie à Jérusalem et qui, depuis qu'elle en avait été chassée par les Fâ*t*imides, était en train de se tailler de nouvelles principautés au Diyârbékir et dans la Jazîra septentrionale[160]. Parmi tous les chefs turcs de ce temps, Balak devait plus tard se révéler le plus redoutable adversaire des Croisés. L'installation d'un comté franc à Édesse constituait pour les siens une véritable catastrophe, car sa maison, depuis la perte de la Palestine, comptait évidemment faire d'Édesse le centre de ses possessions dans le nord-est. Cependant, nous dit Albert d'Aix, à peine Baudouin était-il installé dans le comté d'Édesse qu'il reçut une ambassade amicale de « Balas ».

Le cadet ortoqide – si, comme nous le croyons, c'est bien de lui qu'il s'agit ici – désirait obtenir l'aide des Francs contre ses propres vassaux, les gens de Sarûj – des Arabes, spécifie la chronique précitée – qui refusaient de lui payer tribut. La demande d'appui que Balak adressa en ce sens à Baudouin prouve qu'aux yeux des musulmans le nouveau comte d'Édesse n'était qu'un aventurier à la manière de Roussel de Bailleul, dont ils pensaient pouvoir, à leur gré, louer les services. Balduk, l'ancien émir de Samosate, qui vivait maintenant à Édesse, à la cour de Baudouin, ne se trompait pas moins sur le compte de celui-ci. Il se crut assez habile pour se jouer de lui. Les habitants de Sarûj, effrayés de se voir pris entre Baudouin et Balak coalisés, l'appelèrent comme défenseur. Il accourut, pensant trouver dans cette seigneurie une compensation à la perte de Samosate. Mais quand Baudouin se mit en marche contre Sarûj avec un grand appareil de machines de siège, les habitants terrifiés perdirent courage et lui dépêchèrent des messagers pour offrir de lui livrer la ville et de lui payer tribut. Balduk, voyant la partie perdue, courut se jeter aux pieds de Baudouin, en jurant qu'il n'était venu à Sarûj que pour provoquer la reddition de la place. Le comte feignit sur le moment de prêter foi à ses protestations, mais il n'était nullement dupe. Peu de temps après il invita l'émir à lui remettre en otage sa femme et ses enfants et, comme l'autre atermoyait, il le fit arrêter et décapiter[161].

Quant à la ville de Sarûj, devenue la latine « Sororge », Baudouin, bien entendu, ne songea nullement à la remettre à Balak. Il la réunit à ses États. Comme elle était tout arabe, sans élément arménien appréciable, il paraît avoir respecté son caractère en se contentant d'imposer tribut aux habitants[162]. Mais il laissa dans la citadelle une petite garnison franco-arménienne, commandée par Foucher de Chartres (appelé ailleurs Foulque de Chartres), chevalier d'un courage héroïque et d'une conduite irréprochable, nous dit la chronique de Matthieu d'Édesse[163].

L'annexion de Sarûj, Guillaume de Tyr nous le fait remarquer, compléta vraiment la conquête de l'Osrhoène. « Par la prise de ceste cité fut délivrée toute la voie de Rohéz (= Édesse) jusqu'en Antioche, car avant ne pooit l'en mie venir jusqu'au flun d'Eufrate por les gens de Sororge. Einsi s'en revint Baudoins à molt grant honeur et à molt joieuse feste en sa cité de Rohès[164]. »

Tel est le récit des chroniqueurs occidentaux. Ibn al-A*th*îr raconte autrement les rapports de Baudouin et des Ortoqides à propos de Sarûj[165]. Le héros n'en est plus Balak ibn Bahrâm ibn Ortoq, mais son oncle Soqmân ibn Ortoq lui-même, l'ancien émir de Jérusalem. « Soqmân, nous dit l'historien arabe, rassembla dans Sarûj une troupe considérable de Turcomans et se disposa à attaquer les Francs d'Édessse. Ceux-ci s'avancèrent à sa rencontre. On en vint aux mains en râbi' premier (= janvier 1101) et Soqmân fut mis en fuite. Après la défaite des Musulmans, les Francs se portèrent vers Sarûj et en entreprirent le siège. La ville ayant été prise, un grand nombre d'habitants furent mis à mort ; les femmes furent faites esclaves et les biens pillés. Il ne se sauva que ceux qui s'étaient dérobés au danger par la fuite. »

Baudouin acheva d'asseoir la domination franque dans la région en établissant, dès 1099, son autorité sur l'importante place de Bîrejik, l'ancienne al-Bîra, le Bir ou Bile des chroniqueurs, point stratégique important au passage de l'Euphrate, sur la route d'Édesse à 'Aintâb[166]. Mais, comme nous le verrons, il laissa la ville à un chef arménien local, nommé Abelgh'arib.

*Consolidation de la domination franque à Édesse : Baudouin de Boulogne et l'élément arménien.*

La politique arménienne de Baudouin de Boulogne allait dans sa pensée jusqu'à l'union des races. Il en donna l'exemple en épousant, peu, après son avènement au trône d'Édesse, la princesse Arda, fille d'un chef arménien nommé par les chroniqueurs latins « Taphnuz » ou « Tafroc ». Quel était ce Taphnuz ? Pour Dulaurier et plusieurs autres orientalistes, il convient de l'identifier avec le roupénien Thoros, frère de Constantin I^er^ et seigneur, avec celui-ci, des forteresses de Partzerpert et de Vakha ou Vahka dans le Taurus[167]. M. Honigmann au contraire verrait plutôt en lui Thathoul, autre chef arménien qui gouvernait Mar'ash pour le compte d'Alexis Comnène[168]. Quoi qu'il en soit, Guillaume de Tyr nous avoue que cette union fut, de la part de Baudouin, toute politique, « por avoir greingneur (= plus grand) pooir en la terre ». Alliance considérable, en effet, surtout s'il s'agit bien de Thoros, car, selon la remarque de Guillaume, les princes roupéniens, maîtres des inexpugnables châteaux du Taurus, étaient, dès cette époque, si puissants et si riches « que les gens de cele terre les tenoient por rois ». Le beau-père promit à son gendre une dot de 60 000 besants, des espérances sur sa succession, et lui assura contre les Turcs l'appui de la rude féodalité arménienne du massif cilicien[169].

Mais si la politique arménienne de Baudouin allait jusqu'à l'union des deux races, il était bien entendu pour lui que l'élément arménien devait être nettement subordonné à l'élément franc. Pour asseoir définitivement le nouveau comté d'Édesse, il manquait en effet à Baudouin une chose : abaisser dans sa capitale l'élément arménien auquel il devait sa couronne. Œuvre à coup sûr marquée de quelque ingratitude, mais le dur politique qui s'était débarrassé de son associé arménien Thoros à l'aide d'une émeute de la populace arménienne, puis qui avait éliminé de Sarûj les émirs turcs en se jouant d'eux, n'en était pas à une palinodie près. La société orientale trouvait en lui un politique capable de la battre sur son propre terrain, plus astucieux qu'un Levantin, plus subtil qu'un Arabe, plus brusque à la riposte qu'un Turc, et avec une fougue militaire qui surpassait la valeur turque. Au total un aventurier de génie, qui dominait son temps.

Les bourgeois arméniens d'Édesse avaient vite appris à connaître la terrible poigne du protecteur qu'ils s'étaient donné. Ils ne rêvaient maintenant qu'à se débarrasser de lui. Sans doute regrettaient-ils leur compatriote Thoros. Mais il était trop tard. Une fois solidement installé dans son « comté d'Édesse », Baudouin avait attiré à lui un grand nombre de Croisés latins. Cette immigration franque, en le rendant plus indépendant de l'élément arménien, augmentait le mécontentement de ce dernier : « Maintes genz de l'ost, dit Guillaume de Tyr, des granz et des petiz, s'en aloient au conte Baudoin, à Rohès, car il leur faisoit mout granz biens, doucement les retenoit, et largement leur donoit du sien... Tant fu venu de nostre gent à Rohès que mout commencèrent à desplère aus citéiens de la ville, et se descordoient en maintes choses li Hermin (Arméniens) des Latins ; car, sanz faille, li nostre vouloient moult avoir la seigneurie. Mainz ennuiz et maintes granz vilenies fesoient à leur ostes dedenz leur maisons. Li Cuens meismes, por ce qu'il avoit tel planté de gent de sa terre en la vile, appeloit meins (moins) en son conseil les hauz homes de la cité, par qui aide (par l'aide desquels) il estoit venuz à cele hautèce[170] ».

Texte capital, appuyé sur Albert d'Aix et qui nous fait saisir sur le vif la francisation du comté arménien d'Édesse dès qu'un commencement d'immigration latine permit à Baudouin de se passer de ses premiers conseillers arméniens. Par tous les moyens le comte cherche à attirer auprès de lui ses compagnons de Croisade qui, las d'une marche sans fin à travers l'Asie, ruinés et sans vivres, sont trop heureux de se refaire dans cette grasse terre d'Osrhoène, dussent-ils pour cela renoncer à la fin de leur pèlerinage. Parmi ceux qui répondirent à cet appel, Albert d'Aix cite Drogon de Nesles, Reinard de Toul, Gaston de Béarn et Foucher de Chartres, ce dernier bientôt devenu, nous l'avons dit, seigneur de Sororge (Sarûj). Baudouin partage entre eux le trésor de Philaretos et de Thoros, le trésor des anciens « ducs » ou curopalates byzantins ; il leur prodigue les terres et les places ; c'est d'eux qu'il compose son conseil, désormais dédaigneux des notables arméniens qui l'ont appelé à siéger aux côtés de Thoros, puis aidé à se défaire de Thoros. Dès qu'il se sent assez fort, grâce à ce commencement d'immigration, il traite les Francs en aristocratie dominante, les Arméniens en population soumise. Et les Francs accusent leur supériorité sociale par la raideur de leur attitude envers les Arméniens. Détail curieux cependant : ce sont les chroniqueurs latins, ecclésiastiques pour la plupart, qui, plus encore que les historiens arméniens, semblent protester contre un tel asservissement de l'élément arménien. C'est que, s'il y eut subordination des Arméniens aux Francs, cette subordination paraît être restée limitée au domaine politique : une aristocratie militaire se superposait à une population commerçante et agricole. Mais il n'y eut pas de persécution religieuse comme celle que les Byzantins avaient fait subir aux mêmes Arméniens. Tolérance religieuse qui explique que la friction entre les deux éléments ne prit pas le caractère de haine qui caractérisait les rapports arméno-byzantins. Et ce fait capital assura, malgré tout, la stabilité du comté d'Édesse.

Il n'en est pas moins vrai que les Arméniens d'Édesse réagirent, les notables en tête, jaloux des bénéfices dont Baudouin comblait, à leur détriment, les nouveaux venus : « Mout en orent grant desdaing (= irritation) et dedenz leur cuers se repentoient de ce qu'il l'avoient mis sur eus »[171]. Dans leur dépit, douze d'entre eux formèrent un complot pour débarrasser Édesse de la domination franque, fût-ce avec l'aide des Turcs. Ils s'entendirent dans ce but avec les émirs du voisinage – sans doute avec les Ortoqides. – La conspiration était près d'aboutir lorsque Baudouin en fut averti par un Arménien resté fidèle. Selon sa coutume il frappa fort et vite. Les conjurés furent arrêtés avant d'avoir pu réagir. Les deux principaux coupables eurent les yeux crevés à la manière byzantine, tandis que leurs complices, dans le peuple, étaient expulsés après avoir eu le nez, les mains ou les pieds coupés (26 décembre 1098). Un grand nombre d'Édesséniens, moins directement compromis, furent jetés en prison. Baudouin fit saisir et distribuer à ses officiers tout ce qu'on put trouver de leurs biens. Mais la plupart d'entre eux avaient caché leurs richesses dans les forteresses du voisinage. À la fin ils offrirent de se racheter. Baudouin leur imposa alors une capitation formidable, 20 000, 30 000 ou 60 000 besants pour chacun d'eux. Ces amendes lui permirent de reconstituer son trésor, épuisé par ses gratifications aux Francs nouvellement installés.

Ces châtiments achevèrent d'asseoir la domination de Baudouin. La crainte qu'il inspirait fit taire les derniers récalcitrants. Si certains souhaitaient sa disparition, nul n'osa plus conspirer. Un exemple prouve la terreur qui s'attachait à son nom. Pour sceller l'alliance franco-arménienne, base de son nouvel État, il avait, on l'a vu, épousé une femme indigène, fille d'un seigneur arménien du Taurus, que les sources franques appellent Taphnuz (sans doute le roupénien Thoros, coseigneur de Pardzerpert et de Vahka, ou peut être Tathoul, gouverneur de Mar'ash ?). Après le châtiment des conspirateurs, « Taphnuz », qui pouvait se reprocher de n'avoir pas versé intégralement la dot promise, conçut une telle peur de son gendre qu'il quitta précipitemment Édesse et s'enfuit vers ses montagnes[172].

## § 5. — La Première Croisade et les Seljûqides de Perse. Prise d'Antioche.

*Occupation d'Artâh.*
*Les communautés syriaques pactisent avec les Croisés.*

Tandis que Baudouin de Boulogne, installé en pays arménien, « réalisait » à sa manière la Croisade, le gros des armées croisées descendait en Syrie. Son objectif était naturellement Antioche, l'ancienne capitale byzantine de la région.

En quittant, vers le 16 octobre 1097, Mar'ash, où ils s'étaient ravitaillés après la pénible traversée de l'Anti-Taurus, les

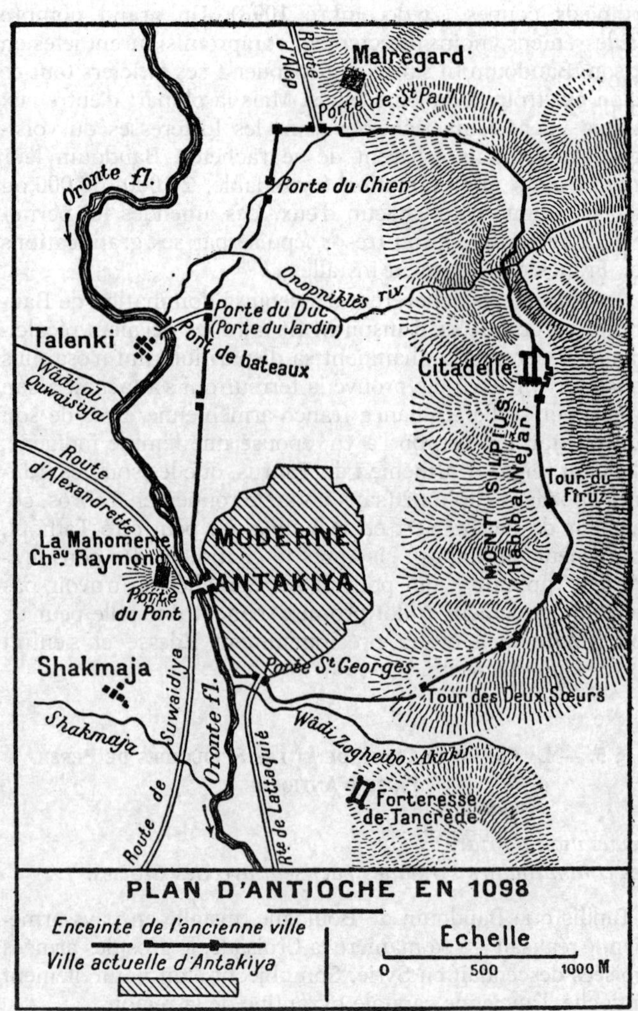


PLAN D'ANTIOCHE EN 1098

Croisés prirent la grande route qui file en droite ligne du nord au sud par Râwendân et 'Azâz, ou, comme disaient les Latins, Ravendel et Hazart. Au sud-ouest de 'Azâz ils occupèrent sans combat le bourg de « Maresse » ou « Marésie », sans doute Ma'rata ou Mi'asi, près de Qal'at Basû*t*[173] ; la population de ce bourg était toute chrétienne, arménienne et syriaque ; à l'approche des Croisés, le gouverneur turc qui occupait la citadelle s'empressa de l'évacuer durant la nuit. Les chefs Croisés, pour éviter toute vexation aux habitants, firent camper leurs troupes hors de la ville où ceux-ci les ravitaillèrent[174]. De là, sur l'invitation des gens de « Maresse », les Croisés envoyèrent le comte Robert de Flandre avec un millier d'hommes attaquer Artésie, forteresse que M. Dussand a définitivement identifiée avec la localité moderne d'Artâ*h*, près de Rîhâniya, à l'ouest de Tîzîn et à 15 kilomètres environ à l'est de l'angle sud-est du lac d'Antioche[175].

À Artésie comme à Maresse la population était composée de chrétiens, Arméniens ou indigènes de rite syriaque. Les Turcs n'occupaient que la citadelle : là aussi ils voulurent fuir, mais la population ne leur en laissa pas le temps. À l'approche des Croisés elle se jeta sur ses anciens oppresseurs et les massacra : « Li Hermin (= Arméniens) et les autres genz de nostre foi à qui li Turc avoient fet souvent granz hontes et mains domages en la ville, quant il virent nostre gent, grant fiance eurent en eus ; si pristrent hardement et corurent aus armes. Ainz que (avant que) li Turc se poïssent estre receuz ès tors, les occistrent tous, les têtes gitèrent par dessus les murs à nostre gent, puis ouvrirent les portes et les reçurent en la ville à grant joie[176] ». « Vêpres syriennes » à signaler, car elles attestent que dans cette Syrie du Nord, si récemment conquise par les Turcs, les Croisés apparaissaient comme des libérateurs.

Le soulèvement de la population arménienne et syriaque inquiéta gravement l'émir d'Antioche, Yâghî Siyân. Il envoya aussitôt un fort détachement contre Artésie pour châtier la ville et faire un exemple. Mais Robert de Flandre qui défendait Artésie ne se laissa pas intimider. D'ailleurs le gros de la Croisade approchait. Les Turcs, renonçant à leur dessein, regagnèrent Antioche.

La grande route de 'Azâz à Antioche que suivaient les Croisés franchissait l'Oronte au « Pont de Fer » (Jisr al-*H*adîd), pont fortifié dont l'entrée était garnie de deux tours, avec cinquante arbalétriers dans chacune[177]. Le pont fut néanmoins emporté de haute lutte le 20 octobre 1097, après un combat dans lequel l'évêque du Puy, légat du Pape, fit figure de chef de l'armée[178]. Les Croisés découvrirent d'ailleurs un gué qui leur eût à la rigueur permis de tourner l'obstacle s'ils ne l'avaient déjà emporté. Le fait que, dans le combat du Pont de Fer, ils firent « un énorme butin de chevaux, de chameaux, de mulets et d'ânes chargés de blé et de vin » atteste qu'ils surprirent en même temps un convoi envoyé d'Alep pour ravitailler Antioche mais qui s'était mis en route trop tard[179].

Le lendemain 21 octobre, au milieu de la journée, les Croisés, Bohémond en avant-garde, arrivèrent devant Antioche.

*Siège d'Antioche.*

Antioche, on l'a vu, avait été enlevée à son dernier gouverneur byzantin, l'arménien Philaretos par le seljûqide d'Anatolie Sulaîmân ibn Qu*t*ulmish en janvier-février 1085. En 1086, quand Sulaîmân eut été vaincu et tué par son cousin Tutush, frère du sultan Malik-Shâh, Antioche parut dévolue à cette nouvelle branche seljûqide, mais l'intervention de Malik-Shâh en avait bientôt décidé autrement. Frustrant son frère de la possession de la ville, il y avait installé, comme on l'a vu, un de ses officiers, le turcoman Yâghî Siyân (1087). Après la mort de Malik-Shâh, Yâghî Siyân fut assez adroit pour se concilier la faveur de Tutush redevenu maître de la Syrie du nord, puis, quand Tutush eut péri dans son expédition d'Irâq, pour conserver paisiblement Antioche en face du fils de Tutush, Ri*d*wân, prince d'Alep, son nouveau suzerain. C'est à ce turcoman énergique qu'allait échoir l'honneur de défendre seul Antioche contre l'avalanche de la Croisade. Non qu'il n'eût pas adressé de pressants appels aux princes musulmans ses suzerains. Il avait envoyé dans ce but un de ses fils implorer Duqâq, frère de Ri*d*wân et émir de Damas, et l'autre invoquer l'émir de Mossoul, Kurbuqa, puis, derrière Kurbuqa, le sultan de Perse Barkiyârûq et le khalife de

Baghdâd. Mais les renforts n'avaient pas eu le temps de se mettre en marche que le siège commençait. Du reste Yâghî Siyân avait commis la faute de se mettre mal avec son suzerain immédiat, Ri*d*wân d'Alep ; c'est là un fait trop négligé des historiens, car il explique seul l'inertie des Alepins durant le siège d'Antioche, inertie qui causa pour une bonne part la chute finale de la place.

En effet en cette même année 1096-1097 où les Francs pénétraient en Orient, une nouvelle guerre fratricide avait éclaté entre les deux fils et successeurs de Tutush, Ri*d*wân, malik d'Alep, et Duqâq, malik de Damas. Ri*d*wân, accompagné de Yâghî Siyân, avait marché d'Alep sur Damas pour dépouiller Duqâq. Il avait échoué. Yâghî Siyân, s'étant alors rangé au parti de Duqâq, était allé trouver ce prince, et lui avait persuadé de tenter à son tour la conquête d'Alep sur Ri*d*wân. Duqâq suivit ce conseil, mais, malgré l'aide de Yâghî Siyiân, fut repoussé[180].

Ces événements étaient tout récents quand les Croisés arrivèrent devant Antioche. Ils devaient contribuer à rendre très délicate la position de Yâghî Siyân. Ayant trahi le malik d'Alep, son suzerain et son voisin le plus proche, le maître d'Antioche ne pouvait plus compter sur l'aide de celui-ci : de fait Ri*d*wân, malgré la communauté de la foi musulmane et de la race turque, s'abstiendra de le secourir, et Yâghî Siyân sera réduit à l'appui beaucoup moins direct et efficace de Duqâq de Damas. – Ajoutons qu'au témoignage de Kemâl al-Dîn, le despotisme de Yâghî Siyân était en partie cause du soulèvement des chrétiens indigènes de la région d'Antioche (à Artâ*h* notamment) qui se produisit dès l'approche des Croisés[181].

Antioche cependant était une des villes les plus fortes de ce temps, si forte qu'on ne la comparait qu'à Constantinople : les Byzantins, qui l'avaient possédée de 969 à 1084, y avaient accumulé les travaux de défense ; avec ses quatre cents tours et son immense enceinte appuyée au sud et à l'est au massif du mont Silpios, à l'ouest à l'Oronte, au nord aux marais, ils en avaient fait une citadelle pratiquement imprenable ; car, si les Turcs avaient fini par s'en emparer en 1085, ce ne fut, on s'en souvient, que par la trahison du fils de Philaretos, le dernier gouverneur impérial. L'immensité de l'enceinte, l'escarpement du Silpios (*H*abîb al-Nejâr) empêchaient les Croisés, malgré leur nombre, d'établir un blocus effectif, et même d'encercler réellement la ville. Ils se contentèrent au début d'entourer la face nord de l'enceinte. Bohémond, arrivé le premier avec l'avant-garde, s'établit avec les Normands de Sicile au nord, devant la porte Saint-Paul (Bâb-Bûlus). Les comtes Robert de Flandre et Robert de Normandie, Hugue de Vermandois et Étienne de Blois, c'est-à-dire les Français du Nord, prirent position à l'angle suivant, entre la porte Saint-Paul et la porte du Chien (Bâb al-Kalb). Raymond de Saint-Gilles et le légat Adhémar de Monteil avec les Provençaux et aussi les Bourguignons placèrent leur camp à la suite, vers l'ouest, également au voisinage de la Porte du Chien. Enfin Godefroi de Bouillon avec les Lotharingiens (Baudouin de Hainaut, Reinard de Toul, etc.) et avec les Allemands, vint camper au nord-ouest en face de la porte du Duc, l'actuelle porte du Jardin (Bâb al-Janaina), dans le triangle compris entre l'enceinte et le cours de l'Oronte[182].

Au début les assiégeants négligèrent donc de bloquer tout le secteur sud de l'enceinte, celui qui était adossé aux pentes du Silpios, ainsi que la rive de l'Oronte où le fleuve coulait directement au pied des murailles et qui est précisément celle où il borde la ville actuelle : de ce côté la « porte du pont » resta libre ; libre aussi la porte Saint-Georges, située au sud-ouest de la ville.

La population d'Antioche, à l'arrivée des Croisés, était, comme du temps de la domination byzantine, en majorité syriaque et arménienne. L'administration turque sentait tout le danger d'une telle situation. « Quand Yâghî Siyân, prince d'Antioche, fut instruit de l'approche des Francs, il eut peur des chrétiens qui habitaient la ville. Un jour il fit sortir de la ville les Musulmans pour qu'ils nettoyassent les fossés. Le lendemain il fit sortir à leur tour les chrétiens. Mais le soir, quand ceux-ci voulurent retourner à leurs demeures, il les arrêta, disant : "Antioche vous a jadis appartenu ; abandonnez-la-moi jusqu'à ce que nous voyions l'issue de la lutte ouverte entre moi et les Francs". Là-dessus les chrétiens demandèrent qui aurait soin de leurs enfants et de leurs femmes ; Yâghî Siyân répondit qu'il s'en chargeait, et les chrétiens, voyant le passage fermé, se rendirent auprès des Francs[183] ».

Telle est la version arabe des faits. La version latine est singulièrement différente. « Les Arméniens et les Syriens qui étaient à l'intérieur de la ville, écrit l'*Histoire anonyme*, en sortaient comme pour fuir et se trouvaient chaque jour avec nous tandis que leurs femmes restaient dans la cité. Ils s'enquéraient habilement de nous et de notre situation et rapportaient tout à ces excommuniés qui étaient enfermés dans la ville[184] ». De ces jugements contradictoires il résulte que la population syroarménienne d'Antioche, prise entre des intérêts opposés, représentait un élément d'incertitude que la victoire seule devait faire pencher d'un côté ou de l'autre. Du reste, dans l'état de rivalité où se trouvaient chrétiens syriaques et Arméniens, les deux confessions devaient trop s'épier pour ne pas se paralyser réciproquement dans leurs sympathies possibles en faveur des Croisés.

Le siège d'Antioche dura sept mois, du 21 octobre 1097 au 3 juin 1098. Il est possible que cette interminable immobilisation eût pu être évitée si, dès les premiers jours, les Francs avaient profité de l'effet de surprise pour attaquer la ville. L'Anonyme, témoin oculaire, semble le reconnaître : « Nos ennemis, les Turcs, qui se trouvaient dans la ville, avaient de nous une telle frayeur que, pendant quinze jours, nul d'entre eux n'osa attaquer l'un des nôtres[185] ». Les barons ne surent pas en profiter. À l'exception de Raymond de Saint-Gilles qu'on ne paraît pas avoir écouté, aucun d'eux ne songea à tenter un coup de main. Comme le fait encore remarquer l'Anonyme des *Gesta Francorum*, les Turcs d'Antioche, revenus de leur première frayeur, réagirent énergiquement. Pouvant communiquer à leur gré avec l'extérieur puisqu'ils étaient libres à la fois du côté du pont et du côté du mont Silpios, ils organisèrent une série de coups de main pour surprendre les Francs isolés à travers la banlieue. Leurs courses étaient facilitées par le fait que, à l'est d'Antioche, de l'autre côté de l'Oronte, leurs gens tenaient toujours la forteresse de *H*ârim, le Harenc des Croisés. Tout groupe de Croisés qui s'écartait du camp risquait d'être pris entre les sorties de la garnison d'Antioche et les courses de la garnison de *H*ârim. Pour assurer leur sécurité vers l'est et se donner de l'air, les Francs organisèrent à leur tour un coup de main en direction de *H*ârim. Vers le 18 novembre, Bohémond, ayant pris avec lui cent cinquante cavaliers, attira la garnison de cette forteresse dans une embuscade et revint avec beaucoup de captifs qu'on décapita devant les murs d'Antioche.

De même, du côté nord-ouest, les Francs se donnèrent de l'air en construisant, au nord-est de la ville, à droite du camp de Godefroi de Bouillon, un pont de bateaux sur l'Oronte, pont qui leur permit de passer à leur gré sur la rive droite du fleuve pour communiquer avec la côte, en l'espèce avec le port de Saint-Siméon (Suwaidiya), à l'embouchure de l'Oronte[186]. Il s'agissait pour les Croisés d'établir la liaison avec une escadre génoise de 13 navires qui, vers le 17 novembre 1097, venait d'aborder à Saint-Siméon avec des renforts à eux destinés[187].

N'oublions pas en effet que, tandis que l'armée de terre de la Croisade descendait d'Anatolie, les flottes italiennes, flamandes ou scandinaves avaient commencé à appareiller vers les côtes syriennes. Le corsaire boulonnais Guynemer venait, en août 1097 – vers le 19 août, semble-t-il – d'enlever aux Turcs le port de Laodicée (Lattaquié)[188]. Un peu plus tard, au printemps de 1098, Laodicée devait recevoir la visite de corsaires anglais commandés par Eadgard Aetheling et Robert Godvinson qui, en se réclamant de l'empereur Alexis Comnène, paraissent l'avoir enlevée à Guynemer[189].

Du côté nord de la ville partait une chaussée empierrée avec un solide pont sur le ruisseau marécageux qui de la porte Saint-Paul va se jeter dans l'Onopniklès, affluent de l'Oronte. Par là les partisans turcs sortaient de la ville pour venir enlever les fourrageurs francs. Après de pénibles efforts, les barons parvinrent à obstruer ce pont avec d'énormes blocs.

Dans le même but, pour dominer le rempart nord-est de la ville et prévenir les brusques sorties de la garnison, les barons construisirent de ce côté, à l'automne 1097, sur les pentes de la montagne, face à la porte Saint-Paul, dans le secteur de Bohémond, un château fort qu'ils appelèrent Malregard[190].

Malgré ces mesures, le siège traînait en longueur. Les Croisés avaient imprudemment gaspillé leurs vivres ainsi que les ressources de la banlieue immédiate d'Antioche. Dès le troisième mois la disette commença à se faire sentir[191]. Restait, il est vrai, la ressource d'aller piller les bourgs ouverts de la région ; mais la garnison d'Antioche faisait le guet ; et, comme elle restait toujours libre d'exécuter des sorties du côté du Silpios, les groupes de fourrageurs francs tombaient régulièrement au retour dans des embuscades qu'elle leur tendait. Vers le 23 décembre, les barons résolurent de remplacer le système des fourrageurs isolés par l'envoi d'une grande expédition, forte d'une vingtaine de mille hommes, capable par conséquent d'imposer le respect, et qui irait ravager les terres au sud d'Antioche, sur le moyen Oronte, pour ramener des vivres. Bohémond se proposa pour conduire cette expédition avec le comte de Flandre, tandis que le comte de Toulouse et le légat Adhémar garderaient le camp et contiendraient la garnison d'Antioche (Godefroi de Bouillon était gravement malade)[192].

L'expédition se mit en marche le 28 décembre 1097. Dès qu'elle se fut suffisamment éloignée, la garnison d'Antioche exécuta, le 29 décembre, une sortie par la porte du Pont. À la faveur de la nuit[193], les gens de Yâghî Siyân franchirent le pont de l'Oronte et vinrent attaquer, sur la rive droite du fleuve, les éléments de l'armée franque qui s'étaient dispersés du côté de l'actuel cimetière musulman, évidemment entre l'aqueduc proche de Tshakmaja et le Wadi al-Quwaisiya. Le comte de Toulouse, alerté, s'élança, avec ce qu'il put rassembler de chevaliers, à la rencontre des ennemis, leur fit faire demi-tour et, se jetant à leur poursuite, parvint à franchir le pont derrière eux. Déjà on pouvait espérer qu'il réussirait à pénétrer avec eux dans la place, lorsque la fuite d'un cheval démonté jeta le désordre, puis, par suite d'une méprise, la panique parmi les Francs (il s'agit, les *Gesta Francorum* le spécifient, d'un combat nocturne). Les Turcs, s'apercevant de la panique des Francs, repassèrent le fleuve et poursuivirent à leur tour ceux-ci sur la rive droite de l'Oronte, du pont de pierre au pont de bateaux, c'est-à-dire du cimetière musulman jusqu'à Talanli. Incident fâcheux qui coûta la vie à plusieurs chevaliers et empêcha peut-être les Croisés de s'emparer, cette nuit-là, de la ville[194].

Pendant ce temps, Bohémond et Robert de Flandre avec leurs 20 000 hommes avaient remonté le cours de l'Oronte jusqu'à hauteur d'al-Bâra, pillant tous les bourgs ouverts. Or, précisément à la même heure, les princes musulmans de Syrie venaient de réunir leurs forces pour se porter au secours d'Antioche. Tandis que les Francs remontaient l'Oronte, l'armée de secours musulmane se concentrait près de là, à

Shaîzar sous les ordres de trois chefs de guerre : le prince[195] de Damas, le seljûqide Duqâq, avec son lieutenant ou âtâbeg, l'énergique Turc *T*ughtekîn, et l'émir de *H*oms, l'arabe Janâ*h* al-Dawla ibn-Mulâ'ib[196], beau-père du prince seljûqide d'Alep, Ri*d*wân. (Il est à remarquer que Ri*d*wân lui-même, toujours brouillé avec Yâghî Siyân, n'avait pas bougé.) Avec les trois princes coalisés se trouvait un fils de Yâghî Siyân, à l'instigation duquel ils s'étaient mis en mouvement.

À la nouvelle que Bohémond et Robert de Flandre remontaient l'Oronte, l'armée damasquine quitta Shaîzar pour se porter à leur rencontre. La bataille eut lieu près d'al-Bâra, le 31 décembre 1097. Kémâl al-Dîn nous dit simplement que Duqâq et ses alliés « firent subir des pertes aux Francs ». Plus explicites, les chroniqueurs latins, comme Raymond d'Agiles, nous révèlent qu'une tentative des Turcs pour attirer et encercler l'armée franque échoua grâce à la perspicacité de Bohémond. Robert de Flandre, lancé en avant-garde, fit si fière contenance, tout en se repliant sur Bohémond, que l'intervention de celui-ci décida du succès de la journée[197]. Ce qui prouve que l'avantage resta aux Francs, c'est que les Damasquins et leurs alliés renoncèrent à aller secourir Antioche. Succès singulièrement considérable, auquel on n'a pas suffisamment prêté attention. Mais succès négatif, car les Francs, de leur côté, n'osèrent après cette bataille sévère pousser plus loin vers le sud. Ils regagnèrent le camp d'Antioche en descendant l'Oronte à travers le district de Rûj, canton situé en face de l'actuel Jisr al-Shughr[198], non sans être allés piller, plus à l'est, Ma'arrat-Ma*s*rîn où ils massacrèrent les musulmans et mirent en pièces la chaire de la mosquée[199]. Mais ces succès militaires n'empêchaient pas que l'expédition, partie pour assurer le ravitaillement de l'armée assiégeante, avait manqué son but. Elle revint au camp d'Antioche « victorieuse, mais les mains vides »[200].

L'expédition de ravitaillement ayant échoué, la famine dans le camp des Croisés ne fit que croître. Cette fois encore ils durent avoir recours à l'aide des chrétiens indigènes, Arméniens ou Syriens qui les sauvèrent tout en les exploitant. « Les Arméniens et les Syriens, voyant que les nôtres étaient revenus les mains à peu près vides, se concertèrent pour parcourir les montagnes de la contrée, y rechercher habilement et y acheter du blé et des aliments et les rapporter au camp. Ils vendaient la charge d'un âne huit hyperpres, qui valaient 120 sous en deniers. Alors moururent beaucoup des nôtres qui n'avaient pas moyen d'acheter aussi cher[201]. » Il n'en est pas moins vrai que, sans l'aide des Arméniens et des chrétiens syriaques, toute l'armée eût risqué de périr. « La multitude des Francs était si considérable, écrit Matthieu d'Édesse, que la famine leur fit sentir ses rigueurs. Les chefs arméniens qui habitaient le Taurus, Constantin fils de Roupên, Pazouni et Oshin[202], envoyèrent aux généraux francs toutes les provisions dont ceux-ci avaient besoin. Les moines de la Montagne Noire (= l'Amanos) leur fournirent aussi des vivres ; tous les fidèles (= les populations arméniennes) en cette occasion rivalisèrent de dévouement[203].

La vérité, en ce qui concerne la nature du ravitaillement arméno-syrien, doit se trouver entre ces deux opinions extrêmes.

Dans cette situation, les Francs sentirent le besoin d'un grand effort de discipline. « Commandèrent que toutes les foles femmes et les meschines de mauvèse vie fussent gitées fors de l'ost (hors de l'armée). Il fu crié partout (que) qui seroit pris en avoutire (adultère) n'en fornicacion, l'en li couperoit la teste ; les buveries des tavernes, les jeuz des dez et les mauvès seremenz, l'en les deffendi sur peine de cors (= de mort) »[204]. Prescriptions religieuses qui tendaient à refaire le moral de l'armée.

Une reprise en main s'imposait en effet. Dans la démoralisation causée par la famine, des défections retentissantes s'étaient produites, comme celles de Guillaume le Charpentier, vicomte de Melun, et de Pierre l'Ermite lui-même. Tancrède poursuivit les deux fugitifs, les rattrapa et les traîna devant Bohémond. L'auteur anonyme des *Gesta Francorum* nous a laissé le récit de la foudroyante admonestation que Bohémond leur infligea en public[205].

### *Bohémond et la question d'Antioche. Éviction du corps auxiliaire byzantin.*

Car Bohémond, dans ces circonstances tragiques, s'imposait de plus en plus comme l'homme fort vers lequel tous se tournaient d'instinct. Dans le désarroi où se trouvait l'armée il vit le moyen d'atteindre le but pour lequel il avait pris la croix. Ce que ce Normand de Sicile, si au courant des choses d'Orient, ambitionnait secrètement dès le début, c'était la possession d'Antioche et des autres territoires ci-devant byzantins de la Syrie du Nord. Dans ce but, on s'en souvient, il avait, contrairement à ce qu'on aurait pu attendre du fils de Robert Guiscard, adhéré, dès son arrivée à Constantinople, aux thèses juridiques byzantines : spontanément il s'était reconnu le vassal de l'empereur Alexis Comnène pour toutes les terres à reconquérir en Asie. C'est que, précisément, il espérait alors se faire donner par le *basileus* une sorte de délégation, de vicariat sur les anciens thèmes byzantins de Syrie, Antioche en tête.

Maintenant, la cour byzantine ayant systématiquement différé de lui conférer cette investiture, il changeait de politique, et ce changement marque peut-être le tournant capital de l'histoire des Croisades. Ne pouvant se servir de Byzance, il renonça à la servir. Désespérant de jamais obtenir Antioche des mains des Comnènes, il résolut de l'obtenir contre eux. Pour préparer juridiquement cette prise de possession, il lui fallait d'abord arracher aux autres barons francs la promesse que ceux-ci lui abandonneraient Antioche, puis provoquer le départ des contingents byzantins et de leur chef, Tatikios, qui, au nom de l'empereur Alexis Comnène, secondaient toujours les Francs au siège d'Antioche.

Comme l'a fort bien démontré Chalandon, telle fut en effet la tactique de l'astucieux chef normand. Au plus mauvais moment du siège, vers le début de janvier 1098, quand chacun avait pris l'habitude de le considérer comme l'âme de l'armée, il annonça son intention d'abandonner la Croisade. « Il voyait, disait-il, mourir ses gens et ses chevaux et n'était pas assez riche pour supporter les frais d'une si longue campagne. Qu'on lui permette au moins de rentrer en Italie, provoquer l'envoi de renforts... » Cette menace déguisée produisit parmi les chefs francs l'effet attendu. Laisser partir un homme comme Bohémond, dans l'état critique où se trouvait l'armée, c'était pour eux renoncer à la conquête d'Antioche, accepter l'échec de la Croisade. Pour retenir le prince normand les autres barons, à l'exception de Raymond de Saint-Gilles, lui promirent que, dès qu'Antioche serait prise, on lui en laisserait la possession[206]. Il ne voulait que cela. Il resta, apportant désormais à conquérir la ville qu'il considérait comme sa chose, une ardeur personnelle qui devait triompher de tous les obstacles.

Mais, comme le fait observer Chalandon, la présence, au siège d'Antioche, du corps byzantin que commandait Tatikios était un obstacle à l'exécution de ce plan. Nul doute que, s'il se trouvait encore là au moment de la prise d'Antioche, le général byzantin exigerait l'exécution des engagements jurés envers le *basileus*, la remise de la place entre ses mains. Que répondre au lieutenant d'Alexis Comnène quand, se plaçant sur le terrain juridique, il rappellerait que le traité franco-byzantin de Constantinople liait les barons, et, plus qu'aucun autre, Bohémond qui l'avait le premier spontanément juré ? Éventualité embarrassante. Pour la faire disparaître, Bohémond intimida Tatikios. Non qu'il ait commis la faute de menacer personnellement le représentant byzantin. Tatikios aurait pu chercher recours contre lui auprès des autres barons. Tout au contraire, il affecta de prévenir Tatikios des intentions hostiles que les autres barons auraient nourries contre l'envoyé byzantin : Ceux-ci, accusant Tatikios de les trahir avec les Turcs, étaient à la veille de lui faire un mauvais parti ! L'intrigue, habilement menée, réussit, Tatikios crut Bohémond. Il prit peur et, en janvier ou février 1098, sous prétexte d'aller chercher des secours, il quitta le camp et courut à Saint-Siméon s'embarquer pour Chypre[207]. Le plaisant est que, pour remercier Bohémond de ses avis, il lui aurait cédé au nom de son maître les trois villes ciliciennes de Tarse, Adana et Mamistra[208]. Bien entendu, dès qu'il fut parti, Bohémond ameuta toute l'armée contre sa défection. L'opinion des chroniqueurs latins est unanime à ce sujet : « Tatic » « Tetigus » a déserté par peur à la nouvelle que les Turcs envoyaient une grande armée au secours d'Antioche. Il devint « notre ennemi » : « Cet ennemi s'en alla... Il demeure et demeurera à jamais dans son parjure[209]. » Et, avec lui, c'était tout l'empire byzantin qui se déshonorait moralement, perdant, du coup, tout droit à l'exécution du traité de Constantinople. Ce traité, il était rompu par les Byzantins eux-mêmes, du fait de leur « défection ». Cette défection déliait les Croisés de leur serment. Réduits à prendre Antioche à eux seuls, ils pourraient la garder pour eux seuls.

La subtile politique de Bohémond avait réussi. L'obstacle byzantin était tourné, l'hypothèque byzantine était levée, du moins aux yeux des Francs. Qu'Antioche tombe, le prince de Tarente pourra, sans avoir l'air de se parjurer, prendre paisiblement possession de la ville !

L'homme d'ailleurs se présente à nous avec une verdeur exceptionnelle. Certains de ses stratagèmes de guerre ont l'allure de plaisanteries énormes, encore qu'un peu rudes, au demeurant fort efficaces. Écoutons dans la traduction de Guillaume de Tyr l'histoire des espions musulmans qui se place précisément à cette époque. Ces espions, déguisés en chrétiens syriaques ou en Arméniens, infestaient l'armée franque. Les barons, voyant toutes leurs décisions éventées à l'avance, ne savaient comment se débarrasser d'une telle peste. Bohémond pria ses compagnons de se reposer sur lui de ce soin : « Biaux seigeurs, je vos prie que vos me laissiez chevir de ceste chose, car j'ai en pensée une moult bone délivrance de cest péril ! » – « Quant vint à l'anuitier, poursuit le chroniqueur, li oz (= l'armée) s'atourna por souper. Il (Bohémond) ot mandé les bouchers de sa terre, et fist trere (sortir) Turcs qu'il avoit en prison ; si les leur bailla ; cil leur coupèrent les gueules et les enfondrèrent (= embrochèrent) et les atornèrent (préparèrent) por rostir. L'en commença à demander que ce estoit. Buiemont l'ot dit à sa mesniée et cil le distrent aus autres, que tuit li baron avoient einsi créanté entr'eus que toutes les espiés (espions) que l'en porroit prendre en l'ost, l'en les rostiroit et serviroit l'en aus tables aus barons, et en mangeroient li baron par leur créant. La parole s'espandit par l'ost que l'en faisoit tel chose ; tuit corurent veoir cele merveille. Li Turc meismes qui estoient venu pour espier, quant ils virent ce, si furent mout espoentez ; et fu tart (tarda) à chascun qu'il se fust partiz des héberges (du camp), porce que il doutoient que l'en ne feist autretel (autant) d'eus. Quant il revenoient à leur seigneurs qui les avaient envoiez, il leur disoient et espandoient par toute sa terre que cele gent qui estoient à siège devant Antioche estoient plus durs que roche ne que fers, de cruauté passoient ils ours et lyons, car les bestes sauvages menjoient les genz toutes crues, mès cil les rostissent avant et puis les déveurent. Ceste parole fu si espandue par toute la païennerie que oncques puis (= jamais plus) ne porent trouver li soudans ne li granz amirauz (= émirs), (quelqu'un) qui leur alast espier l'ost[210]. » Le chroniqueur ici s'amuse, à la manière de son héros, de pantagruélique façon. En réalité sous le couvert de cette plaisanterie féroce, l'astucieux chef normand inaugurait un système de terreur parfaitement calculé, destiné à démoraliser d'avance le monde de l'Islam. Les capitaines de Gengis khan ne procéderont pas autrement quand, un siècle plus tard, se trouvant en présence des mêmes adversaires, ils chercheront, eux aussi, à ployer la force turque sous l'effroi d'une force supérieure.

*Ébauche d'une alliance franco-fâtimide.*

S'ils cherchaient ainsi à terroriser leurs adversaires turcs, Bohémond et ses compagnons ne négligeaient nullement les points d'appui qui pouvaient se présenter pour eux dans le monde musulman. On a vu en effet à quel point l'Islam oriental se trouvait divisé par le grand schisme des Khalifes fâ*t*imides d'Égypte d'avec les Khalifes 'abbâsides de Baghdàd. Les Croisés s'étant attaqués jusque-là aux seuls Turcs Seljûqides, sujets et défenseurs de l'obédience ' abbâsside, le gouvernement du Caire conçut l'idée hardie de se faire des alliés des envahisseurs occidentaux. Le pouvoir, au Caire, appartenait à une famille de vizirs d'origine arménienne dont le fondateur avait été l'amîr al-juyûsh Badr al-Jamâlî qui gouverna le pays de 1073 à 1094, après avoir arraché le khalife al-Mustan*s*ir à la tyrannie de la garde turque[211]. Le fils d'al-Jamâlî, al-Af*d*al Shâhânshâh, lui ayant succédé dans son vizirat, exerçait une autorité encore plus grande sous le nom du jeune khalife al-Musta'lî, fils d'al-Mustan*s*ir, et qui, du reste, lui devait le trône. Durant tout le règne d'al-Musta'lî (1094-1101) et pendant les vingt premières années du règne d'al-Amîr, al-Af*d*al fut le véritable maître de l'Égypte (1094-1121). Voyant que les Francs s'attaquaient aux Turcs seljûqides, ennemis jurés du khalifat fâ*t*imide, le tout-puissant vizir, qui se méprenait évidemment sur l'objectif de la Croisade, résolut de nouer avec les barons une alliance comportant le partage des possessions turques de Syrie : aux Francs Antioche ; aux Fà*t*imides Jérusalem. Son calcul qui nous paraît absurde était fondé sur les antécédents historiques. Au temps de l'épopée byzantine les conquêtes chrétiennes s'étaient limitées au duché d'Antioche. Le vizir d'Égypte était amené à croire que Godefroi de Bouillon et ses compagnons de guerre étaient venus seulement pour restaurer à cet égard l'œuvre de Nicéphore Phocas et de Jean Tzimiscès. Peut-être en échange d'une sorte d'appui moral dans la question d'Antioche leur fit-il demander leur appui dans la question de Jérusalem. En effet, comme nous le verrons, il se préparait à profiter du désordre général causé dans le monde islamique par la Croisade pour envoyer quelques mois plus tard (en juillet 1098, comme l'établit Ibn al-Qalânisî) une armée en Judée et arracher la ville sainte aux Turcs Ortoqides ; de fait Jérusalem sera reconquise par les Fâtimides en août 1098[212]. En attendant nous voyons en janvier-février 1098 des ambassadeurs fâ*t*imides envoyés par al-Af*d*al, arriver au camp chrétien devant Antioche et y recevoir le meilleur accueil[213].

Le commentaire que nous donne à ce sujet l'*Estoire d'Éracles* insiste sur le plaisir non dissimulé avec lequel les Fâ*t*imides voyaient leurs vieux ennemis seljûqides écrasés par les Francs. Excellente leçon d'histoire musulmane où le chroniqueur oppose Arabes et Turcs, shî'tes et sunnites : « Granz haines estoient entre les Turs d'Orient et (ceus) d'Égypte, porce que il se descordoient en leur mescréance et disoient les uns des autres qu'il estoient faus Sarrasin... Por ce li califes d'Égypte faisoit grant joie porce que Soliman (= Qilij Arslân), li niés au soudan (de Perse) avoit perdue Nique (= Nicée). Mout li replaisoit que nostre baron avoient assise (= assiégé) Antioche. Por ce il envoia bons messagers parler à eus, qui leur aportèrent granz présenz et leur distrent que li califes estoit près d'eus aidier largement de gens et d'avoir et de viandes, et moult les prioit que il maintenissent le siège. Nostre baron reçurent ces messages assez débonnairement. Mout les accueillirent bel et firent séjourner avec eus[214]. »

Cette amorce d'une alliance franco-fâ*t*imide ne doit point nous étonner. Gaston Wiet a signalé la faveur marquée dont avaient toujours joui à la Cour des Fâ*t*imides les fonctionnaires chrétiens, non seulement les chrétiens renégats, comme la famille arménienne des vizirs Badr al-Jamâlî et al-Af*d*al, mais même des chrétiens restés fidèles à leur foi première, coptes ou autres[215]. Nulle répugnance chez eux, par conséquent, à s'allier aux Latins contre le Seljûqide, mille fois plus abhorré parce qu'ennemi héréditaire et musulman hérétique. La compétition entre Musulmans pour la possession de Jérusalem, encore possédée par les Turcs Ortoqides, mais qu'une armée fâ*t*imide allait leur enlever en août 1098, explique assez le sens de l'ambassade envoyée par le vizir al-Af*d*al aux assiégeants d'Antioche[216].

À première vue le calcul était juste, car les Turcs, ayant à faire front au nord contre l'invasion franque, ne pourraient envoyer de secours à leurs congénères de Jérusalem pris à revers par le vizir d'Égypte. Et en même temps la menace que les ambitions fâ*t*imides faisaient peser sur la Palestine constituait en faveur des Francs une diversion infiniment précieuse qui paralysait le monde turc à l'heure décisive. Aussi l'accueil empressé que les ambassadeurs fâ*t*imides reçurent des Croisés au camp d'Antioche fait-il le plus grand honneur au sens politique de ces derniers. Il montre que les barons s'adaptaient déjà, qu'ils se faisaient une place dans le milieu musulman. Il n'est pas interdit de penser que ces preuves d'esprit politique furent en partie inspirées par l'habile Bohémond[217].

D'après Ibn al-A*th*îr, la diplomatie des Francs ne se borna pas là. Non contents de donner sur leur projets éventuels des apaisements aux Fâ*t*imides d'Égypte, ils cherchèrent à endormir de même le seljûqide de Damas, Duqâq : à les entendre leur seul adversaire était le seljûqide d'Alep, Ri*d*wân, leur seul dessein était de rendre à la chrétienté les anciennes Marches byzantines du temps de Nicéphore Phocas et de Jean Tzimiscès : Édesse, Antioche et Lattaquié. « Pendant le siège d'Antioche, atteste le *Kâmil al-tewârikh*, les Francs avaient écrit au prince de Damas, pour lui dire qu'il pouvait se rassurer ; qu'eux n'en voulaient qu'au pays qui avait appartenu en dernier lieu aux Grecs, et qu'ils respecteraient tout le reste. C'était une ruse et un artifice, afin de dissuader les Musulmans de se porter au secours d'Antioche[218]. »

*Intervention des Seljûqides d'Alep.*
*Bataille du lac d'Antioche (9 février 1098).*

Il est vraisemblable que cette tactique atteignit en partie son but. En tout cas le Seljûqide de Damas, Duqâq, après son échec devant al-Bâra, resta quelque temps sans intervenir. Il laissa son frère Ridwân, prince d'Alep, tenter seul une nouvelle diversion. Car Ri*d*wân, malgré sa mauvaise humeur personnelle contre Yâghî Siyân, ne pouvait persister plus longtemps dans son inaction. Après tout Yâghî Siyân était son vassal et Antioche dans le partage de l'empire seljûqide faisait partie de son lot.

Le fils de Yâghî Siyân, chargé par son père de provoquer l'envoi d'une contre-Croisade musulmane, s'était d'abord adressé aux Damasquins. Après la défaite de ces derniers à al-Bâra, il se décida à venir à Alep implorer l'aide de Ri*d*wân. Ri*d*wân, faisant enfin taire ses rancunes anciennes, résolut d'aller débloquer Antioche. Il fut rejoint par l'ortoqide Soqmân, dont la famille, turcomane de race, était, comme on l'a vu, fieffée en Jazîra et, sans doute encore, à Jérusalem[219].

Ri*d*wân, Soqmân et le fils de Yâghî-Siyân, avec toutes les troupes d'Alep, de Shaîzar, de *H*amâ et de *H*oms, plus les contingents ortoqides, opérèrent leur concentration à *H*ârim, le Harenc des Croisés, forteresse située à trente kilomètres à vol d'oiseau à l'est d'Antioche, à dix kilomètres de la rive orientale de l'Oronte. Leur plan était de marcher à l'improviste sur la ville et de prendre l'armée franque dans un étau entre leur attaque et une sortie de la garnison d'Antioche.

Mais les chrétiens indigènes de la principauté d'Alep – ceux de Harenc, notamment, tant Syriens qu'Arméniens – s'empressèrent de prévenir secrètement les Croisés (début de février 1098)[220]. Au témoignage de l'Anonyme, ce fut encore Bohémond qui, dans le conseil de guerre convoqué sous la tente du Légat, proposa le plan stratégique destiné à sauver l'armée. Sur son avis l'infanterie de la Croisade fut chargée de garder le camp et de contenir la garnison d'Antioche, tandis que les chevaliers – ils n'étaient guère plus de 700 hommes valides – se porteraient au devant des Alépins (8 février 1098).

Ainsi fut fait. À la nuit venue, les chevaliers francs passèrent par le pont de bateaux, sur la rive septentrionale et orientale de l'Oronte. Dans le plus grand secret, ils allèrent se poster sur l'étroit passage situé entre le fleuve et le lac d'Antioche (lac d'al-'Amq) ; position fort habilement choisie, qui, selon la remarque de Chalandon, « rendait impossibles les attaques de flanc et les mouvements tournants chers aux Sarrasins »[221]. De fait, quand, au matin du 9 février, l'armée alépine, s'avançant de *H*ârim vers le Pont de Fer (Jisr al-*H*adîd), atteignit l'Oronte, elle essaya vainement de forcer le passage. Non seulement, malgré sa supériorité numérique, elle ne pouvait tenter l'encerclement des Francs, mais elle ne pouvait même pas, dans ce couloir resserré, se livrer à la tactique habituelle des Turcs : la charge par escadrons successifs qui se retiraient et se relayaient aussitôt après avoir criblé l'ennemi de flèches. « Quant ils s'aprochièrent, mout vindrent à grant desroi leur archier premièrement, et trestrent (= tirèrent) mout espessement ; mès li nostre férirent des esperons encontre eus, si que il les chacièrent tant que ils les firent férir sur les grosses batailles (bataillons). Ilecques furent si à estroit entre le flum et le lai (le fleuve et le lac) que il ne pooient, selonc ce que leur costume est, trere (lancer leurs traits) et foïr[222]. »

La physionomie de la bataille est fort claire. Le harcèlement préalable par les archers turcs est arrêté net par les Francs qui les rejettent sur le gros de l'armée alépine. Quand celle-ci donne, les premiers bataillons francs reculent d'abord sous la masse. Mais Bohémond, qui apparaît comme le directeur du combat et qui, dans ce but, est resté en deuxième ligne avec la réserve, rétablit la situation en intervenant à son tour[223]. Solidement appuyé à l'Oronte sur sa droite, au lac d'Antioche sur sa gauche, sur ce front étroit où la supériorité numérique ne sert de rien, où aucune manœuvre stratégique n'est possible, la supériorité tactique compte seule, et elle appartient sans conteste aux lourds chevaliers d'Occident. Au lieu de pouvoir se livrer à leur tournoiement habituel qui démoralise toujours les armées régulières, les Turcs sont obligés d'affronter un corps à corps qui les écrase. Leurs rangs, rejetés les uns sur les autres, prennent la fuite, poursuivis jusqu'à *H*ârim par les Francs victorieux, et jonchant la route de leurs cadavres. La garnison même de *H*ârim prend peur en voyant cette panique ; elle évacue précipitamment la place après avoir essayé d'incendier le château. Aussitôt les Arméniens et les Syriens chrétiens de la région se saisissent de *H*ârim qu'ils remettent aux Francs[224].

Pendant ce temps, la garnison d'Antioche, apprenant l'éloignement des chevaliers, avait tenté une sortie générale contre l'infanterie franque qui gardait le camp. La lutte de ce côté fut particulièrement pénible. Elle durait encore lorsque les chevaliers victorieux reparurent en vue d'Antioche. Leur approche, en triomphal arroi, annonçait à Yâghî Siyân que l'armée de secours était en fuite. Pour ajouter au découragement que la ruine de tant d'espérances causait parmi les assiégés, les vainqueurs firent lancer par des catapultes dans la ville les têtes les Turcs tués près du lac d'Antioche.

*Liaison des Croisés avec la flotte franque.*

L'armée de secours alépine, après l'armée de secours damasquine, avait échoué. Mais, par delà les deux principicules seljûqides de Syrie, Yâghî Siyân avait adressé un appel pressant à la branche aînée des Seljûq et à son chef, le sultan de Perse Barkiyârûq, ainsi qu'au principal représentant de Barkiyârûq aux frontières syriennes, le gouverneur de Mossoul, Kurbuqa. À peine Ri*d*wân avait-il été repoussé par les Francs au lac d'Antioche que la nouvelle se répandait parmi ceux-ci de la prochaine mise en marche d'une grande armée turque de secours, commandée par Kurbuqa.

Il importait donc pour les Francs de hâter la chute d'Antioche, et, pour cela, de transformer ce siège perlé en un blocus effectif. La première mesure à prendre était d'empêcher la garnison d'Antioche de gagner, par la porte du pont de pierre et par ce pont lui-même, la rive droite de l'Oronte. Pour les en empêcher, les Croisés, à la suite d'un conseil de guerre tenu le 5 mars 1098, entreprirent de construire un château sur la rive droite, face au pont, sur une hauteur qui le dominait. Cette butte, actuellement occupée par le cimetière musulman, était alors décorée de deux mosquées suburbaines, d'où le nom de château de la Mahomerie qui est donné par les chroniqueurs à la nouvelle forteresse[225]. Celle-ci est parfois aussi désignée sous le nom de Château-Raymond parce que le comte de Toulouse s'était le premier offert à construire le fort. On manquait, il est vrai, de matériaux et d'ouvriers, mais une flotte anglaise venait d'arriver la veille (4 mars 1098) au port de Saint-Siméon (port de Suwaidîya), apportant précisément ce qui faisait défaut aux Croisés. De plus, depuis la mi-novembre de l'année précédente, une escadre génoise de treize navires avait également mouillé à Saint-Siméon et les capitaines de cette escadre invitaient les chefs croisés à venir établir la liaison avec eux. Sur la proposition de Bohémond, Bohémond et Saint-Gilles partirent donc pour Saint-Siméon afin de recruter parmi les marins occidentaux les ouvriers nécessaires et de les ramener avec leurs outils[226].

Quand la garnison d'Antioche apprit qu'une partie de la chevalerie assiégeante s'était une fois encore éloignée, elle organisa de nouvelles sorties contre le camp chrétien (5-6 mars 1098). Le 6 mars, Saint-Gilles et les siens rentraient de leur voyage à la côte avec les matelots et ouvriers qu'ils étaient allés chercher lorsque, en vue de la ville, ils furent surpris par une de ces sorties de la garnison. Comme ils ne s'y attendaient pas, leurs troupes se laissèrent aller à une panique irraisonnée, dans laquelle elles subirent de lourdes pertes[227]. Au camp chrétien, la nouvelle courait déjà que tout le convoi, y compris Raymond et Bohémond, avait été massacré. Godefroi de Bouillon rendit confiance aux siens : « Biaux seigneurs, lui fait dire *l'Estoire d'Éracles*, se la véritez est einsi comme la novele dit, que par noz péchiez cil chien desloial aient einsi occis si vaillanz homes, je n'i voi de deus choses que l'une : ou que nos morons avec eus, comme bon Crestien, ennorablement au siècle et seurement de recevoir le guerredon (= la récompense) (de) Jesucrist que nous servons jusqu'à la mort ; ou, se Nostre Sires veut que nostre servise li duire encore, nos prenons haute vengeance de ces mastins qui ont la Crestienté empiriée de ceste vaillante gent. De moi, vous di-je vraiement, seur m'ame, que nule manière de vie je n'aimeroie autant comme la mort, se il ne sont vengié[228] ! »

Ranimés par cette exhortation, les Croisés restés au camp se préparaient à aller au-devant du convoi lorsque la garnison d'Antioche, sous les ordres de Yâghî Siyân lui-même, exécuta une sortie par la porte du pont et attaqua le camp : le but de cette sortie était évidemment de faciliter la rentrée dans la ville du détachement qui avait surpris le convoi[229]. Au même moment, Bohémond et Raymond de Saint-Gilles, après avoir subi la défaite que nous avons mentionnée, rentrèrent à bride abattue au camp. Après un bref conseil de guerre entre barons, les Croisés, furieux de la surprise éprouvée par leur convoi, contre-attaquèrent sur-le-champ avec tant de fougue que les Turcs, surpris à leur tour, furent entièrement défaits. Les détachements turcs qui avaient pillé le convoi se dirigeaient vers Antioche, chargés de butin et alourdis de bagages, s'efforçant de gagner la porte du pont où Yâghî Siyân les attendait. Mais Godefroi de Bouillon, posté sur un tertre face au pont – sans doute près du cimetière chrétien actuel –, leur barra la route, tandis que les autres barons les chargeaient furieusement en flanc et en queue.

Ainsi serrés de toutes parts, s'étouffant eux-mêmes dans cet étroit passage, les Turcs, en s'efforçant de gagner à tout prix le pont de pierre et la porte du pont, tombèrent par centaines, égorgés par les Francs ou noyés dans les eaux de l'Oronte. Les chroniqueurs nous ont laissé de ce combat un récit épique. « Les Turcs s'enfuirent vers le pont... Ceux qui ne purent le traverser, par suite de la cohue que formaient hommes et chevaux, reçurent là une mort éternelle, avec le diable et ses anges. Et nous, ayant pris le dessus, nous les poussions et les précipitions dans le fleuve. Les flots rapides du fleuve étaient rougis du sang des Turcs et, si l'un d'eux cherchait à grimper sur les piles du pont ou s'efforçait de gagner la terre à la nage, il était blessé par les nôtres qui couvraient la rive du fleuve[230] ». Il y avait à l'entrée du pont, confirme *l'Estoire d'Éracles*, un tel monceau de Turcs abattus qu'à peine les survivants pouvaient-ils le franchir. Vers le soir, Godefroi de Bouillon « fist un coup tel dont il sera touzjorz parlé » : d'un seul coup d'épée, il coupa en deux un Turc par la taille : « li dux le féri de l'espée parmi le nombrill, si que sa moitié desus chei à terre et l'autre moitié remest (resta) sur le cheval qui se féri en la cité avec les autres[231] ». Les Turcs avaient perdu environ 1 500 hommes, dont douze émirs (6 mars 1098).

Cette victoire chrétienne marqua un tournant décisif dans le siège d'Antioche. Les Francs, raffermis dans leur supériorité militaire, résolurent d'encercler complètement la ville, seule mesure qui, de toute évidence, pût la faire tomber entre leurs mains. Dès le 8 mars ils reprenaient la construction du château de la Mahomerie en y employant les pierres des tombes musulmanes du voisinage. Le 19 mars la construction du château de la Mahomerie était achevée. Le comte de Toulouse en revendiqua la garde pour mettre fin aux propos malveillants qu'avait fait naître sa relative inertie jusque-là. De cette garde il s'acquitta d'ailleurs avec tant de zèle – y préposant cinq cents chevaliers et sergents provençaux – que le château de la Mahomerie est souvent désigné sous le nom de Château-Raymond. Par là l'issue du pont de pierre, c'est-à-dire l'accès à l'Oronte, fut désormais interdite aux assiégés (5 avril 1098)[232].

Malregard surveillait Antioche au nord-est, le Château-Raymond à l'ouest. Les Croisés s'assurèrent un troisième bastion au sud-ouest de la ville, sur la rive gauche de l'Oronte et sur les pentes occidentales du mont Silpios, en fortifiant le monastère de Saint-Georges. La construction et la garde de cette nouvelle forteresse, chargée de surveiller la porte Saint-Georges, la route de Bait al-Mâ et le torrent de l'Akakir, furent confiées à Tancrède, à qui le conseil des barons alloua, à cet effet, 400 marcs d'argent. Les gens d'Antioche envoyaient jusqu'à ce jour leurs bêtes pâturer le long de l'Oronte, en aval de la ville, vers Bait al-Mâ. Après la construction de la forteresse de Tancrède, ils perdirent cette possibilité et en une fois les Croisés leur capturèrent deux mille chevaux[233].

*Prise d'Antioche.*

L'encerclement d'Antioche était enfin complet. Les Croisés pouvaient librement communiquer avec la mer (au'port de Saint-Siméon) d'une part, d'autre part avec le comté franc d'Édesse, possédé, comme on l'a vu, par Baudouin de Boulogne, frère de Godefroi de Bouillon. Les assiégés essayèrent encore de se ravitailler du côté du mont Silpios, grâce à la connivence des chrétiens indigènes, tant Syriens qu'Arméniens. Vers le début d'avril, nous dit l'Anonyme, « un fort parti d'Arméniens et de Syriens s'en venait en toute sécurité des montagnes, portant aux Turcs des aliments pour ravitailler la ville. Tancrède alla à leur rencontre et les captura avec toutes leurs provisions, blé, vin, orge, huile et autres denrées[234]. » Cet épisode nous prouve que, contrairement à ce qu'on eût pu espérer, les Arméniens et les Syriens chrétiens ne constituaient pas nécessairement des alliés spontanés pour la croisade, qu'ils n'hésitaient pas à favoriser les Turcs. Ils ravitaillaient ceux-ci pour l'appât du gain. Sous la menace ils allaient même jusqu'à combattre aux côtés des musulmans. Les *Gesta Francorum* rapportent explicitement que dans la bataille du pont de l'Oronte, le 6 mars 1098, « par ordre des chefs turcs, des Arméniens et des Syriens, de gré ou de force, nous lançaient des flèches »[235]. Et cependant, comme le fait remarquer Guillaume de Tyr, Syriens chrétiens et Arméniens constituaient la grande majorité de la population d'Antioche. « Presque tuit cil qui estoient en la ville tenoient la foi (de) Jhesucrist ». Mais cet élément chrétien indigène, uniquement adonné au négoce, avait perdu toute habitude des armes : « Sanz faille, il n'avoient point de pooir ne point de seignorie en la cité, car il s'entremetoient sanz plus des marchandises et de mestiers où l'en gaaigne son pain. Ne n'estoit si hardiz nus des Crestiens que il s'osast armer. Meesmement, puis (depuis) que notre gent vindrent devant la ville, li Crestien estoient si soupeçoneus (peureux) que il n'ôsoient issir de leur mesons[236]. » Ce ne fut donc pas d'un chrétien que vint l'aide qui permit aux Croisés de prendre Antioche, du moins d'un chrétien resté tel, mais, semble-t-il, d'un renégat passé à l'Islam.

Ce personnage se nommait Fîrûz, Rûziye ou Barzuiye. L'auteur des *Gesta Francorum* le croyait de race turque[237]. Pour Kemâl al-Dîn, c'est simplement « un habitant d'Antioche connu sous le nom de Zarrâd, le fabricant de cuirasses »[238]. Pour Guillaume de Tyr, il était d'origine arménienne et appartenait même à une des principales familles arméniennes d'Antioche : c'était « une manière de haut homme » qui était « Hermin ». Guillaume confirme d'ailleurs l'assertion de Kemâl al-Dîn que Fîrûz appartenait à la corporation des Banû Zerra « quod in linguâ latinâ interpretatur : *filii loricatoris* »[239]. Anne Comnène répète qu'il était Arménien et Raymond d'Agiles nous donne la clé de l'énigme en ajoutant que c'était un Arménien renégat, passé à l'Islamisme[240]. Ce qui explique qu'il soit donné comme Arménien par les uns, comme Turc par les autres.

Ce Fîrûz, qui avait su naguère s'avancer dans la confiance de l'émir Yâghî Siyân, gouverneur d'Antioche, avait été préposé par lui à la garde de la tour des Deux-Sœurs, grosse tour pentagonale située tout au sud de la ville, près de la porte Saint-George et qui dominait la vallée de l'Akakir (Wâdî Zogheibo). D'après ce que laisse entendre Ibn al-A*th*îr, il devait dans la ville affamée, cacher des grains, car l'historien nous apprend que Yâghî Siyân, à titre d'amende, confisqua son argent et son blé. Dans son ressentiment le renégat arménien entra en correspondance avec Bohémond, lui offrant, moyennant certains avantages, de lui livrer la tour des Deux-Sœurs[241].

Une fois conclu son pacte avec Fîrûz, Bohémond le tint rigoureusement secret. Depuis longtemps – depuis Constantinople, semble-t-il – il avait jeté son dévolu sur Antioche. La trahison de Fîrûz allait lui procurer le moyen de réaliser son dessein. Du texte des *Gesta Francorum* il ressort qu'avant d'agir et sans rien révéler de son accord avec Fîrûz, il chercha à se faire garantir la possession éventuelle de la place. Discours plein d'astuce normande : « Chevaliers très prudents, lui fait dire l'Anonyme, considérez dans quelle misère nous sommes et nous ignorons comment nos affaires s'amélioreront. Donc, si cela vous paraît bon et honorable, que l'un d'entre nous se désigne devant les autres, et si, d'une manière quelconque, ou par son industrie, il parvient à acquérir ou à emporter d'assaut la cité, soit par lui-même, soit par d'autres, concédons-en-lui la possession d'une voix unanime. ». Refus des barons qui n'admettaient qu'un *condominium*. « Bohémond, à ces mots, sourit légèrement et se retira aussitôt[242]. »

Mais déjà la nouvelle se répandait de l'approche d'une grande armée turque de secours sous l'atabeg de Mossoul, Kurbuqa. Le péril était si pressant que les barons n'hésitèrent plus à accepter les offres et les conditions de Bohémond : « Si Bohémond peut acquérir la cité par soi-même ou par d'autres, nous lui en faisons don bien volontiers, à cette condition que, si l'empereur (Alexis Comnène) vient à notre secours et veut observer la convention qu'il nous a promise et jurée, nous lui remettrons la ville de droit, même dans le cas où Bohémond l'aurait en sa possession. » Texte capital qui montre qu'à l'heure même où ils se préparaient à sanctionner en fait la prise de possession d'Antioche par le prince normand, les barons entendaient réserver juridiquement les droits de l'empire byzantin sur cette ville, conformément au pacte de Constantinople (*Anonyme*, 103).

D'après Guillaume de Tyr, tandis que les autres barons promettaient à Bohémond, s'il prenait Antioche, de l'en laisser maître, le comte de Toulouse refusa jusqu'au bout de renoncer à sa part éventuelle de la ville. L'arrivée imminente de Kurbuqa fit passer outre. Guillaume évoque, lui aussi, la séance dramatique du conseil des barons. Avec les faibles effectifs auxquels étaient réduits les Croisés, ils ne pouvaient ni affronter en rase campagne l'immense armée de Kurbuqa en ayant dans le dos Antioche ennemie, ni, à plus forte raison, se diviser en deux corps pour arrêter Kurbuqa et empêcher une sortie de la garnison, ni empêcher Kurbuqa de débloquer celle-ci et de jeter des troupes fraîches dans Antioche. « Por ce m'est avis, fait dire *l'Estoire d'Éracles* à Bohémond, que convient querre qui porroit trover manière comment cele cité nos fust rendue et que nos fussions receuz dedenz ainçois (= avant) que cele grant gent i venist : ce seroit la plus seure chose. Se vos demandez comment ce porroit estre, je vos mostrerai la voie… Je ai un ami en cele cité, loial home et sage, selonc ce que je puis apercevoir. Nos avons covenances entre moi et lui par quoi il me doit baillier une tor mout fort pleinne et mout bien garnie que il tient, quant je la li demanderai. Je li doi doner, par ce faisant, grant partie de mon avoir… Mès ce ne porroit estre par nules rien, se chascun de vos ne me claime quite sa part de la cité, à moi et à mon oir, si que ele soit toute moie (= mienne). Se il vous plest en ceste manière, poez avoir la ville. Se ce ne vos plest et vos i puissiez trouver autre manière, je sui prez à quitter toute la moie part à un de vous, se il nous puet la cité délivrer[243]. »

Le discours plein d'ironie narquoise que *l'Estoire d'Éracles* prête au prince normand est bien dans la manière de ce dernier. Dans la situation désespérée où on se trouvait, il n'y avait pas à hésiter : la grande armée seljûqide, conduite par l'âtâbeg de Mossoul, n'était plus qu'à quelques journées de marche. Si elle n'était pas déjà là, c'est qu'elle s'était attardée à vouloir prendre Édesse où Baudouin de Boulogne résista vaillamment. Mais elle avait renoncé à cette conquête trop difficile ; elle approchait d'Antioche. Dans ces conditions, l'offre de Bohémond représentait pour les Croisés la seule chance de salut. Passant outre à la résistance obstinée du comte de Toulouse, les barons, Godefroi de Bouillon le premier, se désistèrent en faveur de Bohémond de leurs droits sur Antioche et lui donnèrent tout pouvoir pour diriger la prise de la ville (29 mai 1098).

Précisément, à Antioche, les dispositions de Fîrûz avaient reçu un nouvel élan d'un fait divers conté par Guillaume de Tyr : il avait surpris la liaison criminelle de sa femme avec un des principaux capitaines turcs. Furieux de cet outrage, il envoya son fils prévenir Bohémond que la nuit suivante (nuit du 2 au 3 juin) il lui livrerait la Tour des Deux Sœurs.

Conformément aux ordres de Bohémond, le soir du 2 juin, l'armée croisée affecta de partir à la rencontre de Kurbuqa, l'infanterie filant par le sud du Silpios, les chevaliers remontant le cours de l'Oronte. Le change étant ainsi donné aux assiégés, les troupes marchèrent toute la nuit, puis, en silence, avant le lever du jour, elles se rejoignirent et se massèrent sous la Tour des Deux Sœurs où Fîrûz attendait Bohémond. D'après les calculs de M. Bréhier quatre heures du matin approchaient lorsque l'escalade de la tour commença. Selon Guillaume de Tyr ce serait Bohémond qui aurait le premier atteint la fenêtre où l'attendait Fîrûz. Raoul de Caen et Raymond d'Agiles réservent cet honneur à d'autres Croisés[244]. L'anonyme des *Gesta Francorum* ne s'attarde pas à citer des noms, mais son récit vécu nous donne la sensation directe de l'affaire : soixante Francs grimpant à la première échelle et accueillis dans la tour par Fîrûz qui, plein d'inquiétude, s'étonne de leur petit nombre, et réclame Bohémond en personne avec des renforts. Bohémond averti grimpe jusqu'à Fîrûz, suivi de nouveaux Croisés. Toutes les tours du côté sud sont occupées à tâtons, dans la pénombre. Les premiers arrivants, aidés des chrétiens indigènes d'Antioche, ouvrent ensuite au gros de l'armée les portes de la ville, à commencer par la Porte du Pont, tandis que ceux des Turcs qui avaient pu échapper à la surprise couraient se réfugier dans la citadelle, située au sud-est, sur un des sommets du mont Silpios (*H*abîb al-Najâr). S'il ne put emporter la citadelle elle-même, Bohémond courut planter sur une colline proche sa bannière pourpre qui, avec le jour levé, annonçait à tous la chute de la ville (3 juin 1098).

Il est à signaler que, dès la première apparition des troupes franques dans les rues, les chrétiens indigènes, tant Syriens qu'Arméniens, firent cause commune avec elles. « Li Surien et li Hermin et li autre Crestien de la ville s'aperçurent que la chose aloit einsi, si en orent molt grant joie ; il pristrent les armes vistement et se mistrent avec nostre gent et leur enseignoient les leus où plus avoit gent et où li trésor estoient. Ils meismes occioient les Turs mout volentiers et mout se penoient d'euz rendre guerredon (= châtiment) des froiceries qu'il leur avoient fêtes[245]. »

L'émir d'Antioche, Yâghî Siyân, paraît avoir perdu la tête. Voyant l'étendard de Bohémond planté sur l'une des tours du Silpios, il crut que la citadelle même était prise et s'enfuit de la ville avec trente de ses pages. Arrivé près d'Armenaz ou de Rubea, il se reprit, regretta sa fuite, mais, dans sa douleur, il s'évanouit et tomba de cheval. Ses pages l'abandonnèrent. Des Arméniens, qui travaillaient comme bûcherons près de là, le reconnurent et lui tranchèrent la tête qu'ils apportèrent en trophée aux Francs, à Antioche[246].

La panique causée par la chute d'Antioche était telle que les Musulmans de 'Imm, l'actuel Yéni-shéhir, à l'est de Jisr al-*H*adîd, et ceux de Inab ou Népa, à mi-chemin entre Jisr al-Shughr, sur l'Oronte, et Ma 'arrat al-Nu 'mân[247], prirent la fuite en abandonnant les deux bourgs à l'élément arménien[248].

*Intervention des Seljûqides de Perse :*
*La contre-croisade de Kurbuqa.*

La prise d'Antioche sauva littéralement les Croisés d'un désastre effrayant. En effet elle est du 3 juin. Le lendemain même, la grande armée seljûqide de secours, commandée par le gouverneur de Mossoul Kurbuqa, apparaissait sur l'Oronte.

Le chef turc Kurbuqa était un des hommes de confiance du sultan seljûqide de Perse Barkiyârûq pour qui, on s'en souvient, il avait pris parti lors des guerres de partages seljûqides[249]. En 1095, on se le rappelle, Barkiyârûq avait obligé son cousin, l'émir d'Alep Ri*d*wân, à libérer Kurbuqa, à ce moment captif ; après quoi il avait encouragé ce dernier à aller enlever Mossoul à la maison arabe des 'Oqailides. S'étant emparé de Mossoul après un siège de neuf mois (octobre-novembre 1096), Kurbuqa gouvernait depuis lors cette place et sa vaste province au nom du sultan, son protecteur. Ce fut naturellement à lui que Barkiyârûq fit appel pour le mettre à la tête de la grande armée seljûqide chargée de délivrer Antioche. Le titre de Qiwâm al-Dawla, « colonne de l'empire », que lui donne le *Kâmil al-tewârîkh* est ici plus qu'une épithète protocolaire : dans sa marche sur la Syrie, c'était vraiment tout l'espoir du sultanat seljûqide de Perse qui reposait sur lui.

En marchant de Mossoul sur Antioche, Kurbuqa se heurta à la place d'Édesse, devenue la capitale d'un comté franc sous Baudouin de Boulogne. Au lieu de poursuivre son chemin vers l'Oronte, le chef turc commit la faute de vouloir prendre Édesse. Il fit donner l'assaut, échoua devant l'énergique résistance de Baudouin, s'obstina et resta trois semaines sous les murs (du 4 au 25 mai 1098), perdant ainsi un temps précieux durant lequel les Croisés eurent le loisir de nouer le complot qui fit tomber Antioche. Lorsque Kurbuqa, cédant aux instances de ses émirs, ajourna la conquête d'Édesse et reprit enfin sa marche, il était trop tard : Antioche succombait. Comme le fait remarquer Guillaume de Tyr, l'énergique résistance du comte d'Édesse avait sauvé les Croisés[250].

Cependant Kurbuqa franchit l'Euphrate et entra en Syrie. Il vint camper à Marj Dâbiq, sur le haut Quwaiq, au nord d'Alep[251]. À ses côtés accoururent deux des principaux princes turcs de la région : le seljûqide Duqâq, prince de Damas, avec son lieutenant *T*ughtekîn ; l'ortoqide Soqmân, de la famille que nous avons vue fieffée à la fois à Jérusalem et en Jazîra[252]. Soqmân avait abandonné le service du prince d'Alep, Ri*d*wân pour celui de Duqâq. En effet les deux frères seljûqides, Ri*d*wân et Duqâq, restaient, même en ces heures de vie ou de mort pour la Syrie musulmane, profondément divisés. Ri*d*wân, bien que sa capitale, Alep, fût directement menacée entre Antioche chrétienne et Édesse chrétienne, évita donc de se joindre à la coalition. En revanche Kurbuqa fut rejoint par l'émir arabe de Homs, Janâ*h* al-Dawla *H*usain, de la tribu des Banû-Mulâ'ib, beau père de Ri*d*wân (il avait épousé la veuve de Tutush, mère de Ri*d*wân). Les Arabes, alliés de Duqâq, se firent la main, rançonnant au passage Tell Mannas, localité située à l'est de Ma 'arrat al-Nu'mân et qui était habitée par des communautés syriaques que leurs voisins musulmans accusaient d'appeler les Francs. Les habitants durent livrer des otages au gouvernement de Damas[253].

De Marj Dâbiq la grande armée seljûqide marcha sur l'Oronte dont le passage, on s'en souvient, était défendu par le Pont de Fer ou Jisr al-*H*adîd. La petite garnison franque qu'avaient laissée les Croisés dans la tour du pont, fut forcée et massacrée par les avant-gardes turques (4 juin 1098)[254], et l'armée seljûqide apparut bientôt sous les murs d'Antioche. Ses premiers contingents essayèrent d'abord de forcer le château de la Mahomerie ou Château-Raymond, aventuré de l'autre côté du pont, sur la rive occidentale de l'Oronte. Ils échouèrent, mais le comte Robert de Flandre qui était chargé de la garde du château estima fort sagement la position indéfendable ; à la faveur de la nuit il y mit le feu et se retira avec ses gens dans l'enceinte d'Antioche[255]. De même au nord-est pour le château de Malregard ou Château-Bohémond. Godefroi de Bouillon, qui en avait pour lors la garde, le fit évacuer, et non sans pertes, fit rentrer les occupants à l'intérieur d'Antioche[256].

*Siège d'Antioche par Kurbuqa.*

Le 5 juin 1098 le gros de l'armée turque campait encore dans l'espèce de presqu'île que forme le Qara-su quand, après sa sortie du lac de 'Amq ou lac d'Antioche, il vient se jeter dans l'Oronte. Le 7 elle acheva sa concentration autour d'Antioche. Le fils de l'infortuné Yâghî Siyân, Shams al-Dawla, était toujours maître de la citadelle. À l'approche de Kurbuqa, il s'était rendu au-devant de celui-ci, implorant son aide et se mettant sous sa protection. Kurbuqa, en homme pratique, avait aussitôt exigé la remise de la citadelle. En vain Shams al-Dawla chercha-t-il à différer la cession jusqu'après la reconquête de la ville basse. Il dut s'exécuter.

Kurbuqa fit occuper la citadelle par son lieutenant A*h*med ibn Merwân[257].

De la citadelle, les Turcs se livraient à de terribles incursions dans la ville. Le plan de Kurbuqa était d'ailleurs au début de prendre la ville de vive force, de ce côté. Pour lui barrer la route, Bohémond et le comte de Toulouse construisirent une ligne d'obstacles, – tranchées, dit Guillaume de Tyr, mur avec de la pierre et de la chaux dit l'Anonyme, confirmé par Ibn al-A*th*îr[258] –. Malgré ces défenses, les comtes de Flandre et de Normandie et Hugue de Vermandois eurent grand'peine à empêcher la ville d'être un jour emportée par surprise sur une nouvelle irruption des gens d'A*h*med ibn Merwân[259]. À la suite de ce combat, Kurbuqa, renonçant à pénétrer dans la ville par la citadelle, résolut de prendre les défenseurs par la famine. Pour mieux encercler la place, il vint poster son camp « dans la plaine qui s'étend au-dessous d'Antioche, près de la Porte de la Mer (Bâb al-Ba*h*r) »[260]. L'investissement était dès lors complet et la famine la plus cruelle commença à se faire sentir parmi les assiégeants de naguère, devenus assiégés à leur tour.

Des défaillances graves se produisirent chez les Croisés. De nombreux fuyards purent gagner le port de Saint-Siméon (Suwaidiya) où ils propagèrent parmi les flottes occidentales à l'ancre la fausse nouvelle de la destruction de l'armée. Plusieurs équipages, effrayés, gagnèrent aussitôt la haute mer et l'escadre chrétienne, si précieuse pour la Croisade, faillit se disperser[261]. Il y eut pire. Certains fugitifs, comme Guillaume de Grandmesnil et Étienne de Blois, qui avaient gagné Alexandrette pour se mettre à l'abri, se rendirent de là en Asie Mineure auprès de l'empereur Alexis Comnène. Le souverain byzantin se trouvait alors à Philomelion (Aqshéhir) d'où il se préparait, à la tête de toutes ses forces, à descendre sur Antioche pour aider les Croisés. Étienne de Blois et Grandmesnil, répandant autour d'eux la terreur dont ils étaient poursuivis et d'ailleurs désireux de justifier leur fuite, affirmèrent à l'empereur qu'à cette heure Kurbuqa avait dû anéantir la Croisade.

Rumeur démoralisante. Alexis Comnène, persuadé que sa marche sur la Syrie n'avait désormais plus de but, rebroussa chemin. Seul le prince normand Guy, frère de Bohémond et qui servait dans l'armée impériale, essaya d'entraîner celle-ci à une marche hardie vers Antioche, pour sauver la Croisade[262]. Ses généreuses exhortations ne trouvèrent pas d'écho. Le *basileus*, se fiant aux affirmations réitérées d'Étienne de Blois, regagna Constantinople avec son armée[263] : décision dont l'historien ne peut lui faire un grief, puisque Alexis n'avait fait que suivre les conseils d'un des chefs de la croisade franque, mais décision qui n'en était pas moins, au point de vue international, grosse de conséquences. Par la lâcheté et le mensonge d Étienne de Blois, la Croisade byzantine rebroussait chemin au moment où son concours eût été le plus précieux à la croisade franque ; le plus précieux aussi à la politique byzantine elle-même, puisque le *basileus* renonçait à faire acte de présence en Syrie, c'est-à-dire à faire valoir ses droits sur Antioche à l'heure même où le sort de la ville allait se décider. La carence, bien involontaire d'ailleurs, d'Alexis Comnène sur l'Oronte en ces journées décisives de juin 1098 devait avoir cette conséquence que la Syrie rédimée serait purement franque et non, comme tout portait à le croire jusque-là, franco-byzantine. C'est ce que le politique avisé qu'est Guillaume de Tyr n'a pas manqué de souligner : « Einsi avint que, par la parole à ce haut home (Étienne de Blois) qui si laidement s'estoit partiz des autres, s'en retorna l'empereres, et la Crestientez qui estoit en Antioche, qui tel mestier (besoin) avoit d'aide, perdi si granz secors par quoi venist (fût venue) toute leur délivrance. Toutes voies (toutefois) ce fu œuvre de Dame Dieu ; car se cil empereres qui venoit à (avec) sa grant ost de gent toutes fresches eust levé le siège et desconfiz les Turs, Nostre Sires n'en fu (= n'eût été) mie si bien ennorez ne si merciez ; et se du travaill que li baron et li autre pèlerin avoient soufert si longuement, eust eu li empereres, qui derrenier venoit, l'enneur et la victoire, ne fust mie si bien guerredonnée leur peine (= leur peine n'eût pas été si bien récompensée). Por ce soufri Nostre Sires que cil s'en partist, et que la besoigne fust finée plus à la gloire de Lui et à l'enneur de sa gent (= les Latins)[264]. »

Le fait est que la cour de Constantinople pouvait croire Antioche et la Croisade perdues. La famine était si atroce, l'anémie des défenseurs si grande que les plus fiers courages défaillaient. « Qui trovoit un chien mort ou un chat, il le menjoient à granz délices... Là poist l'en veoir les chevaliers et les sergenz qui avoient esté si fort et si dur et si preu en totes besoignes, or estoient si febles et si ateint qu'il s'en aloient par les rues, apoiant as bastons, les testes abessiées et demandant du pain[265]. » Le danger était qu'ainsi affaiblis, les Francs négligeaient la surveillance des tours dont ils avaient la garde. « Pareçeus estoient et nonchaillant d'eus deffendre et garder la ville, car quant il avoient traveillié toute jor, au soir n'avoient que mengier. » Une des maîtresses tours, près la Porte des Deux-Sœurs, dans le secteur sud-est, faillit ainsi être surprise par les Turcs, faute de défenseurs : elle ne fut sauvée que par le courage de trois chevaliers de Mechelen, près de Maëstricht, qui, de garde sur la tour voisine, aperçurent l'escalade des Turcs, et, à eux trois, arrêtèrent trente ennemis jusqu'à l'arrivée des renforts.

Seul Bohémond, avec une âpreté furieuse, restait inébranlable. La nuit, il battait les rues pour surprendre les déserteurs et les traîtres : « Buiemont il meismes aloit toute nuit parmi la ville à (avec) grant compaignie de gent et o grant planté de luminaire por cerchier que il n'i peust avoir point de péril ne de traïson[266]. » La nouvelle de la retraite d'Alexis Comnène avait achevé de démoraliser les Francs comme d'enhardir Kurbuqa. De fait l'arrivée attendue de la grande armée byzantine eût pris Kurbuqa à revers et rendu la supériorité aux chrétiens « car grant chose estoit du pooir de l'empire ». Quand on sut que, de Philomelion, le basileus sur les lâches mensonges d'Étienne de Blois rebroussait chemin vers Constantinople, ce fut, dans l'armée, un vrai désespoir. Selon l'énergique expression de *l'Estoire d'Éracles*, cette nouvelle « parasomma » les chrétiens. « Il se lessoient cheoir en désespérance ne vouloient mès (= désormais) nul travaill soufrir qui appartenist à défense de la ville ; tuit se reponoient en leur ostiaux. » Ce fut encore Bohémond qui, avec son énergie brutale, arrêta cette vague de défaitisme et de paresse. Le 12 juin, pour empêcher les Francs de se renfermer dans les maisons au lieu d'aller au rempart, il mit tout simplement le feu à la ville. « Un jor avint que Buiemont, qui avoit le pooir sur l'ost, ot afere (besoin) de genz pour les assauz dehors. Il fist crier son ban que tuit venissent, mès nus n'i vint. Il envoia genz por les querre par leur osteus, mès ne les en pooit geter. Au derenier (= à la fin) fist bouter le feu par la ville en plusieurs leus ; lors issirent enmi les rues à granz presses. » Aussitôt Bohémond leur ordonne de courir au rempart et ils obéissent. Des quartiers entiers furent brûlés, mais l'assaut des Turcs fut arrêté ce jour-là[267].

Néanmoins le moral de l'armée baissait de jour en jour. Ayant appris que nombre de barons et de chevaliers songeaient à s'enfuir nuitamment vers la mer en abandonnant le gros de l'armée, Godefroi de Bouillon les fit haranguer par le Légat qui les menaça de la damnation et du déshonneur[268]. Ce jour-là encore la catastrophe fut évitée. Mais il était évident que pour relever le moral de l'armée il fallait un événement nouveau.

Ce fut l'invention de la Sainte Lance qui provoqua ce réveil. Un pèlerin provençal, Pierre Barthélémy, vit en songe saint André qui lui révéla que la lance avec laquelle le centurion avait, sur le Golgotha, percé le flanc du Christ, se trouvait cachée sous les dalles de l'église Saint-Pierre d'Antioche[269]. Barthélémy rendit compte de ses visions à ses chefs naturels, l'évêque du Puy et Raymond de Saint-Gilles, mais il ne semble pas que ceux-ci aient compris sur-le-champ l'intérêt qu'une telle nouvelle pouvait présenter pour relever le moral de l'armée, ni même que Saint-Gilles ait cherché à l'exploiter au profit du parti provençal. Quelques jours après, vraisemblablement le 14 juin, en présence du comte de Toulouse et de quelques-uns de ses compagnons dont le chroniqueur Raymond d'Agiles, Barthélémy découvrit la lance dans le sol de l'église Saint-Pierre.

Cette découverte rendit confiance à l'armée franque. « On reçut la lance avec beaucoup de joie et de crainte, écrit l'auteur des *Gesta Francorum,* témoin des faits, et une immense allégresse régna dans toute la ville. À partir de ce moment nous tînmes entre nous un conseil de guerre[270] ». Le commandement était alors dévolu à Raymond de Saint-Gilles. Cependant ce fut après qu'il en eut été écarté par une maladie et lorsque Bohémond eut été nommé à sa place vers le 20 juin, que les Francs se résolurent à agir. L'énergique chef normand, constatant le rétablissement du moral dans l'armée, entendait évidemment en profiter pour opérer une sortie en masse et surprendre les assiégeants. Au préalable une délégation, composée de Pierre l'Ermite et d'un certain Herlouin « qui connaissait les deux langues »[271], se rendit le 27 juin au camp turc pour tenter une démarche auprès de Kurbuqa. D'après les *Gesta Francorum* cette démarche aurait affecté le caractère d'un ultimatum, invitant le gouverneur de Mossoul à évacuer la terre « chrétienne » d'Antioche[272]. Si ce récit est exact, il montre à quel point la découverte de la Lance avait rendu courage à l'armée[273].

Après la fin de non-recevoir de Kurbuqa, les Francs se préparèrent à la bataille.

Tandis que la découverte de la sainte lance ranimait le courage des Francs, l'armée turque se trouvait en proie à de graves dissensions qui l'affaiblissaient. Comme on l'a vu, le malik d'Alep, le seljûqide Ri*d*wân, bien qu'il fût un des principaux intéressés dans la question d'Antioche, s'était tenu à l'écart de la coalition. Cette abstention et son hostilité pour son frère Duqâq, malik de Damas, qui était, lui, présent dans l'armée de Kurbuqa, créaient dans la coalition musulmane un sentiment de malaise et d'inquiétude. Kurbuqa, il est vrai, reçut au camp, sous Antioche, plusieurs messages de Ri*d*wân, mais il n'en fallut pas davantage pour que Duqâq prît l'alarme, persuadé que son frère et l'âtâbeg de Mossoul s'entendaient contre lui. Par ailleurs Janâ*h* al-Dawla *H*usaîn, l'émir arabe de *H*oms, qui servait aussi sous Kurbuqa, vivait dans une inquiétude perpétuelle parce qu'il craignait la vengeance de la famille de Yûsuf ibn Abiq, émir de Râ*h*eba et de Menbij que, d'accord avec Ri*d*wân, il avait fait assassiner. De plus la discorde éclata sous les murs mêmes d'Antioche, entre les Turcs de Kurbuqa et les Arabes enrôlés sous les ordres de Wa*tth*âb ibn Ma*h*mûd, « et ils se débandèrent pour ce motif. Bon nombre de Turcomans désertèrent aussi, mécontents des projets et des messages de Ri*d*wân, et enfin les émirs se séparèrent les uns des autres[274]. » Abu'l Fidâ nous dit, de son côté, que durant le siège d'Antioche « Kurbuqa commença à user de mauvais procédés envers les mélik et les émirs qui étaient venus se joindre à lui. Il agit avec tant de hauteur à leur égard qu'il finit par les indisposer contre lui[275] ».

*Bataille d'Antioche : Défaite de Kurbuqa.*

Le moral respectif des deux adversaires était donc bien changé lorsque le 28 juin 1098, au matin, Bohémond, qui commandait l'armée franque, la rangea devant la porte de la Mahomerie ou porte du pont, du côté ouest de la ville. Une grande espérance avait rendu l'énergie aux plus débiles ; la famine était oubliée. « Quant il furent einsi apareilliez, Nostre Sires leur envoia sa grâce, qui leur donna si grant hardement que cil qui estoient le jor devant pareçeus et mègre et ne se pooient soutenir de feblesce, devindrent forz et délivrés, si que les armes ne leur pesoient riens ».

Par corps d'armée successifs les Francs se massèrent ainsi dès l'aube devant la porte du Pont. La première « bataille » était formée des Français et des Flamands, sous les ordres de Hugue de Vermandois et du comte Robert II de Flandre ; la seconde comprenait les Lotharingiens sous Godefroi de Bouillon ; la troisième, les Normands de Normandie, sous le comte Robert Courte-heuse ; la quatrième, les Provençaux sous l'évêque du Puy Adhémar de Monteil : le comte de Toulouse, trop souffrant pour participer à la sortie, était resté dans la ville avec quelques troupes chargées de contenir les Turcs de la citadelle. Aux côtés d'Adhémar, le chroniqueur Raymond d'Agiles portait la sainte lance, palladium de l'armée. La cinquième et la sixième « batailles » étaient formées des Normands d'Italie, la cinquième sous Tancrède, la sixième sous Bohémond.

Au moment où les corps d'armée francs sortirent l'un après l'autre par la porte du pont et par le pont contigu pour venir se déployer face aux Turcs sur la rive droite (= ouest) de l'Oronte, il ne dépendait que de Kurbuqa de les attaquer et de les accabler isolément à l'instant même où ils débouchaient sur l'autre rive. C'est ce que conseillaient plusieurs émirs de son entourage. « L'avis de Wa*tth*âb ibn Ma*h*mûd, écrit Kémâl al-Dîn, était de s'opposer à cette manœuvre. Un autre émir proposait (aussi) d'empêcher la sortie en masse et de tomber sur l'ennemi au fur et à mesure qu'il se montrerait. Mais l'armée musulmane ne voulut rien entendre de ces propositions, tant elle tenait la victoire pour certaine »[276]. Ibn al-A*th*îr incrimine personnellement Kurbuqa : « Les Francs sortaient de la ville par bandes d'environ cinq ou six hommes. Les Musulmans dirent à Kurbuqa : » Ce serait le moment de nous placer à la porte et de tuer les Chrétiens à mesure qu'ils sortent ; dispersés comme ils sont, leur destruction serait facile. » Mais Kurbuqa s'y opposa, disant qu'il valait mieux attendre, pour les tuer, qu'ils fussent tous sortis. Il ne fut donc pas permis de combattre les Francs. Quelques Musulmans s'étant disposés à faire main basse sur les Chrétiens, Kurbuqa s'avança lui-même pour les en empêcher[277] ».

L'armée franque put ainsi se déployer librement à l'ouest de l'Oronte. Aussitôt, elle s'élança à l'attaque de l'armée turque qui occupait les hauteurs, depuis, sans doute, la route de Tshakmaja et le cimetière musulman jusque vers le Wâdî al-Quwaisiya. Kurbuqa pensa tourner l'adversaire en envoyant un corps d'armée au sud-ouest, sans doute vers Menguliya, pour, de là, remonter la rive droite de l'Oronte jusqu'à l'embouchure de la rivière de Tshakmaja afin de prendre à revers l'aile gauche des Francs. Mais l'habile stratège qu'était Bohémond para au péril en prélevant sur les contingents de Godefroi de Bouillon et de Robert de Normandie un septième corps placé sous les ordres de Renaud de Toul, qui lui aussi prit de l'air du côté du bas Oronte pour barrer la route aux Turcs qui se rabattaient de ce côté[278]. Ces derniers lâchèrent pied. Pendant ce temps le gros de l'armée turque, pressé par le gros de l'armée franque qui montait de l'Oronte, reculait des hauteurs du cimetière musulman vers le nord, en direction de Quwaisiya et de Guzel Burj. En vain les Turcs mirent le feu aux herbes pour arrêter les Francs. L'élan de ceux-ci atteignit le camp de Kurbuqa. Les Turcomans se débandèrent les premiers. Plusieurs chefs arabes et turcs, que la morgue de Kurbuqa avait indisposés, prirent également la fuite. Soqmân ibn Ortoq et Janâ*h* al-Dawla furent les derniers à tenir. Quand ils s'enfuirent à leur tour, Kurbuqa lui-même les imita et la débâcle fut générale[279].

Conformément aux ordres de leurs chefs, les Francs ne s'attardèrent pas à piller le camp turc, mais ils poursuivirent l'ennemi, l'épée dans les reins, jusqu'au pont de fer (Jisr al-*H*adîd), au coude de l'Oronte, et même plus loin encore vers l'est, de l'autre côté du fleuve, jusqu'à Harenc (*H*ârim). Les habitants chrétiens de la contrée, Arméniens et Syriens, se joignirent à la poursuite, coupant la retraite aux fuyards et en massacrant, eux aussi, un grand nombre[280]. Ce ne fut qu'au retour de cette victorieuse chevauchée que les Francs se partagèrent l'énorme butin laissé dans son camp par Kurbuqa :

« Là trovèrent grant planté de richèce d'or et d'argent et de pierres précieuses, vessiaus (vases) de diverses façons et tapiz et dras de soie, tant que l'en n'es poïst pas prisier ; bues et vaches et moutons i avoit trop grant planté ; blé, farine molue, dont il avait bien mestier (besoin) i avoit tant que tuit en furent encombré du porter ; chevaux gaaignèrent en cele desconfiture bons et sejornez, tant que tuit en furent esbahiz. »

Quant à Kurbuqa, il gagna avec une poignée d'hommes Alep où Ri*d*wân lui fournit les effets les plus nécessaires, puis il rentra à Mossoul, à jamais déconsidéré. Duqâq regagna de même sa ville de Damas, et l'armée de la coalition ne se reforma plus. Ainsi les Seljûqides de Syrie et de Perse, après ceux d'Anatolie, se trouvaient, à la face de l'Islam, écrasés par la Croisade.

« Mout fu afebloiez li pooirs de Perse celui jor, » écrit *l'Estoire d'Éracles* qui montre ainsi que le grand vaincu de la bataille du 28 juin 1098 était le sultanat seljûqide de Perse lui-même, l'àtâbeg de Mossoul n'ayant été en l'espèce que le représentant du sultan Barkiyârûq.

A*h*med ibn Merwân à qui Kurbuqa avait confié la citadelle d'Antioche ne pouvait songer à résister seul aux Francs victorieux. Il s'aboucha avec les barons, offrant de se rendre à condition de pouvoir se retirer librement avec les siens. Du récit de l'Anonyme il apparaît bien que ces offres furent faites à Bohémond. Mais Raymond de Saint-Gilles qui ambitionnait, lui aussi, la seigneurie d'Antioche veillait, car la possession de la citadelle entraînerait celle de la cité. Comme A*h*med, ayant obtenu acceptation de ses conditions, demandait une bannière franque pour l'arborer sur la citadelle, le comte de Toulouse lui fit passer la sienne. A*h*med planta aussitôt l'oriflamme sur la tour. Mais des Normands de Sicile qui se trouvaient auprès de lui lui firent observer qu'il y avait supercherie : « Cette bannière n'est pas celle de Bohémond ! » – « À qui appartient-elle ? » interrogea-t-il. – « Au comte de Saint-Gilles », répondirent-ils. – Alors il s'approcha, et, prenant la bannière, il la rendit au comte. À ce moment survint Bohémond qui lui donna sa bannière. Le Turc la reçut avec joie et conclut un traité avec le seigneur Bohémond, d'après lequel « les païens qui voudraient recevoir le christianisme resteraient avec lui, tandis que ceux qui le désireraient, se retireraient sains et saufs, sans aucun dommage »[281].

Ce traité, qui montre l'esprit politique de Bohémond, déjà enclin à pratiquer une politique musulmane pleine de souplesse, fut fidèlement observé, du moins en ce qui concerne les Francs, car, tandis que les défenseurs de la citadelle se dirigeaient sur Alep, les Arméniens de la région se jetèrent sur eux et en massacrèrent un grand nombre[282]. Quant à A*h*med ibn Merwân l'Anonyme nous affirme qu'il se fit baptiser[283].

*La question d'Antioche.*
*Compétition de Bohémond et du comte de Toulouse.*

Antioche, avec sa citadelle, se trouvait au pouvoir des Francs. La grande armée seljûqide était vaincue et dispersée. Le sultan seljûqide de Perse, Barkiyârûq, et le malik seljûqide de Damas, Duqâq, s'étaient également révélés incapables d'arrêter l'invasion franque. Le premier était moralement battu dans la personne de son lieutenant Kurbuqa ; le second avait été personnellement présent au désastre turc devant Antioche. La force turque brisée, celle d'Iran comme celle de Damas, la voie de Jérusalem se trouvait libre. Il semblait que, fidèles à leur vœu, les Croisés eussent dû s'y engager aussitôt. Il n'en fut rien, et, pendant six mois, de juillet à décembre 1098, ils ne s'éloignèrent pas de la région d'Antioche. C'est que le problème de la possession d'Antioche, éludé jusque-là, se posait maintenant dans toute son acuité, tant au point de vue de fait qu'au point de vue juridique.

En droit la ville d'Antioche et son territoire auraient dû revenir à l'empire byzantin, non seulement parce que, jusqu'à la conquête turque de 1085, ils lui avaient appartenu, mais parce que, lors des accords franco-byzantins de Constantinople en 1097, les chefs croisés avaient formellement promis à Alexis Comnène de lui remettre, aussitôt conquises, ces anciennes possessions. Cet accord tous les barons, sauf Raymond de Saint-Gilles, Richard de Salerne et Tancrède, l'avaient juré, Bohémond en tête. Mais c'était à l'époque où Bohémond espérait se faire attribuer par Alexis Comnène une sorte de lieutenance impériale sur l'ancienne Syrie byzantine. N'ayant pu obtenir cette investiture et, par ailleurs, ayant eu la plus grande part à la conquête d'Antioche, Bohémond avait depuis adopté une attitude nettement antibyzantine. Si les autres chefs croisés occupaient avec lui les divers points de la ville et même de la citadelle, c'était lui qui, par son accord avec A*h*med ibn Merwân, avait mis garnison dans les tours les plus élevées de la citadelle, sur laquelle flottait maintenant son oriflamme. Situation assez confuse que chaque chroniqueur commente suivant ses sympathies personnelles. Pour le chroniqueur provençal Raymond d'Agiles, il s'agissait d'un véritable condominium, avec, seulement, un certain avantage de fait pour Bohémond : « Après la victoire nos chefs, Bohémond, le comte (de Toulouse), le duc (Godefroi de Bouillon) et le comte de Flandre, prirent possession de la citadelle, mais Bohémond reçut les tours les plus élevées[284]. » Mais bientôt Bohémond use de violence et expulse de la citadelle les gens du comte de Toulouse, du comte de Flandre et de Godefroi ; il reste ainsi seul maître de la citadelle d'Antioche, non sans légitimer son coup de force en rappelant que c'est à lui seul qu'A*h*med ibn Merwân l'a rendue. Il avait d'autres titres : aux jours d'angoisse qui avaient précédé l'escalade de la Tour des Deux-Sœurs, les autres barons, à l'exception, il est vrai, du comte de Toulouse, ne lui avaient-ils pas promis le gouvernement d'Antioche s'il parvenait à les introduire dans la place ? Rappelant cette assurance, et que la prise de la ville était due uniquement à sa négociation personnelle avec Fîrûz, Bohémond, dès les derniers jours de juin 1098, invita les autres chefs croisés à lui remettre de même les portes et les forts qu'ils possédaient encore dans l'enceinte ou dans la ville : tous obtempérèrent à sa demande, à l'exception du comte de Toulouse qui, lui aussi, avait jeté son dévolu sur la principauté d'Antioche[285].

Il est significatif que l'historien lotharingien Albert d'Aix, interprète du groupe de Godefroi de Bouillon, n'élève aucune protestation contre l'action de Bohémond. Tout au contraire, il tend à la légitimer. Après la défaite de Kurbuqa et la reddition de la citadelle, nous dit-il, on nomma Bohémond seigneur d'Antioche parce que c'était à lui qu'on devait la prise de la ville. Bohémond s'installa à ce titre dans la citadelle. Mais le comte de Toulouse, qui convoitait avec non moins d'âpreté la possession d'Antioche, refusa de se dessaisir des points qu'il occupait, la Porte du Pont, la tour élevée près de là et l'ancien château de Yâghî Siyân, c'est-à-dire la majeure partie de la ville actuelle, et y renforça même son occupation[286]. À la suite du désistement des autres barons, Antioche resta donc partagée entre les Normands d'Italie et les Provençaux, les premiers occupant les secteurs du nord, de l'est et du centre avec la citadelle, et les seconds la zone sud-ouest qui correspond à l'actuel An*t*âkiya.

*La question d'Antioche.*
*Les droits de Byzance et la carence des Byzantins.*

Mais cette double prise de possession de fait ne tranchait toujours pas la question de droit. Or au point de vue juridique, répétons-le, la question d'Antioche n'était pas douteuse. Par les accords de Constantinople, en 1097, les chefs croisés, à l'exception de Raymond de Saint-Gilles, de Richard de Salerne et de Tancrède, avaient juré à Alexis Comnène – et Bohémond tout le premier – de restituer à l'empire tous les territoires lui ayant précédemment appartenu, que l'on délivrerait des Turcs, moyennant quoi Alexis s'était engagé à se joindre à la Croisade. L'engagement ainsi souscrit, les Croisés l'avaient loyalement exécuté après la prise de Nicée, et il les liait non moins impérativement – chacun d'eux le savait – à propos d'Antioche. Si Bohémond et Raymond de Saint-Gilles, les deux prétendants à la principauté d'Antioche, essayaient de créer à leur profit, chacun de son côté, une situation de fait, les barons désintéressés dans l'affaire, Godefroi de Bouillon, Robert de Flandre et Robert de Normandie, fidèles à leur serment, résolurent de remettre Antioche au *basileus*. En dépit des accusations de parjure souvent élevées contre, les Croisés[287] le texte d'Albert d'Aix nous montre à quel point dans l'entourage de Godefroi de Bouillon on se montra respectueux de la parole donnée[288] : à quoi les Francs n'étaient pas sans avoir quelque mérite, vu que depuis des mois ils attendaient vainement cette Croisade byzantine que l'empereur avait promis de conduire en personne à leur aide.

Le conseil des barons se réunit à cet effet au début de juillet 1098. Au témoignage des *Gesta Francorum*, tous les chefs francs y participèrent, y compris Raymond de Saint-Gilles et même Bohémond, bien que la démarche qui s'ensuivit pût sembler une manœuvre dirigée contre ce dernier[289]. Le conseil décida d'envoyer à Constantinople deux ambassadeurs, Hugue de Vermandois et Baudouin de Hainaut, pour inviter Alexis Comnène « à venir prendre possession de la ville d'Antioche et à exécuter les conventions conclues avec eux ». Les deux envoyés prirent la route de l'Anatolie. Baudouin de Hainaut fut assassiné par des Turcs (Guillaume de Tyr dit par des Turcoples au service byzantin) en arrivant en Bithynie. Mais Hugue de Vermandois atteignit bien Constantinople et y accomplit le message dont il était chargé (vers le 25 juillet 1098).

Conformément au pacte de Constantinople, les propositions des Francs à Alexis Comnène comportaient une double partie : ils offraient Antioche au *basileus*, mais ils invitaient celui-ci à venir se joindre à eux pour marcher sur Jérusalem : « que il venist en sa propre personne por eus aidier, noméement au siège de Jérusalem ; se il ce ne voloit fère, bien séust il que il ne vouloient estre tenu, dès ilec en avant, de nul convenant qu'il eussent à lui, quand il les leur ne vodroit garder[290] ». Offre sous condition : les Francs, fidèles à leur parole, s'engageaient à remettre Antioche au *basileus* si celui-ci, se plaçant à la tête d'une Croisade byzantine, venait les aider à délivrer Jérusalem.

Il n'est permis de négliger ni cette offre ni cette demande. Quoi qu'en pense Chalandon, il est certain que, si, à ce moment, Alexis Comnène était descendu en Syrie avec toutes ses forces, les ambitions – d'ailleurs contradictoires – de Bohémond et de Raymond de Saint-Gilles auraient dû s'incliner devant lui. Du reste les Croisés, très réduits en nombre, auraient eu le plus grand besoin de se voir renforcés par l'armée byzantine. On peut même penser que, s'ils offraient de gaieté de cœur Antioche au *basileus*, ce n'était pas seulement par respect pour leur serment, mais aussi pour qu'Alexis Comnène, respectant le sien, leur amenât des renforts. Et il est difficile d'expliquer comment Alexis ne saisit pas cette occasion inespérée de récupérer la Syrie du Nord et de placer sous sa direction la reconquête de Jérusalem. Quelques efforts qu'ait faits le regretté Chalandon pour réhabiliter la mémoire du monarque byzantin[291], il semble bien que, si celui-ci conserva toujours une conscience très nette des droits imprescriptibles de l'Empire, il manqua souvent, par pusillanimité et courte vue, l'occasion de réaliser ces droits. Grâce à la Croisade il avait eu la chance inespérée de recouvrer sur les Turcs Nicée, la Bithynie, l'Ionie et une partie de la Phrygie. Une chance analogue lui était maintenant offerte pour la Syrie de l'Oronte et sans doute aussi pour la Palestine. Il dépendait de son initiative que la Croisade vainquît là encore au profit de Byzance : Syrie et Palestine fussent redevenues des « duchés » impériaux, inféodés par le Comnène à des vassaux latins, mais, en raison de leur situation géographique, rattachés encore de très près à l'administration byzantine. Malheureusement pour Byzance, ce politique appliqué, méfiant et timoré n'était pas un grand politique. Il ne sut pas se hausser au niveau des événements. Le message que lui apportait Hugue de Vermandois resta pour le moment sans réponse.

Plus tard, il est vrai, Alexis Comnène parut se raviser. En avril 1099, alors que les Croisés, après un stationnement de plus de neuf mois à Antioche, venaient de se décider à marcher sur Jérusalem, ils reçurent de lui une lettre impériale en réponse au message de Hugue de Vermandois. Le *basileus* parlait de nouveau, si on lui remettait Antioche, de venir se joindre aux Croisés pour marcher sur Jérusalem ; mais il demandait qu'on l'attendît encore jusqu'en juillet[292]. Ces propositions venaient trop tard. Dans l'intervalle la position de Bohémond s'était consolidée à Antioche. Il y avait maintenant des situations acquises dont il était difficile de ne pas tenir compte. Quoi qu'en pense Chalandon[293], le monarque byzantin avait, faute de hardiesse militaire, laissé passer l'heure favorable pour venir exercer ses droits. Bohémond, qui, à l'été de 1098, eût été forcé de s'incliner devant l'arrivée du *basileus* accompagné de ses légions, aura naturellement une attitude toute différente lorsqu'un an plus tard Alexis l'invitera par message à rendre la place, et cela contre simple promesse d'une collaboration à la Croisade. Collaboration bien hypothétique, car, à l'heure même où il parlera ainsi de venir aider les Francs à conquérir la Palestine sur les Fâ*t*imides d'Égypte, Alexis Comnène aura conclu une entente secrète avec ces mêmes Fâ*t*imides, comme le révélera une lettre de lui au vizir al-Af*d*al, tombée aux mains des Croisés après la bataille d'Ascalon. Ressentiment causé par l'usurpation de Bohémond à Antioche, comme le pense Chalandon[294] ? Il est possible, mais l'usurpation n'avait pu se produire que par les tergiversations et la longue carence du *basileus*. Pour le reste, l'historien ne regrettera pas outre mesure cette carence byzantine, à laquelle, après tout, la Syrie franque dut d'exister...

La bonne volonté des Francs envers l'empire byzantin, dont ils persistaient à se considérer encore comme les vassaux, se marque dans un fait décisif : leur conduite envers le patriarche grec d'Antioche[295]. Ce prélat, Jean IV, avait été durant le siège victime des persécutions des Turcs qui avaient été jusqu'à l'exposer, lié par des cordes, sur le sommet des remparts, en pleine bataille ; ses pieds portaient encore la meurtrissure des chaînes dont on l'avait chargé. Les Francs s'inclinèrent avec respect devant cette noble figure – *vir christianissimus*, dit Albert d'Aix, *verus Christi confessor*, dira Guillaume de Tyr – devant laquelle les discussions de rite firent trêve. Ils le rétablirent en grande pompe sur son siège comme chef de l'Église d'Antioche[296]. Dans leur joie d'avoir délivré Antioche du joug turc, dans leur émotion aussi en apprenant les persécutions dont les Turcs pendant le siège s'étaient rendus coupables envers les chrétientés indigènes, les Francs ne faisaient plus de différence entre rite grec et rite latin. Les Turcs, exaspérés par l'invasion franque, avaient, avant de succomber, profané les églises grecques, syriaques ou arméniennes, badigeonné de chaux les fresques et les mosaïques, renversé les autels, aveuglé les icones et décapité les statues. Les Francs restaurèrent pieusement les saintes images, reconstituèrent le mobilier des églises à commencer par la basilique Saint-Pierre, et rendirent celles-ci au culte chrétien, tant grec que latin[297].

Dans cette première phase, les Francs respectèrent donc le patriarcat grec d'Antioche. Maintenant les évêques grecs partout où ils en rencontraient, ils se contentèrent d'abord d'installer des prélats latins dans les sièges épiscopaux qui se trouvaient vacants. « Por les citez qui estoient entor Antioche, mistrent nostre prélat évesques de leur gent là où il n'en avoit oncques nul en icel tens. Mès en Antioche où ils le trovèrent, ne mistrent il mie autre[298] ». Nul doute, ici encore, que si Alexis Comnène s'était rendu à l'invitation que lui avait apportée Hugue de Vermandois, la reconnaissance, par les Francs, du patriarcat grec d'Antioche ne fût devenue définitive. Mais la carence du *basileus* ne tarda pas à changer ces dispositions. Guillaume de Tyr, interprète du clergé latin et qui écrivait quatre-vingts ans plus tard, nous dit que, si les Francs maintinrent sur le moment le patriarche grec Jean IV, ce fut par respect pour les canons qui n'eussent pas permis la coexistence de deux patriarches, l'un grec, l'autre latin, pour le même siège[299]. Mais il est évident que c'est là une explication après coup et que, si les Francs avaient évité d'abord de nommer un patriarche latin, c'est que, fidèles à leur serment, ils songeaient à remettre Antioche aux Byzantins pour peu que le *basileus* se rendît à leur invitation.

Alexis Comnène n'étant pas venu, et, mieux encore, s'étant rapproché, contre les Croisés, des Fâ*t*imides d'Égypte, les dispositions des Francs changèrent rapidement. Moins de deux ans après, Bohémond, resté définitivement prince d'Antioche, éliminera le patriarche grec Jean IV et fera nommer à sa place un patriarche latin qui sera Bernard de Valence, évêque d'Artésie (Artâ*h*), ancien chapelain du légat Adhémar de Monteil. La substitution devait d'ailleurs s'opérer sans violence. Jean IV s'embarqua pour Constantinople et Bernard fut élu à sa place. « Li bons hom (Jean IV) s'aperçeut bien que il ne fesoit guères de preu (= recette), por ce qui li Latin n'entendoient pas le grec. Si laissa la dignité et s'en ala en Costantinoble, tout de sa pleine volenté, sans force fere. Lors s'assembla li clergiez, si eslurent l'évesque d'Artaise. Bernarz avoit non, nez de Valence. Venus estoit avec le bon evesque du Pui qui en avoit fait son chapelain ; de cestui firent patriarche[300] ». Après une période d'attente, il devait donc y avoir finalement substitution du patriarcat latin au patriarcat grec, substitution qui était à la fois la condition et le signe de la francisation d'Antioche. C'est ce que constate Michel le Syrien lorsque, omettant seulement la période de ménagement et de transition des deux dernières années du patriarcat de Jean IV, il écrit : « Quand les Francs occupèrent Antioche, ils expulsèrent les Grecs des grandes églises et chassèrent leurs évêques. Ils établirent un patriarche de leur nation et créèrent des métropolitains : un à Tarse, le second à Mopsueste (Mamistra, Missis), le troisième à Édesse, le quatrième à Dolikhé, pour le siège de Mabboug, et le cinquième à Apamée ; et des évêques à Tripoli, à Laodicée, à Gabala, à Cyrrhus, à Mar'ash et à *H*ârim[301]. » L'ancienne *Syria Prima* de Justinien, le « duché » byzantin d'Antioche du temps des basileis macédoniens, qui eût pu redevenir terre byzantine si les Comnènes avaient eu la hardiesse de rejoindre à temps la Croisade, allait devenir, par leur carence, une principauté franque pour cent soixante-dix ans (1098-1268).

Les Croisés, en tout cas, avaient amplement laissé le temps au basileus de venir les rejoindre s'il l'eût voulu.

Vers le 3 juillet 1098 les barons tinrent conseil pour fixer la date de la marche sur Jérusalem. Le plus sage eût été évidemment d'exploiter l'épouvante et l'abattement causés dans le monde musulman par le désastre de Kurbuqa pour exécuter une marche foudroyante sur Jérusalem : comme le fait observer Raymond d'Agiles, il est probable que les Croisés n'eussent rencontré aucune résistance[302]. Mais après les souffrances endurées pendant la traversée de l'Anatolie, puis au siège d'Antioche, leur désir le plus impérieux était de se refaire dans leurs nouvelles possessions du Bas-Oronte. Ils attendaient en outre une réponse d'Alexis Comnène qu'ils avaient convié à venir prendre possession d'Antioche et à les rejoindre pour marcher sur Jérusalem : ils ne pouvaient évidemment s'imaginer que cette réponse se ferait attendre dix mois encore. Enfin on traversait les journées les plus torrides de l'été syrien, saison peu indiquée pour conduire une troupe fatiguée, décimée, mal ravitaillée, à travers les pistes rocheuses et sans eau du plateau judéen. Le conseil décida donc de remettre au mois de novembre la marche sur Jérusalem.

### *Piétinement de la Croisade dans la Syrie du Nord. Occupation d'al-Bâra et de Ma'arrat at-Nu'mân.*

Durant ce long piétinement dans la Syrie du Nord, si la Croisade ne fut pas proprement interrompue (on continua d'enlever des villes), elle se trouva singulièrement ralentie. Il en résulta une impression de flottement et de malaise, une détente de la volonté commune, les barons non encore nantis songeant plus à acquérir un fief propre qu'à en finir d'un seul coup avec l'Islam. La Croisade s'émietta. Un homme eût pu maintenir le faisceau des forces franques : le légat pontifical Adhémar de Monteil, évêque du Puy, dont l'action conciliante et ferme s'était si souvent fait sentir pour arbitrer les divers partis, sans parler des qualités de stratège dont il avait si souvent fait preuve à l'instar de Bohémond. Malheureusement Adhémar, atteint par une épidémie qui désolait l'armée, mourut à Antioche le 1er août 1098, et cette mort acheva de provoquer l'assoupissement de l'esprit de Croisade et la désagrégation de l'armée, d'autant que l'épidémie dont le légat venait d'être victime chassa loin d'Antioche et chacun vers des aventures différentes les divers barons.

Une de ces expéditions isolées est celle qu'organisa un chevalier limousin nommé Raymond Pilet ou Pelet, de la suite du comte de Toulouse. Vers le 14 juillet 1098 Raymond partit avec une petite troupe – sans doute par la route de Ma'arrat Me*s*rîn et d'Idlib[303] – pour aller se tailler un fief dans la région de Ma'arrat al-Nu'mân et de Tell-Mannas[304], au sud-est d'Antioche, sur les terres du malik seljûqide d'Alep, Ri*d*wân. Sans doute, comme le dit Kemâl al-Dîn, Raymond Pilet avait-il préalablement noué des intelligences avec les chrétiens syriaques qui peuplaient presque entièrement Tell-Mannas et en partie Ma'arrat al-Nu'mân, car, dès qu'il parut devant Tell-Mannas, « les habitants, des Syriens, se rendirent tout de suite à lui spontanément » (17 juillet)[305]. De là, toujours sur l'avis de chrétiens indigènes, il alla prendre un château voisin, qu'il enleva à sa garnison alépine (25 juillet). Puis – le 27 juillet – renforcé des Syriens de Tell-Mannas, il marcha sur Ma'arrat al-Nu'mân, où il savait pouvoir compter sur l'élément chrétien. Mais Ri*d*wân avait envoyé contre lui en toute hâte une partie de la garnison d'Alep. La rencontre eut lieu entre Tell-Mannas et Ma'arrat. Au premier choc Raymond Pilet eut l'avantage, mais les Alépins, qui avaient une grosse supériorité numérique, revinrent à la charge. La chaleur était accablante ; les Francs, dans cette zone sans eau, mouraient de soif. Raymond Pilet se décida à battre en retraite sur Tell-Mannas. Durant cette marche, ses recrues indigènes et ses piétons « les Syriens et les petites gens », après s'être d'abord bien comportés[306], lâchèrent pied, changeant la retraite en déroute[307]. Toutefois Raymond Pilet et les chevaliers qui l'accompagnaient purent revenir sains et saufs à Tell-Mannas qui lui resta, sans que les Alépins aient osé venir l'y attaquer, tant il est vrai qu'en dépit de cette tentative malheureuse la supériorité militaire restait partout aux Francs.

Tandis que l'armée franque stationnait ainsi dans la Syrie du Nord, Godefroi de Bouillon, fuyant les épidémies d'Antioche, se rendit à Édesse auprès de son frère Baudouin qui lui avait donné les villes de Turbessel et de Ravendel (Tell Bâsher et Râwendân) (début d'août 1098). Bohémond, de son côté, partit pour la Cilicie où les garnisons franques laissées dans le pays à l'automne 1097 par Baudouin, Tancrède et Guynemer de Boulogne, notamment à Tarse, Adana, Mamistra et Mersina, reconnurent sans doute son autorité, par le seul fait qu'il était le maître d'Antioche (ou tout au moins de la citadelle et de la majeure partie d'Antioche)[308].

En septembre 1098, Godefroi de Bouillon, revenu à Antioche, y organisa avec Raymond de Saint-Gilles une expédition de caractère très intéressant, en ce sens qu'elle eut pour but de défendre un émir musulman contre son souverain.

Il s'agissait d'aller défendre contre le seljûqide Ri*d*wân, malik d'Alep un certain 'Omar gouverneur de 'Azâz – le Hasart des chroniqueurs – forteresse située à 40 kilomètres au nord d'Alep, sur la grande route d'Antioche à Édesse. 'Omar, s'étant révolté contre Ri*d*wân et se voyant assiégé par l'armée d'Alep, implora le secours de Godefroi[309]. D'après Albert d'Aix il aurait été encouragé à cette démarche par une captive franque, tombée au pouvoir d'un de ses émirs[310]. Comme gage de sa sincérité, 'Omar envoya son fils Mu*h*ammed en otage à Godefroi. Ce dernier le fit avertir par des pigeons voyageurs de tenir bon jusqu'à son arrivée. Pour une expédition de cette envergure – guerre en règle contre le Seljûqide d'Alep – Godefroi obtint (non sans peine) le concours de Saint-Gilles et de Bohémond. Son frère, Baudouin, accouru d'Édesse avec 3 000 cavaliers, l'avait en effet prévenu de l'importance des forces alépines. Mais Ri*d*wân, apprenant l'arrivée des Francs, n'osa les attendre ; bien qu'il eût la supériorité numérique, il leva précipitamment le siège de 'Azâz. Godefroi de Bouillon continua sa marche ; un parti de Turcs qui avait réussi à faire tomber un détachement provençal dans une embuscade fut sévèrement châtié par lui. À son approche, 'Omar sortit de la ville et, descendant de cheval, s'agenouilla devant lui, en se déclarant son vassal et son homme lige[310].

Ainsi les chefs francs, renonçant aux idées simplistes de la Croisade première, acceptaient des émirs turcs comme vassaux ; ils admettaient le principe d'une féodalité franco-musulmane syrienne. Fait nouveau qui nous enseigne qu'à la Croisade en tant que telle va succéder une colonisation consciente.

À la fin septembre, Raymond de Saint-Gilles dirigea une autre expédition contre al-Bâra (Albara), ville située à l'est de 'Oronte, entre Jisr al-Shughr et Ma'arrat al-Nu'mân, dans le royaume d'Alep. Il ne paraît pas que Ri*d*wân ait rien fait pour l'arrêter. Vers le 25 septembre Raymond prit la ville et massacra ou réduisit en esclavage la population musulmane, du moins ceux des Musulmans qui furent pris les armes à la main, car ceux qui se rendirent furent laissés libres d'émigrer. La grande mosquée fut changée en église et on nomma « évêque d'Albara » Pierre de Narbonne[311]. Il n'avait pas été question de nommer un évêque grec. La latinisation de l'épiscopat signifiait la francisation du pays. Raymond séjourna à al-Bâra jusque vers la fin du mois d'octobre[313].

Cependant ces conquêtes provinciales n'étaient qu'une manière d'occuper le temps, en attendant la reprise de la marche sur Jérusalem. Or les chaleurs étaient depuis longtemps passées. On pouvait repartir. Le 5 novembre 1098, le conseil des barons se réunit dans l'église Saint-Pierre d'Antioche pour délibérer à ce sujet. Tous les chefs de la Croisade s'y rendirent, sauf Baudouin, trop occupé à consolider son comté d'Édesse.

La condition préalable de la marche sur Jérusalem était le règlement de la question d'Antioche. Sur cette question capitale, les esprits étaient toujours divisés. Bohémond, qui tenait la citadelle et la majeure partie d'Antioche, réclamait l'investiture officielle de la cité. La plupart des barons, notamment Godefroi de Bouillon et le comte de Flandre, penchaient en sa faveur, car pour eux la carence d'Alexis Comnène et de la Croisade byzantine entraînait la prescription des droits de l'empire. De plus il est certain qu'à l'expérience la possession directe d'Antioche leur paraissait nécessaire à l'établissement et au maintien de la domination franque sur la Palestine. Mais le comte de Toulouse avait, lui aussi, jeté son dévolu sur la grande cité syrienne. Ayant mis garnison dans le château de Yâghî Siyân et dans la porte du Pont, il refusait obstinément de s'en dessaisir. Telle était son animosité contre la situation prépondérante acquise à Antioche par les Normands qu'il avait complètement renversé son attitude envers les Byzantins. À peu près seul des barons (avec Tancrède et Richard de Salerne) il avait jadis, on se le rappelle, refusé de prêter serment à Alexis Comnène pour les reconquêtes éventuelles en Anatolie et dans la Syrie du Nord. C'était l'époque où Bohémond, au contraire, prêtait avec empressement ce même serment dans l'espoir de se voir investi d'une délégation impériale sur les pays à recouvrer. Les calculs de Bohémond ayant été déçus, le prince normand, jusque-là l'homme lige des Byzantins, s'était brusquement déclaré leur ennemi, et, ne pouvant tenir Antioche d'eux, avait décidé de la tenir contre eux. Presque aussitôt, par un changement inverse, Raymond, jusque-là l'adversaire avéré de la suzeraineté byzantine, s'en déclara le défenseur. Chalandon suppose que le comte de Toulouse aurait compris l'intérêt majeur que présentait l'union de la Latinité et de Byzance[314]. Et il est certain que, dans la lutte de près de deux siècles qui commençait entre la Chrétienté et l'Islam, l'union de la Croisade franque et de la Croisade byzantine n'eût pas été de trop.

Toutefois il semble bien que ces vues générales, s'il les embrassa dans leur ampleur, ne soient venues au comte de Toulouse qu'à travers sa rancune contre Bohémond. Ce fut à coup sûr son dépit de voir son rival devenir maître d'Antioche qui lui fit adopter à lui, le protestataire, le grécophobe de 1097, la thèse byzantine des droits imprescriptibles de l'empire sur les terres du bas-Oronte. De sorte que, par un curieux renversement des rôles, le plus empressé signataire des pactes franco-byzantins de 1097 se trouva le premier à les violer, tandis que le seul baron qui ait jusqu'au bout refusé d'y souscrire fut, en fin de compte, le seul à en réclamer, le moment venu, la stricte application[315]. Tant il est vrai que cette question d'Antioche, juridiquement si délicate, devait compliquer non seulement la situation internationale de la Croisade, mais encore l'attitude de ses chefs les uns envers les autres.

Une fois constitué le défenseur et le porte-parole de la thèse byzantine, Raymond de Saint-Gilles se trouvait placé sur un terrain juridiquement inattaquable pour repousser les demandes de Bohémond. Si contre Bohémond il gardait le palais de Yâghî Siyân et la porte du pont, c'était pour rester fidèle au serment des Croisés envers l'empire, au nom de l'empire et du *basileus*[316]. Ces arguments impressionnaient Godefroi de Bouillon et le comte de Flandre : certes il semblait aux deux barons que Bohémond, à qui on était redevable de la délivrance d'Antioche, devait logiquement en rester maître. Eux-mêmes s'y étaient engagés à son égard aux plus mauvaises heures du siège, lorsqu'il était apparu à tous comme un sauveur providentiel[317]. Attitude d'autant plus naturelle que la reconnaissance de ces fameux droits de l'empire, auxquels se référait maintenant le comte de Toulouse, avait été liée par le pacte franco-byzantin de 1097 à la promesse d'une Croisade byzantine, éventualité que la retraite quelque peu précipitée d'Alexis Comnène de Philomelion sur Constantinople en juin 1098 avait fait s'évanouir. (Nous ne parlons pas ici du traité secret entre Alexis Comnène et les Fâ*t*imides, dont les Croisés ne devaient acquérir la preuve que quelques mois tard.)

Cependant, malgré ces motifs de désaffection, Godefroi de Bouillon et Robert de Flandre hésitaient à violer leur serment envers l'empire en consacrant la domination de Bohémond sur Antioche[318]. Le résultat de ces nouvelles indécisions fut une nouvelle motion d'ajournement de la marche sur Jérusalem, fondée sur une prolongation du *condominium* normano-provençal à Antioche : le comte de Toulouse consentit à s'en remettre, pour Antioche, à la décision des autres barons, à condition que Bohémond acceptât de suivre la Croisade jusqu'à Jérusalem et « sauf en ce qui concernait sa fidélité envers l'empereur »[319] – ce qui revenait au *statu quo*.

La preuve que cet accord ne tranchait rien, c'est qu'au lieu de marcher aussitôt sur Jérusalem, les Croisés provençaux allèrent assiéger, à l'est de l'Oronte, la ville de « Marra » ou « la Marre », c'est-à-dire Ma'arrat al-Nu'mân. On se rappelle qu'en juillet 1098 un des chevaliers du comte de Toulouse, Raymond Pilet, après s'être emparé de Tell-Mannas, avait échoué devant Ma'arrat al-Nu'mân que le malik seljûqide d'Alep, Ri*d*wân, avait pu secourir en temps utile. Le 23 novembre le comte de Toulouse, accompagné du comte de Flandre, quitta Antioche pour une expédition en forces contre Ma'arrat. Par Rugia (près Tell al-Karsh, est de Jisr al-Shughr)[320] et al-Bâra, terres déjà soumises à son autorité, Raymond de Saint-Gilles arriva devant la place ennemie (vers le 27 novembre). Les habitants se défendirent bien et résistèrent aux premiers assauts. Mais l'appel qu'ils adressèrent à leur suzerain, Ri*d*wân, malik d'Alep, et à l'émir arabe Janâ*h* al-Dawla, prince de *H*om*s*, resta sans réponse. Au contraire, dès le 28 novembre, Bohémond, malgré sa mésentente avec le comte de Toulouse, arriva d'Antioche avec des renforts et acheva le blocus de la place. Cependant les assauts répétés des Francs furent encore repoussés, et, comme le ravitaillement était insuffisant et que la disette commençait à se faire sentir dans le camp, l'attaque fut sur le point de se ralentir. Une nouvelle vision du provençal Pierre Barthélémy ranima le courage de l'armée[321]. – Raymond de Saint-Gilles fit construire une tour roulante, plus haute que les remparts de Ma'arrat, et qui, garnie de chevaliers d'élite sous la direction de Guillaume de Montpellier, engagea un duel terrible avec les défenseurs de la muraille, leurs balistes et leur feu grégeois. Le récit, très vivant, de l'Anonyme des *Gesta Francorum* donne l'impression d'une sérieuse supériorité tactique des chevaliers bardés de fer sur les Arabes de la défense : « Nos chevaliers, placés à l'étage supérieur (de la tour roulante), parmi lesquels Guillaume de Montpellier, lançaient d'énormes pierres sur les défenseurs de la muraille. Ils tapaient si raide sur leurs boucliers que le bouclier et l'homme tombaient, celui-ci mortellement frappé, à l'intérieur de la ville. D'autres tenaient des lances garnies de pennons et, à l'aide de leurs lances et d'hameçons de fer, ils cherchaient à attirer leurs ennemis[322]. » En même temps d'autres assiégeants, sous la conduite du vicomte limousin

Goufier de Lastours, tentaient l'escalade, atteignaient la muraille et s'y accrochaient, mais sans pouvoir en débusquer les Arabes (11 décembre).

Cependant, à l'abri du château roulant les mineurs francs parvinrent à saper un pan de la muraille, qui, le soir de ce même jour – 11 décembre – s'écroula. La ville était virtuellement prise, mais la nuit interrompit l'occupation. Sur le conseil de Bohémond une foule d'habitants se réfugièrent dans certains édifices, avec promesse d'aman contre rançon convenable. D'autres habitants s'étaient réfugiés dans les caves de la ville[323]. Mais quand le jour se leva, l'esprit de guerre reprit le dessus ; les vainqueurs firent main basse sur la population, massacrant les hommes et réduisant les femmes et les enfants en captivité[324]. Il faudra plusieurs années avant que l'esprit colonial se substitue chez les Francs à l'esprit de croisade.

La conquête de Ma'arrat al-Nu'mân fut suivie de nouvelles dissensions entre Bohémond qui s'était adjugé une part de butin estimée excessive, et Raymond de Saint-Gilles qui voulait remettre la ville à l'évêque d'al-Bâra, Pierre de Narbonne, c'est-à-dire la rattacher à l'obédience provençale. Bohémond cherchait maintenant à retarder le départ pour Jérusalem dans la pensée de consolider, par la prolongation du *statu quo*, sa situation prépondérante à Antioche. Ces atermoiements finirent par exciter l'indignation de la foule des pèlerins, clercs ou gens du peuple qui, ayant tout quitté pour délivrer Jérusalem, étaient las de voir l'accomplissement de leur vœu arrêté par l'ambition personnelle des princes. Bohémond se cantonnant de plus en plus dans sa politique antiochénienne, le parti des pèlerins se retourna vers Raymond de Saint-Gilles, le prit pour chef et lui arracha la promesse de partir pour Jérusalem à la fin décembre ou tout au moins au début de janvier 1099[325].

Dès les premiers jours de janvier Raymond convoqua donc les autres chefs croisés à une conférence à Rugia, près Tell al-Karsh, à l'est de Jisr al-Shughr[326]. Tous y vinrent. Pour les décider au départ et leur faire accepter son commandement, le comte de Toulouse leur offrit de les prendre à sa solde. Il proposa à Godefroi de Bouillon dix mille sous d'or, à Robert de Normandie 10 000, au comte de Flandre

6 000, à Tancrède 5 000, sommes sans doute basées sur leurs effectifs : sans doute aussi une telle offre décelait-elle chez Raymond l'ambition de la couronne de Palestine. Mais une fois encore il ne put s'accorder avec Bohémond. Bohémond ne consentait à se joindre à lui que si le comte de Toulouse lui remettait au préalable sa part d'Antioche[327] à quoi le comte se refusa jusqu'au bout[328]. La Syrie franque menaçait de se diviser en deux principautés ennemies, celle de Bohémond, maître des trois quarts d'Antioche, et celle de Raymond de Saint-Gilles, maître en fait de Ma'arrat al-Nu'mân et d'al-Bâra.

En apprenant dans quelle impasse avait abouti le congrès de Rugia, le gros des pèlerins qui se trouvait toujours à Ma'arrat al-Nu'mân se laissa aller à une véritable émeute (5 janvier 1099). Raymond d'Agiles nous a transmis en phrases saisissantes l'indignation de ces « pauvres », de ces « simples » qui conservaient seuls l'idéal de la croisade : « Eh quoi, des querelles à propos d'Antioche, des querelles à propos de Marra, dans chaque place que Dieu nous livre, des luttes entre nos princes ! Pour Marra, supprimons l'objet du litige en rasant la ville ![329]. » Aussitôt, malgré les autorités provençales, malgré notamment le nouvel évêque d'al-Bâra, Pierre de Narbonne, à qui Raymond de Saint-Gilles avait confié sa conquête, les pèlerins entreprirent la démolition des remparts et des habitations de Ma'arrat[330].

*Raymond de Saint-Gilles, chef de la Croisade.*

Cette émeute piétiste atteignit son but. Le 13 janvier 1099 Raymond de Saint-Gilles, pour bien montrer qu'il reprenait le pèlerinage interrompu, sortit de Ma'arrat al-Nu'mân nu-pieds, par la porte du sud, sur la route de Jérusalem. Baudouin, cantonné dans son comté d'Édesse, se désintéressait de la Croisade. Bohémond dissimulait mal son désir de se limiter de même à la fondation de sa principauté d'Antioche. Godefroi de Bouillon, qui, à d'autres moments, montra plus d'énergie, semblait passer par une période d'effacement. Lui et Robert de Flandre retournèrent à Antioche, auprès de Bohémond, et y restèrent. Dans ces conditions, le comte de Toulouse paraissait appelé à devenir le chef de la Croisade.

Ce rôle lui semblait dévolu à la fois par ses richesses (il avait pu offrir de prendre à sa solde les autres barons) et par le sentiment populaire qui, dans la foule des pèlerins, le désignait pour le commandement suprême. Du reste, n'ayant jusque-là obtenu, malgré son désir, aucun des avantages territoriaux échus à d'autres, il n'en était que plus disposé à rechercher sur la route de Jérusalem quelque royaume à la mesure de son ambition.

À sa suite la Croisade, après un stationnement de quinze mois dans la Syrie du Nord (octobre 1097-décembre 1098) reprit donc la route de la Judée.

## § 6. — La marche sur Jérusalem.

*Les Croisés et les émirats arabes de la Syrie moyenne.*
*Compromis avec les Munqidhites de Shaîzar.*
*Ébauche d'une politique indigène.*

Après le départ de Ma'arrat al-Nu'mân la première étape de Raymond de Saint-Gilles fut Capharda ou Kafar*t*âb, bourg situé à une vingtaine de kilomètres au sud et où l'armée s'arrêta du 13 au 16 janvier 1099. Robert de Normandie et Tancrède vinrent l'y rejoindre. L'étape suivante était Shaîzar sur l'Oronte, l'actuel Qal'at Seijar. On sortait là de l'obédience directe des royaumes turcs pour entrer sur le territoire des petites dynasties arabes qui, à Shaîzar comme à *H*om*s* et à Tripoli, avaient profité de l'affaiblissement des Seljûqides pour se rendre pratiquement indépendantes. Leur attitude à l'égard des Croisés fut en général fort différente de celle des Turcs. En territoire turc les Croisés n'avaient rencontré que la guerre. En terre arabe, ils reçurent dès le début des offres d'entente ou, tout au moins, de compromis et purent amorcer enfin une politique indigène[331].

La citadelle de Shaîzar était longtemps demeurée une enclave byzantine au milieu des terres musulmanes. Tandis que la région et même la ville basse appartenaient depuis 1025 à la famille des émirs munqi*dh*ites, de la tribu arabe des Banû Kenâna, la citadelle même de Shaîzar était restée jusqu'en 1081 au pouvoir d'une garnison byzantine locale, commandée par l'évêque grec d'al-Bâra. Ce n'avait été que le 19 décembre 1081 que les derniers soldats d'Alexis Comnène avaient rendu la citadelle à l'émir munqi*dh*ite 'Izz al-Dawla Sadîd al-Mulk Abu'l *H*asan 'Alî[332]. Le petit-fils de cet émir, 'Izz al-Dîn Abu'l Asâkir Sul*t*ân (1098-1154), – un fin politique s'il en fut, – se sentit fort ému en apprenant l'approche des Croisés. N'allaient-ils pas vouloir rendre â l'empire byzantin la citadelle perdue ? Le mieux était de s'entendre avec eux. Tandis qu'ils n'étaient encore qu'à Ma'arrat al-Nu'mân, l'émir avait déjà entamé en ce sens des négociations avec Raymond de Saint-Gilles, négociations continuées durant la halte du comte à Kafar*t*âb. Quand les divers dynastes seljûqides avaient successivement été écrasés par les Francs, ce n'était pas le petit émir munqi*dh*ite qui pouvait être de taille à affronter l'invasion ! Du resté plusieurs familles de Ma'arrat al-Nu'mân, les Banû Sulaimân, les Banû Abî *H*usaîn, réfugiées à Shaîzar après le massacre de leurs concitoyens, étaient là pour enseigner la folie de la résistance. Sul*t*ân, écoutant leurs conseils de prudence, envoya donc offrir à Raymond de Saint-Gilles le libre passage à travers le territoire de Shaîzar et de riches présents en or, en argent, en troupeaux, en chevaux et en provisions de tout genre, sans parler de marchés avantageux pour le reste du ravitaillement.

« Le roi de Césarée, nous dit l'Anonyme, avait mandé souvent au comte par ses envoyés à Marra et à Capharda qu'il voulait vivre en paix avec lui, qu'il lui donnerait de son avoir, qu'il honorerait les pèlerins et leur jurerait sa foi, que dans les limites de sa domination ils ne recevraient aucune offense et qu'il assurerait volontiers leur nourriture et le ravitaillement des chevaux[333] ».

Sul*t*ân espérait sans doute que grâce à ces prévenances les Francs s'écarteraient de son territoire. Lorsqu'ils vinrent camper devant Shaîzar, il paraît avoir été déçu et se montra fort inquiet. « Le roi de Césarée, les voyant établis si près de la cité, fut mécontent, nous avouent les *Gesta Francorum*, et ordonna de leur refuser le ravitaillement s'ils ne s'éloignaient de l'enceinte de la ville. » Cette menace de rompre le pacte de ravitaillement produisit son effet. D'autant que le lendemain (17 janvier 1099) Sul*t*ân envoya deux guides aux Croisés pour leur indiquer le gué de l'Oronte, les faire passer sur le bord occidental du fleuve et les conduire dans la vallée du Sarûj ou Nahr Sarût, affluent de gauche de l'Oronte, entre Shaîzar et *H*amâ, vallée marquée par les bourgs de Umm al-*T*iyur, Tell 'Afar, Kafr al-Akid, Zemliya, Qurtman, Qanatir, Ba'rîn et Ni*s*af. Conduits par leurs guides shaî*s*aris, les Francs remontèrent donc cette vallée en direction nord-est sud-ouest[334].

L'émir de Shaîzar avait promis aux Francs, en les faisant conduire dans la vallée du Sarût, de leur procurer des pâturages fertiles pour leurs chevaux et, pour eux-mêmes, des occasions de bonne prise[335]. Faut-il entendre par là que, pour se débarrasser des Croisés et aussi pour les empêcher d'aller attaquer *H*amâ (comme ils y avaient peut-être pensé après la prise de Ma'arrat al-Nu'mân)[336], Sul*t*ân de Shaîzar les envoyait piller quelque forteresse voisine[337] ? Le récit de l'Anonyme tendrait à le faire croire. Les guides prêtés par Sul*t*ân, nous dit-on, étaient chargés « de conduire les Francs où ils trouveraient bonne prise ». « Ils arrivèrent dans une vallée dominée par un château et ils razzièrent plus de cinq mille bêtes, pas mal de blé et d'autres denrées, ce qui permit de refaire les forces de toute l'armée chrétienne. La garnison du château se rendit au comte (de Toulouse) et lui donna des chevaux et de l'or fin, puis jura par sa loi qu'il n'adviendrait aucun mal aux pèlerins et nous fûmes là pendant cinq jours[338] ». Mais d'après Raymond d'Agiles, autre témoin oculaire, ce fut par suite d'une erreur des guides shaizaris que les Croisés furent introduits dans une vallée où on avait caché en hâte tous les troupeaux du pays[339] (peut-être s'agit-il de la région boisée qui s'étend sur la rive gauche du moyen Nahr Sarût, autour de Tell-'Afar, Beli, Qabu-Sulaib, Deir al-Sulaib et Rab'o et où les gens de Shaîzar avaient espéré dissimuler leur bétail). Ce qui semble faire croire que les Francs, par suite d'un malentendu, étaient tombés sur la cachette des populations arabes, c'est qu'ils y firent, en plus de la razzia des troupeaux, un énorme butin, si bien qu'ils durent aller acheter à Shaîzar et jusqu'à *H*om*s* des chevaux de trait : ils en ramenèrent mille[340]. Ce détail prouve d'ailleurs que les émirs arabes de Shaîzar et de *H*om*s* cherchaient, malgré les actes de pillage dont leurs sujets étaient victimes, à maintenir des relations amicales avec les Francs.

Aussi bien l'écrasement des Turcs ne laissait-il pas d'autre attitude aux Arabes de Syrie.

*Descente des Croisés dans la Boquée.*
*Occupation du Krak des Kurdes.*

De la vallée du Nahr-Sarût certains Croisés, dans l'entourage du comte de Toulouse, voulaient remonter vers le nord-ouest, à travers la chaîne des monts Ansariehs, pour aller sur la côte, au sud de Lattaquié, s'emparer de Gibel ou Gabala, l'actuel Jabala, ville qui, jusque-là soumise à la suzeraineté du *s*âhib de Tripoli, Ibn-'Ammâr, venait d'en être détachée par le qâ*d*î local, un certain Abû Mu*h*ammad 'Ubaîd Allâh ibn Man*s*ûr, plus connu sous le nom de Ibn-*S*ulaîha[341]. Les Provençaux jugeaient en effet qu'il convenait de gagner la côte pour être ravitaillés par les escadres latines, toujours ancrées à Saint-Siméon et à Lattaquié. En ce cas la descente vers la Judée se fût opérée le long de la corniche libanaise, par Jabala, Tortose, Tripoli, Beyrouth, Sidon, Tyr et Acre. Mais Tancrède fit remarquer que les effectifs des Croisés étaient maintenant trop réduits – 1 000 chevaliers et 5 000 fantassins armés – pour s'attarder au siège successif des divers ports libanais ; il importait au contraire d'utiliser, avant qu'ils n'aient achevé de fondre, les effectifs restant pour marcher droit sur Jérusalem et s'en emparer. Jérusalem une fois prise et la domination franque ainsi assurée sur l'hinterland judéen, les villes de la côte ne tarderaient pas à tomber également au pouvoir des Francs, d'autant que ceux-ci étaient maîtres de la mer[342].

Paroles pleines de sens qui furent écoutées. La marche sur Jérusalem reprit, en se rapprochant toutefois de la côte, comme le commandaient les nécessités de ravitaillement.

De la vallée du moyen Sarût, les Francs, marchant vers l'ouest, durent atteindre Ma*s*yâd ou Ma*s*yâf qui semble bien être en effet le « château d'Arabes » dont parle l'Anonyme : « Le seigneur du château sortit et conclut un accord avec le comte[342]. » Le passage des Croisés devant la forteresse doit se placer vers le 22 janvier 1099. Le lendemain ils se dirigèrent au sud-est vers Ba'rîn et Rafanîya ou Raphanée, l'actuel Rafniyé. Les chroniqueurs ne nous disent rien à propos du passage des Croisés sous Ba'rîn, mais ils mentionnent leur apparition devant Rafaniya[344], château situé à un kilomètre et demi plus au sud-sud-ouest (25 janvier). Là encore la terreur franque produisit son effet : « Les habitants, à la nouvelle de l'arrivée des Francs, abandonnèrent la ville, ses jardins remplis de légumes, ses maisons pleines de provisions de bouche et s'enfuirent. » Les Francs prirent à Rafaniya un repos de trois jours, « puis, après avoir franchi une haute et immense montagne », ils descendirent entre Miriyamin et Qal'at al-*H*os*n*, dans la « vallée du Sem[345] », c'est-à-dire dans la plaine de la Boquée (al-Buqai'a), plaine irriguée par le Nahr Arida, affluent supérieur du Nahr al-Kabîr, et fort verdoyante en cette saison. Vallée taillée dans la montagne en direction nord-sud et où passe aujourd'hui la voie ferrée de *H*om*s* à Tripoli entre le Jebel Ansariyé au nord et le Jebel 'Akkâr au sud, cette plaine qui, par le grand coude du Nahr al-Kabîr, s'ouvre à angle droit sur le sahel de 'Akkâr et la Riviera tripolitaine était à cette époque une halte habituelle des caravaniers et des nomades, « la vallée des chameaux », écrit Albert d'Aix[346]. « Nous pénétrâmes dans la vallée de Sem, où se trouvaient des ressources abondantes, écrit l'Anonyme, et notre étape y fut de quinze jours[347]. »

On était au 27 janvier 1099. La population arabe de la région, avec ses richesses et ses troupeaux, avait cherché refuge derrière les murailles de *H*os*n* al-Akrâd, le Château des Kurdes, l'actuel Qal'at al-*H*os*n*, dont la masse imposante domine la Boquée. Les Francs l'y relancèrent[348]. Une première attaque contre la forteresse échoua parce que, disent les *Gesta Francorum*, les assiégés eurent l'adresse de faire sortir des portes à point nommé de grands troupeaux de bêtes que les Croisés allèrent capturer au lieu de poursuivre l'assaut[349]. Dans le désordre général, Raymond de Saint-Gilles, isolé des siens, faillit être capturé (28 janvier)[350]. Le lendemain, 29, au petit jour, les Francs remontèrent les pentes du Château, bien résolus, en raison de l'importance de la position, à organiser un siège en règle. Mais les Arabes ne les avaient pas attendus. Ils avaient évacué la forteresse en abandonnant presque tout le ravitaillement qui y avait été entassé. Les Croisés, maîtres sans combat de *H*os*n* al-Akrâd, y célébrèrent tranquillement la fête de la Purification (2 février 1099).

Ils y reçurent les ambassadeurs de l'émir de *H*om*s*, Janâ*h* al-Dawla, lequel était, on s'en souvient, le beau-père du seljûqide d'Alep, Ri*d*wân[351]. « Ce roi, nous disent les *Gesta Francorum*, envoya au comte (de Toulouse) des chevaux, de l'or et conclut avec lui un traité par lequel il s'engageait à ne pas molester les chrétiens, mais à les honorer et à les aimer[352]. » Démarche remarquable par laquelle le *s*âhib de *H*om*s*, pour éviter l'invasion de sa terre, reconnaissait le protectorat franc[353].

*Vers Tripoli : La Première Croisade et les Banû 'Ammâr.*

Après avoir quitté *H*o*s*n al-Akrâd, les Croisés, descendant la vallée du Nahr al-Kabîr, débouchèrent dans la plaine littorale de 'Akkâr au sud de laquelle ils atteignirent la petite ville fortifiée de 'Arqa ou 'Irqa, l'Arcas des chroniqueurs, au nord de Tripoli et sur les terres de cette principauté.

La principauté de Tripoli, aux mains de la dynastie bourgeoise des Banû 'Ammâr, était un des petits États musulmans les plus prospères de la région[354]. C'était en 1070 – M. Wiet l'a établi – que le fondateur de la maison des Banû 'Ammâr, l'Arabe Abû *T*âlib Amîn al-Dawla al-*H*asan, jusque-là qâ*d*î shî'ite de la ville de Tripoli, s'était rendu politiquement indépendant de son souverain, le khalife fâ*t*imide du Caire. Sous le gouvernement de ce sage administrateur la ville avait singulièrement prospéré et était devenue un centre actif de vie intellectuelle : Abû *T*âlib fonda à Tripoli une école fameuse et une bibliothèque de plus de cent mille volumes. Après lui, son neveu Jalâl al-Mulk Abu'l *H*asan 'Alî ibn Mu*h*ammad ibn 'Ammâr continua sa politique particulariste en jouant de la rivalité entre les Fâ*t*imides d'Égypte et les Seljûqides de Syrie. Abu'l *H*asan mourut en 1099, en pleine invasion des Croisés. Son frère 'Abû Alî Fakhr al-Mulk ibn 'Ammâr qui lui succéda, devait se trouver aux prises avec des difficultés d'autant plus grandes que le comte de Toulouse ne tarda pas à jeter son dévolu sur ce beau pays[355]. Néanmoins l'habileté et la souplesse de Fakhr al-Mulk 'Ammàr devaient réussir quelque temps à différer la catastrophe.

Depuis qu'ils avaient érigé Tripoli en principauté indépendante, les Banû 'Ammâr avaient passé leur temps à louvoyer entre les Fâ*t*imides d'Égypte, dont ils s'étaient affranchis, et les Seljûqides de Damas, autre menace contre leur autonomie. Ils pensèrent manœuvrer de même à l'égard des Francs. « Le roi de Tripoli, nous dit l'*Histoire anonyme* (p. 185), adressa un message au comte (de Toulouse) pour conclure avec lui un accord et, s'il le désirait, se lier d'amitié avec lui ; il lui envoya dix chevaux, quatre mules et de l'or[356]. » Raymond d'Agiles dit de même qu'en approchant de la côte, l'armée avait reçu la visite d'ambassadeurs du prince de Tripoli et de l'émir de *H*om*s* qui, après s'être rendu compte de la supériorité militaire des Croisés, étaient partis pour aller chercher de grands présents dont ils revinrent précipitamment faire cadeau aux chefs francs, tant la chute de l'imprenable *Hos*n al-Akrâd les avait terrifiés. Le *sâh*ib de Tripoli, Ibn 'Ammâr, alla jusqu'à arborer sur les murs de sa capitale et de ses autres places la bannière du comte de Toulouse[357].

De son côté, en réponse à ces ambassades, le comte de Toulouse envoya des ambassadeurs au *sâh*ib de Tripoli. Ceux-ci durent recevoir l'accueil le plus empressé. Mais la populeuse cité, sous l'habile gouvernement des Banû 'Ammâr, était parvenue, ainsi que les cités secondaires, à un tel degré de richesse que les envoyés francs conçurent le projet d'obtenir d'Ibn 'Ammâr un tribut plus élevé. Dans ce but ils conseillèrent à Raymond de Saint-Gilles d'aller assiéger sur les terres de 'Ammâr la ville de 'Arqa ou Arcas, située près de la côte, au nord est de Tripoli, sur le littoral dominé par le Jabal 'Akkâr. La pression ainsi opérée aurait pour résultat d'obliger 'Ammâr à payer une formidable contribution. 'Arqa était en effet une forteresse très importante au centre d'une région particulièrement agréable, « contrée prospère où l'eau abondait, avec des hauteurs couvertes de forêts, des coteaux plantés d'oliviers et une plaine divisée en champs cultivés et en prairies[358] ».

Le 14 février 1099 les Francs, toujours dirigés par le comte de Toulouse, vinrent donc dresser leurs tentes sous les murs de 'Arqa. Tandis que le blocus commençait, des détachements de Croisés allèrent tenter des coups de main dans le reste de la principauté. Quatorze chevaliers conduisirent un raid sur Tripoli, raid au cours duquel ils capturèrent des troupeaux. Du côté du nord, deux des chevaliers du comte de Toulouse, Raymond de Turenne et Raymond Pilet, allèrent attaquer Tortose *(Tartûs)*, port fortifié qui appartenait également aux émirs Banû'Ammâr de Tripoli. Tortose, nous disent les *Gesta*, était défendue par une forte garnison, mais Raymond de Turenne et Raymond Pilet donnèrent le change sur leur infériorité numérique. Après avoir, en arrivant, fait une vigoureuse démonstration contre les remparts, le soir venu, ils se retirèrent dans la campagne et y allumèrent d'innombrables feux, comme si toute l'armée franque avait quitté le siège de 'Arqa pour les rejoindre. Les défenseurs de Tortose, épouvantés, s'enfuirent avant l'aube, abandonnant la ville et toutes ses ressources. Le jour s'étant levé, Turenne, qui se préparait à livrer l'assaut, trouva la place vide (vers le 17 février)[359]. L'occupation de Tortose fut d'autant plus précieuse que le port était excellent. Au témoignage de Raymond d'Agiles, c'était même la considération qui avait fait décider le raid sur Tortose[360]. Pendant la marche des Croisés à travers la Coelé Syrie, les navires italiens et grecs[361] qui cherchaient à ravitailler l'armée avaient, faute d'un port ami, été obligés de rebrousser chemin vers Lattaquié et Saint Siméon. La conquête de Tortose leur permit de revenir débarquer du blé et des provisions de toute sorte.

La chute de Tortose fut suivie de la soumission de Maraclée ou Maraqiya, place située plus au nord, à l'emplacement de l'actuel Khrab Marqiya, sur la rive droite du Nahr Marqiya[362]. L'émir qui y commandait « traîta avec les nôtres et les introduisit dans la ville avec leurs bannières[363] ».

Tandis que Raymond de Saint-Gilles et ses Provençaux continuaient le siège de 'Arqa, Godefroi de Bouillon et Robert de Flandre étaient venus, d'Antioche, assiéger la ville de Jabala ou Gibel (Gabala, Jébélé, Jiblé)[364], qui dépendait également en droit de l'émir de Tripoli, mais dont le qâ*d*î, Abû Mu*h*ammad 'Ubaîd Allâh ibn Man*s*ûr avait réussi, comme on l'a vu, à se rendre pratiquement indépendant des Banû 'Ammâr[365]. Godefroi resta sous les murs de Jabala du 2 au 11 mars environ. Évidemment, en dépit de la résolution récente de marcher droit sur Jérusalem, les chefs non encore nantis de la Croisade se laissaient de nouveau aller à la tentation de se constituer des fiefs. Le siège de 'Arqa prouvait que le comte de Toulouse avait déjà jeté son dévolu sur cette belle Riviera tripolitaine où sa famille devait en effet fonder un jour un comté provençal durable. De même Godefroi de Bouillon, dont le rôle avait été quelque peu sacrifié jusque-là, devait envisager la fondation de quelque seigneurie lotharingienne autour de Jabala, entre Lattaquié et Tortose. De nouveau la Croisade s'émiettait.

Une maladresse de l'émir de Tripoli provoqua le regroupement des Croisés. Voyant 'Arqa de plus en plus pressé par Raymond de Saint-Gilles, il fit, vers le 9 mars, courir le bruit que le khalife de Baghdâd en personne arrivait au secours de la place[366]. Il espérait par là obtenir le départ du comte de Toulouse. Ce fut le contraire qui arriva. À la nouvelle d'une contre-croisade khalifale, Raymond de Saint-Gilles dépêcha l'évêque d'al-Bâra, Pierre de Narbonne, à Jabala pour inviter Godefroi de Bouillon et le comte de Flandre à venir le rejoindre au plus tôt. Les deux barons, renonçant à leur entreprise locale, conclurent immédiatement un accord avec le qâdî de Jabala, Abû Mu*h*ammad 'Ubaîd Allâh ibn Man*s*ûr, qui, trop heureux de les voir s'éloigner, leur offrit un tribut en or et en chevaux[367].

Quand Godefroi de Bouillon et Robert de Flandre vers le 14 mars eurent rejoint Raymond de Saint-Gilles devant 'Arqa, on s'aperçut que la nouvelle d'une contre-croisade khalifale était controuvée. Godefroi de Bouillon ne dissimula pas son mécontentement d'avoir dû renoncer à son entreprise sur Jabala[368]. D'où des tiraillements et des désordres. Malgré tout, le regroupement des forces franques était un événement heureux car il leur assurait une sérieuse supériorité sur tout ennemi en rase campagne. Sans renoncer au siège de 'Arqa, les Francs vers le 18 avril exécutèrent une chevauchée jusqu'à Tripoli et surprirent devant la ville un fort parti ennemi, avec de nombreux notables, qu'ils massacrèrent. Après cette leçon, nous dit l'Anonyme, les bourgeois de Tripoli « étaient si épouvantés que nul d'entre eux n'osait franchir les portes de la ville ». Quelque temps après les Francs, pour se ravitailler, envoyèrent leur cavalerie exécuter une nouvelle razzia dans la plaine de la Boquée (al-Buqai'a, le Sem des chroniqueurs)[369]. L'opération fut aussi fructueuse que la première fois. « Ils y trouvèrent des bœufs, des brebis, des ânes et beaucoup de bestiaux, et en raflèrent près de trois mille »[370] (fin avril 1099). L'armée, toujours campée devant 'Arqa, était dans l'abondance grâce à ces razzias, grâce aussi au ravitaillement par mer, assuré par les escadres occidentales. En effet, depuis que les Francs avaient conquis le port de Tortose, l'escadre génoise que nous avons vue aborder à Saint-Siméon ne cessait de croiser sur les côtes de la Syrie du Nord ; de plus on pouvait compter sur l'escadre anglaise de l'ex-roi Edgar Aetheling. Entré au service de l'empereur Alexis Comnène, Edgar avait repris au corsaire boulonnais Guynemer pour le compte du *basileus* le port de Laodicée (Lattaquié)[371]. Génois, Anglais et Boulonnais[372], durant tout le temps que dura la halte de l'armée croisée devant 'Arqa (14 février-13 mai 1099) envoyèrent régulièrement leurs navires de Saint-Siméon ou de Laodicée à Tortose avec tous les approvisionnements nécessaires, « blé, vin, viande, fromage, orge et huile », ce qui assurait l'abondance au camp. Il est à noter que l'amitié d'Edgar avec la cour impériale lui permettait de compter pour ce ravitaillement sur les ressources de l'île byzantine de Chypre et sur le concours des navires byzantins de la région qui renforçaient les siens[373].

*Byzance et la conquête de la Palestine.*

Les Francs possédaient ainsi la maîtrise de la mer, en même temps que l'ascendant en rase campagne.

Cependant, faute peut-être de machines de siège, faute plus probablement d'entente, ils ne parvenaient pas à s'emparer de 'Arqa. Godefroi de Bouillon, mécontent d'avoir dû abandonner la fondation d'une principauté lotharingienne autour de Jabala et non moins mécontent de se voir subordonné à Raymond de Saint-Gilles, s'opposait à la continuation du siège de 'Arqa dont la prise ne devait profiter qu'à Saint-Gilles et à son futur comté provençal du Liban. Il demandait impérieusement qu'on reprît la marche sur Jérusalem. Par ailleurs Tancrède, que Saint-Gilles avait pris à sa solde pour cinq sous d'or, se trouvait insuffisamment payé et passa du côté de Godefroi[374].

Sur ces entrefaites, vers le 10 avril 1099, arriva au camp latin devant 'Arqa une ambassade byzantine apportant aux chefs croisés une lettre d'Alexis Comnène. Le *basileus* commençait par rappeler les termes du pacte franco-byzantin de

1098[375]. Il se plaignait vivement de Bohémond qui, au mépris de ce même pacte, venait de se rendre définitivement maître d'Antioche. (En effet, comme on le verra, dès que Raymond de Saint-Gilles se fut enfoncé dans la Coelé Syrie, Bohémond avait expulsé les soldats provençaux qui occupaient jusque-là la Tour du Pont et le château de Yâghî Siyân). La lettre impériale qui achevait d'établir une étroite solidarité d'intérêts entre Alexis et Raymond de Saint-Gilles ne pouvait qu'être agréable à ce dernier. En même temps l'empereur annonçait que, si les Croisés l'attendaient jusqu'à la Saint-Jean, en juillet, il viendrait en personne se joindre à eux pour marcher sur Jérusalem et prendrait à sa charge toutes leurs dépenses de guerre.

L'offre était tentante. Si la Croisade byzantine se joignait à la Croisade franque, un front chrétien unique se trouvait établi, auquel l'Islam ne résisterait pas. Puis, comme le fait remarquer Raymond d'Agiles, l'arrivée du *basileus* eût donné aux Croisés ce qui, depuis la mort du légat Adhémar, leur manquait le plus : un chef. Elle eût fait cesser les discordes des barons qui depuis des mois paralysaient l'avance des troupes : « *sub ipso domino concordabimus*[376]. » On pouvait penser qu'elle cristalliserait la conquête. Les Byzantins avec leurs machines de siège obtiendraient plus facilement que les Francs la capitulation des places, notamment de Jérusalem (c'était l'expérience de Nicée). Le comte de Toulouse, définitivement rallié à l'alliance impériale, défendit cette thèse qui tendait à établir sur la Syrie et la Palestine délivrées le protectorat byzantin. Il la défendit d'autant plus volontiers qu'en attendant les Impériaux, il utiliserait la Croisade à conquérir pour son compte à lui la ville de 'Arqa, amorce, avec Tortose, du futur comté provençal de Tripoli.

La majorité des barons, Godefroi de Bouillon en tête, se prononça pour la marche immédiate sur Jérusalem, sans tenir compte des promesses impériales. À eux aussi les arguments ne manquaient pas : les offres d'Alexis Comnène arrivaient trop tard ; il avait toujours déçu les Francs ; c'était sous Antioche qu'il aurait dû venir se joindre à eux ; on ne pouvait différer davantage, pour des promesses aussi peu sûres, après de tels précédents, la marche sur Jérusalem. Et, de fait, la politique du Comnène avait été faible, timorée et maladroite. S'il avait suivi la Croisade au lendemain de Nicée, ou du moins s'il l'avait rejointe devant Antioche, il est assez probable qu'il eût pu faire respecter dans les grandes lignes le pacte franco-byzantin et réussi à faire reconnaître sa suzeraineté sur la Syrie rédimée. Mais les Francs, à qui il avait laissé tout l'effort de la conquête, ne pouvaient guère, maintenant qu'elle était aux trois quarts réalisée, lui en abandonner de gaieté de cœur tout le résultat. Par sa carence et celle de son lieutenant, Tatikios, la Syrie rédimée était en train de devenir une Syrie franque. Les barons occidentaux, auteurs et bénéficiaires de cet état de choses imprévu, n'avaient aucune raison d'y renoncer. Godefroi de Bouillon, en particulier, n'avait intérêt ni à laisser à Alexis Comnène le temps de venir asseoir la domination byzantine sur Jérusalem, ni à laisser pour cela Raymond de Saint-Gilles utiliser la Croisade à ses fins propres pour la fondation de son comté du Liban. De plus en s'opposant à cette politique, en faisant décider contre Saint-Gilles la reprise de la marche immédiate sur Jérusalem, le duc de Lotharingie trouvait l'occasion de reprendre au comte de Toulouse, qui l'avait depuis quelque temps éclipsé, la direction sentimentale, religieuse et militaire de la Croisade.

Ces discordes se traduisirent jusque dans le domaine religieux. Vers le 5 avril 1099 Pierre Barthélémy, le Croisé provençal qui avait naguère, à Antioche, découvert la Sainte Lance, demanda, à la suite d'une nouvelle vision, que l'on donnât l'assaut à 'Arqa. Naturellement il fut appuyé par le parti provençal, dont il ne faisait qu'exprimer les désirs, puisque le comte de Toulouse avait jeté son dévolu sur la ville et la région. Le chroniqueur Raymond d'Agiles, interprète de ce parti, donne là-dessus des détails circonstanciés[377]. Mais les Croisés du Nord refusèrent d'accepter les dires de Barthélémy. Le chapelain du comte de Normandie, Arnoul de Zokes, surnommé Arnoul Malecorne, exigea même que Barthélémy prouvât la véracité de ses révélations en subissant, le vendredi saint, l'épreuve du feu[378]. Barthélémy mourut quelques jours après l'épreuve (20 avril). À la suite de son échec, il devint difficile aux Provençaux de faire stationner plus longtemps la Croisade parce que l'intérêt personnel du comte de Toulouse était de prendre 'Arqa. Godefroi de Bouillon, appuyé par Robert de Flandre et par Tancrède, obligea Raymond de Saint-Gilles à céder au désir des Croisés en reprenant la marche sur Jérusalem. Car l'opinion de la foule des pèlerins se prononçait de plus en plus énergiquement en faveur de l'exécution immédiate de leur vœu. En adoptant cette thèse, Godefroi de Bouillon acquérait une popularité qui peut-être lui avait jusque-là fait défaut[379].

Saint-Gilles dut donc ajourner à contre-cœur la fondation de sa principauté provençale du Liban ; cédant au mouvement populaire qui entraînait jusqu'à ses Toulousains, il leva le siège de 'Arqa, « désespéré et en larmes », nous dit son historien[380] (13 mai 1099). Sa tentative d'utiliser la Croisade à son profit sur la côte libanaise, comme Bohémond l'avait utilisée à Antioche, avait échoué. Avait également échoué la politique, dont il s'était fait le représentant tardif, de subordination au protectorat byzantin. Au contraire parce que Godefroi de Bouillon, suivant en cela le vœu populaire, repoussait les propositions byzantines et se déclarait désireux d'atteindre au plus tôt le but du pèlerinage, voici que le duc de Lotharingie prenait désormais la place du comte de Toulouse comme chef de la Croisade, et cela précisément au moment décisif, à l'heure de recueillir les résultats de trois ans de campagne.

*Commencements d'une politique indigène :*
*l'entente avec les Banû 'Ammâr.*

L'émir de Tripoli, le prudent Ibn 'Ammâr, fit tout ce qu'il put pour seconder ces dispositions. Les Banû 'Ammâr, cette famille de magistrats devenus princes souverains, n'avaient jamais été très guerriers, et l'émir régnant moins que tout autre. Un moment, il est vrai, voyant l'impuissance des Croisés à prendre 'Arqa et les sachant affaiblis par leurs querelles, Ibn 'Ammâr s'était enhardi et avait, avec quelque insolence, retiré ses premières offres. Les barons, chargeant l'évêque d'al-Bâra de la garde du camp, avaient alors organisé une attaque brusquée contre Tripoli. Les Tripolitains ayant osé les attendre devant la ville, les Croisés les taillèrent en pièces et les poursuivirent jusqu'au pied de l'aqueduc fortifié qui reliait la presqu'île d'al-Mînâ à la butte de l'actuel

Tripoli, si bien que les habitants perdirent toute envie de se mesurer de nouveau avec l'armée chrétienne. Ce combat qui dut se placer dans les derniers jours de mars ou au début d'avril ramena définitivement 'Ammâr à des dispositions pacifiques[381]. Il n'eut plus désormais qu'un désir : se concilier les Croisés et aider l'invasion à se détourner sur les autres princes musulmans, ses rivaux. Avant même que les Croisés eussent levé le siège de 'Arqa, il mit tout en œuvre pour rétablir le contact diplomatique avec eux. « Le roi de Tripoli, nous disent les *Gesta Francorum*, envoyait souvent des messages aux seigneurs pour les engager à abandonner la place et à s'entendre avec lui[382]. » Au témoignage de Raymond d'Agiles, 'Ammâr, au lendemain de la victoire des Croisés devant sa capitale, leur offrit, s'ils levaient le siège de 'Arqa, de leur verser une rançon de 15 000 *aurei*, de les rééquiper, de les remonter en chevaux et en mulets, enfin de rester leur tributaire[383].

Une attitude conciliante s'imposait d'autant plus pour l'héritier des Banû 'Ammâr que les Croisés, s'ils finirent, au bout de trois mois, par lever effectivement le siège de 'Arqa, vinrent aussitôt, dans leur marche sur Jérusalem, camper précisément sous les murs de Tripoli. Ils y restèrent trois jours. Ibn 'Ammâr redoutait quelque coup de main contre sa capitale. De fait nous savons, par le chroniqueur provençal Raymond d'Agiles, que le comte de Toulouse s'efforça alors par tous les moyens d'entraîner les autres barons à attaquer la ville, mais que ceux-ci s'y refusèrent unanimement[384]. Les offres empressées d'Ibn 'Ammâr furent donc accueillies. « Le roi de Tripoli, disent les *Gesta*, conclut un accord avec les seigneurs et leur livra immédiatement plus de trois cents pèlerins qui étaient en captivité chez lui ; il leur donna 15.000 besants et 15 destriers de grand prix ; il nous fournit aussi un abondant ravitaillement en chevaux et ânes et en denrées de toute sorte, ce qui enrichit l'armée. Il stipula avec les chefs que, si ceux-ci pouvaient gagner la guerre que préparait contre eux l'émir de Babylone (= le vizir des Fâ*t*imides du Caire) et prendre Jérusalem, il se ferait lui-même chrétien (?) et tiendrait d'eux sa terre[385]. » De plus 'Ammâr fournissait aux Croisés des guides pour les conduire, par les défilés de la corniche libanaise, vers Beyrouth, Tyr et Acre : acte capital, insuffisamment mis en lumière, par lequel le dernier des Banû 'Ammâr se désolidarisait bon gré mal gré d'avec le reste de l'Islam et se faisait, au détriment des Fâ*t*imides, l'allié et le fourrier de la Croisade[386].

Moyennant ces conditions, les Croisés s'engagèrent à éviter tout dégât, non seulement dans la banlieue de Tripoli mais dans les autres localités dépendant des Banû 'Ammâr, notamment à Gibelet (Jebaîl, Byblos), la frontière méridionale de l'émirat de Tripoli allant, semble-t-il, jusqu'au Nahr-lbrâhîm[387].

Conformément à cet accord, l'armée franque, après avoir quitté la banlieue de Tripoli le 16 mai 1099, s'engagea sous la conduite de ses guides tripolitains dans l'étroite corniche ménagée entre la montagne et la mer, de Tripoli à Beyrouth. Dans ce couloir où il est si facile de surprendre une armée en marche, les Croisés n'eurent rien à craindre grâce au concours des autorités tripolitaines, grâce aussi aux Libanais chrétiens qui fournirent de leur côté des guides bénévoles. *L'Estoire d'Éracles* nous décrit en termes remarquables cette première rencontre des Francs et des Libanais : « Lors vindrent en l'ost Suriens qui abitoient sur le mont de Libane. Icil estoient de nostre foi, preudome et loial gent ; si estoient venuz veoir noz barons por eus saluer et fere joie. Li preudome de l'ost les apelèrent et les conjurèrent qu'il leur enseignassent la plus droite voie et la plus descombrée por aler en Jérusalem. Si distrent (aus barons) que il conseilloient que l'en suivist la voie de la marine, por maintes résons : por ce noméement que leur nés (navires) les costoieroient, qui leur feroient grant seurté et grant confort ; car en cele navire n'estoient mie seulement les nés (de) Guinemert (= les navires de Guynemer de Boulogne) qui vindrent de Flandres, ainz (= mais) i avoit nés de Genes, de Venice, de Chipre, de Rhode et d'autres isles de la Grèce, chargiées de viandes et d'autres marchandises qui fesoient grant bien à l'ost. Li Surien (= les Libanais chrétiens) se mistrent avant por conduire l'ost. Li baillis de Triple leur bailla de sa gent qui bien savoient tout le paìs[388]. »

Ce texte montre clairement les concours qui facilitèrent aux Francs la traversée de la corniche libanaise ; complicité des Banû 'Ammâr, trop heureux de les guider loin de Tripoli, concours spontané des chrétiens du Liban et ravitaillement par les escadres boulonnaise, génoise, vénitienne et byzantine qui suivaient d'étape en étape la progression de l'armée.

Les Croisés longèrent donc la côte de Tripoli à Enfé ou Nephin. Ils durent ensuite contourner le massif côtier qui se termine à pic dans la mer au Râs Shaqqa (Theouprosopon) et que domine la Qal 'at Musaili*h*a. Albert d'Aix remarque lui-même que ce fort eût suffi à arrêter les Croisés si les guides prêtés par les Banû 'Ammâr n'avaient pas garanti la sécurité du passage[389]. Reprenant ensuite sans difficulté la corniche littorale, ils passèrent sous Ba*t*rûn (Boutron ou Bethelôn) et sous Jebaîl, l'ancienne Byblos (Gibelet) (16-17 mai). De là ils atteignirent le Nahr Ibrâhîm, puis le Nahr-al-Kalb, extrême limite méridionale des possessions de l'émirat tripolitain des Banû 'Ammâr.

De Jebaîl à Beyrouth la corniche libanaise, plus encaissée que jamais entre la montagne et la mer, n'est plus qu'un couloir étranglé. Albert d'Aix et l'auteur anonyme des *Gesta Francorum* nous disent l'étonnement qu'éprouva l'armée à ne rencontrer aucun ennemi pour lui en disputer le passage (19 mai 1099)[390]. Le soir du 19 mai les Croisés campèrent devant Beyrouth.

### *Dernières tentatives pour un modus vitfendi franco-fa*timide *à Jérusalem.*

Au sud du Nahr al-Kalb, les Croisés entraient en principe en territoire fâ*t*imide, sur les terres du khalifat d'Égypte. En effet, à la faveur même de la Croisade, une révolution venait de se produire dans l'Islam palestinien. Les Fâ*t*imides, profitant de l'affaiblissement causé aux Turcs par les Croisés, venaient de recouvrer Jérusalem. Il convient ici de revenir sur les événements dont la Palestine avait été le théâtre depuis les dernières années, car la facilité inattendue dont bénéficia de ce côté la Croisade ne s'explique que par les divisions du monde musulman.

On se rappelle qu'en 1071 le chef turc Atsiz ibn Abaq, qui se réclamait du sultan seljûqide Alp Arslân, avait enlevé Jérusalem aux Fâ*t*imides. Atsiz resta maître de la Palestine de 1071 à 1079. La Palestine fut ensuite rattachée aux possessions du cadet seljûqide Tutush qui nomma gouverneur de

Jérusalem le capitaine turcoman Ortoq ibn Aksab, fondateur de la célèbre maison des Ortoqides. Après la mort d'Ortoq en 1091 son fils Soqmân (ou Sokmân) Ier resta maître de Jérusalem sous la suzeraineté de Tutush, puis, quand Tutush eut disparu, sous la suzeraineté du fils de ce prince, Duqâq, malik de Damas[391].

Les Fâ*t*imides ne se résignèrent pas à la perte de Jérusalem. Il y avait là comme une loi historique. Les maîtres de la vallée du Nil, des Pharaons et des Ptolémées à Mehemet Ali et aux Anglo-Égyptiens actuels, ont toujours considéré la Palestine comme une dépendance naturelle de l'Égypte. La marche des Croisés vers l'Orient s'étant produite sur ces entrefaites, le gouvernement du Caire vit dans le bouleversement qu'elle ne manquerait pas d'entraîner en terre d'Islam une occasion excellente pour recouvrer et conserver définitivement Jérusalem. Une telle déduction peut sembler paradoxale, les Croisés s'étant précisément mis en marche pour délivrer la ville sainte. Mais au point de vue oriental, d'après les précédents locaux, on pouvait en juger autrement. La première conséquence de l'entrée en scène des Croisés avait été la destruction de la puissance des Turcs seljûqides, qui étaient les ennemis mortels du khalifat d'Égypte. « Les Fâ*t*imides, écrit Ibn Zâfir, furent loin de voir d'un mauvais œil l'invasion franque, car ils escomptèrent qu'elle arrêterait l'avance des Turcs en direction de l'Égypte ». Ibn al-A*th*îr les accuse même « d'avoir appelé les Francs en Syrie pour se défendre contre les Turcs ». Les victoires de Dorylée et d'Antioche, loin d'être ressenties comme un désastre par le gouvernement du Caire, lui parurent une occasion providentielle pour recouvrer l'hégémonie dans l'Islam. Ces Seljûqides invincibles sous qui l'Asie avait tremblé depuis près d'un demi-siècle, doublement haïs des Arabes shî'ites comme sunnites et comme Turcs, venaient, dans la personne de Kurbuqa, de subir une humiliation dont ils ne se relèveraient plus. Ils étaient maintenant si affaiblis que les Francs pouvaient errer impunément dans les plaines de la Syrie du Nord sans que le sultan Barkiyârûq songeât à envoyer une nouvelle armée, sans même que les-deux malik d'Alep et de Damas, Ri*d*wân et Duqâq, dont les Croisés saccageaient les terres, osassent s'aventurer en rase campagne. N'était-ce pas pour le gouvernement du Caire l'heure de la revanche de l'élément arabe et shî'ite sur les Turcs affaiblis et déconsidérés ? En dépit de la théorique solidarité musulmane, des événements récents ont prouvé que, dès que ses maîtres turcs sont écrasés par le Farengi, l'élément arabe n'hésite pas à accourir à la curée.

Si la cour du Caire espérait que la tempête franque s'arrêterait à la Syrie du Nord, c'est que les précédents, nous l'avons dit, semblaient l'y autoriser. Un siècle plus tôt, « l'épopée byzantine » de Nicéphore Phocas et de Jean Tzimiscès, dont la Croisade latine ne faisait que recommencer l'œuvre, avait de même repris Antioche et Édesse, poussé jusqu'à Damas et à Tripoli, mais sans chercher à atteindre la Judée. La cour d'Égypte était d'autant plus fondée à croire qu'il en serait cette fois encore de même que depuis plus d'un an les Croisés s'attardaient dans la Syrie du Nord, perdant leur temps en entreprises assez décousues, sans plan d'ensemble ni volonté d'aboutir. Leurs chefs semblaient beaucoup plus préoccupés de se tailler des fiefs à Édesse, à Antioche et à Tortose que de marcher sur cette Jérusalem, prétexte de leur premier élan. La Croisade se ralentissait, se fragmentait, semblait être arrivée à son point mort sur ces confins syro-palestiniens où avait déjà expiré en 975 la Croisade byzantine de Jean Tzimiscès.

Ces espérances furent visiblement celles de la cour du Caire durant toute l'année 1098. À peine l'invasion franque avait-elle atteint la plaine d'Antioche que le vizir al-Af*d*al Shâhânshâh qui gouvernait l'Égypte en maître tout-puissant chercha à conclure une alliance avec les Croisés contre les Turcs seljûqides, leurs ennemis communs.

La personnalité même du vizir explique le mépris qu'une telle démarche témoignait pour toute idée de solidarité musulmane. Le père d'al-Af*d*al, Badr al-Jâmalî qui l'avait précédé dans le vizirat (1073-1094), était un Arménien entré au service des Fâ*t*imides et parvenu aux plus hauts emplois : gouverneur de Damas, commandant d'Acre et enfin vizir omnipotent. Converti, bien entendu, à l'Islam, il n'avait nullement oublié ses origines arméniennes, et ce fut avec la garde arménienne recrutée pour son service personnel qu'il parvint en 1073 à délivrer le khalife fâ*t*imide al-Mustan*s*ir des prétoriens turcs qu'il fit égorger en une nuit. Nommé alors généralissime *(amîr al-juyûsh)*, il opéra une véritable restauration de l'État fâ*t*imide sur tout le territoire égyptien, mais il ne put défendre la Palestine contre les Turcs seljûqides qui, comme on l'a vu, enlevèrent à son gouvernement Damas et Jérusalem[392].

Son fils, al-Af*d*al Shâhânshâh qui lui succéda dans le vizirat (1095-1121), continua sa politique en héritant des mêmes pouvoirs dictatoriaux. On le vit nommer à son gré les khalifes, donner pour successeur à al-Mustan*s*ir le fils cadet de ce prince, al-Musta'lî, au détriment de l'aîné, Nizâr ; comme Nizâr s'était « révolté » à Alexandrie, al-Af*d*al marcha contre lui, le défit et le mit à mort ; de même, après le décès d'al-Musta'lî, en 1101, al-Af*d*al proclama khalife le fils du défunt, al-Man*s*ûr, un enfant de cinq ans, sous le nom duquel il devait gouverner pendant vingt ans. Ainsi, sous le couvert du pontificat africain, l'Égypte se trouva pendant près d'un demi-siècle aux mains d'une dynastie arménienne. Excellent administrateur comme son père, al-Af*d*al, dès son accession au pouvoir, eut pour principal objectif au dehors la reconquête de la Palestine sur les Turcs seljûqides et sur leurs représentants, les Ortoqides[393]. Dès le début du règne de Barkiyârûq on le voit profiter des querelles entre épigones seljûqides pour essayer de remettre la main sur la Palestine. En janvier-février 1097, il négocie avec le malik seljûqide d'Alep Ri*d*wân qui, brouillé avec ses cousins, les sultans de Perse, songe à abandonner l'obédience du khalifat 'abbâsside de Baghdâd pour se rallier au khalifat fâ*t*imide d'Égypte. De fait la kho*t*ba fut pendant quelques jours prononcée à Alep au nom du Fâ*t*imide. L'accord entre al-Af*d*al et Ri*d*wân était dirigé contre le frère de ce dernier, Duqâq, malik seljûqide de Damas qu'ils voulaient détrôner. Il est vraisemblable que, dans le partage, Ri*d*wân devait prendre Damas, et les Égyptiens la Palestine. L'attaque des Alépins contre Damas fut empêchée par l'émir de Jérusalem, Soqmân l'Ortoqide qui amena Ri*d*wân à renoncer à ses desseins. Privé de son allié, al-Af*d*al attaqua seul. S'il ne marcha pas sur Jérusalem, il vint bloquer sur le littoral la ville de Tyr, dont il s'empara après un siège opiniâtre (mai 1097)[394]. Quant à la reconquête de Jérusalem, ce n'était que partie remise, d'autant qu'al-Af*d*al ne pouvait ignorer que c'était l'intervention des Ortoqides qui avait fait échouer ses projets. L'habile Arménien attendait seulement le retour d'une occasion favorable.

Il ne faut donc nullement s'étonner si le gouvernement du Caire, en apprenant les victoires des Croisés sur les Seljûqides, n'éprouva d'abord que de la satisfaction. L'Arménien qui le dirigeait devait rester au fond assez étranger à tout sentiment panislamique. Spontanément il offrit aux Croisés son amitié contre les Seljûqides. On a rappelé plus haut l'ambassade que, au début de 1098, il envoya aux chefs francs durant le siège d'Antioche et comment ceux-ci exhibèrent devant les diplomates égyptiens – gage sanglant d'amitié – trois cents têtes de Turcs coupées à la bataille de l'Oronte (mars 1098). Rappelons le passage si pénétrant de Guillaume de Tyr sur ce sujet : « Li califes d'Égypte... envoia ses messages aus barons. Granz haines estoient dès mout anciens tens entre les Turs d'Orient et les (Shî'ites) d'Égypte, porce que il se descordoient en leur mescréance et disoient les uns des autres qu'il estoient faus Sarrazin. Por ceste raison se sont meintes fois entreguerroiez. Mout li replaisoit (plaisait) (au khalife d'Égypte) que nostre baron avoient assise Antioche ; por ce lor envoia bons messages qui leur apportèrent granz présent et leur distrent que li califes estoit près d'eus aidier largement de gens, d'avoir et de viande et mout les prioit qu'il meintenissent le siège. Nostre baron reçurent ces messages assez débonnairement ; mout les accueillirent bel et firent séjorner avec eus[395]. » En somme c'était une alliance ferme contre les Seljûqides qu'al-Af*d*al avait proposée aux Francs, avec, sans doute, l'idée d'un partage de la Syrie-Palestine entre eux et l'Égypte : la Syrie aux Francs, la Palestine à l'Égypte.

Mais déjà sous Antioche les ambassadeurs égyptiens, tout en se félicitant des succès des Francs, commençaient à craindre que la victoire de leurs nouveaux amis ne fût trop complète : « Quant il virent ce (les trois cents têtes de Turcs envoyées à Saint-Siméon), liez (joyeux) furent de la mort de leur anemis, mès poor orent en avant de la nostre gent[396]. » Évidemment les Francs qui n'avaient entrepris la Croisade que pour délivrer les Lieux Saints ne pouvaient abandonner la Palestine aux Égyptiens en se contentant de la conquête de la Syrie du Nord. Mais leurs chefs eurent l'adresse de ne pas décourager les ambassadeurs d'al-Af*d*al, ce dont l'excellent diplomate Guillaume de Tyr et son traducteur les louent discrètement. Les barons francs envoyèrent même en Égypte une ambassade pour répondre à celle du vizir et observer les événements, sinon resserrer l'alliance que la cour du Caire leur avait offerte.

Mais les Égyptiens de leur côté n'entendaient pas être dupes. À l'été de 1098, tandis que les Francs s'attardaient dans Antioche conquise, al-Af*d*al résolut de mettre à profit l'écrasement des Turcs pour recouvrer la Palestine. « Après la victoire remportée par les Francs devant Antioche, écrit Ibn al-A*th*îr, la puissance des Turcs se trouva affaiblie. Les Égyptiens, voyant la faiblesse des Turcs, entrèrent en Palestine sous la conduite d'al-Af*d*al[397] ». Les maîtres du pays étaient toujours le chef turcoman Soqmân l'Ortoqide et son frère Il-Ghâzî qui occupaient Jérusalem sous la suzeraineté du malik seljûqide de Damas, Duqâq ibn Tutush. En juillet 1098 al-Af*d*al en personne apparut devant la ville sainte avec une armée considérable. Avec son habileté arménienne il essaya d'abord d'obtenir des frères Ortoqides une capitulation amiable. Mais Soqmân et Il-Ghâzî confiants dans leurs troupes – des Turcomans de leur tribu – refusèrent ses propositions. Ils résistèrent avec tant d'énergie que la place ne fut prise qu'au bout de quarante jours d'un siège au cours duquel les Égyptiens durent mettre en batterie quarante mangonneaux qui abattirent des pans entiers de murailles. Alors seulement Soqmân et il-Ghâzî se décidèrent à rendre la place (26 août 1098). Al-Af*d*al autorisa d'ailleurs les deux Ortoqides à se retirer librement à Damas, d'où ils devaient gagner la Jazîra[397]. La Palestine n'en était pas moins rattachée à l'empire fâ*t*imide. À la fin de cette année 1098, la frontière égyptienne devait atteindre le Nahr al-Kalb au nord et le cours du Jourdain à l'est.

Mais si le gouvernement du Caire, profitant des remous causés dans le monde musulman par les victoires des Croisés, put ainsi réaliser son programme, ramener la Palestine sous sa domination, l'entente qu'il avait établie avec les Francs cessa du coup. Devenu le possesseur de Jérusalem, il se trouvait bon gré mal gré devenir en même temps leur principal adversaire, l'objectif de leur attaque finale. Le souple Arménien qui gouvernait l'Égypte essaya bien de négocier. On se souvient que les Croisés lui avaient envoyé d'Antioche vers février 1098 une ambassade en réponse à celle qu'ils avaient précédemment reçue de lui. Pendant tout le temps qu'il prépara la conquête de Jérusalem, Al-Af*d*al amusa et retint ces envoyés pour les mettre en présence du fait accompli. Pendant le siège de 'Arqa par les Croisés entre la mi-février et la mi-mai 1099, on vit enfin revenir ces ambassadeurs accompagnés de fonctionnaires égyptiens. Al-Af*d*al, qui savait bien que Jérusalem était le but de la Croisade, proposait aux Croisés de leur en faciliter le pèlerinage à condition qu'ils renonçassent à leur projet de conquête : il les autoriserait donc à se rendre à Jérusalem pour y faire leurs dévotions par groupes de deux à trois cents et sans armes. Guillaume de Tyr fait remarquer qu'un tel langage était assez différent de celui qu'avaient tenu devant Antioche les premiers ambassadeurs égyptiens, proposant une véritable alliance franco-fâ*t*imide contre les Seljûqides. Mais dans l'intervalle les Seljûqides avaient été mis hors de combat ; les Francs leur avaient pris Antioche, et les Fâ*t*imides, Jérusalem. Les alliés virtuels de la veille se trouvaient maintenant face à face, devenus, par la force des circonstances, ennemis. À la proposition d'un pèlerinage pacifique à Jérusalem, par petits groupes désarmés, les Francs répondirent rudement qu'ils accompliraient bien le pèlerinage, mais, avec l'aide de Dieu, « tuit ensemble, les batailles rengiées et les lances levées »[399]. C'était la guerre avec l'Égypte.

*De Beyrouth à Jérusalem.*

Si les Fâ*t*imides avaient ramené sous leur domination la Palestine et la Phénicie méridionale au sud du Nahr al-Kalb, il n'apparaît pas qu'ils y avaient laissé de corps d'occupation important, exception faite de la garnison de Jérusalem et des places côtières. Ces places, les premières menacées, puisque les Croisés, en quittant l'émirat de Tripoli, devaient passer par leur territoire, s'efforcèrent donc de s'entendre au mieux avec les envahisseurs, ainsi que l'émir de Tripoli leur en avait donné l'exemple. Les habitants de Beyrouth, dès que l'armée franque approcha de leur ville, lui offrirent tout le ravitaillement nécessaire, avec une rançon en espèces, sous condition qu'elle respecterait les arbres fruitiers, les vignobles et les récoltes. De plus ils s'engageaient, si les Croisés s'emparaient de Jérusalem, à se reconnaître sujets du nouvel État franc[400]. Au contraire, quand les Francs arrivèrent devant Sidon (Saida, la Sajette des chroniqueurs) (20 mai), comme ils campaient sur la rive sud du Nahr al-Auwalî en laissant leurs gens se répandre sans défiance dans la banlieue, la garnison se permit d'exécuter des sorties contre les isolés ; les Francs coururent sus à leurs agresseurs et leur enlevèrent toute envie de recommencer. Pour punir les habitants, ils envoyèrent même des fourrageurs piller les bourgades du voisinage[401]. Après avoir administré cette leçon aux indigènes, l'armée continua tranquillement sa route par Sarepta (Sarafand) et vint camper dans la banlieue de Tyr, dont les chroniqueurs nous vantent les belles sources (voir la carte depuis 'Ain Babûk jusqu'à Râs al-'Ain) et les « jardins mout délitables »[402]. Ce fut devant Tyr, le 23 mai 1099, que les Croisés furent rejoints par des chevaliers venus d'Édesse et d'Antioche, renfort toujours précieux en raison de la faiblesse des effectifs.

Après Tyr, en suivant toujours la côte, l'armée campa devant Acre ('Akka) sur les bords du Nahr al-Na'main. Le gouverneur la ravitailla sans difficulté, promettant, lui aussi, de se soumettre quand Jérusalem serait prise. Par la banlieue de Caiffa, les Croisés atteignirent ensuite Césarée (26 mai) devant laquelle ils célébrèrent les fêtes de la Pentecôte (29 mai 1099)[403]. Après Arsûf, ils abandonnèrent la côte sans avoir atteint Jaffa et s'enfoncèrent dans l'intérieur en direction de Jérusalem. Ils traversèrent le Nahr al-'Awujâ et vinrent camper près de Ramla (« Rames »), place que Robert de Flandre et Gaston de Béarn, lancés en éclaireurs, eurent la surprise de voir évacuée par les Musulmans (2-3 juin). Près de là, l'ancienne cité de Lydda (Ludd) était célèbre par l'église byzantine de Saint-Georges que les Arabes, à la nouvelle de l'approche des Francs, venaient de détruire. Les Francs, comprenant l'importance du site pour garder la route de la mer à Jérusalem, laissèrent à Ramla une petite garnison. Ils y nommèrent même un évêque, Robert de Rouen, qui fut seigneur de Lydda et Ramla, villes constituées en fief de l'église Saint-Georges[404].

Durant la halte à Ramla (3-6 juin 1099) un conseil de guerre fut tenu par les barons. Certains d'entre eux hésitaient à se lancer en pleines chaleurs dans les rochers arides du plateau judéen. Ils conseillaient, puisqu'on était maintenant en guerre avec les Fâtimides, d'aller attaquer ceux-ci chez eux, en pleine Égypte, la conquête du Delta devant entraîner la cession de la Palestine. Cette idée hardie et d'ailleurs en soi assez juste, que les clés de Jérusalem se trouvaient au Caire, nous la verrons revenir maintes fois après 1187, notamment avec Jean de Brienne et saint Louis. Mais, si elle avait triomphé en 1099, le royaume franc n'aurait jamais été fondé, car, dans l'état squelettique de l'armée croisée, c'était folie de lâcher Jérusalem toute proche pour se lancer dans une campagne d'Égypte. C'est ce que firent valoir les plus judicieux parmi les barons. Leur avis, heureusement, l'emporta[405]. On reprit la marche sur Jérusalem.

Donc les Croisés, quittant Ramla (6 juin 1099), gagnèrent Emmaus (al-Qubaiba). Là, au témoignage d'Albert d'Aix, Godefroi de Bouillon reçut des chrétiens indigènes de Bethléem avis d'avoir à hâter sa marche, car les Fâtimides les menaçaient de représailles, et, de plus, tout instant perdu était employé par les officiers égyptiens à fortifier Jérusalem[406]. Le duc de Lotharingie dépêcha alors vers Bethléem une avant-garde de cavalerie – cent hommes commandés par son cousin Baudouin du Bourg et par Tancrède. Après avoir galopé toute la nuit, la petite troupe arriva à l'aube à Bethléem. Les chrétiens de la ville pensaient que c'étaient des renforts fâtimides. Quand ils apprirent que c'étaient bien les Francs, ils ne continrent plus leur joie. Tous, tant de rite grec que de rite syriaque, sortirent en procession avec leurs croix et leurs évangiles, pleurant de joie et chantant des cantiques pour recevoir ces libérateurs accourus du fond de l'Occident[407]. Il était donc venu, le jour inespéré du triomphe de la Croix sur le Croissant ![408]. Il n'était plus ici question de querelles entre Grecs, Latins ou Syriens. Tous ces *ra'âyâ*, voyant l'heure de la délivrance, baisaient les mains des rudes chevaliers francs[409].

« A procession les menèrent en l'église qui siet en leu où la glorieuse mère (de) Jhesu enfanta le Sauveur du monde, et virent la crèche où fu mis reposer li dous emfanz qui fist le ciel et la terre. Li citoien de la ville, pour signe de joie et par demostrance que Dieus et Nostre Dame donroient à nostre gent victoire, pristrent la banière (de) Tancré (Tancrède) et la mistrent en haut sur l'église à la mère (de) Dieu[410]. »

En quittant Bethléem pour rejoindre l'armée, Tancrède rencontra Gaston de Béarn qui avec trente chevaliers était venu reconnaître les abords de Jérusalem. Les deux troupes s'unirent pour enlever les troupeaux qui se trouvaient hors des murailles et les ramenèrent au camp.

Le mardi 7 juin 1099, l'armée franque tout entière arriva devant Jerusalem. Les chroniqueurs même tardifs nous disent en termes émouvants l'allégresse qui souleva les pèlerins en apercevant, au sud-est de Liftâ, à hauteur de l'actuel mausolée de Sheikh Bedr, les dômes de la ville sainte : « Quant il oïrent nomer Jérusalem, lors commencièrent à plorer et se mistrent tuit à genoux et rendirent grasces à Nostre Seigneur à molt granz soupirs de ce que tant les avoit amez que ils verroient le chief de leur pelerinage, la sainte cité que Nostre Sires ama tant que il i vost (voulut) sauver le monde. Granz pitié estoit à veoir et à oïr les lermes et les criz de cele bone gent. Ils vindrent un pou avant, tant que ils virent les murs et les tors de la ville. Lors levèrent leur mains vers le ciel, puis après se deschaucièrent tuit et besoient la terre. Qui ce veist ne poist avoir ses cuers si durs que il n'en fust esmeuz[411]. »

Le gouverneur auquel le vizir égyptien al-Af*d*al avait confié la garde de Jérusalem, lftikhâr al-Dawla, l'avait hâtivement mise en état de défense[412]. Il avait dans toute la banlieue fait obstruer les puits, empoisonner les sources, couper les canalisations, cacher le bétail dans les cavernes[413]. Les chrétiens indigènes, de rite grec ou syriaque, avaient été, par précaution, chassés de la ville. Les murailles paraissaient en bon état ; la garnison égyptienne, composée d'Arabes et de Soudanais[414], était nombreuse et bien aguerrie.

*Siège de Jérusalem par les Croisés.*

L'investissement de Jérusalem commença le 7 juin 1099, mais faute d'effectifs suffisants, il fut loin d'être complet, tout au moins au début. Robert de Normandie prit position dans le secteur nord, face à la Porte de Saint-Étienne ou de Damas (Bâb al-'Amûd ou porte des colonnes)[415]. Le comte Robert de Flandre reçut le secteur suivant, en direction de l'actuelle Notre-Dame de France et de Bâb al-Jadîd. Godefroi de Bouillon et Tancrède assumèrent la surveillance du secteur ouest, face à la Porte de David ou Porte de Jaffa (Bâb al-Khalîl) et de la Tour de David qui est la Citadelle (al-Qal'a). Le secteur sud, d'abord laissé sans troupes, fut, au bout de peu de temps, occupé par le comte de Toulouse qui s'établit sur la montagne de Sion (Bâb al-Nabi Dâwûd)[416]. En raison de l'impossibilité de lancer une attaque en partant du torrent de Cédron (Wâdi Sitti Mariyam), aucun corps de l'armée croisée ne fut préposé au blocus du secteur oriental, face au *H*aram al-Shérîf[417].

Le 13 juin, les Croisés tentèrent un premier assaut. « Nous attaquâmes la ville avec un tel élan que, si les échelles avaient été prêtes, elle tombait en notre puissance[418]. » Les Francs réussirent ce jour-là à détruire l'avant-mur qui protégeait l'enceinte septentrionale et ils appliquèrent une échelle au mur principal. Mais les échelles étaient en nombre insuffisant. L'attaque échoua, malgré la bravoure des assaillants, non sans des pertes sévères. De plus, au milieu des chaleurs torrides de juin, les Francs étaient torturés par la soif. L'eau de la fontaine de Siloé était tout à fait insuffisante. Il fallait faire jusqu'à six milles dans la campagne infestée de coureurs arabes pour abreuver les chevaux aux points d'eau les plus proches, organiser des corvées jusqu'au Jourdain et ramener de l'eau dans des outres[419]. Enfin on ne pouvait trouver de pain.

Devant leur échec, les Francs comprirent la nécessité d'améliorer leur matériel. Dans un conseil tenu le 15 juin les barons décidèrent la construction de machines de siège. Le bois manquait et aussi les ouvriers. Mais le 17 un message apporta la nouvelle de l'arrivée à Jaffa de deux galères génoises, commandées par Guglielmo Embriaco et Primo Embriaco, et qu'y avaient rejointes quatre autres navires latins[420]. La petite escadre occupa sans difficulté le port de Jaffa, car la ville avait été quelques semaines auparavant précipitamment évacuée par les Arabes, dès que les Croisés avaient approché d'Arsûf ; les Francs purent donc occuper sans combat la tour ou citadelle[421]. L'escadre génoise arrivait providentiellement pour les Croisés ; elle leur apportait des vivres et le matériel de siège dont ils avaient le plus besoin. Du camp de Jérusalem les chefs croisés envoyèrent aussitôt à Jaffa, pour établir la liaison, un détachement provençal de cent chevaliers avec Raymond Pilet et Guillaume de Sabran. À hauteur de Ramla la tête de colonne tomba sur un fort parti de Fâ*t*imides, fut cernée et faillit être détruite. Elle fut dégagée par Raymond Pilet qui dispersa l'ennemi (18 juin)[422], et parvint à Jaffa où elle opéra sa jonction avec les Génois. Cependant, d'Ascalon, les Fâ*t*imides envoyèrent vers Jaffa une flotte bien supérieure en nombre. Les Génois et les autres marins latins n'eurent que le temps d'abandonner leurs navires après en avoir débarqué le chargement, les vivres d'abord, puis tout ce qui pouvait servir à la construction des machines de guerre. Ils suivirent ensuite Raymond Pilet et les siens qui convoyèrent tout ce matériel vers le camp croisé devant Jérusalem (19 juin)[423].

L'arrivée des renforts génois, avec les vivres qu'ils transportaient, avec leurs cordages, leurs outils de menuiserie, avec leurs matelots experts aux travaux de charpente et leurs capitaines, aussitôt transformés en ingénieurs, fut singulièrement précieuse à l'armée assiégeante[424]. Quant aux bois de construction, il fallut aller les chercher au loin, car le massif judéen, presque entièrement dénudé, ne possédait pas de richesses forestières. Des patrouilles franques battaient la campagne, réquisitionnaient les paysans arabes ou les bédouins et les obligeaient à charrier le bois jusqu'au camp de Jérusalem. Ce furent des Syriens chrétiens qui guidèrent les Francs vers les rares sites boisés du pays[425]. Sur leurs conseils, Robert de Flandre et Robert de Normandie partirent dans la montagne avec une caravane de chameaux que l'on chargea de tous les troncs d'arbres abattus. L'évêque d'al-Bâra, du côté provençal, se signala également dans ces expéditions[426]. D'autres chroniqueurs nous apprennent que Robert de Flandre trouva une partie du bois nécessaire en Samarie, sur le territoire de Naplouse qui, avec ses fontaines et ses jardins, contraste en effet avec la stérilité du massif judéen[427]. Tancrède joua aussi un rôle important dans ces

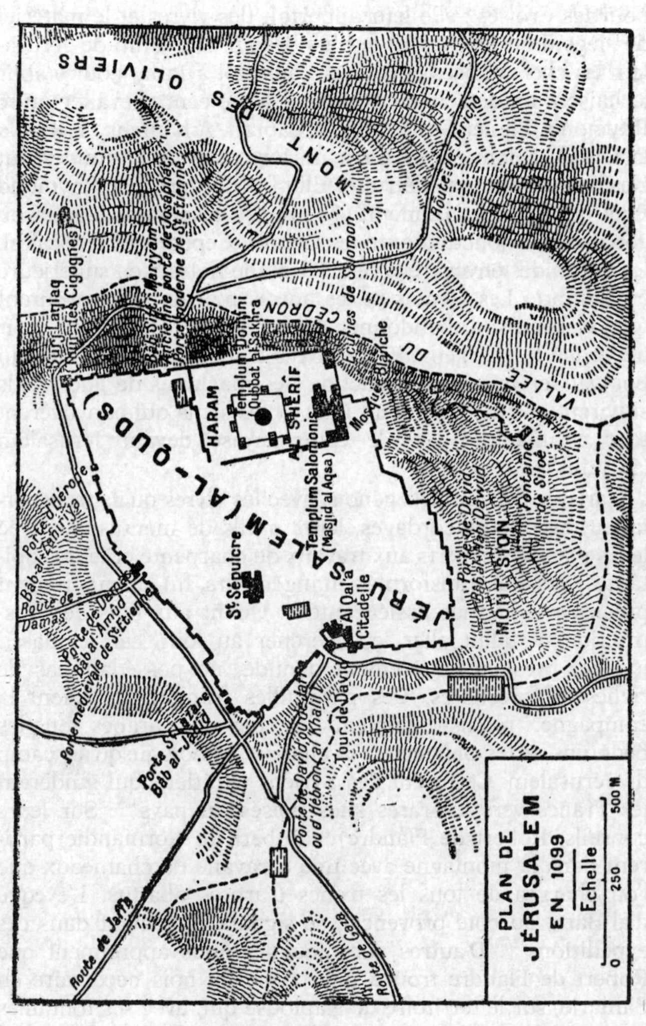
PLAN DE
JÉRUSALEM
EN 1099
Échelle
0 250 500 M
MONT DES OLIVIERS
VALLÉE DU CEDRON
JÉRUSALEM (AL-QUDS)
HARAM AL SHERÎF
Templum Domini (Qubbat al Sakhra)
Templum Salomonis (Masjid al Aqsa)
Écuries de Salomon
Mosquée Blanche
St Sépulcre
Al Qal'a Citadelle
Tour de David
MONT SION
Porte de David Bâb al-Nabi Dâwud
Fontaine de Siloé
Route de Jéricho
Burj Laqlaq (Tour des Cigognes)
Bâb Sitti Maryam
Ancienne porte de Josaphat
Porte moderne de St Étienne
Porte d'Hérode
Bâb-al-Zahiriya
Route de Damas
Porte de Damas
Bâb al Amûd
Porte médiévale de St Étienne
Porte St Lazare
Bâb al-Jadîd
Porte de David ou de Jaffa
ou d'Hébron (al Khalîl)
Route de Jaffa
Route de Gaza

recherches[428]. Il eut la chance de découvrir dans des souterrains de la banlieue hiérosolymitaine des poutres tout équarries qui, dix mois plus tôt, avaient déjà servi aux Fâ*t*imides pour assiéger Jérusalem.

Disposant enfin des matériaux nécessaires, on put fabriquer les engins de siège. Godefroy de Bouillon et le comte de Toulouse construisirent chacun un château de bois garni de machines de bombardement. D'après Raymond d'Agiles les deux principaux ingénieurs furent Gaston de Béarn pour le compte de Godefroi, de Robert de Flandre et de Robert de Normandie, et Guillaume Ricou pour le compte de Raymond de Saint-Gilles dans le secteur du Mont Sion.

Le moral de l'armée franque était très élevé. Le zèle religieux fut encore excité par la nouvelle que le légat, Adhémar de Monteil, décédé l'année précédente devant Antioche, venait d'apparaître à un clerc nommé Pierre Didier. Sur les conseils de Pierre Didier, l'armée, après un jeûne général, organisa le 8 juillet une procession solennelle autour des murailles, et jusqu'au Mont des Oliviers (Jabal al-*T*ûr)[429]. Un sermon d'Arnoul Malecorne, chapelain du duc de Normandie, enflamma les cœurs. Les blasphèmes et les profanations dont les musulmans, du haut des murailles, accueillirent le spectacle de cette procession achevèrent d'animer les Croisés à « vengier la honte (de) Jesucrist ».

Mais il convenait de changer le secteur d'attaque. De la porte Saint-Étienne à la Tour de David – de Bâb al-'Amûd à al-Qal'a –, secteur sur lequel avait porté jusque-là l'effort des chrétiens, il n'était pas possible de réussir. L'enceinte de ce côté était trop forte. Il n'en allait pas de même dans le secteur nord-est, depuis la porte de Saint-Étienne jusqu'au torrent de Cédron, c'est-à dire depuis Bâb al-'Amûd jusqu'au Burj Laqlaq ou tour des Cigognes. C'était le secteur le plus faible de l'enceinte. De plus le terrain, autour de l'actuel Bâb al-Sâhira[430], était moins escarpé qu'ailleurs, plus propice à la traction des machines. Ce fut de ce côté que, dans la nuit du 9 au 10 juillet, Godefroi de Bouillon, Robert de Flandre et Robert de Normandie firent transporter leurs machines et une des tours roulantes (les « châteaux de bois »). Les Égyptiens furent stupéfaits quand au matin du 10, ils aperçurent les machines et le château de bois dressés en face des tours pendant la nuit.

Pendant ce temps, le comte de Toulouse dressait de son côté sa tour roulante et ses catapultes dans le secteur sud, sur le mont Sion, face à Bâb al-Nabî Dâwûd. Son historien, Raymond d'Agiles, insiste sur les services que lui rendirent à cet égard les marins génois venus de Jaffa et leur amiral Guglielmo Embriaco, « car li notonier de Gene estoient mout bon charpentier et molt savoient fere mangoniaus et autres engins de guerre ». Une troisième tour de bois fut dressée face à l'angle occidental de l'enceinte, c'est-à-dire face à l'actuel Bâb al-Jadîd, « la Tour de Tancrède » des chroniqueurs[431].

*Prise de Jérusalem par les Croisés.*

L'attaque générale commença dans la nuit du 13 au 14. Pendant toute la journée du 14 les assauts se succédèrent sans résultat appréciable. Le gouverneur fâ*t*imide, Iftikhâr al-Dawla, disposait de plus de machines de guerre et de matériel de jet que les assaillants ; il avait fait matelasser les tours d'enceinte avec des sacs de coton et de foin, si bien que les blocs de pierre lancés contre elles s'y amortissaient ; enfin il disposait de quantités considérables de feu grégeois. « Cil (de) dedenz gitoient feu mout espessement sur les chastiaux ; mout i poïst l'en (on) veoir les saietes ardanz (= flèches enflammées), tisons embrasez, poz pleins de soufre, d'uile et de poix et de toutes choses qui sont norrissemenz de feu[432]. »

L'assaut reprit plus violent le vendredi, 15 juillet, au matin. Godefroi de Bouillon put approcher jusqu'à la muraille même son château roulant, qu'il avait préalablement recouvert de peaux de bêtes fraîchement écorchées, pour en protéger les poutres contre le feu grégeois. Il avait pris place à l'étage supérieur avec son frère Eustache de Boulogne. Vers midi[433] il réussit à lancer une passerelle entre le château roulant et la muraille vers Bâb al-Sâhira. Les premiers qui s'y élancèrent et pénétrèrent dans la place furent deux Flamands de son entourage, les frères Letold et Gilbert (ou Engilbert) de Tournai. Godefroi lui-même et Eustache de Boulogne les suivirent immédiatement[434]. En même temps les échelles appliquées de toute part livraient passage à des grappes de soldats francs, si bien que la muraille de ce côté fut entièrement conquise, tandis que les défenseurs s'enfuyaient vers le *H*aram al-Sherîf où ils cherchèrent à mettre en état de défense le Masjid al-Aq*s*â ou Temple de Salomon. Les Croisés, lancés à leur poursuite, pénétrèrent dans la célèbre mosquée « où, dit l'Anonyme, il y eut un tel carnage que les nôtres marchaient dans le sang jusqu'aux chevilles[435] ». Le contexte montre d'ailleurs que la conquête du Masjid al-Aq*s*â n'eut lieu qu'au prix d'un nouveau combat, ce qui explique le nombre des morts : « Entrés dans la ville, nos pèlerins poursuivaient et massacraient les Sarrasins jusqu'au Temple de Salomon où ceux-ci s'étaient rassemblés et où ils livrèrent aux nôtres le plus furieux combat pendant toute la journée, au point que le Temple tout entier ruisselait de sang[436]. »

Après le premier flot des Lotharingiens entrés avec Godefroi de Bouillon, d'autres corps d'armée pénétrèrent dans Jérusalem par escalade. Guillaume de Tyr cite Robert de Flandre et Robert de Normandie, Tancrède, Baudouin du Bourg, Gaston de Béarn, Gérard de Roussillon, Raimbaud d'Orange, etc. Dès que Godefroi de Bouillon apprit leur arrivée, il leur distribua la tâche, chargeant les uns d'aller ouvrir au gros de l'armée la Porte de Saint-Étienne (Bâb al-'Amûd), tandis que les autres, comme Tancrède, couraient, au cœur du *H*aram al-Sherîf, occuper la Qubbat al-*S*akhra ou *Templum Domini*. La Qubbat al-*S*akhra regorgeait de richesses. Ibn al-A*th*îr cite notamment « plus de quarante lampes d'argent, chacune du poids de 3 600 dirhems, et une grande lampe (tennûr) d'argent qui pesait quarante ra*t*l syriens[437] ». Tancrède, toujours avisé, mit la main sur ce trésor[438]. Sur le toit du Masjid al-Aq*s*â s'étaient réfugiés des centaines d'Arabes. Tancrède et Gaston de Béarn, qui songeaient évidemment à en tirer une bonne rançon, leur donnèrent leurs bannières comme sauvegarde. Mais le lendemain matin 16 juillet d'autres Francs massacrèrent ces captifs sans tenir compte des ordres du prince normand. « À cette vue, écrit l'Anonyme, Tancrède fut rempli d'indignation. » Il y a d'autant moins lieu d'accuser Tancrède de parjure que les auteurs du massacre non seulement faisaient affront à sa bannière, mais qu'ils le privaient d'une source considérable de profits[439].

Dans le secteur sud, sur le mont Sion, face à la Porte de Sion (Bâb al-Nabî Dâwûd), le comte de Toulouse avait rencontré plus de résistance. De ce côté, avant d'aborder l'enceinte, il avait fallu combler le fossé qui la protégeait, travail pénible qui exigea trois jours (12-14 juillet). La tour roulante des Provençaux put alors être approchée de la muraille, mais la résistance des assiégés, abondamment pourvus de feu grégeois et appuyés de ce côté sur la proximité de la citadelle (Tour de David, al-Qal'a), se prolongea durant toute la matinée du 15. Il est vraisemblable que c'est de ce côté que commandait le gouverneur Iftikhâr, puisque c'est entre les mains de Raymond de Saint-Gilles qu'il opérera sa reddition. Dans l'après-midi les Provençaux ne se doutaient pas encore que Godefroi de Bouillon venait de s'emparer des quartiers nord-est, lorsqu'ils virent refluer vers eux les habitants affolés par la chute du *H*aram al-Sherîf. Cette vue enleva tout courage aux derniers défenseurs de la Porte de Sion. Les Provençaux pénétrant à leur tour dans la ville, les Arabes se trouvèrent pris comme dans un étau entre les Croisés du Nord[440] qui descendaient en masse de Bâb al-'Amûd et du *H*aram al-Sherîf, et Raymond de Saint-Gilles qui montait de Bâb al-Nabî Dâwûd vers le cœur de la ville[441]. De même que Godefroi et Tancrède étaient allés s'emparer du *H*aram al-Sherîf, Raymond de Saint-Gilles courut à la citadelle (al-Qal'a), la Tour de David des chroniqueurs, située dans le rentrant sud-ouest de l'enceinte. Un émir égyptien – sans doute le gouverneur fâ*t*imide Iftikhâr en personne – s'y était barricadé avec une poignée de soldats arabes et de mameluks turcs ou soudanais[442]. Il rendit la tour au comte de Toulouse contre promesse de pouvoir se retirer en Égypte avec les siens. Conformément à son serment, Raymond de Saint-Gilles le fit conduire sain et sauf avec sa troupe jusqu'à Ascalon[443]. La rançon que Raymond put recevoir de l'émir ne mérite nullement le reproche de vénalité que lui adresse Albert d'Aix[444].

Cet exemple et ce que nous avons vu de Tancrède cherchant à couvrir de sa bannière les Arabes réfugiés sur le toit du Masjid al-Aq*s*â prouvent que plusieurs des chefs francs avaient assez d'esprit politique pour circonscrire le massacre. Par ailleurs il est certain que le chiffre de soixante-dix mille Musulmans tués dans al-Aq*s*â, chiffre traditionnellement accepté sur la foi des chroniqueurs arabes[445], est invraisemblable, car la population hiérosolymitaine tout entière ne l'atteignait pas[446]. Les Arabes, nous l'avons vu, avaient transformé al-Aq*s*â en un réduit où ils essayèrent d'organiser une suprême résistance, ce qui explique les torrents de sang qui y furent versés. Il est certain aussi que, lors de la procession solennelle du 8 juillet sous les remparts, les Musulmans du haut des murs de la ville avaient, comme à plaisir, insulté la foi des Croisés : « Lors drecièrent croiz desur les murs, et, en despit de Nostre Sauveur et en reproche de nostre foi, les escopissoient (couvraient de crachats) et fesoient autres hontes greigneurs et maintes villtez qui ne sont mie à dire. Li pueples (de) Nostre Seigneur veoient bien ces choses que li Turc fesoient, mout leur en croissoit la volenté en leur cuers de vengier la honte (de) Jesucrist[447]. » De telles profanations accomplies de sang-froid expliquaient peut-être jusqu'à un certain point l'exaspération des vainqueurs dans le tumulte de la bataille et la fureur qu'ils témoignèrent envers les Qorans les plus sacrés comme envers la personne des imams et des ulémas[447]. De même encore, si les Croisés mirent le feu à la synagogue après y avoir enfermé les Juifs[448], on peut se rappeler que, lors des massacres de chrétiens, l'élément juif avait naguère fait cause commune avec les égorgeurs fâ*t*imides : le sang d'un patriarche de Jérusalem en rappelait le souvenir.

Il n'en est pas moins vrai que, malgré tant de précédents sanguinaires et malgré l'excuse de la bataille toute chaude, le massacre des 15-16 juillet 1099 est une tache dans l'histoire de la Croisade. Nous invoquerons seulement le jugement de l'archevêque Guillaume de Tyr, l'illustre historien du royaume de Jérusalem : « La ville présentait en spectacle un tel carnage d'ennemis, une telle effusion de sang, que les vainqueurs eux-mêmes ne pouvaient qu'être frappés d'horreur et de dégoût[450]. »

Le grand archevêque parle ici non seulement en chrétien, mais en homme d'État, pénétré du sentiment des nécessités coloniales. De ce point de vue en effet le massacre du *H*aram al-Sherîf était une faute. Sans doute, survenant après la victoire de Dorylée, la prise d'Antioche et le désastre de Kurbuqa, il achevait de frapper l'Islam de terreur. Au lendemain de la catastrophe une députation se rendit de Damas à Baghdâd sous la conduite du qâ*d*î Zaîn al-Dîn Abû Sa'ad al-Herawî. « Les députés se présentèrent au diwân, les cheveux rasés, pleurant et poussant des cris de détresse. Le qâ*d*î se leva et prononça un discours qui arracha des larmes aux assistants : "Vos frères de Syrie n'ont plus d'autre demeure que la selle de leurs chameaux ou les entrailles des vautours. Les soldats de Roum les abreuvent d'opprobres, et vous cependant vous traînez ici une vie efféminée[451] !" Ce pathétique appel resta sans écho. Ni le khalife 'abbâside, ni le sultan Barkiyârûq n'osèrent bouger. La terreur franque ployait l'Orient.

Le massacre de Jérusalem n'en portait pas moins à faux. Il tombait sur les Fâ*t*imides d'Égypte, dynastie usée, désormais pacifique, la veille encore animée des sentiments les plus amicaux et dont on avait intérêt, une fois Jérusalem prise, à refaire le plus tôt possible une voisine bienveillante. Le péril d'une revanche musulmane viendrait de l'Orient turc et kurde, il ne pouvait venir de la cour arabe du Caire, gouvernée par une famille de vizirs arméniens. Surtout, le massacre du *H*aram al-Sherîf constituait un précédent redoutable qui dut enlever aux villes palestiniennes encore au pouvoir des Musulmans toute velléité de se rendre. Avant la prise de Jérusalem, les gens de Tripoli et de Beyrouth avaient promis d'ouvrir leurs portes si la ville sainte tombait au pouvoir des Francs. Au lendemain des journées de juillet, ils se gardèrent bien de tenir leur promesse. Le massacre de Jérusalem peut ainsi avoir retardé de plusieurs années la soumission complète du littoral[452]. Il faudra toute l'habileté des rois francs du douzième siècle pour faire oublier la faute de 1099 et asseoir la colonisation franque sur une politique raisonnée de rapprochement indigène. Au reste cette modification de l'esprit croisé en esprit colonial viendra vite : le jugement, que nous citions plus haut, de l'archevêque Guillaume de Tyr, un des principaux hommes d'État du Royaume de Jérusalem dans la seconde moitié du douzième siècle, montre avec quelle netteté cette transformation devait s'accomplir.

La Croisade en effet n'est qu'un brillant épisode, un hasard historique. La création de colonies franques organisées auxquelles ce hasard a donné naissance, la formation d'un État français de Syrie adapté et vivace, voilà le fait historique, autrement important, qu'il nous reste à étudier.

## CHAPITRE II

# GODEFROI DE BOUILLON, AVOUÉ DU SAINT-SÉPULCRE

### § 1er. — ORGANISATION DE LA CONQUÊTE : JÉRUSALEM PATRIMOINE ECCLÉSIASTIQUE OU ROYAUME LAÏQUE ?

*Le lendemain de la victoire.*

Le problème que pose le succès de la Première Croisade est le suivant : comment, une fois atteint son but spirituel et guerrier, l'Aventure a-t-elle pu rentrer dans le cadre des lois historiques, plus précisément dans le cadre du monde oriental, s'y adapter et s'y stabiliser ? Comment d'éléments aussi disparates, jetés au hasard de la guerre sainte sur une terre étrangère, un État franc et une nationalité franque ont-ils pu se dégager ? La croisade, suscitée par le génie d'Urbain II, avait été un accident historique. Cet accident, il est vrai, était survenu – nous croyons l'avoir démontré – à l'heure propice, après l'effondrement byzantin et l'affaissement seljûqide. Mais il allait falloir de la part des premiers rois de Jérusalem une continuité remarquable dans leur politique dynastique pour, de ces circonstances diverses, faire sortir et asseoir solidement une colonie stable. Cette œuvre, d'ailleurs, ne fut pas conçue d'emblée. Ce fut l'expérience qui, à partir de Baudouin Ier, en fit apparaître et en imposa la nécessité. Au début, il y eut une période de tâtonnements et de fautes, un compromis entre les goûts anarchiques des barons ou des clercs et les nécessités monarchiques de la situation, période qui correspond assez nettement à la régence de Godefroi de Bouillon.

Quand ils s'étaient emparés de Jérusalem, les Croisés n'avaient pas de chef reconnu, même pas de chef de guerre temporaire chargé de coordonner leurs opérations. Le rôle d'arbitre entre les barons et de chef spirituel avait été d'abord dévolu à l'évêque du Puy, Adhémar de Monteil, en sa qualité de légat du Pape. Depuis la mort du prélat à Antioche, le 1<sup>er</sup> août 1098, il n'avait pas été remplacé au point de vue ecclésiastique ; et au point de vue politique, lui disparu, la Croisade restait plus que jamais une fédération de barons, fédération assez anarchique, comme on l'a vu par toute cette histoire. Peu à peu, il est vrai, plusieurs des barons s'étaient éliminés soit par la désertion, comme Étienne de Blois et Hugue de Vermandois, soit parce qu'ils s'étaient arrêtés en route, ayant jeté leur dévolu sur les terres déjà conquises, comme Baudouin de Boulogne l'avait fait à Édesse, comme Bohémond de Tarente l'avait fait à Antioche, comme Godefroi de Bouillon eût bien voulu le faire à Jabala et Raymond de Saint-Gilles à 'Arqa. Finalement restèrent seuls présents jusqu'au bout Godefroi de Bouillon, parce que Saint-Gilles l'avait empêché de s'installer à Jabala, Saint-Gilles parce que Godefroi l'avait à son tour empêché de s'installer à ' Arqa et à Tripoli, Tancrède, Robert de Flandre et Robert de Normandie. Ensemble, le soir de la prise de Jérusalem (15 juillet 1099), ils montèrent au Saint-Sépulcre pour y faire leurs dévotions. « Lors se départirent li baron et se désarmèrent en leur osteus (= hôtels) ; leur mains et leur piés et tous leur cors lavèrent mout bien ; puis pristrent noveles robes en leu de celes qui estoient ensanglantées ; lors comencièrent à aler tuit nuz piés o (= avec) sospirs et o lermes par les sainz leus de la cité où Jhesucrist li sauveur du monde avoit esté corporelement. Il besoient mout doucement la place par où si pié estoient alé. » Les chrétiens indigènes, tant grecs que syriaques, qui s'étaient terrés pendant le siège, sortaient en procession joyeuse pour les recevoir, concluant immédiatement avec les conquérants latins une alliance qui devait durer jusqu'à 1187[1] : « Li clergié et li pueples des crestiens qui de la ville estoient, cui (= à qui) l'en avoit fet maintes grans hontes por le nom (de) Jhesucrist, vindrent à procession o (= avec) crois et reliques que il portèrent encontre (à la rencontre de) les barons, et les menèrent, chantant et rendant grâces à

Nostre Sires, jusque dedans l'église du Saint-Sépucre. Iluec estoit douce chose à veoir et piteuse comment li pueples plouroient de joie et de pitié, comment il se lessoient cheoir en croiz devant le Sépucre. Il sembloit à chascun que il veist encore le cors (de) Jhesucrist gésir tout mort... Il leur estoit avis que il fussent à l'entrée de paradis[2]. »

*Primauté du spirituel ? La tentative de gouvernement ecclésiastique d'Arnoul Malecorne et de l'évêque de Marturano.*

Après avoir ainsi satisfait à leur piété, les chefs de la Croisade se réunirent le 17 juillet pour organiser leur conquête.

Le clergé latin avait sa doctrine : la Croisade ayant été l'œuvre personnelle du Pape Urbain II, la Terre Sainte devait être un autre patrimoine du Saint-Siège, ou, tout au moins, une principauté ecclésiastique, comme tant d'évêchés du Saint Empire. Si le chef spirituel de la Croisade, Adhémar de Monteil, évêque du Puy, avait vécu, son titre de légat du pape et aussi le rôle d'arbitre très sage qu'il avait joué entre les barons lui eussent sans doute permis de continuer à exercer au-dessus d'eux, avec le titre de patriarche, l'autorité suprême. Car le patriarche grec de Jérusalem, Siméon, venait de mourir à Chypre où il s'était enfui pour éviter les persécutions des Fâ*t*imides, et le siège patriarcal se trouvait à point vacant pour que les Latins y élussent un des leurs[3]. Cette élection, les clercs latins pressaient les barons de la laisser s'accomplir sur-le-champ, la désignation du patriarche devant précéder d'après eux celle du prince, en vertu de la primauté, hautement affirmée, du spirituel. Antériorité grosse de conséquence, car le baron choisi ensuite pour commander à Jérusalem n'eût été, dans la pensée des clercs, que le lieutenant temporel du patriarche[4].

Il n'est guère douteux qu'un État ecclésiastique latin à Jérusalem en 1099 n'eût pas été viable. La fragile colonie occidentale que les hasards de l'histoire venaient de faire surgir au cœur du monde musulman allait vivre en état de guerre perpétuelle, sans pouvoir déposer un seul jour son armure. Vouloir en faire une colonie de clercs était un tel paradoxe que l'homme d'État qu'est l'archevêque Guillaume de Tyr, pieux prélat cependant, s'insurge contre cette seule hypothèse[5]. Il nous présente la démarche des clercs de 1099 comme un véritable complot. « Un grans tropiaus de clers de l'ost, écrit son traducteur, s'asemblèrent, qui n'avoient mie bonne entencion, einçois pensoient à malice par orgueil et par convoitise. Il vindrent là où li baron estoient : "Biaux seigneurs, l'en nos a dit que vos estes venuz céanz por eslire un roi qui governera ceste terre ; ce nos plest moult et le tenons à grant bien, se vos le fetes en la manière que vos le devez fère, car sanz doutance les espériteus choses (les choses spirituelles) sont plus dignes que les temporeles. Por ce disons que les plus hautes choses doivent aler avant. Or vos prions donc et requerons, de par Nostre Seigneur, que ne vous entremetez de fere roi jusques nos aions esleu un patriarche en ceste ville, qui sache governer la crestienté. Se il vos plest à aler en ceste manière, il nos sera bel et bien, et tendrons à seigneur celui que vos nous donroiz ; mès, se vos le vouliez autrement fère, nos ne le tendrions mie à bien, einçois nos en descordons jà ; après ce, ne seroit ferme ne estable chose que vos feissiez (= ce que vous feriez là contre n'aurait aucun caractère stable ni valable)". En ceste parole, poursuit *l'Estoire d'Éracles*, sembloit avoir paroles de bien, mès ele venoit de mal proposement, ne n'i avoit que décèvement et tricherie. » L'âme « de cest complot et de ce barat » était l'évêque Arnoul de Marturano en Calabre. L'évêque de Marturano travaillait pour son homonyme, Arnoul Malecorne *(Mala Corona)*, chapelain du duc de Normandie, personnage lettré, actif, éloquent et adroit mais assez décrié. Le chapelain « estoit filz à prouvoire (et) de si mauvèse vie et si orde que li garçon en avoient fète leur chançons par tout l'ost[6] ». « Li évesque de Calabre, contre Dieu et contre reson, en vouloit fère (un) patriarche ; pour ce s'estoient andui (= tous deux) accordez ensemble, car li uns ne valoit (pas) mieus de l'autre, ains (= mais) ils estoient mauvés lechéeur ambedui (= intrigants) tous deux). Un marchié avoient entre eus fet priveément, que, sitost comme cil Hernous seroit patriarches, li evesque de Maturanne auroit l'arceveschié de Bethléem que il avoit jà saisi. »

Ce « complot » ecclésiastique, comme l'appelle *l'Estoire d'Éracles*, échoua par l'indignité même de ses auteurs. Les deux Arnoul étaient décriés. La constitution de la Terre

Sainte en bien d'Église n'aurait eu chance de réussir que si quelque grand prélat se fût trouvé présent pour en prendre la direction. La disparition du légat Adhémar de Monteil, mort comme un nouveau Moïse, au seuil de la terre promise, avait, on l'a dit, décapité le clergé. Ceux des évêques croisés qui auraient pu reprendre son rôle étaient morts peu après lui, comme Guillaume d'Orange, décédé à Ma'arrat al-Nu'mân. Cette situation permit aux barons – lesquels ne tenaient nullement à se mettre sous la tutelle ecclésiastique – d'écarter assez rudement « comme folie » l'espèce de sommation des clercs[7].

*Le choix d'un chef :*
*Raymond de Saint-Gilles ou Godefroi de Bouillon ?*

Après avoir ainsi écarté l'éventualité d'un gouvernement ecclésiastique, les barons avaient maintenant à élire l'un d'eux comme chef laïque de Jérusalem. Quatre candidats seulement pouvaient se présenter : le comte de Toulouse, le duc de Lotharingie, le comte de Flandre, le comte de Normandie ; ou plutôt, les deux derniers désirant rentrer le plus tôt possible en Europe, ne restaient en présence que Raymond de Saint-Gilles et Godefroi de Bouillon.

Il n'est pas douteux que Raymond était le candidat le plus brillant et le plus riche, la plus forte personnalité. Il avait sa politique à lui, une politique à larges vues, basée sur la précieuse alliance byzantine. La réussite finale de la Croisade était pour une bonne part son œuvre, puisque c'est lui qui en janvier 1099 avait entraîné les Croisés sur le chemin de la Palestine en prenant même à sa solde les autres barons. Il semble que ce roi de la France du Midi, s'il avait obtenu la couronne de Jérusalem, eût constitué tout de suite en monarchie solide, encore que vassale de Byzance, le nouvel État hiérosolymitain. Peut-être est-ce là ce qui effraya les autres barons. Son historien affirme qu'ils lui offrirent d'abord la couronne et qu'il la refusa[8], assertion confirmée par le chroniqueur adverse, Albert d'Aix[9]. Mais l'historien provençal avoue quelques lignes plus loin que Robert de Flandre et Robert de Normandie favorisaient contre lui Godefroi de Bouillon. Du reste le refus de Raymond de Saint-Gilles ne s'explique que si l'offre était trop peu sincère et partait de gens décidés à lui rendre l'exercice du pouvoir impossible. Peut-être se sentait-il humilié depuis que Godefroi de Bouillon, en faisant lever à l'armée le siège de 'Arqa, lui avait arraché la direction de la Croisade. Enfin, de l'aveu de son historien, ses Provençaux, craignant que son élection au trône de Jérusalem ne les empêchât de regagner l'Europe, conspiraient eux-mêmes contre sa candidature. L'impatience de ses troupes à se voir « démobilisées » fut peut-être un des facteurs qui lui arrachèrent le fruit de la victoire. D'autres armées occidentales, après avoir sous nos yeux conquis l'Orient, ne se sont-elles pas de même dissoutes en abandonnant le résultat de tant d'efforts ?

Godefroi de Bouillon, pressenti à son tour, refusa aussi. Seulement, comme, en ce qui le concernait, l'offre devait être plus sincère, on le força à accepter (22 juillet 1099). La précarité de ses nouvelles fonctions et la mauvaise volonté du comte de Toulouse à son égard se manifestèrent tout de suite. Le nouveau chef de Jérusalem délivrée émit la prétention, assez naturelle, de s'installer dans la citadelle (al-Qal'a) ou Tour de David[10]. Mais la Tour de David, lors de la prise de la ville, avait été conquise par Raymond de Saint-Gilles. Invité à s'en dessaisir, Saint-Gilles refusa, sous prétexte qu'il voulait y séjourner jusqu'aux fêtes de Pâques. En vain Robert de Flandre et Robert de Normandie prirent-ils parti pour le nouvel élu. Raymond s'obstina dans son refus.

Le texte de *l'Estoire d'Éracles* montre bien que, si le comte de Toulouse avait décliné le pouvoir, ce n'avait été qu'à son corps défendant, puisqu'il essayait maintenant de se maintenir dans Jérusalem aux côtés de Godefroi. « Li cuens de Toulouse tenoit la greigneur (plus grande) forteresce de la vile que l'en apele la tor David : li Turc la li avoient rendue. Ele est assise en la plus haute partie de la cité, fermée de mout granz pierres tailliées, si que l'en puet veoir desouz toute la ville. Quand li Dux vit que cele tor n'estoit mie en son pooir, bien li sembla que il n'avoit pas la seigneurie, quant la greindre (majeure) forteresce li failloit (manquait). Por ce pria le conte qu'il la li rendist. Li cuens respondi que il l'avoit conquise, por ce il la tenoit, mès il avoit en proposement que il s'en alast en son païs entor la Pasque, lors la li rendroit ; mès tandis (= en attendant) la li leissast tenir : ce requeroit por estre plus à enneur et à greigneur seurté en la terre. Li Dux respondi que, se il n'avoit cele tor, il leiroit (laisserait) tout, car comment porroit-il estre sires de ce païs quant uns autre avoit greigneur (plus grand) pooir et plus grant force en sa cité que lui[11] ? »

Pour sauver la face, on convint d'un moyen terme. Raymond de Saint-Gilles accepta de remettre la tour de David à l'évêque d'al-Bâra – c'est-à-dire à l'un de ses Croisés provençaux – chargé de la garder jusqu'à la décision. Mais, au bout de quelques jours, l'évêque d'al-Bâra remit la tour à Godefroi de Bouillon, à la grande colère de Saint-Gilles qui sortit de la ville en annonçant son départ immédiat pour l'Europe. En réalité il se contenta d'aller, par Jéricho, jusqu'au Jourdain où il se « baptisa »[12].

Ces débuts assez peu brillants ne révèlent que trop à quel point Godefroi de Bouillon, malgré sa valeur de soldat et la sainteté de sa vie, manquait d'autorité. Comme le remarque Chalandon, ce fut précisément en raison de ce caractère quelque peu effacé, encore que fort estimable, et parce qu'on n'avait pas à redouter en lui une personnalité trop impérieuse que les autres barons et l'épiscopat l'avaient élu, les barons parce qu'ils ne tenaient nullement à se donner un maître, les prélats parce qu'ils redoutaient la création d'une monarchie trop forte qui eût barré la route à leur projet de principauté ecclésiastique[13]. *L'Estoire d'Éracles* rapporte à propos de ces événements une amusante anecdote qui peint bien l'état d'esprit des électeurs de Godefroi. À ceux-ci qui s'enquéraient du caractère du duc de Lotharingie, les clercs de son entourage répondirent en se plaignant de sa bigoterie, de ses interminables stations à l'église, qui leur faisaient ensuite trouver le dîner froid : « Cil qui plus estoient privé du duc Godefroi, quant l'en leur demanda de ses teches (= habitudes) et de sa manière, respondirent que il avoit une costume mout ennuieuse, car, quant il estoit en aucune église où il avoit oï messe et le service (de) Nostre Seigneur, ne s'en pooit partir. Mout ooit volentiers les estoires et les vies des sainz et trop i entendoit, si que maintes foiz desplaisoit à ses compaignons, et son mengier en empira maintes foiz, pour ce que il demouroit trop ez moustiers (= dans les monastères)[14]. »

Dans la bouche des chapelains du duc, c'était évidemment un grave reproche. Au contraire les barons auxquels ils s'en plaignaient s'en montrèrent fort édifiés et ce fut, nous assure plaisamment Guillaume de Tyr, un des motifs qui décidèrent de son élection. Sans doute auguraient-ils que ce moine couronné serait un suzerain débonnaire.

On sait que le nouvel élu ne prit pas le titre de roi. La tradition veut qu'il ait « refusé de porter une couronne d'or là où le Christ avait porté une couronne d'épines ». Il se contenta du titre singulièrement plus modeste d'avoué ou défenseur du Saint-Sépulcre. Mais précisément ce titre, qui équivalait à celui de régent pour le compte de l'Église, est un aveu. En le choisissant, le nouvel élu transigeait avec le programme de principauté ecclésiastique. Il reculait devant la création d'une monarchie organisée, seule capable cependant de faire vivre cette colonie en péril.

*Élection d'un patriarche : Arnoul Malecorne.*

En face de ce prince débonnaire, le parti ecclésiastique se montrait de plus en plus entreprenant. L'évêque de Marturano arriva alors à ses fins en faisant élire patriarche, le 1er août 1099, son ami, le chapelain du duc de Normandie, Arnoul de Zokes, surnommé Arnoul Malecorne. Une telle élection (qui d'ailleurs devait bientôt être cassée par l'Église elle-même) scandalise le pieux Raymond d'Agiles[15]. Le grand archevêque Guillaume de Tyr la juge plus sévèrement encore : « Cil maus (mauvais) hom, l'evesque de Maturanne, écrit son traducteur, estoit pleins de malice et de grant desloiauté ; si se penoit en toutes manières de mestre descord entre les barons et li pueple ; car il disoit que li baron ne vouloient soufrir que l'en (= on) esleust un patriarche en Jhérusalem porce que il tenoient toutes les droitures de la sainte église (= qu'ils avaient usurpé tous les biens ecclésiastiques) et rendre ne les vouloient. Il trova pluseurs genz qui le crurent et s'accordèrent à lui, si que, par leur aide, contre la volenté des autres, et par l'aide le (= du) duc de Normendie de qui il estoit mout privez et avoit esté de sa table en toute cele besongne, il eslut à patriarche celui Ernoul qui ses compeinz (= son complice) estoit de toutes mauvestiez et par force l'assist eu siège de patriarche en l'église du Sépucre. Ce fu contre Dieu et contre toute droiture[16]. » Raymond d'Agiles ajoute que le nouveau patriarche se mit aussitôt à dépouiller les ecclésiastiques des diverses confessions chrétiennes qui détenaient des situations et des privilèges au Saint-Sépulcre[17]. De telles mesures, que Raymond d'Agiles blâme hautement, n'étaient pas faites pour rallier au nouveau patriarcat latin les communautés grecque et syriaque. De fait les chrétiens indigènes qui avaient, par peur des représailles fâ*t*imides, caché pendant le siège le morceau de la Vraie Croix vénéré aux Saints-Lieux, refusaient maintenant d'en révéler l'emplacement aux Latins. Il fallut employer la contrainte pour les amener à livrer leur cachette. La Vraie Croix servit dès lors de labarum au nouvel État franc[18].

### § 2. — La contre-attaque fatimide et son échec. Occupation du territoire palestinien.

*Occupation de Naplouse par Tancrède.*

Les Latins, cependant, ne possédaient de la Palestine que Jérusalem, Bethléem, Lydda, Ramla et Jaffa. Restait à entreprendre l'occupation du reste du pays. La chute de Jérusalem avait, il est vrai, démoralisé les habitants des places voisines. Ceux de Naplouse, la principale ville de la Samarie, se soumirent spontanément. Ils connaissaient Tancrède et Eustache de Boulogne qui, pendant le siège de Jérusalem, étaient venus chercher du bois de construction chez eux. Des messagers de Naplouse, – sans doute des chrétiens indigènes – se rendirent à Jérusalem pour inviter les deux barons à venir en forces prendre possession de la ville. De fait à leur arrivée les habitants la leur remirent sans difficulté (vers le 25 juillet)[19].

À peine Tancrède et Eustache avaient-ils achevé cette pacifique conquête, qu'ils recevaient de Godefroi de Bouillon resté à Jérusalem l'avis d'avoir à se rabattre sur la côte pour se renseigner sur les bruits d'une attaque fâ*t*imide (vers le 4 août). Les deux barons coururent donc avec leur cavalerie jusqu'à Césarée d'où, en longeant le rivage, ils explorèrent le pays jusqu'à Jaffa. Entre Jaffa et Ramla ils tombèrent sur un grand nombre d'éclaireurs égyptiens qu'ils capturèrent : par ces prisonniers ils eurent les détails les plus circonstanciés sur l'attaque qui se préparait (7 août). Le vizir al-Af*d*al, avec toutes les forces de l'Égypte, venait d'arriver à Ascalon dans l'intention de reconquérir Jérusalem. Tancrède envoya un messager à franc étrier vers la ville sainte pour presser Godefroi de Bouillon d'accourir avec tous ses gens[20].

*La contre-attaque fâtimide d'août 1099.*

À la nouvelle de la marche des Francs sur Jérusalem, le vizir al-Af*d*al avait rassemblé l'armée égyptienne. Mais quand il arriva à Ascalon, le 4 août 1099, il y avait déjà près de vingt jours que Jérusalem avait succombé. L'événement avait démenti ses calculs. Jusqu'au bout le souple Arménien avait cru que les Francs, satisfaits de la conquête de la Syrie du Nord, ménageraient la puissance fâ*t*imide, cette alliée naturelle contre le Turc, l'ennemi commun. Pensait-il que les Croisés avaient renoncé au but de la Croisade parce que, au temps où ils luttaient contre les Seljûqides, ils avaient échangé d'amicales ambassades avec lui ? De fait, dès son arrivée à Ascalon, il envoya une délégation aux Francs pour leur reprocher, comme un parjure, leur agression[21]. Sans doute leur reprochait-il surtout l'impolitique massacre du *H*aram al-Sherîf qui le mettait, lui, le renégat arménien, en si fâcheuse position envers l'Islam. Mais excellent administrateur et homme d'État énergique, il semble qu'Al-Af*d*al ait été un général assez médiocre. Le *Mirât al-Zemân* avoue qu'après être arrivé devant Ascalon à la tête d'une armée considérable, il y perdit un temps précieux en attendant l'arrivée de sa flotte et les renforts promis par les Arabes[22]. Tandis qu'il attendait dans l'inaction, Godefroi de Bouillon, alerté par Tancrède, accourait de Jérusalem sur Ascalon à marches forcées.

La gravité du péril eut en effet pour résultat de resserrer le faisceau des forces franques autour de l'Avoué du Saint-Sépulcre, de faire, bon gré mal gré, la monarchie. Godefroi de Bouillon, d'ailleurs, plus à son aise à la guerre que dans la politique, prit ses dispositions avec une célérité remarquable. Le 9 août, il sortit de la ville avec le comte de Flandre et le patriarche Arnoul et courut jusqu'à Ramla d'où il fit presser l'arrivée des retardaires. Devant l'imminence du danger il avait fait inviter le comte de Toulouse, qui boudait du côté du Jourdain, à venir le rejoindre. Mais le comte et aussi, détail inquiétant, Robert de Normandie refusèrent d'abord de marcher, tant était encore mal assise l'autorité de l'Avoué du Saint-Sépulcre. Tous deux « déclarèrent qu'ils ne marcheraient que si l'attaque leur était confirmée ». Et, sceptiques, ils envoyèrent quelques chevaliers en reconnaissance vers Ascalon[23]. Il est vrai que, dès que ces messagers furent de retour, ayant vu de leurs yeux les avant-gardes fâ*t*imides, Raymond de Saint-Gilles et Robert de Normandie s'ébranlèrent à leur tour (10 août 1099) pour rallier l'armée de Godefroi de Bouillon avec lequel ils opérèrent leur jonction auprès du bourg d'Ibelin, l'actuel Yebnâ ou Yabnâ[24]. Quand toutes les forces franques – Godefroi et Robert de Flandre, Tancrède et Eustache de Boulogne, Raymond de Saint-Gilles et Robert de Normandie – furent ainsi concentrées, elles atteignirent douze cents cavaliers et environ neuf mille fantassins.

*Bataille d'Ascalon (12 août 1099).*

D'Ibelin, les Francs se portèrent en direction du sud, par la plaine d'Ashdod, vers Ascalon. Le soir du 11 août, ils surprirent les troupeaux de l'armée égyptienne et les raflèrent. Le lendemain 12 août, à l'aube, ils pénétrèrent « dans une vallée magnifique, près du rivage de la mer », la plaine d'al-Majdal, d'al-Jûra et d'Ascalon, avec ses bois de sycomores, ses oliviers, ses vergers et ses vignes. Ils prirent aussitôt leurs dispositions de combat, le comte de Toulouse à l'aile droite, appuyé à la mer ; à l'aile gauche Godefroi de Bouillon qui poussa de ce côté jusqu'aux murs d'Ascalon ; au centre Robert de Normandie, le comte de Flandre et Tancrède.

Au témoignage d'Ibn al-A*th*îr, les Égyptiens furent complètement surpris. « Ils se disposaient à monter à cheval et à revêtir leurs armes, mais les Francs ne leur en laissèrent pas le temps[25]. « Robert de Normandie, apercevant l'étendard du vizir al-Af*d*al, s'élança sur le porte-drapeau et l'abattit. Tancrède poussa droit sur le camp égyptien et y pénétra. En quelques instants la déroute des Fâ*t*imides fut complète. Al-

Af*d*al, avec les mieux montés de ses officiers, n'eut que le temps de se réfugier dans Ascalon d'où il regagna précipitamment l'Égypte. Parmi ses soldats, les uns se jetèrent à la nage dans la mer où Raymond de Saint-Gilles les força à se noyer ; les autres se réfugièrent dans un bois de sycomores auquel les Francs mirent le feu. Le camp fâ*t*imide livra aux vainqueurs des richesses considérables[26].

La victoire d'Ascalon mettait les Fâ*t*imides hors de combat, comme le désastre de Kurbuqa avait mis hors de combat les Seljûqides. Désormais, en Palestine comme en Syrie, les Francs avaient les mains libres. Il semblait que rien ne les empêchât d'enlever les villes du littoral de la Philistie et de la Phénicie qui tenaient encore. Pour commencer, Godefroi de Bouillon mit le siège devant Ascalon. La place, qui n'avait plus l'espoir d'être secourue par une armée égyptienne, paraissait à la veille de se rendre pour peu que les autres chefs croisés eussent secondé l'Avoué du Saint-Sépulcre. Mais, jaloux de son autorité, ils ne voulaient rien faire qui pût accroître son pouvoir. C'est uniquement sous la pression du péril commun, on l'a vu, qu'ils avaient consenti à marcher à ses côtés jusqu'à Ascalon. L'invasion fâ*t*imide une fois arrêtée, leur jalousie l'empêcha d'exploiter sa victoire.

Les gens d'Ascalon, terrifiés par le désastre de la grande armée fâ*t*imide et se sentant incapables de résister aux vainqueurs, songeaient à se rendre mais redoutaient le sort des défenseurs de Jérusalem. Tant il est vrai que le stupide massacre du *H*aram al-Sherîf se dressait comme un obstacle à la soumission du reste de la Palestine. À Jérusalem, toutefois, les défenseurs de la tour de David s'étant personnellement rendus à Raymond de Saint-Gilles, celui-ci avait scrupuleusement observé son serment et fait conduire la petite garnison en terre fâ*t*imide. On ne l'ignorait pas en pays arabe, et Raymond y avait tout de suite acquis une réputation de loyauté. Ce fut donc à lui que les Ascalonitains s'adressèrent, lui offrant de lui rendre la ville s'ils leur garantissaient la vie et la liberté. Saint-Gilles ayant accepté, ils arborèrent sa bannière. Mais Godefroi de Bouillon, peu désireux de voir se constituer en Philistie une principauté provençale qui eût enlevé à l'État franc de Jérusalem la possession directe de ses débouchés maritimes, fit observer qu'Ascalon devait dépendre de la capitale et invita Raymond à y renoncer. Non seulement Raymond regimba, mais, ulcéré de ce qu'il considérait comme une nouvelle spoliation, plutôt que de voir Ascalon tomber au pouvoir de l'Avoué du Saint-Sépulcre, il préféra la voir rester mulsumane. Il quitta donc Ascalon en remontant vers Arsûf et amena Robert de Flandre et Robert de Normandie à se retirer également vers le nord. En même temps il fit dire aux Ascalonitains de reprendre courage et de résister à Godefroi, en ajoutant que ce dernier, abandonné par les autres barons, ne disposerait plus de forces suffisantes pour emporter la ville. Godefroi resté seul et voyant les Ascalonitains disposés à une défense énergique dut renoncer à sa tentative[27].

Pendant ce temps Raymond essayait de se faire livrer Arsûf. Là aussi il promettait aux habitants les conditions les plus libérales s'ils se donnaient à lui. Mais Godefroi de Bouillon le rejoignit aussitôt devant la place, estimant qu'Arsûf, comme Ascalon, relevait du domaine immédiat du Saint-Sépulcre. D'après Albert d'Aix[28], Raymond recommença alors sa trahison d'Ascalon, encourageant les gens d'Arsûf, comme précédemment les Ascalonitains, à tenir bon et leur révélant que Godefroi, réduit à ses seules forces, n'était pas en état de les prendre d'assaut[30]. Quant aux deux autres chefs croisés, Robert de Flandre et Robert de Normandie, ils s'étaient, comme on l'a dit, retirés plus au nord entre Césarée et Caïffa.

Godefroi de Bouillon fut si exaspéré des obstacles mis à la conquête des ports de la Philistie qu'il fut sur le point d'attaquer le camp provençal. Robert de Flandre ne réussit qu'avec peine à l'apaiser. Colère bien explicable. Ascalon, que les Francs eussent pu occuper sans effort dès 1099, ne devait être conquise par eux qu'en 1153. Durant tout ce temps elle servira de réduit aux troupes égyptiennes, de base de départ pour leurs incursions. Tant devait peser sur les destinées de la Syrie franque la faute de ne s'être pas constituée dès le début en une monarchie véritable, reconnue et obéie comme telle.

Du reste Godefroi de Bouillon ne tarda pas à être délivré de la rivalité des autres chefs croisés. Robert de Normandie et Robert de Flandre rentrèrent en Europe, en gagnant Constantinople par la voie de mer avec toutes leurs troupes. Des ports d'embarquement de la Syrie méridionale – Acre, Tyr,

Sidon, Beyrouth, Tripoli, – les quatre premiers étaient toujours en la possession des Fâ*t*imides (ou d'émirs locaux sujets des Fâ*t*imides), le cinquième entre les mains des Banû 'Ammâr. Mais le retentissement de la bataille d'Ascalon était tel que les autorités arabes de ces places offrirent toutes facilités aux Croisés pour se ravitailler au passage avant de gagner les ports latins de la Syrie du Nord, Gibel (Jabala) et Laodicée (Lattaquié) où ils se rembarquèrent[30]. Quant au comte de Toulouse, après les avoir accompagnés jusqu'à Laodicée, il resta dans la Syrie du Nord où, comme on le verra, il essaya de lutter avec l'aide des Byzantins, ses alliés, contre la puissance grandissante de Bohémond, prince d'Antioche.

Malgré les dissentiments qui avaient marqué les derniers temps de leur séjour auprès de lui, Robert de Flandre et Robert de Normandie n'avaient pas pris congé sans émotion de l'Avoué du Saint-Sépulcre. Celui-ci restait seul, avec une poignée de gens, dans la Judée mal soumise, au milieu d'un monde d'ennemis. Il pria les deux barons de ne pas l'oublier en rentrant en France, de faire savoir aux peuples chrétiens ce que sa situation avait de périlleux, de lui faire envoyer des renforts sans retard pour maintenir l'occupation[31]. On comprend son angoisse, si l'on se rappelle qu'Albert d'Aix évalue à 20 000 hommes le nombre des Francs qui remontèrent de Jérusalem à Laodicée avec le comte de Toulouse, le comte de Flandre et le comte de Normandie pour rentrer en Europe[32]. Que restait-il en Palestine ? Quelques centaines de chevaliers à peine. Il s'en faudra de peu que la Syrie franque ne paie cher une aussi brusque réduction d'effectifs. L'embarquement de la majeure partie des Croisés était une démobilisation prématurée, démobilisation effectuée sans doute au lendemain d'une victoire décisive, mais d'une victoire non exploitée, quand l'occupation du pays ne faisait que commencer, alors que la guerre restait le régime quotidien de la nouvelle colonie...

*Tancrède et l'occupation de la Galilée.*

De tant de barons partis d'Europe à ses côtés à la délivrance des Lieux Saints, Godefroi de Bouillon ne conservait auprès de lui pour défendre sa conquête que le prince italo-normand Tancrède. Seul en effet Tancrède consentit à servir sous les ordres de l'Avoué du Saint-Sépulcre[33]. Godefroi fit aussitôt de lui son lieutenant. Il le chargea de l'occupation effective de la Galilée en lui inféodant la « princée » de ce pays[34].

La conquête de la Galilée fut rapide, bien que Tancrède n'eût pas avec lui plus de quatre-vingts compagnons, tant était grande la pénurie d'hommes après le retour en masse des Croisés[35]. Tancrède occupa sans combat la ville de Tibériade – *T*abariya, la Tabarie des chroniqueurs – dont les habitants musulmans avaient fui à son approche, tandis que les Syriens chrétiens, qui formaient la minorité, étaient restés[36]. « Tabarie » dûment fortifiée, avec une épaisse muraille garnie de tours, devint la capitale de la nouvelle princée de Galilée[37].

Au sud-est de la Galilée, au débouché de la plaine du Nahr Jâlûd dans le Jourdain, Tancrède occupa et fortifia la ville de Bethsan ou Beisân, le Bessan des chroniqueurs[38] qui est l'ancienne Scythopolis, position importante d'où il pouvait surveiller la rive orientale du Jourdain, du côté des cantons de 'Ajlûn et de Jaulân, c'est-à-dire sur les frontières méridionales du royaume de Damas[39]. En même temps qu'il occupait et fortifiait les villes, il rendait la campagne galiléenne intenable aux maraudeurs bédouins comme aux réguliers arabes, coupant les pistes de caravanes et obligeant l'adversaire à évacuer complètement la région. Empruntant aux Arabes leur vieille tactique, il organisait même des razzias en pays ennemi, harcelant les places et dévastant les cultures, tant sur les terres du malik seljûqide de Damas, que chez les tribus arabes de Transjordanie ou sur le territoire des villes fâ*t*imides de la côte. De ces coups de main il rapportait chaque fois des richesses considérables, si bien, nous dit le chroniqueur, que Jérusalem, appauvrie par le siège et le pillage de juillet 1099, se trouva de nouveau dans l'opulence[40].

Dans la Galilée solidement occupée, Tancrède put réorganiser, avec toute la pompe convenable, les sanctuaires historiques de Nazareth et du lac de Tibériade. « Tancrez tint cele terre si bien et si sagement que loez en fu de Dieu et du siècle. Les églises de cele terre fonda mout richement et granz rentes leur donna. Aornemenz i mist biaus et de grant valeur, nomement l'église de Nazareth et de Tabarié, et cele de Monte Tabor leissa en mout haut point[41]. »

Dans la Judée propre, une besogne analogue était menée par l'Avoué du Saint-Sépulcre. Baudri de Dol, après nous avoir raconté la prise de possession de la Galilée par Tancrède, ajoute que « les Hiérosolymitains », c'est-à-dire les compagnons de Godefroi, se répandant dans toute la contrée située entre Naplouse et Hébron, occupèrent toutes les places jusqu'au Jourdain et à la mer Morte du côté de l'Orient et que, du côté du Sud, ils fortifièrent particulièrement Hébron ou, comme disent les chroniqueurs, Saint-Abraham[42].

Cependant la pénurie d'hommes était telle que l'occupation restait singulièrement précaire. Les Croisés s'étant rembarqués en masse, Godefroi et Tancrède ne conservaient que quelques centaines de soldats pour maintenir et exploiter la conquête de la Judée. L'État franc n'était protégé que par le souvenir récent des journées d'Antioche, de Jérusalem et d'Ascalon. Mais que se fût-il passé, si le vizir égyptien al-Af*d*al avait saisi l'occasion de prendre sa revanche ? *L'Estoire d'Éracles* après les autres chroniques insiste sur la situation tragique dans laquelle le départ des autres barons laissait l'Avoué du Saint-Sépulcre : « En ce tens, presque tuit li baron qui estoient venuz en pèlerinage s'estoient jà partiz de la terre et retornés en leur païs. Li dux à qui l'en avoit baillé le roiaume et Tancrez qui avec lui estoit remès (demeuré) remanoient (= restaient) tuit seul en ces parties. Il estoient tuit povre d'avoir et de gent ; à peines poïssent-il trouver trois cenz homes à cheval et deus [mille] à pié. »

Avec des forces aussi réduites l'occupation ne pouvait être effective. Elle se limitait d'ailleurs aux principales villes comme Jérusalem, Bethléem, Hébron, Ramla et Lydda, Jaffa, Naplouse, Bethsan, Tibériade, Nazareth. La campagne palestinienne, avec ses bourgs et ses fermes ou caseaux, restait (en Judée surtout) aux mains des cultivateurs arabes qui, avec les Bédouins nomades, formaient le gros de l'élément rural. Aussi les places franques se trouvaient-elles comme autant d'îlots au milieu d'une campagne hostile qui pouvait paraître soumise quand une escorte de gens d'armes traversait le pays, mais qui prenait sa revanche en courant sus aux pèlerins isolés. Théoriquement vassale des seigneurs francs des villes, la population arabe préférait abandonner ses cultures et laisser le sol en friche que de payer aux « polythéistes » la redevance des récoltes[43]. Dans les villes elles-mêmes, la situation était à peine moins précaire, car la population arabe ayant été en grande partie éliminée, il ne restait, aux côtés de la poignée de Francs, que les chrétiens indigènes, de rite syriaque ou grec. Dans ces villes dépeuplées, les maraudeurs arabes se glissaient la nuit impunément pour voler et assassiner les chrétiens[44]. Crise grave d'une colonie fondée d'abord sans colons.

## § 3. — Godefroi de Bouillon et le commencement d'une politique coloniale franco-syrienne.

*Conclusion d'accords commerciaux entre les Francs et les ports arabes du littoral palestinien.*

Le domaine franc de Jérusalem ne possédait, on l'a vu, qu'une ouverture sur la mer, à Jaffa, le port de la ville sainte. Pour se donner de l'air, Godefroi de Bouillon reprit ses projets sur la ville maritime d'Arsûf ou Arsur que sa mésentente avec le comte de Toulouse l'avait empêché d'occuper en août 1099. Mais son armée était trop réduite pour intimider les habitants[45]. De plus l'absence de navires ne lui permettait pas de les bloquer par mer. Ils résistèrent donc avec opiniâtreté. On se rappelle que Godefroi leur avait précédemment envoyé comme résident un chevalier du Hainaut, Gérard d'Avesnes. À l'approche de l'armée franque ils se saisirent de Gérard et le ligotèrent sur un mât, au-dessus du rempart, exposé à toutes les flèches des siens. Godefroi de Bouillon, sans se laisser attendrir par les supplications du malheureux, poursuivit le siège. Mais la tour roulante qu'il avait fait dresser contre le mur fut incendiée par le feu grégeois. Une nouvelle machine eut le même sort. Découragé il renonça à son entreprise et rentra à Jérusalem, en se contentant de laisser à Ramla cent chevaliers et deux cents fantassins avec mission d'exercer des ravages quotidiens à travers la campagne d'Arsûf (décembre 1099).

Le siège de cette petite ville n'en avait pas moins échoué. Rien ne montre mieux la pénurie de moyens à laquelle le rembarquement des Croisés réduisait le chef de l'État franc[46].

Toutefois le blocus à distance qu'à l'aide de la garnison de Ramla Godefroi de Bouillon organisa contre les gens d'Arsûf devait finir par avoir raison d'eux. En février 1100, croyant ce blocus levé, ils s'étaient répandus sans méfiance dans la banlieue pour procéder aux travaux des champs. Aussitôt alertés, quarante chevaliers accoururent de Ramla et sabrèrent toute cette population, renvoyant ensuite leurs captifs avec le nez, les pieds ou les mains coupés (mi-février 1100). Bien entendu les gens d'Arsûf, qui étaient sujets égyptiens, dépêchèrent aussitôt une délégation au Caire pour supplier le vizir al-Af*d*al de les protéger. Al-Af*d*al se contenta de leur envoyer une petite garnison de trois cents hommes, – cent Arabes et deux cents Africains. Rassurés par ce renfort, les Arsûfî osaient de nouveau vaquer aux travaux des champs, quand un nouveau « rezzou » franc se forma à Ramla sous les ordres de Garnier de Grès et de Robert des Pouilles et vint se poster en embuscade dans la région. La petite garnison égyptienne, attirée par des coureurs, sortit à leur poursuite, tomba dans le piège et subit un désastre (mi-mars 1100).

La protection égyptienne s'avérant impuissante, les gens d'Arsûf, pour pouvoir cultiver leur territoire, se décidèrent enfin à accepter le protectorat franc. Une délégation vint, vers le 25 mars, apporter à Godefroi de Bouillon les clés des portes et des tours et offrir un tribut annuel. Le bénéfice de ce tribut fut accordé par Godefroi à un de ses chevaliers, Robert des Pouilles[47]. Peu après Godefroi eut la surprise de voir arriver à Jérusalem Gérard d'Avesnes en personne guéri de ses blessures et que les Arsûfî lui renvoyaient en témoignage de réconciliation. Le duc, joyeux, le nomma seigneur de Saint-Abraham ou Hébron[48].

Avant même d'avoir réduit les Arabes d'Arsûf au vasselage, Godefroi de Bouillon, avec l'aide des marins pisans, fortifia puissamment Jaffa (mi-janvier 1100). Dans sa pensée, comme le fait observer Albert d'Aix, Jaffa devait dominer tout le littoral palestinien, tenir en respect les ports égyptiens d'Ascalon et d'Acre. C'était le grand port latin, où devaient converger les navires et le commerce de toute la Chrétienté. C'était par là que l'État franc de Jérusalem recevrait des escadres génoises, vénitiennes, pisanes et provençales le ravitaillement nécessaire. Là aussi que les pèlerins de l'Europe entière débarquant chaque année, trouveraient, à l'abri de solides murailles, la sécurité et le repos[49].

La fortification de Jaffa par les Francs fut un coup terrible pour les possessions égyptiennes du littoral palestinien qui se voyaient ainsi coupées les unes des autres et sous la menace de razzias incessantes. Danger d'autant plus grave que la nouvelle de la prise de Jérusalem se répandant à travers toute la Latinité, les escadres italiennes commençaient à affluer dans les eaux syriennes avec leurs centaines de pèlerins et d'aventuriers et que la maîtrise de la mer passait dès lors aux chrétiens. Découragés à leur tour, les émirs arabes qui exerçaient le commandement au nom du Khalife fâ*t*imide à Ascalon, à Césarée et à Acre ne virent d'autre issue que de se reconnaître tributaires de l'État franc. Une ambassade vint de leur part trouver Godefroi de Bouillon à Jérusalem, supplier le duc d'accorder aux trois villes maritimes la possibilité de cultiver en paix leur territoire et de se livrer au commerce qui les faisait vivre, moyennant quoi les trois émirs s'engageaient à payer un tribut mensuel de 5 000 besants, sans parler d'une livraison de chevaux arabes, de mulets et de dons en nature, froment, orge, vin, huile, etc. La paix fut conclue sur ces bases et, semble-t-il, loyalement respectée des deux côtés. Albert d'Aix nous dit que l'amitié alla croissant de jour en jour entre Godefroi de Bouillon d'une part et d'autre part l'émir d'Ascalon d'abord, les émirs de Césarée et d'Acre ensuite[50].

Ainsi, après le bouleversement de l'invasion franque, un *modus vivendi* s'établissait en Palestine entre Francs et Arabes, *modus vivendi* d'autant plus nécessaire que possessions franques et possessions arabes restaient imbriquées les unes dans les autres. Puisque l'intérieur de la Judée et de la Galilée était tombé au pouvoir des Francs, tandis que la côte philistine et phénicienne restait en majeure partie au pouvoir des Arabes, il fallait bien que les ports demeurés fâ*t*imides obtinssent, pour vivre, la possibilité de cultiver leur territoire et de commercer avec l'intérieur, comme il valait mieux pour les Croisés que les maîtres d'Ascalon, de Césarée et d'Acre respectassent les pèlerins. La solidarité économique, les nécessités les plus évidentes de l'agriculture et du commerce palestiniens obligeaient Francs et Arabes à cet accord et le faisaient accueillir d'assez bonne grâce, semble-t-il, par les deux partis. On peut dire qu'à dater de ce jour la Croisade fait place à la colonisation franque.

La paix politique et commerciale de 1100 ne se limita pas aux quatre ports fâ*t*imides de Palestine (car aux trois villes précitées, il faut, comme on l'a vu, joindre Arsûf, venue à composition la première). Elle s'étendit à plusieurs émirs ou sheikhs arabes de l'intérieur auxquels l'occupation de la Judée, de la Samarie et de la Galilée par les Francs avait d'abord coupé leurs » communications avec la côte ou avec l'Égypte. Albert d'Aix nous dit que plusieurs de ces chefs arabes (« principes Arabiæ ») envoyèrent à leur tour solliciter paix et amitié, avec la réouverture des pistes de caravanes. Ils demandaient, nous dit le chroniqueur, l'autorisation, pour leurs sujets, de venir trafiquer à Jérusalem et à Jaffa. Godefroi accepta ces nouveaux traités de commerce. Jérusalem et Jaffa recommencèrent à être abondamment pourvues de marchandises de toute espèce, bœufs, moutons, chevaux, tissus et récoltes, « et toutes ces marchandises étaient achetées au juste prix par les Chrétiens, et le peuple était rempli de joie »[51]. Cette fois, la colonie franque avait pris racine.

Il est à remarquer d'ailleurs que, si la paix politique et économique fut ainsi conclue en Palestine entre Arabes et Francs, le bénéfice n'en fut pas étendu aux affaires maritimes. Les Francs, nous dit Albert d'Aix, visaient à interdire aux Arabes de Palestine tout commerce par mer avec les États musulmans. Grâce au concours des républiques italiennes, maîtresses de la mer, ils s'efforçaient d'établir un véritable blocus naval. Il fallait évidemment empêcher que les ports palestiniens encore au pouvoir de l'Égypte pussent recevoir d'Alexandrie un ravitaillement et des renforts suffisants pour songer à s'affranchir de l'hégémonie franque. Tout boutre venant d'Alexandrie, de Damiette ou de Tunisie qui pouvait être saisi par les gardes-côtes francs était donc confisqué et l'équipage avait la tête tranchée. Inutile de dire que les corsaires arabes rendaient la pareille aux marins latins. Mais ce blocus naval dont les Francs, en raison de la supériorité maritime italienne, se trouvaient en général les bénéficiaires n'empêcha nullement la paix de 1100 de se maintenir sur la terre ferme et de se consolider de mois en mois, au point qu'un an après la prise de Jérusalem, on voyait les Arabes d'Ascalon venir pacifiquement commercer en plein territoire franc, tandis que les chrétiens, pour leurs affaires, voyageaient sans difficulté à Ascalon[52].

En somme les accords locaux de 1100 paraissent avoir été fort judicieux. Accorder aux villes côtières restées arabes toutes facilités pour commercer avec l'État franc de l'intérieur et, en même temps, par un blocus maritime aussi suivi que possible[53], leur interdire le trafic avec les empires musulmans, c'était faire tomber ces ports sous la dépendance économique du royaume de Jérusalem, les rattacher au royaume par une sorte d'union commerciale. Le passage d'Albert d'Aix auquel nous empruntons ces faits évoque l'idée d'une politique coloniale et indigène déjà cohérente[54].

*Extension du protectorat franc au Sawâd.*

La situation de Godefroi de Bouillon était déjà si bien affermie qu'il put, avec son vassal Tancrède, aller guerroyer à l'est du lac de Tibériade dans le Sawâd ou « pays de Suète », portion du Jaulân entre 'Al et le lac[55]. Ce pays qui dépendait du royaume seljûqide de Damas, c'est-à-dire du malik Duqâq, appartenait alors à un émir que les chroniqueurs ne désignent, soit par un calembour franco-arabe qui nous échappe, soit à cause de sa lourdeur physique, que sous le surnom de « gros paysan », *Grossus Rusticus*[56]. Au cours de quelque expédition antérieure, Tancrède l'avait forcé à se reconnaître tributaire. Mais l'émir ayant bientôt secoué cette servitude, Tancrède demanda l'aide de Godefroi pour le mettre à la raison. L'Avoué du Saint-Sépulcre accourut avec deux cents cavaliers et mille fantassins, pénétra au Sawâd et, dans ce canton alors célèbre par sa richesse et ses beaux troupeaux, organisa pendant huit jours une dévastation impitoyable (mai 1100)[57].

L'émir du Sawâd avait envoyé demander aide à son suzerain Duqâq, malik de Damas. Duqâq dépêcha sur-le-champ cinq cents cavaliers. L'armée franque, chargée de butin, poussant devant elle les troupeaux capturés, se retirait déjà, Godefroi de Bouillon en tête, Tancrède à distance avec l'arrière-garde composée d'une centaine de cavaliers. Les Damasquins, accourus à marches forcées au secours des gens du Sawâd, tombèrent sur cette arrière-garde qui, malheureusement, avait négligé sa liaison avec le gros. Tancrède surpris résista vaillamment, mais il perdit nombre des siens et n'échappa lui-même qu'avec peine. Ce ne fut qu'au milieu de la nuit qu'il put, avec ce qui lui restait de compagnons, rejoindre le bivouac de Godefroi de Bouillon. Dès le matin, Godefroi prit ses dispositions pour courir sus aux ennemis, mais ceux-ci, craignant de se mesurer avec le gros des forces franques, étaient retournés sur leurs pas.

Godefroi de Bouillon rentra à Jérusalem. Mais Tancrède avait hâte de se venger. Après avoir pris quelque repos dans sa ville de Tibériade, il repartit en campagne avec six cents cavaliers et porta la dévastation non seulement à travers le Sawâd, mais jusqu'en plein territoire damasquin[58]. À la fin les Sawâdis et les Damasquins harassés demandèrent la paix au terrible chef franc, en acceptant de payer une redevance en numéraire et en tissus de pourpre. Tancrède consentit alors à arrêter ses razzias. Il semble d'ailleurs que ce succès l'ait quelque peu grisé, car il envoya ensuite une ambassade de six chevaliers porter au malik de Damas, Duqâq, un véritable ultimatum : le prince seljûqide était mis en demeure de rendre Damas ou de se faire chrétien. Devant une telle insolence, Duqâq fut suffoqué d'indignation. Il fit décapiter cinq des envoyés (le sixième abjura). Mais les représailles furent cruelles. Godefroi de Bouillon et Tancrède accoururent avec toutes les forces franques et, pendant quinze jours, ils saccagèrent et dépeuplèrent méthodiquement la campagne de Damas sans que personne osât leur résister, tant la terreur franque paralysait les Seljûqides. L'émir du Sawâd, constatant que Duqâq, son suzerain, se montrait incapable de le défendre, se reconnut vassal de Tancrède et accepta de lui payer tribut[59].

Quand Godefroi de Bouillon regagna la Judée en suivant la côte par la route d'Acre et de Césarée, l'émir de Césarée, son vassal, vint à sa rencontre et lui offrit un festin. L'État de Jérusalem, à cette date, se présentait comme une monarchie franque entourée d'émirats musulmans vassaux[60].

*Rapports personnels de Godefroi de Bouillon avec les sheikhs arabes.*

Le milieu transforme les hommes malgré eux. À travers toute l'histoire de la Croisade, Godefroi de Bouillon s'est présenté à nous comme l'incarnation du pur esprit « croisé ». Les autres barons avaient les uns après les autres compris la nécessité d'une politique indigène et coloniale, – Baudouin dès Édesse et Bohémond dès Antioche, puis Tancrède à la prise de Jérusalem, enfin Raymond de Saint-Gilles à Jérusalem aussi (incident de la Tour de David), puis à Ascalon. – Le seul Godefroi, peut-être parce que sa personnalité était moins souple, avait paru répugner à ces compromissions et à ces adaptations. Et voici qu'il n'était pas depuis un an placé à la tête du nouvel État franc de Palestine qu'il jetait dejà les bases de la politique proprement coloniale qui sera celle de ses successeurs. Durant le siège d'Arsûf, plusieurs sheikhs de la région de Naplouse, dans les montagnes de la Samarie, vinrent lui rendre hommage, lui apportant en tribut les produits de leur terre, du pain, du vin, des olives, des figues, du raisin sec. Ils trouvèrent le duc assis dans sa tente, à même le sol, sans tapis ni drap de soie, seulement appuyé sur un sac de paille.

Cette simplicité, qui rappelait les premiers compagnons de Mahomet, les frappa vivement. C'était donc là ce conquérant qui avait vaincu Seljûqides et Fâ*t*imides, soumis la sainte al-Quds ! « Quant cil virent le Duc seoir einsi en bas, trop s'en merveillièrent et commencièrent à demander aus genz qui entendoient leur langage porque c'estoit que (= comment il se faisait que) si hauz princes qui d'Occident estoit venuz et avoit toute troblée la terre d'Orient, toutes genz mortes (= tués) ou prises, et conquis si poissant roiaume, se contenoit si povrement, ne n'avoit desouz lui tapiz ne drap de soie, habit de roi n'avoit mie vestu, entor lui n'estoit mie sergent ne chevalier qui tenissent les espées nues ou les haches danoises ; ainz (= mais) se séoit si bas com si ce fust uns hom de petite afere ? Li Dux demanda que c'estoit de quoi il parloient. L'en li respondi ce dont il se merveilloient. Lors dist que ce n'estoit pas honte à home mortel de seoir à terre, car là convenoit à revenir après la mort, et le cors convenoit iluec à hébergier et devenir terre[61]. Quant il oïrent ceste réponse, mout commencièrent à prisier son senz et s'umilité. D'ilec se partirent, disant que il estoit bien tailliez et façonnez por estre sires de la terre et de gouverner tout le pueple (lui) qui si estoit sanz orgueil et connoissoit la povreté de sa nature[62] ». Premiers contacts où l'ascétisme latin et l'ascétisme musulman se trouvaient moins éloignés qu'on n'eût pu le croire.

Le sentiment chevaleresque commençait aussi à rapprocher sheikhs et barons. *L'Estoire d'Éracles* nous parle d'un chef arabe (de Transjordanie ?), « qui mout estoit preuz en armes » et « désirroit à veoir et à acointier cele gent de France dom il avoit tant oï parler, qui d'Occident estoient venuz vers Orient et si grant terre avoient mise au desouz. Sur touz les autres voloit mout veoir le duc Godefroi et savoir se c'estoit voirs (= vrai) (ce) que l'en disoit de sa force et de sa proesce. Tant fist par genz à qui il parla que il ot trives de venir jusqu'au duc. Mout le salua en inclinant, si come est leur coustume, puis pria le duc mout humblement qu'il ferist de l'espée un chamel qu'il li avoit amené, mout grant. Li duc sot qu'il estoit venuz de loing por lui veoir. Si fist ce qu'il li requeroit ; il trest (tira) l'espée et pui féri le chamel eu col, là où il l'avoit plus gros et li coupa ausi (aussi) légièrement, ce sembloit, comme le col d'une oe (oie). Quant li Turs (= l'Arabe) vit ce, il s'en esbahi tout[63]... Lors li donna mout de biaus joiaus d'or et de riches pierres et s'acointa moult de lui, puis s'en retorna en son païs[64]. »

## § 4. — Patriarcat de Daimbert de Pise. L'État de Jérusalem comme patrimoine ecclésiastique.

*Daimbert et la Croisade pisane.*

Les nécessités impérieuses du milieu et de l'heure avaient, en quelques mois, transformé l'entreprise de croisade en une entreprise coloniale. Elles faisaient de même, du chef élu, du simple Avoué du Saint-Sépulcre, d'abord étroitement surveillé et diminué par ses pairs et par le clergé, un roi véritable ; de l'Avouerie hiérosolymitaine, institution d'abord provisoire, subordonnée à l'Église, une monarchie. Toutefois ce résultat n'avait été possible que parce que l'autorité ecclésiastique, depuis la mort du légat Adhémar de Monteil, n'était représentée par aucun personnage capable de faire triompher la thèse du clergé : Jérusalem, autre Rome, et, comme Rome, patrimoine ecclésiastique ; la Terre Sainte, autre État pontifical. Mais cette thèse n'était qu'ajournée. Qu'un prélat de valeur se présentât, il pourrait la reprendre d'autant plus facilement que, Godefroi de Bouillon s'étant contenté du titre d'Avoué du Sépulcre, la monarchie laïque pouvait encore être écartée.

C'est ce qui se produisit avec l'arrivée de l'archevêque de Pise, Daimbert.

La république de Pise avait tout de suite compris l'intérêt commercial et colonial des Croisades. Les Pisans étaient accoutumés à la guerre contre l'Islam. Après avoir chassé les Arabes de la Sardaigne (1015-1016) et être allés, en pleine Afrique, piller Bône (1034), ils venaient de participer avec les Génois et les Amalfitains à une expédition contre Mehdia, en Tunisie – véritable croisade avant la lettre (1087)[65].

Au moment de la prédication de la Croisade de Syrie, la Seigneurie de Pise avait comme principal inspirateur l'archevêque de la ville, Daimbert, homme d'action autant qu'homme d'église, une des plus fortes personnalités du temps. Daimbert devait avoir été assez étroitement associé au plan de guerre sainte du pape Urbain II, puisque celui-ci l'avait, peu auparavant, envoyé comme légat sur cet autre champ de croisade qu'était l'Espagne, auprès du roi de Castille Alphonse VI. En Espagne, Daimbert s'était montré un grand légat, plein d'autorité et de zèle. Albert d'Aix ajoute, il est vrai, comme contre partie, qu'au cours de cette mission, le futur patriarche avait révélé de regrettables défauts, notamment une avarice frisant l'improbité. C'est ainsi qu'il n'aurait pas hésité à retenir pour lui-même une bonne partie des trésors envoyés par Alphonse VI au Pape[66]. Tel, prélat de forte doctrine, politique énergique mais autoritaire, ambitieux à l'excès, thésaurisant et cupide, nous allons le retrouver sur le théâtre de la croisade syrienne.

Après sa mission d'Espagne nous ne nous étonnerons pas de voir Daimbert se mettre à la tête de l'escadre de 120 navires qui, à l'été de 1099, partit des côtes pisanes pour la

Syrie[67]. Nul doute que dans la pensée de Daimbert et des capitaines pisans il ne se soit agi d'associer leur ville aux bénéfices de la conquête de Jérusalem. Il est même possible que Daimbert se soit fait déjà donner par le Saint-Siège, ignorant de ses malversations, l'autorisation de briguer le patriarcat de Jérusalem. Mais quand l'escadre pisane arriva devant Laodicée (Lattaquié), vers septembre 1099, la Croisade, en tant que telle, venait de se terminer. Depuis le 15 juillet Godefroi de Bouillon et ses compagnons d'armes avaient pris Jérusalem.

Ce fut Bohémond, le prince normand devenu maître d'Antioche, qui reçut les Pisans. Avec son esprit de décision ordinaire, il discerna tout de suite le parti qu'il pourrait tirer de leur arrivée pour l'affermissement de son pouvoir dans la Syrie du Nord. Ce qui lui manquait le plus, c'était une marine, car, après avoir du côté de l'intérieur réduit à l'impuissance les Seljûqides d'Alep, il lui restait, comme on le verra, à chasser de la côte les Byzantins, que leurs alliés, le prince anglais Edgar Aetheling et le comte de Toulouse, Raymond de Saint-Gilles avaient rendus maîtres de Laodicée[68]. Bohémond lia donc partie avec Daimbert pour s'emparer de cette importante place maritime, avec, évidemment, une perspective de monopole commercial pour les Pisans. Mais, comme on le verra encore à propos de l'histoire de la principauté d'Antioche, les défenseurs de Laodicée résistèrent énergiquement, si bien que Bohémond et Daimbert durent renoncer à une guerre impie qui scandalisait les chrétiens.

*Pèlerinage de Daimbert et de Bohémond à Jérusalem.*

Cependant Bohémond n'avait pas encore accompli le pèlerinage de Jérusalem. Il devenait d'autant plus urgent pour lui d'exécuter son vœu qu'il avait paru, pour consolider sa principauté d'Antioche, se désintéresser quelque peu de l'issue de la Croisade[69]. Après l'échec du siège de Laodicée, lui et Daimbert convinrent donc de faire route ensemble vers les Lieux Saints. Nul doute qu'ils n'aient à cette occasion achevé de lier partie et que le prince d'Antioche, reconnaissant de l'aide que les Pisans lui avaient fournie contre les Byzantins devant

Laodicée, n'ait promis à l'archevêque de le faire nommer patriarche de Jérusalem.

Comme Bohémond, Baudouin, tout à la consolidation de son comté d'Édesse, n'avait pas encore accompli son pèlerinage. Bohémond l'invita à se joindre à lui et à Daimbert, car, dans l'état territorial de la Syrie, devant les embuscades possibles des Turcs et des Arabes, il y avait intérêt pour les pèlerins à se grouper en convois qui imposassent le respect[70].

De Laodicée, Bohémond et Daimbert, suivant la côte pour permettre à l'escadre pisane de les escorter, descendirent par Gibel ou Jabala, ville qui dépendait, du moins théoriquement, de l'émir de Tripoli, sur Valénie (Valania) ou Bâniyâs[71]. La ville de Valénie avait été occupée par les Latins dès le début du siège d'Antioche. Mais, comme nous le verrons, la place avait dû, grâce à l'intervention du comte de Toulouse, allié des Byzantins, être restituée à ces derniers avant la fin de 1099[72]. De fait, au témoignage de Guillaume de Tyr, quand Bohémond et Daimbert, faisant route vers Jérusalem, se présentèrent devant Valénie, ils furent mal reçus et ce fut malgré les habitants (sans doute des indigènes de rite grec et des clients du comte de Toulouse) qu'ils purent camper devant la place (novembre 1099)[73]. Ils y furent rejoints par Baudouin, descendu d'Édesse avec quelque retard. Au sud de Valénie on s'avançait dans un pays hostile. Tortose (*Tartûs*) avait été occupée, il est vrai, par la Première Croisade (en l'espèce pour le comte de Toulouse) dès février 1099, la population, ayant évacué la ville à son approche. Mais il semble que les Croisés, trop peu nombreux alors, aient négligé d'y laisser une garnison, puisque, à l'arrivée de Bohémond, de Baudouin et de Daimbert, elle devait être retombée au pouvoir de l'émir dé Tripoli[74]. Les indigènes assaillaient les traînards de la colonne franque. On était en décembre. Il faisait cruellement froid dans les Monts Ansariehs, c'était la saison des pluies. Les Francs souffraient cruellement de la faim, et ce n'étaient pas les cannes à sucre dont Foucher de Chartres vante l'abondance qui pouvaient les rassasier[75].

Les pèlerins arrivèrent enfin devant Tripoli. Le prudent Ibn Ammâr, émir de Tripoli, qui, malgré la reprise de Tortose, tenait à conserver l'amitié des Francs, s'empressa de les ravitailler. Il ne semble pas que les gouverneurs égyptiens qui commandaient à Beyrouth, à Tyr et à Acre aient suivi cet exemple, car les chroniqueurs ne mentionnent, pour avoir facilité de nouveau le ravitaillement, que les Arabes de Césarée. Mais à ce moment on touchait aux possessions chrétiennes et l'armée, quelques jours après, atteignit Jérusalem (21 décembre 1099).

La réception à Jérusalem de Bohémond, de Baudouin et des marins pisans conduits par leur archevêque était un événement de première importance. Elle mettait fin à la période critique qui avait suivi le rembarquement des Croisés, période durant laquelle il avait fallu tenir la conquête avec des effectifs squelettiques. Elle réalisait la jonction entre les trois princes francs du Levant, – l'Avoué du Saint-Sépulcre, le prince d'Antioche et le comte d'Édesse. De même l'arrivée de Daimbert et de ses Pisans signifiait la maîtrise de la mer aux mains des Latins, la colonie franque de Syrie rattachée au reste de la Latinité. On conçoit le débordement d'enthousiasme avec lequel les pèlerins furent accueillis dans la ville sainte, tel qu'il transparaît encore dans le texte de *l'Estoire d'Éracles* : « Là (à Jérusalem) furent receu à mout grant joie du duc et des barons, du clergié et de tout le pueple. Il visitèrent les sainz leus de la cité à (avec) lermes et à granz doceurs de cuers ; ils s'estendoient et lessoient cheoir par les églises, menjoient la terre que Nostre Sires avoit marchiée ; puis vindrent aus osteus où tuit cil de la ville leur firent mout grant joie et mout grant feste. Et quant la haute feste de la Nativité (de) Jésuscrist aproucha, tuit li baron et li prélat issirent de Jhérusalem et vindrent en Bethléem ; et là furent au Noel. Mout regardoient volentiers la sainte crèche où li Sauverres du monde just entre les bestes. Volentiers firent leur oroisons au destour qui est ausi come une petite fosse où la douce dame, qui fu vierge après son enfantement, enveloppa d'un drapelet son fill et aleta du let de son piz[76]. »

### *Daimbert patriarche de Jérusalem : conception théocratique de l'État franc.*

Ces effusions passées, de graves problèmes durent se poser. Le premier qu'on se fût attendu à voir surgir était celui des rapports hiérarchiques entre l'Avoué du Saint-Sépulcre, d'une part, le prince d'Antioche et le comte d'Édesse de l'autre. Le maître de Jérusalem ne devait-il pas être en droit, du seul fait de la prééminence de cette ville, suzerain des maîtres d'Antioche et d'Édesse ? C'est en effet ainsi que devait en décider la société franque du jour où les Baudouin succédèrent à Godefroi de Bouillon comme rois de Jérusalem. Mais roi de Jérusalem, précisément, Godefroi ne l'était point, et ce n'est pas son modeste titre d'Avoué du Sépulcre, avec l'espèce de régence provisoire et la priorité de pouvoir qu'il impliquait, qui pouvait lui conférer le prestige nécessaire pour commander au prince franc de la Syrie du Nord, au comte franc de la Jazîra. Aussi ne vit-on sortir des conférences qui marquèrent les fêtes de Noël 1099 aucune organisation territoriale des États francs. La Syrie franque, en attendant la constitution d'une monarchie véritable, resta la juxtaposition de trois principautés sans lien juridique.

En revanche l'arrivée de Daimbert provoqua un arrêt grave et même une régression dans la marche vers la monarchie. Si Godefroi de Bouillon avait dû, au lieu d'une royauté, se contenter de la modeste avouerie du Saint-Sépulcre, les événements, depuis six mois, le forçaient à jouer le rôle d'un roi. Dans une colonie dont la guerre était la vie quotidienne, la monarchie, bannie dans les mots, s'imposait dans les faits. Mais cet accroissement du rôle de Godefroi n'avait été rendu possible que par l'absence d'un patriarcat fort, car le chapelain Arnoul Malecorne, improvisé patriarche par la protection de Robert de Normandie son maître, était trop décrié pour pouvoir jouer un rôle sérieux.

Ce fut alors qu'intervint Daimbert. L'archevêque de Pise arrivait à son heure. Il n'eut aucune peine à démontrer que l'élection d'Arnoul était anticanonique et à le faire déposer. Le siège de Jérusalem redevenait ainsi vacant. Pour l'obtenir. Daimbert savait pouvoir compter sur ses Pisans, communiers énergiques qui, au premier signal, se rangeraient derrière lui[77]. Il pouvait compter aussi sur la protection de Bohémond. Albert d'Aix insinue qu'en plus des services rendus par les Pisans au prince d'Antioche lors du siège de Laodicée, Daimbert n'avait pas négligé d'achever la conquête de Bohémond en l'achetant au moyen, précisément, des richesses détournées durant sa nonciature en Castille. Albert d'Aix ajoute que Baudouin et jusqu'à Godefroi de Bouillon ne furent pas insensibles au même argument[78]. Il est possible que Godefroi de Bouillon ait été en effet rallié à l'élection de Daimbert par quelque cadeau irrésistible, comme le bélier d'or dont parle Albert d'Aix. En dehors de ce motif, il faudrait conclure que le choix du nouveau patriarche fut purement et simplement imposé à l'Avoué du Saint-Sépulcre par Bohémond, car, en acceptant ce choix, Godefroi se donnait un maître[79].

En effet l'élection de Daimbert – qu'il faut placer entre le 26 et le 31 décembre 1099 – fut immédiatement suivie de la cérémonie la plus suggestive. Godefroi et Bohémond vinrent s'agenouiller devant le nouveau patriarche comme devant leur maître et seigneur : « humblement ils le requirent » de leur accorder l'investiture à l'un de Jérusalem, à l'autre d'Antioche. Guillaume de Tyr ne nous laisse aucun doute sur la conception juridique qui avait inspiré cette cérémonie : La Terre Sainte appartenait au Christ-roi dont le patriarche était le représentant. Le patriarche était donc le seul possesseur légal du pays, et ce n'était qu'en tant que ses mandataires et ses vassaux que l'Avoué du Sépulcre et le Prince d'Antioche pouvaient exercer l'autorité[80]. En somme, l'établissement d'une véritable théocratie. Mais on pouvait prévoir que cette théocratie serait autrement directe à Jérusalem qu'à Antioche. Antioche était loin ; de plus elle possédait, elle aussi, son patriarche local, théoriquement égal en dignité à celui de Jérusalem et dont l'action pouvait neutraliser l'influence de ce dernier. Au contraire, l'Avoué du Saint-Sépulcre, vivant aux côtés du représentant de l'Église, ne tarderait pas, si la nouvelle formule se maintenait, à s'effacer devant lui.

Après cette espèce de révolution politico-religieuse qui changeait singulièrement le caractère du nouvel État franc, Bohémond et Baudouin reprirent le chemin du Nord (1er janvier 1100). Godefroi de Bouillon et le patriarche Daimbert les accompagnèrent jusqu'au Jourdain où ils célébrèrent les fêtes de l'Épiphanie en se baignant dans les eaux où le Christ avait été baptisé. Les quatre personnages se séparèrent alors (5 janvier). Godefroi et Daimbert retournèrent ensemble à Jérusalem. Bohémond et Baudouin prirent la route du Nord par Bethsan, Tibériade, Panéas (Bâniyâs) et les sources du

Jourdain, la Beqa' et Ba'albek. À hauteur de Ba'albek, le malik seljûqide de Damas, Duqâq, essaya de les surprendre (vers le 18 janvier 1100). Mais Bohémond avec la pointe, Baudouin à l'arrière faisaient bonne garde et les Francs n'éprouvèrent aucun dommage. Toutefois, au lieu de descendre la vallée de l'Oronte, ils jugèrent prudent de se rabattre sur la côte. Ils franchirent donc le Liban, et, par Tortose et Laodicée, regagnèrent leurs résidences respectives, Bohémond, Antioche, et Baudouin, Édesse[81]. Cette chevauchée prouvait qu'en dépit de l'enclave centrale musulmane qui, de Tortose à Acre, séparait les deux groupes francs – celui de la Syrie septentrionale et celui de la Palestine – une troupe en forces pouvait établir la liaison. Mais pour que cette liaison devienne permanente, il faudra qu'entre la Principauté d'Antioche et le Domaine de Jérusalem les Provençaux fassent la conquête de la côte du Liban.

### *Conflit entre Godefroi de Bouillon et Daimbert. Cession de Jérusalem au patriarcat.*

Pendant ce temps, à Jérusalem, Godefroi de Bouillon et Daimbert n'avaient pas tardé à entrer en conflit. De l'hommage qu'il s'était fait rendre par l'Avoué du Sépulcre, le nouveau patriarche entendait tirer toutes les conséquences. On l'avait reconnu maître légitime de Jérusalem. Il entendit transformer cette souveraineté juridique en possession effective par l'élimination de Godefroi. L'Avoué du Sépulcre, simple gérant du pouvoir en l'absence du patriarche, n'avait qu'à se retirer maintenant que ce dernier était là. Daimbert invita donc Godefroi de Bouillon à lui remettre la ville sainte, à commencer par la Tour de David qui en était la citadelle (al-Qal'a) et sans oublier Jaffa, qui en était le port, « car il disoit que ces choses estoient droitures (= du droit) de l'église du Sépuchre ».

Pour disposé que fût Godefroi à ne se considérer que comme le vassal de l'Église, pour effacée que fût sa personnalité, il refusa d'abord de s'incliner. À la fin, sa piété l'emportant, il céda, mais il céda par étapes, en obtenant un compromis et des délais : « Li Dux, qui estoit humbles et molt doutoit (redoutait) Dieu, le jor de la Chandeleur[82], voiant (devant) le clergié et tout le pueple, la quarte partie de la cité de Jafe quita debonnerement au patriarche et à l'église, à tenir à touzjorz[83]. Après, quant vint au saint jor de la Pasque (1er avril 1100), devant touz ceus qui assemblé estoient por la feste, la cité de Jherusalem et la tor David leissa en la mein au patriarche à (avec) tout quanque i apartenoit. Nequedant, ceste convenance fu mise que li Dux tendroit ces citez et les terres d'entor jusque, par l'aide (de) Nostre Seigneur, il eust conquises sur les Turs deuz autres citez dont li roiaumes fust eslargiz ; et se il, endementres (avant) que ce seroit avenus, moroit sans hoirs (héritiers), toutes ces choses, sanz contredit, revendroient (= reviendraient) en la mein au patriarche de l'église[84]. »

L'importance de ce texte saute aux yeux. La monarchie hiérosolymitaine qui était en train de se fonder abdiquait devant le patriarcat. Sans doute Godefroi de Bouillon, avant de se dépouiller entièrement, avait obtenu un sursis, le temps de conquérir sur les Musulmans quelque Tyr, quelque Tripoli ou quelque Damas. Mais, pour importante que dût être cette éventuelle conquête, elle ne compenserait pas la perte de Jérusalem, qui, aux mains du patriarche, resterait plus que jamais la capitale de la Syrie franque. Et, afin qu'il n'y eût pas d'équivoque, on prenait soin de spécifier que, si Godefroi de Bouillon mourait sans enfant avant d'avoir pu acquérir sur les Musulmans les compensations prévues, Jérusalem ferait purement et simplement retour au patriarche, ce qui était étouffer dans l'œuf toute possibilité de fondation monarchique. La société latine du Levant allait ainsi se présenter comme une réplique de la société latine d'Occident. Au centre, un siège pontifical – Jérusalem à l'instar de Rome – commandant aux royautés vassales. Seulement ce qui était possible en plein monde chrétien l'était-il dans cette marche-frontière campée au seuil du désert, à la merci du premier rezzou arabe ou turc ? Une monarchie forte, des institutions dynastiques solides n'étaient-elles pas, ici comme partout où il y avait au moyen âge péril extérieur, la condition de la survie des colonies franques ?

Quatre-vingts ans plus tard, quand l'institution monarchique fut affermie, un prélat aussi pieux que Guillaume de Tyr ne pouvait comprendre la prétention du patriarche Daimbert.

Homme d'État d'un rare esprit politique, conseiller de plusieurs rois, plein d'un patriotisme clairvoyant, c'est tout juste s'il ne se montre pas scandalisé d'une éventualité qui eût risqué d'arrêter net le développement des colonies franques. « Trop se puet-l'en (= on) merveillier par quel raison cil [sainz hom qui sages estoit (= Daimbert)] demanda einsi ces citez à ce preudome (= Godefroi), car li baron qui la cité conquistrent la donnèrent au Duc si franchement que il ne vourent (= voulurent) que mis n'i eust par desus lui nules droitures (= aucun droit supérieur au sien), ainz la tenist (= mais qu'il la tînt) sanz fére à autre, de ce, nule redevance[85]. » Convenons d'ailleurs que Guillaume de Tyr parle ici plus en homme d'État qu'en historien. Il n'est pas bien sûr que la souveraineté conférée en juillet 1099 à Godefroi de Bouillon ait eu le caractère absolu de droit divin, le privilège de ne relever que d'elle seule que lui attribue Guillaume. Ce caractère, ce sera le successeur de Godefroi, Baudouin Ier, qui, d'office, en revêtira sa royauté, royauté bien différente en effet de la précaire Avouerie du Sépulcre dont s'était contenté le duc de Lotharingie. Mais l'opposition même entre la thèse juridique de Guillaume de Tyr et celle que Daimbert avait invoquée – toute la distance entre la monarchie laïque et la théocratie – montre bien l'enjeu de la lutte.

Godefroi de Bouillon survécut peu à cet accord. De retour de son expédition au Sawâd, il était venu, en juin 1100, à Jaffa recevoir une flotte vénitienne, lorsqu'il se sentit atteint du mal qui allait l'emporter, peste ou épidémie analogue. Après avoir à peine pu prendre contact avec les Vénitiens, il dut rentrer précipitamment à Jérusalem. Ce fut là qu'il mourut le 18 juillet 1100.

Avant de passer au récit des compétitions auxquelles sa succession donna lieu, nous avons à parler de la Croisade vénitienne de 1100 et de la conquête de Caïffa, chapitre posthume du « règne » de l'Avoué du Saint-Sépulcre.

*Conquête de Caïffa par Tancrède.*

Comme nous venons de le dire, en juin 1100, une puissante escadre vénitienne de deux cents navires avait abordé à Jaffa[86]. Croisade en même temps qu'entreprise commerciale, comme toutes les expéditions analogues des républiques maritimes italiennes. Les Vénitiens offraient leurs services aux Francs de Jérusalem pour une courte campagne, il est vrai, – du 24 juin au 15 août – à condition d'obtenir un quart des villes prises (ils songèrent d'abord à Saint-Jean-d'Acre, puis se rabattirent, comme on va le voir, sur Caïffa). Si on prenait l'importante place de Tripoli, ils demandaient la ville tout entière, sous réserve d'un tribut. Enfin dans les diverses villes franques déjà soumises ils sollicitaient l'emplacement d'un marché[87].

Les Vénitiens, après avoir fait, en deux fournées, leur pèlerinage à Jérusalem (24 et 29 juin 1100), revinrent à Jaffa, avec l'intention d'aller assiéger par mer Saint-Jean-d'Acre. À défaut de Godefroi de Bouillon de plus en plus malade, le patriarche Daimbert et Tancrède partirent eux aussi à Jaffa le 17 juillet à la tête de l'armée franque pour participer au siège d'Acre[88]. Tandis que les Francs se dirigeaient de Jaffa vers Acre en longeant la mer, ils apprirent que, le lendemain de leur départ de Jérusalem, Godefroi de Bouillon était mort.

Ce décès faillit remettre tout en question. Les Vénitiens dépêchèrent des messagers à Tancrède et à Daimbert pour savoir s'il y avait lieu de continuer l'expédition contre Acre. Mais Tancrède comme Daimbert était homme de décision. La présence de l'escadre vénitienne était une occasion trop belle pour qu'on n'en profitât point, même dans l'incertitude d'un interrègne. Ils répondirent donc aux Vénitiens que le projet tenait toujours ; ils proposèrent seulement qu'avant d'assiéger Acre on allât d'abord attaquer Caïffa, plus proche de Jérusalem. Les obsèques de Godefroi de Bouillon une fois terminées, les troupes franques conduites par Daimbert et Tancrède vinrent donc bloquer Caïffa du côté du Carmel et de la palmeraie, tandis que l'escadre vénitienne attaquait par la baie d'Acre (vers le 25 juillet 1100).

Caïffa, qui relevait des Fâ*t*imides d'Égypte, était habitée par une population presque entièrement juive, très hostile aux Chrétiens et qui, aidée par la petite garnison égyptienne, offrit aux Croisés une résistance farouche[89]. Du côté franc le siège faillit échouer, parce que Godefroi de Bouillon, à son lit de mort, ayant promis l'expectative de la ville à Geldemar

Carpenel, Tancrède, qui l'apprit, refusa de combattre : Caïffa lui apparaissait comme le port naturel de sa « princée de Galilée » et il ne voulait pas travailler pour un autre. Le patriarche Daimbert, habile homme, l'apaisa en lui jurant que Caïffa appartiendrait à qui l'aurait le mieux méritée. Tancrède donna alors son plein effort et, malgré la résistance désespérée des Juifs, la ville fut prise (vers le 20 août 1100). Bien entendu, Tancrède débouta Carpenel de ses prétentions. Cette conquête maritime complétait heureusement la formation territoriale de sa princée de Galilée. Mais la succession de Godefroi de Bouillon allait l'obliger à transporter sur un autre théâtre sa dévorante activité.

## CHAPITRE III

# LE FONDATEUR DU ROYAUME DE JÉRUSALEM : BAUDOUIN Ier

### § 1er. — Avènement de Baudouin Ier. Lutte contre le patriarcat.

*Mainmise du patriarche Daimbert sur l'État de Jérusalem.*

Entre la conception monarchique et la conception ecclésiastique de l'État franc, le règne de Godefroi de Bouillon avait constitué un compromis. Sa mort posa à nouveau le problème de la nature et des destinées de cet État.

Godefroi de Bouillon, fidèle à l'accord conclu aux Pâques de 1100 avec le patriarche Daimbert, avait, au témoignage de Guillaume de Tyr, généralement bien informé sur ces questions, laissé un testament par lequel, faute d'héritiers directs, il léguait à Daimbert la ville de Jérusalem, à commencer par la citadelle ou tour de David[1]. C'était la transformation de l'État franc de Palestine en patrimoine ecclésiastique, toute idée monarchique et dynastique étant ainsi écartée d'office. L'avouerie du Saint-Sépulcre dont s'était contenté Godefroi de Bouillon n'était même pas maintenue dans ses modestes fonctions. Daimbert semblait toucher à ses fins.

Mais les quelques mois du gouvernement de Godefroi de Bouillon avaient suffi pour que se créât parmi ses chevaliers un fort sentiment monarchique et dynastique. Parmi les chefs de ce parti, Guillaume de Tyr cite Garnier de Grès ou de Gray, cousin de Godefroi ; Geldemar Carpenel, un de ses familiers qui, évincé de Caïffa par Tancrède, s'était rabattu sur Hébron ; Raoul de Mouzon, Wicher Aleman, Wiric le

Flamand ; Matthieu et Godefroi, l'écuyer et le camérier du défunt ; Robert, évêque de Ramla, et l'ancien patriarche Arnoul Malecorne, déposé au bénéfice de Daimbert. Ces quelques noms nous montrent qu'il s'agissait de familiers du duc de Lotharingie, groupés autour des représentants de sa famille. La présence de deux prélats nous apprend que, dans le clergé même, les adversaires de Daimbert prenaient parti pour la royauté laïque[2].

Le sentiment qui inspirait ces personnages était, disions-nous, un loyalisme dynastique très net envers la maison de Boulogne. La preuve en est dans la démarche qu'ils accomplirent aussitôt, d'ailleurs en secret pour ne pas donner l'éveil au patriarche. Ils envoyèrent l'évêque de Ramla et deux chevaliers, Robert et Gunther, à Édesse, auprès du comte Baudouin, frère de Godefroi de Bouillon, pour le reconnaître comme héritier légitime dé l'État franc et l'inviter à venir en toute hâte s'emparer du pouvoir. Le texte d'Albert d'Aix est capital : « Les chevaliers du royaume de Jérusalem, ayant servi sous le duc Godefroi, t'annoncent la mort de celui-ci. Ils t'invitent à venir immédiatement le remplacer et occuper le trône. Ils ont décidé, en effet, de ne reconnaître pour chef que le frère du défunt ou l'un de ses parents et fait serment d'empêcher tout autre de s'emparer du pouvoir[3]. »

L'âme du mouvement était Garnier de Grès ou de Gray, homme d'action énergique. À peine Godefroi de Bouillon avait-il rendu le dernier soupir que Garnier se saisit de la citadelle de Jérusalem, ou tour de David (al-Qal'a), l'objet du litige réclamé par le patriarche Daimbert. Qui était maître de la Tour était maître de la ville. Garnier s'y fortifia solidement avec les siens. En vain le patriarche le somma-t-il de respecter le testament du défunt en remettant la citadelle à l'Église. Promesses ou menaces, rien n'y fit. Garnier de Grès, qui ne cherchait qu'à gagner du temps pour permettre à Baudouin d'accourir, amusa le patriarche par de feintes négociations en atermoyant sans rompre. Par un hasard étrange, quelques jours après, Garnier mourut. Les amis du patriarche ne manquèrent pas de voir là un châtiment céleste contre celui qui avait bravé l'autorité de l'Église. Mais le patriarche ne gagna rien à cette disparition, car les compagnons de Garnier, loin de se laisser ébranler, maintinrent énergiquement leur résistance, déclarant ne vouloir rendre la citadelle qu'à Baudouin lui-même, qu'ils attendaient[4]. Daimbert apprit ainsi à la fois la démarche effectuée par les chevaliers auprès de Baudouin et l'arrivée imminente de celui-ci. Il lui fallait à tout prix avoir auparavant résolu le problème. Pour barrer la route à Baudouin, il ne lui restait d'autre ressource que de provoquer l'intervention d'un baron d'égale puissance. Il s'adressa donc à Bohémond avec lequel il avait partie liée depuis les événements de Laodicée. Seul le prince d'Antioche était de taille à arrêter le comte d'Édesse.

Daimbert avait d'ailleurs auprès de lui un partisan zélé de cette solution : c'était Tancrède, le propre neveu de Bohémond. Tancrède était le vassal le plus important du Saint-Sépulcre, puisqu'il détenait la principauté de Galilée. C'était, de plus, la personnalité la plus forte du pays. Une haine mortelle le séparait de Baudouin depuis les journées de Tarse et de Mamistra. L'intérêt personnel comme l'intérêt de famille l'engageait à se lier avec le patriarche, d'autant que c'était avec l'assentiment de celui-ci qu'il venait d'arracher Caïffa à Geldemar Carpenel. Tous deux envoyèrent donc un message à Bohémond, à Antioche, pour inviter ce prince à accourir à leur aide. Cette importante mission fut confiée à Morellus, le propre secrétaire de Daimbert.

La lettre de Daimbert à Bohémond, que Guillaume de Tyr insère à ce point de son récit (p. 405), authentique ou reconstituée à la manière des anciens historiens latins, trahit bien, en tout cas, le programme du parti patriarcal. Après avoir rappelé qu'il doit son élection au prince d'Antioche, Daimbert pose tout de suite en principe l'éminente dignité du siège hiérosolymitain, « de cette Église qui est la mère de toutes les autres », propos peut-être quelque peu hétérodoxes par rapport à la primauté de l'Église romaine. Il évoque non sans amertume les luttes qu'il a dû soutenir contre Godefroi de Bouillon lui-même. Car, nous dit la lettre, Godefroi, plus, il est vrai, sous l'influence de son entourage que par malice personnelle, avait longtemps détenu le patrimoine patriarcal. À la fin, cependant, il avait rendu à Dieu ce qui revenait à Dieu, savoir la Tour de David et toute la ville de Jérusalem, plus le port de Jaffa. Il s'était alors formellement reconnu l'homme lige du Saint-Sépulcre et du Patriarcat (« *homo*

*Sancti Sepulcri ac noster effectus* »). Par suite des malheurs des temps il avait conservé pour quelques années encore la ville sainte, en attendant d'avoir pu s'emparer, à la place, du Caire ou de toute autre capitale musulmane. Mais il restait entendu que, s'il mourait sans héritier mâle, cette donation deviendrait effective. Or c'était cette éventualité qui venait de se réaliser. Malgré cela, le comte Garnier de Grès avait mis la main sur la Tour de David et appelé à son aide Baudouin d'Édesse « pour la ruine de l'Église et l'oppression de la chrétienté ». Ici Daimbert faisait à son tour appel à son très cher fils Bohémond, son seul appui parmi tant de persécuteurs. Robert Guiscard, le père de Bohémond, n'était-il pas de même accouru naguère au secours de la Papauté tyrannisée par les Césars germaniques ? Ce rôle de défenseurs de l'Église, que les Normands le remplissent en Palestine comme en Italie ![5]. Que Bohémond écrive donc à Baudouin pour lui interdire de se rendre à Jérusalem sans l'autorisation patriarcale ! Et si Baudouin passait outre, que Bohémond n'hésite pas à lui faire la guerre[6].

Comme on le voit, la politique de Daimbert, si elle avait réussi, eût commencé par allumer une guerre fratricide entre la principauté d'Antioche et le comté d'Édesse. Tant il est vrai qu'un gouvernement patriarcal ne pouvait se défendre contre la menace des barons qu'en faisant appel à d'autres barons. Est-il besoin d'ajouter que les dangers les plus redoutables auraient suivi du côté des Infidèles, une marche frontière, comme l'était la Judée latine, ne pouvant se payer le luxe d'une théocratie, pas plus d'ailleurs (l'histoire du treizième siècle le montrera) que la fantaisie d'une république féodale et communale. Une monarchie héréditaire exceptionnellement solide était ici nécessité vitale.

La Syrie franque, à peine constituée, était ainsi sur le point à la fois de s'engager dans une redoutable guerre féodale et de voir transplanter sur ses rives la lutte du Sacerdoce et de l'Empire, lorsque, fort heureusement pour elle, l'histoire tourna court. Le message que le patriarche Daimbert avait chargé son secrétaire Morellus d'apporter à Bohémond ne parvint jamais à celui-ci. Tout d'abord, en passant devant Laodicée (Lattaquié), Morellus tomba entre les mains des gens de Raymond de Saint-Gilles. On a vu plus haut la haine de Saint-Gilles pour Bohémond qui l'avait dépouillé naguère de sa part d'Antioche. Trop heureuse d'empêcher ce vieux rival d'intervenir à temps dans les affaires de Jérusalem, la garnison provençale intercepta le message et arrêta le messager[7]. Bohémond, il est vrai, aurait pu être prévenu par d'autres voies. Mais sur ces entrefaites le prince d'Antioche se trouva mis pour longtemps hors de jeu par une catastrophe imprévue : en ce même mois de juillet 1100 où était mort Godefroi, ou au plus tard vers le 15 août[8], Bohémond, en voulant porter secours au prince arménien de Mélitène, menacé par les Turcs Dânishmendites de Cappadoce, fut surpris et fait prisonnier par ces derniers[9]. Pendant trois ans, il allait rester captif dans la forteresse de Néo-Césarée (Niksar), au fond du Pont. La voie était libre pour Baudouin et celui-ci n'était pas homme à laisser s'échapper l'occasion. De Jérusalem, les amis de sa maison l'appelaient. Il allait accourir et mettre au service du jeune État franc de Palestine une des plus fortes personnalités de son siècle.

*Personnalité de Baudouin Ier.*

Baudouin Ier est une des personnalités les plus puissantes de l'histoire franco-syrienne. Personnalité équilibrée. Il ne présente ni la figure passionnée mais par trop mobile d'un Raymond de Saint-Gilles, ni la fougue quelque peu désordonnée d'un Bohémond. C'est un politique hardi, mais précis, aussi dénué de scrupules que ses rivaux, mais plus positivement réalisateur.

*L'Estoire d'Éracles*, qui a tracé de lui un portrait fort vivant[10], nous rappelle qu'à l'exemple de beaucoup de cadets, il avait été destiné dans sa jeunesse à l'état ecclésiastique. « Quant il fu enfes (= quand il était enfant), l'en vout qu'il fust clers, et aprist letres asez selonc son aage. Por ce que il estoit gentius hom, chanoines fu de Raims (Reims), de Cambrai et de Liège ; en ces trois églises ot-il provendes. » Ce ne fut que plus tard, après ce stage dans la cléricature, qu'il revint au siècle. « Ou par le conseil de ses amis, ou par la seue volenté, je ne sai lequel, il lessa clergie et devint chevaliers. » Du noble d'église il garda toujours un certain sens de la mesure et le tact diplomatique. On a vu avec quelle adresse, d'ailleurs singulièrement dénuée de scrupules, il avait, en s'alliant au prince arménien Thoros et en se faisant adopter par lui, puis en le dépouillant et en le laissant massacrer, mis la main sur le comté d'Édesse. Mais en même temps, en épousant une princesse arménienne, il avait le premier donné l'exemple des unions de race entre Francs et Orientaux et jeté les bases d'une politique indigène.

Beau type de baron au demeurant. De taille plus élevée que son frère Godefroi, on lui appliquait la citation du *Livre des Rois* à propos de Saül, qui, quand il était au milieu du peuple, dépassait de la tête la foule. La barbe et les cheveux bruns, mais la peau assez blanche, le nez aquilin « hautet et corbe un pou devant », la lèvre supérieure proéminente mais sans laideur, c'était une énergique et mâle figure[11]. Son expression, son langage, sa démarche, ses vêtements mêmes traduisaient une gravité voulue. C'est ainsi qu'on ne le voyait jamais sans un manteau sur les épaules, « si que aus gens qui ne l'avoient mie acostumé à veoir, sembloit-il mieus evesque que chevalier ». Très porté sur les femmes, il est loué par le chroniqueur d'avoir du moins évité le scandale, au point que ses familiers eux-mêmes ignoraient presque toujours ses débordements. « Il estoit acostumés de cheoir sovent eu péchié de la char ; mès si en estoit honteus que trop (= très) le fesoit celeément. Mout avoit pou de gent de sa mesniée qui rien en seussent. À nului ne fesoit force ne outrage par ceste chose. »

*L'Estoire d'Éracles* nous peint encore son héros comme un parfait chevalier, capitaine avisé et prodigue de sa personne dans les combats. « Mout séoit bien à cheval ; hastés estoit et vites. (Au combat) touzjorz estoit près là où besoing le semonoit. » On nous vante enfin « son hardement (= sa hardiesse), le sens d'armes qu'il avoit, sa largèce et sa cortoisie. »

Cette « cortoisie », Baudouin en fit preuve dès qu'il apprit la capture de son voisin Bohémond. Bohémond, on l'a vu, venait, en juillet 1100, d'être fait prisonnier par l'émir turcoman de Sîwâs, en Cappadoce, Gümüshtekîn ibn Dânishmend, au moment où il allait secourir le prince arménien de Mélitène[12], Gabriel, assiégé par cet émir. Le captif réussit à faire passer une mèche de ses cheveux à Baudouin en le suppliant de le délivrer. Aussitôt Baudouin, avec cent quarante cavaliers d'élite, galopa d'Édesse vers la Mélitène pour surprendre Gümüshtekîn. Mais à son approche le Dânishmendite évacua la région et se retira avec son prisonnier jusqu'à Sîwâs et à Néocésarée, ses résidences. Baudouin, dont l'arrivée avait du moins débloqué Mélitène, y fut reçu comme un sauveur par le prince arménien Gabriel. Celui-ci se reconnut son vassal et son sujet. Baudouin, en repartant pour Édesse, lui laissa pour sa défense cinq cents hommes d'armes, garnison qui, quelques semaines plus tard, devait en effet repousser victorieusement un retour offensif de Gümüshtekîn[13].

Baudouin venait de rentrer à Édesse, après avoir ainsi étendu très au nord, jusqu'en Petite-Arménie, les frontières de son comté, lorsqu'il reçut, vers le 12 septembre 1100, une délégation de chevaliers palestiniens qui lui annonçaient la mort de son frère Godefroi de Bouillon et qui l'appelaient au trône de Jérusalem. Délégation d'autant plus importante qu'elle représentait le sentiment général des chevaliers hiérosolymitains[14] et que la présence, à sa tête, de l'évêque de Ramla garantissait de l'appui d'une partie du clergé.

L'attitude de Baudouin, en recevant la nouvelle, fut parfaite, encore qu'il dissimulât mal son impatience de régner. Foucher de Chartres, dans une formule digne de Tacite, nous le montre assez triste de la perte d'un frère, mais encore plus joyeux de l'héritage escompté : « Dolens aliquantulum de fratris morte, sed plus gaudens de hereditate[15]. »

Le parti de Baudouin fut aussitôt pris. Jusque-là il n'avait vécu que pour son comté d'Édesse, qu'avec une inlassable énergie il n'avait cessé d'accroître, allant dans ce but jusqu'à abandonner cyniquement la croisade. « Il prenoit par force les chastiaux et les abatoit ; mout élargissoit son pooir entor lui. » Mais dès qu'il reçut l'offre de la couronne de Jérusalem, il n'hésita pas. Cette couronne de David, Godefroi n'avait rien su en faire, même pas la placer sur sa tête. On allait voir le parti que Baudouin allait en tirer. Sur-le-champ, il confia son comté d'Édesse à son cousin Baudouin du Bourg[16], et, prenant avec lui quatre cents cavaliers d'élite et mille piétons, il partit pour Jérusalem (2 octobre 1100).

La chevauchée d'Édesse à Jérusalem avec une troupe aussi réduite pouvait paraître une entreprise assez hasardeuse. « Mout se merveillèrent mainte gent coment il enprenoit tel oirre (= voyage) à si petit de compaignie, car il le convenoit à passer parmi la terre à ses anemis. » C'est que, en raison des intrigues du patriarche Daimbert, il fallait avant tout gagner celui-ci de vitesse, arriver avant que la Tour de David n'ait succombé et que Jérusalem ne fût transformée en domaine pontifical.

Les événements favorisèrent l'audacieux Baudouin. Des ennemis signalés par Guillaume de Tyr, les plus dangereux n'étaient peut-être pas les Musulmans. Nous avons vu l'appel adressé par le patriarche Daimbert à Bohémond, pour faire arrêter Baudouin dans sa descente sur Jérusalem. Si Bohémond s'était trouvé à Antioche, si Morrellus, l'émissaire du patriarche, avait pu remplir sa mission auprès de lui, la chevauchée du comte d'Édesse eût pu tourner court. Mais précisément Bohémond venait d'être fait prisonnier par les Turcomans et le message de Morellus avait été intercepté par le comte de Toulouse. La disparition de Bohémond arrangeait tout. Au lieu d'être reçu en ennemi à Antioche, Baudouin y fut accueilli en sauveur par les habitants que la captivité de leur prince exposait à toutes les attaques turques. Ce fut tout juste s'ils ne le supplièrent pas de rester à leur tête[17]. Il les rassura, leur rendit du cœur par son seul passage, mais, après un repos de trois jours (8-12 octobre), poursuivit son chemin, non sans avoir fait embarquer sa femme pour Jaffa, tant la route par terre était ensuite peu sûre[18].

D'Antioche, Baudouin, suivant le chemin de la côte, gagna Laodicée (Lattaquié), ville qui, comme on l'a vu, appartenait aux Byzantins et à leur allié, le comte de Toulouse. Il y fut bien accueilli et s'y reposa deux jours. À noter qu'il y rencontra le légat du pape Maurice de Porto qui venait d'aborder à Laodicée avec une flotte génoise. Au sud de Laodicée les difficultés commencèrent pour Baudouin. À la nouvelle que les Turcs de Damas guettaient au passage sa petite troupe, la moitié de ses compagnons l'abandonnèrent pendant la nuit. Il réussit à intimider les autres par sa ferme contenance : « Que ceux qui ont peur retournent en arrière ![19] » Mais en arrivant à Jabala (Gibel), il n'avait plus que 160 cavaliers et 500 fantassins.

*Alliance de Baudouin Ier avec les Banû 'Ammâr.*
*Bataille du Nahr al-Kalb.*

Devant Jabala la faible troupe de Baudouin fut bien accueillie et put se ravitailler. Les luttes civiles dont la petite ville musulmane venait d'être le théâtre (et que nous raconterons plus loin) ne pouvaient qu'obliger les habitants à la plus grande amabilité envers les Francs. Baudouin passa sans encombre sous Valénie (Bâniyâs), puis sous Maraclée (Khrab Marqiyé), Tortose et 'Arqa, villes qui dépendaient de l'émir de Tripoli, et vers le 21 octobre arriva devant Tripoli même. Là il eut la plus agréable surprise. L'émir de Tripoli, l'Arabe Abû 'Ali Ibn 'Ammâr[20], l'accueillit en ami et en allié, le ravitailla avec empressement et lui fournit des renseignements précieux sur les mouvements de leur ennemi commun, le malik seljûqide de Damas, Duqâq. « [Baudoins], dit expressément *l'Estoire d'Éracles*, vint à Triple ; là se loja dehors la cité. Li rois de la ville, quand il sot que il estoit venus, li envoia granz présens de viandes et de riches dons en or et en argent, et li fist savoir certeinnement que Ducat, li rois de Damas, le gueitoit por lui fere mal, s'il en avoit le pooir[21]. »

L'appui spontané ainsi offert à Baudouin par les Arabes de Tripoli allait, en le sauvant au moment décisif de sa carrière, assurer l'avenir de la Syrie franque. Pour comprendre un événement aussi surprenant, il importe de rappeler brièvement les querelles féodales de la Syrie musulmane à cette époque[22].

De la principauté de Tripoli, telle que l'avaient constituée les Banû 'Ammâr le jour (1070) où ils s'étaient révoltés contre l'Égypte fâ*t*imide, dépendait Jabala (Gibel), prise par eux (1080) aux Byzantins. Or peu avant la Première Croisade le qâ*d*î de Jabala, Abû Mu*h*ammad Ubaîd Allâh, plus connu sous le nom d'Ibn Sulaî*h*a, se rendit indépendant des Banû 'Ammâr. En vain, pour ramener la place dans l'obéissance, les Banû 'Ammâr firent-ils appel au malik seljûqide de Damas, Duqâq. Le lieutenant de ce dernier, *T*ughtekin, échoua devant Jabala (v. 1095-1099). Sur ces entrefaites arriva la Première Croisade. Pour se défendre à la fois contre les Croisés et contre de nouvelles attaques des Banû 'Ammâr, le qâ*d*î de Jabala résolut de se donner au malik de Damas.

Sur sa demande, Duqâq envoya à Jabala le fils de *T*ughtekîn, Tâj al-Mulûk Bûrî, auquel remise fut faite de la place (août 1101). Quant au qâ*d*î, emportant ses richesses, il alla vivre en simple particulier à Damas, puis à Baghdâd.

L'annexion de Jabala au royaume seljûqide de Damas ne pouvait être que parfaitement désagréable à l'émir de Tripoli. Cependant celui-ci ne tarda pas à avoir sa revanche. En effet Tâj al-Mulûk Bûrî, le gouverneur damasquin de Jabala, tyrannisa si bien les gens de la ville que ceux-ci se tournèrent de nouveau vers l'émir de Tripoli. Ibn 'Ammâr, joyeux de ce changement, envoya à Jabala un corps de troupes qui, avec l'aide des habitants insurgés, chassa la garnison damasquine, fit prisonnier Bûrî et replaça la ville sous la domination tripolitaine.

Ibn 'Ammâr, du reste, traita Bûrî avec courtoisie et le renvoya libre à Damas. Bien qu'Ibn al-Qalânisî ne situe cet épisode que huit mois plus tard (juin-août 1101), nous avons tenu à le rapporter ici pour montrer l'hostilité latente entre Ibn 'Ammâr et les Turcs de Damas. On comprend que dans ces conditions le Tripolitain ait redouté par-dessus tout un succès des Damasquins sur les Francs, succès qui eût fait des premiers les arbitres de la Syrie. On ne s'étonnera donc pas en le voyant prévenir Baudouin du guet-apens préparé par l'armée de Damas. Remarquons combien le jeu des Francs était facilité par les discordes de la société musulmane. Au milieu du damier féodal turco-arabe, des politiques comme Baudouin Ier et ses successeurs pourront manœuvrer à leur guise.

Il est probable, disions-nous, que les avis d'Ibn 'Ammâr sauvèrent Baudouin. Le guet-apens turc était en effet remarquablement préparé. Le malik seljûqide de Damas, Duqâq en personne, accompagné de l'émir arabe de *H*oms, Janâ*h* al-Dawla, avait choisi, pour surprendre Baudouin, le moment où celui-ci serait engagé sur l'étroite corniche, étranglée entre la montagne et la mer, qui par Jebail (Gibelet) joint Tripoli à Beyrouth. Duqâq et Janâ*h* al-Dawla se postèrent au point le plus dangereux de la route, celui où elle traverse les gorges du Nahr al-Kalb ou Fleuve du Chien, près de l'embouchure encaissée du fleuve. « Iluec a un passage mout perilleus ; car d'une part sont les montaignes mout hautes, les roches aspres et la voie roiste, d'autre part est la mer parfonde touzjors à grosses ondes. La voie n'a mie une toise de lé ; de lonc a bien le quart d'une liue[23] ». Situation d'autant plus périlleuse qu'assaillie de front par les Turcs de Damas, l'armée franque était harcelée sur le flanc droit par une flottille arabe accourue de Beyrouth sur la côte de Jûniyé. Comme l'écrit dramatiquement un chroniqueur, « du côté de la mer, les navires ennemis ; de l'autre côté, la montagne à pic ; en face toute l'armée turque[24]. » Bravement Baudouin avec sa petite troupe essaya de forcer le passage. Devant l'énorme supériorité numérique de l'adversaire, il commença à reculer, et la nuit, semble-t-il, arriva à temps pour le sauver d'une défaite. Encore si les ennemis, suivant les conseils de l'émir de *H*oms, avaient profité des ténèbres pour le surprendre, le désastre n'eût pu être évité. Mais le malik de Damas, trop peu sûr de la fidélité des Arabes envers les Turcs, préféra attendre le jour. Le bivouac franc fut d'ailleurs harcelé toute la nuit par les archers musulmans. « Comme j'aurais préféré être à Chartres ou à Orléans ! » avoue le bon Foucher qui ajoute : « et je n'étais pas le seul… »

Le lendemain, dès l'aube, Baudouin, comprenant l'impossibilité de forcer le passage, imagina une tactique nouvelle. Feignant de se résigner à la retraite, il rétrograda en bon ordre des rives du Nahr al-Kalb vers la station actuelle d'An*t*ûra, Sarbâ et Ghadîr, comme s'il renonçait à sa marche et cherchait à regagner Tripoli. Mais il avait pris soin de placer en tête des colonnes de retraite le convoi et les non-combattants, tandis que la cavalerie restait en arrière-garde. En découvrant ce mouvement, les Turcs, croyant tenir la victoire, se jetèrent à la poursuite de l'ennemi ; ou plutôt, dans leur précipitation et vu l'étranglement de la corniche libanaise, ils lancèrent d'abord en avant un escadron de cinq cents cavaliers, suivis de loin par les piétons. C'est précisément ce qu'escomptait Baudouin. Quand il eut attiré cette avant-garde assez loin du gros de l'armée musulmane, vers la baie de Jûniyé, il fit brusquement volte-face et chargea ses poursuivants. L'étroitesse de la corniche ne permettait pas aux Musulmans de tenter un mouvement tournant pour se déployer en éventail. Comme, essoufflés par leur poursuite, ils arrivaient en échelons espacés, la contre-attaque franque, concertée et massive, les écrasa. Fuyant en désordre dans l'étroit couloir, leur panique se communiqua au gros de l'armée damasquine qui se dispersa de tous côtés, vers Beyrouth ou vers la montagne, en direction de Reifûn ou de Bikfaiya et de Zahlé, le malik Duqâq donnant l'exemple de la débandade. « Ains s'enfoïrent vers les montaignes. Il coroient parmi ces roches sans tenir voie ne sentier, et trébuchoient des montaignes contreval. » Sur le terrain du combat, Baudouin rafla un butin considérable, des armes, des chevaux. La nuit tombait. Prudent, il ramena le lendemain sa troupe en arrière du champ de bataille, jusqu'à Jûniyé. Le surlendemain il descendit de nouveau sur le Nahr al-Kalb. Cette fois aucun ennemi n'avait osé l'attendre, la route du Sud était libre. Le prince franc défila sans opposition devant les places fâ*t*imides de Beyrouth, Sidon, Tyr et Acre. L'émir égyptien qui commandait à Tyr, intimidé par la défaite des Damasquins, lui fournit même du ravitaillement[25].

*Baudouin Ier et le patriarche Daimbert.*
*Fondation de la royauté franque.*

Baudouin arriva ainsi au premier port chrétien de la Palestine, Caïffa. Mais Caïffa appartenait au prince de Galilée, Tancrède. Or, comme on se le rappelle, Tancrède était, depuis le conflit de Tarse, l'ennemi juré de Baudouin. Tancrède, il est vrai, se trouvait alors à Jérusalem où, avec le patriarche Daimbert, il s'efforçait vainement par la persuasion ou la menace de faire capituler la tour de David. En son absence ses gens n'osèrent s'opposer au frère de Godefroi de Bouillon : le prestige dynastique agissait déjà. Les Francs de Caïffa accueillirent donc Baudouin comme un maître, le ravitaillèrent, le comblèrent de présents. Toutefois, craignant quelque guet-apens, il évita d'entrer dans Caïffa même, et se contenta de se reposer plusieurs jours devant la ville[26]. De là, par la plaine d'Arsûf, il atteignit Jaffa, le port de Jérusalem, la grande place maritime des Croisés en Palestine.

À Jaffa, Baudouin put comprendre que la partie était gagnée. Quelques heures auparavant Tancrède qui avait essayé d'occuper la place avait été chassé par les habitants fidèles à l'esprit dynastique. Au contraire, et en dépit des menaces et des interdictions du patriarche, Baudouin « fu receus du clergié et du pueple à grant joie et à granz procession et se contint (= comporta) comme sires de la ville ». Quand il approcha de Jérusalem entre le 9 et le 11 novembre 1100, « toute la gent li vindrent à l'encontre, nomément li Latin et cil meismes d'autres terres qui ont autres coustumes, Hermin (= Arméniens), Grifon (= Grecs), Jacobins (= Syriens jacobites), Samaritan. Chascun chantèrent en leur manière et se pénèrent de fere joie. » C'était bien toute la population chrétienne, avec les prélats de chaque rite, au chant des hymnes et des cantiques en toute langue, qui venait accueillir le frère et l'héritier de Godefroi de Bouillon. Ce furent tous les chrétiens unanimes, Orientaux comme Latins, qui l'introduisirent dans la ville sainte « comme leur seigneur et leur roi »[27]. L'attestation de l'allégresse générale par Guillaume de Tyr lui-même, pourtant à demi rallié ici à la thèse du patriarcat, prouve que l'avènement de Baudouin répondait à une nécessité de salut public. Dans la situation internationale du Levant, l'aventure de la Croisade ne pouvait se consolider que par de fortes assises dynastiques.

L'État théocratique que le patriarche Daimbert avait essayé de fonder grâce à la faiblesse de Godefroi de Bouillon, puis à la faveur de son décès n'avait duré que cinq mois.

Daimbert ne renonça pas sur-le-champ à son projet. Il refusa de se joindre au cortège qui était allé au-devant de Baudouin et n'accueillit même pas ce dernier dans la ville. Son opposition n'en était pas moins brisée. Devant les manifestations populaires en faveur de Baudouin il craignit des représailles et, abandonnant le siège patriarcal, il se réfugia à l'église du Mont Sion où, dit Guillaume de Tyr, il s'adonnait à la lecture et à la prière – « entendoit à oroison et gardoit priveément en ses livres » – en attendant les événements.

L'heure, en effet, semblait venue de la revanche de son rival, cet Arnoul Malecorne qui s'était un moment emparé du siège patriarcal d'où Daimbert l'avait chassé. L'esprit intrigant que Guillaume de Tyr attribue à Arnoul avait beau jeu, d'autant que l'ancien chapelain du duc de Normandie, resté archidiacre de Jérusalem et administrant le Temple et le Calvaire, se trouvait un des plus riches prélats de Palestine. C'était lui, du reste, qui, contre la volonté de Daimbert, avait groupé en faveur de Baudouin une partie du clergé de Jérusalem. Baudouin, sûr de l'appui des clercs partisans d'Arnoul en même temps qu'acclamé par la presque totalité des chevaliers, pouvait donc provoquer immédiatement la déposition de Daimbert, comme Daimbert, appuyé par Bohémond, avait naguère obtenu la déposition d'Arnoul.

Mais Baudouin Ier était trop avisé pour engager cette autre querelle du sacerdoce et de l'empire avant d'être suffisamment consolidé sur son trône. Du reste, dans ce campement en alerte perpétuelle face à toutes les contre-attaques musulmanes, ce que ses nouveaux sujets lui demandaient d'abord, c'était de faire son métier de chef de guerre. Aussi, après un bref séjour à Jérusalem pour faire reposer la troupe qu'il avait amenée avec lui d'Édesse, et avant de régler les questions intérieures, le voyons-nous entreprendre dans la partie la plus âpre de la Judée, aux confins méridionaux du royaume, une promenade militaire significative (entre le 15 novembre et le 20 décembre)[28]. Une marche préalable sur Ascalon prouva l'inutilité d'une attaque : la garnison égyptienne était sur ses gardes ; abritée derrière ses murailles, elle refusa le combat. La population arabe des campagnes philistines et les Bédouins de l'arrière-région avaient fui leurs villages ou leurs campements, pour se réfugier dans les cavernes de la montagne. C'étaient, nous dit Guillaume de Tyr, « trop males gens, larron et coupéeur de gueules : ez chemins entre Rames (= Ramla) et Jherusalem avoient fet mainz domages, despoillié pèlerins et ocis maintes foiz, si que l'en n'i osoit mès aler sans grant compaignie »[29]. Pour en finir avec ce banditisme et rendre la sécurité à la route du pèlerinage Jaffa-Jérusalem, Baudouin se rendit aux cavernes qui servaient de repaires à ces pillards, près de Beit-Jibrîn, les enfuma comme des renards et en massacra une centaine[30]. Dans les rafles ainsi exécutées on captiva quelques chrétiens indigènes, de rite syriaque ou grec. Ils furent naturellement renvoyés libres[31].

Avec des guides arabes, récemment convertis au christianisme[32], Baudouin exécuta ensuite une promenade militaire dans les montagnes du pays de Juda. Il prit pour base de ses opérations de ce côté Hébron (al-Khalîl) que les Francs appelaient Saint-Abraham parce qu'on y localisait la sépulture de ce patriarche. Un détachement descendit le cours desséché du Wadî al-Araja jusqu'à l'emplacement d'Engaddi, « la Source aux chèvres » ('Ain Jidî), sur la rive occidentale de la mer Morte, ou, comme écrit Guillaume de Tyr, « la Mer Tressalée ». Baudouin lui-même se transporta ensuite à Ségor près de l'actuel al-Sâfiya, à la pointe méridionale de la mer Morte. La bourgade avait été évacuée par les Arabes. Après l'avoir incendiée, il exécuta une série de courses vers la vallée du 'Araba et les rochers du Qûz Fâ'î, dans le nord-ouest de l'ancienne Idumée. Terre désolée où l'armée ne trouva pour se ravitailler que des dattes et, comme butin, que des chevaux de bédouins. Mais la razzia franque n'en avait pas moins fait œuvre salutaire puisque pendant longtemps les tribus de l'Extrême-Sud n'osèrent plus s'attaquer aux nouveaux maîtres de Jérusalem. D'ailleurs pour le moment simple contre-rezzou de police. Foucher de Chartres, qui accompagnait l'expédition, affirme bien que Baudouin poussa au sud jusqu'au Val Moyse ou Wâdî Mûsâ, en pleine Arabie Pétrée, qu'il fit même l'ascension du Jebal Hârûn (Mont Hôr) où se trouvait le monastère de Saint-Aaron. En réalité ce ne fut que quinze ans plus tard que Baudouin Ier, comprenant l'importance stratégique de la région, y construisit le Krak de Montréal ou de Shaubak[33].

Par Hébron et Bethléem, Baudouin rentra à Jérusalem le 21 décembre 1100[34].

Cette promenade militaire, qui avait grandement diminué l'insécurité des routes, acheva d'établir l'autorité de Baudouin. À son retour à Jérusalem le patriarche Daimbert se réconcilia avec lui. Réconciliation, des deux côtés, plus apparente que réelle, mais qui témoigne de l'opportunisme de Baudouin. N'oublions pas en effet que Daimbert, avant de se rendre en Palestine, était archevêque de Pise, chef moral de la célèbre commune italienne, et que c'était pour avoir conduit au secours des Croisés l'escadre pisane qu'il avait obtenu le siège patriarcal de Jérusalem. Or la marine pisane jouait un rôle de tout premier ordre dans la Méditerranée et son appui pouvait être indispensable aux Croisés pour tenir en respect la marine fâtimide, toujours maîtresse de Beyrouth, de Tyr, d'Acre et d'Ascalon. Ces considérations durent l'emporter chez Baudouin sur la tentation de se venger sur-le-champ de Daimbert en le remplaçant dès ce moment par

Arnoul Malecorne. Daimbert, de son côté, se résigna à sacrer Baudouin roi de Jérusalem. La cérémonie eut lieu dans l'église de la Vierge, à Bethléem, le jour de Noël 1100. En posant sur la tête de l'ancien comte d'Édesse cette couronne royale que Godefroi de Bouillon n'avait jamais portée, le patriarche sanctionnait de ses propres mains l'échec de toutes ses ambitions.

Plus difficile à faire cesser était la brouille entre Baudouin et Tancrède. Cette brouille, on l'a vu, remontait aux journées de Mamistra, en 1097, où les deux barons en étaient venus aux mains pour la possession de la Cilicie. Depuis, Godefroi avait inféodé à Tancrède la « princée » de Galilée avec la ville de Tabarié ou Tibériade, à quoi Tancrède avait encore ajouté le port de Caïffa, de sorte que le baron normand était devenu le second personnage du royaume. La mort de Godefroi et la candidature de Baudouin étaient pour lui un désastre. Quand il sut que Baudouin descendait d'Édesse pour briguer la succession du défunt, il tenta désespérément et jusqu'au bout de résister. Vers le 25 octobre, tandis que Baudouin était arrêté sur le Nahr al-Kalb par l'armée turque, il avait essayé avec le patriarche Daimbert de se mettre lui-même en possession de la Tour de David, clé de Jérusalem, mais tous ses efforts, on l'a vu, avaient échoué devant les chevaliers du parti lotharingien qui s'étaient barricadés dans la Tour[35]. Il avait alors couru à Jaffa pour y devancer Baudouin et lui barrer la route. Mais là encore la garnison s'était prononcée pour le frère de Godefroi de Bouillon. Tancrède avait un instant fait mine d'assiéger la place (vers le 1er octobre), mais comme Baudouin, vainqueur des Turcs devant Beyrouth, descendait à ce moment par la route de Caïffa, il avait dû abandonner l'entreprise et il s'était retiré, menaçant, dans sa terre de Galilée, tandis que Baudouin était accueilli en triomphe à Jérusalem[36].

Après ces actes d'hostilité déclarée, non seulement Tancrède ne pouvait se faire à l'idée de devenir le vassal de son ancien ennemi, mais il se méfiait tellement de la vengeance de celui-ci qu'il refusait de se rendre aux convocations du nouveau roi à Jérusalem (janvier 1100). Geldemar Carpenel n'avait-il pas porté plainte contre lui auprès de Baudouin pour usurpation de la seigneurie de Caïffa ? À la troisième

« semonce », Tancrède accepta une entrevue, à condition qu'elle aurait lieu sur les bords du Nahr al-'Aujâ, petit fleuve côtier qui se jette entre Arsûf et Jaffa, en spécifiant que la rivière séparerait les deux interlocuteurs. Le colloque n'aboutit pas et on décida d'en organiser un autre à Caïffa.

Mais dans l'intervalle, au début de mars 1101, Tancrède reçut une délégation des Francs d'Antioche qui le priaient de venir prendre la régence de la principauté pendant la captivité de son oncle Bohémond. Cette proposition arrangeait tout. La conférence de Caïffa se passa le mieux du monde. Tancrède, heureux d'aller gouverner la Syrie septentrionale, se réconcilia avec Baudouin et, correctement, lui rendit son fief de Galilée avec Tibériade et Caïffa. Il fit seulement spécifier que, s'il revenait avant trois ans et trois mois, le roi aurait à lui rendre ce fief : éventualité qui pouvait se produire si, pendant ce laps de temps, Bohémond, relâché par les Turcs, venait, de son côté, reprendre possession d'Antioche. Ce fut dans ces conditions que Tancrède quitta la Palestine pour la Syrie où l'attendait une nouvelle carrière (mars 1101). Baudouin inféoda Tibériade et la princée de Galilée à Hugue de Saint-Omer[37] et Caïffa à Geldemar Carpenel[38].

## § 2. — BAUDOUIN Ier ET LA CONTRE-CROISADE FÂTIMIDE. CONQUÊTE DU LITTORAL PALESTINIEN PAR LE ROI DE JÉRUSALEM.

### *Faible densité de la colonisation franque.*

Il était tout naturel que Tancrède, neveu de Bohémond, fût appelé à la régence d'Antioche durant la captivité de celui-ci. Depuis que Bohémond avait été fait prisonnier par les Dânishmendites, Antioche, sans chef de guerre, restait à la merci d'un coup de main du malik d'Alep. Le nombre des barons demeurés dans les États du Levant après la Croisade était si faible que, du moment que Baudouin assumait la défense de la Palestine, mieux valait que Tancrède allât se consacrer à la garde de la Syrie du Nord. La joie de la population d'Antioche à son arrivée prouva nettement que tel était l'intérêt commun. Mais les chevaliers de Galilée regrettèrent amèrement son départ « Mout desplut aus barons de Surie de ce que li Rois l'en lessoit einsi partir ». En réalité l'obligation où s'était trouvé Tancrède de choisir entre Antioche et la Galilée montre surtout la pénurie d'hommes dont souffrait la Syrie franque.

Foucher de Chartres place à ce point de son récit quelques réflexions fort judicieuses sur le contraste entre la faible densité de la colonisation franque et son rayonnement politique[39]. Dans cette première année du règne de Baudouin Ier, l'étendue du territoire franc de Jérusalem se limitait à quelques places. Sans doute les flottes italiennes, provençales et autres amenaient périodiquement des pèlerins occidentaux, mais elles risquaient toujours d'être coupées par les corsaires africains et, une fois les pèlerins débarqués, la route de Jaffa à Jérusalem, exposée aux razzias des Bédouins, n'était rien moins que sûre. Du reste une faible partie seulement des pèlerins devenaient des colons. Les autres, leur vœu accompli, se rembarquaient, de sorte que la Syrie franque demeurait à ses débuts presque vide de défenseurs. Foucher de Chartres se demande comment les vastes empires musulmans qui l'enserraient de toutes parts, comment l'Iran et l'Irâq seljûqides et l'Égypte fâ*t*imide, sans parler des royaumes turcs d'Alep et de Damas, tout proches, ne profitèrent pas de ces heures d'indécision pour lancer, contre la poignée de chevaliers francs, leurs guerriers par centaines de mille. De l'aveu du chroniqueur chartrain, les Francs n'eussent pu alors leur opposer en Palestine – chiffres effrayants – que trois cents chevaliers et autant de piétons ! Encore ces effectifs insignifiants étaient-ils immobilisés par l'obligation de défendre Jérusalem, Ramla, Jaffa, Caïffa et Tibériade qu'ils ne pouvaient laisser exposées à un coup de main.

Si, dans ces mois décisifs, les Musulmans n'osèrent bouger, ce fut que le prestige militaire des Francs était dans tout son éclat. Après Dorylée, Antioche, Jérusalem et Ascalon, la journée du Nahr al-Kalb avait achevé d'établir en Syrie la terreur franque. Malgré toutes les imprudences d'une « démobilisation » trop complète, l'armée d'occupation franque conservait le bénéfice de la victoire.

*Le système de rezzous francs. Épisode de la femme du sheikh.*

La colonisation franque en Palestine était si clairsemée qu'il fallait suppléer au nombre par la mobilité. Baudouin adopta à cet égard comme à tant d'autres la tactique arabe des coups de main et des razzias. S'il n'avait pas grand monde avec lui, il avait laissé des guetteurs aux frontières pour surveiller l'ennemi. Guillaume de Tyr nous donne le récit coloré d'un de ces raids qui firent de la domination franque en Palestine une réalité[40]. On croirait lire l'histoire d'une de nos colonnes mobiles dans la conquête de l'Algérie ou du Maroc : une autre « prise de la smalah ». Baudouin venait d'apprendre par ses guetteurs qu'un gros campement d'Arabes – avec leurs tentes, « leurs pavillons », leurs femmes, leurs enfants, leurs chevaux, leurs chameaux et leurs ânes – venait de s'établir en Transjordanie. Ramassant avec lui tout ce qu'il put trouver de gens, il partit à l'improviste, traversa le Jourdain sans donner l'éveil, entra au désert jusqu'aux emplacements signalés par ses espions et attendit l'obscurité. Au milieu de la nuit ils tombèrent sur le campement. Quelques-uns parmi les Arabes purent sauter à cheval et gagner le large. Le reste des défenseurs fut tué. Les Francs firent main basse sur les tentes, capturèrent les femmes, les enfants et les animaux, sans parler du butin en or, en argent et en étoffes qui fut considérable.

Ici se place une anecdote charmante, qui nous montre en pleine lumière les mœurs de l'époque. – Parmi les captifs que la colonne ramenait à Jérusalem se trouvait, montée sur un chameau, une dame arabe, en état de grossesse avancée, femme d'un puissant sheikh. « Li tens et l'eure estoit venus qu'ele devoit avoir enfant. Mout commença à crier haut de l'engoisse qu'ele soufroit. L'en le dist au roi qui chevauchoit près d'ilec. Quant il l'oï, tantost i acorust. Mout ot grant pitié de cele dame ; mout doucement la fist descendre de desus le chameus. Biau lit li fist atorner ilec de materas, de courtes pointes, de dras blans. Por ce que l'en ne trouva mie prestement covertoir, il la couvri d'un mantel ver qu'il avoit a son col sur l'armeure. Viande li lessa à grant planté et boutiaux de vin et d'eaue, et une sienne baiasse (servante) li rendi et deus femelles de chamaus li leissa por trère le let. Ainsi la lessa, puis s'en parti avec son ost. » Cependant le chef arabe, époux de cette femme, était dans l'angoisse « Mout fu angoisseus de sa femme, nomeément por le perill que il savoit qu'ele estoit près de sa gésine Quant il en vit le roi partir et son ost, se mist après por encerchier s'il poïst oïr noveles de la rien (= chose) du monde que il plus amoit. Tant ala chevauchant que il la trouva. Lors ot joie trop grant quant il parçut que li rois li ot faite tel debonereté. De pitié commença à plorer. Le roi benissoit molt et looit ; sur toute rien (= chose), desirroit en son cuer que il poïst venir en point et en leu où il féist le (= au) roi bonté et servise. A toute la gent meisme de France ot il dès iluec en avant bon cuer et debonere. » L'occasion, qu'il cherchait, de rendre au roi le service qu'il en avait reçu ne devait pas tarder à se présenter. Mais ce qui importe le plus ici, c'est, au milieu même de la terrible guerre de razzias réciproques qui commençait, l'établissement non seulement d'une sorte de droit des gens, mais d'une courtoisie chevaleresque entre barons francs et seigneurs musulmans. Sans cesser de se combattre et de se maudire – les imprécations d'Ibn al-A*th*îr et d'Abu'l Fidâ répondent à celles de nos chroniqueurs, – la société féodale française et la société féodale turco-arabe, destinées à vivre deux siècles côte à côte, apprenaient à se respecter et à s'estimer.

Les cités arabes du littoral, restées dépendantes des Fâ*t*imides, s'accoutumaient de leur côté à l'hégémonie du malik franc. Au mois de mars 1101 on vit arriver à Jérusalem des délégations d'Ascalon, de Césarée, d'Acre et de Tyr qui venaient apporter à Baudouin des présents et des tributs, en sollicitant le respect des trêves pour pouvoir cultiver leurs champs et commercer avec le territoire latin. Il n'était pas jusqu'au malik turc de Damas, le seljûqide Duqâq, qui n'entrât en relations avec Baudouin auquel il envoya une ambassade pour le rachat des captifs du Nahr al-Kalb, retenus prisonniers dans la Tour de David. Baudouin les renvoya à Damas contre une rançon de 50 000 besants d'or[41].

*Conquête d'Arsûf et de Césarée par Baudouin Ier.*

La grande pensée de Baudouin était de donner au domaine royal de Jérusalem toute sa façade maritime. Pour cela le concours des flottes italiennes était indispensable. Justement à la mi-mars 1101 une escadre génoise était venue mouiller à Caïffa d'où elle s'était rendue à la mi-avril à Jaffa. Le roi Baudouin se porta à sa rencontre avec deux vaisseaux dans les eaux de Jaffa, bannières déployées et au son des trompettes[42]. Le 17 avril les Génois, après avoir tiré leurs bateaux sur le rivage, partirent avec Baudouin pour Jérusalem où ils célébrèrent les fêtes de Pâques. Quand ils eurent fait leurs dévotions au Saint-Sépulcre, Baudouin leur proposa de rester « au service de Notre-Seigneur ». Ils consentirent pour quelques mois, étant entendu que, dans toutes les places conquises avec leur concours, ils recevraient le tiers du butin, tant en objets mobiliers qu'en numéraire, plus une « rue », c'est-à-dire une des rues marchandes du bazar, laquelle resterait leur propriété[43].

Le pacte conclu, Baudouin alla avec les Génois assiéger Arsûf, l'Arsur des Latins, place maritime située à 18 kilomètres au nord de Jaffa, et que signalaient au voyageur « grant planté de praieries et de boschages ». Godefroi de Bouillon n'avait pu, faute de navires, enlever cette petite ville aux Fâ*t*imides. La présence de l'escadre génoise changeait cette fois les conditions de l'attaque. De plus les Francs étaient rendus furieux par la cruauté des Arsûfî qui, lors du siège précédent (par Godefroi de Bouillon) avaient pendu sur la muraille un certain nombre de prisonniers chrétiens. À la veille de l'assaut les habitants, qui tremblaient à la pensée des représailles, offrirent de capituler. Ils obtinrent de se retirer avec leurs familles et leurs biens (derniers jours d'avril 1101)[44]. Baudouin, fidèle à son serment, les fit escorter sains et saufs jusqu'à Ascalon. Puis il mit garnison dans la place.

Après la conquête d'Arsûf, l'armée franque et la flotte génoise allèrent assiéger, trente-cinq kilomètres plus au nord, Césarée (Qai*s*ariya), place qui dépendait également des Fâ*t*imides (premiers jours de mai 1101). Elles disposaient, sans doute grâce aux charpentiers génois, d'une forte « artillerie » : « drécièrent perrières et mangoniaus assez et comencièrent grosses pierres à giter aus hordeiz (= barrières) des murs et des tors et fere granz frois (= brisements) de mesons parmi la ville. » Et plus loin : « li nostre firent un chastel de fust (= de bois) mout fort, qui estoit plus hauz que toutes les tors de la ville, si que cil qui estoient au darrenier estage pooient viser à trere (tirer) d'ars et d'arbalestes là où leur plesoit en la cité ». Au bout de quinze jours, la défense faiblissant, les Francs donnèrent l'assaut. « Tuit ensemble aprochièrent des murs et drécièrent eschieles ; si comencièrent li nostre à assaillir si asprement que cil de la cité s'en esbahirent tuit et se desconfirent si (= tellement) qu'il ne s'osoient mostrer aus murs. Quant nostre gent le sorent, il saillirent sus, tantost en pluseurs parz porprennent (= occupent) les murs et les torneles. Une partie d'entre eus descendi en la cité, puis ovrirent les portes là où li Rois estait dehors ; si que il entra enz o (avec) toute sa bataille » (17 mai 1101)[45].

Le récit du sac qui suivit la prise d'assaut de Césarée décèle chez le traducteur d'*Éracles* une « truculence de massacre » analogue à celle de Rashîd al-Dîn contant la conquête du Khorâsân par les Mongols gengiskhanides. « Lors veisssiez les pèlerins par la ville corre et metre à mort quanque (= tout ce que) il encontroient des Turs, petiz et granz. Les mesons brisaient ; premièrement estoit ocis li sires et toute sa mesniée ; après brisoient les huches et les huis por trover les granz richeces de quoi il i avait trop. Assez i avoit des Turs qui cuidoient eschaper vis ; por ce transglotissoient (= avalaient) les besanz et les riches pierres précieuses. Quant nostre gent le sorent, si comencièrent tout à ocire, et cerchoient les boiaus où il trovoient grant avoir ; por ceste achoison en i morut mainz que l'en eust gardé vis (= vivant), se ce ne fust[46]. » On n'épargna que les « puceles et enfanz petiz » et aussi, sur l'ordre de Baudouin, l'émir et le qâ*d*i de la ville dont on escomptait une grosse rançon.

Une partie des habitants s'étaient réfugiés dans un ancien temple d'Hérode, pour lors transformé en mosquée. « Il cuidoient estre à sauveté por ce que c'estoit leu d'oroison. Notre gent à pié brisèrent ce temple, puis entrèrent ens ; touz les ocistrent quanque (= autant que) il en avoit. Du sanc i avoit tel planté que l'en i avenoit jusques en mi la jambe. Hideurs estoit trop grans de veoir ensemble tantes genz occises. »

Baudouin ordonna que tout le butin fût apporté devant lui, mis en tas et partagé. Conformément au pacte conclu, les Génois en eurent le tiers[47]. Dans leur lot figura un vase de forme hexagonale qu'on affirmait être le calice de la Cène et qui fut l'origine de la légende du Saint-Graal. – *L'Estoire d'Éracles* termine son récit en nous disant qu'après le sac de Césarée « li pueples des pèlerins qui avoit esté povres et soufraiteus, devint riches et combles de ce grant gaaing ».

Nous avons tenu à donner dans sa brutale crudité le récit du massacre de Césarée, tel que le rapporte *l'Estoire d'Éracles*, pour situer la croisade dans son milieu historique. Nous avons vu dans l'histoire antérieure, nous verrons dans les événements ultérieurs des massacres analogues du fait des musulmans. Peut-être la terreur franque, comme un siècle plus tard la terreur mongole, prit-elle ici la valeur d'un système politique. Quartier aux gens d'Arsûf qui avaient capitulé, massacre de ceux de Césarée prise d'assaut.

Après avoir mis garnison dans Césarée, Baudouin, quittant la côte, se dirigea, à travers la Judée, vers Ramla, la « Rames » des chroniqueurs. La ville était presque déserte car, depuis qu'elle appartenait aux Francs, la population arabe avait émigré à Ascalon. Baudouin y éleva hâtivement une forteresse où il laissa garnison[48].

### *La contre-croisade fâtimide de 1101.*
### *Victoire de Baudouin Ier à Ramla (7 septembre 1101).*

Cependant les Fâ*t*imides dont la passivité, depuis la perte de Jérusalem, n'est pas sans inspirer quelque étonnement, avaient fini par réagir. Au printemps de 1101, leur vizir al-Af*d*al, qui était toujours le véritable maître du gouvernement égyptien, envoya en Palestine une armée commandée par le mamelûk Sa'ad al-Dawla al-Qawâsî, ancien gouverneur de Beyrouth[49]. Cette armée se concentra à Ascalon, point de départ de toute reconquête égyptienne en Palestine. Après une pointe en direction de Ramla, qu'elle espérait peut-être surprendre avant que Baudouin Ier en ait fini avec le siège de Césarée (mi-mai 1101), elle regagna Ascalon devant Baudouin accouru de Césarée à Ramla (24 mai). À Ascalon, les Égyptiens restèrent plusieurs mois dans l'expectative, sans doute dans l'attente de nouveaux renforts. Baudouin, de son côté, alla s'installer en face d'eux, à Jaffa, pour surveiller leur menace. Il y resta pendant la seconde moitié de juin et, de nouveau (après un voyage en juillet à

Jérusalem pour y lever de l'argent et des troupes), pendant tout le mois d'août 1101[50]. Enfin dans les derniers jours d'août il apprit la mise en mouvement de l'armée égyptienne nouvellement renforcée ; et le 4 septembre une lettre interceptée lui révéla l'imminence de la lutte et l'intention des Égyptiens de pousser jusqu'à Jérusalem[51].

Baudouin Ier n'était pas pris au dépourvu. Il avait réclamé au patriarche le nerf de la guerre et appelé à lui toutes les forces franques de Judée et de Galilée. Mais, bien que tous aient immédiatement rallié sa bannière, la supériorité numérique des Égyptiens était écrasante : contre les multitudes d'Arabes et de Soudanais, il n'avait en tout que 260 cavaliers et 900 fantassins[52].

L'armée égyptienne, montant d'Ascalon, vint camper dans la plaine de Ramla, d'où elle menaçait à la fois Jaffa et Jérusalem. Baudouin tint le 6 septembre 1101 au matin, sous les murs de Jaffa, un conseil de guerre où il fut décidé de marcher à l'ennemi. Après un discours enflammé de l'archidiacre Arnoul Malecorne et l'absolution donnée par le légat Maurice, Baudouin fit mouvement vers Ramla. Pour rendre sa petite armée plus mobile, il la divisa en cinq corps, le premier sous les ordres d'un chevalier nommé Bervold, le second sous Geldemar Carpenel, sire de Caïffa, le troisième avec les chevaliers de Galilée, sous Hugue de Saint-Omer, sire de Tibériade, les deux derniers, composés de la chevalerie de Jérusalem et de la Judée propre, sous le commandement de Baudouin lui-même[53]. La bataille se livra le 7 septembre au matin, dans la plaine au sud-ouest de Ramla (vers Yebnâ). Le corps de Bervold attaqua le premier et fut détruit ; son chef même fut tué. Geldemar Carpenel qui, avec la deuxième « bataille », essaya de le secourir, succomba à son tour, ainsi que presque tous ses compagnons. Hugue de Tibériade qui, avec le troisième corps, s'élança dans la mêlée fut également écrasé sous le nombre et c'est à grand'peine qu'il parvint à se dégager avec une poignée des siens[54]. Les débris de ce corps, croyant la bataille perdue, coururent se réfugier à Jaffa, poursuivis jusque sous les murs de la ville par l'aile gauche égyptienne[55].

Ce fut le roi Baudouin qui avec les deux corps demeurés sous ses ordres rétablit la bataille. La Vraie Croix, portée devant lui par l'évêque Gérard, lui servit à raffermir le courage de ses troupes[56]. Foucher de Chartres nous donne le sens de la brève harangue qu'il leur adressa avant de charger à leur tête : « Si vous êtes tués, c'est la couronne du martyre. Si vous êtes vainqueurs, une gloire immortelle. Quant à vouloir fuir, inutile : la France est trop loin ![57]. » Dans un mouvement analogue à celui de Philippe-Auguste à Bouvines, le roi, se prosternant au pied de la Vraie Croix, confessa publiquement ses péchés à l'évêque Gérard. Puis, montant à cheval – un cheval arabe nommé « la Gazelle » à cause de sa vitesse[58] –, il chargea à la tête de la chevalerie de Jérusalem. « Li rois aloit parmi les presses, se prenoit garde liquel avoient greigneur mestier (plus grand besoin) d'aide, là se demoroit et fesoit merveilles d'armes ; touz les passa (= il les surpassa tous) par droite proesce. Il rafreschissoit touz les cuers à ceus qui regarder le vouloient[59]. » La Vraie Croix aussi, portée par Gérard, s'avançait au milieu de la mêlée. Un des émirs égyptiens pénétra jusqu'à elle pour s'en emparer : il fut tué avant d'y avoir réussi. Un autre émir qui fonça sur Baudouin fut abattu en même temps que son cheval, d'un seul coup, par le roi[60].

Devant ces hommes de fer, Égyptiens, Arabes et Soudanais plièrent. Toute l'armée fâ*t*imide prit la fuite vers Ascalon. En quelques minutes le camp fâ*t*imide, avec tout ce qu'il renfermait, tomba au pouvoir des Francs. Baudouin interdit aux siens, sous peine de mort, de ralentir la poursuite pour s'attarder au pillage. « Commanda à sa gent, si chier com il avoient leur vies, que nul n'entendist au gaaing, ainçois chaçassent ceus qui s'enfuioient et océissent quanque il poroient aconsuire (= tous ceux qu'ils pourraient rejoindre). Il meismes estoit premiers et tout abatoit quan qu'il ateignoit ». La « chasse » continua donc, transformant la retraite des Égyptiens en une complète débâcle. Le général égyptien Sa'ad al-Dawla al-Qawâsî galopait, entraîné dans la débandade des siens, quand son cheval s'abattit : il fut tué sur le coup[61]. La poursuite ne s'arrêta qu'à la tombée de la nuit, en vue des murailles d'Ascalon où les débris de l'armée fâ*t*imide trouvèrent refuge[62]. Baudouin fit alors sonner le ralliement et ramena les siens sur Ramla pour leur partager les dépouilles du camp fâ*t*imide (7 septembre 1101[63]).

Le lendemain, sur l'ordre de Baudouin, l'armée franque parcourait encore la plaine philistine, évidemment pour achever le nettoyage de la région, lorsque, devant Ashdod (Azot), elle eut la surprise de voir passer une troupe de cinq cents cavaliers égyptiens qui, de Jaffa, regagnaient Ascalon. C'était l'aile gauche égyptienne qui, après avoir enfoncé les premiers corps d'armée francs sur le champ de bataille de Ramla, en avait poursuivi les débris jusqu'à Jaffa dont elle avait insulté les murailles. Ces cavaliers regagnaient maintenant Ascalon, croyant al-Qawâsî victorieux, si bien qu'en apercevant les Francs, ils pensèrent avoir affaire à un détachement égyptien. Les Francs de leur côté, les voyant affublés des dépouilles des chevaliers, les prirent d'abord pour un corps des leurs. Quand la méprise se dissipa des deux côtés, les Égyptiens, comprenant brusquement que leurs ennemis étaient victorieux et maîtres de la campagne, se débandèrent en une fuite éperdue vers Ascalon. Les Francs les poursuivirent quelque temps et massacrèrent les moins rapides, mais leurs chevaux, trop fatigués par la bataille de la veille, ne leur permirent pas d'atteindre les têtes de colonnes[64] (8 septembre 1101).

Cependant le raid poussé jusqu'à Jaffa par l'aile gauche fâ*t*imide au moment de son succès avait jeté l'affolement dans cette ville. Les chrétiens de Jaffa avaient vu arriver successivement les débris des escadrons francs, rompus au début de la bataille de Ramla et qui venaient chercher refuge dans leurs murailles ; puis les escadrons égyptiens victorieux, lancés aux trousses de ces fuyards. Les Égyptiens leur criaient que toute l'armée franque était détruite, que Baudouin était tué. Affirmation d'autant plus plausible que les Égyptiens agitaient en témoignage les heaumes et les boucliers des chevaliers francs tombés sous leurs coups. Et ils somnaient les habitants de rendre la place. Ceux-ci, malgré leur douleur, firent ferme contenance. Ils garnirent les murailles et se préparèrent à résister, si bien que la cavalerie égyptienne (laquelle, d'ailleurs, n'était pas outillée pour un siège) regagna, comme on l'a vu, Ascalon. Seulement ils crurent qu'effectivement l'armée franque et le roi avaient péri. Dans leurs murs se trouvait précisément l'épouse de Baudouin, la reine Arda : « Lors commença un duel (deuil) si grant comme l'en devoit fere de tel perte ». Cependant, placés dans l'hypothèse d'un tel désastre, les « preudomes » de la garnison franque de Jaffa ne perdirent pas la tête. Sur-le-champ, d'accord avec la reine, ils s'adressèrent au seul baron à même de les secourir, à Tancrède, pour lors régent d'Antioche. Ils envoyèrent donc un message à Antioche pour supplier Tancrède de venir les sauver eux, Jérusalem et la Palestine. Les chroniqueurs nous ont conservé le sens de cet appel désespéré auquel Tancrède se préparait déjà à répondre[65].

Soudain coup de théâtre. Une grande armée approche de Jaffa. Nul doute que ce ne soient les Égyptiens victorieux. Mais quand les nouveaux arrivants sont tout près des murailles, on reconnaît le roi Baudouin et ses chevaliers en triomphal arroi ! « La nouvelle vint à ceus dedenz que genz venoient là ; ils montèrent aus murs et aus fenestres ; tant furent là qu'ils virent le Roi et sa gent. Lors leur firent joie si grant comme se chascuns fust resuscitez de mort ! Grant fu la feste que il firent cele nuit, et la joie plus enterine après le duel (après le deuil). » Un second messager courut à Antioche avertir Tancrède de n'avoir pas à se déranger.

Peu après cette grande victoire, Baudouin Ier reçut la visite de plusieurs barons qui représentaient les débris d'une nouvelle Croisade détruite en Anatolie par les Turcs. C'étaient Guillaume IX de Poitiers, duc d'Aquitaine ; le comte Étienne de Blois, le fuyard du siège d'Antioche, qui venait se réhabiliter en Terre Sainte ; Étienne, fils du comte de Bourgogne (Franche-Comté), Renaud Ier ; le comte de Vendôme, Geoffroy ; Hugue VI de Lusignan, un des plus puissants seigneurs d'Aquitaine ; Conrad, connétable de l'empereur germanique Henri IV ; et de nombreux barons comme Raoul d'Alost, en Flandre, Gerbod de Winthinc, Baudouin de Hestrut, Roger de Rozoy (en Artois). D'Antioche ces Croisés désiraient venir accomplir leur pèlerinage à Jérusalem. Le roi Baudouin, voulant leur éviter les périls qu'il avait lui-même courus dans la traversée des territoires fâ*t*imides de Beyrouth, de Sidon, de Tyr et d'Acre, envoya à leur rencontre une escorte qui les ramena sans encombre à Jérusalem où ils célébrèrent les Pâques de 1102[66]. Leur pèlerinage accompli, plusieurs d'entre eux vinrent s'embarquer à Jaffa pour rentrer en Occident, notamment Guillaume de Poitiers, Étienne de Blois et

Étienne de Bourgogne. Mais les deux derniers furent rejetés par la tempête sur la côte de Jaffa : ils devaient ainsi assister à la nouvelle lutte franco-égyptienne de 1102.

*La Contre-Croisade fâtimide de 1102.*
*Seconde bataille de Ramla. Victoire de Baudouin Ier à Jaffa.*

En effet le vizir d'Égypte, al-Af*d*al, n'entendait pas rester sur sa défaite de Ramla. Résolu à reconquérir la Palestine et n'étant pas sans connaître la pénurie d'hommes dont souffrait le royaume franc, il concentra à Ascalon au milieu de mai 1102 une nouvelle armée de 20 000 Arabes et Soudanais, sous les ordres de son propre fils, Sharaf al Ma'âlî[67]. D'Ascalon, les Égyptiens, suivant le même itinéraire qu'à leur précédente tentative, montèrent le long de la côte philistine, vers la plaine de Ramla, Lydda et Yâzûr, d'où ils menaçaient à la fois Jaffa et Jérusalem.

Baudouin, grisé par sa précédente victoire, manqua cette fois de toute prudence. Seule faute peut-être de sa vie politique, mais qui faillit lui être fatale. Sans envoyer d'éclaireurs pour se renseigner sur le nombre des ennemis (il croyait n'avoir affaire qu'à un millier d'hommes), sans prendre le temps d'appeler à lui les garnisons de la Samarie et de la Galilée, sans même attendre que les dix mille chrétiens qui se trouvaient concentrés à Jaffa l'eussent rejoint, il partit sur-le-champ à la rencontre des envahisseurs, avec les seuls compagnons qu'il avait en ce moment à Jérusalem auprès de lui, en tout deux cents chevaliers, parmi lesquels les Croisés d'Occident qui attendaient leur embarquement, Étienne de Blois, Étienne comte de Bourgogne, Geoffroi de Vendôme, Hugue de Lusignan, le chancelier Conrad. Toute cette belle chevalerie s'avançait sans ordre ni précaution, « esparpilliez sanz tenir route ne bataille ». Étienne de Blois fit, semble-t-il, quelques timides observations sur l'imprudence d'une telle chevauchée. Mais, depuis sa défection sous Antioche au cours de la Première Croisade, Étienne n'avait pas grande réputation de courage, et Baudouin le rabroua vertement[68]. Ce ne fut qu'en débouchant dans la plaine de Ramla, lorsqu'il découvrit la multitude de l'armée ennemie, que le roi comprit dans quel abîme sa présomption l'avait jeté. « Quant il ot aprouchiez ses ennemis, si s'émerveilla de la grant planté de gent que il avoient et se commença à repentir de ce qu'il estoit tant alez avant ; mês si estoit jà près d'eus que hontes li fust de retorner arrières[69]. » Du reste la retraite même n'était plus possible ; la petite troupe, si elle tournait le dos, devait être inévitablement rejointe, enveloppée et sabrée par les escadrons ennemis[70]. – On était maintenant entre Yâzur et Ramla, plus près de la première de ces localités que de la seconde[71].

Donc Baudouin et ses compagnons firent front, n'ayant plus à cœur que « chascuns de soi bien vendre. » Si rude fut leur réaction qu'un moment les Égyptiens « s'en esbahirent » et faillirent renoncer, craignant d'ailleurs que la troupe du roi ne fût que l'avant-garde d'une grande armée franque qui déboucherait d'un moment à l'autre sur le champ de bataille. Mais rien ne s'annonçant sur la route de Jérusalem, ils recommencèrent leurs charges, et bientôt le groupe des chevaliers francs était presque tout entier massacré. Tués, Gérard d'Avesnes, Raoul d'Alost, Stabelon, l'ancien camérier de Godefroi de Bouillon, et vingt autres d'entre eux. Quelques-uns comme Roger de Rozoy, Baudouin de Hestrut, Gauthier de Berg et Hugue du Bourg réussirent à s'enfuir à Jaffa (17 mai 1102)[72].

Le reste des survivants avec le roi Baudouin se réfugia dans la petite ville de Ramla qui fut aussitôt assiégée par toute l'armée égyptienne[73]. Les murailles étaient insignifiantes, la tour que venaient d'y faire construire les Francs était hors d'état de résister. Seule la nuit qui tombait empêcha les vainqueurs d'emporter sur-le-champ cette faible défense, mais il était clair que le lendemain c'en serait fait du roi de Jérusalem et de ses derniers compagnons.

Ce fut alors que se produisit, d'après Guillaume de Tyr[74], une romanesque intervention qui apporta le salut. Vers le milieu de la nuit, tandis que Baudouin sur sa couche ne pouvait trouver le sommeil, voilà qu'un chef arabe se présente devant la muraille et demande à lui parler personnellement de toute urgence. On introduit le mystérieux visiteur : c'était ce même sheikh dont Baudouin avait, l'année précédente, sauvé et libéré la jeune épouse tombée aux mains des Francs lors d'un raid en Transjordanie[75]. Le chevaleresque Arabe, s'estimant lié par une dette de reconnaissance, avait quitté l'armée fâtimide pour avertir Baudouin d'avoir à fuir cette nuit même, car, au matin, toutes les forces égyptiennes donneraient l'assaut à la bicoque de Ramla. Mieux que quiconque, Baudouin savait la position indéfendable. Il se rendait compte que sa capture comme sa mort serait la ruine du jeune royaume : « Li rois vit que tout estoit perdu se il estoit ou mort ou pris[76]. » Les *Gesta Francorum* qui ne nous parlent pas de l'intervention du sheikh transjordanien nous disent simplement que ce fut sur l'avis unanime des siens qu'il fut décidé que le roi essaierait de s'échapper, mieux valant pour lui risquer la mort en rase campagne que de tomber honteusement, lors de la chute de Ramla, aux mains de l'ennemi. Baudouin, suivi seulement de son écuyer et de trois ou quatre autres compagnons, courut donc cette suprême chance ; sur son cheval arabe « la Gazelle », il s'élança en pleine nuit, au milieu de l'armée fâtimide, pour gagner la campagne. Sa fuite fut aussitôt signalée, une nuée de cavaliers ennemis s'engagèrent à sa poursuite ; presque tous ses compagnons furent tués ou pris. Seule la vitesse de la Gazelle sauva son cavalier. Dans une course éperdue il galopa vers le sud-est du côté du massif judéen d'où il espérait gagner Jérusalem. Mais les avant-gardes égyptiennes lui coupèrent la route de la ville sainte, le forçant à se rejeter dans les gorges de la montagne en direction du nord-est, sans doute vers Deir 'Ammâr, Tibne Abûd et al-Kafr, où il parvint à dépister ses poursuivants[77].

Pendant ce temps Ramla était pris d'assaut par les Égyptiens, avec toute la chevalerie réfugiée dans ses murs (19 mai 1102). Les assiégeants avaient mis le feu à la tour qui constituait le principal élément de défense. Les Francs, suffoqués par l'incendie, périrent ou durent se rendre. Les plus vaillants préférèrent se faire tuer dans une charge dernière. Au cours de cette sortie désespérée le chancelier Conrad excita une telle admiration chez les émirs fâtimides qu'ils lui firent grâce[78]. Mais Hugue de Lusignan, Geoffroi de Vendôme, le comte de Bourgogne et Étienne de Blois furent massacrés. Le dernier racheta par cette mort glorieuse sa désertion d'Antioche, méritant ainsi la belle oraison funèbre que lui consacre *l'Estoire d'Éracles* : « Du conte Estienne fu il mout grant joie de ce que il morut si ennorablement car il estoit hauz home et sage ; grant travail avoit soufert et larges despense fetes par deus foiz en cest pélerinage. Sanz faille ne s'estoit mie bien partiz d'Antioche, dont lède parole avoit esté faite sur lui deça mer et dela. Mès bien fu semblant (= il apparut) que Nostre Sires li eust pardoné, qui tant prist à gré son servise que il soufrit (= permit) que il morust en lui servant[79]. »

Quatre cents des défenseurs furent massacrés désarmés, nous affirme Ibn al-A*th*îr – d'ailleurs avec la même sérénité que tout à l'heure Guillaume de Tyr nous contant la tuerie de Césarée. Les trois cents derniers furent envoyés prisonniers en Égypte[80]. Jamais, note *Éracles*, on n'avait vu tel massacre de chevaliers en Syrie. C'était en effet plus que la perte d'une bataille. Dans cette colonie si pauvrement fournie d'immigrants une telle saignée remettait tout en question. « Si grant ocision de gentieus homes n'avoit esté en règne de Surie en un jor jusqu'à ce tens ; mout en fut afebloiez li pooirs de la Crestienté en cele terre. Cil qui plus savoient de l'estre du païs en estoient plus esmaié et pensoient à foïr de la terre porce que péril estoit de remanoir (= rester) ilec[81]. »

De toute cette brillante chevalerie échappèrent seuls, en dehors du roi Baudouin errant dans les montagnes, Lithard de Cambrai, le vicomte de Jaffa et Gutman de Bruxelles qui, plus ou moins grièvement blessés, purent gagner Jérusalem où ils annoncèrent la terrible nouvelle[82]. Par ailleurs l'évêque de Lydda, près de Ramla, dès les premiers avis du désastre, put s'enfuir pendant la nuit à Jaffa où il alerta également la population[83]. Tel était l'affolement des chrétiens qu'ils songeaient, contre toute prudence, à évacuer Jérusalem pour se replier sur la côte. Ce fut Gutman de Bruxelles, un des chevaliers échappés au massacre, qui rendit du cœur aux Hiérosolymitains, les exhortant à ne pas abandonner la ville sainte avant que la mort du roi Baudouin ne fût confirmée[84].

À Jaffa, c'était bien pire. Des détachements égyptiens se présentèrent devant la ville en brandissant la tête coupée de Gerbod de Winthinc, le sosie du roi Baudouin, qu'ils affirmaient être Baudouin lui-même[85]. Cette fois encore la malheureuse reine de Jérusalem se trouvait à Jaffa, partageant les mortelles angoisses des habitants. Aussi terrifiés que les Hiérosolymitains, les gens de Jaffa avaient du moins la ressource de pouvoir s'évacuer par mer, et déjà ils songeaient à recourir à ce moyen lorsque, à la surprise générale, une barque leur amena d'Arsûf Baudouin sauvé et vivant.

Après avoir erré deux jours et deux nuits à l'aventure au milieu des montagnes de la région d'al-Kafr, de Deir Ballû*t* et de Meshâ, au nord-est de Ramla, et avoir manqué vingt fois d'être pris par les coureurs égyptiens lancés dans la campagne, Baudouin, se rapprochant de la côte à travers la plaine de Saron, mais en évitant Jaffa assiégé, avait enfin trouvé refuge dans la petite ville maritime d'Arsûf, au nord de Jaffa (19 mai 1102). Après tant d'heures dramatiques, il mourait de faim, de fatigue et de sommeil, sans parler des blessures reçues. Roger, seigneur de Caïffa, qui commandait à Arsûf, l'accueillit avec la joie que l'on devine[86]. Quelques heures après, vers le soir, nouvelle surprise. Hugue de Saint-Omer, sire de Tibériade, arrivait à Arsûf avec le contingent de sa princée de Galilée, – quatre-vingts chevaliers d'élite[87]. Le regroupement des forces franques commençait ainsi à s'opérer. Le lendemain matin, dès qu'il eut pris quelque repos, le roi monta sur un navire léger avec un hardi corsaire anglais nommé Goderic, et cingla vers Jaffa. Pour rassurer les gens de Jaffa du plus loin qu'ils apercevraient l'embarcation, il avait fait déployer au haut du mât l'étendard royal. Mais l'escadre fâ*t*imide qui concourait au siège de Jaffa aperçut son oriflamme et se mit aussitôt en devoir de le capturer. Par bonheur la mer était démontée, le vent soufflait du nord, favorisant le bateau venu d'Arsûf et empêchant d'avancer les galères égyptiennes, si bien que la barque royale, dansant dans la tempête, put, à force de rames, entrer saine et sauve dans le port de Jaffa[88].

Là aussi l'arrivée de celui qu'on croyait mort parut un nouveau miracle : « Tandis come tous li pueples estoit en cele doleur, li Rois se mist en une nef et vint d'Arsur à Jafe ; sodeinnement leur aparut ausi come l'estoile matinaus qui nonce qui li jors est près. Lors furent tuit si liés (joyeux) que cil qui ploroient avant de duel (deuil) plorèrent ore de joie. Toutes oublièrent leur douleurs. Grant espérance orent que Nostre Sires leur envoieroit secours. »[89]. Le roi étant sauvé, le royaume l'était aussi (20 mai 1102).

Le soir même de la journée mouvementée du 19 mai[90], Hugue de Tibériade et la chevalerie de Galilée s'étaient également rendus, mais par voie de terre, d'Arsûf à Jaffa. Marche pleine de péril, en raison de l'occupation de la Philistie par les Égyptiens. Baudouin, craignant aussi quelque guet-apens, se porta à la rencontre de Hugue et le ramena sans encombre dans Jaffa[91]. Poursuivant la concentration de ses forces, le roi voulait mander aux Francs de Jérusalem et d'Hébron de venir également le rejoindre dans Jaffa. Mais, comme l'armée égyptienne bloquait Jaffa, on ne savait par qui faire porter le message. Un pauvre Syrien chrétien – un moine indigène, spécifie Bartolf de Nangis – s'offrit : ce messager sortit de Jaffa par une nuit opaque, fut assez heureux pour gagner le massif judéen et, cheminant en zigzag, loin des sentiers battus, atteignit au bout de trois jours, Jérusalem[92]. Là aussi, en apprenant que le roi était sauvé, allégresse générale. On équipa tout ce qu'on put, quatre-vingt-dix chevaliers ou sergents montés[93], escadron qui, par des voies détournées, réussit à gagner la côte à hauteur d'Arsûf d'où il descendit sur Jaffa. Près de Jaffa les nouveaux arrivants, il est vrai, furent chargés par l'ennemi. Les chevaliers, qui étaient les mieux montés, franchirent le blocus et entrèrent au galop dans la ville. Les sergents, qui n'avaient que des chevaux médiocres, les abandonnèrent, se jetèrent à la mer et gagnèrent Jaffa à la nage. Bientôt tout le monde fut réuni, renfort appréciable pour Baudouin.

Un autre renfort, tout à fait imprévu celui-là, devait arriver peu après. Le 3 juin, une escadre chrétienne de deux cents navires apparut devant Jaffa, amenant un convoi de pèlerins, parmi lesquels plusieurs chevaliers français, anglais et allemands. Cette flotte brisa le blocus naval établi par les Égyptiens et débarqua ses passagers dans la ville.

L'armée franque, enfin reconstituée, se trouvait désormais en état de prendre l'offensive. Dès le 27 mai 1102[94], Baudouin sortit de Jaffa avec toutes ses forces, y compris les pèlerins nouvellement arrivés, et attaqua les Égyptiens qui campaient à trois milles de là, dans un petit bois où ils fabriquaient des machines de siège. Bien qu'étonnés d'une telle offensive, les Égyptiens, grâce à leur avantage numérique, voulurent cette fois encore encercler l'armée franque. Mais la supériorité tactique des Francs s'affirma tout de suite, aussi bien du fait des fantassins qui criblaient l'ennemi de flèches, que du fait des chevaliers bardés de fer[95] : « Li nostre qui furent iriez (irrités) ausi come la lionesse à qi l'en tost (enlève) ses faons, mistrent grant peine à vengier leur frères et leur compaignons que cil avoient morz (tués) »[96]. Au bout de quelques heures, l'armée égyptienne tout entière prenait la fuite vers Ascalon. Seule l'insuffisance numérique de la cavalerie franque arrêta la poursuite ; mais tout le camp fâ*t*imide avec ses tentes, ses tissus, ses tapis, ses convois de chameaux, son énorme ravitaillement et son numéraire tomba aux mains des Francs, « et tout emportèrent dedenz Jafa, et fu la joie mout grant ». Baudouin revint en triomphe à Jérusalem.

C'est un des étonnements de l'histoire que les Égyptiens aient si facilement laissé passer l'occasion, après leur victoire de Ramla, de recouvrer Jaffa et Jérusalem. Mais, comme on le disait plus haut, leur puissance était alors à son déclin. Il y avait longtemps qu'au Caire les khalifes fâ*t*imides ne gouvernaient plus personnellement. L'habile vizir al-Af*d*al était lui-même mal obéi. Ibn al-A*th*îr nous raconte comment, après l'échec de son fils Sharaf al-Ma'âlî, il envoya contre les Francs en Palestine deux nouveaux corps ; le premier, sous le mamelûk Tâj al-'Ajam, avec 4 000 cavaliers, devait suivre la voie de terre ; le second, sous le Qâ*d*î Ibn Qâdûs, devait prendre la voie de mer. Mais, comme nous le verrons plus loin, la mésentente de ces deux chefs fit avorter l'expédition. Ibn Qâdûs se morfondit devant Jaffa, tandis que Tâj al-'Ajam s'obstinait à ne pas dépasser Ascalon. Quand le vizir apprit la désobéissance de Tâj al-'Ajam, il le fit arrêter, mais le royaume de Jérusalem avait eu le temps de se remettre de son alerte[97]. La possibilité d'une reconquête fâ*t*imide s'était évanouie.

Cependant, au moment le plus critique du siège de Jaffa par les Fâ*t*imides, Baudouin avait envoyé un message aux deux barons du Nord, Tancrède, régent d'Antioche, et Baudouin du Bourg, le nouveau comte d'Édesse, pour leur demander secours. Ceux-ci rassemblèrent toutes leurs troupes – cinq cents chevaliers et mille piétons. Le duc d'Aquitaine Guillaume IX de Poitiers qui se trouvait du côté d'Antioche en attendant de se rembarquer se joignit à eux et tous se mirent en route en remontant la vallée de l'Oronte par *Homs* et les possessions damasquines – ce qui prouve qu'ils se sentaient assez forts pour braver le royaume seljûqide de la Syrie Intérieure. Ils obliquèrent ensuite vers la côte qu'ils atteignirent à Césarée, d'où, par Arsûf, ils arrivèrent à Jaffa. On était au mois de septembre 1102. Les vivres abondaient et le roi Baudouin pourvut les nouveaux arrivants de tout le ravitaillement nécessaire.

Quelque diligence que Tancrède et Baudouin du Bourg eussent mise à venir, il y avait, quand ils arrivèrent, vers le 25 septembre 1102, sur le Nahr al-Aujâ, au nord de Jaffa, quatre mois que Baudouin Ier avait refoulé par lui-même l'invasion fâ*t*imide[98]. Cette concentration de toutes les forces franques du Levant eût pu néanmoins avoir d'importants résultats si la guerre contre les Fâ*t*imides s'était poursuivie en rase campagne. Mais sa défaite de Jaffa avait pour le moment enlevé à l'armée égyptienne le goût des rencontres de cet ordre. Les Francs furent réduits à faire une guerre de siège en allant-attaquer Ascalon, la citadelle égyptienne de la Philistie (fin septembre 1102). Une sortie des défenseurs fut vivement repoussée et un des principaux émirs fut tué. Mais les Francs qui, pour l'instant, n'avaient pas de flotte à leur disposition ne purent s'emparer de la puissante forteresse d'Ascalon. Il semble même qu'ils aient renoncé très vite à poursuivre le siège[99].

En réalité, il semble que la réunion du roi de Jérusalem, du régent d'Antioche et du comte d'Édesse n'ait pas été sans poser quelques délicats problèmes. Tout d'abord quels étaient exactement les rapports juridiques de la principauté et du comté francs de la Syrie du Nord avec le royaume palestinien ? Sans doute à cette date une subordination purement morale et toute d'étiquette, car on ne nous dit nulle part que Tancrède ait prêté hommage au roi[100]. Tout au contraire, comme nous le verrons, il prit parti, contre le roi, pour le patriarche Daimbert, dont il essaya d'imposer au roi les prétentions. Lui et Baudouin du Bourg exercèrent même en ce sens une pression qui prit les allures d'une mise en demeure, puisqu'ils allèrent jusqu'à déclarer que, si Daimbert n'était pas restauré dans le siège patriarcal, ils refuseraient d'aider le roi contre les Fâ*t*imides[101]. Nous reparlerons plus loin de ces faits à propos de la question ecclésiastique. Nous les évoquons seulement ici pour montrer combien il restait encore à faire pour imposer aux deux principautés franques du Nord le respect des institutions monarchiques hiérosolymitaines. Du reste nul n'était moins disposé que le roi Baudouin Ier à continuer à cet égard la politique d'effacement de son frère Godefroi. Après avoir paru céder devant Tancrède et Baudouin du Bourg sur la question du patriarcat, il ne tarda pas à leur imposer ses vues, puisque, au concile convoqué par lui à Jérusalem et en leur présence, il obtint, comme on le verra, la déposition définitive du patriarche Daimbert[102]. Déposition obtenue malgré eux, bien qu'avec assez d'adresse pour éviter une rupture, car la conduite du roi fut irréprochable, étant juridiquement couverte par rapport aux canons. Tancrède et Baudouin du Bourg retournèrent, sur cet échec, dans leurs États respectifs[103]. Il y avait décidément un roi à Jérusalem.

*Conquête d'Acre par Baudouin Ier.*

Au royaume de Jérusalem il manquait toujours la majeure partie de sa façade maritime, y compris le plus grand port palestinien du temps, Saint-Jean-d'Acre. Colonie franque perdue au fond de la Méditerranée orientale, le royaume ne pouvait respirer que par la mer latine. Mais les Fâ*t*imides d'Égypte, bien qu'incapables de reprendre pied sur le plateau judéen, restaient accrochés au littoral où ils conservaient encore Ascalon, Acre, Tyr, Sidon et Beyrouth. Seules Jaffa, Arsûf, Césarée et Caïffa avaient été conquises par les Francs. On put toucher du doigt les inconvénients de cette situation lorsque, à l'hiver de 1102, la flotte qui ramenait les pèlerins en Occident ayant été rejetée à la côte par la tempête, les passagers furent massacrés ou réduits en esclavage par les autorités fâ*t*imides de Sidon, d'Acre et d'Ascalon[104].

Pour mettre fin à cette situation, Baudouin, après Pâques de l'année 1103, vint une première fois assiéger Acre[105]. *L'Estoire d'Éracles* nous donne à ce propos une description toujours exacte de la ville. « C'est une cité qui siet sur la mer. Elle a bon port dedenz les murs de la ville. Dehors meismes se puèvent bien reposer les nefs tout asseur (= en sûreté). La citez est moult bien assise entre les monz et la mer. Bonne terre i a, gaaignable, plentéive de beaus blez. Uns fluns (fleuve) i cort que l'on claime Belle[106]. » La ville était sur le point de se rendre. Déjà des parlementaires étaient descendus dans ce but au camp de Baudouin, lorsque, le même soir, douze galères égyptiennes et un gros navire de transport arrivèrent de Tyr et de Sidon dans le port d'Acre avec cinq cents soldats fâ*t*imides et tous les éléments nécessaires à la préparation du feu grégeois. Baudouin, découragé, dut lever le siège après avoir brûlé ses machines[107].

L'échec, on le voit, était dû à l'impréparation navale des Francs. Dès que mouillait à Jaffa à l'occasion d'un pèlerinage quelque escadre génoise, pisane ou vénitienne, les Francs obtenaient la maîtrise de la mer. Ils la reperdaient aussitôt les pèlerins repartis et restaient à la merci des escadrilles égyptiennes embusquées à Tyr ou dans les autres ports fâ*t*imides. Parce que la première croisade s'était « démobilisée » aussitôt après la conquête de Jérusalem, sans avoir achevé la soumission de la Palestine (alors qu'une telle opération était encore si facile), elle n'avait réussi qu'à transformer le pays en un damier franco-arabe qui ne laissait de sécurité ni aux Francs ni aux Arabes. Même entre deux places maritimes franques aussi rapprochées que Caïffa et Césarée, la route n'était pas sûre. Elle passait en effet par le défilé de 'A*t*lît ou de Dustrey, alors appelé Pierre-Encise[108], passage resserré entre la mer et les contreforts méridionaux du Carmel (Râs Umm al-Shuqf et'Ain Hôd), où tous les maraudeurs arabes venaient s'embusquer pour détrousser les caravanes franques et massacrer les pèlerins[109]. Baudouin avait organisé contre ces maraudeurs une véritable chasse à l'homme, lorsque l'un d'eux l'atteignit d'un coup de lance dans les reins (juillet 1103)[110]. La blessure fut si douloureuse que le roi tomba de cheval, évanoui. On le crut mort. Il fut guéri cependant par l'art des « mires », mais il devait se ressentir du coup jusqu'à la fin de ses jours. Tandis qu'il était encore alité à Jérusalem, les Fâ*t*imides en profitèrent pour menacer Jaffa par terre et par mer (août-septembre 1103). Mais, comme nous l'avons vu, le désaccord des deux généraux égyptiens paralysa leurs efforts. L'un d'eux, Tâj al-'Ajam, avec 4 000 cavaliers, devait suivre la voie de terre. L'autre corps, commandé par lbn-Qâdûs, devait suivre la voie de mer. La flotte vint bien jeter l'ancre devant Jaffa, mais l'armée de Tâj al-'Ajam s'immobilisa à Ascalon en attendant des ordres, sans vouloir prêter son concours à Ibn-Qâdûs qui assiégeait Jaffa à lui tout seul. Du reste, la garnison franque résista bien et, dès que Baudouin fut rétabli, il vint au secours de Jaffa. Sa seule approche fit lever le siège (octobre 1103)[111].

En février-mars 1104 la présence à Laodicée (Lattaquié), d'une puissante escadre génoise[112] de soixante-dix galères allait rendre aux Francs la maîtrise de la mer. Après avoir, comme nous le verrons, aidé le comte de Toulouse à s'emparer du port de Gibelet, c'est-à-dire de Byblos ou Jébail (28 avril 1104), l'escadre génoise descendit le long des côtes de Palestine. Baudouin vit là l'occasion de se rendre enfin maître d'Acre. Pour y amener les Génois, il leur fit les mêmes promesses que naguère à propos de Césarée : le tiers des douanes et péages du port d'Acre, sans parler d'une importante concession territotoriale avec privilèges consulaires : « Li Genevois auroient à touzjorz, se tant avenoit que la ville fu prise, la tierce part de toutes les rentes que l'en reçevroit à la chaaine d'Acre, des choses qui vendroient par mer en la ville, et leur bailleroit l'en une rue où il auroient toute jostise et une église qui seroit leur. Ces convenances plurent bien au Roi et à ses barons ; afermées furent par serment et Chartres en furent fètes[113]. » La flotte génoise attaqua alors la ville par mer, tandis que Baudouin l'assaillait par terre (5-6 mai 1104). Le commandant fâ*t*imide de la place, le mamelùk Benâ Zahr al-Dawla al-Juyûshî ne put, malgré sa bravoure, résister longtemps. Le blocus génois empêchant l'arrivée de tout secours, les habitants, au bout de vingt jours, décidèrent de capituler. Ils obtinrent de Baudouin la permission de se retirer librement avec leur mobilier et leurs troupeaux, tandis que ceux d'entre eux qui préféraient rester pourraient devenir vassaux du roi de Jérusalem. « Cil qui issir s'en voudroient s'en iroient sauvement et emmeneroient leur femmes et leur enfanz et leur muebles et les conduiroit l'en jusques aus citez de leur genz où il voudroient aler près d'ilec ; se aucuns d'eus en i avoit qui remansir (= demeurer) vosissent, il auroient toutes leur teneures par rendant au roi une some d'avoir chascun an par treu (= tribut) tel comme il acorderoit[114]. »

La ville fut donc occupée par les Francs le 26 mai 1104. Malheureusement, après leur entrée, l'accord conclu par Baudouin fut en partie violé par les Génois et les Pisans : en voyant les émigrants se préparer à quitter la ville avec leurs bagages et leurs richesses, les marins italiens, enflammés de cupidité, se jetèrent sur eux, en massacrèrent un grand nombre et firent main basse sur leurs biens. Baudouin se montra furieux d'un manquement aussi impolitique à la foi jurée ; il craignait évidemment qu'un tel précédent n'empêchât les défenseurs des autres ports fâ*t*imides de se rendre. Dans sa colère, il faillit faire un exemple sur les Italiens et il fallut la pressante intervention du patriarche Ebremar pour l'apaiser[115].

La prise de Saint-Jean d'Acre donna aux Francs l'empire de la mer. « Lors à primes (= pour la première fois) fu délivrée la voie de la mer, note excellemment *l'Estoire d'Éracles*, car nostre gent orent le meilleur port qui fust en cette coste. » Que la marine fâ*t*imide n'ait pas réagi sur-le-champ, c'est bien la preuve de sa décadence. Quant aux Génois, ils eurent à Acre l'établissement commercial que leur avait promis Baudouin – le tiers de la ville – et, en outre, le tiers de Césarée et d'Arsûf[116].

L'incapacité des Fâ*t*imides à défendre les places du littoral palestinien qui tombaient ainsi les unes après les autres au pouvoir des Francs a excité le mépris des historiens arabes. « Le khalife al-Amir[117], malgré toute sa puissance, ne sut pas faire la guerre sainte, lit-on dans le *Nojâm al-Zâhira*. Outre les crimes qui lui sont attribués, il montra la plus grande négligence pour le *jihâd*, de sorte que sous son règne les Francs s'emparèrent de la majeure partie du Sahel syrien. Il envoyait pourtant des flottes et des corps d'armée, mais autant aurait valu ne rien faire[118]. » Ce fut une chance pour les rois de Jérusalem de n'avoir pour adversaires à l'ouest que ces Africains indolents qui ne surent jamais tirer profit des ressources illimitées de l'Égypte.

### *La Contre-Croisade fâtimide de 1105.*
### *Troisième bataille de Ramla (27 août 1105).*

Bien que les Fâ*t*imides fussent pour l'heure les principaux ennemis du royaume de Jérusalem, Baudouin Ier ne négligeait pas les affaires de Damas. Le malik de Damas, le seljûqide Duqâq, fils de Tutush, était mort en juin 1104. Le pouvoir fut aussitôt assumé par son principal lieutenant, Turc comme lui, l'âtâbeg *T*ughtekîn, lequel avait pris soin d'entrer dans la famille seljûqide en épousant la vieille reine mère, veuve de Tutush[119]. *T*ughtekîn commença par placer sur le trône de Damas le plus jeune fils du défunt, à peine âgé d'un an : moyen commode pour prolonger indéfiniment la régence. Puis se ravisant, il proclama *malik* un frère cadet de Duqâq, nommé Baktâsh ou Irtâsh, qui, lui-même, n'avait que douze ans. Bientôt d'ailleurs, il écarta Baktâsh. Celui-ci se retira à Ba'albek, et par la suite à Ra*h*éba, dans la lointaine Jazîra, sur le moyen Euphrate ; sous le couvert de l'enfant d'un an, *T*ughtekîn resta maître de Damas. Ce fut ainsi que la branche damasquine de la dynastie seljûqide fit place, dans la métropole de la Syrie musulmane, à une autre maison turque fondée par *T*ughtekîn, ou, comme on l'appelle ordinairement, à la *dynastie bûride* (1104-1154).

Cependant Baktâsh, qui ne manquait pas de cœur, revendiqua sa couronne. Le tout-puissant régent lui ferma les portes de la ville. Baktâsh en arriva alors à la guerre. Il trouva un appui auprès de l'émir Aîtekîn, *s*â*h*ib de Bo*s*râ (Bostra) dans le *H*aurân, puis tous deux écrivirent au roi Baudouin, à Jérusalem, pour solliciter son appui. Bien entendu, Baudouin n'eut garde de laisser s'échapper une telle occasion. Sur son invitation le prétendant seljûqide et l'émir du *H*aurân se rendirent à Jérusalem ou ils reçurent le meilleur accueil. Ils allaient montrer leur reconnaissance en luttant aux côtés de Baudouin contre une nouvelle invasion fâ*t*imide[120].

À l'été de 1105, en effet, le vizir d'Égypte, Al-af*d*al, tenta un dernier effort pour reconquérir la Palestine[121]. Comme le fait une fois de plus observer Guillaume de Tyr, l'aventure de la Croisade n'avait réussi que parce qu'elle avait, au début, pris l'aspect d'une véritable migration, mais la majeure partie des pèlerins étant morts ou retournés en Occident, l'occupation franque restait singulièrement précaire. Al-Af*d*al, qui connaissait cette pénurie d'hommes, concentra à Ascalon, au commencement d'août 1105, une armée de cinq mille soldats, fantassins égyptiens et soudanais ou cavaliers arabes, commandée par un de ses fils, Senâ al-Mulk *H*usain. La flotte égyptienne devait seconder l'armée. Cette fois les Égyptiens, faisant passer le sentiment de solidarité panislamique au-dessus des querelles de secte, n'hésitèrent pas à demander la collaboration des Damasquins. L'âtâbeg *T*ughtekîn leur envoya donc son lieutenant Sabâwâ avec treize cents archers montés qui vinrent par un détour rejoindre l'armée égyptienne à Ascalon. Le plan des coalisés était, paraît-il, d'attirer et de retenir l'armée franque autour de Ramla, tandis qu'un autre détachement courrait surprendre Jaffa.

L'apparition de la flotte égyptienne au large de Jaffa donna l'éveil au roi Baudouin. Laissant Jaffa à la garde de Lithard de Cambrai avec trois cents hommes d'élite, il alla se poster avec son armée à Ramla, point central pour couvrir à la fois cette ville et Jérusalem. Tous les vassaux immédiats du jeune royaume étaient là : Hugue de Tibériade, Roger de Caïffa, Hugue de Saint-Abraham (ou Hébron), Eustache Garnier ; en tout 500 chevaliers ou sergents à cheval et 2 000 fantassins. On voyait même aux côtés du roi le prétendant au trône de Damas, le jeune prince seljûqide Baktâsh avec une centaine de fidèles[122]. Par ailleurs Baudouin avait envoyé en hâte un messager à Jérusalem prévenir le patriarche Ebremar. Celui-ci avait aussitôt harangué le peuple en exhortant les hommes capables de porter les armes à le suivre. Cent cinquante volontaires répondirent à son appel et se mirent en route avec lui pour Ramla où ils arrivèrent le 27 août au matin, le patriarche apportant la Vraie Croix[123]. Foucher de Chartres et Guillaume de Tyr nous peindront Ebremar, le jour de la bataille, chevauchant sur le front des troupes dans ses vêtements pontificaux, la Vraie Croix entre les mains[124].

Dès le 23-24 août l'armée fâ*t*imide avait fait mouvement d'Ascalon vers la plaine d'Asdod et d'Ibelin (Asdûd et Yebnâ). Conformément à son plan il semble que l'émir Senâ al Mulk *H*usaîn ait d'abord détaché une partie de son aile gauche en direction de Jaffa, en ne conduisant sur Ramla que la droite et le centre. En tout cas, dès qu'il se heurta aux avant-gardes franques devant Ramla, il dut comprendre l'imprudence de cette dispersion et rappela toutes ses forces à lui[125].

La bataille se livra devant Ramla le dimanche 27 août 1105. Les Francs poussaient leur cri de guerre : *Christus vincit, Christus regnat, Christus imperat !* Au début de l'action la cavalerie turque de Damas leur fit beaucoup de mal, les criblant de flèches tout en fuyant, suivant sa coutume. Baudouin impatienté arracha son étendard blanc des mains de son écuyer et, à la tête de ses fidèles, chargea les Turcs qu'il dispersa. Il se retourna ensuite contre les Égyptiens. La bataille paraît avoir été âprement disputée, mais à la fin les Fâ*t*imides battirent en retraite sur Ascalon, les chefs égyptiens et la cavalerie arabe tout au moins, car l'infanterie égyptienne et soudanaise paraît s'être fait tuer sur place[126]. Les Turcs damasquins, rompus par la chevalerie franque, avaient déjà pris la fuite. Il ne semble pas d'ailleurs que les Francs aient beaucoup poursuivi l'ennemi. Celui-ci ne leur abandonnait pas moins un riche butin, sans parler de ses morts. Tué un des principaux généraux fâ*t*imides, Jamâl al-Mulk, gouverneur d'Ascalon. Capturés l'ancien émir d'Acre et l'ancien émir d'Arsûf, desquels Baudouin tira belle rançon. Le généralissime Senâ al-Mulk *H*usaîn ne s'arrêta même pas à Ascalon, mais gagna directement le Caire, tandis que Sabâwâ retournait de son côté à Damas[127]. En apprenant l'événement, la flotte égyptienne qui croisait devant Jaffa se retira vers Tyr, Sidon et Tripoli, mais, quand elle voulut regagner l'Égypte, elle fut assaillie en chemin par une tempête qui la dispersa et qui jeta une vingtaine de navires dans les ports chrétiens, où ils furent capturés[128].

En 1106 arriva à Jaffa une grande flotte de pèlerins anglais, flamands et danois – 9 000 homnes environ. – Quand ils eurent accompli leurs dévotions aux Lieux Saints, le roi Baudouin songea à les utiliser pour s'emparer de Sidon. Mais les Sidoniens se rachetèrent moyennant un tribut considérable[129].

### *La princée de Galilée sous Hugue de Saint-Omer. Construction du Toron.*

Tandis que le roi se consacrait ainsi plus particulièrement aux affaires du littoral, son vassal Hugue de Saint-Omer, sire de Tibériade, cherchait à agrandir sa « princée » de Galilée, vers le nord-ouest du côté de Tyr, vers le nord-est du côté du Sawâd. Son objectif vers la mer était d'enlever le grand port de Tyr aux Égyptiens. Il construisit dans ce but, en plein Jebel Jumla, à 870 m., sur un escarpement qui domine la côte tyrienne, la forteresse de Toron, l'actuel Tibnîn, destinée à un rôle si important dans l'histoire du royaume latin. « Hues, écrit *l'Estoire d'Éracles*, fesoit souvent chevauchiées jusque devant la ville de Sur ; maintes fois en amenoit granz proies et prisons (prisonniers) assez. Mès ce li estoit mout grief chose et trop périlleuse, car, de Tabarie jusqu'à Sur (de Tibériade à Tyr), a près de trente milles entre deus ; cil ne trouvoit forteresce ne recet nul qui contre lui ne fust ; dont cil de Sur l'aloient porsuivant, et touzjorz le tenoient en regart jusque à la seue cité. Por ce porpensa Hues, qui estoit sages hom et de grant cuer, et regarda, sur les montaignes qui sont près de Sur, à dis milles, un tertre fort que l'en souloit anciennement apeler Tybelin (= Tibnîn). Iluec ferma un chastel mout hastivement, si li mist non le Toron, et bien le garni. Cil mont siet entre la mer et le mont de Libane, einsi comme eu milieu ; autant i a de Sur comme de l'autre cité que l'en apele Belinas (Panéas). Cist leus est mout planteis de bones terres gaaignables, de vignes et d'arbres portanz fruit ; mout i a bon air et sain. Por cele fermeté commença il plus à grever la cité de Sur[130].

Du côté du Jaulân, à l'est du lac de Tibériade, Hugue de Saint-Omer conduisit de fructueuses razzias dans le riche canton du Sawâd, le « Suet » des chroniqueurs, qui est le canton actuel de Fîk et de 'Al, terre qui relevait du royaume de Damas[131]. Ibn al-Qalânisî note à ce sujet entre septembre et décembre 1105[132] : « Les Francs entrent dans le Sawâd de Tibériade et se mettent à bâtir en ces parages une forteresse nommée 'Al qu'ils rendirent très redoutable. » Hugue de Saint-Omer poussa même ses raids plus loin en direction de Damas puisque Albert d'Aix nous le montre ramenant son butin par la route de Panéas (Bâniyâs), au versant sud-ouest de l'Hermon[133]. Mais *T*ughtekîn, l'âtâbeg de Damas, alerté, accourut avec sa cavalerie turque à laquelle se joignirent naturellement les paysans arabes du Jaulân. Le convoi franc, qui devait marcher assez lentement à cause de son butin, fut rejoint et capturé. Hugue de Saint-Omer se précipita avec ses chevaliers pour le reprendre. Le combat, atteste Ibn al-*Ath*îr, fut d'un acharnement inouï, mais à la troisième charge Hugue eut le torse traversé par une flèche. Ses chevaliers réussirent à ramener son corps qui fut enterré à Nazareth. Il semble que ce soit de la même affaire que nous parle le *Mirât* *al-Zemân*, quand il nous montre *T*ughtekîn allant surprendre les Francs dans une attaque de nuit où il leur tua beaucoup de monde. À la suite de ce combat, *T*ughtekîn alla s'emparer de la nouvelle forteresse franque de 'Al au Sawâd « avec tout ce qu'elle contenait d'engins de guerre et de matériel ». Il rentra à Damas avec son butin[134].

La succession de la princée de Galilée se trouvait vacante, car le frère de Hugue, Gérard de Saint-Omer, qui était déjà gravement malade, trépassa en apprenant la mort de celui-ci. Baudouin Ier, fidèle à ses devoirs de suzerain, se rendit aussitôt à Tibériade pour mettre la Galilée en état de défense. Il inféoda le pays à un seigneur français, Gervais de Basoches, « son émule en vaillance[135] », qui fut le troisième prince de Galilée.

Tandis que Baudouin Ier se trouvait ainsi engagé en Galilée, face aux Turcs de Damas, les garnisons égyptiennes d'Ascalon, Tyr, Sidon et Beyrouth profitèrent de son absence peur opérer un raid dans l'étroite zone du littoral franc, autour de Jaffa, et sur la route de Jaffa à Jérusalem. Le 9 octobre 1106, 7 000 cavaliers égyptiens apparurent à l'improviste dans la plaine du Nahr al-Auja, entre Arsûf et Jaffa, où de nombreux pèlerins étaient rassemblés, et en massacrèrent cinq cents. De là ils galopèrent jusqu'à Ramla, place où se trouvaient seulement huit chevaliers francs. Ceux-ci se réfugièrent à Jaffa. Le gouverneur de Jaffa, Roger de Rozoy (Rotgerus de Roiset), sortit avec ses gens pour repousser l'ennemi ; mais il se laissa attirer par les coureurs arabes vers un guet-apens. Il risquait d'être massacré avec tous les siens lorsqu'un chevalier nommé Gérard, de la maison du roi Baudouin, donna le conseil de rompre le combat et de faire demi-tour. La petite troupe repartit donc au galop vers Jaffa, non sans être poursuivie et étroitement talonnée par les cavaliers égyptiens ; les chevaliers échappèrent ainsi, mais dans la presse qui se produisit aux portes de Jaffa une quarantaine de piétons francs furent rejoints et tués[136].

Après avoir insulté les portes de Jaffa, la cavalerie égyptienne s'engagea sur la route de Jaffa à Jérusalem et, dépassant Ramla, alla attaquer la petite forteresse de Chastel-Arnoul (Castellum Arnulfi) – sans doute la même que le Chastel-Arnaud (Castellum Arnaldi) d'autres textes, et qui venait d'être construite par le roi Baudouin pour surveiller les abords de la ville sainte en direction, de Ramla[137]. La muraille n'était pas en état de résister aux mangonneaux égyptiens. Gaufrid, châtelain de la Tour de David, qui était pour lors préposé à la garde du Chastel-Arnoul chercha à sauver la vie des siens par une capitulation ; mais, à peine entrés, les Égyptiens, violant leur parole, massacrèrent tous les Francs à l'exception de Gaufrid qu'ils conduisirent à Ascalon pour le rançonner[138].

La cavalerie égyptienne n'osa pas pousser plus loin en direction de Jérusalem. À l'annonce du raid le roi Baudouin accourait de Tibériade avec 500 cavaliers et 6 000 fantassins. Les Égyptiens ne l'attendirent pas. Ils rentrèrent aussitôt dans leurs places côtières. Baudouin songea à se venger en allant attaquer Ascalon. Mais en l'absence d'une escadre latine la tentative était vouée à un échec. Il le comprit, et, après une démonstration jusqu'à la palmeraie de « Chastel-Béroart » – sans doute la plage de Mînat al-Qal'a, le port d'Ashdod, il rentra de son côté à Jérusalem[139].

### *Les confins franco-damasquins.*
### *Trêve entre Baudouin Ier et l'âtâbeg[140] Tughtekîn.*

La guerre sur les deux fronts, face aux Turcs sur la frontière de Damas, face aux Fâtimides en Philistie, tel était le plus grave péril pour le royaume franc. À peine Gervais de Basoches venait-il de succéder à Hugue de Saint-Omer dans la princée de Galilée, que l'âtâbeg de Damas Tughtekîn envahit le canton de Tibériade, tandis que l'émir de Tyr conduisait un raid contre le Toron. Baudouin, qui se trouvait sur le littoral, accourut à Tibériade avec cent quarante chevaliers. À son approche l'âtâbeg recula vers le Sawâd et le Jaulân. Le roi, raconte Albert d'Aix, venait, avec ses pages, de reconnaître le camp turc lorsqu'il reçut, visiteurs inattendus, cinq parlementaires de l'armée ennemie qui venaient lui proposer la paix : l'âtâbeg, en difficulté avec nombre de ses voisins musulmans, n'avait pas d'intérêt à engager une lutte à fond contre les Francs. Quant à Baudouin, sans cesse menacé vers Jaffa et Ramla d'une contre-croisade fâtimide, il ne désirait rien tant que la neutralité des Turcs de Damas. Aussi accueillit-il avec empressement les parlementaires damasquins. Il les combla de prévenances et de cadeaux – vêtements d'honneur, à la manière musulmane, vases précieux, besants d'or – et les renvoya séduits. De retour au camp turc, ceux-ci célébrèrent si bien sa majesté et sa puissance que l'armée d'invasion reprit le chemin de Damas[141]. L'épisode, s'il est authentique, montre combien la similitude des mœurs chevaleresques entre guerriers francs et guerriers turcs provoquait déjà d'échanges de sympathies. Il prouverait avec quelle rapidité le successeur de Godefroi de Bouillon sut se créer une politique indigène. Toutefois ce n'est qu'en 1108-1109 qu'Ibn al-Qalânisî (p. 92), le *Nojûm* (p. 491) et Ibn al-A*th*îr (p. 269) nous parlent d'une trêve de dix ans conclue entre Baudouin et *T*ughtekîn et par laquelle on partagea le Sawâd et le 'Ajlûn : 1/3 des revenus aux Francs, 1/3 aux Turcs de Damas, 1/3 aux paysans arabes (cf. *infra*, p. 678).

Ibn al-A*th*îr souligne lui-même l'établissement de relations chevaleresques entre Baudouin et *T*ughtekîn. Peu après la trêve conclue avec le roi de Jérusalem, l'âtâbeg, nous dit-il, fut mis en déroute par le prince provençal Guillaume Jourdain, neveu de Raymond de Saint-Gilles. Sans doute s'attendait-il à être pris à revers par Baudouin, et l'historien arabe avoue qu'une telle éventualité eût placé le royaume de Damas dans la situation la plus critique. Mais Baudouin se hâta de rassurer l'âtâbeg. « Ne crois pas que l'échec que tu viens d'essuyer me donne la tentation de violer la trêve. Les princes sont exposés à des épreuves bien plus cruelles que celle qui vient de te frapper, ce qui ne les empêche pas de rétablir leurs affaires » (*Kâmil*, 270). Peu importe que, précisément, Baudouin fût assez mal avec Guillaume Jourdain qui contrecarrait sa politique unitaire (voir plus bas, p. 350-356). L'intéressant est l'art avec lequel il profitait de ces dissentiments internes pour établir entre les deux cours de Jérusalem et de Damas des rapports de haute courtoisie.

Cependant, s'ils avaient renoncé à une lutte ouverte sur le front de Galilée, les Turcs de Damas cherchaient à tourner pacifiquement la Judée franque par l'extrême sud, en Idumée[142]. Sur l'invitation des Bédouins, ils descendirent au nombre de trois mille dans le Wâdi Mûsâ, le « Val Moyse » des Croisés, l'ancien canton de Petra, district actuel d'al-

Sherâ[143]. Ils y commencèrent la construction d'une forteresse destinée à protéger la piste des caravanes entre Damas et le Hijâz et à interdire ces parages aux Francs. Détail intéressant, ce fut sur le conseil d'un Syrien chrétien nommé Théodore que le roi Baudouin organisa une contre-expédition. Avec 500 soldats, il longea la mer Morte et s'enfonça droit au sud dans la dépression du Wâdî al-'Araba et à environ trois jours de marche du Wadî Musâ, parvint à des établissements de Syriens chrétiens (Grecs ou Jacobites), chez lesquels, après la traversée des solitudes, son armée fut bien accueillie et put se refaire. Le prêtre syrien le guida jusqu'aux approches de la nouvelle forteresse turque. Cependant, au lendemain de l'armistice de Galilée, Baudouin ne désirait pas provoquer une reprise d'hostilités avec le gouvernement de Damas. Il usa de ruse. Le prêtre indigène alla trouver le commandant turc, comme s'il cherchait asile auprès de lui : le roi Baudouin, descendu de Jérusalem avec toute son armée, était venu dévaster les pauvres hameaux des chrétiens indigènes ; ceux-ci s'étaient enfuis devant lui, mais leur prêtre venait avertir le commandant damasquin de l'approche des envahisseurs qui, grâce à leur supériorité numérique, pouvaient mettre les Turcs en fâcheuse posture. Ce stratagème, si spécifiquement levantin, réussit. La nuit venue, le corps d'occupation évacua le Wâdî Mûsâ et rentra précipitamment à Damas. Dès l'aube, Baudouin, « au fracas des trompettes et dans le choc des armures », descendit dans la vallée sans trouver d'adversaire (mars 1107).

Les Bédouins du voisinage qui avaient naguère appelé les Turcs payèrent pour eux. Baudouin les poursuivit dans leurs cavernes et les y enfuma jusqu'à ce qu'ils en sortissent. Ils furent massacrés ou réduits en servitude et leurs troupeaux furent capturés. Il regagna ensuite la mer Morte et Jérusalem. Il ramenait avec lui les chrétiens indigènes de Petra pour les soustraire aux vengeances des Bédouins et les établir à titre de colons, plus confortablement, en Palestine[144].

L'encerclement de la Judée franque par le sud hantait toujours la pensée des Musulmans. Après la tentative des Turcs de Damas sur le Wâdî Mûsâ, la garnison fâ*t*imide d'Ascalon projeta un coup analogue sur Hébron. Hébron (al-Khalîl), que les Francs appelaient Saint-Abraham, avait été, on l'a vu, occupé par eux dès la prise de Jérusalem. La seigneurie de Saint-Abraham appartenait alors à un certain Gautier, surnommé Gautier-Mahomet, à qui Baudouin l'avait inféodée à la mort de Roger de Caïffa. Elle surveillait les avenues méridionales de Jérusalem, tout le sud du massif judéen, les pistes d'Ascalon et de Gaza à la mer Morte. Ce fut précisément pour cette raison que la garnison égyptienne d'Ascalon, après s'être renforcée de mercenaires turcs mandés de Damas, vint attaquer à l'improviste la forteresse franque d'Hébron. À cette nouvelle, Baudouin accourut pendant la nuit avec soixante-dix chevaliers d'élite, surprit à l'aube le camp égyptien et le dispersa[145].

Un autre passage d'Albert d'Aix nous permet de saisir la raison de ces tentatives répétées des Fâ*t*imides d'Égypte ou des Turcs de Damas au sud de la Judée. Il s'agissait pour eux de maintenir les communications commerciales entre la Syrie musulmane et l'Égypte. L'établissement des Francs en Galilée et en Judée coupait les antiques pistes de caravanes. Obligés d'éviter les anciens itinéraires, les commerçants arabes descendaient maintenant assez bas vers le sud d'où ils remontaient, sans donner l'éveil, par le Ghor ou sillon du Jourdain. Du reste là encore les rezzous francs les guettaient. Albert d'Aix nous montre une de ces caravanes d'Égypte en marche vers Damas faisant halte près du Jourdain, « dans l'ombre et le silence de la nuit ». Mais le roi Baudouin est averti. Avec soixante cavaliers il descend en pleine nuit jusqu'au fleuve, surprend la queue de la caravane et ramène un riche butin : « Onze chameaux chargés de sucre, quatre chameaux chargés de poivre et d'autres épices, dix-sept chargés d'huile et de miel[146]. »

Quelque temps après, nouvelle aubaine. « Une dame arabe fort riche » montait d'Arabie en Transjordanie, avec d'immenses troupeaux de chameaux, de bœufs, de brebis et de chèvres qu'escortait une troupe de cinq cents Bédouins. Baudouin était alors occupé sur le littoral, au siège de Sidon. Averti du passage de la caravane, il détacha sur le Jourdain un noble pèlerin récemment débarqué, Guillaume Cliton, fils du prince normand Robert Courte-Heuse. Au tableau, quatre mille chameaux avec leur chargement[147]. Ajoutons que c'étaient là mœurs du pays, car Ibn âl-A*th*îr, après nous avoir conté sous la rubrique 1108-1109 l'enlèvement, par les gens de Baudouin, d'une caravane allant de Damas en Égypte, ajoute que ceux des voyageurs (musulmans) qui échappèrent furent capturés par les Arabes[148].

*La princée de Galilée sous Gervais de Basoches.*

La trêve tacite avec les Turcs de Damas ne dura guère. Au commencement de mai 1108 (aux environs du 11 mai), l'âtâbeg *T*ughtekîn envoya de Damas en Galilée quatre mille cavaliers qui parvinrent jusqu'aux abords de Tibériade et s'y postèrent en embuscade dans la montagne, après avoir détaché trois cents coureurs pour attirer les Francs. La manœuvre réussit. Le sire de Tibériade, Gervais de Basoches, convoqua ses gens – quatre-vingts chevaliers, deux cents piétons –, mais, sans attendre l'arrivée de l'arrière-ban, il se lança, bride abattue, avec sa chevalerie à la poursuite des Turcs. Il alla donner droit dans l'embuscade turque, fut aussitôt entouré, et, après avoir vainement essayé de se dégager, vit tous les siens tués ou pris (deux écuyers seulement purent aller annoncer le désastre à Tibériade). Gervais lui-même fut fait prisonnier et conduit, chargé de chaînes, à Damas[149].

La disparition de cette belle chevalerie galiléenne était un coup très douloureux pour le jeune royaume et pour le roi. Mais ce dur politique sut dissimuler son inquiétude sous un visage impassible ou même souriant : il importait de rendre confiance[150]. La personne de Gervais de Basoches n'en constituait pas moins entre les mains des Turcs un otage dont ceux-ci entendaient jouer. *T*ughtekîn offrit à Baudouin de le libérer contre cession de Tibériade, d'Acre et de Caïffa. Baudouin sut ne pas se laisser émouvoir : « De l'argent tant que voudrez ! Plus de cent mille besants s'il le faut. Mais quand même vous auriez réduit en captivité toute ma famille, avec tous les autres chefs francs, je ne rendrais pas, pour leur rançon, les trois villes ![151]. » Sur ce refus, Gervais fut tué à coups de flèches en pleine ville de Damas ; la peau de son crâne, avec ses cheveux, blancs, fut scalpée et portée désormais sur une hampe, comme un trophée de victoire. Mais les conquêtes franques furent maintenues.

*Conquête de Beyrouth par Baudouin Ier.*

En août 1108, Baudouin Ier profita de l'arrivée, sur les côtes de Palestine, d'un grand nombre de marins pisans, génois, vénitiens et amalfitains – corsaires devenus pèlerins – pour essayer d'arracher Sidon à la domination fâtimide. Il assiégea la ville par terre et par mer. Noter qu'au nombre des défenseurs de Sidon, Albert d'Aix cite des rénégats provençaux, anciens soldats de Raymond de Saint-Gilles passés à l'Islam et qui, du haut de la tour confiée à leur garde, lançaient des ordures à l'adresse de la Vraie Croix promenée dans le camp chrétien. Cette tour fut enfin abattue, mais sur mer l'arrivée d'une puissante escadre égyptienne – plus de cinquante navires – changea la face des choses. Dans un combat sévère, livré en avant du port, les navires italiens eurent le dessous et durent s'échouer. De plus on annonçait l'arrivée imminente de 15 000 Turcs que l'âtâbeg de Damas, *T*ughtekîn, louait pour 30 000 besants au gouverneur de Sidon. L'opération était manquée. Baudouin leva le siège et rentra à Acre[152]. L'affaire d'ailleurs se termina par une brouille entre Égyptiens et Damasquins. Quand les 15 000 Turcs se présentèrent devant Sidon, le gouverneur qui craignait de se voir dépossédé leur ferma les portes : le péril était passé. Il refusa même de payer à *T*ughtekîn les 30 000 besants promis. Furieux d'un tel manque de parole, les Turcs mirent le siège devant Sidon, parlant même de rappeler les Francs. À la fin, craignant de voir effectivement reparaître Baudouin, ils se contentèrent d'une solde au rabais de 9 000 besants et regagnèrent Damas[153].

En dépit de l'échec du siège de Sidon, la grande préoccupation de Baudouin Ier restait l'achèvement de la conquête du littoral. À l'été de 1109, Baudouin alla prêter main-forte au fils de Raymond de Saint-Gilles, Bertrand, qui s'efforçait de couronner la fondation du comté provençal du Liban en s'emparant de Tripoli. Le 12 juillet 1109, la ville se rendit enfin à Baudouin et à Bertrand. Nous verrons le détail de ces faits à propos de l'histoire du comté de Tripoli.

Baudouin avait aidé Bertrand à conquérir Tripoli. L'année suivante, Bertrand vint l'aider à assiéger Beyrouth, Baruth, comme écrit *l'Estoire d'Éracles*. « C'est une cité qui siet sur la mer, entre Saiete et Gibelet, en la terre de Fenice. Quant li Romain tenoient la seigneurie du monde, il l'avoient mont chière et li donnèrent grant franchise, comme l'en trueve eu livre qui a non Digeste. » La présence de navires génois et pisans permit à Baudouin d'assiéger Beyrouth par mer en même temps que par terre. La possession de la base navale de Tripoli facilitait d'ailleurs pour les Francs le blocus maritime. En vain de Tyr et de Sidon des navires égyptiens essayèrent-ils de venir ravitailler les gens de Beyrouth. Les navires italiens embossés à l'entrée du port leur interdirent le passage. Le siège, commencé vers la fin février 1110, dura jusqu'en mai. Les assiégeants trouvaient dans les bois de pins qui s'étendent au sud de Mazra'at al-'Arab et de Râs al-Neba', entre la route de Sidon et la route de Damas, tout le bois nécessaire pour les machines de siège. « Près de cele cité avoit un mout biau bois de pins que l'en clamoit la Pinoie ; mout fist grant bien à nostre gent, car il i prenoient merrien (merrain) à fère befroiz (= tours mobiles), perrières, mangoniaux et eschièles ; mout grevoient en meintes manières ceus de la ville, car en toutes heures de jorz et de nuiz gitoient les engins. » En mai la résistance de la garnison était à bout. Le gouverneur égyptien réussit à s'enfuir de nuit à Chypre avec la plupart de ses lieutenants. Les habitants, ainsi abandonnés, auraient, prétend Albert d'Aix, demandé à se rendre à condition de pouvoir se retirer librement. Baudouin fit son entrée dans la ville le 13 mai 1110 d'après Foucher de Chartres, le 27 d'après Albert[154]. Toujours d'après Albert, ceux des habitants qui sortirent de la ville purent le faire en paix. Mais ceux qui avaient préféré rester furent attaqués par les marins italiens et par les Provençaux qui en auraient massacré 20 000 (?) « tant que le ramenant cria au roi merci, que il les soufrist à vivre. Li rois en ot pitié, si fist crier son ban et défendre que nul ne fust si hardiz qu'il en occist plus »[155]. En réalité il y avait eu prise d'assaut.

L'amirauté fâ*t*imide, qui n'avait pas su secourir Beyrouth à temps, envoya une flotte avec l'espoir de la reprendre. Cette flotte ne put même pas tenter une attaque, la ville étant trop bien gardée. Un coup de main sur le port d'Acre eût pu avoir un meilleur succès. Mais le roi Baudouin qui se trouvait alors, comme on le verra, retenu tout au nord de la Syrie, du côté d'Édesse, s'était hâté de revenir et sa seule approche provoqua la retraite de l'escadre égyptienne. De son côté la garnison égyptienne d'Ascalon avait formé le projet de surprendre par une attaque brusquée Jérusalem dégarnie de troupes. Mais les garnisons franques de la côte[156], prévenues à temps, accoururent défendre la ville sainte : Quand les Égyptiens apparurent devant Jérusalem, ils furent si vertement, reçus qu'ils renoncèrent sur-le-champ à leur entreprise[157].

*La Croisade norvégienne. Conquête de Sidon.*

À l'été de 1110 arriva en Syrie une escadre de pèlerins scandinaves, conduite par le roi de Norvège Sigurd, fils de Magnus III. « En la terre qui a non Noroegue assez i ot chevaliers et autres genz à qui li talenz prist d'aler en cel pélérinage au Sepucre. Il apareillièrent bele navie et se mistrent enz ; par la mer d'Angleterre s'en alèrent jusqu'il vindrent en la mer d'Acre. Sires et chevetaines estoit de cele navie un biaus bachelers, blonz et granz et bien fez, frères le (= du) roi de Noroegue[158]. »

Baudouin I^er^ fit naturellement le meilleur accueil au prince norvégien. Il vint au-devant de lui, le conduisit en grande pompe de Jaffa à Jérusalem, lui fit visiter les Lieux-Saints, le combla de présents et de souvenirs. Les dévotions du pèlerin une fois terminées, le roi lui demanda, comme chaque fois que se présentait une escadre chrétienne, d'aider les Francs à s'emparer de quelque port palestinien. Les Norvégiens ayant accepté, Baudouin leur désigna comme objectif la ville de Sidon (Saidâ), la Sajete des chroniqueurs. Sigurd en personne conduisit l'escadre norvégienne faire le blocus du port, tandis que Baudouin et son vassal Bertrand, comte de Tripoli, attaquaient la ville par terre, à grand renfort de machines (19 octobre 1110)[159]. Par surcroît de chance, une escadre vénitienne venait d'arriver en Palestine sous le commandement du doge Ordelafo Falier ; les Vénitiens concoururent avec les Scandinaves au blocus du port[160]. La marine égyptienne, qui s'était concentrée à Tyr pour essayer de secourir les gens de Sidon, se trouva ainsi réduite à l'impuissance.

Les machines de siège des Francs dominaient les murs de la ville et rendaient la position des défenseurs chaque jour plus critique. Les habitants aux abois, nous dit Guillaume de Tyr, essayèrent de faire assassiner le roi Baudouin par un de ses serviteurs, un ancien musulman baptisé, devenu son filleul. Le misérable, tenté par appât du gain, guettait l'instant propice, lorsque des Syriens chrétiens, habitants de Sidon, eurent vent du complot et résolurent d'avertir le roi. Ils attachèrent un message à une flèche qui fut lancée dans le camp chrétien. « Les letres furent trovées et aportées au Roi. Quant li Rois oï ce, mout en fu esbahiz et espoentez de tel péril où il avoit esté. » Le traître, confondu, fut pendu au pied des murailles[161].

Le qâ*d*î et les sheikhs de Sidon, voyant leurs efforts impuissants et craignant les conséquences d'une prise d'assaut, se résignèrent à demander l'amân (4 décembre 1110). Baudouin, dit Ibn al-A*th*îr, promit garantie pour les vies et les biens des Musulmans, chacun étant libre de rester dans la ville ou d'émigrer[162]. *L'Estoire d'Éracles* nous dit un peu différemment qu'il fut convenu que les notables émigreraient, tandis que le peuple resterait sous la domination franque : « Que li gentil home de la ville s'en poissent aler et enmener leur femmes et leur enfanz jusqu'à seurté, li povre home et li gaaigneur des terres (= les cultivateurs) remansissent en la cité par resnables treuz (= redevances)[163]. »

Conformément à cet accord le qâ*d*î et la plupart des notables avec 5 000 personnes se retirèrent à Damas ; le reste des habitants demeura dans ses foyers. D'après Guillaume de Tyr, confirmé par d'autres chroniqueurs, les paysans de la campagne sidonienne demeurèrent en masse comme sujets des Francs[164]. Ibn al-A*th*îr considère comme une violation du traité que Baudouin Ier ait peu après imposé à ces Musulmans soumis une taxe de 20 000 pièces d'or.

Sidon fut donnée en fief par Baudouin Ier à un chevalier nommé Eustache Garnier ou Grenier, déjà sire de Césarée[165].

Après la prise de Sidon, l'escadre norvégienne remit à la voile. « Quant cele besoigne fut parfete, li Norrois pristrent congié au Roi. Il leur dona biaus dons et grans. À Dame Dieu les comanda (= recommanda) de mout bon cuer, car bien et bel s'estoient contenu à ce siège. » Nul doute en effet que l'on ne dût à l'armada norvégienne la prise de Sidon. Le malheur était qu'elle ait borné là son effort, alors qu'on eût pu profiter de la supériorité navale provenant de la présence simultanée d'une escadre scandinave et d'une escadre vénitienne pour en finir également avec Tyr et avec Ascalon. Nous touchons ici à une des difficultés les plus graves auxquelles était aux prises la royauté franque. Ne possédant qu'une armée et pas de marine, elle était réduite, pour s'emparer des places du littoral, à profiter du passage de quelque escadre italienne ou nordique qui consentait bien, pour faire œuvre pie, à concourir à la prise d'une place, mais qui s'estimait quitte aussitôt après et refusait de continuer son effort.

Quant aux Vénitiens, Baudouin I^er^ les remercia de leur concours devant Sidon en concédant à leur doge Ordelafo Falier et à l'église Saint-Marc de Venise diverses propriétés et divers droits à Acre[166].

Le récit du siège de Sidon – du moins si l'anecdote rapportée par Guillaume de Tyr est bien authentique – contient encore un point à signaler : nous voulons parler de l'initiative prise par les chrétiens indigènes pour empêcher l'assassinat de Baudouin I^er^. Si on rapproche ce trait de la démarche, précédemment racontée, du prêtre chrétien du Wâdî Mûsâ, on discernera le concours, souvent timide mais parfois singulièrement efficace, que les Francs trouvaient auprès des Syriens indigènes de rite grec, syriaque ou arménien. C'est là un des côtés de l'histoire de la Syrie franque qui nous semble jusqu'ici trop négligé.

*Un protectorat franc en pays arabe :*
*Baudouin I^er^ et l'émir dAscalon.*

Ascalon, la base militaire des Fâtimides en Palestine, faillit avoir le même sort que Beyrouth et Sidon. Le gouverneur de la place, Shams al-Khilâfa, désireux de secouer la souveraineté égyptienne ou tout au moins de se rendre indépendant en jouant sur les deux tableaux, se mit en rapports avec le roi Baudouin, lui envoya des présents qui purent passer pour un tribut et conclut avec lui un véritable pacte de garantie. Fort de cette protection, « il ne tint plus aucun compte des ordres du gouvernement égyptien, excepté pour ce qui ne le contrariait pas ; seulement il ne se révoltait pas ouvertement[167] ». Très alarmé par une telle situation (Ascalon était la clé de la

Palestine), mais n'osant brusquer les choses, le vizir égyptien al-Af*d*al fit partir d'Égypte une armée soi-disant dirigée contre les Francs, mais le caïd qui la commandait avait ordre, une fois entré à Ascalon, de s'emparer du gouverneur et de prendre sa place. En vain : Shams al-Khilâfa se méfiait. Non seulement il n'ouvrit pas les portes, mais il refusa de se rendre à une entrevue avec le caïd. Mieux encore, il fit sortir de la place les soldats égyptiens dont il redoutait le loyalisme fâ*t*imide. Se voyant dans l'impossibilité d'exécuter sa mission et craignant de pousser complètement Shams al-Khilâfa dans les bras des Francs, le caïd s'empressa de le rassurer et de lui confirmer son investiture au nom du gouvernement du Caire.

Cependant Shams al-Khilâfa fut amené à resserrer de plus en plus son alliance avec les Francs. Se sentant peu sûr de la population arabe, il recruta, nous dit Ibn al-A*th*îr, un grand nombre de mercenaires arméniens dévoués à sa personne. Il fit plus. Au témoignage d'Albert d'Aix, il se rendit lui-même à Jérusalem pour se concerter avec Baudouin, et s'y reconnut formellement vassal du roi. Conformément aux conventions arrêtées dans cette entrevue, lorsqu'il fut revenu à Ascalon, il y introduisît trois cents soldats francs envoyés par Baudouin et qui constituèrent pour lui une garde du corps contre les révoltes de la population, en même temps qu'aux yeux de Baudouin cette petite garnison était l'attestation de la suzeraineté franque[168].

Nous insistons sur cet exemple d'un émir arabe ayant reconnu la suzeraineté du roi de Jérusalem et reçu dans ses murs un poste militaire franc, car un tel fait prouve qu'en marge de leurs possessions directes les Francs commençaient à concevoir une véritable politique de protectorat.

Cependant la population arabe d'Ascalon finit par se révolter contre cette trahison permanente envers l'Islamisme. En juillet 1111, les notables formèrent un complot. Un jour que Shams al-Khilâfa parcourait les rues à cheval, ils se jetèrent sur lui, le blessèrent, le poursuivirent jusque dans sa maison et l'y massacrèrent. Ce fut une véritable émeute piétiste, car, nous dit Ibn al-A*th*îr, la populace pilla de fond en comble la maison du mort et celle de plusieurs riches personnages. Quant aux trois cents garnisaires francs, ils furent surpris dans les tours et sur les murailles et massacrés individuellement. Le gouvernement du Caire qui était dans le complot fit aussitôt occuper Ascalon par une garnison sûre[169]. Baudouin, accouru au premier bruit de cette révolution, arriva devant Ascalon quand elle venait de se consommer. Il ne put que remettre sa vengeance à plus tard.

Ce n'était pas seulement en territoire égyptien, mais aussi en territoire turc que Baudouin I^er^ savait se créer des intelligences. Au témoignage du *Mirât al Zémân*, un des principaux officiers du royaume de Damas, l'eunuque Gümüshtekîn al-Tâjî, gouverneur de Ba'albek, « s'entendait avec les Francs et les pressait de faire des incursions en pays musulman ». C'était la Beqa' ouverte aux Francs. Il fallut que l'âtâbeg *T*ughtekîn vînt assiéger Ba'albek. Si dangereuse était l'alliance du gouverneur de Ba'albek avec les Francs que, malgré sa trahison, *T*ughtekîn lui offrit en échange le gouvernement de Salkhad dans le massif du *H*aurân où il était moins dangereux. À ce prix, Ba'albek ouvrit ses portes et *T*ughtekîn y nomma gouverneur son propre fils, Bûrî[170] (avril 1110).

*Tentative de Baudouin I^er^ contre Tyr.*
*Coalition de l'Égypte et des Turcs de Damas.*

Pas plus qu'Ascalon Baudouin ne devait réussir à prendre Tyr. La ville, on le sait, dépendait toujours de l'Égypte fâ*t*imide. Mais isolés par les conquêtes franques, les habitants sentirent la nécessité de se placer aussi sous la protection de l'âtâbeg de Damas, *T*ughtekîn. Dès que la menace franque se précisa, le gouverneur de Tyr, 'Izz al-Mulk al-A'azz, loua à *T*ughtekîn, pour 20 000 besants, un corps de 500 mercenaires turcs, notamment des archers qui jouèrent un grand rôle dans la défense[171]. En même temps il fut convenu que les Tyriens pourraient envoyer en dépôt à Damas, à la garde de *T*ughtekîn, leurs richesses et leurs biens les plus précieux. Mais pour aller de Tyr à Damas, il fallait traverser le territoire franc du Toron (Tibnîn). Les Tyriens s'entendirent donc avec un chevalier franc nommé Reinfred ou Rainfroi qui s'engagea, moyennant une grosse somme d'argent, à servir de guide et de garant à leur convoi pendant la traversée des terres chrétiennes. Seulement Rainfroi n'eut rien de plus pressé que de faire avertir le roi Baudouin de la date et de l'itinéraire de la caravane. « Dans le silence de la nuit, à l'heure où tout repose, les Tyriens, avec leurs chameaux chargés d'or, d'argent, de pourpre, suivaient sous la direction de Rainfroi la route de Damas, lorsque Baudouin surgit avec ses gens et fit main basse sur tout le convoi »[172].

Après ce coup de main qui enrichit l'armée, Baudouin vint mettre le siège devant Tyr (27 ou 29 novembre 1111). Mais aucune escadre latine ne concourait, comme pour les sièges de Beyrouth et de Sidon, à l'effort des troupes franques. On comptait, il est vrai, sur une troupe byzantine promise par Alexis Comnène. On vit bien arriver, en effet, devant Tyr le dignitaire byzantin Boutoumitès, avec une flotte de douze vaisseaux[173]. Mais le concours des Byzantins semble avoir été assez peu efficace[174].

Le siège fut fertile en péripéties. Les archers turcs envoyés par la cour de Damas firent beaucoup de mal aux Francs. Certain jour la garnison égyptienne et ces auxiliaires turcs exécutèrent à l'improviste une sortie au cours de laquelle ils faillirent surprendre le camp royal. Repoussés et poursuivis par les Francs, ils ne purent qu'à grand'peine regagner les murailles, mais deux cents Francs lancés sur leurs trousses entrèrent avec eux dans la ville, s'y trouvèrent tout à coup enfermés et furent massacrés[175]. Après cet épisode Baudouin fit construire deux puissantes tours de bois dominant la ville, dont l'une, notamment, confiée à Eustache Garnier ou Grenier, sire de Sidon, soumettait tous les jours les assiégés à un « bombardement » terrible[176]. Ibn al-A*th*îr nous raconte comment un sheikh originaire de Tripoli parvint à brûler les deux tours : « Il prit avec lui mille hommes munis de leurs armes. Chaque homme avait un fagot de bois. Ces hommes se précipitèrent sur les Francs et s'avancèrent jusqu'à la tour adossée au mur ; ils jetèrent les fagots autour de la tour, puis y mirent le feu. Pour empêcher les Francs d'éteindre l'incendie, le sheikh avait fait préparer d'avance des pots remplis d'excréments, et il les lançait contre les Francs. Ceux-ci ne songèrent qu'à se préserver de ces vases et de l'odeur puante qui s'en exhalait. Pendant ce temps le feu fit des progrès et presque tous les occupants de la tour périrent au milieu des flammes. Ensuite le sheikh fit préparer des paniers pour brûler les deux grandes tours. On y déposa du bois imprégné de naphte, de poix, de lin et de soufre. Soixante-dix paniers furent lancés sur les deux tours qui disparurent au milieu des flammes[177]. » Baudouin ne se laissa d'ailleurs nullement décourager. Il continua le siège avec plus d'ardeur. Il possédait en effet des intelligences dans la place. Comme le gouverneur de Tyr faisait creuser en secret des chausse-trapes au pied des remparts pour y faire tomber les assaillants, « quelques Musulmans de la ville passèrent du côté des Francs et les instruisirent du danger qui les menaçait. Les Francs se tinrent sur leurs gardes »[178].

Voyant que Baudouin ne relâchait nullement son étreinte, les défenseurs de Tyr se jetèrent dans les bras de *T*ughtekîn. « Ils envoyèrent un député à l'âtâbeg pour implorer son secours et offrir de lui remettre les clés de la ville. » Le gouverneur fâ*t*imide lui-même, 'Izz al-Mulk al-A'azz, pleinement d'accord avec eux, plutôt que de voir entrer les Francs, n'hésitait pas à offrir la place aux Turcs de Damas. « Il envoya de l'argent à *T*ughtekîn pour lui permettre de lever de nouvelles troupes et de venir prendre possession de Tyr. »

« Les habitants de Tyr, redoutant une seconde attaque des Francs, confirme le *Mirât al-Zemân*, convinrent avec le gouverneur 'Izz al-Mulk de donner leur ville à *T*ughtekîn. Ils écrivirent en ce sens à l'âtâbeg[179]. » Tout en se rendant à cette invitation, *T*ughtekîn prit soin d'expliquer son action à la cour d'Égypte : « Les Francs sont à la veille de s'emparer de Tyr. Appelé par les habitants, j'accourus à leur aide, résolu à leur donner ma vie, mes biens et mon armée. Quand l'Égypte enverra un chef chargé de défendre la ville, je la lui remettrai. Mais qu'on ne mette plus aucune négligence (en Égypte) dans l'envoi de la flotte et des approvisionnements[180]. » En même temps l'âtâbeg dirigeait vers Tyr une de ses meilleures divisions turques.

Ibn al-A*th*îr nous conte comment les premiers renforts damasquins furent interceptés grâce aux complicités que Baudouin trouvait parmi les Arabes. « *T*ughtekîn expédia à Tyr un oiseau sous l'aile duquel était un billet. Dans ce billet il demandait que les Tyriens tinssent un navire prêt, afin de faciliter l'introduction des secours qu'il envoyait. Or l'oiseau s'abattit sur un navire franc. Deux hommes, l'un Musulman, l'autre Franc, prirent l'oiseau. Le Franc était d'avis de le relâcher. Mais le Musulman s'y opposa et porta l'oiseau au roi Baudouin. Dès que le roi eut pris lecture de la lettre, il envoya un navire au lieu désigné par *T*ughtekîn, et ce navire était monté par des Musulmans de la ville qui étaient passés dans le camp chrétien. Les guerriers de *T*ughtekîn, en arrivant au rendez-vous, adressèrent à ces hommes des mots en langue arabe ; ceux-ci répondirent en faisant semblant d'être du même parti. Les guerriers de *T*ughtekîn montèrent donc sur le navire où ils furent faits prisonniers. On les conduisit à Baudouin qui les fit mettre à mort. »

L'épisode est intéressant en ce qu'il montre les intelligences qu'avait pu se créer Baudouin I^er^ parmi la population arabe et musulmane de Tyr. L'intervention de l'âtâbeg de Damas n'allait pas moins rendre impossible la continuation du siège. Jusque-là *T*ughtekin s'était contenté d'opérer des diversions sur les frontières de la Galilée. De Panéas, où il s'était posté en observation, il était venu assiéger le château de Jaîsh, ou de *H*abîs Jaldak, qui doit, d'après M. Dussaud[181], correspondre aux ruines connues sous le nom de Qa*s*r Bardawîl, « le Fort de Baudouin, » entre Khisfîn et la rive nord-est du lac, de Tibériade, dans le district du Sawâd[182]. *T*ughtekîn avait emporté le château et passé les défenseurs au fil de l'épée. À l'appel pressant de 'Izz al-Mulk, il traversa le Liban et apparut dans la banlieue de Tyr avec sa cavalerie. Albert d'Aix le montre surprenant une troupe d'hommes d'armes et d'écuyers francs qui étaient allés conduire leurs chevaux au pâturage[183]. Il eut bientôt coupé le ravitaillement des Francs du côté de la terre. Comme les Francs continuaient à se ravitailler par mer et que leur camp, protégé par de larges fossés, était invulnérable, l'âtâbeg, avec sa cavalerie, alla dévaster le territoire de Sidon. « Il tua un grand nombre de mariniers et brûla environ vingt barques sur la côte. » Son voisinage rendit du cœur aux habitants de Tyr qui repoussèrent les derniers assauts des Francs. En vain Baudouin persévérait-il dans son entreprise. On était au printemps. La moisson s'annonçait et on pouvait craindre que *T*ughtekîn ne vînt détruire les récoltes de Galilée et de Palestine. Dans la première semaine d'avril 1112 d'après Albert d'Aix, le 21 avril d'après Ibn al-A*th*îr, – en réalité le 10 avril –, Baudouin leva le siège et rentra à Acre[184].

La décision, pour pénible qu'elle fût, était sage. Le roi de Jérusalem, pris entre la garnison égyptienne de Tyr, moralement et matériellement secourue, et la cavalerie turco-damasquine qui tenait la campagne, ne pouvait s'obstiner. En réalité, si le siège de Tyr avait échoué, on le devait à l'absence d'escadres italiennes et à l'insuffisance de la flotte byzantine, seule présente dans les eaux franques. L'ambassadeur byzantin Boutoumitès était cependant resté auprès de Baudouin jusqu'à la fin du siège. Il accompagna ensuite le roi à Jérusalem et y figura à ses côtés pour les fêtes de Pâques 1112. Mais toute l'activité des Byzantins tendait à entraîner le roi de Jérusalem dans une action contre les Normands d'Antioche, nullement à concerter une attaque sérieuse contre les Fâ*t*imides. Baudouin, lassé, rompit les négociations avec Boutoumitès qui regagna Tripoli[185].

Baudouin alla ensuite avec un clan d'Arabes nomades attaquer une riche caravane qui se rendait de Damas en Égypte. Il la surprit au sud de la mer Morte, dans le Wâdî Mûsâ, et lui enleva tout son chargement de numéraire, de bijoux, de tapis, de tissus précieux et d'épices[186].

### § 3. — Baudouin Ier et la contre croisade turque. Alliance du roi de Jérusalem avec l'atabeg de Damas.

*La contre-croisade turque de 1111.*
*Baudouin Ier devant Shaîzar.*

Pour la clarté du récit nous avons groupé ensemble les événements relatifs à la conquête de la côte libanaise. Mais entre la conquête de Sidon et le siège infructueux de Tyr il y aurait eu lieu de placer chronologiquement la grande contre-croisade turque que conduisit en 1111 dans la Mésopotamie franque et la Syrie du Nord l'âtâbeg de Mossoul Mawdûd ibn Al*t*ûntâsh. Nous n'avons pas, il est vrai, à entrer ici dans le détail de ces faits sur lesquels nous reviendrons plus loin dans le chapitre consacré à l'histoire de la principauté d'Antioche et du comté d'Édesse. Contentons-nous de les signaler pour le rôle qu'y joua le roi Baudouin.

C'est pendant qu'il était occupé à soutenir le gouverneur d'Ascalon révolté contre l'Égypte que Baudouin I^er^ avait reçu un message pressant de son vassal et homonyme, Baudouin du Bourg, comté d'Édesse, qui l'informait de l'invasion turque. Le sultan seljûqide de Perse Mu*h*ammed venait en effet d'envoyer contre les Francs une grande armée commandée par l'âtâbeg de Mossoul Mawdûd fils d'Al*t*ûntâsh qui, en avril-mai 1111, vint assiéger Édesse[187]. Mais Baudouin du Bourg eut le temps de jeter des renforts et du ravitaillement dans la place qui se révéla imprenable. Mawdûd vint alors assiéger la seconde ville du comté d'Édesse, Turbessel, à l'ouest de l'Euphrate (28 juillet). Là aussi, le seigneur de Turbessel, Jocelin de Courtenay, résista victorieusement[188]. Mawdûd se porta ensuite dans la Syrie septentrionale proprement dite, avec l'intention d'attaquer, de concert avec les Turcs d'Alep, la principauté d'Antioche. Mais le malik d'Alep, le seljûqide Ri*d*wân, craignant beaucoup plus ces dangereux protecteurs que les Francs eux-mêmes, ferma ses portes à Mawdûd. Quant à l'âtâbeg de Damas, *T*ughtekîn, il se rendit bien au camp de Mawdûd, près de Ma'arrat al Nu'mân, il se lia même d'amitié avec lui, mais, craignant, lui aussi, que la grande armée turque ne voulût mettre la main sur Damas, il évita de faire réussir la contre croisade et entra même en négociations secrètes avec les Francs[189]. Bientôt la grande armée turque se dissocia, chaque émir suspectant son voisin, et Mawdûd resta seul avec *T*ughtekîn – allié singulièrement suspect – dans la plaine de l'Oronte.

Pendant ce temps les Francs avaient opéré leur concentration. Aux côtés du prince d'Antioche Tancrède, directement menacé, étaient accourus Baudouin du Bourg, comte d'Édesse, et tous les chevaliers du Nord. Presque aussitôt le roi Baudouin lui-même arrivait de Jérusalem, suivi du comte Bertrand de Tripoli, d'Eustache Garnier, sire de Sidon, de Gautier de Saint-Abraham (Hébron) et de la chevalerie hiérosolymitaine. Intervention d'autant plus méritoire que Baudouin volait au secours de Tancrède, son ancien ennemi : mais il y avait longtemps qu'à la manière de notre Louis XII, le roi de Jérusalem avait oublié les injures du comte de Boulogne et du comte d'Édesse.

Toutes les forces franques réunies – celles de Jérusalem, de Tripoli, d'Antioche et d'Édesse – au nombre de 16 000 chevaliers, sergents et piétons, vinrent se poster près d'Apamée (Fâmiya, l'actuel Qal'at al-Mu*d*îq), sur le moyen Oronte, position centrale pour surveiller à la fois la Syrie, le Liban et la Palestine[190]. L'émir de Shaîzar, le prince arabe Sul*t*ân ibn Munqi*dh*, craignant pour sa ville, courut implorer l'aide de Mawdûd et de *T*ughtekîn, toujours campés près de Ma'arrat al-Nu'man. Les deux âtâbegs se rendirent à sa prière. Le 15 septembre 1111, ils vinrent camper devant Shaîzar, non sans avoir fait un détour pour éviter le contact des Francs massés devant Apamée. Sul*t*ân ibn Munqi*dh* et son frère Murshid se portèrent au-devant de Mawdûd et de *T*ughtekîn, leur offrirent de magnifiques présents et se mirent à leur service. Par crainte de Baudouin, Sul*t*ân engagea les deux âtâbegs à venir caserner dans la ville même de Shaîzar, « leurs troupes dressant leurs tentes sur les toits en terrasse des maisons[191] ». Ainsi appuyée sur Shaîzar, l'armée turque déploya ses lignes au sud de l'Oronte. Les Francs, de leur côté, descendirent d'Apamée en direction de Shaîzar et vinrent s'établir face à la ville, au nord du fleuve. Pendant deux semaines les adversaires s'observèrent de la sorte. Si Mawdûd n'osa attaquer, les Francs souffrirent beaucoup de cette immobilité prolongée, car la cavalerie légère turco-arabe, parcourant avec sa rapidité habituelle le district, leur coupait les vivres. « La cavalerie musulmane qui circulait sans cesse autour des Francs les empêchait de boire au fleuve ou d'y puiser de l'eau, et les archers, disposés sur les bords de l'Oronte, leur en interdisaient aussi l'accès[192] ». La faim finissant par se faire sentir, les Francs décidèrent d'attaquer (29 septembre 1111). Leurs trois premières formations se laissèrent entraîner par leur ardeur loin du gros de l'armée ; elles furent bientôt entourées, criblées de flèches par la cavalerie turque et ramenées en désordre. Le roi Baudouin et Tancrède ordonnèrent alors une charge générale. Mais les Turcs, suivant leur tactique habituelle, se dérobèrent devant la chevalerie franque par escadrons insaisissables[193]. La nuit suivante les Francs rompirent le contact et, en couvrant leur retraite, allèrent réoccuper leurs précédentes positions devant Apamée[194].

Quoi qu'en dise l'histoire officielle arabe, la ferme attitude de Baudouin avait enlevé aux Turcs la tentation d'envahir le territoire franc. La preuve en est qu'ils se dispersèrent presque aussitôt, Mawdûd rentrant à Mossoul et *T*ughtekîn à Damas.

*Conséquences de l'invasion turque : groupement des princes francs de Syrie autour du roi de Jérusalem.*

La campagne que nous venons de résumer nous intéresse particulièrement parce qu'elle nous montre Baudouin I^er^ agissant en suzerain incontesté des autres princes francs. C'est à ce titre que Tancrède, son ennemi de la veille, a sollicité son intervention, comme l'a sollicitée Baudouin du Bourg. Dans la plaine de Shaîzar le successeur de Godefroi de Bouillon groupe sous son commandement toutes les forces franques, de la Jazîra à l'Idumée : la liste des seigneurs donnée par Albert d'Aix, dans son livre XI, chapitre XL, est singulièrement éloquente. On ne saurait trop le répéter : la Syrie franque, constituée de pièces et de morceaux, au hasard des initiatives individuelles, n'avait encore, à la mort de Godefroi de Bouillon, aucun statut d'ensemble. Ce fut Baudouin I^er^ qui, en assumant le titre royal d'abord, en assumant les fonctions royales ensuite avec toutes les obligations que titre et fonctions comportaient, en rendant sans cesse à ses vassaux virtuels les services du suzerain féodal, a su se subordonner en fait comme en droit les autres baronnies coloniales. Dans la campagne de l'Oronte de septembre 1111, il est définitivement apparu comme le suzerain légitime du comte d'Édesse, du prince d'Antioche et du comte de Tripoli. Désormais et jusqu'en 1186, la Syrie franque formera, en dépit du partage féodal et en droit féodal même, un tout solidaire. Les institutions monarchiques, fondées par le génie du premier Baudouin, vont assurer au pays quatre-vingt-six ans de stabilité. La Syrie franque a trouvé ses Capétiens.

*La contre-croisade turque de 1113. Bataille de Sinn al-Nabra.*

La contre-croisade de 1111 avait donc échoué ; la grande armée turque envoyée de Perse sous les ordres de l'âtâbeg Mawdûd s'était dispersée sans rien faire. Mais Mawdûd, indépendamment de son tempérament belliqueux de capitaine turc, paraît avoir été un musulman très pieux, très attaché à son vœu de conduire le *jihâd* panislamique (sa mort sera celle d'un saint)[195]. Rentré dans son gouvernement de Mossoul, il continuait à surveiller de là les confins de la Jazîra et les marches de Syrie dont le khalife 'abbâside et le sultan seljûqide lui avaient confié la garde. S'il n'avait pu accomplir sa mission, c'est que les deux princes turcs de Syrie, Ri*d*wân, malik d'Alep, et *T*ughtekîn, âtâbeg de Damas, se méfiant soit de lui, soit de ses bandes, lui avaient refusé ou marchandé leur concours, le premier brutalement, le second sous des prétextes qui laissaient subsister l'amitié. En 1113 la situation changea parce que *T*ughtekîn, comme on l'a vu, était entré en guerre directe avec le roi Baudouin pour la possession de Tyr. Les deux voisins s'étaient jusque-là plus ou moins ménagés, Baudouin ne tenant pas à voir les Damasquins venir ravager la Galilée, *T*ughtekîn craignant pour les récoltes du Sawâd. La lutte pour Tyr fit de nouveau d'eux des ennemis personnels. Baudouin ayant sans cesse ravagé le Jaulân et le *H*aurân, greniers de Damas, au point que les vivres devinrent rares dans cette ville, *T*ughtekîn se décida – sans doute assez à contre-cœur – à faire appel à Mawdûd[196].

L'âtâbeg de Mossoul convoqua aussitôt l'armée du *jihâd* et au milieu de mai 1113 passa l'Euphrate, suivi de Timurak, *sâh*îb de Sinjâr et de l'émir Aiyâz ibn Ghâzî, de la maison des Ortoqides de Mârdîn. *T*ughtekîn s'étant avancé à son devant, leur jonction s'opéra en juin à Salamiya, au sud-est de *H*amâ[197]. Depuis la marche de Kurbuqa sur Antioche, jamais pareille vague n'avait déferlé de cette Perse seljûqide que *l'Estoire d'Éracles* appelle la source de toutes les invasions, « fontaine qui tarir ne pooit, ainz descendoit en la terre de Surie le ruissel qui tempestoient toute la gent »[198]. Après Salamiya, la grande armée turque remonta le cours supérieur de l'Oronte, puis, laissant Damas à sa gauche, descendit vers l'Hermon et Panéas (Bâniyâs) pour déboucher en Galilée sur les bords du lac de Tibériade. Mawdûd et *T*ughtekîn parcoururent en maîtres la rive occidentale du lac et vinrent assiéger la ville forte de Tibériade où la chevalerie galiléenne s'était enfermée. Un jeune chef turc – qui devait illustrer le nom de Zengî – faillit même s'emparer par surprise de la place. « Dans l'attaque de Tibériade, écrit Ibn al-A*th*îr, Zengî se conduisit avec un courage inouï. Se trouvant à la tête de quelques hommes seulement et voyant les Francs faire une sortie, il chargea sur eux, pensant que ses compagnons le suivraient, mais ils restèrent immobiles et le laissèrent partir seul. Les Francs se hâtèrent de rentrer dans la ville, et Zengî, s'étant avancé jusqu'à la porte, la frappa de sa lance, de manière à y laisser une marque. Il resta là en combattant l'ennemi et en espérant que ses camarades viendraient à son aide et s'empareraient de la ville. Ne voyant venir personne, il se résigna à se retirer[199]. »

Tibériade résista à tous les assauts, mais le reste du pays fut pillé, jusqu'au mont Thabor où les Turcs saccagèrent le couvent clunicien[200]. Puis, à la nouvelle que l'armée franque approchait, Mawdûd et *T*ughtekîn allèrent, avec beaucoup d'habileté, s'établir dans la presqu'île que le Jourdain, à sa sortie du lac de Tibériade, forme avec son affluent le Yarmûk, entre Semakh, Umm al-Jûniyé et Jisr al-Mujâmi', plaine qui est connue sous le nom d'al-Qa*h*wâna ou d'al-Qa*h*wâni[201]. De leur camp de Qa*h*wâna, au sud de Semakh, ils surveillaient tous les passages du Jourdain vers Khirbert al-Kerak et Sinn al-Nabra (l'ancienne Sennabris) comme vers al-'Ubaidiya, en direction de Tibériade comme de Nazareth.

À la nouvelle de l'invasion, Baudouin, qui se trouvait à Saint-Jean-d'Acre, lança un appel à tous ses vassaux. Le prince d'Antioche, Roger de Sicile, qui venait de succéder à son oncle Tancrède, décédé, et le comte de Tripoli, Pons, fils et successeur de Bertrand, se mirent aussitôt en marche pour le rejoindre. Malheureusement les ravages des envahisseurs avaient exaspéré Baudouin ; renouvelant l'acte de témérité qui avait failli lui coûter si cher en 1102, il ne voulut pas attendre l'arrivée des renforts envoyés d'Antioche et de Tripoli. Avec les seuls contingents du Royaume de Jérusalem et les pèlerins présents – sept cents cavaliers, quatre mille piétons – il courut donc d'Acre à la rencontre des Turcs et vint s'établir du côté de Sinn al-Nabra, près de la rive sud-ouest du lac de Tibériade, d'où il n'était séparé de l'armée turque que par le Jourdain (*c*. 20 juin 1113).

Mawdûd et *T*ughtekîn, voyant la confiance du roi, cherchèrent à l'attirer dans un piège. De leur réduit du Qa*h*wâna, au sud de Semakh, où ils étaient inexpugnables, ils envoyèrent de l'autre côté du pont, en direction de Sinn al-Nabra, deux mille cavaliers d'élite ; quinze cents se placèrent en embuscade devant le pont du Jourdain ; les cinq cents autres, choisis parmi les plus rapides, allèrent provoquer Baudouin à Sinn al-Nabra même, « commencièrent à aprouchier de l'ost le (= du) roi, et corre par les chans folement, sanz tenir nul conroi (= ordre de marche), por fere l'ost saillir encontre eus ». Ce fut ce qui arriva. Les voyant égaillés dans la plaine, Baudouin se lança à leur poursuite et vint donner droit dans l'embuscade. « Li Rois meismes, qui plus savoit de guerre que li autre, quand il vit que cil Tur chevauchoient si à desroi (= sans ordre), fist monter sa gent et tantost (= aussitôt) issi hors, encontre ceus qui einsi s'abandonnoient. Cil se mistrent isnelement (rapidement) à la voie vers leur embuschement. Li Rois, qui ne s'en prenoit garde, mena sa gent folement et les chaça trop, tant qu'il vindrent sur leur guet. Cil saillirent fors et corurent sus aus noz mout asprement. Cil cinq cenz meismes qui fesoient semblant de foïr se retornèrent vers eus. Li nostre qui mout estoient pou (peu) au regart des autres fesoient merveille d'armes et se baoient à vendre mout chièrement. » Mais la supériorité numérique des Turcs, accrue sans cesse par les masses que Mawdûd et *T*ughtekîn amenaient de Semakh, ne tarda pas à devenir accablante. Les Francs durent prendre la fuite, en direction de Tibériade, poursuivis dans les reins par les Turcs. Le *Mirât al-Zemân* résume ainsi la physionomie de la journée. « Baudouin avait pris position près (= à l'ouest) du pont de Sinn Nabra. Quelques valets de l'armée musulmane traversèrent ce pont (comme) pour aller au pâturage. Les Francs les poursuivirent et il y eut une série d'engagements. Alors l'âtâbeg traversa le pont à son tour et mit les Francs en déroute. Un grand nombre de leurs soldats tombèrent dans le lac de

Tibériade, de sorte que les eaux de la berge furent infectées pendant plusieurs jours[202]. »

Le roi qui, sa bannière à la main, essayait de rallier les siens, se vit si étroitement pressé qu'il l'abandonna aux mains de l'ennemi et ne dut son salut qu'à la vitesse de son cheval. De même pour le patriarche Arnoul Malecorne, qui l'accompagnait. Tout le campement chrétien, y compris la tente royale, tomba aux mains des Turcs. Beaucoup de fuyards se noyèrent soit dans le Jourdain, soit dans le lac de Tibériade. Néanmoins la plupart des chevaliers purent échapper : trente seulement périrent, tandis qu'on eut à déplorer la perte de 1 200 fantassins (28 juin 1113).

Comme aux journées de Ramla, Baudouin pouvait voir dans quel abîme sa fougue avait failli le jeter. Mésaventure d'autant plus amère qu'il lui eût suffi d'attendre deux ou trois jours pour recevoir les renforts d'Antioche et de Tripoli. « Li Rois fu trop honteus et correciez de cele desconfiture ; que mout le blasmal'en de ce que tant se fioit de soi que il fist ceste saillie (= attaque) sanz conseil et sanz acort, ne ne vout atendre le prince Rogier ne le conte de Triple qui devoient venir sanz faille l'endemain ou au tierz jor[203]. »

Malgré la honte de cette défaite le désastre put être évité. La chevalerie franque put se rallier dans un défilé au-dessous de Tibériade – sans doute du côté des sources chaudes de Khamath, au pied de la butte d'al-Menâra –, puis elle alla prendre position sur une colline élevée près de la ville – évidemment le Tell al-Menâra, le Tell Ma'ûn ou, plus près encore, le Qa*s*r al-Bint –. Sur ces entrefaites arrivèrent Roger, prince d'Antioche, avec 400 chevaliers et 600 piétons, et Pons, comte de Tripoli, lui aussi avec ses contingents. « Quant il oïrent (ce) que li Rois avoit fet, mout l'en blasmèrent. Il meismes en connut bien son desapensement et sa coupe (= son acte inconsidéré et sa faute). »

Reconstituée par l'arrivée des contingents d'Antioche et de Tripoli, désormais au grand complet et sur ses gardes, l'armée franque représentait de nouveau une force sérieuse. Mais comme la supériorité du nombre restait toujours aux Turcs, le principal était pour elle de ne pas se laisser attirer dans une nouvelle bataille. Groupée sur les hauteurs – sans doute du côté de Tell Ma'ûn, à l'ouest de Tibériade – elle dominait de là l'armée turque répandue dans la plaine. Il est vrai que cette immobilité avait ses inconvénients, car les Turcs mettaient à feu et à sang le plat pays, courant librement à travers la Galilée, pénétrant en Samarie et venant y piller Naplouse. « Ils couvraient le pays de ruines, écrit joyeusement Ibn al-A*th*îr, et tuèrent tous les chrétiens qui tombèrent entre leurs mains »[204]. « Ils ardoient (= brûlaient) villes, femmes et enfanz ocioient et vieilles genz », confirme *l'Estoire d'Éracles*. Les bourgs et les « casaux » étaient détruits, les colons massacrés, la colonisation tout entière se trouvait remise en question[205].

Le plus grave était que la population rurale arabe qui cultivait les casaux pour le compte des chrétiens, les serviteurs arabes employés par les Francs dans les maisons de campagne, tous les paysans, tenanciers et fermiers musulmans des possessions franques – d'ordinaire si soumis – faisaient maintenant cause commune avec l'envahisseur, lui servaient d'indicateurs et de guides, l'aidaient à piller le pays : « Li Sarrazin qui estoient ez casiaus de la Crestienté et gaaignoient les terres par treuz (= cultivaient les terres en payant redevance) avoient tout lessié et s'estoient mis avec les autres Turs ; cil fesoient greigneur (= pire) mal que tuit li autre, car il savoient les covines des terres et les menoient por fere les greigneurs damages.[206] » L'invasion turque se doublait ainsi d'une jacquerie de paysans arabes révoltés contre les colons francs. « Par ceste chose fu touz li roiaumes si effréez que nus crestiens n'osoit demorer hors des forteresces. Cil meismes qui estoient dedenz les forteresces avoient grant peor que il ne fussent aucun (= quelque) jor surpris et livré à mort. » Enfermés dans leurs places fortes, les Francs assistaient, la rage au cœur, à cette submersion de leur colonie.

Baudouin, rendu prudent par l'épreuve, eut l'énergie d'assister impassible à ces provocations. « Les Francs, écrit Ibn al-A*th*îr, montés sur une montagne voisine de Tibériade, y restèrent immobiles pendant vingt-six jours. Les Musulmans se trouvaient en face, perçant de flèches tous ceux qui s'approchaient de leurs quartiers. Ils cherchaient à intercepter les vivres aux Chrétiens, espérant les amener à une action générale. Mais aucun d'eux ne se présenta »[207].

Non moins grave pour les chrétiens fut une menace d'intervention égyptienne. La garnison égyptienne d'Ascalon, sachant le roi et l'armée franque immobilisés près de Tibériade, envahit la Judée dégarnie de troupes. Brûlant les blés qu'on venait d'engranger et massacrant ou capturant les chrétiens qu'ils rencontraient, les Égyptiens parvinrent sans trouver de résistance jusque sous les murs de Jérusalem qu'ils saluèrent d'une volée de flèches. Mais la poignée de chevaliers qui étaient restés à Jérusalem et les bourgeois de la ville se gardèrent de toute imprudente sortie. Comme les défenseurs faisaient bonne garde sur les murs et que le détachement égyptien n'était pas en forces suffisantes pour tenter un siège, comme il craignait en outre d'être surpris par le retour inopiné de Baudouin, l'alerte fut de courte durée. Satisfaits des dégâts commis dans la banlieue, les Égyptiens reprirent la nuit même le chemin d'Ascalon[208]. Notons que, si le gouvernement du Caire avait tenté à temps un effort sérieux, la Syrie franque, attaquée sur deux fronts, eût couru un très grave péril ; l'incohérence habituelle des généraux fâ*t*imides sauva une fois de plus le royaume de Jérusalem.

Du reste on approchait du mois d'août. C'était l'époque où arrivaient à Acre les flottes italiennes ou provençales chargées de pèlerins. « En cele seson qui se traoit (= tirait) jà vers aoust, commencièrent nés (= nefs) de pèlerins arriver en la terre de Surie. Tuit cil qui venoient, sitost come l'en leur disoit que li Rois et la Crestienté estoient à grant meschief et à péril de leur cors, hastivement s'en aloient vers lui à cheval et à pié, si que leur oz (= l'armée royale) en estoit jà mout créuz (accru)[209]. » Albert d'Aix évalue à 16 000 le total de ces renforts[210].

La situation s'était ainsi insensiblement retournée à l'avantage du roi de Jérusalem. La stricte défensive dans laquelle il s'était enfermé dans les montagnes de Tibériade avait réparé les conséquences malheureuses de sa fougue première. Mawdûd et *T*ughtekîn n'avaient pu tirer aucun avantage stratégique de leur victoire. S'ils avaient impunément ravagé les campagnes, ils n'avaient pu s'emparer d'aucune place forte, même pas de Tibériade, si proche. Au lieu de réduire l'armée franque par la famine, comme ils l'avaient espéré, c'est eux-mêmes qui, campés dans un pays ennemi – et dans un pays ravagé – commençaient à manquer de vivres : « Les Francs, avoue Ibn al-A*th*îr, campés sur le haut de la colline au pied de laquelle se trouvaient les Musulmans, avaient résisté à toutes les attaques de ces derniers pendant vingt-six jours. Les Musulmans, incommodés au plus haut point par les chaleurs qui régnaient dans ces bas-fonds, finirent par décamper avec l'intention de se rendre à Beisân. Les Francs descendirent alors de la colline et les suivirent. Pendant cinq jours les deux armées restèrent à s'observer l'une l'autre. Enfin les Musulmans, manquant de vivres à cause de l'éloignement de leur pays, se retirèrent au Marj al-*S*uffar[211]. »

Ce passage nous donne la physionomie de la campagne. À l'heure où Baudouin, ayant reconstitué son armée, songeait à reprendre l'offensive, Mawdûd et *T*ughtekîn, renonçant à leur entreprise, évacuèrent le canton de Tibériade pour reprendre le chemin de Damas. Arrivés dans le Marj al-*S*uffar, plaine située au sud de Ki*s*wé, vers Shaq*h*ab, dans le district au sud de Damas[212], Mawdûd licencia ses troupes, ou plutôt les envoya se refaire dans la Jazîra, le Kurdistân et le pays de Mossoul, avec consigne de se réunir au printemps suivant pour recommencer le *jihâd*. En attendant il resta lui-même à Damas avec quelques officiers comme hôte de *T*ughtekîn (30 août 1113).

*Du sang sur la mosquée.*
*L'âtâbeg de Damas rejeté vers l'alliance franque.*

Ici se place un drame assez mystérieux dont les conséquences achevèrent de disjoindre au profit des Francs le faisceau des forces musulmanes. Un vendredi, le 26 septembre ou le 2 octobre 1113[213], à Damas, comme Mawdûd venait d'assister à la prière publique dans la mosquée des Omaiyades, et qu'il traversait la cour de la mosquée en donnant la main à *T*ughtekîn son hôte, un Ismâ'îlien se jeta sur lui et le frappa mortellement de plusieurs coups de poignard. Les derniers moments de l'âtâbeg de Mossoul furent ceux d'un saint[214].

Qui avait armé le bras du meurtrier ? Les Ismâ'îliens eux-mêmes ? Il était bien possible, car la terrible secte devait redouter autant que les Francs la contre-croisade turque qui eût rétabli en Syrie l'orthodoxie musulmane. Mais l'opinion publique accusa aussi *T*ughtekîn. Ibn al-A*th*îr recueille l'accusation sans se prononcer : « D'autres disent que ce fut *T*ughtekîn qui, se méfiant de la politique de Mawdûd, aposta l'assassin[215]. » Il est certain que la présence, en permanence, sur le sol de Syrie, et mieux encore à Damas, de l'émir de Mossoul, fondé de pouvoirs du sultan pour la reconquête du pays sur les Francs et généralissime de la guerre sainte, diminuait singulièrement l'autorité de *T*ughtekîn. L'âtâbeg de Damas, habitué à trancher du souverain, se trouvait réduit à un rôle subalterne, vassalisé à nouveau au profit du sultan de Perse qui avait envoyé Mawdûd. Or nous avons vu le sentiment de jalouse indépendance des émirs syriens envers les grands âtâbegs de la Jazîra : les Croisés eux-mêmes leur portaient moins d'ombrage. Rien de surprenant par conséquent à ce que *T*ughtekîn ait utilisé, pour se débarrasser d'un allié gênant, l'instrument de la sinistre secte ismâ'îlienne, d'autant que le meurtrier fut mis séance tenante dans l'impossibilité de faire des révélations : aussitôt après son crime, il fut décapité, défiguré et ses restes furent immédiatement brûlés. La rumeur qui accusait *T*ughtekîn fut recueillie par les chroniqueurs latins eux-mêmes. « L'en cuida, dit *l'Estoire d'Éracles*, que Dodequins, li rois de Damas, l'eust fet fere, ou au meins qu'il le consentit ; car il doutoit (redoutait) mout celui (= Mawdûd) et grant peor avoit qu'il ne li tousist (= enlevât) son roiaume[216]. » À tort ou à raison, *T*ughtekîn se trouva dès lors suspect aux yeux de tout l'Islam et une indication d'Ibn al-A*th*îr prouve que cette déconsidération l'atteignit aussi aux yeux des Francs. « Mon père, dit l'historien arabe, m'a raconté que le roi de Jérusalem, à la nouvelle de la mort de Mawdûd, écrivit à *T*ughtekîn une lettre portant entre autres choses, qu'un peuple qui abat son soutien, et cela un jour de fête et dans la maison de son Dieu, mérite que Dieu l'extermine de dessus la face de la terre[217]. »

Baudouin pouvait en effet le prendre désormais de haut avec l'âtâbeg de Damas. L'assassinat de Mawdûd, avec la complicité supposée de *T*ughtekîn, marquait l'échec définitif de la contre-croisade seljûqide. Il était désormais avéré que les princes musulmans de Syrie préféraient encore le voisinage des Francs au péril que constituait pour leur indépendance l'arrivée en masse des gens de Mossoul, de Baghdâd et d'I*s*fahân. Aucun doute ne pouvait plus subsister à cet égard. Quand une nouvelle contre-croisade turque arrivera de l'Est, elle trouvera les Musulmans de Syrie coalisés contre elle avec les Francs. *T*ughtekîn, toujours accusé du meurtre de Mawdûd et désormais suspect à tout Croyant, se verra fatalement rejeté du côté des chrétiens qu'en cas de mouvement panislamique il sera le premier à appeler à son aide[218].

*L'alliance franco-damasquine arrête la contre-croisade turque de 1115.*

L'expérience se produisit en 1115. Le sultan seljûqide de Perse, Mu*h*ammed, envoya en Syrie une nouvelle armée sous les ordres de l'émir Bursuq (ou Bursaq), gouverneur de Hama *dh*ân, avec mission, à la fois, de reprendre la contre-croisade et de ramener dans l'obéissance l'âtâbeg de Damas. Dès que cette armée eut passé l'Euphrate (mai 1115), les princes menacés, tant musulmans que chrétiens, s'unirent pour résister. La coalition embrassa, du côté musulman, il-Ghâzî l'Ortoqide, émir de Mârdîn, Lûlû, régent d'Alep, et *T*ughtekîn, âtâbeg de Damas, du côté franc Roger, prince d'Antioche, le roi Baudouin et le comte Pons de Tripoli : c'était, on le voit, le faisceau de tous les princes de la Syrie groupés, sans distinction de religion, pour barrer la route à l'invasion des Turcs de Perse. Au commencement Bursuq les prévint. Profitant de ce que *T*ughtekîn s'était rendu à Alep pour défendre la ville contre un coup de main, il alla attaquer *H*amâ, place qui dépendait de l'âtâbeg de Damas, et s'en empara[219]. Sur le territoire du prince d'Antioche, il ravagea les districts d'Apamée (Qal'at al-Mu*d*îq), de Rusa (Allaruz) et de Chastel Ruge ou Rugia (entre Tell al-Karsh et Jisr al-Shughr)[220]. Mais en attaquant ainsi indistinctement musulmans et chrétiens, le chef turc ne fit que resserrer leur coalition. Ibn al-A*th*îr nous montre *T*ughtekîn et le généralissime alépin, Shams al-Khawâ*ss*, se hâtant de faire appel contre lui au prince Roger d'Antioche[221]. Pour Guillaume de Tyr, c'est au contraire Roger qui fait appel à *T*ughtekîn son allié[222]. Pour Albert d'Aix, Baudouin, à la nouvelle de l'invasion turque sur l'Oronte, accourt au secours de la principauté d'Antioche avec *T*ughtekîn, son nouvel ami[223]. Ce qui est certain c'est que l'âtâbeg de Damas et le régent d'Alep d'une part, le roi de Jérusalem et le prince d'Antioche d'autre part, avaient déjà conclu un pacte de garantie contre toute menace d'invasion turque et que, lorsque cette invasion se produisit, ils n'eurent qu'à mettre en exécution leurs récents accords. Au bout de quelques jours *T*ughtekîn, les contingents d'Alep, Roger d'Antioche et le roi Baudouin – ce dernier suivi du comte Pons de Tripoli – se réunirent en forces dans la région de Ma'arrat al-Nu'mân que Bursuq avait envahie. *L'Estoire d'Éracles* nous les montre chevauchant vers « Césaire », c'est-à-dire vers Shaîzar, où Bursuq était signalé. Ibn al-A*th*îr les retrouve une vingtaine de kilomètres plus au nord, vers Apamée (Qal'at Mu*d*îq), place forte qui appartenait au prince d'Antioche, à laquelle ils étaient allés s'appuyer pour surveiller de là l'armée ennemie et où ils restèrent près de deux mois en observation. Chez Albert d'Aix enfin, qui nous fait assister à la jonction de Roger d'Antioche descendu du nord, du roi Baudouin et de Pons de Tripoli montés du sud, et de l'âtâbeg *T*ughtekîn, le point de concentration des coalisés où ils campèrent une huitaine de jours est indiqué non pas à Apamée, mais à une quarantaine de kilomètres plus au nord-est, à Tell Mannas ou Tell Menis, place située à quelque 6 kilomètres au sud-est de Ma'arrat al-Nu'mân[224].

Le chapitre de *l'Estoire d'Éracles* relatif à ces événements présente un grand intérêt, car nous y voyons en pleine lumière fonctionner la collaboration franco-musulmane si heureusement inaugurée par le roi de Jérusalem. « Dodequins (= *T*ughtekîn), li rois de Damas, ot peor d'icele assemblée que Borses (= Bursuq) tenoit ilec près de lui, et bien cuidoit que il le feist plus por fere mal à lui et por tolir le roiaume, se il poïst, que por guerroier les Crestiens. Cil meisme le fesoit plus douter, que il savoit bien que l'en li metoit sus la mort à ce haut home, Mauduc (= Mawdûd), qui avoit esté occis à Damas par son porchaz, ce cuidoit l'en. Au derrenier (= à la fin, il) envoia granz messages et riches dons au roi Baudoin et au prince d'Antioche et prist trives à eus ; seremenz fist fere et ostages bailla de bien garder les trives. Lors douta il mainz (redouta-t-il moins) les Turz (de Mossoul) s'ils pensassent riens contre lui, car il s'alia à nostre gent que il s'entraidassent, se mestier fust (si besoin était)[225]. » De fait, peu après, le prince Roger d'Antioche, se voyant plus directement menacé par Bursuq, fait appel simultanément au roi Baudouin et à *T*ughtekîn : « Dodequins meismes semont par la foi et par l'alliance qu'il li avoit fete qu'il le secorust. Li Rois, qui mout estoit ententis et curieus (= appliqué) de garder la terre que la Crestienté tenoit, s'en vint mout hastivement o (avec) bele compaignie de chevaliers qu'il ot assemblez et avec lui amena le conte de Triple, Poinçon (Pons). Si chevauchièrent tant qu'il vindrent assez en brief tens au leu où li Princes (Roger) avoit sa gent assembléz. Dodequins qui plus estoit près de la terre au prince, s'estoit avanciez si qu'il avoit amené grant route de ses genz et s'estoit logiez comme bons compainz et loiaus. » On verra à propos de l'histoire de la principauté d'Antioche comment cette coalition des trois princes francs et de l'âtâbeg de Damas suffit à faire renoncer Bursuq à son entreprise. Nous avons seulement tenu dans ce chapitre, pour illustrer la souple politique indigène du premier roi de Jérusalem, à le montrer, avec *l'Estoire d'Éracles*, chevauchant ainsi aux côtés de l'âtâbeg de Damas « comme bons compainz et loiaus. »

Tandis que le roi Baudouin était retenu dans la Syrie du Nord, la garnison égyptienne d'Ascalon essaya une fois de plus de surprendre Jaffa par terre et par mer. « Novelement estoit venue en leur aide une navie (= escadre) d'Égypte ou il avoit neuf nés pleines et bien garnies de genz armés. Il commandèrent que cele navie s'en alast vers Jafe avant : ils chevauchièrent après, les bannières levées, tuit en conroi jusque devant la cité. Quant cil qui ès nés estoient virent que leur genz estoient venues par terre, si saillirent hors mout hastivement et comencièrent à assaillir la cité. Cil d'Escalonne firent soner leurs trompes et crier l'assaut et trèrent (tirèrent) d'ars et arbalestes et drécièrent eschieles : mout se pénèrent d'espoenter et d'effréer ceus de la ville. » Mais les défenseurs de Jaffa ne se laissèrent pas démoraliser : les Fâ*t*imides, comme puissance militaire, étaient tombés au second rang. « Cil qui dedenz estoient (à Jaffa) n'avoient guères genz, mès bien se pensèrent que à combatre les covenait, por la foi premièrement, après por leur vies, por leur femmes et por leur enfanz... Mout i trovèrent autre chose cil d'Escalonne que il n'avoient pensé, car il cuidoient trover la ville toute vuide si que il n'i eust granment se fames non (sinon des femmes), por ce avoient fetes leur eschièles et aportées come por monter sur les murs sanz contredit. Mès cil de la ville les tindrent si corz, que les premières eschièles qu'il avoient dreciées furent trébuchiées aval, si qu'il n'orent pooir onques puis d'aprochier aus murs. Nostre Sires avoit doné aus Crestiens si grant hardement qu'il ne prisoient rien cele planté de Sarrazins qui les assailloient[226]. » Craignant de voir surgir Baudouin, les envahisseurs ne tardèrent pas à regagner Ascalon (septembre 1115).

## § 4. — Politique coloniale de Baudouin Ier.

*Pénétration au Wâdî al-'Araba. Occupation d'un port sur la mer Rouge. La marche vers l'Égypte.*

Une fois écarté le péril de la contre-croisade turque et celui, beaucoup moins grave, de la reconquête égyptienne, Baudouin Ier put mener à bonne fin un projet qui paraît lui avoir tenu depuis longtemps à cœur : l'occupation de l'Arabie Pétrée. À diverses reprises déjà, on l'a vu, il avait accompli des promenades militaires dans cette dépression du Wâdî al-'Araba qui, du sud de la mer Morte, creuse son sillon longitudinal jusqu'au golfe de 'Aqaba. La partie septentrionale, la seule quelque peu fertile, qui aboutit au Wâdî Mûsâ – « le Val Moyse » des chroniqueurs – est bordée à l'est d'une ligne de hauteurs avec des points d'eaux auprès desquels se groupent quelques centres habités : Shawbak près de la source 'Ain-Nejel avec des bosquets de chênes, et l'ancienne Petra en plein Val Moyse, avec sa source ('Ain Mûsâ). Ce fut là, à Shawbak, que Baudouin construisit en 1115 le Krak de Montréal, destiné à dominer tout le 'Araba[227]. « Li Rois desirroit mout à acroistre son roiaume et eslargir en cele partie ; si ot porpensement de fere un chastel en la terre qui a non la Tierce Arabe que l'en apele par autre nom Surie Sobal ; porce que il se pensoit que la garnison d'icele forteresce garderoit que li Tur ne poïssen corre par le païs ne gaster les villes qui treuz (= tribut) li rendoient ; et por ce fere il assembla grant gent de son roiaume et passa la mer Morte parmi la

Segonde Arabe. Là trouva un tertre qui assez estoit covenables à fermer. Ilec fist une tour et un baîle (= enceinte de palissades) et bonnes trenchiées et bonnes barbacanes devant. Li sièges du lieu estoit forz, et mout le fist fermer de riches œvres. Li mist a nom Mont Roial. Li païs entor ert (= était) pleins de granz gaaigneries (= cultures), de bonnes vignes et d'arbres portanz fruiz[228], et mout ert li chastiaus sains et délitables. Il y fist remanoir (= rester) de sa gent chevaliers, sergenz, vuillains, gaaigneurs (= cultivateurs) et à touz donna granz teneures en la terre, selonc ce que chacuns estoit. Le chastel garni mout bien d'armes et de viandes, d'engins et d'arbalestes ; genz i mist assez por defendre et por chevauchier par la terre, si que cele forteresce jostisoit (= commandait) tout le païs entor[229]. »

En 1116 Baudouin, « toujours impatient d'ouvrir des voies nouvelles[230] », conduisit une autre expédition à travers l'Arabie Pétrée, en se faisant escorter par une caravane de mulets portant le ravitaillement, de sorte que l'armée ne subit aucune privation. Cette fois, il dépassa Montréal et descendit jusqu'à Aïla, sur la mer Rouge, dont les habitants s'enfuirent, épouvantés[231]. « Li Sarrazin de la terre, qui ne doutoient avoir garde de si loing, s'emerveillèrent mout quant il virent ces estranges genz venir en ces estranges parties. Meismement, quant il sorent que c'estoit li rois des Crestiens, trop en furent espoentez et entrèrent ès nés (navires), et se mistrent en la mer[232]. » Les Francs, nous dit Albert d'Aix, se remirent de leurs fatigues (on était en automne, la chaleur était encore terrible) en se baignant dans le golfe de 'Aqaba où ils purent pêcher « les poissons de la mer Rouge ». Ils fortifièrent, en face d'Aïla, la petite île de Qureiyé ou Jazîrat Fir'awun – l'île de « Grayé » des chroniqueurs. Dans le bourg d'Aïla, ils bâtirent une citadelle et se trouvèrent dès lors capables d'intercepter ou de contrôler les caravanes entre l'Égypte et la Syrie. Imagine-t-on les songes des chevaliers qui, durant cinquante-cinq ans – de 1116 à 1171 – montèrent ainsi la garde au fond de la mer Rouge face aux mers inconnues de l'Inde et de l'Extrême-Orient ? En remontant du golfe de 'Aqaba, le conquérant franc se disposait à aller au cœur de la presqu'île sinaïtique rendre visite aux couvents du Sinaï[233]. Mais les moines l'en firent dissuader par crainte des représailles que sa visite n'aurait pas manqué d'attirer à leurs monastères de la part des autorités égyptiennes[234].

En rentrant d'Aïla à Jérusalem, Baudouin tomba malade. Une fois guéri, il organisa le blocus de Tyr, le seul port syrien qui, avec Ascalon, fût encore au pouvoir des Fâ*t*imides (1116). La garnison de la place faisait en effet de fréquentes razzias en pays franc, tandis que le refuge de la rade permettait aux corsaires égyptiens de donner la chasse aux navires des pèlerins. « En grant pourpens estoit li Rois de jorz et de nuiz comment il poïst cele cité conquerre. » En attendant que la venue de quelque escadre italienne lui permît d'attaquer Tyr par mer, il construisit en 1116, pour bloquer la ville du côté de la terre, la puissante forteresse de Scandelion (Iskanderûna)[235]. Scandelion juchée à un des passages les plus étroits de la corniche phénicienne – le chemin de Tyr à Naqûra et à Acre y est taillé dans le roc – interdisait à la garnison de Tyr tout contact par terre avec Ascalon. « Iluec fist li Rois une mout bonne forteresce, porce que il en destreinsit (pressât) ceus de Sur (Tyr), si que il ne poïssent chevauchier par la terre, et poïst l'en souvent corre devant leur ville por prendre proie et quen que (quiconque) l'en trovast hors des murs[236]. »

Le royaume de Jérusalem était définitivement consolidé. Sauf Tyr et Ascalon il avait atteint ses frontières historiques. Baudouin résolut de porter la guerre chez les Fâ*t*imides eux-mêmes, en Égypte. Ibn al-A*th*îr nous affirme qu'il avait formé le projet de conquérir le pays. L'hypothèse, sous cette forme, est peu vraisemblable. Du moins, ayant eu l'occasion de constater la décadence militaire des Fâ*t*imides, le roi de Jérusalem voulut leur faire sentir sa puissance, les forcer, peut-être, à rappeler leurs garnisons de Tyr et d'Ascalon et occuper lui-même une base de départ à l'est du Delta.

Albert d'Aix en effet nous dit, de son côté, que ce fut pour mettre fin aux razzias de la garnison d'Ascalon que Baudouin organisa ce contre-rezzou sur l'Égypte ; diversion décisive à coup sûr que celle qui venait menacer le Fâ*t*imide au cœur même de sa puissance. Pour hardie qu'elle parût, l'opération fut admirablement menée. Le roi avait pris avec lui une petite armée de 216 chevaliers et de 400 piétons. Il fit traverser à cette troupe le désert qui s'étend du Wâdî Ghazza et d'al-'Arîsh à Farâma, sans avoir souffert ni du manque de vivres ni des attaques des Bédouins, tant le ravitaillement et les rapports avec les indigènes avaient été bien préparés. Le convoi suivait la colonne avec des vivres en quantité suffisante, de sorte qu'on put éviter tout acte de pillage au détriment des Bédouins. Des négociations préalables avec ceux-ci avaient fait, de leurs principaux sheikhs, des alliés[237]. Les autres, intimidés par la puissance du conquérant franc, eurent une attitude correcte. Le 21 mars 1118 on atteignit la première ville égyptienne, Farâma. Le lendemain Baudouin fit donner l'assaut, mais il trouva la cité vide : les Égyptiens, surpris par ce raid inattendu, l'avaient évacuée sans combat. Comme ils n'avaient pas eu le temps d'emporter leurs biens, l'armée franque fit un butin considérable en vivres et en métaux précieux. Ibn al-A*th*îr nous dit que Baudouin poussa jusqu'à la branche pélusiaque du Nil, en face de « l'île » de Tiné. Et *l'Estoire d'Éracles*, de son côté, nous peint l'orgueil et l'émerveillement du roi en contemplant le grand fleuve. « Tantost com la cité (de "Faramie") fu prise, li Rois issi à la bouche du Nil[238]. Moult durement s'émerveilla de cele eaue et volentiers l'esguarda, por ce que l'on dit que cil braz vient d'un des quatre fluns de Paradis[239]. » Mais ce fut alors que le roi se sentit atteint du mal qui allait l'emporter. On sait qu'il devait expirer en arrivant à al-'Arîsh (2 avril 1118)[240].

*Baudouin Ier et les Syriens chrétiens. Colonisation de la Judée par l'immigration des communautés grecques et syriaques de Transjordanie.*

Entre la fondation de Montréal et l'expédition d'Égypte se place une initiative capitale de Baudouin Ier : son appel à l'immigration des Syriens chrétiens pour repeupler Jérusalem.

L'expérience de 1113 hantait les souvenirs du roi. Il avait alors suffi de l'apparition des coureurs turcs dans les campagnes de la Galilée et de la Samarie pour que les paysans arabes se révoltassent contre leurs maîtres francs. Par ailleurs, tandis que l'armée franque était retenue près de Tibériade, Jérusalem s'était trouvée presque vide et avait failli être emportée par les Égyptiens. Baudouin sentit la nécessité d'assurer le peuplement chrétien de la Syrie franque, à commencer naturellement par Jérusalem.

Si la population arabe indigène avait été à peu près maintenue dans les campagnes du royaume, elle avait été entièrement éliminée de Jérusalem. Les Arabes « qui estoient en la cité quand ele fu prise furent presque tuit occis, et s'il en remest (resta) aucunz qui ne fussent mort, l'en ne les lessa (pas) remanoir (demeurer) dedanz la ville, car li haut baron qui la pristent distrent que ce seroit grand tort et hontes aus Sainz Leus se cil i abitoient qui ne créoient mie en Jhesucrist ». Mesure radicale qui sans doute évitait aux Francs de voir la contre-croisade trouver des intelligences dans la place, mais qui présentait le grave inconvénient de donner pour capitale au nouveau royaume une ville dépeuplée.

Car l'élément chrétien indigène – de rite syriaque ou de rite grec – qui avait été très fortement représenté jusqu'à la Première Croisade, avait été, de son côté, brutalement éliminé par les Musulmans au moment de l'arrivée des Croisés : l'exemple d'Antioche et d'Édesse avait appris aux Musulmans que les chrétiens indigènes faisaient d'instinct cause commune avec les Francs, au point qu'en terre d'Islam on accusait les chrétiens indigènes d'avoir appelé les Francs et provoqué l'arrivée de la Croisade : « Des Suriens (= des Syriens chrétiens) i avoit-il trop pou, note à ce sujet *l'Estoire d'Éracles*, car, dès que li Crestien (= les Croisés) vindrent, li Sarrazin qui seigneur estoient de la terre, lor firent tant de contraires que il les gastèrent presque touz par les mesèses qu'il leur firent soufrir ; meismement puis (= depuis) que Antioche fu prise, les orent-ils mout soupçonneus, si qu'ils les occioient por assez légères achoisons ; car il leur reprochoient que par messages et par lettres avaient envoié querre les barons de France[241]. »

Les Musulmans ayant éliminé les Syriens chrétiens et les Croisés ayant ensuite expulsé les Musulmans, le résultat était que Jérusalem était déserte, car les Latins ne constituaient, exception faite des époques de pèlerinage, qu'une poignée de gens. « Li nostre Crestien, brode le Traducteur, estoient si pou que à peine pooient-il emplir une des mestres rues » – image empruntée sans doute au spectacle de quelque procession traversant la Voie douloureuse. Aussi Jérusalem était-elle incapable de se défendre dès que l'armée royale chevauchait au loin, et c'est ce qui inquiétait Baudouin. « Com li Rois estoit sages, il se porpensa un jor que la citez de Jherusalem n'estoit mie bien habitée de gent qui defendre la poïssent, si que quant li besoinz de la Crestienté le fesoit chevauchier ailleurs, il estoit granz périlz de perdre la ville ; porce que dedenz n'avoit mie soffisament genz dont il poïst les tors garnir, ne fere garder les murs, ne les portes. » Les Arabes « chevauchoient souvent là entor quant ils savoient que li Rois estoit esloigniez. De ce fu mout li Rois angoisseus, et demanda conseil à maintes genz coment il porroit raemplir la ville d'abitéeurs (= d'habitants) ».

Provoquer une immigration latine suffisante était malheureusement impossible. Rappeler des Arabes eût été folie. Restait à faire venir de Transjordanie et du *H*aurân les chrétiens indigènes qui s'y trouvaient encore. C'est à cette solution que s'arrêta Baudouin. Il fit secrètement avertir les communautés syriaques ou grecques de la région, leur proposant d'émigrer et de venir coloniser, avec traitement de faveur, la ville sainte. « Li Rois oï dire que outre le flum Jordain, en Arrabe, avoit assez Crestiens qui vivoient en servage desouz les Turcs. Li Rois les envoia querre tout celéement (= secrètement), et leur manda que, se il vouloient venir abiter en Jérusalem, il leur donroit assez plus qu'il n'avoient là, et si seroient plus à enneur et à grand èse avec la gent de leur foi. Quant il oïrent ce, mout i vindrent volentiers ; si amenoient femmes et enfanz, bestes et toutes leur choses, si com il s'en pooient venir (= tant qu'il en pouvait venir). » La nouvelle des propositions de Baudouin dépassa même les limites de la Transjordanie. Un grand nombre de communautés syriaques en pays de domination musulmane durent être, de proche en proche, touchées par cet appel. « Des autres lieus meismes de paiennime vindrent assez Crestiens. Quant il oirent ces noveles que li Rois les apeloit si bel et leur donoit héritages, tant en i vint que la cité fu raemplie là où elle estoit vuide. » Conformément à la promesse royale, concessions et lotissements furent accordés en franchise à tous ces immigrants. « Franchement leur fist li Rois tenir leur teneures que il leur assena (= assigna), si com il estoit bien (de) droiz en si franche ville et en si noble comme estoit la cité de Jherusalem[242]. »

L'immigration des chrétiens grecs et syriaques, le repeuplement de Jérusalem et, sans doute aussi, de plusieurs autres centres par cet élément sûr et fidèle, c'est par de telles mesures que Baudouin Ier se montra vraiment le fondateur du royaume latin. Les conquérants occidentaux étaient trop peu nombreux pour constituer autre chose que les cadres politiques et militaires du royaume. Pour appuyer leur pouvoir sur un élément rural et citadin ils étaient trop heureux de trouver en Palestine les communautés syriaque ou melkhite, comme, dans le comté de Tripoli, les Maronites, dans la principauté d'Antioche, les masses syriaques et arméniennes, dans le comté d'Édesse, les Arméniens et les Nestoriens. En provoquant l'immigration à Jérusalem des chrétiens indigènes de Transjordanie, Baudouin Ier ne se conduisait pas autrement que, de nos jours, le Haut Commissariat français quand celui-ci implante les émigrés arméniens dans les faubourgs de Beyrouth. Pour s'adapter solidement, le royaume latin devait en effet se fonder sur une étroite association latino-syriaque. Ce fut le mérite de Baudouin Ier de l'avoir compris, malgré toutes les rivalités de rites, si vives à cette époque et plus particulièrement dans cette Palestine où elles troublent encore aujourd'hui la paix des Lieux Saints.

*Progrès de la colonisation franque. Rapide adaptation des colons occidentaux et formation d'une nation franco-syrienne.*

En même temps, ceux des conquérants et des pèlerins francs qui étaient restés en Syrie s'adaptaient de jour en jour et donnaient naissance à un peuple nouveau et à un esprit colonial dont l'apparition a été saluée non sans surprise par un des acteurs mêmes de ce mouvement, le chroniqueur Foucher de Chartres. « Occidentaux, nous voilà transformés en habitants de l'Orient ! L'Italien ou le Français d'hier est devenu, transplanté, un Galiléen ou un Palestinien. L'homme de Reims ou de Chartres s'est transformé en Tyrien ou en citoyen d'Antioche. Nous avons déjà oublié nos lieux d'origine ; qui s'en souvient encore ? On n'en entend plus parler. Ici l'un possède déjà maison et domesticité avec autant d'assurance que si c'était par droit d'héritage immémorial dans le pays. L'autre a déjà pris pour femme non pas une compatriote, mais une Syrienne, une Arménienne, parfois même une Sarrasine baptisée ; et alors il habite avec toute une belle-famille indigène. Nous nous servons tour à tour des diverses langues du pays, l'indigène comme le colon est devenu polyglotte et la confiance rapproche les races les plus éloignées. La parole de l'Écriture se vérifie : *Le lion et le bœuf mangeront au même râtelier* (Isaïe, LXV, 25). Le colon est maintenant devenu presque un indigène, l'immigré s'assimile à l'habitant. Chaque jour des parents et des amis viennent d'Occident nous rejoindre. Ils n'hésitent pas pour cela à abandonner là-bas tout ce qu'ils possédaient. En effet celui qui là-bas était pauvre atteint ici, par la grâce de Dieu, à l'opulence. Celui qui n'avait que quelques deniers se trouve ici à la tête d'une fortune. Tel qui en Europe ne possédait même pas un village se voit en Orient seigneur d'une ville entière. Pourquoi reviendrions-nous en Occident, puisque l'Orient comble nos vœux[243] ? »

Quel manifeste colonial plus éclatant qu'un tel passage, inséré par Foucher de Chartres sous la rubrique des années 1120 ? Dans ce premier quart du douzième siècle, une Nouvelle-France s'était constituée au Levant et, avec une rapidité et une vitalité surprenantes, avait solidement pris racine dans le milieu indigène.

## § 5. — Politique intérieure de Baudouin Ier. Affermissement du principe monarchique.

*Lutte de Baudouin Ier et du patriarche Daimbert.*
*Expulsion du patriarche par le roi.*

Nous venons de voir comment Baudouin Ier, par une politique indigène généralement fort habile, sut asseoir en terre d'Orient le royaume de Jérusalem. Il nous reste à montrer comment il sut de même, à l'intérieur de la société latine, asseoir la royauté franque.

Au début, nous l'avons vu, Baudouin avait eu à lutter contre le programme théocratique du patriarche Daimbert de Pise. Il l'avait emporté de haute lutte, obligeant Daimbert à abandonner ses visées de domination temporelle. L'ambitieux prélat avait fini par s'incliner. À la Noël de 1100 il avait sacré Baudouin roi dans l'église de Bethléem[244]. Mais la réconciliation ne fut qu'apparente. Au bout de deux mois la lutte reprit (mars 1101). Pour Guillaume de Tyr, défenseur de Daimbert et du parti ecclésiastique, ce serait Arnoul Malecorne, l'éphémère patriarche de 1099 déposé pour indignité, qui aurait par ses machinations réveillé la querelle. À en croire notre chroniqueur, Daimbert était un esprit trop religieux et trop pacifique pour se défendre contre ces attaques ; il préféra abandonner son siège et se réfugier à Antioche auprès de Bohémond : « Cil Arnous, arcediacres de Jérusalem, si comme estoit sa coustume, mist toute la peine qu'il pot à metre descorde entre le Roi et le patriarche Daimbert ; et fist tant que un contenz (conflit), qui avoit este entr'eus apaisiez, resordi. » « Par la malice » d'Arnoul, poursuit *l'Estoire d'Éracles*, le clergé hiérosolymitain se déclara contre Daimbert : « Assez ii firent torz et honte. Li bons hom (= Daimbert), qui mout estoit religieus et mout amoit pais, ne pot soufrir ces outrages que l'en li faisait ; por ce lessa l'église et la cité, et ala à Antioche à Buiémont[245] por li demander conseil et aide, car il estoit mout ses amis[246]. »

Chez Albert d'Aix, panégyriste de Baudouin Ier et défenseur de la thèse royaliste, c'est naturellement une tout autre note. Au lieu d'incriminer l'archidiacre Arnoul Malecorne, on avoue ici franchement que le roi ne pouvait pardonner à Daimbert « sa perfidie », la tentative du prélat pour le déposséder, lui, Baudouin, de l'héritage de son frère Godefroi, l'intrigue nouée pour faire passer le royaume à une maison « étrangère », – celle de Bohémond[247]. Devant toute l'église de Jérusalem, nous dit Albert d'Aix, le roi somma Daimbert d'avoir à se justifier de ce complot que les lettres adressées par le patriarche à Bohémond et dérobées à son secrétaire Morellus avaient permis de dévoiler. Le patriarche refusant de s'incliner, le roi, « indigné de son tempérament indomptable », en appela contre lui au pape Pascal II, avec ce chef d'accusation particulièrement grave que Daimbert avait, par ses excitations à Bohémond, cherché à allumer une guerre fratricide entre les princes croisés. Un concile se réunit à

Jérusalem pour juger le différend, sous la direction du cardinal légat Maurice, évêque de Porto (fin mars 1101)[248]. Dans cette assemblée Baudouin produisit la lettre de Daimbert à Bohémond, naguère interceptée par les Provençaux. Fort d'une telle preuve, il accusa publiquement Daimbert d'avoir cherché à le faire assassiner par Bohémond pendant la marche d'Édesse sur Jérusalem. En conséquence de quoi il demanda la déchéance du patriarche. Le légat, impressionné par les preuves produites, penchait pour la déposition ; le temps de Pâques approchant, il interdit à Daimbert de monter, selon la coutume, au Mont des Oliviers, et s'y rendit seul pour y célébrer les solennités de la Semaine Sainte (18-21 avril 1101). Daimbert, abattu par ce désaveu public, vit disparaître sa superbe ; il alla trouver Baudouin, le suppliant avec larmes de lui épargner une telle humiliation. En vain cherchait-il à l'attendrir en lui rappelant que c'était lui qui l'avait couronné. Le roi résistait toujours. Alors, raconte Albert d'Aix, Daimbert murmura à l'oreille du roi qu'il lui offrait 300 besants. Baudouin avait les plus graves soucis d'argent pour la solde des troupes. Il accepta secrètement l'offre, alla trouver le légat et, par un touchant discours sur la nécessité de la réconciliation entre chrétiens, fit rendre au patriarche le droit d'officier[249].

Ce n'était qu'une trêve. Quelques mois après, à l'été 1101, au plus fort de la guerre contre les Fâtimides, Baudouin eut de nouveau besoin d'argent pour la solde des troupes. De Jaffa où il faisait le guet, attendant chaque jour l'attaque de la grande armée égyptienne, il courut à Jérusalem chercher de l'argent pour continuer la guerre (juillet 1101). Il invita donc le patriarche à lui consentir un nouveau don – sur les offrandes des Fidèles, – don destiné à la solde des chevaliers et à la levée de nouvelles troupes. Le patriarche lui remit deux cents marcs d'argent en lui jurant que c'était tout ce que renfermaient les caisses ecclésiastiques. Le roi, ajoute Albert d'Aix, croyait ces protestations, lorsque l'archidiacre Arnoul Malecorne et d'autres clercs du même parti vinrent l'assurer que le patriarche cachait des sommes énormes. Furieux, Baudouin fit appeler le prélat et le mit en demeure de lui donner sur-le-champ de quoi lever une armée suffisante pour défendre « les pèlerins, les Lieux Saints et toute l'Église »[250]. Mais, depuis les premiers incidents, Daimbert était devenu l'ami du légat, avec lequel, affirme Albert d'Aix, le liait un goût commun pour la bonne chère, si bien que, se sentant désormais garanti de ce côté, il ne tint aucun compte des demandes royales. Seulement Baudouin n'était pas homme à se laisser berner. Certain jour que Daimbert et le légat faisaient bombance au palais patriarcal – le menu étant ce jour-là particulièrement soigné et les vins coulant à flots[251] – le roi, que des âmes charitables n'avaient pas manqué d'avertir, accourut, força la porte et surgit devant les convives. Sa foudroyante harangue, dont Albert d'Aix nous donne le sens, cloua au pilori les deux prélats : « Vous passez votre temps en banquets, nous à exposer notre vie nuit et jour, pour la défense de la Chrétienté. Vous dévorez pour vos plaisirs les offrandes des fidèles, sans vous soucier de la détresse de nos soldats. Mais, je vous le jure, vous cesserez de vous remplir le ventre du tribut de la Chrétienté, si vous ne payez pas sur-le-champ la solde des troupes ! » À quoi, toujours d'après Albert d'Aix, Daimbert aurait répondu que le prêtre a droit à vivre de l'autel, que l'Église n'a pas à être serve de la royauté et qu'une telle impiété vaudrait au roi l'excommunication. Quant au légat Maurice, plus débonnaire, il s'efforçait en vain de calmer les adversaires. Mais le roi, plus violemment, reprenait : « Que ceux qui servent l'autel, vivent de l'autel, as-tu dit ? Eh bien, en ce cas, c'est d'abord à mes soldats à en vivre, car ce sont eux qui le servent le mieux puisqu'ils le défendent chaque jour contre les Sarrasins ! Et ce ne sont pas seulement les aumônes ecclésiastiques que je veux pour payer la troupe, c'est l'argent des sanctuaires, c'est tout l'or du Saint-Sépulcre que j'irai prendre pour équiper l'armée, car les Sarrasins sont là ! Quand on les aura repoussés, quand la Terre Sainte sera hors de péril, je rendrai à l'Église, au centuple, ce que je lui aurai pris ! » Albert d'Aix observe malicieusement que les anciennes études ecclésiastiques de Baudouin, sa connaissance du droit canon et de l'éloquence sacrée ne lui furent pas inutiles dans cette véhémente diatribe[252].

Daimbert parut vaincu par une telle éloquence appuyée sur de bonnes troupes. Sur le conseil du légat, toujours conciliant, il promit d'assurer la solde d'un corps de chevaliers. Le roi se retira. Mais le patriarche, dont l'entêtement et l'avarice semblent avoir été les défauts dominants, différa ensuite de jour en jour le versement des sommes promises. Baudouin était exaspéré.

Un scandale plus grand éclata qui vint le servir. Le prince normand Roger de Pouille avait envoyé à Daimbert mille besants à partager en trois entre les chanoines du Saint-Sépulcre, l'Hôpital et le roi pour la solde des chevaliers. Daimbert, dans son avarice sénile, garda tout pour lui. Mis au courant par l'envoyé normand, le roi fit publier le scandale. Convaincu de détournement de fonds, Daimbert ne put que se taire et fut aussitôt déclaré déchu de son siège. Il partit tristement pour Jaffa où Baudouin lui permit de passer l'automne de 1101 et l'hiver de 1101-1102. En mars 1102 il gagna Antioche. Après son départ ses camériers, sous les menaces de Baudouin, révélèrent à celui-ci la cachette de son trésor, qui se montait à 20 000 besants d'or. Le roi partagea cette somme entre ses soldats, mesure d'autant plus opportune qu'on avait à faire face à une nouvelle invasion fâ*t*imide. Quant au légat Maurice, Baudouin mit tout en œuvre pour lui faire oublier ce que ses interventions avaient eu d'un peu rude et il y réussit. L'habile souverain avait voulu se débarrasser d'un patriarche dangereux par ses visées théocratiques, mais il va sans dire qu'il entendait rester un fils soumis de l'Église romaine[253].

Cependant Daimbert était loin d'avoir renoncé à son siège. Il s'était réfugié, on l'a vu, à Antioche, auprès de Tancrède, remplaçant de Bohémond et qui, comme ce dernier, « était fort de ses amis. » Il venait chercher auprès de lui aide et protection. Daimbert songeait-il encore à dresser contre la dynastie lotharingienne, qu'il n'avait accceptée qu'à contrecœur, les princes normands de l'Oronte, ses protecteurs de toujours ? Toutefois Tancrède, engagé dans une âpre lutte contre les Turcs, ne désirait nullement une affaire avec le roi de Jérusalem. Il se contenta d'accueillir Daimbert avec toute la déférence possible et, d'accord avec le patriarche d'Antioche, Bernard de Valence, il attribua au fugitif Saint-Georges d'Antioche, une des églises de la ville dotées des meilleures rentes et des plus riches tenures[254]. Mais à l'automne de 1102 l'occasion se présenta. Baudouin Ier, assailli par une redoutable invasion fâtimide et battu près de Ramla, avait fait appel à Tancrède, ainsi qu'à Baudouin du Bourg, comte d'Édesse. Tancrède et Baudouin du Bourg accoururent, mais le premier amena Daimbert avec lui. Et comme le roi, dans la situation critique où il se trouvait, avait besoin de leur aide, Tancrède et ses compagnons (car Tancrède entraîna dans sa démarche le comte d'Édesse et Guillaume IX d'Aquitaine) invitèrent Baudouin à rétablir Daimbert sur le siège patriarcal, faute de quoi ils refusaient leur concours contre l'invasion égyptienne[255]. Requête qui, dans les circonstances difficiles où se trouvait le roi, prenait les allures d'un ultimatum ou d'un chantage. Arrivés vers le 25 septembre 1102 en vue de Jaffa où se tenait Baudouin, ils établirent leur camp sur le Nahr al-Aujâ, au nord de la ville, pour obtenir de lui une assurance préalable à ce sujet. Nous n'avons pas besoin du témoignage d'Albert d'Aix pour imaginer la colère de Baudouin. Mais, politique toujours, il céda puisqu'il ne pouvait refuser. Il spécifia seulement que Tancrède, le comte d'Édesse et le duc d'Aquitaine l'aideraient d'abord à vaincre les Égyptiens, après quoi on envisagerait la restauration du patriarche. Justement un nouveau légat venait d'arriver, le cardinal de Paris, Robert, envoyé par le pape Pascal II pour remplacer Maurice, décédé, et régler les affaires de l'Église de Jérusalem. Tancrède et ses compagnons vinrent donc aider le roi à assiéger Ascalon, après quoi on réintronisa Daimbert. Cette restauration s'effectua dans un grand « concile » tenu à Jérusalem au commencement du mois d'octobre 1102. Albert d'Aix nous dit que l'unanimité des clercs se prononça en faveur de la mesure, mais il faut bien supposer que la pression des chevaliers d'Antioche n'y fut pas étrangère[256].

Cependant le roi ne désarmait pas. Il était quitte de sa promesse puisqu'il avait laissé restaurer Daimbert. Cela fait, il provoqua, séance tenante, la réunion d'un nouveau synode au Saint-Sépulcre, avec le cardinal-légat, tous les prélats palestiniens, les évêques venus en pèlerinage – l'évêque de Laon, l'évêque de Plaisance, l'évêque de Mamistra, – les abbés de Sainte-Marie Latine, de la vallée de Josaphat, du Mont Thabor, etc. Là on vit se lever, « témoins et accusateurs », les évêques de Césarée[257], de Bethléem, de Ramla[258] et surtout l'ennemi personnel de Daimbert, Arnoul Malecorne, archidiacre du Saint-Sépulcre. Daimbert fut par eux accusé d'avoir pratiqué la simonie, détourné pour lui-même les fonds de l'Église et versé le sang chrétien : n'avait-il pas, comme chef de l'escadre génoise, en se rendant à la Croisade, en 1099, attaqué les Grecs de Sainte-Maure, Céphalonie, Corfou et Zante[259] ? N'avait-il pas cherché à provoquer une guerre impie entre Bohémond et Baudouin ? Albert d'Aix nous affirme que Daimbert fut reconnu coupable, que le cardinal légat l'abandonna, qu'il refusa néanmoins de se soumettre et fut par l'assemblée solennellement déclaré déchu et anathème[260]. Tancrède et ses amis, nous dit Albert d'Aix, « voyant que l'affaire avait été régulièrement jugée, n'insistèrent plus ». Ils intercédèrent seulement pour que Daimbert fût absous des crimes dont on le chargeait, mais renoncèrent à lui faire rendre le patriarcat. Après avoir salué le roi, ils reprirent le chemin d'Antioche, suivis du triste Daimbert. Baudouin l'avait emporté. « Ils partirent, dit Albert d'Aix, et le roi resta à Jérusalem, joyeux et plein de gloire[261]

*Patriarcats d'Ebremar et de Gibelin.*

On régla alors la question du patriarcat. « Sur le conseil du cardinal-légat, dit encore Albert d'Aix, par le choix du clergé et de tout le peuple, on élut patriarche un clerc du diocèse de Thérouanne, venu avec la Première Croisade, nommé Ebremar (Evermerus), excellent homme, de réputation irréprochable, fort charitable et très religieux. » Guillaume de Tyr ne conteste pas les qualités du nouvel élu : il était, nous dit-il, de bonne vie et ne voulant que le bien, mais simple et même sot au point de ne pas s'être rendu compte qu'il n'était qu'un instrument entre les mains d'Arnoul Malecorne, lequel lui faisait jouer le rôle d'usurpateur[262]. Guibert de Nogent nous dit de même qu'Arnoul Malecorne, sachant qu'il ne pouvait poser sa propre candidature, fit nommer son ami Ebremar, précisément parce que celui-ci était trop simple et trop illettré pour poursuivre une politique personnelle[263]. En tous cas Baudouin était satisfait : un saint homme et nullement un politique, c'est exactement ce qu'il voulait pour le siège patriarcal. Ajoutons qu'à l'heure du péril Ebremar devait se révéler homme de cœur, comme en

1105, quand il accourut de Jérusalem avec la Vraie Croix et des renforts pour rejoindre Baudouin sur le champ de bataille de Ramla[264].

L'affaire du siège patriarcal de Jérusalem rebondit en 1104-1105 et alla jusqu'à Rome. D'une part, à en croire Guibert de Nogent, Arnoul Malecorne, qui avait cru gouverner l'Église de Jérusalem sous le nom de l'insignifiant Ebremar, eut des désillusions : le nouvel élu était un saint qui refusait de se prêter aux petites combinaisons de ses électeurs. Dès lors Arnoul et son parti commencèrent à se détacher de lui et cessèrent de le soutenir auprès de Rome[265]. Le malheureux Ebremar était en même temps attaqué d'un autre côté, car Daimbert ne se résignait nullement à sa déposition. Ayant entre octobre et décembre 1104 suivi en Italie son protecteur Bohémond, Daimbert vint porter plainte auprès du pape et du sacré collège contre ses persécuteurs, le roi et l'archidiacre Arnoul Malecorne. Dans ce milieu italien, son origine pisane ne pouvait que lui servir. « Grant pitié en orent tuit cil qui l'oïrent, car il tenoient le patriarche mout à bon home. » Le pape et les cardinaux agirent d'ailleurs avec la plus grande circonspection. Pendant plusieurs mois ils retinrent Daimbert auprès d'eux, en attendant que Baudouin leur envoyât une délégation pour s'expliquer sur sa conduite. Mais sans doute le roi, à l'instigation d'Arnoul, commençait-il déjà à retirer sa protection à Ebremar. Personne ne se présentant de la part de Baudouin, le pape Pascal II jugea que cette carence était un aveu. « Quand il virent que nul n'i vendroit, il sorent que nule droite reson n'i avoit eue, fors la volenté le (= du) roi et sa force. » Pascal II, estimant que Daimbert avait été déposé sous la pression du pouvoir civil, au mépris des canons, cassa cette déposition et l'envoya, muni de bulles expresses, réoccuper le siège patriarcal de Jérusalem. Mais comme Daimbert attendait à Messine le départ du bateau qui devait le ramener triomphant en Palestine, il mourut subitement (15 juin 1107)[266].

Cependant Ebremar, dès qu'il avait appris la tendance du pape, s'était mis en mer pour venir se justifier à Rome. Comme il arrivait en Italie, il dut être informé du décès de son compétiteur. Mais ce décès même achevait de dégager Arnoul Malecorne de tout ménagement à son égard. De fait,

Arnoul accourut sur ses pas à Rome pour l'attaquer auprès du Pape. Ebremar se défendit avec succès : il semble que Pascal II était enclin à le maintenir en fonctions, maintenant que Daimbert avait disparu[267]. Toutefois le pape jugea sage de réserver la décision finale à un légat, envoyé à cet effet en Terre Sainte, et qui fut le vénérable archevêque d'Arles, Gibelin de Sabran, que son grand âge et sa sagesse mettaient à même d'être un arbitre impartial[268].

À son arrivée en Terre Sainte, Gibelin réunit un nouveau synode. Dès le début, il apparut que le roi et les clercs, à l'instigation d'Arnoul Malecorne, ne voulaient plus du malheureux Ebremar : quand ce dernier avait débarqué à Acre, le roi l'avait laissé s'y morfondre, sans vouloir même prendre connaissance des lettres d'introduction pontificales. Il fallut donc nommer un nouveau patriarche. Toujours à l'instigation d'Arnoul, le roi fit élire le légat Gibelin lui-même (printemps 1108). D'après *l'Estoire d'Éracles*, Arnoul fit désigner Gibelin, à cause précisément de son grand âge, comme pouvant bientôt lui faire place à lui-même : l'astucieux archidiacre s'acheminait ainsi vers le patriarcat, objet de sa constante ambition. « Ceste élection, dit notre chroniqueur, fu fète par la malice (de) Arnoul porce que il (Gibelin) estoit de grant aage, et bien savoit qu'il ne porroit mie longuement durer ; si li ama mieus que un plus jeune[269]. » Quant au bon Ebremar, on lui donna comme compensation l'archevêché de Césarée[270].

*Répudiation de la reine Arda.*

Une autre affaire qui faillit valoir à Baudouin Ier les foudres de l'Église fut celle de son divorce. Quand il n'était encore que comte d'Édesse, il avait épousé, on s'en souvient, Arda, fille d'un chef arménien du Taurus[271] : mariage politique s'il en fût, qui lui valait le ralliement de l'élément arménien, si important dans le comté d'Édesse. Mais depuis son couronnement à Jérusalem, où les Arméniens ne comptaient pas, cette union lui était à charge. Avec la même désinvolture que pour la déposition du patriarche, il mit sa femme au couvent. « Par sa seue autorité la mist en religion et la fist devenir nonain en l'église (de) madame sainte Anne : c'est uns leus qui est en

Jérusalem, en la partie qui est devers Orient, delez la porte qui a non Josafas. Léanz avoit trois povres femmes ou quatre qui vivoient en habit de religion. » Il est vrai que Baudouin prit à cœur d'enrichir le couvent : « Quant li Rois i ot mise sa femme (au couvent de Sainte-Anne), il enrichi le leu de rentes et de teneures. » Baudouin se dispensa d'expliquer la raison de cet acte et le bon chroniqueur se perd en conjectures. « Li un disoient qu'il la lessa por prendre une autre plus riche, car il estoit si povres de terres et de muebles qu'il li convenoit à fère meschief dont il poïst issir de povreté ; li autre que li Rois s'estoit aperceuz que la roine se contenoit folement de son cors, ne ne li gardoit mie bien la loiauté qu'èle li avoit promise au mariage » ; et *l'Estoire d'Éracles*, malgré son blâme pour la répudiation, ne peut s'empêcher d'avouer que la conduite ultérieure de la princesse sembla bien donner raison à ces soupçons. « La reine fist grant semblant qu'ele ot grant joie au commencement de la religion, et bien se contint honestement une pièce (un moment) » ; après quoi elle vint modestement prier le roi de la laisser aller à Constantinople pour voir ses parents et obtenir d'eux une donation pour son monastère. Une fois hors du royaume, elle se défroqua joyeusement et se livra tout entière au plaisir : « mist jus (= bas) tout l'abit de religion et mena moult mauvèse vie d'ilec en avant ; son cors abandona à garçons et à autre gent[272]. » Quant au roi Baudouin, Guibert de Nogent nous avoue qu'il retrouva avec joie la vie de célibataire[273].

Faut-il voir une manœuvre de Baudouin pour se réhabiliter auprès du Saint-Siège dans les faveurs dont il combla l'église de Bethléem ? *L'Estoire d'Éracles* nous dit que « sainte église vouloit-il mout ennorer et essaucier » ; dans ce but, en 1110, il demanda l'élévation, au rang de cathédrale, de l'église de Bethléem qui n'était jusque-là qu'un simple prieuré. Le patriarche Gibelin et le roi envoyèrent à Rome l'archidiacre Arnoul Malecorne qui en rapporta l'assentiment du pape. Le roi fit élire évêque de Bethléem un membre du chapitre de Jérusalem nommé Aschetinus et donna au nouvel évêché à perpétuité la ville même de Bethléem, plus un certain nombre de casaux situés sur les territoires d'Acre et de Naplouse. « Bone chartre leur en fist, par quoi il conferma à l'église toutes ces choses »[274].

*Patriarcat d'Arnoul Malecorne.*

Le patriarche de Jérusalem, l'excellent vieillard Gibelin de Sabran, mourut le 6 avril 1112. Trois semaines après on élut à sa place, comme il était à prévoir, l'âme damnée du roi, l'archidiacre Arnoul Malecorne. Il y avait douze ans qu'Arnoul attendait cette heure. Guillaume de Tyr qui le poursuit de sa vindicte lui applique les citations les plus désobligeantes du *Livre de Job* : « Propter peccata populi patitur Deus regnare hypocritam », ce que la traduction française rend plus pittoresquement encore : « Ce fu por le pechié du clergié et du pueple que... Nostre Seigneur avoit deservi tel prélat sur eus. » À en croire Guillaume, le patriarcat d'Arnoul Malecorne aurait été digne de ses intrigues comme archidiacre : « Si come il avoit fet avant, ne cessa mie à fere assez mauveses evres, car (ajoute le traducteur) il doutoit (= redoutait) pou Nostre Seigneur. » Sans doute l'archevêque de Tyr poursuit ici de son ressentiment le clerc qui avait en 1100 fait avorter le projet de principauté ecclésiastique à Jérusalem. Toutefois les faits rapportés semblent bien démontrer qu'Arnoul pratiqua sans vergogne le népotisme et la simonie. Ce fut ainsi qu'ayant marié sa nièce Emma ou Emelotte à Eustache Garnier, sire de Césarée et de Sidon, le nouveau patriarche lui donna comme dot Jéricho et ses dépendances, la meilleure terre du domaine du Saint-Sépulcre, évaluée à 5 000 besants de rente. *L'Estoire d'Éracles* ne manque pas d'ajouter qu'« il fu de trop mauvaise vie, com cil qui ne doutoit (= craignait) péchié ne blasme, si que mout issoit de lui male renommé par tout le pueple ».

Pour briser l'opposition du chapitre, Arnoul aurait encore, toujours au témoignage de Guillaume de Tyr, remplacé par des créatures à lui les chanoines nommés par Godefroi de Bouillon et Daimbert. La traduction française du chroniqueur est d'ailleurs assez chaude[275] : « Pource qu'il poïst mieux fere sa volenté des choses de l'eglise, il porchaça tant par sa malice que li establissemenz fu despeciez que li dux Godefroiz et li autre baron avoient establi en l'église du Sepucre quant la cité fu conquise (car il i mistrent clers qui avoient riches provendes, et par eus et par leur compaignies servoient mout hautement l'église) ; cil ne fina onques jusqu'il i ot mis chanoines rieulez (= réguliers) qui estoient menue genz, ne riens ne li osoient contredire qu'il vousist fere. » C'est enfin Arnoul que Guillaume de Tyr rend responsable de la bigamie de Baudouin Ier.

*Mariage de Baudouin Ier et d'Adélaïde de Sicile.*

De toute l'histoire de son règne, le caractère de Baudouin se dégage comme celui d'un politique calculateur et froid, réfractaire aux impulsions du sentiment – sauf à la guerre où sa fougue lui fit parfois commettre de singulières imprudences. Ce caractère se marque surtout dans ses affaires matrimoniales. Nous venons de voir qu'après avoir, en tant que comte d'Édesse et pour se concilier l'élément arménien du Nord, épousé une princesse arménienne, il s'était hâté de la répudier comme sans utilité pour lui le jour où il devint roi de Jérusalem. Son second mariage, avec Adélaïde de Sicile, fut inspiré par les mêmes considérations.

Adélaïde, fille du marquis Boniface de Montferrat, était veuve du comte normand de Sicile, Roger Ier, décédé en 1101. C'était, malgré son âge mûr, un des plus beaux partis du siècle. Baudouin jeta son dévolu sur elle et la demanda en mariage. Il avait calculé que cette union lui vaudrait l'appui des Normands d'Italie et notamment du fils de la dame, Roger II, comte de Sicile. Surtout la richesse personnelle d'Adélaïde lui semblait capable de redorer le blason de Jérusalem. « Il avoit oï dire, et voirs (vrai) estoit, qu'ele estoit mout riche, et si bien de son filz qu'il ne li véast (= refuserait) chose qu'ele vousist avoir du suen. Encontre ce, li roi estoit povres et soufreteus (= impécunieux), si qu'il li covenoit chascun jor à faillir et à rompre des despens de son ostel et de la livroison à ses chevaliers ; por ce désirroit mout soi joindre à cela dame qui bien le poïst secorre à ses besoins[276]. » Ayant pris conseil de son fils Roger II, comte (et depuis roi) de Sicile, Adélaïde posa ses conditions : si elle avait un fils de Baudouin, cet enfant serait roi de Jérusalem ; sinon, la couronne de Jérusalem reviendrait, après Baudouin, à Roger II. Ces conditions furent acceptées, et Adélaïde débarqua à Acre au commencement d'août 1113.

Albert d'Aix nous peint l'arrivée de l'escadre sicilienne portant la royale fiancée, un peu comme les historiens classiques nous parlent des galères de Cléopâtre arrivant sur le Cydnus. Il y avait deux trirèmes, portant chacune cinq cents guerriers d'élite, et sept autres navires chargés d'or, d'argent, de pourpre, de pierreries et de tissus précieux, sans parler des armures étincelantes d'or. Dans le navire qui portait la princesse de Sicile un mât couvert d'or jetait ses feux au soleil, et les deux proues, incrustées d'or et d'argent, n'étaient pas moins merveilleuses à voir. Dans un autre bateau Roger II avait fait monter, pour garder sa mère, des archers arabes (il s'agissait d'Arabes de Sicile, sujets des rois normands), aux burnous d'une blancheur éclatante[277]. Guillaume de Tyr ne nous donne pas une description moins émerveillée de l'arrivée de cette escadre de légende amenant la fiancée sicilienne au roi de Jérusalem[278].

Baudouin, de son côté, était venu l'attendre en grand costume royal, avec tous ses dignitaires et tous ses pages, revêtus de leurs plus beaux atours, leurs chevaux et leurs mules caparaçonnés de pourpre et d'or, dans l'aubade des trompettes et l'allégresse des musiques. Les rues étaient couvertes de tapis multicolores, des draps de pourpre flottaient aux terrasses, la joie était universelle[279]. De fait ce mariage signifiait la consécration du jeune royaume, qui, étayé sur les États normands de Sicile, pouvait dominer la Méditerranée orientale.

Cependant, les fêtes une fois terminées, il fallut bien convenir de la situation fort irrégulière où on se trouvait. La première épouse de Baudouin, l'Arménienne Arda, n'était pas morte. Le roi était donc bigame. Adélaïde de Sicile fut, paraît-il, fort émue d'apprendre officiellement le cas, bien qu'il paraisse assez curieux qu'elle ait pu jusque-là l'ignorer. « La dame en fu deceue, qui cuidoit que li Rois la poïst bien loiaument espouser ; mès ce n'estoit pas voirs (= vrai), parce qu'il avoit encore femme toute vive qu'il avoit espousée à Rohez (= Édesse) selonc la loi de Sainte Église[280]. »

Il est vrai que Baudouin pouvait se targuer du consentement du clergé. Ce n'était pas en vain que le siège patriarcal était maintenant occupé par Arnoul Malecorne, l'âme damnée du roi. Ce politique souple qui représentait la plus haute autorité religieuse du royaume sut tranquilliser la conscience des deux époux. Guillaume de Tyr le blâme, une fois de plus, pour avoir ainsi consacré devant les autels un acte de bigamie, mais la fugue et l'inconduite avérée de la précédente reine pouvaient permettre de la considérer comme disparue. *L'Estoire d'Éracles* reconnaît d'ailleurs que, si le ciel refusa de féconder le mariage sicilien, le royaume en reçut un regain de prospérité : « Quand la dame (= Adélaïde) vint en païs, mout i fist grant bien, car ele raempli la terre de maintes choses dont il i avoit grande soufrete (= disette). » Quant à Baudouin c'est avec une précipitation dénuée d'élégance qu'on le voit refaire ses finances sur la dot de la reine. Albert d'Aix nous le montre se hâtant de transporter dans ses coffres les richesses apportées par la pauvre Adélaïde. Il est vrai qu'il put ainsi remonter les chevaliers et les sergents qui en avaient le plus urgent besoin[281].

Cependant les adversaires du patriarche Arnoul ne désarmaient pas. Ils avaient beau jeu, si nous en croyons *l'Estoire d'Éracles*, car le prélat, assuré de l'impunité par la faveur de Baudouin, pratiquait maintenant la simonie sur une vaste échelle et « les biens de l'église destruisoit touz ». Sur de nouvelles plaintes, le pape Pascal II envoya à Jérusalem un légat, l'évêque d'Orange Béranger, avec mission de faire une enquête sévère. Le légat réunit tous les évêques et abbés du royaume, convoqua Arnoul devant ce synode et, après examen des faits, le déposa (automne 1115).

Mais, comme le fait remarquer *l'Estoire d'Éracles*, le Malecorne n'était jamais à court d'intrigues, « de sorceries et d'arguz ». Il en appela au pape et partit pour Rome. Là il parla à Pascal II et aux cardinaux avec tant d'adresse – « dist tant à l'Apostoile et aus Cardonaus de beles paroles et de blandices, dont il savoit assez » –, il fit, ajoute l'archevêque de Tyr, des cadeaux si bien placés dans l'entourage du pontife que celui-ci annula les actes de l'évêque d'Orange et rétablit Arnoul dans sa dignité de patriarche de Jérusalem en lui accordant même le pallium[282]. Arnoul revint triomphant à Jérusalem où, dit le traducteur de Guillaume de Tyr, il « mena plus orde vie que devant et fu pires c'onques n'avoit esté » (août 1116).

Cependant, pour obtenir son rétablissement, Arnoul avait dû s'engager envers le pape à changer d'attitude dans la question du mariage sicilien. Il dut promettre de s'employer de tout son pouvoir à faire cesser la scandaleuse bigamie de Baudouin Ier. De cette bigamie, pour plaire au roi, son protecteur, il s'était fait jusque-là le défenseur officiel. Avec sa souplesse habituelle, son absolution par le pape étant à ce prix, il n'hésita pas à changer entièrement d'attitude, et, dès son retour en Palestine, entreprit Baudouin sur la nécessité de renvoyer la reine Adélaïde[283] .

Baudouin Ier avait un trop grand intérêt politique au maintien du mariage sicilien pour n'avoir pas longtemps fait la sourde oreille aux exhortations du patriarche. L'occasion se présenta enfin pour celui-ci d'obtenir gain de cause. À la suite d'une expédition au Wâdî 'Araba, Baudouin avait contracté une grave maladie qui le tint plusieurs semaines à Acre entre la vie et la mort (commencement de mars 1117). Craignant de paraître devant Dieu en état d'adultère et de bigamie, il écouta les conseils d'Arnoul. « Entre les autres péchiez li vint plus en remembrance... qu'il avoit lessiée sa femme qu'il avoit espousée bien et loiaument, et tenoit une autre de que (= de qui) sa conscience li disoit bien qu'ele n'estoit mie bien jointe à lui par la loi de mariage ». Les confesseurs auxquels il s'adressa, « preudomes bien letrez et de grant religion », lui montrèrent qu'il n'y avait d'autre issue que de rappeler sa première femme et de répudier la seconde. Il finit par s'y résoudre. Il n'eut pas à la vérité le moyen de faire revenir Arda de Constantinople où l'Arménienne devait se soucier fort peu de renoncer à la vie légère qu'elle avait adoptée. Mais il répudia effectivement Adélaïde de Sicile.

La chose, d'ailleurs, se passa fort mal. La malheureuse princesse « fu mout iriée (irritée) et plora ». À juste raison elle se plaignit qu'on l'eût fait venir de Sicile, sans la prévenir du cas, qu'on eût accepté avec empressement les ressources qu'elle apportait et qu'on la renvoyât aujourd'hui indignement. « Trop se pleignoit des barons de la terre qui einsi l'estoient venu engignier en son païs ; après, quant ele ot fet grant duel (= deuil) por ce qu'elle avait honte en ce département (= départ) et por son grant avoir meismes et por ses garnisons que ele avoit aportées en la terre et que l'en avoit tout despendu, ele commanda à apareillier sa nef por retorner en Secile » (25 avril 1117)[284].

Le pire fut que l'injure faite à Adélaïde fut vivement ressentie par son fils, le puissant prince de Sicile Roger II et par toute la noblesse italo-normande. Le calcul de Baudouin Ier se retournait contre lui. Il avait jadis épousé Adélaïde pour obtenir l'appui des Normands de Sicile et assurer à la Syrie franque un ravitaillement régulier par cette terre relativement proche : « icèle gent de Sezile, comme dit *l'Estoire d'Éracles*, qui sont plus près (de la Syrie) et plus légièrement i poïssent secorre de genz et de vitailles, d'armeures, de choses dont il i a souvent mestier. » Mais la brouille qui suivit la répudiation de la princesse entraîna une rupture durable de ces relations, si bien qu'à l'époque où écrivait Guillaume de Tyr (vers 1180) les deux cours étaient encore en froid.

*L'affaire de la succession de Tripoli.*
*Le roi de Jérusalem reconnu suzerain du comté de Tripoli, de la principauté d'Antioche et du comté d'Édesse (1109).*

Nous avons vu que, jusqu'au milieu de son règne, Baudouin, en dépit de son titre royal, n'avait pu se prévaloir d'aucune suzeraineté juridique sur les deux seigneuries franques voisines, le comté provençal du Liban, la principauté normande d'Antioche. Lorsque, à l'automne de 1102, le régent d'Antioche, Tancrède, et le comte d'Édesse, Baudouin II du Bourg, étaient venus en Palestine pour prêter main-forte au roi, ils avaient commencé par lui adresser une manière de sommation préalable sur la question du patriarcat : rien ne prouve mieux qu'à cette date ils se considéraient comme de plain-pied avec lui. La querelle de la succession de Raymond de Toulouse, que nous raconterons plus en détail ultérieurement, lui fournit enfin, en 1109, l'occasion de faire brusquement – et avec quelle énergie – acte de suzerain. Cette succession – qui portait sur le comté provençal du Liban, le futur comté de Tripoli – était disputée entre Guillaume Jourdain, neveu, et Bertrand, fils de Raymond. Tancrède avait pris parti pour Guillaume Jourdain. Bertrand ayant fait appel à Baudouin, celui-ci, en vertu de son pouvoir royal, somma aussitôt Guillaume et Tancrède de se soumettre à sa juridiction (mars 1109). L'ordre signifié de sa part aux deux barons par Payen de Caïffa et par Eustache

Garnier, est un manifeste juridique remarquable où chaque mot porte. Il annonce l'avènement du Royaume de Jérusalem en tant que royaume de Syrie : Bertrand, dit le roi à Guillaume Jourdain et à Tancrède, a interjeté appel auprès de Nous contre vos usurpations. Il plaît donc à l'Église de Jérusalem que, venant comparaître à Tripoli devant Nous, vous restituiez ce que vous avez pris à Bertrand et aussi à Baudouin du Bourg (comte d'Édesse, opprimé par Tancrède) et à Jocelin de Courtenay, sire de Turbessel. Ainsi sera rétablie entre nous tous la concorde sans laquelle nous ne saurions conserver les conquêtes que nous avons faites sur les Musulmans[285].

De fait au commencement d'avril 1109 Baudouin accourut devant Tripoli avec cinq cents cavaliers et autant de fantassins. Bertrand, joyeux de se voir si vite secouru, se reconnut son vassal, *homo ejus jurejurando factus est*[286]. Paroles d'autant plus solennelles que ce fut alors, en présence du roi et jusqu'à un certain point grâce aux renforts qu'il amenait, que les Arabes de la Tripoli péninsulaire (al-Mînâ) se résignèrent après un blocus de six ans à rendre la place à Bertrand, ou plutôt, comme le fait remarquer Guillaume de Tyr, au roi lui-même (12 juillet 1109). « Li cuens Bertrand receut la ville du Roi et l'en fist homage lige de ses mains. Einsi doivent fere li seigneur de Triple au roi de Jherusalem jusqu'à ce jor d'ui[287]. »

Quant au compétiteur de Bertrand, Guillaume Jourdain, et au régent d'Antioche, Tancrède, semoncés tous deux par les hérauts du roi Baudouin, ils se rendirent docilement à son camp, à Tripoli. Guillaume Jourdain eût peut-être voulu résister, mais Tancrède lui fit entendre raison[288]. S'y rendirent également en grand équipage, sur semblable convocation, Baudouin II du Bourg, comte d'Édesse, et Jocelin de Courtenay, sire de Turbessel[289]. En ce plaid solennel tenu au camp de Tripoli vers mai ou juin 1109, l'autorité de la monarchie hiérosolymitaine fut si bien reconnue par tous les princes francs de Syrie que chacun vint devant le roi défendre sa cause en exposant ses griefs. Après les avoir entendus le roi dicta les termes d'un accord général[290]. Accord entre Bertrand et Guillaume Jourdain, accord entre Tancrède et Baudouin du Bourg. Par la décision royale, Guillaume Jourdain garda Arcas ('Arqa), et Bertrand Tripoli. Tancrède dut restituer à Baudouin du Bourg les fiefs usurpés. Mais en même temps le roi inféoda de nouveau à Tancrède la princée de Galilée (Tibériade, Nazareth, Caiffa), voire le Temple de Jérusalem (Qubbat al-Sakhra) et reçut de lui, à cette occasion, le serment de fidélité. Concession habile qui faisait du prince d'Antioche, comme du comte de Tripoli et du comte d'Édesse, l'homme-lige du roi de Jérusalem[291].

On voit la capitale importance de ces assises royales de Tripoli, tant au point de vue politique pour le groupement en faisceau des quatre États francs autour du fédérateur royal qu'au point de vue spirituel pour la création de l'idéal monarchique nécessaire à un tel rassemblement. Comme justicier et pacificateur, le roi de Jérusalem oblige ici les autres princes francs à confesser devant lui leurs griefs réciproques et à se les pardonner les uns aux autres en acceptant sa sentence arbitrale. Comme suzerain il redistribue ou confirme les fiefs depuis le Carmel jusqu'à l'Euphrate. À la place de principautés franques juxtaposées sans lien, au hasard de la conquête et des improvisations locales depuis le Taurus jusqu'au Wâdî 'Araba, le génie politique de Baudouin Ier construit ainsi une hiérarchie féodale cohérente, dominée par le prestige de la majesté royale, c'est-à-dire, sous la forme de l'époque, un État véritable à la manière du royaume capétien de France. De même que sa victoire sur le système théocratique du patriarche Daimbert en 1100 a marqué la naissance du royaume franc de Jérusalem, les assises de Tripoli en 1109 marquent l'élargissement de cette royauté hiérosolymitaine jusqu'aux limites de la Syrie franque tout entière.

Nous verrons, à propos de l'histoire de la principauté d'Antioche et du comté d'Édesse le roi Baudouin Ier tirer toutes les conséquences de ces principes et, en juin-juillet 1110, accourir sur l'Euphrate pour défendre le comte d'Édesse Baudouin du Bourg menacé par la coalition du prince d'Antioche, Tancrède, et des Turcs ; nous le verrons chasser les Turcs, réconcilier définitivement Baudouin du Bourg et Tancrède et s'affirmer en fait comme en droit l'arbitre de l'Orient latin[292]. Nous renvoyons pour le détail des faits dont il s'agit à notre chapitre sur l'histoire d'Antioche. Mais nous devons signaler ici avec Albert d'Aix les termes de la lettre adressée à cette occasion par Baudouin Ier à Tancrède, véritable manifeste dans lequel la jeune dynastie hiérosolymitaine parle déjà le langage des vieilles dynasties : « Mon frère Tancrède, déclare en substance le roi, tes prétentions vont contre la justice. Tu prétends à la suzeraineté sur Édesse sous prétexte que, du temps des Musulmans, Édesse dépendait d'Antioche. Mais nos institutions n'ont rien à voir avec le droit musulman. Au cours de la Croisade il a été entendu que quiconque enlèverait une terre aux Musulmans en resterait le maître reconnu. Que viennent donc faire ici les anciennes juridictions musulmanes ? De plus, couronnement de cette œuvre, un roi a été institué pour être le chef, le guide et le défenseur des pays chrétiens, pour la conservation comme pour l'accroissement de la terre. C'est en vertu de ce pouvoir que nous t'adjurons, par la crainte de Dieu et parlant au nom de toute cette chrétienté, de te réconcilier avec le comte d'Édesse. Car si tu persistes dans l'alliance turque, tu seras rejeté du faisceau de la chrétienté. Et en ce cas nous et tous les nôtres sommes prêts à tout contre toi[293]. »

Dans cet appel à l'union, d'une grave et sobre éloquence, où les prérogatives monarchiques sont si nettement affirmées, mais où la majesté royale se tempère, malgré tout, de fraternelle affection envers le vassal égaré, la royauté hiérosolymitaine se montre ce qu'elle restera jusqu'en 1186 : la conscience de la Syrie franque.

*Rôle du patriarche Arnoul Malecorne dans l'affermissement du pouvoir royal.*

L'esprit constructif et centralisateur de Baudouin Ier ne se marque pas moins dans sa politique ecclésiastique.

Le danger pour un État quasi religieux, né de la guerre sainte et ne subsistant que par elle, était la rivalité entre le pouvoir politique et les autorités ecclésiastiques, danger qui se serait certainement accru si le patriarche Daimbert avait réussi à faire de Jérusalem délivrée un autre Patrimoine du Saint-Siège. Non seulement Baudouin Ier coupa court à cette tentative, mais encore, grâce au dévouement de l'archidiacre Arnoul Malecorne, son agent auprès du clergé, ce fut lui qui, sous le patriarcat d'Ebremar comme sous celui de Gibelin, inspira en général l'attitude de l'Église hiérosolymitaine, en attendant de faire monter Arnoul lui-même sur le siège patriarcal. Quant à Arnoul, quelles que soient les accusations de simonie formulées par certains chroniqueurs contre lui, il n'en reste pas moins que, profondément dévoué à la personne du roi (il ne devait pas survivre au décès de son maître)[294], il se montra un collaborateur intelligent et zélé de l'œuvre de consolidation monarchique. Sa fidélité personnelle à Baudouin évita à la jeune colonie franque les périls d'une lutte du trône et de l'autel et permit – service inappréciable – d'asseoir solidement la dynastie boulonnaise.

*La querelle des limites d'obédience entre les patriarcats d'Antioche et de Jérusalem.*

Ce patriarcat hiérosolymitain, devenu le fidèle auxiliaire de la monarchie, Baudouin Ier cherchait à en accroître la juridiction au détriment du patriarcat d'Antioche, auxiliaire de la dynastie normande du Nord. Un conflit faillit éclater à ce sujet sous le patriarcat de Gibelin (1108-1112) à propos du siège épiscopal de Beyrouth. En mai 1110 cette ville, on l'a vu, avait été enlevée par Baudouin aux Fâ*t*imides. Or dans l'ancienne répartition ecclésiastique byzantine, l'évêché de Beyrouth relevait de l'archevêché de Tyr qui relevait lui-même du patriarcat d'Antioche. Mais aujourd'hui Tyr appartenait encore aux Musulmans. Dans ces conditions ne convenait-il pas de rattacher le nouvel évêché de Beyrouth au patriarche de Jérusalem, l'obédience ecclésiastique se calquant naturellement sur la souveraineté politique, plutôt que de le faire dépendre de la lointaine Antioche dont toute l'enclave égyptienne de Tyr le séparait ? La question fut posée au pape Pascal II par le patriarche de Jérusalem Gibelin derrière lequel il n'est pas difficile de discerner l'action de l'archidiacre Arnoul Malecorne et de Baudouin Ier lui-même.

Cette demande reçut d'abord un accueil entièrement satisfaisant. À la prière des autorités hiérosolymitaines Pascal II adressa au roi un rescrit dont Guillaume de Tyr nous a conservé le texte et qui déclarait explicitement : « Attendu que, pendant la longue occupation musulmane, les limites des circonscriptions ecclésiastiques ont été oubliées, et que Nous sommes dans l'impossibilité de les rétablir, Nous décidons que toutes les cités que tu as délivrées ou que tu délivreras du joug des Musulmans seront soumises à l'obédience du patriarcat de Jérusalem. » Une autre lettre pontificale, adressée au patriarche Gibelin proclamait plus explicitement : « Les révolutions politiques changent les destinées des empires ; il convient donc de modifier suivant ces changements les circonscriptions ecclésiastiques. Sans doute dans l'Antiquité les églises d'Asie avaient reçu certaines délimitations, mais les invasions de tant de peuples infidèles ont tout brouillé. Cependant, grâce à Dieu, voici que de nos jours les provinces d'Antioche et de Jérusalem ont été rendues à la Chrétienté. C'est pourquoi, Nous conformant à ces changements inspirés par la Providence, Nous rattachons à l'Église de Jérusalem tous les territoires que le glorieux roi Baudouin a rendus ou rendra à la chrétienté[295] » (juin 1111).

Le rescrit, notons-le, était assez peu explicite. Il ne répondait sans doute pas entièrement aux visées de Baudouin, puisque, occasionnellement, il mentionnait sur le même pied les patriarcats d'Antioche et de Jérusalem. Cependant la décision papale n'en marquait pas moins une réelle innovation. En effet, comme on vient de le dire, dans la division ecclésiastique, telle qu'elle s'était maintenue depuis l'époque constantinienne jusqu'à la fin du onzième siècle, le patriarcat d'Antioche commandait non seulement aux évêchés de la Syrie du Nord, mais aussi à ceux de la côte de Tripoli et même aux évêchés de Beyrouth (Beryte), Sidon, Tyr, Ptolémais ou Acre et Panéas. Or le roi Baudouin avait conquis Acre, Sidon et Beyrouth et formait le dessein de conquérir Tyr et Panéas. D'après la règle édictée par Pascal II, ces évêchés relevaient donc du patriarcat de Jérusalem, alors que, d'après les anciens canons, ils auraient dû continuer à dépendre du patriarcat d'Antioche.

Le patriarche latin d'Antioche était alors Bernard de Valence, saint homme, mais fort sensible au glorieux passé de son église. Se jugeant lésé par la décision de Pascal II, il envoya aussitôt une protestation à Rome. Le pape, désireux d'apaiser le conflit, lui répondit par une lettre dont Guillaume de Tyr nous a également conservé le texte. L'éminente dignité de l'Église d'Antioche y est, dès les premiers mots, proclamée ; de par les souvenirs de saint Pierre, son fondateur, elle est presque mise sur le même rang que l'église de Rome elle-même : « Bien que le siège romain l'emporte sur tous les autres par les souvenirs de la mort de Pierre, l'église de Rome et celle d'Antioche sont deux sœurs qui partagent la gloire d'avoir été fondées par Lui. Loin de Nous donc la pensée de vouloir diminuer en rien les prérogatives du siège d'Antioche ! Si dans Notre correspondance antérieure s'est glissée quelque inexactitude touchant les obédiences respectives des patriarcats d'Antioche et de Jérusalem, c'est simplement le résultat d'un malentendu. Que chaque patriarcat conserve son obédience traditionnelle »[296] (août 1112). Une seconde lettre du pape à Bernard de Valence conciliait avec cette nouvelle interprétation les termes du rescrit adressé à Baudouin. Le rescrit n'avait attribué à l'église de Jérusalem les nouvelles conquêtes du Roi, que dans la mesure où les anciennes circonscriptions ecclésiastiques, du fait de la longue domination musulmane, ne pouvaient être retrouvées et qu'il s'agissait ainsi en quelque sorte d'une terre vierge. Mais partout où ces anciennes circonscriptions restaient certaines, l'organisation latine n'avait qu'à s'y calquer. Pascal II terminait par cette déclaration d'ailleurs pleine de sagesse : « Nous n'entendons ni restreindre l'obédience d'un patriarcat pour servir la politique temporelle d'un prince, ni restreindre la souveraineté territoriale d'un prince pour la modeler sur les limites d'un patriarcat. » Et une nouvelle missive adressée au roi Baudouin I^er^ et au patriarche Arnoul (Gibelin était mort dans l'intervalle) dissipait toute équivoque. Le pape disait au roi : « Quand Nous avons déclaré replacer sous l'obédience du patriarcat de Jérusalem les territoires que tu arracherais aux Turcs et aux Arabes, il ne pouvait s'agir que de ceux qui avaient jadis relevé de ce patriarcat. Car, pour ceux qui relevaient jadis d'Antioche, c'est au siège d'Antioche qu'ils doivent revenir, puisque, même sous la tyrannie musulmane, il en a toujours été ainsi. Que chaque patriarcat reste donc dans ses limites traditionnelles, que l'Église de Jérusalem ne cherche pas à empiéter sur celle d'Antioche[297] ! » (1113).

L'énergie de ces dernières phrases prouve que le pape eut conscience d'avoir failli être joué par Baudouin et par Arnoul

Malecorne. Le fait que l'église de Jérusalem avait le privilège d'abriter la royauté franque, suzeraine des princes d'Antioche, devait évidemment, dans la pensée du roi, conférer à cette église une certaine primauté sur celle d'Antioche. N'osant sans doute proclamer d'emblée ce principe, Baudouin avait du moins cherché à dépouiller Antioche des évêchés libanais, sous prétexte que les circonscriptions ecclésiastiques devaient se modeler sur les limites de souveraineté. Après avoir failli accepter cette thèse, la cour de Rome proclamait l'indépendance complète des deux questions, arrêt qui d'ailleurs laissait intacte la suzeraineté temporelle revendiquée par le roi de Jérusalem sur la Syrie du Nord. Ajoutons, en ce qui concerne le point particulier de l'évêché de Beyrouth, que, malgré la décision de Pascal II, ce fut la prétention de Baudouin Ier qui devait finalement l'emporter, du fait que l'archevêché de Tyr devait douze ans plus tard être conduis sur les Musulmans par les Francs de Jérusalem (1124). C'est ainsi qu'au milieu du douzième siècle, si les évêchés du comté de Tripoli devaient continuer à dépendre de l'église d'Antioche, nous verrons Beyrouth, Sidon, Tyr, Acre et Panéas, bien qu'anciennes dépendances d'Antioche, rattachés à l'église de Jérusalem.

Contrairement à la formule de Pascal II, les circonscriptions ecclésiastiques suivirent donc le sort des baronnies. Tout ce qui dépendait du Domaine Royal dépendit du patriarcat hiérosolymitain.

*Pacification des querelles de rites au Saint-Sépulcre.*

Au début l'installation du clergé latin comme clergé dominant à Jérusalem n'avait pu avoir lieu sans bien des froissements d'intérêt. Matthieu d'Édesse accuse les Latins victorieux d'avoir usurpé les monastères des Arméniens, des Grecs, des Syriens et des Géorgiens. Les clergés lésés voulurent voir un signe du mécontentement céleste dans l'incident rapporté en détail par Foucher de Chartres[298] comme par Matthieu d'Édesse sous la date du samedi saint (20 avril) 1101. Devant les fidèles de tous rites rassemblés, les lampes du Saint-Sépulcre refusèrent de s'allumer, « indice accusateur contre les Latins », affirme Matthieu d'Édesse. Le lendemain, jour de Pâques, à la suite d'une procession solennelle à laquelle prirent part Baudouin Ier, les grands, le clergé et le peuple, et les cinq confessions s'étant unies dans la prière, les lampes s'allumèrent enfin. Instruits par cet avertissement, ajoute Matthieu d'Édesse, les Latins rétablirent chaque rite dans ses monastères, biens et privilèges[299].

## § 6. — Conclusion sur l'œuvre de Baudouin Ier.

L'œuvre de Baudouin Ier, telle que nous venons de la résumer, contraste avec celle de son frère Godefroi de Bouillon. Godefroi n'avait été qu'un croisé. Baudouin fut un fondateur d'empire, un politique, un organisateur, un colonisateur.

Enfants perdus de la Chrétienté, jetés sans préparation dans ce monde islamique si formidable et si complexe, les barons francs devaient improviser un État, une politique indigène, un système administratif adapté au milieu. Un hasard inouï, un sursaut d'épopée comme l'histoire en présente à certaines heures de fièvre et de rêve les avait lancés aux rivages de Syrie, Lotharingiens de l'Ardenne wallonne, Français du royaume, ou Normands francisés des deux Siciles. Mais l'aventure de la croisade une fois réalisée, l'inespéré devenu chose tangible, de nouveaux problèmes se posaient. Quelque étonnement qu'en ressentissent les nouveaux pèlerins, il fallait, pour éviter la grande lame de fond islamique toujours prête à déferler du côté de Mossoul, de Baghdâd, d'Isfahân et des réserves illimitées du monde turc, s'abriter derrière les royaumes musulmans restés dans la Syrie intérieure. Conquérir la Syrie musulmane tout entière, briser cet Islam puissant et raffiné qui allait de la Marmara au Golfe de Bengale, du Yémen à Samarqand, c'était ce que les naïfs compagnons de Pierre l'Ermite avaient pu songer à accomplir, mais à l'expérience un projet irréalisable. Le monde est plus grand que ne le croyaient les gens du onzième siècle. D'autre part se contenter de la conquête prestigieuse et vaine de Jérusalem en restant en lutte contre l'Islam tout entier, c'était se condamner à disparaître.

Il fallut donc s'adapter, et c'est là qu'apparaît la lucide politique de Baudouin Ier, se faire rapidement une place au milieu du monde islamique, jouer un rôle dans cet équilibre syro-musulman où les nouveaux arrivants trouvaient toujours des alliés tout prêts pour s'opposer avec eux aux menaces de contre-croisades, venues de l'Iran seljûqide. Ce fut en effet un prodige de sagesse politique que de maintenir en dépit du milieu cet État latin, d'autant plus exposé qu'il se trouvait au point de choc de la croisade et du *jihâd*. Il fallait – et ce fut l'œuvre propre de Baudouin Ier, que ses successeurs ne firent que continuer – introduire l'esprit politique en pleine guerre sainte, malgré l'indignation brouillonne des nouveaux pèlerins qui ne comprenaient pas les accommodements des Francs créoles avec les Damasquins et les Alépins, pas plus que les mollahs de Baghdâd et de Mossoul ne s'expliquaient la relative tolérance des Musulmans de Damas ou d'Alep envers les *Faranji*.

Le génie de Baudouin Ier consista essentiellement à avoir, en même temps d'ailleurs que Tancrède à Antioche et Baudouin du Bourg à Édesse, concouru à l'établissement en Syrie d'un équilibre local franco-musulman. Équilibre toujours instable, certes, toujours menacé, qui ne supprimait ni le principe de la double guerre sainte, ni les petits coups de main limités, entre barons et émirs, ces coups de main constituant la vie normale de la féodalité franque comme de la féodalité turque. Mais équilibre tout de même et qui s'affirmait chaque fois que des interventions extérieures menaçaient de le rompre. En plein régime de razzias quotidiennes, des accords de voisinage limités mais scrupuleusement respectés s'établirent, sans parler des inévitables relations économiques. La courtoisie des mœurs féodales, assez analogues dans la société arabo-seljûqide et dans le monde latin (il n'est que de comparer Guillaume de Tyr et Ibn al-A*th*îr) facilita la pénétration réciproque. Du moment que le roi de Jérusalem semblait ajourner la conquête de Damas et que, de son côté, l'âtâbeg *T*ughtekîn renonçait à reprendre Jérusalem, il était logique que tous deux se missent d'accord pour défendre le *statu quo* syrien contre l'intrusion des contre-croisades lancées de l'Est par le sultanat seljûqide de Perse et qui étaient aussi redoutables au second qu'au premier.

Mais dans le domaine ainsi circonscrit, Baudouin Ier poursuivit méthodiquement la conquête. Son application à s'agrandir tenacement sur une aire délimitée fait de lui une figure presque capétienne. Son domaine, borné d'abord à la banlieue de Jérusalem, il le décupla en quelques années, en soumettant effectivement la campagne palestinienne et surtout en lui donnant une façade maritime continue. À sa mort deux ports seuls appartenaient encore aux Fâ*t*îmides : Tyr qu'il bloquait et Ascalon qui est déjà presque l'Égypte. La conquête de tout le reste de la côte, notamment de Césarée, d'Acre, de Sidon et de Beyrouth, l'assurait de communications constantes avec les marines italiennes, maîtresses de la mer et par lesquelles la Syrie franque était reliée au monde latin.

Couronnement de cette œuvre, Baudouin Ier, dans les derniers mois de sa vie, dépassa le domaine proprement palestinien pour occuper la Transjordanie et le Wâdî 'Araba. L'occupation de Montréal et d'Aïla, en particulier, témoignait chez ce baron du douzième siècle de vues politiques singulièrement lucides. Le péril toujours à craindre pour le royaume de Jérusalem, c'était la soudure entre les deux moitiés ennemies du monde musulman : l'Égypte fâ*t*imide et l'Asie 'abbâside. Par la conquête du pays de Moâb, par l'occupation d'un port sur la mer Rouge, le royaume de Jérusalem contrôla désormais le chemin des caravanes entre le Caire et Damas ou Baghdâd, voire la route du pèlerinage de La Mecque. Les conquérants de Jérusalem, obéissant au simple enthousiasme religieux, ne s'étaient pas doutés en 1099 de tout le préjudice qu'ils causaient à l'Islâm. Mieux informé, Baudouin Ier, qui s'était aperçu que la Syrie méridionale était le centre même du monde musulman, « la racine et le soutien de tous les pays de l'Islamisme »[300], sut tirer de ce fait toutes ses conséquences. Édesse latine entre Mossoul et Alep, le Moab latin entre le Caire et Damas, c'était le monde musulman pris à ses deux points faibles, coupé à ses deux isthmes. De 1116 à 1189 les Francs furent maîtres des avenues du *H*ijâz. Événement d'une portée panislamique. Toutes les caravanes venues de l'Inde ou du Maroc, du Turkestan ou de l'Andalousie devaient, pour aller faire leurs dévotions au tombeau du Prophète, passer devant les orgueilleuses forteresses franques du Moab et de l'Idumée. À la fin du onzième siècle, l'Islam avait détenu la ville sainte de la chrétienté, soumis toute l'Asie chrétienne, failli passer en Europe. Au commencement du douzième siècle, les chrétiens n'avaient pas seulement réussi à dégager l'Asie Mineure et la Syrie maritime, à refouler les Musulmans vers les plateaux et les déserts de l'arrière-pays ; ils entamaient maintenant l'Arabie elle-même et inquiétaient à leur tour les villes saintes de l'Islam. On verra un seigneur de Montréal organiser une expédition en règle contre La Mecque et Médine, piller les côtes du *H*ijâz et du Yémen, et rançonner Aden, à l'entrée de la mer des Indes.

La politique monarchique de Baudouin ne fut pas moins heureuse à l'intérieur qu'au dehors. Ayant pris le pouvoir d'autorité, dans une situation juridique mal définie, il écarta les tentatives du parti patriarcal qui eussent fait de Jérusalem un patrimoine ecclésiastique, incapable de se défendre contre les périls du dehors. De cette marche extrême de la chrétienté, il fit ce qu'elle devait être pour rester viable : une solide monarchie laïque. Le patriarcat, aux mains de son ami Arnoul Malecorne, devint l'associé fidèle de cette politique. De toutes pièces Baudouin Ier créa en Judée une tradition monarchique qui se découvrit une légitimité – et la plus sacrée du monde chrétien ! – en se rattachant à la monarchie de David et de Salomon. L'aventurier boulonnais arrivait ainsi à dépasser en droit divin les basileis byzantins ou les Césars germaniques eux-mêmes. Il n'était pas seulement un descendant d'Auguste et de Constantin. C'était, dans la cité de Sion, un roi biblique.

Il fut en même temps, pour ses sujets orientaux, *un sultan chrétien*. Godefroi de Bouillon n'avait voulu être qu'un croisé et l'était resté jusqu'à son dernier soupir. Baudouin fut le premier des Franco-Syriens, de ces créoles établis en Orient sans désir de retour – les « Poulains », comme on les appela – qui faisaient l'étonnement des croisades postérieures. « Il voulut, dit Achille Luchaire, paraître aux yeux de ses sujets indigènes sous l'extérieur d'un souverain d'Orient. On le vit à Jérusalem vêtu d'un burnous tissé d'or, la barbe longue et faisant porter devant lui un grand bouclier doré. Il se laissait adorer à l'orientale et prenait ses repas les jambes croisées sur un tapis[301]. » Au demeurant, on le sait, l'homme était dur, pratique, peu scrupuleux, assez mauvais chrétien. Mais, rançon de tout cela, organisateur et fort. Si Godefroi de Bouillon, le baron ardennais qui délivra le Saint-Sépulcre, est resté le favori de la légende, Baudouin, le comte de Boulogne-sur-Mer qui au douzième siècle assit un royaume de langue d'oïl en pleine Asie musulmane, nous apparaît comme le premier en date des hardis pionniers dont le génie colonisateur sema au dix-septième siècle tant de Nouvelles Frances par le vaste monde, du Canada à la mer des Indes.

# CHAPITRE IV

# LA PROVENCE AU LIBAN
# FONDATION DU COMTÉ DE TRIPOLI

## § 1er. — Raymond de Saint-Gilles et les croisades d'Anatolie.

*Raymond de Saint-Gilles comme agent de la politique byzantine (1099-1100).*

Nous avons vu les déceptions éprouvées par Raymond de Saint-Gilles, comte de Toulouse et marquis de Provence, au cours de la première Croisade. Il avait espéré tour à tour partager avec Bohémond la possession d'Antioche : Bohémond l'en avait éliminé ; se tailler un autre fief dans la Syrie du Nord au détriment des Seljûqides d'Alep, autour d'Al-Bâra et de Ma' arrat al-Nu 'mân : l'émeute piétiste des Croisés, saccageant Ma' arrat l'en avait arraché (janvier 1099) ; fonder une principauté au Liban en s'emparant de Tortose et d'Arcas ('Arqa), au nord-est de Tripoli : il avait bien occupé Tortose (février 1099), mais avait échoué contre 'Arqa (13 mai 1099) ; être nommé roi de Jérusalem : la jalousie de ses pairs et la volonté de rapatriement de ses soldats l'en avaient empêché ; se faire remettre par leurs garnisons égyptiennes les places philistines d'Ascalon et d'Arsûf : l'hostilité de Godefroi de Bouillon avait fait échouer la mesure (août 1099). Déçu et ulcéré, il remonta vers la Syrie du Nord où il se mit au service de la politique byzantine.

Nous avons signalé les origines de cette attitude. Tandis qu'au début de la Croisade, le comte de Toulouse s'était montré le plus hostile de tous les barons aux prétentions impériales (seul, avec Tancrède, il avait refusé le serment de fidélité à Alexis Comnène), son éviction d'Antioche et l'attribution de cette ville aux Normands de Sicile l'avaient rejeté du côté de l'alliance byzantine. Dès novembre 1098, on l'a vu[1], il s'était déclaré le défenseur des droits impériaux sur Antioche et sur l'ensemble des anciens thèmes byzantins de la Syrie septentrionale[2]. Une entente complète entre Alexis Comnène et lui s'était établie sous 'Arqa en avril 1099, lorsque était arrivée au camp des Croisés une lettre du *basileus* offrant de venir en personne participer à la conquête de Jérusalem, sous condition, bien entendu, de reconnaissance de la suzeraineté impériale par les Francs. Raymond avait opiné pour l'acceptation de ces propositions, tandis que les autres barons les firent rejeter[3]. Une fois éliminé de la royauté hiérosolymitaine à laquelle il avait cru avoir d'autant plus de titres que, de janvier à mai 1099, il avait été le chef officiel de la marche sur Jérusalem, Raymond, se désintéressant des affaires de Palestine, alla se mettre à la disposition de la politique byzantine dans la Syrie du Nord, avec la pensée de s'y tailler, par l'appui et par la délégation du *basileus*, un grand fief gréco-provençal.

*Raymond de Saint-Gilles et la question de Laodicée (1100).*

La base de ce fief pouvait être le port de Laodicée, l'actuel Lattaquié (al-Lâ*dh*iqîya). La place, on l'a vu, avait été conquise sur les Turcs vers août 1097 par le corsaire-croisé Guynemer de Boulogne ; au printemps de 1098 elle fut enlevée à Guynemer par des aventuriers anglais, également partis pour la Croisade, Eadgard Aetheling et Robert Godvinson, qui, ayant sans doute, comme les autres Croisés, fait hommage à Alexis Comnène, déclarèrent agir pour le compte de l'empire. De fait Albert d'Aix nous dit que Guynemer fut chassé de Laodicée par des mercenaires du *basileus*. Toutefois, si les Anglais se présentèrent comme tels, il est vraisemblable que c'était surtout un prétexte pour légitimer leur conquête ; en tout cas, la prise de possession byzantine ne dut guère être effective, puisque peu après nous voyons les Anglais se donner, eux et Laodicée, à un des barons qui assiégeaient Antioche, Robert Courte-Heuse, comte de Normandie ; puis Robert dut être chassé pour ses exactions[4] et les habitants de Laodicée, cherchant un protecteur, finirent par se donner à Raymond de Saint-Gilles qui, à l'été de 1098, vint prendre possession de la place. Toutefois, en février 1099, au moment de partir pour Jérusalem, Raymond, conformément au principe, par lui admis, de la souveraineté impériale sur la Syrie du Nord, remit correctement Laodicée aux Byzantins[5]. Une telle cession attestait l'alliance intime d'Alexis Comnène et de Raymond de Saint-Gilles et prouvait au *basileus* le loyalisme du comte de Toulouse, comme elle allait valoir au comte la protection durable du *basileus*[6]. Du coup Raymond devenait en effet ce que Bohémond, les années précédentes, avait vainement tenté d'être : le fondé de pouvoirs de l'empire byzantin en Syrie.

Visiblement l'intimité gréco-provençale était dirigée contre Bohémond, dont l'établissement à Antioche irritait autant le comte de Toulouse que l'empereur. Aussi pendant que le comte s'enfonçait avec Godefroi de Bouillon vers Jérusalem, à l'été de 1099, Bohémond resté, comme on l'a vu, à Antioche, profita de son absence pour essayer d'enlever Laodicée aux Byzantins. Il obtint pour cela le concours de la grande escadre pisane qui, sous les ordres de l'archevêque Daimbert – le futur patriarche – se rendait à la Croisade. Tandis qu'il assiégeait Laodicée par terre, les deux cents navires de Daimbert attaquaient le port et s'emparaient même de deux tours situées sur le rivage. Le siège était fort avancé, déjà Bohémond et ses auxiliaires pisans préparaient l'assaut final, lorsque Raymond, revenant de Jérusalem délivrée, apparut devant Laodicée (début de septembre 1099).

Le récit d'Albert d'Aix nous fait participer à l'indignation du comte de Toulouse devant un tel spectacle[7]. Ainsi, pendant qu'il était allé délivrer Jérusalem et repousser de la Judée la contre-attaque fâ*t*imide, Bohémond, qui n'avait même pas participé à la marche sur la ville sainte, profitait de l'absence des autres Croisés pour attaquer la place de Laodicée, place que lui, Saint-Gilles, avait donnée au *basileus !* Raymond pouvait d'autant mieux s'ériger en redresseur des torts qu'il n'avait lui-même rien gardé de ses conquêtes (sa remise de Laodicée aux Byzantins en était la preuve), tandis que Bohémond, par « l'usurpation » d'Antioche, se trouvait le principal bénéficiaire de la Croisade[8]. Malgré l'approche des Provençaux et leurs sentiments non dissimulés, Bohémond refusa d'abord de lever le siège : dût-il se battre avec le comte de Toulouse, il s'emparerait de Laodicée ! Mais son allié, l'archevêque Daimbert, l'abandonna. À la nouvelle du retour des Provençaux, l'archevêque était allé au-devant d'eux pour féliciter au nom de l'Église ces libérateurs du Saint-Sépulcre. À son lyrisme officiel Raymond de Saint-Gilles répondit par une apostrophe dénuée d'amabilité : comment l'archevêque avait-il pu associer ses Pisans à une entreprise de brigandage contre des chrétiens *(conchristiani)* ? Fort ému, le prélat s'excusa sur son ignorance des affaires d'Orient, rejetant au surplus la faute sur Bohémond : c'était celui-ci qui lui avait présenté les Byzantins comme de faux chrétiens, des traîtres envers la Croisade, des complices de l'Islam...

Bohémond, refusant de renoncer à son entreprise, l'arrivée de Raymond de Saint-Gilles devant Laodicée allait provoquer une bataille entre les deux barons[9]. Les deux partis s'y préparaient, lorsque la défection de Daimbert força Bohémond à lâcher prise. L'escadre pisane lui faisant défaut, il leva le siège de Laodicée. Raymond qui arriva le lendemain, prêt à livrer combat, enseignes déployées et clairons sonnant, ne trouva pas d'adversaires. Il fit dans la ville une entrée triomphale, planta sa bannière sur la plus haute tour et garnit de ses troupes la citadelle[10].

Dans les journées qui suivirent Daimbert réussit enfin à négocier un rapprochement entre Bohémond et Raymond de Saint-Gilles. Une entrevue des deux barons dans la plaine de Laodicée parut apaiser la querelle[11]. En réalité Bohémond devenu définitivement prince d'Antioche en dépit de Byzance, et Raymond dont les troupes occupaient maintenant Laodicée et Tortose au nom du *basileus* restaient en état d'hostilité latente[12]. S'il ne songeait plus à enlever de vive force Antioche à son rival, le comte de Toulouse allait chercher sans arrêt à utiliser l'alliance byzantine pour se créer une seigneurie concurrente dans la Syrie du Nord. Lorsqu'en janvier 1100 Bohémond, qui venait d'accomplir son pèlerinage à Jérusalem, passa, au retour, devant Laodicée, Raymond, qui s'y trouvait, lui refusa des vivres, sous prétexte d'en manquer lui-même. Par la suite la garnison provençale de Laodicée joua en outre un rôle décisif dans la succession de Godefroi de Bouillon. Comme nous l'avons vu, en effet, à la mi-août 1100, elle intercepta un courrier envoyé de Jérusalem par le patriarche Daimbert à Bohémond pour inviter ce dernier à venir recueillir la succession du défunt. Non seulement les Provençaux ne laissèrent pas ce courrier parvenir à Antioche, mais ils s'empressèrent d'avertir l'autre compétiteur, Baudouin, qu'ils aidèrent ainsi, indirectement, à s'emparer du trône[13].

Cependant l'occupation, pour le compte de l'empire, de Laodicée et Tortose n'était pour Raymond de Saint-Gilles qu'une amorce. Vers juin 1100 il était parti pour Constantinople, afin de régler avec son allié et suzerain Alexis Comnène la question de la Syrie du Nord. Il s'agissait sans doute de concerter une attaque commune pour reprendre Antioche à Bohémond[14]. Mais lorsque Raymond arriva à Constantinople, Bohémond venait d'être capturé par les Turcs dânishmendites de Cappadoce. Il est vrai que Tancrède, neveu de Bohémond et qui assuma aussitôt la régence d'Antioche, était un adversaire non moins redoutable et aussi hostile aux droits de l'empire puisqu'un de ses premiers actes fut pour enlever aux Byzantins les villes de Cilicie, Tarse, Adana et Mamistra[15] ; après quoi il vint assiéger la place byzantino-provençale de Laodicée, dont il ne put d'ailleurs s'emparer avec la même rapidité : elle devait lui résister pendant un an et demi[16]. Nul doute qu'Alexis et Raymond de Saint-Gilles n'eussent organisé sur-le-champ une expédition de secours, si des événements plus importants n'avaient détourné leur attention vers un théâtre plus vaste. À ce moment en effet une nouvelle Croisade, presque aussi importante que celle de 1096, arrivait à Constantinople, croisade dont Alexis Comnène allait confier à Saint-Gilles le contrôle et la direction.

Le comte de Toulouse allait-il, à la tête de ces nouvelles armées et fort de la délégation impériale, pouvoir enfin jouer le rôle dont Bohémond en Syrie et Godefroi de Bouillon en Palestine l'avaient jusque-là frustré ?

*La croisade lombarde de 1101. Marche sur Ankara et Amasia.*

À l'annonce de la délivrance de la Terre Sainte, de nouvelles grandes croisades étaient parties d'Occident. L'enthousiasme religieux était à son comble et aussi, chez les princes qui n'avaient pas pris part à la première expédition, le désir de gloire et de conquête. Sentiments infiniment précieux, car, comme nous l'avons vu, la Syrie conquise manquait de colons et de soldats. Si la Première Croisade avait finalement atteint son but et réalisé son programme, c'était avec des effectifs squelettiques ; aussi son œuvre restait-elle inachevée et précaire. Pour exploiter la victoire, pour étendre l'occupation franque, il était indispensable de recevoir une immigration dense ou tout au moins le renfort temporaire d'un peuple en armes.

La première armée qui partit pour le Levant (fin septembre 1100) était composée de Lombards. À leur tête se trouvaient Anselme de Buis, archevêque de Milan, le comte Albert de Blandrate, le comte Guibert de Parme et Hugue de Montebello. Arrivée par la route du Danube en territoire byzantin, les Lombards furent cantonnés par les autorités byzantines en Bulgarie et en Thrace, autour de Philippopoli, d'Andrinople et de Rodosto. Alexis Comnène s'engagea à assurer leur ravitaillement, à condition qu'ils s'abstinssent de pillage. Cette Croisade lombarde, qui comprenait une foule de non-combattants, avait le caractère déplaisant des Croisades populaires de 1096, dont elle allait renouveler les exploits[17]. Malgré les objurgations de leurs chefs, les manants lombards se mirent à dévaster le pays, volant bêtes et récoltes, allant jusqu'à faire main basse sur les églises. Pour mieux les surveiller, Alexis Comnène les fit venir dans la banlieue de Constantinople (mars 1101). Comme ils y continuaient leurs pillages, il décida de brusquer leur passage en Asie. Ils refusèrent d'obéir, tant que les autres croisades annoncées ne seraient pas là. Alexis, alors, leur coupa les vivres. Sur quoi ils coururent aux armes et donnèrent l'assaut à la Porte Gyrolimne et au Palais de Blachernes. L'archevêque de Milan, le comte de Blandrate et Hugue de Montebello, avertis, se précipitèrent au milieu de ces furieux et parvinrent à les arrêter et à les renvoyer dans leur camp. Ils eurent du mal à apaiser ensuite le *basileus*, mais Raymond de Saint-Gilles, qui se trouvait, comme on l'a dit, à la cour de Constantinople, s'y employa activement, et, vers la fin d'avril 1101, les Lombards purent être transportés sans encombre dans la banlieue de Nicomédie[18].

D'autres Croisés suivirent, des barons français : le comte Étienne de Blois, qui, à la prière de sa femme, venait se réhabiliter de sa défection de 1098 devant Antioche[19] ; le comte Étienne de Bourgogne, Baudouin de Grandpré, Hugue de Broyes, Hugue de Pierrefonds, évêque de Soissons ; un Allemand, Conrad, connétable de l'empereur Henri IV. Alexis Comnène les reçut avec sa grâce habituelle et « mout les charja de grans dons ». Pour eux aussi Raymond de Saint-Gilles avait servi d'intermédiaire auprès du basileus. « Moult orent grant joie li baron qui de France venoient quant il le trovèrent. » D'accord avec Alexis Comnène, ils prirent Raymond comme chef, « firent aussi come leur maître le comte de Toulouse », nous dit Guillaume de Tyr. Albert d'Aix spécifie qu'ils avaient demandé un chef à Alexis et que ce fut celui-ci qui leur désigna son ami Raymond « comme guide et comme général[20] ». Alexis lui donna une escorte de cinq cents Turcoples, sous le commandement de Tzitas.

Sous la conduite de Raymond, les Croisés français passèrent le Bras-Saint-George ou Bosphore, et vinrent camper à Nicée, non loin des Lombards. D'après Albert d'Aix, les deux armées réunies dépassaient 200 000 hommes parmi lesquels, il est vrai, surtout du côté lombard, beaucoup de clercs, de non-combattants et même de femmes.

Quel itinéraire choisirait-on ? Étienne de Blois recommanda sagement celui de la Première Croisade, qu'il connaissait bien, la grande diagonale traversant l'Anatolie du nord-ouest au sud-est, par Dorylée et Iconium (Eski-shéhir et Qoniya). Propos inspiré par le bon sens, dans l'intérêt le plus évident des Croisés, si leur intention était vraiment d'aller prêter main-forte aux Francs à Jérusalem. Notons que tel était aussi l'intérêt particulier d'Alexis Comnène et de son représentant, Raymond de Saint-Gilles, car à la tête de pareilles forces Raymond n'aurait eu aucune peine à trancher à son profit et au profit du *basileus* la question d'Antioche et de la Syrie du Nord. Aussi se prononçait-il pour le même itinéraire que le comte de Blois. Mais la croisade populaire lombarde, cédant à une sentimentalité de foule, réclama à grands cris une expédition contre les Turcs dânishmendites de Cappadoce, qui tenaient Bohémond d'Antioche en captivité. Entreprise insensée, car l'émir dânishmendite Malik Ghâzî Gümüshtekîn[21] avait conduit son prisonnier au fond de ses États, dans la forteresse de Nîksâr ou Néocésarée, vers les montagnes du Pont. Comment l'y atteindre ? Mais la croisade populaire ne voulait rien savoir de ces difficultés stratégiques : si on ne pouvait délivrer Bohémond, on se vengerait en allant piller les capitales dânishmendites, Amasia et Sîwâs ! C'était s'enfoncer à l'extrémité nord-est de l'Anatolie, à mille kilomètres du Bosphore, en direction de l'Arménie et du Caucase, en tournant le dos à la Syrie, à Jérusalem, aux buts et à la raison d'être de la Croisade. Étienne de Blois et Raymond de Saint-Gilles essayèrent vainement de faire entendre raison à ces fous. N'y parvenant pas, ils se résignèrent à se mettre à leur tête. Puisque la démagogie lombarde imposait cet itinéraire absurde, peut-être pouvait-on circonscrire le mal et en profiter pour ramener sous l'autorité byzantine l'ancienne Galatie et l'ancienne Cappadoce, ou, pour parler comme la chancellerie impériale, l'intérieur des thèmes des Bucellaires, de Paphlagonie et des Arméniaques (dont l'Empire ne possédait plus que le littoral) et les thèmes de Charsian, de Sébaste et de Colonée dont tout était perdu ? Ajoutons qu'il serait injuste d'accuser, sous ce prétexte, Alexis Comnène d'avoir voulu détourner la Croisade de son but : s'il avait songé à lui faire reconquérir pour lui ces territoires, ce ne sont pas seulement les cinq cents Turcoples de Tzitas, c'est toute une armée qu'il aurait adjointe à la Croisade. Rien de plus erroné que le jugement de Guillaume de Tyr : « Einsi les traïssoit li empereres et sembloit l'escorpion qui par devant ne fet nul mal et par derrière point de la queue[22]. » Le détournement insensé de la Croisade franco-lombarde de 1101 n'est l'œuvre que de la démagogie lombarde elle-même.

Après avoir traversé la Saqaria et le massif de l'Ala-dagh, l'armée franco-lombarde, bien ravitaillée par les Byzantins, parvint sans encombre à Ankara le 23 juin 1101. L'ancienne métropole du thème des Bucellaires appartenait au sultan seljûqide de Qoniya, Qilij Arslân Dâwûd[23]. Les Croisés après un dur combat la prirent d'assaut et, correctement, la remirent aux Byzantins[24]. De là, remontant vers le nord-est, ils atteignirent au début de juillet Gangra (Kanghéri), ne purent la prendre et durent se contenter de ravager le pays. Premier échec très sensible pour les Croisés, d'autant qu'au nord de Gangra, ils s'enfonçaient dans la partie la plus inculte du bassin du Qizil Irmaq et de Devrek su, salines de Kanghéri, escarpements de l'Elmalu dagh et de l'Ilkaz-dagh. Point n'est besoin d'accuser Raymond de Saint-Gilles et les Turcoples byzantins de s'être laissé corrompre par les Turcs pour égarer les Francs loin des villes et des cultures. De cultures et de villes la région était vide et la cavalerie turque avait beau jeu pour harceler au milieu de ces solitudes les Croisés mourant de fatigue et de faim.

Les barons français payaient cher leur acquiescement aux caprices de la démagogie lombarde. La partie compromise, on leur demanda cependant de la sauver. De Gangra il s'agissait de se rabattre vers le nord, en direction de la mer Noire, pour atteindre la seule ville un peu importante de la région, Kastamon ou Qas*t*amûnî. On avait placé en avant-garde sept cents Lombards. Dès les premières étapes, les Lombards, saisis de panique, lâchèrent pied devant les Turcs, leurs chevaliers abandonnant les fantassins qui furent massacrés. Albert d'Aix se fait l'écho des amers reproches adressés par la chevalerie française aux Lombards dont la jactance puis la lâcheté avaient jeté l'armée dans ce péril. Le comte Étienne de Bourgogne releva ces mauvais soldats et tint tête aux Seljûqides. Les jours suivants Raymond de Saint-Gilles, à la tête de l'arrière-garde, contint avec sang-froid les charges des Turcs. L'armée, pour éviter les surprises, marchait désormais en colonne compacte. Tous les traînards, tous les fourrageurs étaient enlevés. Cependant le ravitaillement faisait complètement défaut. On ne trouvait dans les vallées qu'un peu d'orge encore vert et quelques fruits médiocres.

*Désastre de la croisade lombarde. Les responsabilités.*

On atteignit ainsi la région de Qas*t*amûnî. Là le plus élémentaire bon sens commandait de se rabattre sur les villes byzantines de la côte, Amastris ou Sinope. Il semble au contraire que l'armée, s'obstinant dans un plan absurde, ait franchi le Qizil Irmâq pour aller attaquer chez eux les Dânishmendites. Mais la seule menace de l'invasion avait réalisé autour de ceux-ci la coalition des puissances turques, jusque-là si divisées. L'émir dânishmendite Malik Ghâzî Gümüshtekîn voyait accourir à son aide le sultan seljûqide de Qôniya, Qilij Arslân, et le malik seljûqide d'Alep, Ri*d*wân. Au moment, semble-t-il, où les Croisés venaient de franchir la frontière qui séparait le sultanat seljûqide de l'émirat dânishmendite, entre Paphlagonie et Pont, tandis qu'ils s'avançaient en direction d'Amasia, sans doute à hauteur de Merzifûn[25], le connétable allemand Conrad se laissa attirer dans une embuscade et perdit 700 hommes. Plus loin vers l'est (entre Amasia et Sîwâs ? ou simplement, comme il est beaucoup plus vraisemblable, entre Merzifûn et Amasia), Malik Ghâzî Gümüshtekîn et ses alliés livrèrent la bataille décisive[26]. Les Croisés, qui s'y préparaient, avaient, semble-t-il, pris des dispositions de combat solides, mais les archers montés de l'armée turque, pratiquant leur tactique de harcèlement habituelle, les démoralisèrent sans permettre le corps à corps qui eût donné la victoire aux armures les plus puissantes. Bientôt les Lombards – les mauvais génies de toute cette croisade – prirent la fuite, leur chef, Albert de Blandrate, en tête. En vain Conrad et ses Allemands, Étienne de Bourgogne, Étienne de Blois (lequel racheta hautement ses fautes d'Antioche) et leurs Français, Raymond et ses Provençaux continuèrent-ils la résistance. Les Byzantins et Turcoples placés sous les ordres de Raymond l'abandonnèrent à leur tour. Raymond, laissé en l'air, n'eut que le temps de se réfugier sur une hauteur voisine, tandis que les comtes de Bourgogne et de Blois devaient battre en retraite sur leur camp ; encore le comte de Blois et Conrad eurent-ils la vaillance d'aller dégager Raymond cerné sur son rocher. Mais les Croisés avaient fait d'énormes pertes. Dès la tombée de la nuit, le comte de Toulouse, à qui le cœur manqua, s'enfuit vers la mer Noire avec ses Provençaux et ses Byzantins. Il atteignit à franc étrier la petite place byzantine de Pauraké ou Bafra près de l'embouchure du Qizil Irmâq, à l'est de Sinope, où il s'embarqua pour Constantinople[27].

Quand la fuite de Raymond fut connue, ce fut la panique. En pleine nuit les autres barons prirent la fuite à leur tour en direction de la côte. La plupart réussirent en effet à atteindre le port byzantin de Sinope. Mais ils abandonnaient aux mains des Turcs leur camp, l'armée, les non-combattants, les femmes... Dès l'aube les Turcs se précipitèrent sur cet énorme butin. Albert d'Aix fait un tableau saisissant du sort des malheureuses chrétiennes livrées aux bandes turcomanes ou envoyées au fond de quelque harem[28]. Puis les Turcs se lancèrent à la chasse des fugitifs. Ce fut une immense rafle, accompagnée de massacre. Albert d'Aix évalue à 160 000 le nombre des Croisés qui périrent ainsi dans les solitudes du Pont. Il est vrai que Guillaume de Tyr ne compte que 50 000 morts. Ibn al-A*th*îr écrit que 3 000 hommes seulement purent s'échapper.

Les survivants se regroupèrent à l'abri de la forteresse byzantine de Sinope. De là, en suivant la côte, qui appartenait également aux Byzantins, ils regagnèrent lentement Constantinople (fin août-fin septembre 1101). Remarquons, puisque Albert d'Aix en convient lui-même, que, sans la protection des garnisons byzantines du littoral, les débris de la Croisade eussent été achevés par les Turcs[29]. Il faut ajouter que lorsque Raymond et ses compagnons – Étienne de Bourgogne, Étienne de Blois, le connétable Conrad – arrivèrent à Constantinople, l'empereur Alexis ne put dissimuler à son allié son mécontentement pour sa fuite la nuit de la bataille, fuite qui avait déterminé la débâcle du reste de l'armée[30].

La mauvaise humeur du *basileus* devant la fuite du Toulousain prouve mieux que tout document que la cour impériale n'était pour rien dans la débâcle de la Croisade anatolienne. Cette débâcle doit être imputée uniquement à la plèbe lombarde qui avait d'abord exigé la folle expédition contre les Dânishmendites et qui, au moment de la bataille, avait deux fois lâché pied. Démagogie de croisade qui à chaque fois entraînera l'Orient latin aux abîmes. Quant à Raymond de Saint-Gilles, après avoir presque jusqu'à la fin fait bravement son devoir de général, il avait, après la défaite finale, perdu la tête, et sa fuite nocturne sur Bafra avait gravement atteint son prestige aux yeux des Francs comme aux yeux du *basileus*. En somme il revenait de la Croisade d'Anatolie moralement fort diminué. Après cet échec, il y aura quelque chose de changé en lui. Ce ne sera plus le prince inquiet, superbe et quelque peu outrecuidant que nous avons connu. Ce candidat universel, à qui la délégation impériale que lui avait accordée Alexis Comnène semblait promettre une sorte de mandat sur la Syrie entière, se contentera bientôt d'un simple comté au Liban.

Mais avant d'en arriver à cette dernière phase, plus modeste mais aussi plus réaliste de la vie du comte de Toulouse, il convient d'en finir avec les événements que nous venons de résumer, en montrant les conséquences, pour la Syrie franque, de la victoire turque d'Anatolie.

La première de ces conséquences fut d'effacer les bénéfices moraux de la victoire franque de Dorylée, de transformer les vaincus de 1097 en des « *Ghâzî* » à nouveau conscients de leur force militaire et de rendre ainsi impossible le libre passage de nouvelles croisades même par l'itinéraire classique de 1097, viâ Eski-shéhir, Aqshéhir, Qoniya. Ces conséquences graves du désastre d'Anatolie apparurent dès que d'autres barons croisés, le comte de Nevers, le duc d'Aquitaine, le duc de Bavière, se présentèrent pour la traversée de la péninsule.

### *La Croisade nivernaise. Attaque de Qoniya. Désastre d'Eregli.*

Guillaume II, comte de Nevers (1089-1147), était parti de France en février 1101 avec 15 000 chevaliers et fantassins. Descendu par l'Italie, il s'était embarqué à Brindisi par Avlona d'où il se dirigea sur Salonique. Durant la traversée de la Macédoine, son armée, soumise à une discipline stricte, s'abstint de tout pillage. Parvenu à Constantinople à la mi-juin 1101[31], il chercha à rejoindre la Croisade franco-lombarde en Anatolie. Il atteignit sans difficulté Ankara[32], puis, perdant la trace des Lombards, il décida avec sagesse de reprendre l'itinéraire de Godefroi de Bouillon en se rabattant sur Iconium. Mais c'était le moment où les Turcs venaient d'exterminer la croisade lombarde. Enivrés de leur victoire, le seljûqide Qilij Arslân et le dânishmendite Malik Ghâzî accoururent contre ce nouvel ennemi. Malgré leurs attaques, malgré les difficultés du pays – on longeait la zone occidentale du Désert Salin – le comte de Nevers se comporta vaillamment. Ce fut lui qui prit l'offensive : parvenu à Iconium (Qoniya), la capitale de Qilij Arslân, il essaya de prendre la ville d'assaut sans y parvenir[33].

Sans s'obstiner davantage, et avec raison, le comte reprit la route du Sud-Est, en direction de la Cilicie. Mais on était au mois d'août. Dans ce désert brûlant la soif devenait terrible et les Seljûqides avaient obstrué les rares puits existant. L'armée était épuisée lorsque, près d'Héraclée (Erégli), elle fut attaquée par Qilij Arslân et par Malik Ghâzî. Encerclée par la cavalerie turque, criblée de flèches, elle fut presque entièrement massacrée sur place (fin août 1101). Le comte de Nevers et quelques chevaliers parvinrent seuls à gagner Germanicopolis (Ermenek) en Isaurie, ville qui appartenait aux Byzantins. Des mercenaires byzantins (Turcoples) se chargèrent de le diriger vers Antioche, mais, une fois en chemin, ils le dépouillèrent et l'abandonnèrent nu-pieds au milieu d'un désert. Le malheureux arriva en haillons à Antioche (fin septembre 1101)[34].

*Désastre de la Croisade aquitano-bavaroise.*

La dernière armée croisée était conduite par Guillaume IX de Poitiers, duc d'Aquitaine, et par le duc Welf IV de Bavière. Elle était forte de 60 000 pèlerins, y compris les non-combattants et les femmes[35]. Descendue de Hongrie, elle traversa les provinces byzantines de Bulgarie et de Thrace, non sans pillage de la part de la foule, si bien qu'à l'arrivée des Croisés devant Andrinople, vers la fin mai 1101, les officiers byzantins leur interdirent le passage. Un violent combat s'engagea avec les auxiliaires Petchénègues et Comans au service de l'Empire[35]. Comme à l'ordinaire les barons apaisèrent les pèlerins et rétablirent les bons rapports avec les fonctionnaires byzantins. Les ducs d'Aquitaine et de Bavière, ainsi que la belle comtesse Ida d'Autriche qui s'était jointe à ce dernier, furent reçus à Constantinople par l'empereur Alexis avec sa courtoisie habituelle (fin mai-début de juin 1101). L'armée passa « le Bras Saint-Georges » sur les bateaux byzantins, traversa la fertile région de Nicomédie et de Nicée, gagna Dorylée (Eski-Shéhir), puis s'enfonça à travers les solitudes du plateau d'Anatolie, en direction de Qoniya, suivant l'itinéraire de la première Croisade. « Ils parcouraient des solitudes sans eau, où rien ne s'offrait au regard que le désert dans toute son aridité, rien que les âpres rochers des montagnes. L'eau qu'ils trouvaient était blanche comme si on y avait jeté de la chaux, et salée[37]. » Ils atteignirent enfin Qoniya où ils espéraient se refaire. Mais les Seljûqides avaient fait le vide devant eux, brûlant les récoltes et bouchant les puits. En somme la tactique des Turcs était toujours la même. Leurs villes, même les plus importantes comme Aqshéhir (Philomelion), Qoniya, Erégli, ils les abandonnaient aux Croisés après les avoir entièrement évacuées[38]. Puis, quand les Croisés, mourant de faim dans ces solitudes dévastées, étaient parvenus au dernier degré de l'épuisement, ils les faisaient cerner par leurs terribles archers à cheval qui les clouaient sur place avant de les sabrer.

Ce fut encore ce qui se passa pour les Aquitains et les Bavarois. Les princes turcs coalisés, qui harcelaient leur marche, le sultan seljûqide Qilij Arslân, l'émir dânishmendite Malik Ghâzî, l'émir de *H*arrân Qarâja, les attendirent près de la rivière d'Eregli[39]. Les Croisés, torturés depuis des semaines par la soif, se précipitaient vers les berges pour se désaltérer lorsque, sur l'autre rive, surgirent les Turcs qui les criblèrent de flèches. Aussitôt encerclée, l'armée chrétienne fut presque tout entière (vers le 5 septembre 1101) détruite[40]. Ce fut à grand'-peine que Welf et Guillaume d'Aquitaine purent s'échapper. Welf, jetant jusqu'à sa cuirasse, s'enfuit dans les montagnes. Guillaume, suivi d'un seul écuyer, se réfugia également dans le Bulghar-dagh, d'où il réussit à gagner Tarse et, de là, Antioche (automne 1101). Welf, de son côté, arriva presque seul à Antioche. La belle margrave Ida d'Autriche disparut sans qu'on pût savoir ce qu'elle était devenue – morte ou captive au fond de quelque harem ? Quant à Hugue de Vermandois qui avait repris la route d'Anatolie avec Guillaume d'Aquitaine et avait été blessé à la bataille d'Eregli, il vint mourir à Tarse vers le 18 octobre et y fut enterré dans l'église Saint-Paul[41].

### *Conséquences du désastre d'Anatolie pour l'histoire et la démographie de la Syrie franque.*

Telle fut la fin de la folle croisade lombarde, si pareille d'inspiration et d'allure à la croisade populaire de Pierre l'Ermite et de Gautier-sans-avoir. Cette expédition, inexplicablement partie à l'aventure vers le nord-est de l'Anatolie, en tournant le dos à son objectif syrien, par le caprice sentimental d'une plèbe irresponsable, avait abouti au désastre, et ce désastre avait entraîné par contre-coup celui des croisades nivernaise et aquitano-bavaroise, cependant bien mieux conduites.

Les conséquences historiques furent graves. Conséquences locales tout d'abord. L'écrasement des Lombards dans la région de Qas*t*amûni et d'Amasia avait rétabli le moral des Turcs d'Anatolie et découronné les Francs du prestige de la victoire de Dorylée. Désormais, pour de longues années – jusqu'à Frédéric Barberousse – la traversée de l'Asie Mineure se trouva barrée pour les Croisés : Conrad III et Louis VII devaient en faire l'expérience. Mais les répercussions de l'événement sur les affaires de Syrie furent encore plus funestes. Le désastre d'Anatolie privait la Syrie franque, si pauvre en hommes (les armées de Baudouin I$^{er}$ ne comptaient que quelques centaines de chevaliers) d'un renfort de deux à trois cent mille soldats dont l'absence ne devait jamais être réparée. Après la conquête d'Antioche et de Jérusalem qui avait épuisé les vainqueurs, ce renfort représentait l'armée d'exploitation indispensable à l'achèvement du succès. Avec lui, dans le désarroi et le morcellement de l'Islam syrien, on pouvait tout entreprendre, depuis l'occupation complète du littoral jusqu'à la conquête d'Alep et de Damas. Si la Syrie intérieure a finalement échappé aux Francs, si dans la bande littorale occupée, en Syrie, au Liban, en Palestine, la colonisation franque est toujours restée anémique, on le doit à la perte des multitudes que la démagogie lombarde est allée engloutir dans les déserts anatoliens. Cette immigration de tout un peuple, les colonies franques ne la retrouveront plus. Il faudra désormais travailler plus modestement, sur un plan rétréci, limité aux possibilités de quelques centaines d'arrivants, borné à l'occupation côtière. Le comte de Toulouse – un des responsables du désastre puisqu'il n'a pas osé résister au tumulte de la plèbe lombarde – sera le premier à le comprendre. L'homme qui a pensé conquérir l'Orient ira fonder une modeste colonie provençale sur la corniche libanaise. Il est vrai que cette œuvre sera sans doute plus raisonnable et solide que ses premiers rêves de paladin.

## § 2. — Raymond de Saint-Gilles au Liban. Occupation de Tortose.

*Renonciation de Raymond de Saint-Gilles à ses prétentions sur Antioche et Laodicée.*

Tandis que le comte de Nevers et Guillaume d'Aquitaine, après la plus dramatique odyssée, parvenaient directement de Cilicie à Antioche, les autres princes échappés au désastre de la Croisade d'Anatolie s'étaient rassemblés à Constantinople. Il y avait là Raymond de Saint-Gilles, Étienne de Blois, Étienne comte de Bourgogne, le lombard Albert de Blandrate, le connétable allemand Conrad, d'autres encore. Entre novembre-décembre 1101 et janvier 1102 l'empereur Alexis Comnène fournit à ces malheureux des navires pour continuer leur pèlerinage par mer. Raymond de Saint-Gilles, qui avait toujours centré sa politique dans la Syrie du Nord, les accompagna. Tous abordèrent sans encombre à Saint-Siméon, l'actuel Suwaidîya, qui avait remplacé l'ancienne Séleucie comme port d'Antioche[42]. Mais en débarquant, Raymond de Saint-Gilles eut la surprise de se voir fait prisonnier par un chevalier nommé Bernard l'Étranger, qui lui reprochait d'avoir, par sa défection le jour du combat décisif, « trahi » la Croisade d'Anatolie.

Bernard le livra aussitôt à Tancrède[43].

Cette péripétie montre la chute du prestige de Raymond. Elle acheva d'ailleurs de ruiner ce prestige. Après avoir conduit la Croisade d'Anatolie au désastre, le comte de Toulouse se voyait maintenant enfermé dans la citadelle d'Antioche, prisonnier de Tancrède, son ennemi personnel. De griefs contre lui, Tancrède n'en manquait pas, et, tout d'abord, il l'accusait de trahison permanente envers la Latinité au profit des Byzantins : le comte de Toulouse ne s'était-il pas fait l'agent d'Alexis Comnène, s'engageant à subordonner à celui ci toute la Syrie franque ?

Mais, après le désastre d'Anatolie, les Francs n'avaient pas trop de toutes leurs forces. C'est ce que firent comprendre à Tancrède le patriarche d'Antioche et le clergé latin d'une part[44], d'autre part les barons de la Croisade d'Anatolie, compagnons de Raymond durant cette terrible campagne ; car maintenant tous les survivants de l'aventure franco-lombarde et allemande étaient arrivés à Antioche, non seulement ceux qui étaient venus par mer avec Raymond, comme les comtes de Blois et de Bourgogne, Blandrate et le connétable Conrad, mais aussi Guillaume IX de Poitiers, duc d'Aquitaine, et Welf de Bavière qui, échappés du champ de mort d'Eregli, avaient traversé la Cilicie au prix de souffrances inouïes. Tancrède, qui avait admirablement accueilli ces infortunés (il rééquipa complètement Guillaume de Poitiers et Welf qui avaient tout perdu), céda à leurs instances en faveur de Raymond de Saint-Gilles. Mais il exigea comme condition le désistement définitif du comte de Toulouse non seulement en ce qui concernait la possession d'Antioche, mais au sujet de Laodicée, que Tancrède serait libre d'enlever aux Byzantins, et en général pour l'ensemble de la Syrie du Nord sur laquelle le comte renonçait à toute prétention[45]. Dès que Raymond eut juré d'observer ces clauses, Tancrède le mit en liberté.

Ce traité fut heureux pour la Syrie franque. Il mettait fin à une rivalité sans issue entre Normands et Provençaux. Il consacrait définitivement l'établissement de la principauté normande d'Antioche. À celle-ci était désormais juridiquement réservée, en droit franc, toute la Syrie du Nord. De plus elle se trouvait délivrée de l'obsession de l'hypothèque byzantine et du protectorat impérial que l'activité de Raymond, fondé de pouvoirs du *basileus*, avait jusque-là fait peser sur elle.

Ainsi, après six ans de séjour en Orient, Raymond de Saint-Gilles se retrouvait à pied d'œuvre, tel un Croisé nouveau venu. Il avait vu s'évanouir toutes ses espérances – royaume de Jérusalem, principauté d'Antioche, mandat impérial sur le Levant – et il venait de se voir obligé de reconnaître en droit cette éviction de fait. Or, on l'a vu, nul n'avait plus que lui manifesté dès le début l'impatiente ambition de se tailler un empire en terre d'Orient. Mais le vieux baron était tenace. Définitivement éliminé d'Antioche comme de Jérusalem, il se souvint d'une terre traversée au cours de la descente sur Jérusalem au printemps de 1099, une terre dont la possession lui restait permise puisqu'elle était en dehors de la Syrie, devenue normande, comme de la Palestine, devenue lotharingienne, – le Liban[46]. Cette antique Phénicie, nous nous en souvenons, lui avait plu dès le premier jour, puisque à son premier passage il y avait occupé Tortose, assiégé 'Arqa et véhémentement convoité Tripoli (février-mai 1099). Et il n'avait fallu rien de moins que la violence de ses compagnons pour l'arracher à cette conquête qu'il n'avait abandonnée qu'en pleurant de rage[47]. Il y avait là, entre le royaume de Jérusalem et la principauté d'Antioche, une *riviera* privilégiée qui devait lui rappeler les confins de son Midi natal.

*Conquête de Tortose par Raymond de Saint-Gilles (février 1102).*

Aussitôt jurée sa renonciation définitive à la principauté d'Antioche, le parti de Raymond de Saint-Gilles fut pris. Les chefs de la Croisade d'Anatolie se mettaient en route d'Antioche sur Jérusalem pour accomplir leur pèlerinage. Raymond leur proposa de s'emparer, chemin faisant, de l'importante cité de Tortose (*Tartûs*). La ville, qui, à l'arrivée de la première Croisade, faisait partie de la principauté musulmane de Tripoli, possédée par la famille arabe des Banû 'Ammar, avait été, on l'a vu, occupée une première fois par Raymond de Saint-Gilles en 1099. Nous savons qu'elle lui appartenait encore en 1100. Mais pendant sa longue absence de Syrie, tandis qu'il prenait part à la croisade d'Anatolie, Tortose avait été réoccupée par les Banû 'Ammar. Raymond, résolu à la reprendre, mit le siège devant la place avec le concours des chefs croisés précédemment nommés[48]. Par ailleurs une flotte génoise de 18 vaisseaux, conduite par Mauro de Platealonga et Pergamo de Volta, venait, vers décembre 1101, d'arriver en Palestine. Après avoir abordé à Jaffa et fait leurs dévotions à Jérusalem, les Génois acceptèrent de participer avec Raymond de Saint-Gilles au siège de Tortose. Leur escadre dut mouiller vers la mi-février devant la ville, ainsi attaquée à la fois par terre et par mer. Grâce à ce double concours, Raymond de Saint-Gilles se rendit rapidement maître de Tortose (vers le 18 février 1102 d'après les calculs d'Hagenmeyer)[49]. D'un commun accord les Croisés la lui laissèrent en vertu de son occupation antérieure, puis, prenant congé de lui, ils continuèrent leur pèlerinage vers Jérusalem[50].

Quant à lui, il resta dans Tortose, bien décidé à en faire le centre provisoire de ses conquêtes, en attendant de s'être emparé de la métropole du pays – son objectif désormais : Tripoli[51].

La principauté de Tripoli, nous l'avons dit, appartenait toujours à la famille arabe des Banû 'Ammâr, alors représentée par le qâ*d*î Fakhr al-Mulk Abû 'Ali 'Ammâr (1099-1108)[52]. Nous avons vu la souple politique de ce prince au moment de la Première Croisade, l'habileté avec laquelle il avait à tout prix évité de traiter les Croisés en ennemis, même quand ceux-ci attaquaient sa ville de 'Arqa et menaçaient sa capitale de Tripoli ; on l'avait vu se faire l'allié du roi de Jérusalem Baudouin Ier, l'avertir des embûches préparées contre lui par les Turcs de Damas, et, littéralement, le sauver. De même que ses ancêtres avaient su maintenir l'indépendance de leur petit émirat libanais en jouant des rivalités entre Fâ*t*imides d'Égypte et Seljûqides de Syrie, il comptait bien maintenir le même équilibre entre les Fâ*t*imides ou les Damasquins d'une part et les Francs de Jérusalem de l'autre. De fait son calcul se trouva juste tant qu'il n'eut affaire qu'au roi de Jérusalem ou au prince d'Antioche, voisins fort éloignés : il lui suffisait de ravitailler les convois chrétiens allant d'une ville à l'autre et passant devant sa Tripoli péninsulaire d'al-Mînâ, dans laquelle, au surplus, il bénéficiait d'une inviolabilité toute insulaire.

La situation changea lorsqu'un prince franc s'établit dans le pays, avec la ferme résolution de s'en rendre maître et d'y finir ses jours. Toute la diplomatie de l'infortuné 'Ammâr ne lui servait plus à rien. Il lui fallut accepter la guerre, la guerre quotidienne, installée à demeure à ses portes, et, pour la soutenir, se jeter dans les bras des autres souverains musulmans dont il s'était si justement défié jusque-là et qui, en effet, ne devaient pas tarder à le dépouiller (Ibn al-A*th*îr, 254-257).

Donc, aussitôt après la prise de Tortose par Raymond de Saint-Gilles, Abû 'Alî 'Ammâr se décida à faire appel à ses deux principaux voisins musulmans, le seljûqide Duqâq, malik de Damas, et Janâ*h* al-Dawla, émir de *H*oms. L'occasion semblait d'ailleurs favorable. Une fois les Croisés d'Anatolie partis pour Jérusalem, Raymond restait seul avec une poignée de gens, – 300 hommes, avance Ibn al-A*th*îr, 400 concède Raoul de Caen. À la tête de cette petite troupe il se montrait d'une imprudence folle. Loin de se cantonner dans sa nouvelle possession de Tortose, il poussait ses attaques jusque sous les murs de Tripoli. Comme le dit pittoresquement Raoul de Caen, « il ôsait assiéger Tripoli à lui tout seul ! »[53] Sa témérité rendit aux Banû 'Ammâr l'espoir de l'abattre. Fakhr al-Dawla, nous dit le *Kâmil al-tewârîkh*, se hâta de prévenir Duqâq et l'émir de *H*om*s* : "Profitez du moment où Saint-Gilles a si peu de monde pour l'accabler !"

À l'appel des Banû 'Ammâr, Janâ*h* al-Dawla envoya de *H*om*s* son lieutenant Yâkha*z* avec un corps de troupes, et Duqâq dépêcha de Damas 2 000 cavaliers. Ces troupes, ayant opéré leur jonction avec celles des Banû 'Ammâr, livrèrent bataille à Raymond de Saint-Gilles aux portes mêmes de Tripoli. « Saint-Gilles, écrit Ibn al-A*th*îr, opposa cent de ses hommes aux troupes de Tripoli, cent aux troupes de Damas, cinquante aux guerriers de *H*om*s* ; il retint les cinquante autres auprès de lui. Au premier choc les soldats de *H*om*s* prirent la fuite et la déroute se communiqua aux troupes de Damas. En vain les milices de Tripoli tinrent bon et triomphèrent des cent hommes qui leur étaient opposés. Saint-Gilles accourut avec les 200 hommes dont il pouvait disposer et obligea les Tripolitains à se retirer derrière leurs murailles. Sept mille musulmans périrent dans ce combat[54]. »

Saint-Gilles vainqueur s'installa à demeure devant Tripoli pour en faire le siège. « Les habitants de la montagne voisine et ceux de la campagne, dont la plupart étaient chrétiens, note Ibn al-A*th*îr, vinrent lui prêter assistance. Mais la garnison opposa la plus vive résistance. Saint-Gilles consentit donc à se retirer moyennant un tribut en argent et en chevaux, et se retira vers Tortose[55]. » (vers mars-avril 1102.)

*Raymond de Saint-Gilles et l'Émirat de Homs.*

La conquête de Tripoli se trouvant différée, Saint-Gilles s'installa solidement à Tortose, sa capitale provisoire, d'où il élargissait sans cesse son champ d'action[56]. Après la conclusion de la trêve avec les Banû 'Ammâr, il se tourna contre l'émir de *H*om*s* Janâ*h* al-Dawla, dont les possessions s'étendaient à l'ouest jusqu'au Jebel *H*elu et au Jebel 'Akkâr. Au nord de cette zone de montagnes, dans l'hinterland de Tripoli, le prince provençal alla assiéger la forteresse de *T*ûbân, ou Tell-*T*ûbân, la Tubanie des chroniqueurs, située au sud-ouest de l'actuel Miriyamin[57], à 10 kilomètres au nord-est de Qal'at al-*H*os*n*, entre Tortose et *H*om*s*. Ibn al-A*th*îr nous dit que dans une sortie le gouverneur de *T*ûbân, Ibn al-'Arî*d*, captura l'un des principaux chevaliers francs qu'il refusa de rendre, malgré l'offre d'une forte rançon[58]. Toutefois cet échec ne paraît nullement avoir ralenti l'ardeur de Raymond de Saint-Gilles, puisqu'au cours de cette même année il vint assiéger le château des Kurdes (*H*os*n* al-Akrâd, Qal'at al-*H*os*n*), forteresse qui, dans une position formidable, domine toute la région entre Tortose ou Tripoli et *H*om*s*. On se rappelle qu'au cours de la première croisade Raymond de Saint-Gilles s'en était déjà rendu maître le 29 janvier 1099, mais depuis le fort avait été réoccupé par les Musulmans de *H*om*s*. À la nouvelle de l'investissement, l'émir de *H*om*s*, Janâ*h* al-Dawla, rassembla ses troupes pour venir dégager la place. Mais comme, avant de partir, il venait de faire sa prière dans la grande mosquée de *H*om*s*, il fut abordé par trois Ismâ'îliens persans déguisés en dévots, qui, après lui avoir adressé des exhortations pieuses, se jetèrent sur lui et le tuèrent à coups de couteau[59] (12 mai 1102 ?).

Ce meurtre, qui délivrait providentiellement Raymond de Saint-Gilles de son plus redoutable adversaire, est un témoignage de l'anarchie dans laquelle se débattait la Syrie musulmane pour le plus grand profit des conquérants francs. Il est indispensable de prêter quelque attention à de tels faits, car ils expliquent mieux qu'aucun commentaire les causes indigènes qui facilitèrent la conquête.

L'homme qu'on accusa d'avoir fait assassiner l'émir de *H*om*s* n'était autre que Ri*d*wân, le malik seljûqide d'Alep, auquel il était uni par les liens les plus étroits. Janâ*h* al-Dawla avait en effet épousé la propre mère de Ri*d*wân. À l'été de 1100, quand Ri*d*wân entreprenait une campagne contre les Normands d'Antioche qui menaçaient Alep, Janâ*h* al-Dawla était venu à Alep concourir à la lutte. Mais, froissé de la hauteur que lui témoignait Ri*d*wân, il avait brusquement fait défection et regagné *H*om*s* avec le désir de se venger (juillet 1100). De fait, tandis que Ri*d*wân guerroyait contre les Francs près de Sermîn, Janâ*h* al-Dawla l'y avait surpris, avait pillé son camp et l'avait mis en fuite en capturant son vizir, Abu' l Fa*d*l, qui fut conduit à *H*om*s* et ne fut relâché que contre rançon. Bien qu'une réconciliation apparente ait eu lieu depuis, on comprend, après une telle humiliation, le désir de vengeance de Ri*d*wân. Il s'adressa dans ce but à la secte des Ismâ'îliens avec laquelle il avait depuis longtemps des attaches et dont le chef local, un astrologue persan, jouissait de sa confiance. Sur sa demande l'astrologue dépêcha à *H*om*s* trois Ismâ'îliens persans qui assassinèrent Janâ*h* al-Dawla dans les circonstances que nous avons indiquées[60].

Ce drame montre à quel degré de décomposition sociale, en même temps que d'anarchie politique, était tombée la Syrie musulmane. Non seulement la secte des Assassins restait une plaie cruelle au flanc de l'Islam, mais les jalousies empoisonnées entre les chefs de la féodalité turco-arabe ajoutaient à la démoralisation.

À la nouvelle du meurtre de Janâ*h* al-Dawla, Raymond de Saint-Gilles courut de Qal'at al-*H*o*s*n à *H*om*s*. Trois jours après le crime, il était devant la place et en commençait le siège. Quant à la campagne de *H*om*s* et aux bourgs voisins, ils étaient entièrement livrés à sa discrétion. Peu s'en fallut que la perle de l'Oronte ne tombât aux mains des Provençaux. Les Musulmans étaient en plein désarroi. La *khâtûn*, veuve de Janâ*h* al-Dawla, était, comme on l'a vu, la mère de Ri*d*wân. Elle invita ce dernier à venir en hâte prendre possession de *H*om*s*, pour en écarter le comte de Toulouse. Mais les officiers du défunt, redoutant les vengeances du malik d'Alep, préférèrent s'adresser à son frère, le malik de Damas, Duqâq. À l'approche de Duqâq, Raymond de Saint-Gilles, qui n'avait évidemment que trop peu d'hommes avec lui, leva le siège de *H*om*s*, après avoir imposé une taxe aux habitants. Duqâq prit possession de *H*om*s*, se concilia les habitants par sa douceur (et aussi par son orthodoxie sunnite qui contrastait avec les sympathies de Ri*d*wân pour les Assassins) et, en partant, laissa l'émirat à son lieutenant *T*ughtekîn[61].

*Conquête de Jebail par Raymond de Saint-Gilles.*

En 1103 l'arrivée en Syrie d'une escadre génoise de 40 galères qui hiverna à Laodicée (Lattaquié) permit à Raymond de Saint-Gilles de faire de nouveaux progrès. Comprenant la nécessité d'une flotte pour la conquête des ports libanais, Raymond se porta au-devant des Génois et obtint leur concours. Ils essayèrent d'abord avec lui une attaque contre la presqu'île de Tripoli (al-Mînâ) (fin de l'été 1103). Ne réussissant pas de ce côté, les alliés tournèrent leurs efforts contre Jebail, l'ancienne Byblos, le Gibelet des chroniqueurs, petite place maritime située entre Tripoli et Beyrouth et qui dépendait, elle aussi, des Banû 'Ammâr[62]. Attaquée par l'escadre génoise du côté de la mer, en proie du côté de la terre aux assauts et aux catapultes de Raymond de Saint-Gilles, Gibelet capitula (vers le 28 avril 1104)[63]. Ibn al-A*th*îr nous dit que les Francs s'emparèrent des biens des habitants, mais il n'y eut pas de massacre. Raymond récompensa les Génois de leur concours en leur concédant un tiers de Gibelet. Ce premier comptoir fut aussitôt organisé sous le commandement d'un consul génois, Ansaldo Corso. Nous verrons par la suite Gibelet devenir une véritable colonie génoise sous la direction de la famille des Embriaci[64].

*Construction de Qal'at Sanjîl.*

Avec Tortose au nord et Gibelet au sud, le cadre du futur comté provençal du Liban était déjà tracé. Il lui manquait, au centre, sa capitale naturelle, Tripoli. Mais la Tripoli arabe du onzième siècle, resserrée dans la presqu'île d'al-Mînâ que protège un isthme assez étroit, était d'une prise difficile[65]. Y bénéficiant de tous les avantages de l'insularité, l'habile Ibn 'Ammâr en avait fait un réduit formidable. De là il envoyait par mer ses soldats opérer des diversions sur la partie de la côte déjà soumise aux Provençaux et recevait par mer aussi, puisqu'il était bloqué par terre, le ravitaillement des ports égyptiens[66]. Mais Raymond de Saint-Gilles, qui avait jeté son dévolu sur la cité, n'était pas moins obstiné. Pour bloquer la ville en permanence (c'est-à-dire la ville ancienne, correspondant, répétons-le, à la péninsule d'al-Minâ), il s'installa en face, sur la montagne et y construisit sur l'éperon qui surplombe la gorge de la Qadîsha, une forteresse qu'il appela Mont-Pèlerin (*Mons Peregrinus*), mais que les Musulmans baptisèrent de son nom : « Qal'at Sanjîl. » ou château Saint-Gilles, et qui correspond à la citadelle actuelle de Tripoli (al-Qal'a) (1103). À la demande de Raymond, l'empereur Alexis Comnène, toujours resté dans les termes les plus amicaux avec lui, l'aida à élever cette forteresse. Une escadre byzantine, envoyée par le gouverneur de Chypre, Eumathios Philocalès, fournit les matériaux de construction nécessaires[67]. « Li cuens Raimonz, dit *l'Estoire d'Éracles*, choisi devant la cité de Triple, près à deus miles, un tertre bien fort de siège, il le ferma ; dessus fist mout bele forteresce et bien la garni. En remembrance de ce que en pèlerinage avoit été fermé, le fist apeler Mont Pèlerin[68]. »

L'emplacement du Mont Pèlerin était singulièrement bien choisi, puisqu'il devait devenir l'amorce de la ville de Tripoli actuelle, tandis que la cité des Banû-'Ammar n'en est plus que le faubourg maritime ou al-Mînâ. De fait, en attendant la chute de la Tripoli péninsulaire, la construction d'une nouvelle Tripoli franque, d'une Tripoli de montagne, surplombant et étouffant la première, était son arrêt de mort. La capitale des Banû 'Ammâr était désormais en état de blocus permanent, situation d'autant plus grave que, comme l'avoue Ibn al-A*th*îr, les chrétiens du Liban, Maronites et autres, faisaient cause commune avec les Francs[69]. « De ce chastel (de Mont-Pèlerin) poursuit *l'Estoire d'Éracles*, li cuens Raimonz commença à fere tant de maus à ceus de Triple et aus autres Turs (*sic*) du païs qu'il ne les lessoit durer tant que par force covint que il se censassent (= qu'ils se reconnussent tributaires) vers lui. » On comprend que les malheureux habitants de Tripoli, quotidiennement exposés aux coups de main du comte de Toulouse, n'osant plus sortir de leur presqu'île, épuisés par cette obsession, vivant sous la terreur, leurs conduites d'eau potable coupées par l'assiégeant, aient finalement accepté de lui payer tribut. « Ne mie seulement cil des villes entor, mès cil meismes de la cité n'osoient venir contre ses comandemenz. Ainz li obéissoient ausi corme s'il fust sires de tout le païs[70]. » Le vieux croisé s'était si bien établi à demeure en cette Provence libanaise que ce fut là qu'il eut son dernier fils : « Sa femme

(Elvire de Castille) qui mout estoit bone dame et fine crestienne acoucha dedenz la cité de Tortouse d'un fil qui ot non Alfons et tint la comté de Toulouse après lui[71]. »

Les auteurs arabes nous parlent d'une tentative des Banû 'Ammâr pour détruire le Château Pèlerin. « En août-septembre 1104, rapporte le *Mirât al-Zemân*, le qâ*d*î Ibn 'Ammâr attaqua le château à l'improviste, surprit la garnison et après avoir fait main basse sur ce qu'il renfermait en trésors, armes et munitions, retourna à Tripoli sain et sauf et chargé de butin[72]. » Chez Ibn al-A*th*îr, ce coup de main provoque la mort du comte de Toulouse : « Saint-Gilles avait bâti dans le voisinage de Tripoli une forteresse avec des faubourgs alentour et il s'y était établi, guettant les occasions d'attaquer la ville. Mais une nuit, Ibn 'Ammâr fit une sortie et mit le feu au faubourg, Saint-Gilles fut surpris sur un des toits enflammés avec quelques comtes et plusieurs guerriers. Ils éprouvèrent tous un grand effroi. Saint-Gilles tomba malade des suites de cet accident et mourut au bout de dix jours[73]. » Mais cette version est contredite par le *Mirât al-Zemân* qui, après nous avoir parlé du coup de main des Banû 'Ammar sur les faubourgs du Château Pèlerin, continue : « Saint-Gilles mourut au moment où il venait de conclure une trêve avec Ibn al-'Ammâr, trêve en vertu de laquelle il demeurait maître de la banlieue de Tripoli, mais laissait libre passage aux voyageurs et aux approvisionnements[74]. »

Il résulte de ces rapprochements que le coup de surprise d'août-septembre 1104 ne porta que sur les faubourgs en voie de construction du Mont Pèlerin et qu'il ne semble y avoir guère de rapport entre cet épisode secondaire et la mort de Raymond de Saint-Gilles survenue six mois plus tard. De plus, après comme avant, le comte de Toulouse installé dans sa forteresse, face à la Tripoli péninsulaire, continua à tenir celle-ci sous sa menace et, s'il consentit par moment à desserrer son étreinte, ce fut en conservant le contrôle des communications et du ravitaillement.

### *L'œuvre libanaise de Raymond de Saint-Gilles.*

Raymond de Saint-Gilles mourut le 28 février 1105, dans sa forteresse du Mont Pèlerin, en face de Tripoli toujours bloquée[75]. Mélancolique destinée que celle de ce haut baron qui, après avoir, le premier, donné son adhésion à la Croisade, avait vu l'un après l'autre lui échapper tous les avantages qu'il eût pu en escompter. D'autres avaient finalement pris à sa place la tête du grand pèlerinage. Il n'avait eu en partage aucune des grandes villes conquises, ni Antioche ni Jérusalem. La croisade de renfort qu'il avait conduite en 1101 à travers l'Anatolie avait lamentablement échoué. Après le naufrage de ces vastes espérances, il avait dû, au soir de sa vie, se rabattre sur un coin de la côte libanaise, et là encore il mourait sans avoir eu la joie d'entrer dans la cité promise, Tripoli, capitale indispensable du fief qu'il s'était adjugé.

Mais peut-être, si l'on y songe, la part finale de Raymond de Saint-Gilles, pour modeste qu'elle parût par rapport à ses ambitions passées, devait-elle être moins défavorisée qu'il ne semblerait au premier abord. En regard de la principauté d'Antioche et du comté d'Édesse, ouverts à toutes les invasions de la Jazîra, en regard de Jérusalem aventurée au fond de l'aride massif judéen, la côte libanaise et la montagne proche, cette Provence du Levant avec la charmante Tortose et la nouvelle Tripoli où il fermait les yeux, n'était-ce pas finalement la plus heureuse partie de la Syrie franque ? Tripoli, la plus tard venue des conquêtes franques, puisque conquête posthume de Raymond de Saint-Gilles, restera aussi la dernière aux mains des Francs. Alors que Jérusalem, acquise en 1099, tombera dès 1187, et qu'Antioche, conquise dès 1098, sera perdue en 1268, Tripoli, franque en 1109 seulement, le restera – la dernière – jusqu'en 1289.

Convenons pour finir que la ténacité du vieux croisé n'avait pas été sans noblesse. Comme tant d'autres barons, il eût pu, son vœu accompli, rentrer dans son beau comté toulousain. Il préféra mourir à la tâche sur cette terre libanaise qu'il avait élue comme nouvelle patrie : « De ce preudome le conte de Toulouse doit l'en mout bien dire touzjorz, nomeément de si haut cuer com il ot, car le pelerinage que il ot une foiz empriz (= entrepris), ne vout onques puis (le) lessier, ains (= mais) aferma en son proposement Nostre Seigneur servir jusqu'en la fin. En son païs dont il estoit sires poïst avoir granz richèces et faire granz parties de ses volentez ; mès il vout mieux (= il préféra) soufrir les périlz et les soufraites (= privations) de la guerre (de) Jhesucrist que retorner en son païs aus deliz (= délices) de sa terre. Li autre baron qui orent fet ce veu meismes se tindrent bien à délivré (= se tinrent pour libérés), quant il orent esté en Jhérusalem, cil nomeément qui la sainte cité aidièrent à délivrer ; por ce s'en retornèrent en leur païs. Li baron de la terre li disoient mout sovent que bien s'en poïst retorner par grant enneur, mès il respondoit come bons crestiens que ses sires et ses mestres (= son seigneur et maître) Jhesucrist, quant il fu mis en la croiz por lui et por les autres pecheeurs, l'en li dist qu'il descendist de la croiz, il ne vout onques (= il ne voulut jamais), ainz i fu jusqu'à la mort ; autresi (= tout ainsi) vouloit-il fere, que la seue croiz ne metroit il jà jus (= ne déposerait-il jamais) tant que l'ame li departist du cors[76]. »

## § 3. — L'Œuvre de Guillaume Jourdain.

*Guillaume Jourdain et le blocus de Tripoli.*

L'œuvre de Raymond de Saint-Gilles fut poursuivie par son « neveu » (ou plutôt son cousin), Guillaume Jourdain, comte de Cerdagne[77]. Se trouvant auprès de Raymond au moment du décès de celui-ci, Guillaume Jourdain recueillit son héritage libanais. Il continua avec la même ténacité, du haut du Mont Pèlerin, le blocus de Tripoli. Il est à noter que Guillaume Jourdain bénéficia, comme son prédécesseur, de l'amitié byzantine. Dès sa prise de commandement, l'empereur Alexis Comnène « lui fit envoyer par le gouverneur de Chypre, Eumathios Philocalès, un ambassadeur chargé de lui remettre de nombreux présents, et d'obtenir en échange qu'il prêtât serment à l'empire comme l'avait fait Saint-Gilles[78] ». La suzeraineté byzantine continua d'ailleurs à se traduire en services réels puisque, sous la rubrique de 1106, Ibn al-A*th*îr nous montre le *basileus* faisant ravitailler par mer les Francs qui assiégeaient Tripoli. Un combat naval fut livré à cette occasion entre l'escadre byzantine et les vaisseaux des Banû 'Ammâr, combat au cours duquel un navire byzantin aurait été capturé et conduit dans le port de Tripoli[79].

Pour se délivrer de l'étreinte de Guillaume Jourdain, Ibn 'Ammâr avait besoin d'un secours extérieur. Ne pouvant s'adresser à *T*ughtekîn, l'âtâbeg de Damas et de *H*om*s*, avec qui il était brouillé, ni aux Fâ*t*imides qui eussent annexé sa ville, il pensa trouver un défenseur plus sûr dans la personne de l'ancien prince turcoman de Jérusalem, Soqmân l'Ortoqide, pour lors émir de *H*i*s*n Kaîfâ, au Diyârbékir. Déjà Soqmân s'était mis en marche avec une armée considérable, lorsque, parvenu près de Palmyre, il mourut subitement. Ce décès enleva aux Banû 'Ammâr tout espoir de voir briser le blocus qui épuisait Tripoli (1105)[80].

Bien que *T*ughtekîn fût assez mal avec les Banû 'Ammâr qui se défiaient avec raison de lui, l'âtâbeg de Damas et de *H*om*s* n'en faisait pas moins pour lui-même la guerre à Guillaume Jourdain. À une date indéterminée celui-ci ou son prédécesseur Raymond de Saint-Gilles s'était emparé, dans les monts Nosairis, de Raphanée ou Rafaniya, forteresse située à 1 kilomètre 500 Sud-Sud-Ouest de Ba'rîn, sur une des routes de Tortose à *H*om*s*[81]. Ibn al-Qalânisî (p. 69) et le *Mirât al-Zemân* (p. 528) nous disent que vers avril-mai 1105 *T*ughtekîn reprit la forteresse à Guillaume Jourdain en lui tuant 500 hommes et qu'il ne se retira qu'après avoir démantelé les remparts[82]. Mais la diversion était à rayon trop éloigné pour obliger Guillaume Jourdain à desserrer son étreinte autour de Tripoli.

Le blocus de Tripoli devenait de plus en plus étroit. La place, coupée de sa banlieue, commençait à manquer de vivres. Pour s'en procurer les habitants vendaient en masse les bijoux et l'orfèvrerie qui faisaient l'orgueil de la riche cité[83]. Une livre de dattes s'achetait une pièce d'or. « Cinq années s'étaient écoulées depuis que les Francs avaient commencé l'investissement de Tripoli. Les vivres devenaient rares. Les habitants commençaient à craindre pour leur vie, pour celle de leurs femmes et de leurs enfants. Les pauvres émigrèrent, les riches furent réduits à la misère. » Ibn 'Ammâr avait établi des distributions régulières en faveur des malades et des combattants et imposé les notables pour subvenir aux frais de la défense. Mais cet impôt pesait lourdement sur une bourgeoisie ruinée. Ibn al-A*th*îr nous avoue que certains notables préféraient passer au camp des Francs et se mettre sous leur protection. Deux de ces transfuges firent connaître aux assiégeants les sentiers par lesquels les gens de Tripoli recevaient encore quelque ravitaillement du côté de 'Arqa et du Liban. Les Francs interceptèrent aussitôt ces pistes et le blocus devint impitoyable. Curieux détails : Ibn 'Ammâr envoya proposer à Guillaume Jourdain de grandes sommes d'argent pour obtenir l'extradition des deux transfuges et, sur le refus de celui-ci, il les fit assassiner en plein camp chrétien (1106)[84].

Tripoli cependant résista trois ans encore, d'abord du fait de l'énergie peu commune de Ibn 'Ammâr – un des plus adroits politiques de ce temps – puis en raison de la richesse de la vieille cité commerçante arabo-juive, qui, comme on l'a vu, permettai de ravitailler la ville à prix d'or par voie de mer. En effet le blocus, rigoureux du côté de la terre, devait être assez lâche du côté de la mer. Les barons francs – c'était leur grande faiblesse – n'avaient pas de marine ; ils ne pouvaient s'emparer des ports qu'à l'occasion du passage de quelque escadre italienne. De plus il semble que la solidarité chrétienne ait connu d'étranges défaillances, du moins à en croire Ibn al-A*th*îr d'après lequel Tripoli en 1106-1107 aurait reçu par mer des convois de ravitaillement provenant de l'île byzantine de Chypre, voire de la principauté d'Antioche. Ce serait même ce secours inespéré qui aurait relevé les courages et, au dernier moment, empêché la population de se rendre (*Kâmil al-tewârîkh*, 254-255).

*Voyage d'Ibn 'Ammâr à Baghdâd.*
*L'appel au sultan et au khalife.*

Au printemps de 1108 Fakhr al-Mulk Ibn 'Ammâr, devant l'obstination des Francs à poursuivre le siège de Tripoli, résolut d'aller implorer les chefs du monde musulman, le sultan seljûqide de Perse et le khalife de Baghdâd[85]. Le sultan de Perse était alors Mu*h*ammed qui venait de remettre de l'ordre dans les affaires de l'empire seljûqide (1104-1117). Lui seul et le khalife 'abbâside, s'ils donnaient le signal de la guerre sainte, pouvaient sauver Tripoli. Ibn 'Ammâr confia le gouvernement de Tripoli à son cousin *Dh*u'l Manâqib en avançant la solde des troupes pour six mois, puis il partit en emportant pour la cour de Baghdâd toute espèce de riches présents, étoffes précieuses, objets rares, chevaux de luxe (mars 1108). En passant par Damas il n'était peut-être pas exempt de toute inquiétude. On sait combien aigres-doux avaient été ses rapports antérieurs avec l'âtâbeg *T*ughtekîn. Mais l'âtâbeg ne pouvait devant l'opinion publique musulmane faire moins que de ménager l'accueil le plus courtois au pèlerin de la guerre sainte. Il alla à sa rencontre, l'invita à pénétrer en ville, lui offrit de se baigner dans son propre bain. Cependant Ibn 'Ammâr avec toute sa caravane d'étoffes précieuses et de coursiers de luxe ne paraît avoir eu qu'une confiance relative dans l'hospitalité de *T*ughtekîn. Il n'accepta d'entrer qu'une seule fois dans Damas, à l'occasion d'un banquet, et resta campé dans les jardins[86].

Déjà les nouvelles de Tripoli étaient mauvaises. *Dh*u'l Manâqib, à qui Ibn 'Ammâr avait confié l'administration de la ville, cherchait à devenir souverain en s'appuyant sur la cour d'Égypte. Averti du complot, Ibn 'Ammâr envoya de Damas des ordres à ses fidèles, à Tripoli. Le traître put être arrêté par les loyalistes et fut déporté à al-Khawâbî (le Coïble des chroniqueurs), forteresse que les Banû 'Ammâr possédaient encore dans les monts Ansariyé[87].

De Damas Ibn 'Ammâr se mit en marche vers Baghdâd, escorté par le fils de *T*ughtekîn, Tâj al-Mulk Bûrî, qui le suivit jusqu'à la cour 'abbâside.

Le récit que nous fait Ibn al-A*th*îr du séjour de Ibn Ammâr à Baghdâd éclaire d'une lumière définitive l'impuissance et l'indifférence de l'Islâm seljûqide et 'abbâside en présence de la conquête franque. Ce n'est pas qu'on n'ait fait au héros syrien l'accueil le plus flatteur. Le sultan Mu*h*ammed dépêcha ses émirs à sa rencontre ; pour passer le Tigre il lui envoya son propre canot « avec le coussin sur lequel lui-même avait coutume de s'asseoir ». Sans parler des honneurs qu'on lui prodigua, à lui, simple *qâdî*, comme aux princes du plus haut rang, le sultan et le khalife lui manifestèrent personnellement la plus touchante affection[88]. Tous deux l'interrogèrent longuement sur les péripéties du siège de Tripoli, sur les forces des Francs, sur l'héroïsme des défenseurs, le félicitant avec émotion de son zèle pour la guerre sainte. Lui suppliait le sultan de lui confier une armée, jurant que l'entrée en scène des forces seljûqides suffirait à dégager la ville[89]. De fait le sultan parlait bien de faire partir une expédition, mais, au lieu d'aller délivrer Tripoli alors à la dernière extrémité, cette armée devait au préalable aller faire la guerre à l'émir de Mossoul indocile[90]. Ibn 'Ammâr eut bientôt perdu toute illusion. Quand il comprit que les gens de l'Irâq et ceux de l'Iran se désintéressaient de l'Islam syrien, que le pontife arabe et l'empereur turc abandonnaient Tripoli à son malheureux sort, il reprit tristement le chemin de l'Ouest (août-septembre 1108)[91].

Suprême désillusion : en arrivant en Syrie, Ibn 'Ammâr se trouva dépossédé de sa principauté. En son absence les habitants de Tripoli, cherchant un protecteur assez puissant et assez proche pour les sauver, s'étaient donnés aux Fâ*t*imides d'Égypte qui, toujours maîtres de Tyr et d'Ascalon, semblaient mieux placés que quiconque pour leur envoyer de prompts secours. « Les habitants de Tripoli, écrit Ibn al-A*th*îr, dépêchèrent un député à al-Af*d*al, vizir d'Égypte, pour le prier de leur envoyer par mer un gouverneur qui prît leur défense, ainsi que le ravitaillement dont ils avaient besoin. Al-Af*d*al fit partir Sharaf al-Dawla Ibn Abû *T*ayîb, avec le matériel le plus nécessaire à un siège. Ce gouverneur, en arrivant, fit arrêter les officiers et les fidèles d'Ibn 'Ammâr, s'empara de ses biens et envoya ses richesses en Égypte » (1108).

Ibn 'Ammâr, évincé de Tripoli, ne réussit à conserver que la petite place de Jabala ou Jeblé, l'ancienne Gabala, le Zibel des chroniqueurs, entre Lattaquié et Marqab[92].

Quant au gouvernement du Caire qui cherchait depuis si longtemps à recouvrer Tripoli, il allait se montrer singulièrement incapable de la défendre. Habiles à intriguer, les Fâ*t*imides, ces Byzantins de l'Islam, étaient frappés d'une espèce de paralysie dans les questions militaires. Rien de plus révélateur à cet égard que le réquisitoire que le *Nojûm al-Zâhira* formule à propos du siège de Tripoli contre « l'incurie des Égyptiens »[93].

*Prise de 'Arqa par Guillaume Jourdain.*

Les débris de l'ancienne principauté des Banû 'Ammâr se trouvaient donc partagés. Tandis que le gouvernement égyptien faisait occuper la ville même de Tripoli, l'âtâbeg de Damas, *T*ughtekîn, chercha à annexer 'Arqa (ou Arcas), place située près de la côte, au nord de Tripoli. C'était alors « une ville forte, au milieu d'une contrée prospère, où l'eau abondait, avec des hauteurs couvertes de forêts, des coteaux plantés d'oliviers, et une plaine divisée en champs cultivés et en prairies..., une ville populeuse et riche, alimentée en eau par un aqueduc »[94]. Très importante aussi au point de vue stratégique, car elle commandait la passe entre le Jebel 'Akkâr et la baie de ce nom, défendant Tripoli du côté du nord : si les Damasquins s'y établissaient, ils coupaient aux Francs la route de Tortose à Tripoli[95].

Dans les derniers temps de sa domination, Ibn 'Ammâr avait confié le château de 'Arqa à un de ses pages. Ce page, à la déchéance d'Ibn 'Ammâr, se rendit indépendant, mais bientôt, incapable de tenir seul contre Guillaume Jourdain, il offrit de céder la place à *T*ughtekîn. L'âtâbeg envoya aussitôt trois cents hommes avec un officier nommé Isrâ'îl. « Isrâ'îl prit paisiblement possession du château, mais au moment où le page le quittait, il lui lança au milieu du désordre de la séparation un trait, et le tua : il voulait empêcher l'âtâbeg son maître de prendre connaissance des richesses que le page laissait dans la forteresse »[96]. *T*ughtekîn, cependant, se préparait à venir en personne s'assurer de la situation et mettre solidement 'Arqa en état de défense. Mais la pluie et la neige qui, en cet hiver exceptionnel, ne cessèrent pas pendant deux mois de tomber dans le Liban, retardèrent son voyage. Il se contenta d'aller attaquer ou prendre quelques forts que les Provençaux venaient d'établir sur le versant oriental du Jebel 'Akkâr, du côté de la vallée de l'Oronte, notamment al-Akma qui peut être l'actuel Akun, le Lacun des chroniqueurs, dans le Jebel Akrum, à dix kilomètres au sud-est de Qubai'at[96]. Ce fut Guillaume Jourdain qui prit l'offensive (mars 1108). Avec trois cents chevaliers et deux cents turcoples, le prince provençal contourna le Jebel 'Akkâr et tomba à l'improviste sur les Damasquins. Saisis de panique, ceux-ci prirent la fuite, *T*ughtekîn en tête, « en abandonnant leurs effets et leurs bêtes de somme ». Guillaume les poursuivit jusqu'aux environs de *H*oms, puis redescendit le cours de l'Oronte jusqu'à Shaîzar. En amont de la ville, il mit pied à terre. Les deux frères munqi*dh*ites Murshid et Sul*t*ân, émirs de Shaîzar, croyant avoir affaire à un détachement égaré, sortirent pour le capturer. « Mais, écrit Usâma ibn-Munqi*dh*, aussitôt que les Francs aperçurent nos compagnons, ils remontèrent à cheval, les chargèrent, les mirent en déroute et les contraignirent à abandonner jusqu'au dernier le champ de bataille[98]. » Guillaume Jourdain, après cette double victoire, regagna la côte pour exploiter son avantage en s'emparant de 'Arqa. La place, n'espérant plus de secours, put être prise après trois semaines de siège (mars-avril 1108). Albert d'Aix nous dit que la garnison s'enfuit pendant la nuit, en creusant une issue dans la muraille, du côté de Jebel 'Akkâr, et qu'au matin Guillaume Jourdain trouva la citadelle vide[99]. Ibn al-A*th*îr affirme au contraire que les habitants demandèrent à capituler et obtinrent de Guillaume Jourdain l'autorisation de se retirer librement, à l'exception du gouverneur Isrâ'îl, qu'il désirait échanger contre un chevalier franc, depuis sept ans prisonnier à Damas[100], échange auquel il fut procédé aussitôt.

## § 4. — Bertrand : Fondation du comté de Tripoli.

*Compétition entre Guillaume Jourdain et Bertrand.*

Guillaume Jourdain régnait depuis plus de trois ans sur l'État provençal du Liban avec le ferme espoir de couronner ses succès par la conquête imminente de Tripoli lorsqu'un compétiteur inattendu se révéla dans sa famille : Bertrand, fils aîné de Raymond de Saint-Gilles, vint en Orient réclamer son héritage[101].

L'expédition avait été bien préparée. Ce fut avec une armée de 4 000 chevaliers et sergents et sur une flotte provençale de quarante galères que Bertrand mit à la voile[102]. Au passage il s'arrêta à Gênes[103] pour engager des négociations avec la Seigneurie. Il avait en effet la résolution de s'emparer de Tripoli et l'aide d'une des républiques maritimes italiennes pouvait seule lui permettre d'en finir avec l'indomptable cité arabe. Notons que Guillaume Jourdain s'était également adressé aux Génois dans le même but ; il leur avait envoyé une ambassade pour solliciter leur concours. Mais Bertrand, se présentant en personne, dut être plus éloquent et un traité d'alliance en bonne forme fut conclu : la marine génoise aiderait le comte à obtenir l'héritage paternel et à enlever Tripoli aux Égyptiens ; en échange Gênes obtiendrait dans le futur comté de Tripoli les plus larges privilèges commerciaux[104]. Une escadre génoise de quatre-vingts galères se joignit à la sienne et il remit à la voile vers le Levant.

Parvenue dans les eaux grecques, la flotte fut contrainte de chercher abri dans le golfe de Volo, à Halmiros, où les Génois, pour se ravitailler, ne se firent pas faute de piller le pays. L'empereur Alexis Comnène, apprenant que ces violences étaient commises au nom du fils de son ancien allié, invita aussitôt Bertrand à renouveler l'entente paternelle. Sur cette invitation, Bertrand se rendit à Constantinople, fut reçu au palais comme un fils, comblé de cadeaux et, avant de partir, renouvela l'alliance gréco-provençale, avec serment de fidélité au *basileus*[105]. Puis la flotte provençale et génoise fit voile vers le port de Saint-Siméon (Suwaidiya).

Saint-Siméon, port d'Antioche, appartenait, comme cette capitale, à Tancrède. Bertrand envoya une ambassade au prince normand en lui demandant une entrevue. Tancrède accourut d'Antioche et fit fête au jeune homme. Avec une certaine candeur, Bertrand lui demanda tout de go – d'ailleurs fort amicalement – la partie d'Antioche qu'avait jadis occupée Raymond de Saint-Gilles. Le madré Normand se garda bien de se fâcher. Il se déclara tout prêt à restituer à Bertrand le quartier en question, mais à une condition, c'est que son jeune ami l'aidât à aller reconquérir la ville de Mamistra en Cilicie, sur les Byzantins qui l'avaient « usurpée ». Bien entendu, Bertrand, lié par son récent serment de fidélité à Alexis Comnène, répondit qu'il ne pouvait aller attaquer une ville impériale ; à la place il offrait d'aider Tancrède à enlever Jabala à Ibn 'Ammâr. Mais ce n'était pas Jabala que voulait Tancrède, c'était uniquement la Cilicie.

Ainsi l'équivoque était dissipée. Bertrand était, comme autrefois son père, l'allié, l'agent des Byzantins avec lesquels les Normands d'Antioche restaient en guerre permanente. Tancrède, démasquant aussitôt son hostilité, invita Bertrand à sortir sur-le-champ de Saint-Siméon et à ne jamais remettre les pieds sur le territoire d'Antioche. Il interdit à ses propres sujets, sous des peines sévères, de rien vendre aux nouveaux arrivants[106].

Ainsi éconduits, Bertrand et ses alliés génois mirent à la voile vers Tortose qui était, pour lors, la principale ville des possessions provençales. La garnison provençale, dans l'incertitude de la question de droit, leur fit le meilleur accueil et Bertrand s'y comporta en propriétaire légitime. De là, il envoya le lendemain une délégation à son cousin Guillaume Jourdain à Mont-Pèlerin pour lui annoncer son intention d'enlever, avec l'aide des Génois, Tripoli aux Égyptiens et aussi pour lui réclamer la succession paternelle. Héritier direct de Raymond de Saint-Gilles, alors que Guillaume Jourdain n'était qu'un arrière-neveu ou un simple cousin, Bertrand devait régulièrement être mis en possession de son héritage, à commencer par le Mont-Pèlerin que son père avait bâti. À quoi Guillaume Jourdain répondit que la terre lui appartenait, puisque, depuis bientôt quatre ans, il la défendait contre les attaques quotidiennes des Arabes et des Turcs, que, sans lui, Ibn 'Ammâr, les Fâ*t*imides et *T*ughtekîn auraient depuis longtemps détruit l'œuvre de Saint-Gilles et que, du reste, il avait personnellement doublé l'héritage de ce dernier par la conquête de 'Arqa et des châteaux du Jebel 'Akkâr[107]. La question de droit paraissait insoluble. Restait la question de force.

Devant les sommations de Bertrand, Guillaume Jourdain fit appel à Tancrède. Il pria le prince d'Antioche de venir le défendre avec toutes ses troupes, offrant en revanche de lui faire hommage de sa terre et de se reconnaître son vassal. Tancrède accepta aussitôt et annonça son arrivée imminente à Tortose, pour y opérer la jonction de ses forces avec celles de Guillaume et, ensemble, aller chasser Bertrand.

Dès qu'il fut au courant de cette coalition, Bertrand quitta Tortose, et, montant sur sa flotte, escorté de toute l'escadre génoise, vint toucher terre devant Tripoli. Grâce à la puissante armada de ses alliés italiens, il commença aussitôt pour son compte, par terre et par mer, le siège de la ville arabe, tout en menaçant les forces de son rival enfermées dans Mont-Pèlerin. En même temps, il envoya une ambassade au roi Baudouin Ier à Jérusalem, pour lui apprendre son arrivée et lui dénoncer la coalition formée par Guillaume Jourdain et par Tancrède qui voulaient le dépouiller. Portant l'affaire devant le tribunal du roi, Bertrand réclamait de la justice royale aide et secours pour se faire rendre l'héritage paternel, et, au demeurant, se déclarait, pour cet héritage, vassal de la couronne de Jérusalem[108]. Point n'est besoin de signaler l'importance d'un tel acte par lequel le futur comté de Tripoli entrait juridiquement dans la mouvance de la royauté hiérosolymitaine.

*Arbitrage du roi Baudouin Ier.*

Baudouin, dont toute la politique tendait à transformer sa royauté judéenne en une royauté syro-palestinienne embrassant l'ensemble des terres franques, n'était pas homme à laisser passer une telle occasion[109]. Il envoya sur-le-champ à Tancrède et à Guillaume Jourdain deux de ses chevaliers, Payen de Caïffa et Eustache Garnier, pour leur signifier que, Bertrand s'étant placé sous sa protection, il leur interdisait de rien faire contre lui. Puis, sur un ton de suzerain qui n'admettait pas de réplique, parlant « au nom de toute l'Église de Jérusalem », il les convoquait tous deux à un plaid royal devant Tripoli pour s'entendre condamner à restituer les terres usurpées par Guillaume Jourdain sur Bertrand au Liban, et par Tancrède sur Jocelin de Courtenay à Turbessel (Tell Bâsher), dans les provinces de l'Euphrate. Et se constituant d'office l'arbitre de ces querelles franques, le roi annonçait son intention ferme de rétablir la concorde entre les barons, concorde sans laquelle on ne pourrait conserver les conquêtes de la Croisade[110].

Joignant l'acte à la parole, Baudouin Ier avec 500 chevaliers et autant de fantassins, gagna Tripoli. Bertrand, joyeux de son arrivée, lui jura fidélité *(homo ejus jurejurando factus est)*. Quant à Guillaume Jourdain, qui avait dû vraisemblablement aller au-devant de Tancrède à Tortose, l'intervention royale l'avait exaspéré ; il était prêt à en appeler aux armes. Mais Tancrède, toujours politique et qui savait quel homme était Baudouin, calma son allié. Se conformant docilement à la semonce royale, tous deux descendirent donc sur Tripoli, non d'ailleurs sans se faire prudemment escorter par 700 chevaliers d'élite. Peu après eux, arrivèrent aussi avec leur chevalerie Baudouin de Bourg, comte d'Édesse, et Jocelin de Courtenay, qui avaient été également mandés par le roi.

Les hauts barons de Syrie étaient donc au complet devant Tripoli lorsque le roi ouvrit, probablement à Mont-Pèlerin, un plaid solennel. Les adversaires furent invités à y exposer publiquement leurs griefs. Le roi prononça entre eux et les obligea ensuite à se réconcilier, Tancrède avec Baudouin du Bourg, Guillaume Jourdain avec Bertrand. L'héritage de Raymond de Saint-Gilles fut partagé. Il fut décidé que Guillaume Jourdain conserverait 'Arqa, sa conquête, et aussi Tortose, mais que Bertrand aurait Mont-Pèlerin avec Tripoli, dès que cette ville aurait capitulé, plus Gibelet[111]. Décision assez équitable au point de vue juridique ; assez logique au point de vue territorial, puisqu'elle répartissait le fief provençal en deux zones : une zone septentrionale, le long des Monts Ansariyé, à Guillaume ; une zone méridionale, le long du Liban, à Bertrand. Il était en outre entendu que, si l'un d'eux mourait sans enfant, l'autre hériterait de son lot. Ce qui était au fond plus épineux, c'était la question de mouvance : « Bertrand de ce qu'il devoit avoir fu revestuz du (par le) Roi et en devint ses (son) hom liges » ; mais, non moins publiquement et régulièrement Guillaume Jourdain « por la seue part fist homage de ses deux mains au prince d'Antioche (Tancrède) »[112]. La lutte d'influence, bien qu'officiellement apaisée, subsistait donc sourdement. Nous verrons par quelle tragédie la difficulté devait être supprimée.

*Prise de Tripoli (12 juillet 1109).*

L'accord une fois établi entre les barons, on songea à profiter de cette concentration unique des forces franques pour en finir avec la résistance de Tripoli. Il y avait six ans que la ville était en état de blocus permanent. Mais jusque-là les assiégeants n'avaient disposé que d'effectifs insuffisants. Aujourd'hui la chevalerie de Jérusalem, les Provençaux, les Normands d'Antioche, les chevaliers d'Édesse même étaient rassemblés devant le rempart, et le port était en outre attaqué par les 70 navires de l'escadre génoise, une des plus considérables du temps. Une action rapide de l'Égypte, à qui les gens de Tripoli venaient de se donner en désespoir de cause, eût pu sans doute retarder le dénouement. Mais le gouvernement du Caire était comme frappé de paralysie. La flotte qu'il avait équipée, prête depuis un an, avec tout le ravitaillement désirable et un corps de débarquement, attendait, dans les ports du Delta, des instructions qui, en raison de la mésentente des émirs, n'arrivaient jamais. Quand l'ordre de mettre à la voile parvint enfin aux équipages, l'escadre se trouva immobilisée par les vents contraires. Elle ne devait faire son apparition dans les eaux de Tripoli qu'après le dénouement. « Quand elle arriva avec le corps expéditionnaire, elle ne put que constater la chute de la ville et retourner en Égypte comme elle était venue... L'incurie des Égyptiens, conclut le *Nojûm-al-Zâhira,* fut la cause de tout. D'abord pendant toute cette longue période, ils n'avaient pas envoyé d'armée de renfort ; plus tard ils n'expédièrent avec la flotte que des équipages insuffisants, alors que, s'ils eussent été en nombre, ils auraient repoussé les Francs par mer. Enfin le vizir al-Af*d*al ne se donna pas la peine de prendre en personne le commandement de l'armée. Et cependant les ressources de l'Égypte en hommes, en argent et en armement étaient infinies ![113]. »

Les habitants de Tripoli, abandonnés à eux-mêmes, leurs murs battus par les tours roulantes des assiégeants, s'offrirent à capituler entre les mains du roi et du comte Bertrand. Ils demandaient comme conditions, soit de pouvoir émigrer librement, soit de rester en conservant leurs biens moyennant redevance annuelle, comme sujets des Francs : « Que se il (= les Francs) vouloient fere issir de la ville ceus qui issir s'en voudroient, et leur mesniées jusque à seurté, et ceus qui ne s'en voudroient issir fesoient remanoir seurement (= rester en sûreté) en leur teneures, par rendant une resnable somme d'avoir qu'il leur enverroient chascun an, il (les Tripolitains) leur ouverroient les portes et leur rendroient la ville[114]. » Baudouin accepta sans difficulté ces conditions et le 12 juillet 1109 les Francs entrèrent à Tripoli.

La capitulation fut respectée en ce qui concerne Baudouin Ier, Bertrand et les barons. Ibn al-A*th*îr concède en effet que le commandant égyptien et une partie de ses troupes, ayant demandé un sauf-conduit, se retirèrent à Damas[115]. Mais en même temps il parle de pillage et de violences. Il déplore la perte de la célèbre bibliothèque des Banû 'Ammâr avec autant de tristesse que les historiens occidentaux parlent de la bibliothèque d'Alexandrie détruite par les premiers Musulmans : « La ville fut livrée au pillage, les hommes furent faits prisonniers, les femmes et les enfants, esclaves. Ce qui fut pris aux habitants en fait de richesses et en fait de biens et de meubles était immense ; on y remarquait une quantité innombrable de livres appartenant aux établissements d'instruction publique et qui provenaient de legs particuliers. En effet les habitants de Tripoli étaient au nombre des populations les plus riches et les plus industrieuses. » La clé de cette contradiction apparente – libre sortie de la garnison et violences des vainqueurs – se trouve dans Foucher de Chartres. Conformément à la capitulation jurée avec le roi, nous dit-il, le roi et les siens pénétrèrent en ordre dans la ville ; mais pendant ce temps, par suite d'une véritable émeute, la populace des marins génois escalada le mur avec des échelles et des cordes, pénétra dans la ville par un autre côté et se mit à massacrer et à piller tout ce qu'elle trouva[116]. Au contraire, dans les quartiers où se trouvait le roi, il protégea les habitants, conformément à sa parole[117].

Le fait que ce fut le roi qui reçut la capitulation de Tripoli et qui y entra à la tête de l'armée franque est important pour l'histoire ultérieure du comté provençal qui se trouva ainsi étroitement rattaché dès le début à la royauté hiérosolymitaine. C'est ce qu'a fort bien senti *l'Estoire d'Éracles* : « Li cuens Bertrans receut la ville du Roi et l'en fist homage lige de ses mains. Einsi doivent fere li seigneur de Triple au roi de Jherusalem jusqu'à ce jor d'ui[118]. »

### *Privilèges commerciaux des Génois. Les Embriaci à Gibelet. Francisation d'une seigneurie italienne au Liban.*

Les Génois dont l'escadre avait pris une part si considérable à la conquête ne furent pas oubliés. Nous avons vu qu'en 1104, comme ils avaient déjà concouru à la prise de Gibelet ou Byblos (Jebail), Raymond de Saint-Gilles leur avait concédé un tiers de cette petite cité. Par acte du 26 juin 1109, pour les récompenser de leur nouveau concours, Bertrand leur donna Gibelet en entier[119]. L'ancienne Byblos devint ainsi une colonie génoise. Un des amiraux de l'escadre génoise, Ugone Embriaco, fut placé à la tête des deux nouveaux « tiers » concédés. Au bout de quelque temps Ugone obtint de la seigneurie de Gênes l'administration de la ville entière de Gibelet, puis sa cession comme fief héréditaire, moyennant certaines redevances à payer à la Seigneurie[120].

Cette dépendance, qui faisait de Gibelet une colonie génoise affermée, se maintint tant que vécut Ugone Embriaco († *a.* 1135). Son fils Guglielmo (II) Embriaco, à qui nous voyons la commune de Gênes confirmer en 1154 la possession de Gibelet, resta encore fidèle à ses devoirs envers elle[121]. Mais déjà Hugue II, fils de Guglielmo, distendra le lien. Certes il n'oubliera pas son origine, puisqu'en mars 1168 on le verra accorder dans toute sa seigneurie de Gibelet franchise commerciale entière aux Génois ; mais il négligera d'acquitter la redevance due à la cathédrale de Gênes et le pape Alexandre III devra lui écrire pour l'inviter à solder son arriéré (25 avril 1179) : Hugue III, le Boiteux, fils de Hugue II, d'abord associé à son gouvernement de 1177 à 1184 et qui lui succède de 1184 à 1186 environ[122], ne semble pas avoir été plus exact que lui à s'acquitter envers l'église de Gênes, « car le 11 mars 1186 le pape Urbain II lui écrit à ce sujet et demande en même temps au comte de Tripoli, Raymond III, de veiller à ce que la rente de Gênes soit régulièrement payée par le seigneur de Gibelet ».

Nous verrons ainsi cette famille génoise se détacher peu à peu de ses origines italiennes et mercantiles, se franciser – les Embriaci deviennent les sires d'Embriac – et prendre rang dans la noblesse de Terre-Sainte comme principale maison vassale des comtes provençaux de Tripoli. L'évolution paraîtra achevée lorsque Hugue III épousera Étiennette de Milly, nièce de Philippe de Milly, seigneur de Naplouse, et que leur fille, Plaisance de Gibelet, deviendra la femme de Bohémond IV, prince d'Antioche et comte de Tripoli[123]. Le fils de Hugue III et d'Étiennette, Guy I^er^, seigneur de Gibelet entre 1186 et 1240 (?) environ et qui épousera Alix d'Antioche, sœur de Bohémond IV, sera devenu assez indifférent aux intérêts de Gênes pour concéder en 1217 un privilège commercial aux Vénitiens[124].

En plus de Gibelet, les Génois, en 1109, avaient également reçu du comte Bertrand de Tripoli le Puy du Connétable *(Castrum Stabularii)*, château situé à dix milles au sud de Tripoli, entre Néphin (Enfé) et Batrûn, sans doute, pense M. Dussaud, à l'actuel Héri, à l'est du Râs Shaqqa[125].

*Assassinat de Guillaume Jourdain.*
*Réunion des deux fiefs provençaux.*

Le partage des terres provençales en deux comtés, celui de Tripoli à Bertrand, celui de Tortose et Arcas à Guillaume Jourdain, s'il mettait fin à la lutte ouverte entre les deux cousins, pouvait paralyser le développement du double fief. La diversité de mouvance aggravait le cas, car, on l'a vu, tandis que Bertrand s'était reconnu, pour son comté de Tripoli, vassal du roi de Jérusalem, Guillaume Jourdain, pour son comté de Tortose-Arcas, avait fait hommage au prince d'Antioche. Il y avait là une source de complications pour l'avenir. Un « accident », qui paraît être survenu trop à point pour n'avoir pas été sollicité, mit bientôt fin à cette situation délicate. Les chroniqueurs sont assez embarrassés pour le raconter. Voici le récit, bien curieux, de *l'Estoire d'Éracles* : « En leur pais (entre Bertrand et Guillaume Jourdain) fu encore cette convenance que, se li uns d'eus moroit sans oir (héritier), sa terre escharroit à l'autre sanz nul contenz (contestation). Quant ceste pais fu einsi bonement devisée et fête par acort des deus, il avint que entre les deus escuiers à ces deus hauz homes sourdi une mout grant mellée par petite achoison et s'entrecommencièrent à corre sus mout durement. Guillaume l'oï dire, tantost sailli sus un cheval et corut là isnelement por eus desmeller (séparer). Si com il entendoit mout à cette besoigne, ne sai qui trest une saete (tira une flèche) et le féri parmi les costez, si que il le geta mort. Maintes genz distrent que li cuens Bertrans, par grant desloiauté et par grant traïson, l'avoit einsi fet ocirre ; mès jusqu'à cel jor d'ui n'en fu onques seue la vérité, ne onques ne fu descouvers qui ce coup avoit fet. En tele manière toute la terre remest (resta) à Bertran quant Guillaumes fu morz, la cui part (= dont la part) li eschéi[126]. »

Tel est le récit assez troublant de *l'Estoire d'Éracles*. Albert d'Aix, plus prudent, préfère ne donner aucun détail sur la querelle d'écuyers dans laquelle Guillaume Jourdain, en voulant intervenir, reçut une blessure mortelle. Il ajoute seulement que Bertrand rattacha aussitôt à son comté Arcas, Tortose et les autres terres du défunt[127]. Foucher de Chartres mentionne de même en deux lignes le décès de Guillaume Jourdain, « atteint la nuit, d'une petite flèche, et mort séance tenante » ; après quoi il ajoute énigmatiquement : « Tout le monde chercha le meurtrier, personne ne put le découvrir. » Et il conclut en philosophe : « Les uns se lamentèrent, les autres furent bien contents. Bertrand restait seul, lui qui s'était reconnu l'homme lige du Roi[128]. » De fait dans l'espace de quelques semaines, le comté provençal du Liban, devenu le comté de Tripoli, se voyait à la fois couronné par la conquête de sa capitale, unifié, après une division passagère, sous le fils même de son fondateur, et étroitement rattaché au royaume de Jérusalem.

*Installation des Francs à Valénie et à Gibel.*

La chute de Tripoli fut suivie de celle des dernières places musulmanes de la côte syrienne. En revenant du siège de Tripoli à Antioche, Tancrède s'empara du port de Bâniyâs, la Valénie des chroniqueurs[129]. « Il s'en empara après quelque résistance, mais la vie des habitants fut respectée », note Ibn al-A*th*îr[130]. De là il marcha sur Jabala (Jébélé, Jéblé), la Gibel ou Zibel des chroniqueurs. On se rappelle que l'ancien prince arabe de Tripoli, Fakhr al-Mulk Ibn 'Ammâr, s'y était réfugié quand il avait été dépossédé de sa ville natale par les Fâ*t*imides : c'était tout ce qui lui restait de son ancienne seigneurie. Mais la place n'était pas suffisamment approvisionnée pour soutenir un long siège, d'autant que Tancrède ne lui laissa aucun repos. Ibn 'Ammâr se résigna donc à capituler (23 juillet 1109). Il obtint de se retirer librement à Shaîzar d'où il gagna Damas. *T*ughtekîn, sensible à son infortune, lui donna en fief le canton de Zebdânî[131]. Quant à Valénie et à Gibel, elles firent dès lors partie de la principauté d'Antioche.

Du côté de l'intérieur, nous savons par Ibn al-Qalânisî qu'en cette même année 1109-1110, après la prise de Tripoli, « les Francs » – il s'agit évidemment des Provençaux du comte Bertrand – marchèrent contre Rafaniya ou Raphanée, à une cinquantaine de kilomètres à l'est de Tortose, sur le versant oriental du Jebel Ansariyé. Mais *T*ughtekîn, accouru de Damas, vint camper près de *H*om*s* pour défendre la forteresse. Les Francs, l'effet de surprise ayant échoué, traitèrent avec lui. Il fut convenu « que le tiers des récoltes de la Beqa' leur serait abandonné, ainsi que les forteresses de Munaî*t*ira et d'Ibn 'Akkâr[132] ». L'installation des Provençaux à Munaî*t*ira, « le Moinestre » des chroniqueurs, l'actuel Mneitri à une quinzaine de kilomètres à l'est de Jebail, sur le haut Nahr Ibrâhîm, prouve que ceux-ci avaient su se donner de l'air sur la route de Jebail à Ba'albek. Non moins intéressante, la reconnaissance de l'installation franque au Jebel 'Akkâr, sur la route de 'Arqa à Quseir ou à *H*om*s*. En revanche par ce même accord avec l'âtâbeg de Damas, le comte de Tripoli s'engageait à ne rien tenter contre Ma*s*yâ*t*[133] ni contre *H*o*s*n al-Akrâd, l'actuel Qal'at al-*H*o*s*n ; toutefois il était stipulé que ces deux places paieraient tribut aux Francs.

Ibn al-Qalânisî place en 1109-1110 le traité par lequel le comte de Tripoli s'engagea ainsi à respecter, moyennant tribut, le Qal'at al-*H*o*s*n, forteresse qui, à cette date, dépendait encore de l'émir de *H*om*s*, Qarâjâ. Mais le serment ne tarda pas à être tourné, car vers 1110 Tancrède, descendant d'un raid contre Shaîzar, enleva Qal'at al-*H*o*s*n à Qarâjâ[134]. On peut s'étonner de voir la célèbre forteresse ainsi conquise par le prince d'Antioche, alors que, territorialement, elle devait plutôt relever du maître de Tripoli et de Tortose. De fait c'est ce qui ne tarda pas à se produire, car Tancrède la céda par la suite au comte Pons. Elle fut ainsi englobée dans le comté de Tripoli et c'est un comte de Tripoli, Raymond II, qui en 1142 la donna aux Hospitaliers[135]. Sous le nom de « Krak des Chevaliers », elle devait de 1142 à 1271 être la principale citadelle de la défense franque dans la montagne.

### *Resserrement de la suzeraineté du roi de Jérusalem sur le comté de Tripoli. Rupture du lien avec Byzance.*

La suite de l'histoire du comte Bertrand est intimement liée à celle du roi Baudouin I^er^. Albert d'Aix nous dit que ce fut à l'instigation de Bertrand qu'en février 1110 Baudouin alla enlever Beyrouth aux Égyptiens. Nous savons que Bertrand collabora activement à ce siège et que sa flotte, jointe à l'escadre pisane, prit part au blocus du port, blocus qui amena la capitulation de la place (mai 1110)[136]. Nous voyons ensuite Bertrand accompagner le roi dans sa marche sur Édesse pour défendre le comte de cette ville, Baudouin du Bourg, contre une attaque turque qui bénéficiait, au moins en sous-main, de l'appui de Tancrède (juin 1110). À peine de retour de cette chevauchée dans le Nord, Bertrand accompagne encore le roi à Saint-Jean-d'Acre menacée par la flotte égyptienne[137]. Il concourt ensuite aux côtés du roi à la conquête de Sidon sur les Égyptiens (novembre-décembre 1110)[137]. Enfin lors de la grande invasion turque conduite par Maudûd, âtâbeg de Mossoul, contre le comté d'Édesse et la principauté d'Antioche, Bertrand suit une fois de plus le roi dans la chevauchée sur Shaîzar qui intimide l'ennemi (septembre 1111)[139]. Ainsi pendant tout son règne (1109-1113 ?), le comte de Tripoli se comporta en lige fidèle et en brillant second du roi qu'il aida à étendre le domaine royal et à protéger les autres grands vassaux contre les contre-attaques turques.

Il y a lieu de remarquer que Bertrand, en même temps qu'il rattachait étroitement le comté de Tripoli au royaume franc de Jérusalem, rompit les liens de vassalité que son père Raymond de Saint-Gilles avait acceptés envers l'Empire byzantin. En 1111 les Byzantins avaient espéré encore pouvoir utiliser Bertrand dans leur lutte contre Tancrède, prince d'Antioche. De fait Bertrand parut accueillir favorablement les propositions que lui apporta, à Tripoli, l'ambassadeur Boutoumitès, envoyé, de la part de l'empereur Alexis Comnène, par le gouverneur byzantin de Chypre, Eumathios Philocalès. Boutoumitès laissa en dépôt entre les mains de l'évêque de Tripoli une forte somme d'argent pour préparer l'opération (commencement de 1112). Mais Bertrand ne fit rien et, par la suite, Boutoumitès eut toutes les peines du monde à se faire rembourser son avance par Pons, fils de Bertrand : il fallut pour cela menacer Tripoli d'une rupture commerciale avec Chypre[140]. Nous touchons ici au terme d'une évolution. Le comté de Tripoli, juridiquement vassal de l'Empire byzantin au temps de Raymond de Saint-Gilles et à l'arrivée de Bertrand, avait, à la fin du règne de ce dernier, rompu ses dernières attaches avec Byzance pour devenir un fief du royaume franc de Jérusalem.

*Réconciliation de la maison de Tripoli avec la principauté d'Antioche. Mariage de Pons avec Cécile de France.*

Bertrand avait amené avec lui son jeune fils Pons. Les vieilles haines, quoi qu'en ait pu penser la cour byzantine, étaient si bien oubliées, la politique d'apaisement du roi Baudouin avait si bien porté ses fruits que Bertrand confia cet enfant, pour son éducation militaire, comme page ou écuyer, au prince d'Antioche, – son adversaire du début ! – au vétéran des guerres syriennes, à Tancrède.

Pons dut achever par sa bonne grâce de réconcilier les deux cours. Réconciliation peut-être même trop complète, car ici se place un épisode romanesque dont Guillaume de Tyr s'est fait le conteur. Pons avait-il témoigné d'une secrète admiration pour la toute jeune femme de Tancrède, la princesse capétienne Cécile, fille du roi de France Philippe Ier ? On pourrait le supposer d'après la charmante scène décrite par le chroniqueur. Tancrède, après une vie de combat, sentait approcher sa fin (il devait mourir le 12 décembre 1112). À son lit de mort il fit appeler sa jeune femme et son page et confia Cécile à Pons : « Icil preudom, quant il senti que sa maladie li grevoit, il apela sa femme Cécile qui estoit molt bone dame, fille le (= du) roi Phelipe de France. Il avoit norri entor lui un vallet haut home, Poincet avoit non, fils le (= du) conte Bertran de Triple ; celui fist venir devant lui. Lor dist à ce vallet et à sa femme que il connaissoit si leur bonnes manières, que bien leur osoit loer sur s'ame à ambedeus (à tous deux) que il s'entrepréissent par mariage, et mout les en prioit ; ce dist en bone foi, por leur prouz et por leur ennor. Ne demora mie, quant il ot ce dit, que l'ame s'en parti du cors[141] ». Conformément à ce vœu, Pons épousa peu après[142] la princesse capétienne, et, comme le comte Bertrand, son père, n'avait pas tardé, lui aussi, à décéder, les deux jeunes époux régnèrent sur le comté de Tripoli[143].

Au point de vue politique, le mariage de Pons et de la veuve de Tancrède est particulièrement intéressant en ce qu'il atteste la réconciliation définitive entre la dynastie provençale de Tripoli et la dynastie normande d'Antioche. – Par ailleurs Pons suivit la politique paternelle envers le roi Baudouin Ier qu'il accompagna, notamment à l'été de 1115, quand les Francs eurent à repousser de la principauté d'Antioche la contre-croisade de l'âtâbeg Bursuq[144].

*Conquête de Raphanée et construction de Montferrand.*

Si nous connaissons les campagnes où Pons suivit comme vassal le roi de Jérusalem, nous sommes moins documentés sur celles qu'il dut conduire lui-même contre les Musulmans de Damas et de *H*oms pour agrandir le comté sur le versant oriental du Jebel Ansariyé et du Jebel *H*elu. L'objectif des Provençaux de ce côté était toujours Raphanée (Rafanîya). Or, sous la rubrique de 1115, le *Kâmil al-Tawârîkh* nous apprend qu'à cette date les Francs avaient enlevé Raphanée à *T*ughtekîn : « Ils avaient pourvu la place d'hommes et de provisions et ne négligeaient rien pour la mettre en état de défense. » Mais, ajoute Ibn al-A*th*îr, la perte de Rafanîya contraria vivement *T*ughtekîn. Quelque relève, en affaiblissant momentanément la garnison, lui offrit l'occasion attendue. « Il se mit en marche avec des troupes armées à la légère, arriva avant que la garnison fût instruite de son approche, força l'entrée de la place, fit tous les Francs prisonniers, tua une partie des habitants et ramena à Damas un grand butin en chevaux et en bêtes de somme. » (octobre-novembre 1115)[145]. Quelques lignes plus loin le *Mirât al-Zemân* nous montre « le fils de Saint-Gilles » – en l'espèce le comte Pons – opérant une razzia dans la Beqa'. « Posté près de Anjar il dévastait le pays, » lorsque *T*ughtekîn lui infligea une surprise nocturne[146].

L'autre forteresse franque de la région, Ba'rîn ou Montferrand, doit avoir été construite par le comte de Tripoli vers la même époque. Il semble en effet que ce soit le nom de Montferrand qu' Albert d'Aix défigure en Montfargie, quand il nous dit qu'en 1115 cette place fut enlevée par l'armée turque de Bursuq[147]. Mais les deux places devaient finalement rester aux Francs. En mars 1126 le comte Pons, aidé du roi de Jérusalem Baudouin II, vint mettre le siège devant Raphanée. Le gouverneur, Shams al-Khawâ*ss*, étant sorti pour aller demander du secours, son fils, à qui il avait confié le commandement, perdit courage et, après dix-huit jours de siège, capitula (31 mars 1126). La garnison turque se retira librement. Les Francs coururent ensuite ravager la province de *H*oms[148].

La réoccupation de Raphanée par les Provençaux dut être suivie de celle du château, tout voisin, de Ba'rîn ou de Montferrand. Nous savons en effet qu'en 1132 Ba'rîn était une des principales forteresses du comté puisque, à cette date, des bandes de Turcomans, venues de la Jazîra, essayèrent de s'en emparer. Le comte Pons se trouvait dans la place ; il fit une sortie, mais fut repoussé avec pertes et n'eut que le temps de se réfugier dans la citadelle. Ibn al-A*th*îr prétend qu'il s'enfuit secrètement pour aller chercher du secours. Pour *l'Estoire d'Éracles*, au contraire, ce fut sa femme, Cécile de France, qui, avertie du péril, courut alerter le roi de Jérusalem, Foulque d'Anjou. « Quant ele vit le roi, si li chéi aus piez et li cria merci en plorant, et li dist que li sires de Halape avoit son seigneur assis (= assiégé) en une seue forteresce qui a non Montferrant, et disoit ele que ses (= son) sires ne se porroit mie tenir longuement, se il n'avoit secors. » En la voyant « plorer si tendrement », le roi de Jérusalem, ému de pitié, marcha aussitôt sur Ba'rîn. Les Turcomans essayèrent de leur barrer la route. Ibn al-A*th*îr nous parle d'un combat chaudement disputé sous les murs. À la fin les Francs, qui avaient l'appui de la forteresse voisine de Rafanîya, eurent le dessus, et les Turcomans, leur coup manqué, se retirèrent[149].

À cette date de 1132 le comté de Tripoli a atteint sa plus grande expansion territoriale, depuis les environs de Margat (Marqab) au nord jusqu'au Nahr al-Kalb au sud et depuis la mer jusqu'à Montferrand-Ba'rîn, Raphanée, le Krak des Chevaliers et 'Akkâr à l'est. Comme on l'a vu, le comté était orienté face à l'est, en marche sur *H*oms, son objectif. Aussi bien, dans l'ambition des comtes de Tripoli, *H*oms, ou, comme ils disaient, « La Chamelle » *(Camolla)*, était considéré comme leur future capitale, puisque c'est sous ce nom que l'État provençal est souvent désigné chez les chroniqueurs[150].

La suite de l'histoire de l'État provençal du Liban est trop intimement mêlée à celle de la principauté d'Antioche et du royaume de Jérusalem pour que nous puissions l'en séparer[151].

# CHAPITRE V

# BOHÉMOND, TANCRÈDE, ROGER D'ANTIOCHE ET LE MILIEU SELJUQIDE. FORMATION DE LA PRINCIPAUTÉ D'ANTIOCHE ET DU COMTÉ D'ÉDESSE.

## § 1er. — Bohémond et la fondation de la principauté d'Antioche.

*La question d'Antioche en 1099.*

Nous avons vu comment, en janvier 1099, Raymond de Toulouse et les autres chefs de la Première Croisade, à l'exception de Bohémond resté à Antioche et de Baudouin de Boulogne resté à Édesse, avaient enfin quitté la Syrie du Nord pour marcher sur Jérusalem. Le traducteur d'*Éracles*, qui écrit après coup l'histoire officielle de la Syrie franque, veut nous persuader que c'est à la requête des autres Croisés que Bohémond et Baudouin, au lieu de s'accorder la joie d'aller prier avec eux à Jérusalem, se sont sacrifiés pour tous en montant la garde à Antioche et à Édesse. « Cil dui haut home, écrit pieusement notre traducteur, ne furent mie à la prise de Jhérusalem, car, par la volenté des pèlerins, li uns remest (resta) à Antioche, et li autres à Rohès por garder et défendre des Turs ces deux citez qui grant leu tenoient à la Crestienté[1]. » L'intention est louable, mais il est quelque peu imprudent de vouloir transformer l'astucieux aventurier normand en une victime effacée et bénévole. Voyez au contraire dans les autres sources les imprécations des Croisés contre Bohémond qui refuse de les accompagner à Jérusalem : « Bohémond, qui n'avait obtenu la principauté d'Antioche que parce que les Francs avaient souffert la faim, les intempéries et la mort pour la lui conquérir, préféra, quand tous les autres partaient, y rester tranquillement au lieu d'aller peiner pour la délivrance du Saint-Sépulcre[2]. » La vérité est entre ces deux points de vue extrêmes, car ce n'est pas à coup sûr par lâcheté ou mollesse, mais par âpreté normande à défendre son bien, comme dit Albert d'Aix[3], que le nouveau maître d'Antioche s'est refusé à risquer, en s'éloignant, de perdre ce qu'il avait conquis au prix de tant d'énergie et de ruse. Du reste, c'était lui qui avait raison ; son égoïsme terre à terre se trouva plus profitable à la consolidation de la Syrie franque que le piétisme imprudent de ses détracteurs. Que fût-il advenu, si tous les barons étaient partis inconsidérément pour Jérusalem en abandonnant Édesse et Antioche aux contre-attaques turques ? De sorte que c'est le traducteur d'*Éracles* qui, erroné dans le détail des faits, se trouve, si on regarde les choses de haut, avoir finalement raison. Le refus de Bohémond et de Baudouin de participer à la Croisade terminale, pour égoïstes que fussent leurs mobiles, conserva la Syrie aux Croisés.

Le départ des Croisés, d'ailleurs, dut combler d'aise Bohémond. Il le laissait maître en fait, sinon en droit, d'Antioche et de sa banlieue. Il est vrai que les soldats du comte de Toulouse occupaient toujours dans la ville le château de Yâghî Siyân et la Tour du Pont. Mais, dès qu'il estima Raymond suffisamment éloigné, Bohémond expulsa sans ménagements ses soldats de ces deux positions[4].

Ce geste tranchait la question de fait, la question de la possession d'Antioche telle qu'elle se posait entre Francs. Mais le problème juridique subsistait, problème d'autant plus grave qu'il était international, car il ne s'agissait de rien de moins que des droits historiques de l'Empire byzantin sur la métropole syrienne. Ces droits, nous l'avons vu, la chancellerie d'Alexis Comnène n'y renonça jamais, on peut même affirmer que leur reconnaissance fut en Orient le plus constant objectif de l'actif *basileus* et de ses deux premiers successeurs. De sorte que la fondation de l'État normand de Syrie dut être réalisée à la fois contre les Byzantins, dont toute la souplesse et toute la ténacité tendaient à rétablir leur souveraineté sur Antioche, et contre les Turcs qui, bien entendu, cherchèrent dès le premier jour à rejeter les Francs à la mer. L'energie normande et la ruse sicilienne de Bohémond, puis de son neuveu Tancrède ne furent pas de trop pour mener à bien cette difficile tâche.

*La question de Laodicée en 1099.*

Les Byzantins, nous l'avons vu, occupaient sur le littoral de la future principauté d'Antioche, une position de premier ordre, le principal port de la région, Laodicée, que les Croisés appelaient La Liche, notre Lâ*dh*iqîya ou Lattaquié[5]. La ville, on le sait, avait subi les vicissitudes les plus diverses. Enlevée aux Turcs vers août 1097 par le corsaire Guynemer de Boulogne, elle avait été, au printemps 1098, arrachée à Guynemer par des marins anglais, conduits par Eadgard Aetheling et par Robert Godvinson qui déclaraient agir au nom de l'Empire byzantin. Les Anglais, à leur tour, donnèrent leur conquête au comte de Normandie, Robert Courte Heuse, dans le temps où ce prince, avec les autres chefs de la première Croisade, assiégeait Antioche. Puis Robert fut chassé par les gens de Laodicée, las de ses exactions, et ils se donnèrent à Raymond de Saint-Gilles, comte de Toulouse (été 1098). Mais en février 1099, avant de partir pour Jérusalem, Raymond, qui, on se le rappelle, était l'allié d'Alexis Comnène, remit Laodicée aux Byzantins[6].

Une telle cession était fort grave pour la jeune principauté normande d'Antioche. Les Byzantins, désormais en possession du principal port et de la seconde ville forte du pays, pouvant surveiller de là tout le bas Oronte, risquaient d'étouffer l'œuvre de Bohémond. On comprend que la première tâche que se soit assignée celui-ci ait été la conquête de la place. Tandis que les autres princes croisés délivraient Jérusalem, à l'été de 1099, Bohémond alla assiéger Laodicée. Une flotte lui était pour cela indispensable. L'arrivée de l'escadre pisane, sous le commandement de l'archevêque Daimbert, lui fournit l'aide en question[7].

Cette escadre était partie pour le Levant dans le but de participer à l'œuvre de la croisade, mais en route elle n'avait pas hésité à se livrer à la piraterie en côtoyant les îles byzantines de Corfou, Sainte-Maure, Céphalonie et Zante (1099). Alexis Comnène avait dû envoyer à la poursuite des Pisans une flotte qui, sous le commandement de Tatikios, les manqua de peu à leur passage à Samos et finit par les atteindre entre Rhodes et Patara. Une tempête ayant interrompu le combat, la flotte pisane cingla vers l'île de Chypre où elle essaya de débarquer. Repoussée par le gouverneur byzantin, Eumathios Philocalès, elle se dirigea vers la Syrie du nord où ses chefs, Daimbert en tête, lièrent partie avec Bohémond[8].

Bohémond, heureux de ce concours, proposa aux Pisans d'enlever de concert avec lui Laodicée aux Byzantins. Déjà en lutte ouverte avec l'Empire, ils acceptèrent sans difficulté. Leurs deux cents navires vinrent attaquer le port, tandis que l'armée normande assaillait les remparts.

Le siège de Laodicée est un des événements de l'époque qui ont le plus scandalisé les chroniqueurs. Albert d'Aix proteste hautement contre l'opération. Il n'a que blâme pour le prince d'Antioche et son insatiable âpreté normande à arrondir sa terre au détriment des autres chrétiens[8]. Il ne condamne pas moins les Croisés pisans et leur archevêque pour s'être associés à un tel brigandage. Ceux-ci en effet ne se contentaient pas d'un simple blocus. Ils prirent une part active à la lutte et s'emparèrent des deux tours qui fermaient l'entrée du port (sur l'emplacement du phare et à l'extrémité de la jetée). Déjà les passerelles étaient préparées pour atteindre les murailles, la garnison byzantine était sur le point de se rendre, lorsque Raymond de Toulouse, qui revenait avec ses compagnons de la conquête de Jérusalem, approcha de Laodicée (septembre 1099). Ce fut à Jabala (Zibel, Jiblé), à 30 kilomètres avant d'arriver à Laodicée qu'il apprit le siège de cette ville, ou, comme écrit Albert d'Aix, « l'outrage fait à lui-même et à l'empereur[10] ».

À cette nouvelle qui excita leur colère, Raymond et ses compagnons de route dépêchèrent au camp de Bohémond des envoyés chargés de sommer celui-ci de lever immédiatement le siège. Malgré la forme encore amicale du message, c'était un véritable ultimatum. À ces menaces, au rappel que firent les envoyés des droits impériaux, Bohémond répondit par une fin de non-recevoir. Le serment jadis prêté au *basileus* était prescrit par les événements, et il déclara ne pas vouloir quitter la place avant de s'en être rendu maître[11].

C'était le conflit, et sans doute Provençaux et Normands en fussent venus aux mains, si l'escadre pisane avait continué son concours à Bohémond. Mais ici se plaça une scène de comédie qu'Albert d'Aix nous conte avec humour. L'archevêque de Pise, Daimbert, en apprenant que les chefs croisés qui revenaient de Jérusalem approchaient de Laodicée, courut à leur rencontre. Ils étaient donc là, ces pèlerins héroïques qui avaient délivré le Saint-Sépulcre et dont la renommée emplissait l'Occident ! Les ayant rejoints près de Jabala, il n'y put tenir. Albert d'Aix nous le montre « se jetant au cou des petits et des grands, indistinctement, en versant des larmes de joie ». Suit un discours fort émouvant : « Je vous salue, vous les fils et les amis du Dieu vivant, qui, après avoir abandonné vos familles et vos biens, n'avez pas hésité à risquer votre vie si loin de votre patrie, au milieu de tant de peuples barbares, pour la gloire du Seigneur ! Jamais depuis la naissance du Christ une armée chrétienne n'a accompli de tels exploits ! » C'était là discours de légat. Mais le prélat qui le prononçait avait oublié le chef de l'escadre pisane et les pirateries de celle-ci. Ses transports furent assez fraîchement accueillis par Raymond : « Si vos sentiments sont si chrétiens, comment assiégez-vous une ville chrétienne ? » Daimbert, fort ému d'un tel accueil, imputa toute la faute aux Normands qui l'avaient trompé. C'étaient eux qui lui avaient présenté les Grecs comme de mauvais chrétiens, des alliés des Turcs, des traîtres envers la croisade, affirmant qu'en attaquant Laodicée on ne faisait que venger les Croisés. Mais, désormais désabusés par le comte de Toulouse, les Pisans allaient se retirer de cette guerre impie. Paroles assez savoureuses si l'on songe à la croisière de piraterie que le même Daimbert venait de conduire dans les eaux grecques[12].

Après cette entrevue, Daimbert, revenu au camp normand avec les représentants provençaux, employa toute son éloquence à apaiser le conflit. Mais Bohémond se déclarait prêt à la bataille plutôt que de lâcher prise. Daimbert effrayé ordonna alors à la flotte pisane de lever le blocus du port.

Abandonné par ses alliés, sans marine propre, il devenait impossible à Bohémond de continuer le siège. Le chef normand, qui malgré toute sa violence ne manquait pas de finesse, sut prendre rapidement son parti. Il leva son camp et se retira à quelques étapes. Le lendemain Raymond de Saint-Gilles faisait son entrée dans Laodicée et la bannière de

Toulouse flottait sur les murs à côté de l'oriflamme impériale. Quelques jours après, Bohémond se laissa réconcilier avec le comte de Toulouse dans une entrevue qui eut la plaine de Laodicée pour théâtre[13].

En réalité ce n'était que partie remise. Raymond de Saint-Gilles, en effet, s'installait maintenant à demeure dans Laodicée, comme lieutenant du *basileus*, de sorte que le prince d'Antioche avait le désagrément de voir la façade maritime de son État occupée à la fois par les Byzantins et par les Provençaux coalisés. Si Bohémond avait jugé prudent de ne pas engager la lutte avec les Provençaux au moment où leur chef, rentrant de Jérusalem, bénéficiait de la sympathie de tous les autres Croisés, l'astucieux aventurier normand n'était pas homme à tolérer longtemps une situation aussi défavorable.

### *Bohémond et le patriarcat de Daimbert : l'appel aux Normands.*

Pour arriver à ses fins, il chercha tout de suite à s'appuyer sur le pouvoir ecclésiastique. Nous venons de voir qu'il avait lié partie avec l'archevêque Daimbert, chef de la Croisade pisane[14]. Les Pisans avaient mis leur belle escadre à sa disposition pour essayer de prendre Laodicée aux Byzantins et, si leur archevêque avait été, au dernier moment, obligé de reculer devant le scandale suscité par une telle agression, il n'en avait pas moins fait preuve d'une bonne volonté que Bohémond n'oubliait pas. À Jérusalem, le faible Godefroi de Bouillon s'était laissé donner comme patriarche un clerc assez peu considéré, ou, du moins, dont l'heure n'était pas encore venue, Arnoul Malecorne. L'Église parlait déjà de casser ce mauvais choix. Bohémond, qui était un autre homme que l'avoué du Saint-Sépulcre, semble avoir aussitôt conçu le projet de faire de son ami Daimbert, de son allié et complice, un patriarche de Jérusalem. Il avait pu juger l'homme, mesurer l'extraordinaire énergie de ce prélat imbu de théories théocratiques et jaloux de commander : par lui, la politique normande s'installerait solidement sur le siège patriarcal. De même Daimbert, qui entendait transformer Jérusalem et la Judée en un patrimoine du patriarcat, avait besoin de l'appui d'un pouvoir séculier, à la fois fort et situé assez loin. Les Normands d'Antioche répondaient parfaitement à la définition. Ce fut ainsi que fut scellé entre l'archevêque et les princes normands – Bohémond aujourd'hui, Tancrède demain – un pacte qui ne fut dénoncé ni dans la bonne ni dans la mauvaise fortune. En décembre 1099, quand Bohémond se mit en marche vers Jérusalem pour accomplir enfin son pèlerinage et célébrer aux Lieux Saints la fête de Noël le patriarche Daimbert qui, depuis trois mois, était resté avec la flotte pisane dans la région de Laodicée, l'accompagna : nous avons vu comment il imposa Daimbert comme patriarche à la faiblesse de Godefroi de Bouillon[15]. Aussi Godefroi de Bouillon étant mort peu après, ce fut au prince d'Antioche que le nouveau patriarche s'adressa pour défendre le siège de Jérusalem contre les partisans de la dynastie lotharingienne. Guillaume de Tyr, daimbertiste convaincu, nous a conservé le texte de cette lettre. C'est « l'appel aux Normands », tel que le pape Grégoire VII l'avait adressé en 1084 à Robert Guiscard, père de Bohémond[16]. De même que le père avait le 21 mai 1084 chassé de Rome l'empereur germanique Henri IV et délivré la papauté, Daimbert invite le fils à venir à Jérusalem, défendre le patriarcat contre les Lotharingiens. « Si tu n'es pas indigne de la gloire de ton père qui a délivré Grégoire assiégé par des impies, accours, ô mon fils, et sauve-nous[17] ! »

Si le prince d'Antioche avait pu recevoir cette lettre et y répondre, il aurait été sans doute engagé dans une voie nouvelle. Se désolidarisant avec une brutale franchise des autres Croisés, il avait jusque-là localisé son effort sur la région du bas Oronte, apporté toute son application à la fondation d'un État normand de la Syrie septentrionale. L'appel du patriarche Daimbert risquait d'arrêter ce labeur, de détourner les Normands de leur entreprise syrienne – qui réclamait cependant toutes leurs forces – pour les engager dans les problèmes palestiniens. Mais une mésaventure, peut-être heureuse pour la Syrie franque, voulut que l'appel de Daimbert n'atteignît pas son destinataire : vers juillet-août 1100, Bohémond venait d'être fait prisonnier par les Turcs.

Cet accident imprévu était le dénouement d'une série d'audacieuses expéditions normandes dans toute la Syrie du Nord, expéditions qu'il nous reste à étudier.

*Conquêtes de Bohémond dans la région d'outre-Oronte (1100).*

De retour de son pèlerinage, Bohémond avait cherché à agrandir sa principauté d'Antioche en s'emparant d'Apamée (Afâmiya ou Fâmiya), l'actuel Qal'at al Mu*d*îq sur le moyen Oronte. La ville appartenait à l'émir arabe Saîf al-Dawla Khalaf ibn Mulâ' ib, de la tribu Kilâbite, brigand sans scrupule qui se signalait par des luttes incessantes contre ses voisins, Arabes comme lui, les chevaleresques émirs Munqi*dh*ites de Shaîzar[18]. Peut-être ces luttes fratricides entre Arabes du moyen Oronte inspirèrent-elles à Bohémond l'espoir de s'emparer d'Apamée, mais, après avoir vainement tâté des murailles, il dut s'éloigner en se contentant de détruire les récoltes (juin 1100)[19]. Par ailleurs Ibn al-A*th*îr[20] nous montre Bohémond guerroyant vers la même époque avec les Turcs d'Alep. En juillet 1100, le malik seljûqide d'Alep Ri*d*wân voulut chasser les Normands de Kallâ ou Kellâ, localité correspondant à l'actuel Kafr Kilé, à l'est de l'Oronte, dans le Jebel al-'Alâ, à mi-chemin d'Antioche et d'Alep. Kellâ était de ce côté un des postes avancés des Francs, en face de A*th*âreb (le Cerep des chroniqueurs), encore alépine[21]. Les Normands avaient disposé de fortes garnisons dans ces postes-frontières, non seulement à Kellâ, mais à Zerdanâ ou Zerdân (le Sardenas ou Sardone des chroniqueurs) et à Sarmîn (Sarmit), à l'est de Idlib. Toutes ces garnisons, nous dit Kemâl al-Dîn, marchèrent contre Ri*d*wân et lui infligèrent une défaite complète (5 juillet 1100). Il laissa entre leurs mains 500 prisonniers, dont plusieurs émirs[22]. Après ce succès les Normands s'emparèrent de *H*a*d*ir, aux portes de Qinnesrîn, dans la grande banlieue méridionale d'Alep, et de Kafar*t*âb (Capharda), au nord de Shaîzar, à mi-chemin entre Ma' arrat al-Nu'mân et Shaîzar[23]. En d'autres termes, comme le fait remarquer Dussaud, les Normands s'emparèrent de tout le pays à l'ouest d'Alep, jusqu'à une ligne allant de *H*a*d*ir à Kafar*t*âb. « Seule la ville de Tell-Mannas resta indemne, étant occupée par un corps d'armée de Janâ*h* al-Dawla, émir de *H*om*s*, qui maintenait ainsi ses communications avec Alep[24] ».

Après sa défaite, Ri*d*wân alla demander secours à Janâ*h* al-Dawla à *H*om*s* et rien ne prouve mieux que cette démarche envers un petit émir arabe secondaire la ruine du prestige seljûqide. Janâ*h* al-Dawla vint quelques temps monter la garde à Alep, mais le peu d'égards que lui témoigna Ri*d*wân ne tarda pas à l'ulcérer et il rentra à *H*oms, bien résolu à se venger. Lui parti, Bohémond revint rôder autour d'Alep, campant sur les bords mêmes du Quwaiq et vivant sur le pays (fin juillet 1100). Son intention, dit Kémâl al-Dîn, était de convertir en fortins les buttes-mausolées de la banlieue d'Alep et d'établir ainsi un blocus permanent de la grande cité[25]. À cette date, la puissance des Seljûqides d'Alep était comme annihilée et on pouvait prévoir le moment où la capitale musulmane du Nord subirait le sort d'Antioche, lorsque l'aventure de Bohémond à Mala*t*iya permit à Ri*d*wân de se reprendre.

Bohémond fit aussi la guerre à ses vieux ennemis, les Byzantins, pour leur enlever la ville de Mar'ash, dans le Taurus. On se rappelle que la première Croisade, ayant occupé la ville en octobre 1097, l'avait remise aux Byzantins. Ceux-ci y nommèrent comme gouverneur un officier arménien nommé Thathoul. Bohémond le somma de lui rendre la place, et, sur son refus, vint l'assiéger. Il soumit le pays ouvert, mais ne put s'emparer de la ville elle-même[26]. Il semble que ce fut au cours de cette campagne qu'il reçut l'appel des Arméniens de Mélitène, menacés par les Turcs.

### *L'expédition de Mala*tîya*.*<br>*Capture de Bohémond par les Dânishmendites.*

On se souvient que la ville de Mélitène (Mala*t*îya) sur le haut Euphrate appartenait au chef arménien Gabriel – en arménien Khôril[27]. Ce Gabriel, comme tous les petits princes arméniens de la région, pratiquait une politique nettement francophile, les Francs seuls pouvant défendre contre les Turcs ce poste avancé de l'arménisme, point de jonction entre la nouvelle Arménie cilicienne et l'ancienne Arménie caucasienne. En 1096 l'approche des Croisés l'avait sauvé d'une attaque de Qilij Arslân, le sultan seljûqide de l'Anatolie Occidentale. Mais Gabriel trouva un ennemi plus redoutable dans la personne d'un autre roi turc, Malik Ghâzî Gümüshtekîn ibn Dânishmend, l'émir de Sîwâs, en Cappadoce. Pendant trois ans, nous dit Michel le Syrien, le Dânishmendite ne cessa de ravager périodiquement le territoire de Mélitène : « il venait l'été, dévorait les récoltes et se retirait l'hiver »[28]. À l'été de 1100 Gümüshtekîn vint de nouveau et assiégea la place. Gabriel appela Bohémond à son aide, promettant, si celui-ci le dégageait, de lui donner la ville[29]. Le prince d'Antioche, qui connaissait l'importance de l'élément arménien dans la question d'Orient, avait toujours pratiqué une politique arménophile, d'autant qu'Arméniens et Normands avaient les mêmes ennemis : le Byzantin et le Turc. Il comptait d'ailleurs parmi ses familiers deux prélats arméniens, Cyprien, évêque d'Antioche, et Grégoire, évêque de Mar'ash. Ce fut précisément escorté de ces deux prélats qu'il partit pour Mélitène à l'appel de Gabriel[30]. Lui et son cousin Richard de Salerne n'avaient avec eux, d'après Albert d'Aix, que 500 chevaliers[31]. Il suffit de jeter les yeux sur une carte pour se convaincre de l'imprudence d'une telle équipée, avec de si faibles effectifs, au fond des gorges du haut Euphrate. Sans incriminer nécessairement, comme le voudrait Michel le Syrien, des trahisons arméniennes individuelles, un guet-apens turc suffit à expliquer le désastre[32]. Quand les Francs approchèrent de Mélitène, écrit Matthieu d'Édesse, « le Dânishmendite plaça des embuscades dans une foule d'endroits et se mit lui-même en marche avec des forces considérables. Bohémond et Richard cheminaient sans précaution dans une sécurité complète... Tout à coup les Dânishmendites fondirent sur eux et une lutte acharnée s'engagea. Les Francs et les Arméniens furent exterminés ; Bohémond et Richard furent faits prisonniers. Les évêques arméniens qui l'accompagnaient, Cyprien et Grégoire, perdirent la vie[33] ». D'après ce récit et celui d'Albert d'Aix, on peut restituer le drame : la colonne franque, surprise et encerclée dans quelque défilé, criblée de flèches, tous les Francs tués ou pris (entre fin juillet et le 15 août 1100)[34].

La capture de Bohémond surtout était un désastre, « car, écrit Matthieu d'Édesse, les Infidèles le regardaient comme le véritable souverain des Francs et son nom faisait trembler jusqu'au Khorâsân ». Malik Ghâzî Gümüshtekîn, cherchant aussitôt à exploiter sa victoire, redoubla ses attaques contre Mélitène. Albert d'Aix nous le montre, au lendemain de la bataille, venant parader sous les murs de la ville, les prisonniers à ses côtés et des têtes de Francs au bout des piques pour intimider Gabriel.

Ce fut Baudouin de Boulogne, le futur roi de Jérusalem, pour lors encore comte d'Édesse, qui sauva la situation. Albert d'Aix nous raconte que Bohémond captif avait pu lui faire parvenir, avec une mèche de ses cheveux, un message le suppliant de venir le délivrer avant que ses geôliers n'aient eu le temps de l'emmener avec eux au fond de l'Anatolie. Baudouin n'hésita pas, d'autant qu'en dehors du sentiment de solidarité avec son voisin d'Antioche, il s'agissait aussi de sauver Mélitène, cité arménienne qui entrait logiquement dans le rayon du comté franco-arménien d'Édesse. Trois jours ne s'étaient pas écoulés depuis le désastre de Mélitène que le comte d'Édesse partait pour cette ville avec 140 chevaliers. Cette fois la chevauchée dut être précédée des éclaireurs nécessaires, car elle arriva sans encombre à son but. Un raid aussi audacieux, survenant au lendemain du désastre qui aurait dû abattre les Francs, intimida Malik Ghâzî. Sans attendre l'arrivée de Baudouin, il leva le siège de Mélitène et regagna ses États, du côté de la haute Cappadoce et de la mer Noire. S'il n'avait pu prendre Mélitène, il emmenait avec lui, chargés de chaînes, Bohémond et Richard de Salerne qu'il enferma dans la citadelle de Nîksâr ou Néocésarée, sur les bords du Kelkid Irmaq, par delà Sîwâs et Toqat, au pied de la Chaîne Pontique[35]. Baudouin le poursuivit pendant trois jours, puis, craignant « les trahisons des chrétiens indigènes et les embuscades turques », il rentra à Mélitène[36] (fin août, début de septembre 1100).

Baudouin fut reçu en libérateur dans Mélitène. Gabriel se déclara son vassal et, en témoignage de fidélité, affecta de lui remettre sa ville et son trésor que le comte rendit aussitôt[37]. La seigneurie de Mélitène n'en était pas moins rattachée à la mouvance du comté d'Édesse. En partant, Baudouin laissa à Gabriel cinquante chevaliers pour la défense de la ville[38]. Albert d'Aix ajoute que ce renfort ne fut pas inutile, car ce fut grâce à lui que Gabriel put, peu après le départ de Baudouin, repousser un retour offensif des Dânishmendites contre Mélitène. Ce ne fut que plus tard, le 18 septembre 1101, si nous en croyons le témoignage de Michel le Syrien, ou plutôt en 1103 d'après une chronologie plus plausible, que Mélitène devait être livrée à Malik Ghâzî Gümüshtekîn par les chrétiens indigènes révoltés contre Gabriel[39] ; les imprécations de Michel contre ce prince, parce qu'Arménien, et l'hostilité que d'autre part les Arméniens grégoriens devaient lui témoigner, s'il est vrai qu'il professait le rite grec, expliquent cette issue. Du reste Michel le Syrien ajoute que Malik Ghâzî fut assez adroit pour empêcher tout massacre, ravitailler la population et nommer *catépan* un chrétien indigène appelé Bâsîlîg[40]. La Mélitène n'en sera pas moins perdue pour le comté d'Édesse.

## § 2. — Régence de Tancrède à Antioche (1100-1103).

*Régence de Tancrède. Conquête de Laodicée sur les Byzantins.*

La captivité de Bohémond laissait un grand vide dans la Syrie du Nord, d'autant que, presque aussitôt, le comte d'Édesse, Baudouin de Boulogne, était appelé à Jérusalem pour y succéder à son frère Godefroi. Les deux trônes d'Antioche et d'Édesse se trouvaient simultanément vacants. Situation qui eût pu devenir singulièrement dangereuse pour les Francs, si le malik d'Alep en avait profité pour attaquer Antioche. À son défaut l'émir de *H*oms, Janâ*h* al-Dawla, vint attaquer Asfûna[41] dont il réussit à s'emparer[42].

Pour gouverner la principauté d'Antioche pendant la captivité de Bohémond, les notables du pays – entendez par là la chevalerie normande et le clergé latin – firent appel à Tancrède. Neveu du prisonnier, Tancrède était en Syrie son héritier naturel et devait, régulièrement, assumer la régence. « Tuit cil d'Antioche, grant et petit, avoient plusieurs fois envoié querre Tancré et li mandoient qu'il venist garder et gouverner la princée, tant comme Nostre Sires (Notre-Seigneur) voudroit que leur sires fust en prison, car, s'il (Bohémond) mouroit sans oir (héritier), la terre li devoit escheoir, por ce estoit bien raisons que il s'en preist garde[43]. » L'offre de la chevalerie d'Antioche arrivait d'ailleurs à point. Tancrède, qui, depuis la délivrance de Jérusalem, était en possession de la princée de Tibériade ou de Galilée, c'est-à-dire du principal fief du Domaine royal de

Jérusalem dont l'avait investi la confiance de Godefroi de Bouillon, se trouvait au plus mal avec le nouveau roi, Baudouin de Boulogne. N'avait-il pas, dans la lutte pour la succession de Godefroi, ouvertement lié partie avec le patriarche Daimbert pour faire écarter la candidature de Baudouin au profit de celle de Bohémond[44] ? Une fois Bohémond hors de jeu puisque prisonnier des Turcs et Baudouin en possession de la royauté de Jérusalem, la situation de Tancrède en Palestine devenait intenable. Déjà Baudouin le sommait de comparaître à son tribunal pour se justifier de l'occupation de Caïffa[45]. L'appel de ses compatriotes d'Antioche vint à point le tirer d'une impasse. Laissant là sa terre de Galilée et prenant gaiement congé de Baudouin, il partit pour Antioche. Le continuateur de Tudebode nous raconte qu'en arrivant aux portes de la ville, le neveu de Bohémond eut la surprise de les trouver fermées. Et il rapporte le dialogue : « Pourquoi m'avoir fait venir, si c'était pour me fermer les portes ? » – « C'est pour que tu jures d'abord fidélité à Bohémond ; aussitôt après on t'ouvrira. » Il jure sur-le-champ fidélité, les portes s'ouvrent et on l'accueille comme un sauveur : « Quant il vint en Antioche, à grant joie fu receus de tous, la seignorie de la terre ot (eut) en sa main, et tuit li obéirent[46] » (fin mars 1101).

Une de ses premières mesures fut pour se ménager par d'opportunes concessions commerciales l'appui de la marine génoise. Une escadre génoise, qui venait d'aider le roi Baudouin Ier à prendre Arsûf et Césarée, croisait, avant de rentrer en Italie, sur les côtes de la Syrie septentrionale (juillet 1101). Tancrède entra en rapports avec les Génois et leur concéda le tiers des revenus du port de Saint-Siméon (Suwaidiya), plus une rue d'Antioche (avec l'église Saint-Jean à eux déjà concédée par Bohémond). Ce qui est particulièrement intéressant, c'est qu'il leur promit aussi la moitié des revenus de Laodicée qui appartenait encore aux Byzantins : preuve qu'il cherchait en tout cela à obtenir le concours de la marine génoise pour chasser les Byzantins de la côte[47].

Comme régent, Tancrède poursuivit en effet l'application du programme normand : enlever Laodicée (Lattaquié) et la Cilicie aux Byzantins, la vallée du moyen Oronte aux Seljûqides d'Alep et à leurs clients.

Les villes de la Cilicie, Tarse, Adana, Mamistra, avec les ports de Seleukia et de Korykos, avaient été, après le passage des Croisés en septembre 1097, occupées ou réoccupées par le *drongaire* byzantin Eustathios[48]. Tancrède, peu après sa prise de pouvoir à Antioche, envahit la Cilicie et enleva aux Byzantins, dans une brève campagne, Mamistra, Adana et Tarse[49], puis il alla mettre le siège devant Laodicée. La place, naturellement forte, bien défendue par la garnison et l'escadre byzantines, résista pendant un an et demi, pendant toute l'année 1101 et la première moitié de 1102. Raoul de Caen nous parle de ce siège comme d'une des plus formidables entreprises militaires du temps[50]. Le comte de Toulouse n'était plus là pour venir, comme en septembre 1099, au secours de ses amis byzantins[51]. Il se trouvait perdu au nord-est de l'Anatolie, à la tête de la folle Croisade lombarde qu'il allait conduire au désastre. Après la catastrophe de ses compagnons, il revint par mer de Constantinople dans les deux derniers mois de 1101 ou en janvier 1102[52]. Ayant abordé au port de Saint-Siméon (Suwaidiya), l'allié des Byzantins y fut aussitôt fait prisonnier par un chevalier franc nommé Bernard l'Étranger qui agissait visiblement pour le compte de Tancrède. De fait, comme nous l'avons vu, Bernard le livra incontinent à Tancrède qui le retint captif dans la citadelle d'Antioche[53]. Il est vrai que les instances des princes croisés et du patriarche latin d'Antioche amenèrent bientôt Tancrède à relâcher son ennemi[54]. Mais le tenace Normand exigea au préalable que Raymond, par un serment solennel, se désistât de toute prétention au trône d'Antioche, renonçât à toute entreprise, à tout établissement dans la Syrie du Nord, et enfin qu'il se désintéressât du sort de Laodicée. Ce ne fut qu'alors que Tancrède, se réconciliant avec lui, lui rendit la liberté[55]. Comme on le sait, ce traité fut observé. Raymond de Saint-Gilles, abandonnant ses projets sur la Syrie, se rabattit sur le Liban où il alla fonder son comté de Tripoli.

L'accord de 1102 est donc fort important. En mettant fin entre Normands et Provençaux à une compétition sans issue, en attribuant à chacun des deux adversaires une zone d'action bien déterminée, il stabilisa la conquête, dessina la carte historique de la Syrie franque, rendit possible la colonisation. En même temps, au point de vue international, en privant les Byzantins, pour leurs revendications sur la principauté d'Antioche, de l'appui du comte de Toulouse, en les réduisant à leurs seules forces pour la défense de Laodicée, il permit enfin à Tancrède de s'emparer de cette dernière place au bout d'un an et demi de siège (deuxième moitié de 1102)[56]. Un jour que la majeure partie de la garnison, croyant surprendre le camp normand, avait fait une imprudente sortie, ce fut Tancrède aux aguets qui la surprit, lui coupa toute retraite vers la ville, puis obligea Laodicée, presque vide de défenseurs, à se rendre. Conquête fort importante puisqu'elle donnait enfin à la Principauté d'Antioche sa façade maritime avec le meilleur port de la région pour communiquer avec l'Occident[57].

Cette guerre victorieuse contre l'empire byzantin avait eu comme corollaire la latinisation du siège patriarcal d'Antioche. On se rappelle que les Francs, après s'être emparés d'Antioche, y avaient conservé le patriarche grec Jean IV, qui, ayant enduré durant le siège de cruelles persécutions de la part des Musulmans, était revêtu d'un grand prestige aux yeux de toute la Chrétienté[58]. Mais avec la guerre entre Normands et Byzantins la situation de Jean IV devenait intenable, les Normands le considérant forcément comme un agent d'Alexis Comnène parmi eux. Au bout de deux ans il se retira à Constantinople, remplacé par un prélat latin, Bernard de Valence, jusque-là évêque d'Artésie (Artâ*h*). Bernard devait occuper le siège patriarcal d'Antioche de 1101 à 1135. Nous verrons le rôle très actif qu'il joua dans la suite de cette histoire. Au conseil comme en campagne ce grand prélat fut le meilleur collaborateur de Tancrède et de Roger de Salerne dans la défense et la consolidation de la principauté franque de l'Oronte[59].

Le prestige de ses victoires sur les Byzantins permettait à Tancrède de parler haut dans les affaires de Palestine. Nous avons vu que son ami Daimbert, déposé du siège patriarcal par le roi Baudouin, était venu se réfugier auprès de lui à Antioche (mars 1102). À l'automne 1102, après la grave défaite infligée à Baudouin, à Ramla, par les Fâ*t*imides d'Égypte, les barons de Jérusalem implorèrent le secours de Tancrède. Celui-ci accourut, mais en ramenant Daimbert avec lui ; et, comme condition à tout concours militaire, il exigea la réintronisation immédiate de son protégé. Nous avons dit comment Baudouin dut, de plus ou moins bonne grâce, s'exécuter, quitte, après avoir replacé Daimbert sur le siège patriarcal, à l'en faire redescendre quelques semaines après, à la suite, cette fois, d'un jugement régulier[60].

*La propagande ismâ'ilienne à Alep : l'Islam paralysé.*

Du côté musulman, la principauté d'Antioche n'eut pas trop à souffrir de la catastrophe que constituait la capture de Bohémond. Sans doute l'événement sauva Alep, auparavant menacé du sort d'Antioche. Les Normands, nous dit Kemâl al-Dîn, évacuèrent aussitôt la province d'Alep en abandonnant les travaux commencés sur la ligne *H*a*d*ir-Kafar*t*âb. Le seljûqide d'Alep, Ri*d*wân, s'empara des provisions de blé qu'ils avaient amassées dans ces postes et vint camper près de Sermîn ; de son côté l'émir arabe de *H*om*s*, Janâ*h* al-Dawla, enleva momentanément aux Francs la forteresse d'Asfûnâ, à l'ouest de Sermîn, au nord de Ma'arrat al-Nu'mân[61]. Mais la brouille qui survint sur ces entrefaites entre Ri*d*wân et Janâ*h* al-Dawla, bien que le premier fût le beau-fils et le suzerain du second, arrêta l'offensive musulmane : divisions habituelles du Turc et de l'Arabe, doublées ici de querelles religieuses, car l'émir arabe était un sunnite correct, tandis que Ri*d*wân, en dépit de son sang seljûqide, montrait d'étranges sympathies pour les Ismâ'iliens. Ce fut d'ailleurs Janâ*h* al-Dawla qui attaqua. À l'improviste, il surprit le camp de Ri*d*wân près de Sermîn, mit le *malik* en fuite et fit prisonnier son vizir Abu'l Fa*d*l. Il ravagea alors les districts d'outre-Oronte autour de Sermîn, Ma'arrat al-Nu'mân, Kafar*t*âb et jusqu'à *H*amâ, pillant la campagne et enlevant les récoltes aussi bien dans les territoires alépins que sur les terres des Francs.

La protection que Ri*d*wân accordait de plus en plus ouvertement à la secte hérétique des Ismâ'îliens ou Assassins acheva de jeter la division dans l'Islam alépin et, par conséquent, de faire le jeu des Francs. Gagné à ces doctrines par un médecin-astrologue, le roi seljûqide « se déclara le partisan et le protecteur de la secte qu'il laissa se propager dans Alep. Il accorda aux Isma'îliens de hautes positions, laissa leur pouvoir s'accroître chaque jour et autorisa à Alep l'établissement d'un centre de propagande. Sourd à tous les messages que les autres princes lui adressaient, Ri*d*wân n'abandonna jamais ces croyances[62] ». Il semble d'ailleurs n'avoir pas hésité à demander aux terribles sectaires certains services d'ordre politique. La révolte de son vassal Janâ*h* al-Dawla, émir de *H*om*s*, qui avait épousé sa mère, le gênait terriblement. Ri*d*wân, d'ailleurs, ne pardonnait pas à l'émir l'humiliation que celui-ci lui avait infligée en le mettant en fuite près de Sermîn et en capturant son vizir et ses gens dont il avait fallu payer la rançon : 4 000 dînârs ! Cependant il savait dissimuler. Il affecta de se réconcilier avec Janâ*h* al-Dawla et l'invita même à Alep où il le traita magnifiquement. Mais le 12 mai 1103 – un vendredi – comme l'émir se trouvait à la mosquée pour la prière, trois *fidaïs* Persans, envoyés par l'astrologue ismâ'îlien, l'abordèrent en lui adressant des exhortations pieuses, puis, se jetant sur lui, le tuèrent à coups de couteau. Naturellement on accusa Ri*d*wân d'être l'instigateur du meurtre. Il ne s'en émut guère et maintint sa faveur aux Isma'îliens. L'astrologue étant décédé peu après, l'âtâbeg laissa le nouveau chef de la secte, l'orfèvre persan Abû *T*âhir continuer sa propagande[63]. Ainsi, pendant ces années décisives pour l'Islam syrien, le gouvernement d'Alep, loin de se faire le centre du *jihâd*, mettait toute son application à favoriser l'hérésie des Assassins. Rien ne pouvait paralyser davantage les Musulmans en face de la jeune monarchie normande.

### *Baudouin du Bourg, comte d'Édesse : Sa politique arménienne.*

Tandis que Tancrède consolidait la principauté d'Antioche, Baudouin II du Bourg accomplissait une œuvre semblable dans le comté d'Édesse.

Nous avons vu que Baudouin Ier, encore simple comte d'Édesse, revenait de sauver Mélitène des attaques des Dânishmendites, lorsqu'un message des chevaliers de Jérusalem l'appela à la succession de son frère Godefroi de Bouillon. Avant de quitter – sans espoir de retour – ce comté d'Édesse qui était son œuvre, il le céda à son cousin Baudouin du Bourg, que nous appelons Baudouin II.

Fils du comte Hugue Ier de Rethel (1066-1118), Baudouin du Bourg était venu à la première Croisade avec les princes lotharingiens et boulonnais. Il était tout désigné pour continuer à Édesse l'œuvre de son cousin et homonyme, comme il devait plus tard la continuer aussi à Jérusalem.

Appelé à régner à Édesse sur un État aux trois quarts arménien, Baudouin II adopta une politique arménophile, beaucoup plus prononcée que celle de Baudouin Ier. Baudouin Ier, par la manière quelque peu brutale dont il s'était débarrassé de son prédécesseur Thoros, avait créé entre ses sujets arméniens et lui un malaise que n'avaient certes pas dissipé sa justice expéditive envers les mécontents ni les taxes énormes dont il avait frappé à cette occasion la bourgeoisie arménienne. Sans doute il avait protégé les Arméniens contre les Turcs, il avait procuré aux premiers une glorieuse revanche sur les seconds, mais c'était un protecteur sévère, autant qu'intéressé : pour juger du ressentiment de ses sujets à son égard il suffit de se reporter à Matthieu d'Édesse pour qui le frère de Godefroi de Bouillon n'est devenu roi de Jérusalem que grâce aux sommes énormes extorquées à la population arménienne de son comté.

Baudouin du Bourg ne s'est pas attiré pareils reproches. S'il a, à son tour, su soutirer aux Arméniens les sommes d'ailleurs nécessaires pour les défendre, ce fut sans brutalité, au moyen, nous allons le voir, de comédies affectueuses, déjà du meilleur style levantin. C'est ce que lui reproche, sans blâme excessif, l'excellent Arménien Matthieu d'Édesse : « Le prince était un des Francs les plus illustres par son rang, valeureux guerrier, d'une pureté de mœurs exemplaire, ennemi du péché, rempli de douceur et de modestie ; mais ces qualités étaient ternies par une avidité ingénieuse à s'emparer des richesses d'autrui, par un amour insatiable de l'argent et un défaut de générosité ; du reste très orthodoxe, très ferme dans sa conduite et par caractère[64]. » Au demeurant Baudouin du Bourg s'entendit fort bien avec les Arméniens. Le texte que nous venons de citer atteste qu'il mit ses soins à protéger l'Église grégorienne, alors en pleine lutte à la fois contre l'Église grecque et contre l'Église syriaque. Matthieu d'Édesse nous le montre en 1103 recevant en grande pompe le katholikos Basile, chef suprême de l'Église arménienne, venu en tournée d'Ani à Édesse, avec toute une escorte de nobles, d'évêques et de prêtres de la Grande Arménie. « Le comte Baudouin l'accueillit avec tous les égards dus à sa haute dignité ecclésiastique, lui donna des villages, le combla de présents et lui témoigna beaucoup d'amitié[65]. »

Michel le Syrien nous montrera de même Baudouin II devenu le protecteur du métropolite jacobite d'Édesse, Bar Çabouni. Bar Çabouni étant pour une question d'évangéliaires entré en conflit avec son patriarche (jacobite) Athanasius, Baudouin II s'efforça de les réconcilier et d'obtenir de l'âpre Athanasius qu'il lève l'excommunication lancée contre le métropolite. « Il (Baudouin) envoya à diverses reprises des prêtres et des fidèles notables de la ville avec des Francs demander au patriarche d'absoudre Bar Çabouni. » Dans toute cette affaire, qui troubla et divisa profondément la communauté syriaque, Baudouin II paraît avoir agi comme un pacificateur plein de sagesse[66].

Pour affermir l'alliance de la race franque et des chrétiens orientaux, Baudouin alla plus loin. Il épousa une Arménienne, Morfia, fille de Gabriel ou Khôril, prince de Mélitène. Nous avons vu que Baudouin Ier – et c'était son dernier acte comme comte d'Édesse – avait en août-septembre 1100, à l'appel de Gabriel, sauvé Mélitène des attaques des Dânishmendites. À la suite de ce service le prince de Mélitène s'était reconnu vassal du comte d'Édesse. Resserrant les liens qui unissaient la principauté arménienne du haut Euphrate à son comté, Baudouin II, à peine sur le trône d'Édesse, épousa Morfia. Guillaume de Tyr, esprit politique s'il en fut, le loue hautement d'une telle union. « Il est bien, écrit le Traducteur, que vos sachiez comment Baudoins, li cuens de Rohès (= Édesse) se contenoit en cele terre qui estoit seue. Mout governoit bien et vigueureusement la seue baronnie ; amez estoit de sa gent et mout doutez (redouté) de ses anemis. Jusqu'à ce jor avoit esté sanz femme ; por ce espousa la fille à un haut home de la terre, Gabriel avait non, dux de la terre de Meletene. La demoiselle estoit apelée Morfie ; riche terre prist en lui (d'elle, en dot) et grant avoir[67]. »

*L'Estoire d'Éracles*, en une scène de comédie digne des meilleurs fabliaux, nous montre comment le comte ardennais savait tirer de l'argent de son beau-père arménien. Baudouin avait des embarras financiers pour la solde de ses chevaliers. Il convint avec eux d'une comédie à jouer à son beau-père Gabriel. Il se rendit avec eux à Mélitène. L'Arménien, ravi de le voir, lui fit le plus touchant accueil ; « grant joie fist, encontre lui ala et le besa mout doucement, à bele chière le tint et heberja liéement. Il séjorna iluec ne sai qanz jorz. De maintes choses parlèrent ensemble mout amiablement. » Un beau jour, qu'ils devisaient ainsi dans le palais, les chevaliers de Baudouin se présentent en corps à la porte et l'orateur de la troupe (qui, bien entendu, avait tout concerté d'avance avec Baudouin) réclame avec fermeté le paiement de leur solde, ou sinon, la remise du gage promis. Aux questions inquiètes de Gabriel, Baudouin avoue, avec l'embarras le plus naturel, qu'il avait juré à ses chevaliers, s'il ne pouvait les payer, de se laisser couper la barbe, ce qui précisément pour les Arméniens et les Grecs du douzième siècle était considéré comme le pire déshonneur. Mais écoutons notre chroniqueur : « Quant Gabriel oï parler du gage que il (Baudouin) leur avoit promis, si demanda au conte quel gage c'estoit. Li cuens abeissa la teste et ne li vout respondre. Il fist demander au chevalier de quel gage il avoit parlé. Li chevaliers respondi tout apertement que li Cuens leur avoit créancé que, s'il ne les fesoit paier de leur solz à jour nomé, il souferroit sanz contredit que l'en li rassist (rasât) la barbe. » Devant cette perspective déshonorante, l'excellent Gabriel faillit tomber à la renverse : « Quant Gabriel oï ce, il feri ses paumes ensemble et se leissa cheoir arrière tout esbahiz. Si durement fu correeiez qu'il ne pot parler de grant pièce, qar il estoit coutume entre les genz d'Orient, meismement aus Griuns (= Grecs) et aus Ermins (= Arméniens), que il gardent leur barbes et (les) norrissent à si grant entente com il pueent, et tiennent à trop grant honte et à souverain reproche se l'en leur en arrachoit un poil. Quant cil riches hom (Gabriel) fu venuz en ce point que il pot parler, il demanda au conte se c'estoit voirs (vrai) qu'il eust sa barbe engagiée. Li Cuens respondi mout honteusement que voirs estoit il. Cil (Gabriel) se commença à seignier (à se signer) plus de cent foiz, puis li dist comment il post estre à ce menez que il, toute l'enneur d'ome (= tout son honneur d'homme) avoit einsi abandonnée, car autant li vaudroit, s'il perdoit la barbe, comme s'il se laissoit chastrer (châtrer). Li Cuens respondi que ce avoit-il fet par grant besoing, comme cil qui autrement ne pooit retenir ses chevaliers. » Ici prière de Baudouin à ses chevaliers de surseoir à leur mise en demeure jusqu'à leur retour à Édesse où il rassemblerait sans doute les sommes exigées. Refus des chevaliers d'accorder un nouveau délai : la solde, immédiatement, ou la coupe de barbe ! Sinon ils iraient se payer en ravageant le comté d'Édesse !

La scène avait été si bien jouée que l'excellent Gabriel ne soupçonna rien de la comédie. « Mout angoisseus, » il s'offrit sur-le-champ à verser les quelque 30 000 besants michelois soi-disant dus par son gendre, non sans faire jurer à celui-ci de ne jamais plus, au grand jamais, engager sa barbe ! Ce que Baudouin du Bourg jura bien volontiers, conclut narquoisement notre chroniqueur[68].

Du côté franc, un précieux renfort arriva à Baudouin du Bourg dans la personne de son cousin Jocelin, sire de Courtenay, « qui est un chastel el boschage près de Gastinois[69] ». C'était – nous aurons l'occasion de le constater – un des plus vaillants chevaliers du temps, « preux et sage », mais peu riche de biens et venu en Syrie tenter fortune. Baudouin du Bourg, joyeux de son arrivée, lui donna en fief toute la terre à l'ouest de l'Euphrate avec les places de : Turbessel (Tell Bâsher) sur le haut Sajur, forteresse qui devint la résidence de Jocelin ; Tulupe qui est l'ancienne Dolikhé, l'actuel Dulûk, croisement de pistes vers Mar'ash, vers Alep et vers Édesse ; 'Aîntâb, appelé Hamtab par les Francs, situé à deux heures au sud-est de Dulûk et destiné à la remplacer comme carrefour de caravanes ; Ravendel qui est l'actuel Râwendân, défendant la vallée supérieure du Nahr 'Afrîn, sur la rive orientale ; Corice qui est Khoros, l'ancien Cyrrhus, mais sur la rive occidentale de Nahr 'Afrîn, à l'est de Killis. Constituée par cet ensemble de forteresses, la « seigneurie de Turbessel », adossée à l'Euphrate, avec pour centre la vallée du Kersîn-sou, affluent du fleuve, et solidement établie dans la montagneuse région du haut 'Afrîn et du haut Quwaîq, dominait de là la basse vallée du Quwaîq, c'est-à-dire le royaume seljûqide d'Alep[70].

Ayant ainsi confié à Jocelin de Courtenay les territoires à l'ouest de l'Euphrate, face aux Turcs d'Alep, Baudouin du Bourg ne conserva sur la rive occidentale, pour établir la liaison, que la tête du pont de Samosate (Sumaîsâ*t*) par où il restait en communication avec la principauté arménienne de Mélitène, possédée par son beau-père Gabriel. N'ayant ainsi à assumer la charge directe que de l'Osrhoène proprement dite, sur la rive orientale du grand fleuve, il put se consacrer tout entier à la lutte contre les Turcs de Mossoul et du Diyârbekir.

Ce fut à ceux du Diyârbekir, aux Ortoqides qu'il eut affaire tout d'abord. On a vu que Baudouin Ier, dès 1097, s'était emparé de la ville de Sarûj, la Sororgie des chroniqueurs, située à 40 kilomètres au sud-ouest d'Édesse, en l'enlevant à l'Ortoqide Balak ibn Bahrâm qui en était seigneur[71]. Sarûj était devenue la seconde ville du comté, pour la partie transeuphratésienne[72]. Baudouin Ier avait alors donné la ville à un chevalier nommé Foucher de Chartres[73], « homme d'un courage héroïque », nous dit Matthieu d'Édesse. Peu après l'avènement de Baudouin du Bourg à Édesse, l'ortoqide Soqmân, émir d'*His*n Kaîfâ, vint attaquer Sarûj. Baudouin du Bourg et Foucher de Chartres se portèrent à sa rencontre avec une armée franco-arménienne, mais, si nous en croyons Matthieu d'Édesse, ils furent d'abord battus, et Foucher fut tué (début de janvier 1101). Baudouin du Bourg se serait retiré en piteux état à Édesse où, toujours d'après Matthieu, les notables arméniens le réconfortèrent par leur loyalisme. Il alla ensuite chercher des renforts à Antioche, auprès de Tancrède. Pendant ce temps les Ortoqides venaient assiéger la citadelle de Sarûj où s'étaient réfugiés les chrétiens, car, dans la ville basse, la population arabe (que les Croisés de 1097 avaient eu l'imprudence de conserver, moyennant tribut) faisait cause commune avec l'assiégeant. La citadelle, que défendait l'archevêque latin d'Édesse, tint bon. Baudouin du Bourg revint d'ailleurs à temps d'Antioche avec des renforts – 600 cavaliers et 700 fantassins, d'après Matthieu d'Édesse – et tailla en pièces les Ortoqides (fin janvier ou début février 1101). Il eut ensuite à réduire la population arabe qui persistait dans sa révolte. Le châtiment fut exemplaire. « Les Francs, nous dit Matthieu, emmenèrent à Édesse une multitude immense de jeunes garçons et de femmes. Antioche et tout le pays franc regorgèrent de captifs[74] ». Vers septembre-octobre 1103, Matthieu d'Édesse nous montre encore Baudouin du Bourg allant ravager le territoire des Ortoqides de Mârdîn. Il captura un de leurs émirs, « réduisit en esclavage des centaines de femmes et d'enfants, des troupeaux de brebis par milliers, mille chevaux, autant de gros bestiaux et de chameaux, et rentra à Édesse avec tout ce butin[75] ».

En novembre 1103, c'est Ibn al-A*th*îr qui nous signale une razzia de Baudouin du Bourg dans la Jazîra restée musulmane, sur le territoire de Qala'at Ja'bar et de Raqqa, sur l'Euphrate, à l'est du grand coude du fleuve, villes qui appartenaient à la tribu arabe des 'Oqaîlides. « En sortant d'Édesse, les Francs s'étaient partagés en deux détachements, et ils s'étaient donné rendez-vous pour que le même jour le territoire des deux villes fût livré au pillage, ce qui fut fait. Ils enlevèrent les bestiaux et firent prisonniers tous les Musulmans qu'ils rencontraient[76]. »

Le comté d'Édesse s'étendit aussi très loin du côté du Diyârbékir, au nord-est de *H*arrân, en direction de Mârdîn. Il possédait de ce côté le fort de Tell Muzen, l'actuel Virân-Shéhir, à 85 kilomètres au sud-ouest de Mârdîn, le district du Shabakhtân, situé à l'est de Tell Muzen, et, à la frontière orientale de ce district, le fort de Tell Gurân, l'actuel Tell Kurân, ou Tell-i-Kura, à seulement 25 kilomètres au sud-ouest de Mârdîn[77].

### *Raisons de l'inertie turque : luttes entre généraux seljûqides pour le gouvernement de Mossoul.*

Il est permis de se demander comment les Turcs Seljûqides de Perse et leurs âtâbegs de Mossoul ne réagirent pas en face des victoires franques. Inaction d'autant plus inexplicable que la captivité de Bohémond eût semblé devoir les stimuler. En ces années 1100-1101 où la victoire des émirs Dânishmendites de Cappadoce sur Bohémond d'abord, sur la croisade lombarde ensuite, paraissait annoncer un retour de fortune, comment les sultans, fils du grand Malik shâh, ne bougèrent-ils point ? Comment laissèrent-ils à des émirs turcomans de troisième ordre comme les Ortoqides le soin de guerroyer contre ce comté d'Édesse, si menaçant pour la sécurité même du Khalifat de Baghdâd ?

Pour répondre à cette question, un retour rapide sur les événements accomplis dans l'ancien empire seljûqide depuis 1100 est ici nécessaire. Cet empire, encore imposant à l'arrivée des Croisés, se trouvait en pleine désagrégation féodale. Non seulement le sultan seljûqide de Perse Barkiyârûq n'aurait plus été en mesure de secourir ses cousins de Qonyâ, d'Alep ou de Damas, mais il ne se montrait même pas capable d'empêcher ses propres lieutenants de s'arroger directement le gouvernement des provinces. C'est ainsi qu'en septembre 1102 on vit le gouverneur de Mossoul, Kurbuqa – celui-là même qui avait été vaincu par les Croisés – désigner sur son lit de mort pour lui succéder dans le gouvernement de cette ville son lieutenant Sonqorja. « Il ordonna aux Turcs d'obéir à cet émir et reçut leur engagement à cet égard[78]. » Sonqorja prit donc possession de Mossoul. Mais dans l'intervalle, les notables de Mossoul avaient écrit à un autre lieutenant de Kurbuqa, Mûsâ le Turkoman, lui offrant le gouvernement de leur ville. Sonqorja, ayant appris la marche de Mûsâ, crut qu'il venait lui rendre hommage. Il se porta à sa rencontre. Tous deux descendirent de cheval, s'embrassèrent et cheminèrent quelque temps, pleurant la mort de Kurbuqa. Mais quand il s'agît de la succession, ils en vinrent vite aux injures, Mûsâ protestant contre la prise de possession de Mossoul par son rival : « Qui sommes-nous pour nous attribuer ainsi les sièges et les trônes ? La disposition des choses n'appartient qu'au sultan ! » Beaux prétextes pour se servir lui-même ! De la dispute on en vient bientôt aux coups. Sonqorja frappe Mûsâ à la tête du plat de son épée, sur quoi un fidèle de Mûsâ tranche la tête de Sonqorja. Mûsâ rentra alors à Mossoul et s'installa dans le gouvernement de la ville au nom du sultan Barqiyârûq. Mais un nouveau compétiteur se déclara, un autre capitaine turc, Jékermish, jusque-là gouverneur de Jazîrat ibn 'Omar, sur le Tigre. Jékermish s'empara de Nisibe et eût immédiatement enlevé aussi Mossoul à Mûsâ, si Mûsâ n'avait obtenu l'aide de Soqmân ibn Ortoq, émir d'*His*n Kaîfâ, au Diyârbekir. L'intervention de l'Ortoqide ne sauva d'ailleurs Mûsâ que pour bien peu de temps, car il fut presque aussitôt assassiné. Jékermish se rendit alors maître de Mossoul et de sa région[79].

Comme on le voit, bien que Barqiyârûq fût toujours sultan de Perse, un gouvernement aussi important que celui de Mossoul était l'enjeu de guerres en règle entre les généraux turcs du voisinage. L'autorité du pouvoir central seljûqide n'existait pratiquement plus. Si nous songeons que dans le sultanat seljûqide de Perse la marche de Mossoul avait précisément pour rôle de surveiller les Croisés du côté de la Syrie (se rappeler l'intervention de Kurbuqa contre Antioche en 1098), les guerres civiles qui paralysaient les Turcs de cette province expliqueront à nos yeux l'extraordinaire inertie dont les Musulmans d'Irâq et d'Iran firent preuve en présence des établissements latins. L'histoire recommençait. Comme jadis la reconquête byzantine avait bénéficié du démembrement de l'empire 'abbâside et de l'indifférence des émirs bûyides de Perse à l'égard des événements de Syrie, la Syrie franque profitait aujourd'hui du partage de l'empire de Malik-shâh et de l'insouciance des épigones seljûqides à l'égard des choses de l'Ouest.

## § 3. — Second gouvernement de Bohémond à Antioche.

*Libération de Bohémond par les Dânishmendites.*

Tandis que Tancrède assumait avec tant de succès la régence à Antioche, Bohémond était toujours prisonnier de l'émir dânishmendite Malik Ghâzî Gümüshtekîn dans la citadelle de Nîksâr (Néocésarée), dans le Pont. La guerre ouverte que, sous la conduite de Tancrède, les Normands d'Antioche faisaient maintenant aux Byzantins – guerre qui aboutit, on l'a vu, à la conquête de Laodicée – inspira à l'empereur Alexis Comnène le désir de s'assurer du gage inappréciable que constituerait la personne de Bohémond. Il entreprit donc de se faire livrer ce dernier par Malik Ghâzî Gümüshtekîn, offrant pour cela 260 000 dinars[80].

Le gouverneur de Trébizonde, George Taronite, fut chargé de la négociation. L'affaire arriva à la connaissance du sultan seljûqide de Qoniya, Qilij Arslân. Avant que le marché ne fût conclu, Qilij Arslân sollicita amicalement, puis réclama impérieusement de Malik Ghâzî la moitié de la somme promise. Il rappelait, à l'appui de sa demande, l'aide qu'il avait apportée en 1101 aux Dânishmendites visés par la Croisade lombarde. Alliés dans la guerre commune contre les Francs, ils devaient se partager les sommes offertes par le *basileus*. On a vu les rapports des deux maisons turques qui se divisaient l'Anatolie musulmane. La famille seljûqide hier établie à Nicée, aujourd'hui ramenée à Qoniya par les victoires de la Première Croisade, avait pour elle la noblesse de son origine, branche cadette de l'illustre maison qui avait étendu à toute l'Asie Antérieure le premier empire turc. Mais les Dânishmendites, cette maison turcomane de petite naissance, solidement établie dans le nord-est de l'Anatolie, n'avaient jamais reconnu la suzeraineté de leurs illustres voisins. Malik Ghâzî repoussa la demande de Qilij Arslân ; sur quoi Qilij Arslân lui déclara la guerre et vint ravager les provinces dânishmendites.

Bohémond mit habilement à profit la fureur de Malik Ghâzî. Le rusé Normand, dans la citadelle qui lui servait de prison, n'avait pas été sans percevoir certains échos des événements du dehors. En faisant parler ses geôliers, il eut quelques détails sur les graves mécomptes que l'offre byzantine et, par contrecoup, la jalousie des Seljûqides causaient à Malik Ghâzî Gümüshtekîn. Il s'arrangea pour faire connaître la sympathie qu'il éprouvait pour son vainqueur, si bien qu'un beau jour le Ghâzî descendit dans le cachot où était enchaîné son prisonnier afin de consulter cet esprit fertile en expédients sur le moyen de se venger des Seljûqides. L'astucieux Normand ne laissa pas passer une si belle occasion : « Si tu n'avais pas songé à me livrer aux Byzantins, répondit-il doucement à son interlocuteur, tu n'aurais pas provoqué les prétentions et l'attaque des Seljûqides ! » – « Mais que faire ? » – « Le Seljûqide te met en demeure de lui verser la moitié des 260 000 dinars offerts par les Byzantins ? Refuse l'argent de Byzance, et je me charge, moi, de te faire verser directement par les Francs de Syrie les 130 000 dinars qu'il veut bien te laisser. Tu auras le même bénéfice, je ne serai pas livré à mes pires ennemis et, de leur côté, tes ennemis à toi, les Seljûqides, seront également frustrés de leur espoir. Du reste, les Seljûqides sont nos adversaires communs, et les Byzantins aussi. Concluons une alliance solide, je t'apporte le concours de mes Francs pour conquérir l'Anatolie seljûqide et jeter les Byzantins à la mer ! » Tel est le discours qu'Albert d'Aix prête à Bohémond et il correspond trop à la suite de l'histoire pour que nous ne devions pas en accepter l'esprit[81].

La proposition de Bohémond fut agréée par le Ghâzî. Celui-ci le fit conduire à Mélitène (Mala*t*iya), où, après échange de serments d'amitié et d'alliance, le prince d'Antioche fut rendu à la liberté (commencement de mai 1103). Les premières sommes nécessaires à la rançon de Bohémond lui furent avancées par les Francs d'Antioche et d'Édesse, le patriarche Bernard de Valence et Baudouin du Bourg s'étant activement entremis, et aussi par les Arméniens de l'Anti-Taurus ; le complément devait être fourni par les parents et les clients de Bohémond, en Sicile. Matthieu d'Édesse signale le rôle que joua à cet égard le chef arménien Kogh Vasil (Basile le Rusé) qui avait fondé une principauté arménienne indépendante autour de Kaîsûn (K'éçoun)[82], et de Ra'ban[83], et dont nous avons vu plus haut la curieuse personnalité[84]. Sur les 100 000 pièces d'or de la rançon, Kogh Vasil en avança 10 000. Ce fut lui, en outre, qui, d'après Matthieu d'Édesse, se chargea de recueillir et de centraliser le reste de la somme et de la verser aux officiers dânishmendites. Quand Bohémond, enfin délivré, descendit de Mar'ash vers Antioche, le baron arménien alla à sa rencontre et l'hébergea au passage, magnifiquement. Ce n'est que justice de signaler le concours constant ainsi apporté par l'élément arménien aux Francs tout au long de l'histoire des Croisades[85].

Par ailleurs l'habile calcul de Bohémond se trouva réalisé. Son rachat, directement négocié avec Malik Ghâzî, en privant Qilij Arslân de la part de rançon escomptée, acheva de brouiller les Dânishmendites avec les Seljûqides. La libération de Bohémond, écrit Ibn al-A*th*îr, « occasionna pour les Musulmans des maux qui effacèrent le souvenir des services que le Dânishmendite avait rendus précédemment à l'Islamisme »[86]. De fait le faisceau des forces turques d'Anatolie, un moment unies pour arrêter la Croisade lombarde, se trouva brisé. Albert d'Aix, très renseigné sur toute cette affaire, nous montre le Seljûqide de Qoniyâ, Qilij Arslân, écrivant à son cousin le sultan de Perse et au Khalife de Baghdâd pour se plaindre des Dânishmendites qui venaient de libérer le pire ennemi de l'Islam. Qilij Arslân aurait en même temps écrit à Malik Ghâzî lui-même pour dire que le seul moyen pour lui de se faire pardonner la libération de Bohémond était, maintenant que la rançon était partiellement payée, d'attirer le prince d'Antioche dans un guet-apens et de le capturer à nouveau. À quoi l'émir turcoman répondit que, lié d'honneur avec le Franc, il ne commettrait jamais une telle infamie[87].

Aussitôt libre (on était, semble-t-il, en mai 1103)[88], Bohémond se rendit dans sa ville d'Antioche, que, depuis trois ans, son neveu Tancrède gouvernait pour lui. *L'Estoire d'Éracles* décrit la joie de la population à son arrivée. « Li patriarches (Bernard de Valence) et touz li clergiez et li baron de la terre et toz li pueples firent trop grant joie de sa venue. À procession le reçurent comme leur seigneur que il tant amoient, que il avoient recouvré. Il sot comment Tancre ses niés (son neveu) li avoit bien gardé sa terre et creue molt de deus citez qu'il avoit conquises. Mout s'en loa et bon gré l'en sot. De la terre meismes li donna grant partie por tenir à tozjors à lui et à son oir[89]. » Toutefois Raoul de Caen nous laisse entendre que, si Tancrède jugea tout naturel de remettre à Bohémond Antioche et le reste du territoire que celui-ci avait laissé, il trouva plus pénible de lui rendre de même les nouvelles conquêtes que lui, Tancrède, venait de faire en son absence, notamment Laodicée et les places de la Cilicie, enlevées aux Byzantins durant la captivité de Bohémond. Ces conquêtes-là, Raoul nous avoue que son héros ne s'en dessaisit que de mauvaise grâce et avec l'impression d'être quelque peu dépouillé du fruit de son labeur[90]. Néanmoins il n'y eut pas d'éclat et la version officielle de Guillaume de Tyr correspond à la vérité générale.

*Occupation de Mar'ash par les Francs : Baudouin de Marès.*

À peine Bohémond rentré à Antioche, les hostilités reprirent entre lui et les Byzantins. Alexis Comnène le somma, conformément au serment prêté en 1097, de remettre à l'Empire Antioche et les autres terres ci-devant impériales délivrées des Turcs. Bien entendu Bohémond refusa, en faisant observer que la carence du concours byzantin durant la guerre contre les Turcs rendait nul et non avenu le pacte franco-byzantin de 1097. Alexis envoya alors en Cilicie, par le chemin du littoral, une armée commandée par Boutoumitès pour enlever aux Normands Tarse, Adana et Mamistra. Mais les Arméniens qui constituaient l'élément principal de la population firent bloc avec les Francs, et Boutoumitès ne put songer à attaquer les places ciliciennes. Il remonta vers Mar'ash, cité qui, on se le rappelle, appartenait aux Byzantins, et fortifia les châteaux voisins (fin 1103)[91]. Vaines précautions : l'année suivante, Jocelin de Courtenay, sire de Turbessel, le principal baron du comté d'Édesse, enleva Mar'ash aux Byzantins : l'officier arménien que les Byzantins avaient nommé gouverneur de Mar'ash, Thathoul, semble avoir sans combat abandonné la ville à Jocelin[92]. Le « comté de Marès » forma dès lors une seigneurie franque particulière, dépendante du comté d'Édesse et dont le dernier titulaire, Baudouin de Marès, mort en 1146, est bien connu pour la belle oraison funèbre que lui a consacrée son chapelain arménien Basile[93].

*Les Francs dans la région d'Alep. Conquête de Basarfû*th.

Les objectifs des Francs furent donc tous atteints contre l'adversaire grec. Du côté turc aussi les progrès furent rapides. Dès le lendemain de sa libération, nous dit Ibn al-A*th*îr, Bohémond réclama le tribut de Qinnesrîn, l'ancienne Chalcis, la Calquis des chroniqueurs, sur le bas Quwaiq, au sud d'Alep (on l'appelle le Vieil Alep, Eski-Alep)[94]. Kemâl al-Dîn nous montre de son côté en 1103 les Francs d'Antioche et d'Édesse s'emparant de Muslimiya, sur le Quwaiq, un peu au nord d'Alep[95] : « Ils tuèrent une partie des habitants, imposèrent des taxes de guerre sur plusieurs localités et séjournèrent quelques jours dans le district d'Alep ; puis, ils négocièrent avec Malik Ri*d*wân. Un accommodement fut conclu moyennant 7000 dinars, dix chevaux de prix et la mise en liberté des prisonniers de guerre, à l'exception des officiers pris à Muslimiya »[96]. Peu après, poursuit l'auteur de *la chronique d'Alep*, « les Francs sortant de Tell Bâsher (Turbessel) – il s'agit de Jocelin de Courtenay – portèrent le pillage et l'incendie dans la partie nord et est de la province d'Alep. Ils renouvelèrent plusieurs fois leurs incursions. Ils allèrent ensuite attaquer la forteresse de Basarfû*th* qui se rendit par capitulation et se dirigèrent sur Kafarlâ*th*â, mais, assaillis par la tribu des Banû 'Alim, ils durent se replier sur Basarfû*th* »[97]. Comme on le voit, les chevaliers d'Antioche et d'Édesse parcouraient en tous sens le royaume seljûqide d'Alep ou ce qui en restait. Nous les avons vus à Qinnesrîn et à Muslimiya, sur le bas et le moyen Quwaiq, dans la banlieue sud et la banlieue nord d'Alep. Les voici s'incrustant à Basarfû*th* dans le Jebel Sem'ân ou Jebel Barakat et dominant de là la route d'Alep à Antioche[98], puis allant menacer, beaucoup plus au sud, Kafarlâ*th*â, ou Tell Lata, dans la banlieue sud de Rî*h*â, au nord-ouest de Ma'arrat al-Nu'mân[99]. Et s'ils sont arrêtés, c'est par une tribu arabe du voisinage. Le malik turc d'Alep, Ri*d*wân, est incapable de défendre son royaume : il se résigne à devenir tributaire de la principauté d'Antioche.

*Le partage seljûqide de janvier 1104.*

La cause principale de l'inertie du monde turc et de la faiblesse de ses réactions en présence des conquêtes franques était la guerre domestique entre le sultan seljûqide de Perse Barkiyârûq et son frère Mu*h*ammed, qui se disputaient toujours l'héritage de leur père, le grand Malik-shâh.

Par suite de cette lutte fratricide, le sultanat de Perse – sans parler de l'Iran oriental qui formait le fief particulier du troisième épigone seljûqide, Sanjar – se trouvait à la fin de 1103 partagé en deux moitiés ennemies : Barkiyârûq, qui résidait à ce moment à Reiy, était reconnu dans le Jebal, le *T*abaristân, le Khûzistân, le Fârs, le Diyârbekir et la Jazîra, tandis que Mu*h*ammed, qui résidait alors dans l'A*dh*arbaîjân, était reconnu dans cette province, l'Arrân, l'Arménie, la province d'I*s*fâhân et le 'Irâq. Partage aussi artificiel qu'en Occident les derniers partages carolingiens. De plus la guerre des deux frères avait ruiné le pays. « Elle s'était fait successivement sentir dans toutes les provinces de l'empire, le sang des sujets avait été versé, les villes ruinées, les villages incendiés. » Surtout, comme le fait observer Ibn al-A*th*îr, le pouvoir central seljûqide s'était discrédité et la féodalité avait fait des progrès décisifs : « La souveraineté avait été convoitée et envahie par une foule d'ambitieux. Les émirs du premier rang avaient vu cet état de désordre avec plaisir, et ils le préféraient à tout autre, parce qu'il était pour eux un gage de durée, un moyen d'agrandissement et d'influence[100] ».

Barkiyârûq finit par comprendre – mais trop tard – où cette querelle le menait. « Voyant ses ressources s'épuiser et les prétentions de ses troupes augmenter chaque jour, » il fit proposer la paix à son frère. Les progrès des Francs en Syrie furent l'argument principal des négociateurs. Un accord fut donc conclu en janvier 1104 ; Barkiyârûq conserva la souveraineté avec la possession de la Perse et de Baghdâd, mais laissa à Mu*h*ammed les marches occidentales : Diyârbekir, Jazîra, Mossoul et la suzeraineté de la Syrie.

Un tel partage montre que le sultan Barkiyârûq se désintéressait définitivement des affaires de Syrie. En en chargeant son frère Mu*h*ammed, il laissait du moins à celui-ci la possibilité de se tailler un nouvel empire vers l'ouest en rejetant les Croisés à la mer, comme leur troisième frère Sanjar essayait de se tailler un empire à l'autre extrémité du domaine seljûqide, aux marches de Transoxiane, en luttant contre les hordes turco-mongoles de l'Asie Centrale. Mais Mu*h*ammed, personnalité assez faible, ne fut même pas capable de se subordonner fortement les grands émirs de son domaine.

La désagrégation du sultanat seljûqide de Perse enhardit les barons de Syrie. En 1104 ils tentèrent ce qu'ils n'eussent jamais osé entreprendre si un Sanjar, par exemple, avait unifié l'héritage de Malik-shâh : une marche en direction de Mossoul et de Baghdâd à travers la Jazîra.

### *Expédition des Francs contre* Harrân.

Ce fut le comté d'Édesse, avant-garde des Francs au nord-est, qui prit l'initiative de l'expédition. L'objectif était la ville de *H*arrân, l'ancienne Carrhes, Qarram comme orthographie le traducteur de Guillaume de Tyr, sur la rive orientale du

Balîkh, au sud-est d'Édesse[101]. « Entre deus qeurt un flum qe l'en fet, par ruissiaus et par chenaus (= canaux), venir eu terres entor, si que par la bonté de cele eaue sont li champ mout plantéis, et assez i croist de froment et d'autres bons blés. » Le cours du Balîkh marquait la limite entre le territoire d'Édesse et celui de *H*arrân. Depuis qu'il était devenu comte d'Édesse, Baudouin du Bourg venait périodiquement ravager les récoltes de la rive orientale du fleuve « et tenoit si corz ceus du paîs que il n'i pooient arer (labourer) ne semer[102] » : peu lui importait que les gens de *H*arrân rendissent la pareille à la rive occidentale, car Édesse avait des terres autrement fertiles en direction de l'Euphrate. Cette espèce de blocus agricole avait presque réduit *H*arrân à la famine lorsqu'une révolution de caserne acheva de favoriser les Francs.

*H*arrân à l'arrivée des Croisés appartenait à un ancien mamelûk du sultan Malik-shâh, un Turc nommé Qarâjâ, tyran brutal qui avait soulevé une hostilité générale. En 1103, le lieutenant de Qarâjâ, un certain Mu*h*ammed d'I*s*fahân, profita d'une absence de son maître pour s'emparer du pouvoir avec l'aide des habitants. Mais il commit l'imprudence de garder et d'admettre dans sa familiarité un ancien page de Qarâjâ, un Turc nommé Jâwalî. Un jour que Mu*h*ammed était ivre, Jâwalî l'assassina et se déclara maître de la ville[103]. Sur ces entrefaites, l'armée franque apparut devant *H*arrân (printemps de 1104).

Comprenant l'importance du siège de *H*arrân – car une telle pointe en direction de Baghdâd devait provoquer une riposte musulmane, – Baudouin du Bourg, comte d'Édesse, avait obtenu l'aide non seulement de son vassal Jocelin de Courtenay, sire de Turbessel, mais de Bohémond, prince d'Antioche, et de Tancrède. Tous étaient venus participer au siège avec lui. On voyait même dans les rangs de l'armée franque Bernard de Valence, patriarche latin d'Antioche, Benoît, archevêque latin d'Édesse, jusqu'à l'ancien patriarche de Jérusalem, Daimbert, qui suivait Bohémond[104]. Albert d'Aix évalue l'armée d'Antioche à trois mille cavaliers et sept mille fantassins. Baudouin du Bourg de son côté avait amené avec lui non seulement ses chevaliers francs, mais les milices arméniennes d'Édesse, troupes fort nombreuses au témoignage de Matthieu d'Édesse. La jonction se fit sous *H*arrân[105].

La ville de *H*arrân, déjà presque réduite à la famine au moment de l'arrivée des Francs, ne pouvait offrir une longue résistance. Les assiégeants jugèrent que le blocus suffirait à amener la capitulation sans qu'il fût besoin d'abîmer les fortifications par le jeu des mangonneaux. Ils perdirent ainsi un temps précieux. De plus, quand la ville fut sur le point de se rendre, une querelle s'éleva entre Baudouin du Bourg et Bohémond pour savoir lequel arborerait le premier son étendard sur la muraille[106]. C'était le soir. Faute de s'entendre, on remit l'occupation au lendemain matin. Le lendemain il était trop tard : une grande armée turque de secours approchait à marches forcées de la ville[107].

*Le désastre de* Harrân.

L'attaque franque sur *H*arrân avait fait ce miracle de réconcilier entre eux deux ennemis aussi acharnés que Jekermish, âtâbeg de Mossoul, et Soqmân l'Ortoqide, ancien émir de Sarûj, pour lors émir de *H*i*s*n Kaîfâ, au Diyârbékir. Soqmân reprochait à Jekermish le meurtre d'un de ses neveux et tous deux épiaient le moment de se jeter l'un sur l'autre, mais le sentiment de la solidarité musulmane l'emporta. Les deux chefs turcs se réconcilièrent et opérèrent leur jonction sur le Khâbûr, d'où ils se dirigèrent contre les Francs, Soqmân avec 7 000 cavaliers turcomans, Jekermish avec 3 000 cavaliers turcs, arabes et kurdes[108].

Albert d'Aix nous dit qu'en apprenant l'approche de l'ennemi, les Francs, abandonnant le siège de *H*arrân, se portèrent d'abord au-devant de lui, en direction du Khâbûr, d'où ils revinrent ensuite à Raqqa, au confluent du Balîkh et de l'Euphrate[109]. On était dans les premiers jours de mai 1104[110].

Ce fut sur les bords du Balîkh, en aval du fleuve, au sud de Harrân, que se livra la bataille. Les péripéties en sont racontées assez diversement par Ibn al-A*th*îr, par Albert d'Aix et par Raoul de Caen[111]. Du rapprochement de ces textes, il semble résulter que les Francs avaient conçu un mouvement stratégique assez vaste qu'ils ne purent exécuter, un de leurs corps ayant été victime de la tactique turque habituelle : la fuite simulée. En effet l'armée franque avait été divisée en deux corps, comprenant le premier les forces d'Édesse, avec Baudouin du Bourg et Jocelin de Courtenay ; le second les forces d'Antioche avec Bohémond et Tancrède. L'armée d'Édesse qui tenait la gauche se chargea d'engager le combat ; l'armée d'Antioche, postée sur la droite, à plus d'un mille, derrière une butte, devait intervenir au moment décisif, envelopper les Turcs et changer leur retraite en déroute[112].

Malheureusement pour les Francs, cette stratégie n'eut pas le temps de jouer. En face de l'armée d'Édesse, les cavaliers turcs, dès le premier choc, firent semblant de fuir, entraînant pendant deux parasanges les Francs et les Arméniens à leur poursuite, loin du champ de bataille convenu avec Bohémond, droit sur un guet-apens. Arrivés là, les fuyards, démasquant un corps de dix mille Turcs intact, font demi-tour et tous tombent sur les Francs épuisés, arrivant en désordre. La déroute de ceux-ci fut bientôt complète. Pendant ce temps, sur la droite, Bohémond et Tancrède – Tancrède surtout, si nous en croyons Raoul de Caen – avaient triomphé des éléments placés en face d'eux et, au dire d'Albert d'Aix, tué cinq cents hommes. D'après Albert ce fut en apprenant ce succès de Bohémond que Baudouin du Bourg et Jocelin, après avoir mis en fuite les premiers cavaliers adverses, se lancèrent inconsidérément dans la plaine pour rejoindre les Normands au lieu de les attendre, et ce fut alors que, galopant en désordre et égarés par les coureurs turcs, ils tombèrent dans l'embuscade. Quoi qu'il en soit, quand les Normands, intacts et restés victorieux à leur aile, voulurent, conformément au plan de bataille, exécuter leur mouvement enveloppant, ils aperçurent l'armée d'Édesse déjà en déroute qui fuyait de toutes parts. Il n'était plus temps pour eux de rétablir la situation. La nuit tombait qui, au témoignage d'Ibn al-A*th*îr, leur permit de s'enfuir par des pistes détournées jusqu'à Édesse (7 mai 1104, d'après Ibn al-Qalânisî).

Mais l'armée d'Édesse fut détruite, tout entière massacrée ou prise. Baudouin du Bourg et Jocelin de Courtenay cherchèrent à se sauver en traversant le Balîkh à gué ; leurs chevaux s'étant embarrassés dans la vase, ils furent capturés par les Turcomans. Capturé aussi l'archevêque latin d'Édesse, Benoît (mais les Turcs l'ayant mis sous la garde d'un chrétien renégat, celui-ci eut pitié de lui et le laissa échapper)[113]. Non seulement les fuyards avaient à repasser le Balîkh sous les coups de l'armée turque, mais ils se trouvaient pris à revers vers le nord, du côté de *H*arrân, par les habitants de la ville qui battaient la campagne pour massacrer les isolés et, au dire de Matthieu d'Édesse, en tuèrent autant que les Turcs eux-mêmes.

Baudouin du Bourg fut conduit à la tente de Soqmân ibn Ortoq. Sa possession faillit provoquer un conflit entre les Turcomans de l'Ortoqide et les Turcs seljûqides de Jekermish. Celui-ci, furieux de voir que le hasard de la bataille avait fait échoir presque tout le butin aux Turcomans, ces frères à demi barbares que les Turcs iranisés méprisaient quelque peu, fit enlever Baudouin de la tente de Soqmân. Les Turcomans de Soqmân voulaient courir aux armes. Soqmân lui-même les arrêta, mais il se sépara aussitôt de son compagnon, et il est possible que cette rupture ait sauvé les grandes cités franques. En revanche, toutes les places de second ordre furent emportées. Soqmân, ayant fait revêtir à ses soldats les habits et les armes des Francs, se présentait devant les forteresses du comté d'Édesse ; « les chrétiens sortaient, croyant reconnaître leurs compatriotes qui avaient remporté la victoire, et Soqmân les faisait passer au fil de l'épée ». Se réservant la meilleure part, Jekermish prit possession de *H*arrân, puis, traînant avec lui Baudouin du Bourg, son prisonnier, il vint assiéger Édesse[114].

*Tancrède, régent d'Édesse. Il sauve la ville.*

À Édesse la nouvelle du désastre du Balîkh avait causé une consternation générale. Le comte Baudouin du Bourg, prisonnier de Jekermish qui va l'enfermer dans les prisons de Mossoul ; le sire de Turbessel, Jocelin de Courtenay, prisonnier de Soqmân, dans le château de *H*isn Kaîfâ. Toute la chevalerie franque, toutes les milices arméniennes du comté, massacrées, prises ou en fuite. Mais Bohémond et Tancrède, aussitôt qu'échappés au désastre du Balîkh, coururent à Édesse, relevèrent le moral des habitants et mirent hâtivement la ville en état de défense. Albert d'Aix atteste le loyalisme de la population arménienne. Ce fut elle qui invita

Tancrède à assumer le gouvernement du comté en attendant la délivrance de Baudouin du Bourg (mai-juin 1104)[115]. Laissant à son neveu le soin de défendre, avec Édesse, les districts transeuphratésiens, Bohémond se chargea de la défense du district ciseuphratésien de Turbessel, la terre de Jocelin, plus voisine d'Antioche, puis il partit presque aussitôt pour Antioche car là aussi, comme nous le verrons, le désastre du Balîkh avait eu de terribles conséquences.

À peine Bohémond était-il parti que Jekermish avec l'armée de Mossoul apparut devant Édesse qu'il comptait enlever séance tenante. Du haut des murailles, nous dit Albert d'Aix, on voyait la plaine couverte de milliers de tentes turques. Tancrède n'avait qu'une poignée de soldats francs. Mais il sut inspirer sa résolution à la population arménienne. Celle-ci d'ailleurs agit en étroit accord avec lui et fit preuve d'une grande vaillance, suppléant à l'absence de garnison, garnissant elle-même les remparts et repoussant tous les assauts. Rien de plus intéressant au point de vue de l'histoire de l'Orient latin que cette étroite collaboration de l'élément arménien faisant bloc autour du chef franc pour barrer la route à l'invasion turque[116].

Mais si Tancrède, pour maintenir le moral de la population arménienne d'Édesse, affectait la plus grande confiance, il envoyait en secret un message à Antioche pour avertir son oncle Bohémond que la ville était à bout et que, sans un secours immédiat, il succombait. Bohémond, malgré les graves périls qu'il courait lui-même (les Turcs d'Alep venaient d'envahir la principauté d'Antioche), ramassa trois cents chevaliers, cinq cents piétons et partit pour Édesse. Mais malgré sa hâte il ne put y arriver que le septième jour et pendant ce temps les assauts quotidiens des Turcs contre la ville se faisaient de plus en plus violents. Tancrède, qui désespérait de l'arrivée des secours et qui s'attendait chaque jour à voir l'ennemi atteindre le rempart, prit d'accord avec la population arménienne de la ville un parti désespéré. Préférant mourir en se battant qu'être vendus sur les marchés de l'Islam, les assiégés décidèrent une sortie générale. Seulement cette sortie, sous l'inspiration de Tancrède, fut préparée avec autant de soin qu'une bataille en rase campagne. Avant l'aube tout ce qu'Édesse comptait d'hommes capables de tenir une arme se massa en silence devant les portes. Le camp turc dormait, les soldats fatigués de l'assaut de la veille, d'autres appesantis par l'ivresse. À l'improviste les portes s'ouvrent et dans un fracas soudain de boucliers, de hurlements et de trompettes, tous tombent sur l'ennemi. La surprise est complète, le camp turc culbuté et pris ; des groupes de dormeurs mal réveillés sont égorgés avant d'avoir pu s'armer ; le reste, saisi de panique, prend la fuite, d'autant qu'à ce moment même Bohémond et les chevaliers d'Antioche arrivaient enfin pour achever la victoire[117].

Ce beau fait d'armes, dû autant à la vaillance de la population arménienne qu'au génie militaire de Tancrède, dégagea Édesse. Après un siège inutile de quinze jours (juin-juillet 1104), Jekermish dut regagner Mossoul sans avoir tiré de bénéfice réel de sa victoire du Balîkh. La surprise du camp turc faillit même par contre-coup provoquer la délivrance de Baudouin du Bourg. En effet dans le camp une dame turque de très haute naissance avait été capturée par Tancrède. Pour obtenir sa liberté, Jekermish offrit aussitôt à Tancrède soit celle de Baudouin du Bourg, soit quinze mille besants, et il fit connaître ces propositions au roi Baudouin I^er^ à Jérusalem, tant il tenait à la délivrance de la *Khâtûn*. Baudouin I^er^, qui avait la plus vive affection pour Baudouin du Bourg, son cousin, pressa Tancrède et Bohémond d'accepter, Tancrède et Bohémond répondirent que telle était bien leur intention, mais qu'il y avait intérêt à ne pas avoir l'air d'être trop pressés pour obliger Jekermish à élever son offre. En réalité, nous dit Albert d'Aix, les deux Normands n'étaient pas fâchés d'exercer quelque temps la régence, Tancrède à Édesse, Bohémond à Turbessel. La richesse du pays les tentait. Alors admirablement exploité par sa population arménienne, il avait, comme carrefour des routes de la Syrie vers l'Anatolie, l'Iraq et la Perse, une telle importance commerciale qu'à Édesse seulement le revenu des taxes et péages rapportait 40 000 besants par an ; et cela sans parler des redevances perçues dans les autres places comme Samosate, Turbessel ou 'Aintâb. Bohémond et Tancrède n'étaient certes pas de mauvais compagnons, et sur le champ de bataille ils eussent cent fois risqué leur vie pour sauver Baudouin du Bourg. Mais il en allait tout autrement sur le terrain des affaires ; ils ne mirent aucune hâte excessive à amener la délivrance du comte. Baudouin ne devait être relâché qu'en 1108. Durant tout ce temps Tancrède, régent d'Édesse, la défendit héroïquement contre le Turc et en toucha gaillardement les revenus.

*Conséquences du désastre de* Harrân. *Reconquête d'Artâ*h *et du territoire d'outre-Oronte par les Turcs d'Alep.*

La défaite du Balîkh, ou de *H*arrân, comme on l'appelle souvent, n'eut donc pas de conséquences irréparables. La féodalité musulmane était trop anarchique encore pour pouvoir profiter d'un succès pareil. *H*arrân n'en marqua pas moins l'arrêt de l'expansion franque du côté de l'Orient, comme, par une étrange rencontre, le désastre de Crassus devant cette même ville de Carrhes avait jadis marqué l'arrêt de la conquête romaine. Le rapprochement a dû venir à l'esprit de Guillaume de Tyr qui évoque en effet le souvenir de l'infortuné proconsul. Et le traducteur français de l'*Estoire d'Éracles* a rendu le souvenir plus saisissant encore en faisant de Crassus un baron, et, des Parthes, des Turcs[118]. Désastre analogue en effet. Carrhes avait failli faire perdre la Syrie aux Romains. La journée du Balîkh faillit avoir les mêmes résultats pour les Francs. Le malik d'Alep, le seljûqide Ri*d*wân, n'avait pas pris part à la lutte aux côtés de l'âtâbeg de Mossoul et des Ortoqides (nous savons que ses sympathies ismâ'îliennes le tenaient à l'écart du Panislamisme officiel) ; mais il s'était rendu, à la tête de son armée, dans le voisinage de l'Euphrate pour guetter l'issue de la bataille. Dès la nouvelle de la victoire turque, il se déclara contre les Francs, bien résolu à profiter de l'événement pour leur arracher leurs récentes enquêtes. On a vu que depuis un an Tancrède et Bohémond avaient porté la frontière franque bien au delà de l'Oronte, presque aux portes d'Alep. À l'appel de Ri*d*wân, leur ancien maître, les populations musulmanes des villes récemment conquises à l'est de l'Oronte, se révoltèrent contre Bohémond[119]. Dans le district du Jazr, au nord de Ma'arrat al-Nu'mân, elles coururent aux armes et se jetèrent sur les Francs. Les gens de Ma'arrat-Mesrîn, de Sermîn et de Fû'a, dans ce district, se signalèrent par leur ardeur à secouer le joug[120]. « Quelques-uns d'entre les Francs se rendirent à merci. Ri*d*wan leur fit grâce de la vie et les emmena prisonniers. » La place forte de Sawarân (Sorân), à l'est de Shaîzar, de l'autre côté de l'Oronte, par laquelle, comme par Tell-La*t*mîn, les Francs surveillaient la cité munqi*dh*ite, leur fut enlevée par Shams al-Khawâ*ss*, émir de Rafaniya[121]. Les garnisons franques évacuèrent spontanément al-Bâra[122], Ma'arrat al-Nu'mân[123], Kafar*t*âb[124] et Tell La*t*mîn[125] pour se réfugier précipitamment à Antioche. Parmi les places franques de la région, Burj Hâb[126] est la seule dont Kemâl al-Dîn ne mentionne pas expressément la prise ; encore est-il qu'elle dut subir le sort général. Tout le pays fut en quelques jours enlevé aux Francs dont la frontière recula des abords du Quwaiq à la ligne de l'Oronte et au lac d'Antioche ou lac de 'Amq.

La chevalerie normande, avant le désastre du Balîkh, galopait impunément dans la banlieue même d'Alep. Après la fatale journée, ce furent les Turcs d'Alep qui revinrent menacer la banlieue d'Antioche. Ils s'emparèrent notamment d'Artâ*h* ou Artésie, forteresse très importante, située au sud du Nahr'Afrîn inférieur, tout près de l'embouchure de cette rivière dans le lac de Amq, en face d'Antioche[127].

Ce qui est particulièrement grave, du moins si l'on en croit Kemâl al-Dîn, c'est que dans certaines localités l'élément arménien s'associait à la révolte générale contre la domination franque, soit par suite de maladresses de l'organisation latine envers la foi grégorienne, soit par courtisanerie envers le Turc victorieux. La *Chronique d'Alep* affirme que « ce furent les Arméniens qui livrèrent la forteresse d'Artâ*h* à Malik Ri*d*wân en haine de la tyrannie des Francs »[128]. Le *Mirât al-Zemân* (p. 529) nous dit de même que « les Arméniens, retranchés dans Artâ*h*, appelèrent Ri*d*wân et lui remirent la place par peur des Francs. » De là les Turcs d'Alep atteignirent sur le bas Oronte le Pont de Fer (Jisr al-*H*adîd), à un temps de galop de la métropole franque.

### *Conséquences du désastre de* Harrân. *La fidélité des chrétiens indigènes ébranlée.*

Le point le plus grave – nous venons de le signaler – était l'attitude des chrétiens d'Orient en présence de la victoire turque, de l'élément arménien, notamment. Nous avons vu que, si les Arméniens avaient fait bloc avec les Francs à Édesse, c'étaient eux à Artâ*h* qui avaient livré la place aux Turcs « en haine de la tyrannie des Francs ». Il devait en aller de même à Ablastha ou Albesthan, l'actuel Ablastaîn, au nord de Mar'ash et à l'ouest de Mala*t*iya sur le Jihûn supérieur[129]. Matthieu d'Édesse qui nous donne la version arménienne des événements affirme que les Francs opprimaient l'Église arménienne : « Les fidèles, rebutés par les vexations dont les Francs les rendaient victimes, ne venaient plus avec empressement à l'église (grégorienne) ; les portes de la maison du Seigneur s'étaient fermées, les lampes qui l'éclairaient s'étaient éteintes, les prêtres (arméniens) étaient courbés sous le joug de la servitude et jetés en prison. Les autels et les baptistères furent abattus et détruits ; l'odeur de l'encens se perdit, les louanges de Dieu étaient empêchées dans toute la contrée. En d'autres endroits les chapelles arméniennes furent démolies, les prêtres (de rite grégorien) devinrent un objet de mépris, la controverse religieuse fut abolie, la vérité persécutée, la piété proscrite. » Un tel texte semblerait attester que sur ce point les seigneurs francs commirent l'imprudence de vouloir imposer la suprématie latine au clergé arménien. Quoi qu'il en soit, les Arméniens profitèrent des embarras des Francs pour les trahir au profit des Turcs : « Les habitants, avoue Matthieu d'Édesse, résolurent de se venger cruellement. Ils se tournèrent du côté des Infidèles. Leur ayant envoyé un secret message, les Arméniens se liguèrent avec eux et investirent la forteresse. "Va-t'en dans ta nation !" dirent-ils au chef des Francs. À ces mots les Francs se jetèrent sur les habitants, mais ces derniers furent vainqueurs et les massacrèrent tous ; pas un n'en échappa ». – « Le Seigneur, ajoute aimablement le chroniqueur arménien, tint compte aux gens d'Ablastha de ce qu'ils avaient fait comme d'un acte de justice. Cette journée vit périr environ trois cents hommes[130] ». Ces « Vêpres ciliciennes », organisées par les Arméniens de concert avec les Turcs, en disent long sur l'ébranlement que le désastre de *H*arrân avait causé à la domination franque.

Il semble que, si l'élan des vainqueurs s'arrêta cependant presque tout de suite, il faille en chercher la raison dans les incurables divisions de la société musulmane. L'exemple que nous rapporte Usâma est typique. Les émirs munqi*dh*ites de Shaîzar, Murshid et Sul*t*ân, étaient venus, de concert avec les Kilâbites, autre clan arabe qui possédait Fâmiya ou Apamée, attaquer la place franque d'Asfûnâ, près d'Idlib[131]. L'assaut battait son plein lorsque l'émir kilâbite, Khalaf ibn Mulâ'ib, abandonnant la lutte contre les Francs, se jeta sur ses alliés Munqi*dh*ites et les tailla en pièces. Murshid et Sul*t*ân, grièvement blessés, faillirent perdre la vie[132]. Ainsi, au lendemain de la victoire du Balîkh qui aurait pu marquer, comme quatre-vingts ans plus tard la journée de *Hatt*în, la débâcle de la Syrie franque, les tribus arabes de l'Oronte s'entretuaient – Kilâbites contre Munqi*dh*ites –, les vainqueurs turcs eux-mêmes se brouillaient entre eux – Jekermish de Mossoul avec Soqman ibn Ortoq –, si bien que la reconquête turco-arabe s'arrêta à la ligne de l'Oronte.

*Conséquences du désastre de* Harran.
*La reconquête byzantine en Cilicie et à Lattaquié.*

Le plus grave pour Bohémond était que le désastre du Balîkh avait fait croire à Alexis Comnène que l'heure de la revanche byzantine était venue. Dans les villes de la basse Cilicie récemment conquises par Tancrède le fond grec qui devait former la majorité de l'élément urbain se souleva. À Tarse, Adana et Mamistra la population chassa les Normands et rappela les Byzantins[133]. Ceux-ci, notons-le, occupaient toujours la côte de l'Isaurie voisine, avec Antiochia minor, Seleucia-Selefké, et Korikos (Gorigos), d'où il leur fut facile d'accourir. Il semble que l'élément arménien de Cilicie s'associa dans une certaine mesure à cette insurrection francophobe, puisque nous voyons un peu plus tard Alexis Comnène confier le commandement des troupes byzantines de Cilicie et de Syrie à un chef arménien du Taurus, Oshin, prince de Lampron[134]. Bientôt une escadre byzantine, sous le commandement de Cantacuzène, apparut devant Laodicée (Lattaquié), dont la Cour de Constantinople n'avait jamais accepté la perte, et, grâce à la rapidité de son attaque, s'empara du grand port syrien, de la tour de Saint-Élie qui le dominait et de la ville basse, mais sans pouvoir faire capituler la citadelle. Cantacuzène commença le siège de celle-ci, procédant avec méthode et construisant même un mur pour la séparer de la mer et des flottes de secours (il redoutait l'intervention de la marine génoise)[135]. Tout en resserrant le blocus de la citadelle de Laodicée, Cantacuzène soumit à l'Empire quelques points du littoral syrien entre Laodicée et Tortose. C'est ainsi qu'il se serait emparé de Qal'at Marqab, le Margat des Croisés, château formidable par sa position sur un éperon dominant la côte de Bâniyâs. Chalandon nous affirme que les Byzantins prirent aussi Jabala, entre Lattaquié et Marqab, et même *S*âfîtâ (Burj *S*âfîtâ), l'Argyrokastron des écrivains grecs, le Chastel-Blanc des Occidentaux, au sud-est de Tortose[136]. Mais nous ne voyons pas comment les Byzantins seraient allés occuper Jabala, vu que ce port appartenait, à cette date, non point aux Normands, mais depuis 1101 à Ibn 'Ammâr, qâ*d*î de Tripoli[137] et qu'il ne fut conquis pour la première fois par Tancrède qu'en 1109. À plus forte raison pour *S*âfîtâ, butte éloignée d'une vingtaine de kilomètres de la mer. Il serait plus vraisemblable d'attribuer aux Byzantins un débarquement à Valanie (Bâniyâs) et à Maraclée (Khrab Marqiya)[138].

Bohémond, du reste, réagit vigoureusement. Il se trouvait à Édesse lorsque Cantacuzène s'empara du port de Laodicée et mit le siège devant la citadelle. Il revint en toute hâte et put ravitailler la citadelle, que les Byzantins ne bloquaient que du côté de la mer[139].

*Départ de Bohémond pour l'Occident.*

Mais, obligé de mener la guerre sur deux fronts, contre les Turcs sur l'Oronte, contre les Byzantins sur la côte, le prince normand sentit la nécessité de renouveler ses moyens. La principauté d'Antioche, telle que lui et Tancrède l'avaient fondée, si prospère quelques mois plus tôt, alors qu'elle allait de la Cilicie orientale aux faubourgs d'Alep, se trouvait maintenant à moitié détruite. L'œuvre était à reprendre tout entière. Pour y parvenir, contre le Turc et le Byzantin – et il voyait de plus en plus dans le Byzantin son principal ennemi –, Bohémond résolut d'aller chercher en Occident le renfort d'une grande Croisade normande et française. Il rappela d'Édesse son neveu Tancrède et lui annonça son intention de lui confier une fois de plus la régence d'Antioche pour aller lui-même en Italie et en France chercher des secours.

Raoul de Caen, dans ses *Gesta Tancredi*, nous restitue le sens du discours que, dans la basilique Saint-Pierre d'Antioche, Bohémond tint à ses fidèles. « La tempête soulevée contre nous est telle que, sans la Providence, si nous ne réagissons pas, c'en est fait de notre œuvre. Nous sommes encerclés. À l'est, de l'intérieur, l'invasion turque. À l'ouest, par mer, le débarquement des Grecs. Artésie, hier notre bouclier, a été retournée contre nous. Nous ne sommes qu'une poignée d'hommes qui ira toujours diminuant. Il nous faut de larges renforts de France. C'est de là que viendra le salut ou de nulle part. Je vais aller les chercher[140]. »

Confiant donc à Tancrède la régence de la principauté d'Antioche, tandis que Tancrède à son tour confiait le gouvernement d'Édesse à son cousin Richard de Salerne, Bohémond dans les derniers mois de 1104 s'embarqua pour l'Italie[141]. Son ami, l'ancien patriarche Daimbert, l'accompagnait[142].

### *La Croisade anti-byzantine de Bohémond.*

Bohémond aborda en janvier 1105 dans sa terre de Pouille, où il resta jusqu'en septembre, occupé à lever une armée parmi la chevalerie normande. De là il se rendit en France où, avec l'appui du légat du pape Bruno, il entreprit de prêcher la Croisade contre Alexis Comnène.

Grave décision. Ainsi le fils de Robert Guiscard, devenu prince d'Antioche, reprenait, après la Croisade, le grand projet de son père, la conquête de Byzance. Mais il le reprenait en l'appuyant sur l'autorité et l'intérêt de la Croisade. Ce qu'il rêvait en 1105, ce n'était pas seulement de recommencer l'expédition paternelle, la campagne de Macédoine, de 1082, c'était déjà la quatrième Croisade, la guerre sainte contre Byzance en tant qu'alliée du Musulman. Et de fait, la malheureuse, l'insoluble question d'Antioche avait si bien envenimé les rapports franco-byzantins que tout se passait aux rives de l'Oronte comme si une formelle alliance gréco-turque fonctionnait contre les Normands. Cette alliance d'ailleurs Alexis Comnène n'hésitera pas à la sceller puisque, contre l'attaque de Bohémond en Europe, il fera appel au sultan seljûqide de

Qoniya, Qilij Arslân, et que celui-ci lui enverra aussitôt, nous dit Ibn al-A*th*îr, un corps d'armée considérable. Ainsi dans les rangs grecs, au champ de bataille de Durazzo, le prince d'Antioche retrouvera des Turcs[143]. Ces faits et tant d'autres encore facilitaient la propagande de Bohémond qui présentera en France l'Empire byzantin comme le complice de l'Islam, la destruction de l'Empire byzantin comme la condition nécessaire du succès de la Croisade. Conception malheureuse qui, le jour où ce programme réussira – car il finira par réussir en 1204 – détournera la Croisade de son but, dispersera l'effort franc, privera la Syrie de l'immigration indispensable et impliquera la condamnation de la France du Levant, l'Empire latin de Constantinople devant « intercepter la vie » du Royaume latin de Jérusalem.

Mais dans la fougue de sa jeunesse l'État normand de Sicile se croyait de force à supporter le double poids de la « Romanie » et de la Syrie. Et c'est en futur empereur d'Orient que le prince d'Antioche alla en septembre 1105 rendre visite au roi de France Philippe I^er^. « De maintes choses lui parla », nous dit Guillaume de Tyr. Nous ne savons rien des raisons diplomatiques de cette visite : s'agissait-il de ce projet de conquête de l'empire grec auquel l'héroïque aventurier allait bientôt se consacrer tout entier et pour lequel il devait négliger son œuvre syrienne ? Nous savons que Bohémond obtint deux des filles du roi de France, l'une, Constance, pour lui-même, l'autre, Cécile, pour son neveu Tancrède, à qui il l'envoya à Antioche, « et cil l'espousa à mout grant joie »[144]. Signalons en passant cette visite de Bohémond au roi de France. Les princes de la maison de Guiscard avaient beau être fieffés dans l'Italie méridionale. Ils n'en restaient pas moins fidèles au pays de France, berceau de leur famille, et, quand leurs héritiers établis aux marches de Syrie venaient chercher conseil et appui en Europe, c'est au Capétien qu'ils s'adressaient.

Le 9 octobre 1107, Bohémond, après avoir achevé ses préparatifs dans sa terre de Pouille, débarquait en Épire, à Avlona, d'où il alla le 13 mettre le siège devant Durazzo, en Albanie, la principale place forte de l'Empire byzantin vers l'Ouest, clé de la Macédoine. Mais l'Empire, tel que l'avait restauré Alexis Comnène, représentait une force que Bohémond avait sous-estimée. Durazzo résista opiniâtrement et Alexis, avec des armées supérieures, vint bloquer à son tour le camp normand par terre et par mer. Blocus étroit qui au bout de quelques mois avait réduit les Normands à la pire famine.

*Le « diktat » gréco-normand de Durazzo (septembre 1108).*

Pour sortir d'une situation sans issue, Bohémond eut à se remettre aux mains du *basileus* et à accepter les conditions de celui-ci (septembre 1108). Traité draconien. Il dut se reconnaître l'homme lige d'Alexis et des successeurs d'Alexis, s'engager à les servir contre tous leurs ennemis, promettre de restituer à l'Empire toutes celles de ses conquêtes qui avaient jadis appartenu à Byzance et même promettre de faire prêter serment à Alexis par tous les infidèles que, lui, Bohémond, soumettrait ; le sens de cette stipulation est appuyée par la suivante : les pays n'ayant pas appartenu à Byzance et que Bohémond enlèverait aux Turcs ou aux Arméniens seraient regardés comme à lui concédés par l'Empereur. Bohémond s'engageait enfin à traiter Tancrède en ennemi dans le cas où son neveu refuserait d'exécuter les clauses du traité de Durazzo.

La question juridique se trouvait ainsi catégoriquement tranchée. La suzeraineté byzantine, mieux encore la souveraineté byzantine sur la Syrie du Nord était reconnue par le prince d'Antioche. Si Antioche était laissée à Bohémond, c'était à titre de lieutenant d'Alexis, comme mandataire byzantin. L'hypothèque byzantine était reconnue jusque sur la Syrie musulmane – lisez sur les sultanats d'Alep et de Damas – puisque, même s'il conquérait ces territoires, Bohémond n'y serait que le vassal de la Cour de Constantinople[145].

Au point de vue territorial, dans la vaste zone ainsi uniformément reconnue byzantine, Alexis Comnène faisait deux parts. Il « concédait » à Bohémond Antioche et son territoire, avec le port de Saint-Siméon, près de Suwaidîya (en grec Suetios). Mais si Byzance laissait à la tête d'Antioche, comme représentant temporel, un prince latin, elle y faisait, au spirituel, rétablir un patriarche grec nommé par le *basileus* et relevant de ce dernier : détail plus important peut-être que le maintien de Bohémond lui-même, car il signifiait la défrancisation du pays. – De plus la principauté laissée à Bohémond perdait, sauf Saint-Siméon et l'embouchure même de l'Oronte, à peu près toute sa façade maritime. Sans parler des places de Cilicie, qui, bien entendu, faisaient retour à l'Empire byzantin, Bohémond cédait encore à l'Empire Laodicée (Lattaquié) et l'expectative de Gibel (Jabala), Valanie et Maraclée. En échange de quoi les Normands étaient autorisés à enlever aux Turcs le royaume d'Alep[146].

Ce traité, s'il avait pu être suivi d'exécution, aurait marqué la solution byzantine des Croisades. L'épopée franque n'aurait eu lieu que pour aboutir à restaurer les conquêtes de l'épopée byzantine, telles qu'elles existaient à la fin du dixième siècle, sous les Nicéphore Phocas et les Jean Tzimiscès. Tout au plus les Francs auraient-ils joui de certains privilèges, comme avant-garde de la reconquête byzantine en Asie.

En recevant le serment de Bohémond vaincu, en septembre 1108, Alexis Comnène croyait en avoir fini avec la question d'Antioche. Et de fait, si Bohémond avait vécu, il eût été difficile aux Normands d'éluder longtemps les conséquences de la capitulation de Durazzo. Mais, comme le remarque Chalandon, Bohémond avait été brisé par la ruine de toutes ses espérances. Malgré les amitiés dont le comblait maintenant Alexis, malgré le titre de *sébastos (augustus)* dont il venait d'être honoré, il rentra, désespéré, de Durazzo en Italie. Après une telle faillite, il n'eut pas le courage de repartir pour l'Orient. Comment eût-il pu reparaître à Antioche devant ses compagnons, sous sa livrée dérisoire de dignitaire byzantin ? Tancrède, à coup sûr, n'eût même pas voulu le recevoir. Aussi bien Bohémond ne s'y hasarda-t-il point. Il traîna quelque temps en Italie une existence effacée, si effacée qu'on ne connaît même pas l'année de sa mort, survenue entre 1109 (date donnée par Anne Comnène et Guillaume de Tyr) et 1111. – Il semble qu'il faille pencher pour la date de mars 1111[147].

La retraite, puis le décès de Bohémond rendaient lettre morte le traité de Durazzo. Car un tel traité, son neveu Tancrède, devenu son successeur à Antioche, n'avait aucunement l'intention d'en exécuter la moindre partie. Tout au contraire, il allait prendre sur les Byzantins comme sur les

Turcs la plus brillante revanche et constituer définitivement, aux dépens des uns comme des autres, l'État normand de Syrie.

## § 4. — Second gouvernement de Tancrède à Antioche (1104-1112).

*Tancrède et le rétablissement de la situation face aux Turcs d'Alep. Victoire de Tîzîn et reprise d'Artâ*h.

Bohémond avait laissé à Tancrède sa ville d'Antioche dans un état presque désespéré. On a vu qu'au point de vue territorial, tandis que les Byzantins s'emparaient du port de Laodicée, les Turcs d'Alep avaient rejeté les Normands du Quwaiq à l'Oronte et qu'ils leur avaient même enlevé (avec l'aide des Arméniens de la ville) Artâ*h* ou Artésie au sud du bas 'Afrîn, au sud-est du lac de 'Amq – Artâ*h,* « le bouclier d'Antioche », comme dit Raoul de Caen[148]. La situation économique n'était pas moins grave. Bohémond, pour monter sa malheureuse expédition d'Épire, avait épuisé les dernières ressources de la principauté, laissant à Tancrède un trésor à sec. Faute de numéraire, Tancrède ne pouvait équiper l'armée. Et cependant entre Artâ*h* aux Turcs d'Alep et Lattaquié aux Byzantins, Antioche était comme une ville assiégée.

La première préoccupation pour Tancrède était de trouver des fonds. Raoul de Caen nous conte comment, sur l'indication d'un indigène, il manda auprès de lui les cent plus riches habitants – évidemment des Syriens et des Arméniens – et les invita à remplir le trésor. Dès qu'ils se furent exécutés, Tancrède enrôla chevaliers, sergents et Turcoples et reprit l'offensive. Au printemps de 1105 il vint mettre le siège devant Artâ*h*. Comme il pressait vivement la place, le malik d'Alep, Ri*d*wân, accourut pour la défendre. Il amenait, nous dit Kemâl al-Dîn, non seulement sa cavalerie turque, mais jusqu'à la milice arabe d'Alep. Il rencontra Tancrède près de Tizîn, à l'est d'Artâ*h*, le 20 avril 1105[149]. Ibn al-A*th*îr raconte que Tancrède, inquiet de la supériorité numérique des Turcs, essaya de parlementer ; Ri*d*wân, qui n'avait jamais été un soldat bien fougueux, y était assez disposé, mais Sabâwâ, *aspahbad* ou général de sa cavalerie, fit décider la bataille[150]. Tancrède, dont le patriarche Bernard de Valence venait, en un ardent discours, d'exhorter et de bénir l'armée[151], accepta la lutte. Peut-être sa proposition d'armistice n'était-elle qu'une ruse de guerre pour lui permettre de manœuvrer et d'engager le combat sur le terrain choisi par lui.

Raoul de Caen raconte en effet qu'entre l'armée normande et l'armée turque s'étendait une plaine rocheuse impropre aux évolutions de la cavalerie. Tancrède, l'ayant remarqué, s'arrêta un peu avant d'y arriver. Immobile « comme s'il s'était endormi », il laissa les Turcs s'engager dans la zone rocheuse et la traverser tranquillement, mais dès qu'ils l'eurent dépassée, « comme s'il se réveillait tout à coup », il chargea. La tactique de la légère cavalerie turque était toujours la même : ne pas attendre le corps à corps avec la lourde chevalerie franque, fuir devant elle, tout en la criblant de flèches à la vieille manière parthe[152], puis, quand les chevaux bardés de fer étaient essoufflés avec leurs cavaliers, faire une brusque volte-face, tomber sur les poursuivants dispersés et hors d'haleine et les massacrer sous le nombre. C'était la tactique qui, deux ans auparavant, avait provoqué le désastre franc du Balîkh. Mais la leçon du Balîkh n'était pas perdue pour Tancrède. Il connaissait maintenant la tactique turque. Il savait que Ri*d*wân et son a*s*pahbad l'appliqueraient, – ce qu'ils firent. C'est précisément pourquoi il avait choisi son terrain. En se dérobant, la cavalerie turque tomba dans la zone rocheuse où le galop devenait impossible. Déroutés devant cet obstacle, les cavaliers mirent pied à terre ou se dispersèrent. Les chevaliers francs en acculèrent une bonne partie à l'obstacle et en firent une boucherie. Les fantassins alépins, n'éprouvant pas le même inconvénient, faisaient meilleure contenance ; un groupe pénétra même jusqu'au camp chrétien et commença à piller le bagage. Mais la dispersion de leur cavalerie les livra à la chevalerie franque qui revenait de sa charge victorieuse et qui les massacra à leur tour. Kemâl al-Dîn évalue à 3 000 le nombre des Musulmans tués[153].

La victoire de Tîzîn rendit à Tancrède la forteresse d'Artâ*h*, redevenue la franque Artésie et « le bouclier d'Antioche » : la garnison alépine s'était enfuie en voyant, du haut des tours, les Turcs écrasés dans la plaine de Tîzîn. Les conséquences du désastre du Balîkh étaient effacées, la situation se trouvait renversée, la frontière franque dépassait de nouveau l'Oronte. « Les Francs, écrit Kemâl al-Dîn, envahirent le pays d'Alep, chassant les habitants, pillant et faisant prisonniers tous ceux qu'ils rencontraient. Un grand trouble régna dans le pays depuis Laîlûn[154] jusqu'à Shaîzar (c'est-à-dire sur toute la rive orientale du bas et du moyen Oronte). La terreur avait succédé à la sécurité et à la paix. » Dans la région de Laîlûn – l'actuel Jebel Barakat – et le district du Jazr – c'est-à-dire le district au nord de Ma'arrat al-Nu'mân, district qui a pour bourgs principaux Ma'arrat-Me*s*rîn, Zerdanâ (« Sardone ») et Sermîn[155], – les habitants vinrent chercher refuge dans les environs d'Alep, mais, surpris par la cavalerie franque, nombre d'entre eux furent tués ou faits prisonniers. « En un mot, poursuit Kemâl al-Dîn, le désastre de la province d'Alep surpassa de beaucoup celui de Kellâ (en juillet 1100). Tancrède vint camper à Tell Aghdî, dans le canton de Laîlûn qu'il occupa, ainsi que tant d'autres places fortes de la province d'Alep. » Pour comprendre l'importance de la marche victorieuse du chef normand, il faut se rappeler que Tell Aghdî, l'actuel Tell 'Adé, au pied du Jebel Barakat, dominait la grande route d'Antioche à Alep, à 30 kilomètres de cette dernière ville[156]. Ibn al-A*th*îr ajoute que vers cette époque les Francs s'emparèrent de nouveau de Sermîn, un des centres du Jazr[157]. Plus au sud, il est vrai, Ri*d*wân conservait encore, sur le haut Oronte, la ville de *H*amâ, mais les conquêtes franques au Jazr s'interposaient dangereusement entre *H*amâ et Alep. À l'ouest les possessions alépines, qui, tout à l'heure, englobaient Artâ*h*, ne dépassaient plus maintenant A*th*âreb, le Cerep des chroniqueurs (au sud-ouest d'Alep, au nord de Zerdanâ)[158]. Même les cantons au nord et à l'est d'Alep qui, eux, restaient au pouvoir de Ri*d*wân, ne présentaient plus, écrit Kemâl al-Dîn, aucune sécurité[159].

*Conquête d'Apamée et reprise de Kafartâb par Tancrède.*

Tancrède compléta sa réinstallation sur la rive orientale de l'Oronte en s'emparant, à la faveur de l'anarchie musulmane, de l'importante ville d'Apamée ou Fâmiya (Qal'at Mu*d*îq). Le récit de cet événement a l'avantage de situer la Croisade en pleine lumière dans le milieu turco-arabe contemporain.

L'antique Apamée, à l'époque de la première Croisade, appartenait à un émir bédouin à demi brigand, Khalaf ibn Mulâ'ib, de la tribu arabe des Banû Kilâb. Un moment, cet aventurier avait en même temps possédé *H*om*s*. Mais, lassé de ses razzias, le sultan seljûqide Malik shâh l'avait fait, en 1091, chasser de Syrie. Khalaf s'était alors réfugié en Égypte chez les Fâ*t*imides. Avec leur aide il était revenu en 1096 et avait enlevé Fâmiya au malik d'Alep, Ri*d*wân, dans le lot duquel, lors des partages seljûqides, la ville était échue. De ce nid d'aigle il avait aussitôt recommencé à détrousser les caravanes et à attaquer les autres princes musulmans, le plus souvent en trahison : nous l'avons vu, en juillet 1104, sous couleur d'une expédition commune contre des Francs, se jeter à l'improviste sur ses alliés, les émirs Munqi*dh*ites de Shaîzar qui faillirent périr sous ses coups[160].

Cet émir de grand chemin rencontra cependant plus dangereux que lui. Il s'était attiré la haine du malik d'Alep, Ri*d*wân. Or Ri*d*wân était le protecteur et l'allié de la terrible secte des Assassins ou Isma'îliens. Le chef des Isma'îliens à Alep, Abû *T*âhir, «l'orfèvre persan », se chargea de débarrasser la Syrie du chef bédouin. On a vu que Tancrède venait de s'emparer de Sermîn, entre Apamée et Alep. Le qâ*d*î de Sermîn se réfugia à Apamée chez Khalaf qui lui fit bon accueil[161]. Mais le qâ*d*i était secrètement rallié à la secte ismâ'îlienne. Il profita de la faveur dont il jouissait pour former avec Abû *T*âhir l'Orfèvre un complot contre la vie de Khalaf : il s'agissait de poignarder celui-ci et de livrer Apamée au malik Ri*d*wân, le protecteur de la secte. À la demande du qâ*d*î, Ri*d*wân envoya à Apamée 300 hommes choisis parmi les anciens habitants de Sermîn, « pourvus de chevaux, d'armes et de têtes de Francs ». Ces soldats racontèrent que, partis pour guerroyer contre les Francs, ils les avaient battus. Ils firent à Khalaf l'hommage des têtes coupées et déclarèrent se donner à lui. Khalaf accepta ce renfort. Une nuit que les gardes dormaient, le qâ*d*î et les gens de Sermîn escaladèrent le palais de l'émir. « Khalaf était couché avec sa femme. Au bruit qu'il entendit, il s'écria : "Qui es-tu ?" Le qâ*d*î répondit : "Je suis l'ange de la mort, et je viens chercher ton âme". En vain Khalaf le supplia au nom d'Allâh. Le qâ*d*î fut inexorable. Il le frappa de son épée et le tua, lui et ses gens[162] » (3 février 1106).

Le chef ismâ'îlien Abû *T*âhir accourut aussitôt d'Alep pour que l'assassinat ait sa suite naturelle : la remise d'Apamée au malik Ri*d*wân, protecteur de la secte. Mais au lieu d'appeler les Alépins, le qâ*d*î, sans rompre avec Abû *T*âhir et en le gardant même à ses côtés, atermoya ; il songeait en effet à conserver la ville pour lui seul, ou, à la rigueur, à la partager avec *T*âhir. Ce fut ce qui permit aux Francs d'intervenir.

Apamée, dont Khalaf avait fait un repaire de Bédouins, dont le qâ*d*î de Sermîn était en train de faire un repaire d'Assassins, renfermait, à côté de ces hôtes indésirables, des éléments chrétiens assez nombreux, tant Syriens qu'Arméniens. Craignant de voir la ville tomber incessamment sous le joug alépin, ou songeant tout simplement à profiter de l'anarchie dans laquelle l'assassinat de l'émir et le désaccord entre les assassins avaient plongé Apamée, ces chrétiens mandèrent à Tancrède de venir, et de venir en hâte pour devancer Ri*d*wân.

Tancrède n'était pas homme à manquer une telle occasion. Prenant avec lui 700 chevaliers et 1 000 fantassins, il courut jusqu'à Apamée. Là, déception. En dépit des promesses des chrétiens, les habitants, séduits ou intimidés par le qâ*d*î et ses Isma'îliens, se mirent en mesure de défendre la ville. Pendant trois semaines le prince normand se consuma en assauts inutiles. La surprise ayant échoué, il lui fallut du matériel de siège. Il alla en chercher à Antioche, à l'occasion des fêtes de Pâques, et revint presser l'attaque. Mais, malgré ses catapultes, la citadelle, grâce à sa force naturelle, grâce aussi à l'extraordinaire énergie de la secte ismâ'îlienne qui y faisait la loi, résistait toujours. Or il fallait se hâter, car à tout instant le malik d'Alep pouvait accourir.

À ce moment Tancrède reçut un renfort inattendu. Un des fils de l'émir assassiné se trouvait dans la région de Damas où, pillard invétéré comme son père, il pratiquait le même genre de vie, coupant les pistes et détroussant les caravanes[163]. Mais chez ce Bédouin, la voix du sang et le devoir de la vengeance allaient de pair avec le goût du pillage. Il se présenta au camp de Tancrède, lui demandant la faveur de participer au châtiment des assassins. Il amenait avec lui cent cavaliers du désert qu'il mit à la disposition des assiégeants. Le prince franc et le chef bédouin échangèrent des serments d'amitié fraternelle et les assauts reprirent, plus acharnés. À la fin, les assiégés, pressés par la famine, demandèrent à se rendre. Les promesses faites au fils de Khalaf auraient dû empêcher Tancrède d'accorder la capitulation sollicitée. Mais l'intérêt de l'État franc l'emporta ; au témoignage d'Albert d'Aix, Tancrède promit la vie sauve au chef ismâ'îlien Abû *T*âhir l'Orfèvre et, à ce prix, reçut la reddition de l'imprenable citadelle. Quant à Abû *T*âhir, Tancrède l'emmena avec lui à Antioche, puis, Ri*d*wân s'étant entremis en sa faveur, le chef normand le rendit à la liberté[164]. Naturellement, le jeune Ibn Khalaf protesta, réclamant le sang de la vengeance. Tancrède sut l'apaiser en lui livrant les autres assassins, y compris, spécifie Ibn al-A*th*îr, le qâ*d*î de Sermîn qui avait d'ailleurs été le principal agent du meurtre[165].

Tancrède prit possession d'Apamée le 14 septembre 1106. Il donna à ses alliés, les fils de Khalaf ibn Mula'ib, plusieurs bourgs du district. Par ailleurs nous voyons qu'il réoccupa aussi à l'est d'Apamée, entre Ma 'arrat al Nu'mân et Shaîzar, la ville de Kafar*t*âb ou Capharda, qu'il donna à un chevalier nommé Théophile. Nous savons par Usâma que Théophile, reprenant pour son compte les méthodes des Banû Kilâb, devint la terreur des Musulmans par ses razzias foudroyantes contre leurs caravanes et leurs troupeaux[166]. Il avait d'ailleurs pris à son service un des anciens compagnons de Khalaf, Alî al-Raidâ, qui lui servait de guide dans ses expéditions[167].

À Shaîzar, place qui ne se trouve qu'à une demi-journée de marche d'Apamée, les Munqi*dh*ites furent désormais sous la menace constante des algarades franques. À la fin de novembre 1108 Tancrède en personne vint conduire une énorme razzia sur le territoire de la ville. Usâma mentionne un épisode de cette campagne : à Zalîn[168] les Arabes s'étaient réfugiés dans des cavernes inaccessibles à flanc de montagne. Un des soldats de Tancrède se fit descendre dans une caisse attachée par des chaînes de fer, jusqu'au niveau des grottes, et, à lui seul, captura tous les réfugiés[169]. Du reste, Tancrède, satisfait d'avoir imposé sa supériorité aux émirs Munqi*dh*ites, conclut un accord avec la chevaleresque maison arabe.

« Après le combat, nous dit Usâma, il y eut une réconciliation. Tancrède s'avança, demandant qu'on lui cédât un cheval appartenant à un écuyer de mon oncle (Sul*t*ân, émir de Shaîzar). C'était un cheval magnifique. Mon oncle le lui fit amener, monté par un Kurde de nos compagnons nommé *H*asanûm, cavalier brave, jeune, sympathique d'allure, élancé, qui ferait prendre les devants au cheval sous les yeux de Tancrède. Le cavalier lança sa monture et lui fit dépasser tous les autres chevaux qu'on faisait galoper sur la route. Lorsque *H*asanûm fut admis en présence de Tancrède, les chevaliers francs examinèrent la vigueur de ses avant-bras, admirèrent sa taille fine et sa jeunesse et reconnurent en lui un vaillant cavalier. Tancrède l'honora par ses présents. *H*asanûm dit alors : Ô mon maître, je voudrais recevoir de toi une assurance, c'est que, si jamais tu t'empares de ma personne à la guerre, tu me favoriseras en me relâchant. Tancrède lui accorda ce qu'il demandait...[170] »

### *Tancrède et le rétablissement de la situation face aux Byzantins. Reprise de Lattaquié.*

Sur les Byzantins aussi Tancrède prit sa revanche. De ce côté le principal enjeu de la lutte était toujours la ville et le port de Laodicée (Lattaquié) dont un corps de débarquement byzantin, sous les ordres de Cantacuzène, s'était emparé en 1104. Les Normands, il est vrai, avaient longtemps conservé la citadelle que Tancrède avait pu ravitailler par terre, mais que les Byzantins n'en maintenaient pas moins en état de blocus étroit grâce à la maîtrise de la mer. Nous avons vu que Cantacuzène s'était solidement installé dans les tours qui commandaient le port, notamment dans la tour de Saint-Elie, et qu'il avait construit une digue pour couper la ville de la mer et barrer la route aux flottes italiennes, alliées éventuelles des Normands. Cernée par ses ouvrages de siège, la citadelle fut plusieurs fois sur le point de succomber, et Raoul de Caen nous fait assister aux angoisses de Tancrède obligé à la fois de lutter contre les Turcs et les Arabes sur l'Oronte et de secourir la citadelle de Laodicée contre les Byzantins[171].

En 1106, obligé à un long siège pour s'emparer d'Apamée sur les Ismâ'îliens, il lui fallut choisir entre la renonciation à cette place, alors sur le point de tomber entre ses mains grâce à une occasion qui ne se représenterait plus, et le salut de la citadelle de Laodicée dont la petite garnison normande, bloquée par les Byzantins de la ville, n'avait plus de vivres[172]. La citadelle finit par capituler faute de secours ; et c'est ici que les accusations des Francs contre Byzance complice des Musulmans se trouvèrent justifiées, car, tandis que Tancrède faisait face aux Turco-Arabes pour délivrer la vallée de l'Oronte, les Byzantins en profitaient pour le prendre à revers. Quelles que fussent les responsabilités des princes normands dans les origines d'une telle situation, tout se passait comme si Alexis Comnène avait eu partie liée avec Ri*d*wân et avec les Assassins.

Dès que Tancrède eut recouvré sa liberté d'action par ses victoires à l'est de l'Oronte, il se retourna contre les Byzantins. Pour leur reprendre Laodicée, il avait besoin d'une flotte. Une escadre pisane de passage lui prêta son concours, et les Impériaux furent enfin chassés de la ville, de la citadelle et du port, au milieu de l'année 1108. Tancrède témoigna sa reconnaissance aux Pisans en leur concédant une rue à Antioche (la rue dite du Saint-Sauveur) et surtout un quartier à Laodicée avec la rue à arcades qui reliait la ville à la mer, l'église Saint-Nicolas, construite à l'entrée, et les magasins du port. Il leur accorda en plus la liberté complète du commerce et la franchise de tous droits dans les autres ports et marchés de la Principauté[173].

Il y a lieu de faire remarquer avec M. Dussaud que la conquête d'Apamée et celle de Laodicée se complétaient réciproquement, car la seconde de ces villes était le débouché maritime de la première (au onzième siècle, elle avait longtemps servi de port à l'émirat Munqi*dh*ite qui avait Apamée et Shaîzar comme capitales)[174]. La solidarité économique était telle qu'en 1108, en capitulant entre les mains de Tancrède, les gens de Laodicée jurèrent de lui rester fidèles tant qu'il conserverait Apamée : « Tancrez chevaucha jusqu'à Lalische (Laodicée) que li Grifon (les Grecs) tenoient. Tant fist vers eus par prières et par menaces que cil la li rendirent. Covenances orent entr'eus plusors dont li uns fu que tant com il tendroit la cité d'Apamie, tant seroit sires de Lalische »[175].

Enfin Tancrède couronna sa revanche sur les Byzantins en reprenant à leur général, l'Arménien Oshin de Lampron (l'Aspiétès d'Anne Comnène), au cours de cette même année 1108, l'importante place de Mamistra (Missis) dans la Cilicie orientale[176].

En quatre ans, Tancrède avait restauré dans toute sa puissance offensive la principauté d'Antioche. Pour comprendre comment un tel redressement fut rendu possible, il importe ici encore de montrer, comme fond de l'action franque, l'état de la société musulmane durant ces quatre années ; et tout d'abord de faire voir comment, tandis que Tancrède avait tout le loisir de poursuivre son œuvre, les révolutions seljûqides abattaient son vainqueur de *H*arrân, l'âtâbeg Jekermish.

### *Les révolutions de Mossoul. De Jekermish à Mawdûd (1104-1109).*

Pour toutes les révolutions dont la Mésopotamie et la Syrie musulmanes ont été le théâtre au commencement du douzième siècle, il faut chercher la clé des événements dans les partages seljûqides, puisque les « rois » (*malik*), *âtâbegs* et émirs turcs qui y faisaient, aux yeux des Croisés, figure de souverains indépendants, n'étaient que les lieutenants des sultans de Perse qui – théoriquement – les nommaient et les révoquaient à leur gré.

Dans la paix conclue en 1104 entre les deux frères seljûqides Barkiyârûq et Mu*h*ammed, fils du grand sultan Malik-shah, Mossoul, on se le rappelle, était tombé dans le lot de Mu*h*ammed. Il se mit donc en devoir d'aller en prendre possession, d'autant que c'était la principale ville de son domaine. Au lieu de se soumettre, le général turc Jekermish, qui pendant les troubles s'était adjugé le gouvernement du pays, se mit en état de défense. Il pouvait compter sur le dévouement des habitants, que son administration avait satisfaits. En vain Mu*h*ammed lui donna-t-il connaissance de l'acte de partage de 1104, signé de Barkyârûq. Jekermish répondit qu'il avait prêté serment à Barkiyârûq et ne remettrait Mossoul qu'à lui seul. Tel était le résultat des luttes entre épigones seljûqides que, dix ans après la mort de Malik-shâh, ses fils voyaient leur autorité bravée par un simple âtâbeg. Le siège durait toujours lorsque arriva la nouvelle de la mort du sultan Barkiyârûq (janvier 1105)[177].

Ce coup de théâtre interrompit la lutte. Mu*h*ammed devenait seul sultan, et Jekermish, qui ne pouvait plus se couvrir du prétexte de son légitimisme, ne put que lui offrir sa soumission. Soumission assez théorique, car, d'après le récit embarrassé d'Ibn al-A*th*îr, Mu*h*ammed ne put ou n'osa faire son entrée dans la ville[178]. Sans doute avait-il hâte de retourner en Perse pour s'assurer de la succession du sultanat. Après son départ la principauté de Mossoul se trouva de fait indépendante entre les mains de l'âtâbeg Jekermish.

Jekermish, ainsi libéré du côté du sultan son suzerain, allait-il pouvoir recommencer la lutte contre les Francs, exploiter enfin sa victoire de *H*arrân ? L'idée d'une grande coalition turque contre les Francs semblait faire son chemin, du moins en apparence. Au printemps de 1106 on voit réunis dans ce but le seljûqide Ri*d*wân, malik d'Alep, l'ortoqide Il Ghâzi, pour lors commissaire du sultan Mu*h*ammed auprès du khalife de Baghdâd, l'a*s*pahbad Sabâwâ, et Albî ibn Arslântâsh, seigneur de Sinjâr, lequel était le gendre de Jekermish. Tous quatre se préparaient à envahir les terres de Tancrède lorsque, écrit Ibn al-A*th*îr, Il Ghâzî l'Ortoqide dit à ses trois alliés : « Ce qu'il y aurait de plus sage, ce serait de marcher sur les terres de Jekermish et de nous en emparer ! » Les trois autres applaudirent à ces paroles – même Albî, le gendre de Jekermish – et tous allèrent attaquer Ni*s*îbîn, une des villes importantes de la principauté de Mossoul (mai 1106). Jekermish ne se sauva que par la ruse. Par une négociation machiavélique, il réussit à brouiller entre eux Ri*d*wân et Il Ghâzî. Sous les murs mêmes de Ni*s*îbîn, Ri*d*wân se saisit de la personne d'Il Ghâzî et le fit charger de chaînes. Sur quoi les Turcomans de l'Ortoqide attaquèrent Ri*d*wân et le forcèrent à se retirer à Alep. Cette bataille entre alliés à l'intérieur d'une guerre entre Turcs sauva Jekermish qui conserva Mossoul. Mais on voit à quel point une action concertée contre les Francs devenait difficile. La guerre sainte, le *jihâd*, n'était pour les princes turcs qu'un prétexte pour se dépouiller entre eux[179].

Un péril assez sérieux faillit naître de l'intervention des Seljûqides d'Anatolie. En 1106 le seljûqide régnant de Qoniya, Qilij Arslân, vint devant Édesse pour en faire le siège. Mais cette tentative n'eut pas de suite et le sultan de Rûm[180] se contenta de prendre possession de *H*arrân que la garnison laissée par Jekermish lui livra spontanément.

Malgré le souvenir de la grande victoire remportée sur les Francs deux ans plus tôt, le prestige de Jekermish déclinait. En 1106-1107, le sultan de Perse Mu*h*ammed qui n'avait pas oublié ses anciens griefs (cf. *supra*, p. 429) et auquel il avait négligé de payer le tribut, décida de lui retirer la principauté de Mossoul et en investit, avec le Diyârbekir et la Jazîra, un autre chef turc nommé Jâwalî Saqâwâ. Tentative du pouvoir central seljûqide pour arrêter l'insubordination féodale. De plus le sultan donna pour mission à Jâwalî d'aller chasser les Francs de la Syrie, tâche que Jekermish semblait avoir oubliée. Il est curieux de voir ainsi les sultans de Perse charger toujours les âtâbegs de Mossoul de la guerre sainte contre les Francs sans se décider une seule fois à la conduire eux-mêmes. Cette inertie, dont Barkiyârûq avait donné l'exemple en se contentant d'envoyer Kurbûqâ contre la première Croisade, fut un facteur non négligeable en faveur de l'Orient latin.

Jekermish refusa d'ailleurs d'obtempérer à l'ordre du sultan et se porta au-devant de Jâwalî. Il fut vaincu et fait prisonnier dans une bataille sur les bords du Tigre, mais les habitants de Mossoul, qui lui étaient reconnaissants de son bon gouvernement (ils redoutaient la cruauté de Jâwalî), refusèrent de se soumettre et proclamèrent âtâbeg son fils, le jeune Zenkî, âgé de onze ans. En même temps les fidèles de Jekermish imploraient la protection du roi de Qôniya, le seljûqide Qilij Arslân. En vain Jâwalî pressa-t-il le siège de la ville ; les habitants résistèrent et la mort de son prisonnier Jekermish, survenue sur ces entrefaites, lui enleva un otage précieux. L'approche de Qilij Arslân le décida à s'éloigner. Qilij Arslân reçut le serment des habitants et de la garnison de Mossoul et leur jura de son côté le maintien de leurs privilèges. Il y a là un curieux exemple des libertés municipales qui commençaient à s'établir en pleine féodalité musulmane, à la faveur, précisément, des guerres civiles entre féodaux[181].

Après s'être assuré la possession de Mossoul, Qilij-Arslân alla relancer Jâwalî qui venait de se tailler un nouveau fief en s'emparant (sur un chef de tribu arabe) de la ville de Ra*h*éba sur l'Euphrate entre Deir al-Zor et *S*âli*h*îyé. Mais Jâwalî avait obtenu l'appui du prince d'Alep, Ri*d*wân, en lui promettant, une fois cette guerre finie, de l'aider à chasser les Francs d'Antioche[182]. Du reste Jâwalî pouvait ici se présenter comme le champion de la légitimité seljûqide, car Qilij Arslân, simple chef d'une branche cadette, avait rejeté la suzeraineté des sultans de Perse en prenant lui-même, dans sa capitale de Qôniya, le titre de sultanien[182]. Les forces réunies de Jâwalî et de Ri*d*wân se montaient à près de 4 000 hommes quand Qilij-Arslân se présenta avec des effectifs très sensiblement inférieurs. Qilij-Arslân fit preuve d'une éclatante bravoure. Il enfonça les bataillons ennemis, coupa la main du porte-drapeau de Jâwalî, parvint jusqu'à ce dernier et le blessa. Mais il fut écrasé sous le nombre. Pour échapper à la captivité, le prince anatolien lança son cheval dans les eaux du Khâbûr, tomba dans un gouffre et se noya[184].

La mort de Qilij-Arslân, en rejetant les Seljûqides de Qoniya dans leur Anatolie d'où ils ne devaient plus sortir, sauva peut-être les États francs d'un péril redoutable. Cette énergique dynastie, restée bien autrement vivace que les Seljûqides de Perse, aurait pu, si elle avait pris pied à Mossoul, peser d'un poids singulièrement lourd sur les principautés d'Édesse et d'Antioche.

Qilij-Arslân disparu, Jâwalî alla prendre possession de la principauté de Mossoul. Mais une fois consolidé dans ce fief, la même aventure recommença qu'avec ses divers prédécesseurs. Il affecta l'indépendance et négligea ses devoirs de vassalité envers le sultan Mu*h*ammed. Mu*h*ammed chargea de le déposséder le Turc Mawdûd fils d'Al*t*ûn-tekîn qui vint mettre le siège devant Mossoul. Si brutal avait été le gouvernement de Jâwalî que les habitants de la ville faisaient des vœux contre lui. Un vendredi, pendant que la foule était à la mosquée, quelques ouvriers maçons, se faisant les interprètes du mécontentement public, s'emparèrent de deux tours et, au nom du loyalisme seljûqide, ouvrirent les portes aux soldats de Mawdûd (août 1109)[185].

Cependant l'administration seljûqide (ou ce qui en subsistait) n'en avait pas fini avec Jâwalî. Le redoutable âtâbeg n'avait pas attendu la perte de Mossoul pour gagner le large. À peine échappé, il établit ses campements dans la Jazîra, appelant à lui tous les ennemis du sultanat seljûqide, liant partie avec les Bédouins, notamment avec la tribu arabe des Banû Mazyad que le sultan Mu*h*ammed venait en mars 1108 de chasser de *H*illa[186]. En même temps il s'abouchait avec les Francs eux-mêmes. Ce fut à cette occasion qu'il libéra le comte d'Édesse, Baudouin du Bourg.

*Libération de Baudouin du Bourg par Jâwalî : leur pacte d'alliance.*

Nous avons vu que, après le désastre de *H*arrân (printemps de 1104), tandis que le comte d'Édesse Baudouin du Bourg, prisonnier de l'âtâbeg Jekermish, était conduit par lui à Mossoul, son vassal Jocelin de Courtenay, sire de Turbessel, prisonnier de Soqmân l'Ortoqide, était emmené par ce dernier à *H*isn Kaîfâ[187]. Ce fut Jocelin qui sortit le premier de captivité, grâce à la fidélité de ses sujets de Turbessel, si l'on en croit la chronique de Michel le Syrien : « Des gens de Tell Bâsher vinrent, fixèrent sa rançon et restèrent eux-mêmes en prison comme otages, tandis que Jocelin sortait pour rapporter l'or. Alors ces otages perforèrent la maison dans laquelle ils étaient enfermés et prirent la fuite. Jocelin se trouva ainsi délivré sans rançon[188] ». Ibn al-A*th*îr ignore cet escamotage et nous dit simplement que Jocelin a été racheté pour 20 000 pièces d'or[189]. Une fois libre, Jocelin s'employa à la délivrance de son suzerain, Baudouin du Bourg.

Tant qu'avait vécu Jekermish, Baudouin du Bourg avait perdu tout espoir de quitter les prisons de Mossoul. Quelque rançon qu'on proposât, le vieil âtâbeg refusait l'offre. Après la mort de Jekermish, Baudouin du Bourg passa au pouvoir de Jâwalî. Quand Jâwalî fut chassé de Mossoul, il emmena avec lui son prisonnier dans ses pérégrinations à travers la Jazîra. Puis il s'avisa que dans la situation où il se trouvait lui-même, proscrit par le sultan, réduit au rôle de chef errant, l'appui des Francs pourrait lui être singulièrement précieux. Il offrit à Baudouin de lui rendre sa liberté, moyennant une rançon de 70 000 dînârs, la mise en liberté des Musulmans prisonniers à Édesse, et, surtout, un solide traité d'alliance. Il était même formellement spécifié que le comte d'Édesse, avec ses troupes et toutes les ressources dont il pourrait disposer, viendrait secourir Jâwalî toutes les fois qu'il en serait requis[190]. C'était, on le voit, du baron franc à l'âtâbeg turc, un lien de vassalité féodal. C'était plus, un véritable pacte d'amitié personnelle, pacte qui paraît avoir été pris très au sérieux par les deux hommes, comme nous le verrons par la suite.

Tout étant réglé de la sorte, on attendit Jocelin de Courtenay chargé de réunir les premiers 30 000 dînârs. Jocelin se présenta, comme convenu, au château de Qal'at Ja'bar, sur la rive gauche de l'Euphrate[191]. Il remit les 30 000 dînârs et se livra comme otage pour permettre à Baudouin du Bourg d'aller lui-même en pays franc chercher le reste. Jâwalî, nous disent à la fois Ibn al-A*th*îr et Bar Hebraeus, se sépara de son prisonnier dans les termes les plus affectueux, après l'avoir revêtu d'un costume royal et lui avoir fait don de son propre cheval[192]. Michel le Syrien ajoute que Jâwalî ne traita pas moins bien Jocelin qui était venu si chevaleresquement se constituer prisonnier à la place de son suzerain. Il admira beaucoup son geste, voulut le voir aussitôt « car il ne l'avait jamais vu et avait entendu parler de sa magnifique prestance ». Michel donne même à la suite de son histoire le tour le plus romanesque : « Quand le sultan (= Jâwalî) le vit, il diminua de 10 000 dînârs la rançon de Baudouin. Jocelin se prosterna, le visage contre terre ; alors, pour prix de son salut, il diminua encore de 10 000 dînârs ; ils mangèrent et se réjouirent et, au matin, quand le sultan sortit avec ses troupes, il ordonna à Jocelin de monter à cheval et de prendre son armure ; et, quand le sultan, avec toute la foule, vit la beauté et la force de Jocelin, il l'admira et lui remit tout ce qu'on devait de la rançon de Baudouin. Jocelin s'en retourna dans la joie[193] ».

Il ne faut voir dans ce récit que l'écho romancé des rapports de courtoisie chevaleresque et même, on le verra, d'alliance personnelle qui unirent désormais Jâwalî d'une part, Baudouin du Bourg et Jocelin de l'autre. L'ancien âtâbeg de Mossoul, chassé de sa principauté, comptait sur l'appui des Francs d'Édesse pour la recouvrer ou pour se tailler, en Syrie musulmane, un autre émirat. Quant à Baudouin du Bourg, il allait trouver, nous le verrons, Tancrède si bien installé – depuis quatre ans ! – dans sa terre d'Édesse, qu'il devait avoir toutes les peines du monde à se la faire rendre. Ce fut précisément pour cela que Jâwalî autorisa bientôt Jocelin lui-même à rejoindre Baudouin du Bourg. « Jocelin, écrit Ibn al-A*th*îr, ne tarda pas à être mis en liberté et Jâwalî accepta à sa place son beau-frère et le beau-frère du comte. Il préféra renvoyer Jocelin au comte afin que le comte, soutenu par un tel appui, relevât plus facilement ses affaires[194] ». Un dernier détail, rapporté par Ibn al-A*th*îr, nous montre à quel point Francs et Turcs s'étaient accoutumés les uns aux autres et aussi combien s'affaiblissait chez les Turcs le sentiment de la solidarité musulmane. C'était escorté d'un détachement turc prêté par Jâwalî que Jocelin de Courtenay revenait vers Antioche. Arrivé à Menbîj, après avoir passé l'Euphrate, il se met à piller le pays musulman. Ses compagnons lui demandant si ce n'est pas contraire au pacte avec Jâwalî : « Mais ce pays ne lui appartient pas ! » réplique Jocelin (de fait il appartenait au malik d'Alep). Et les bons Turcs ne trouvent rien à répliquer.

*Restauration de Baudouin du Bourg à Édesse : rôle de l'élément arménien.*

Baudouin du Bourg, relâché par Jâwalî, s'était rendu à Antioche pour prier Tancrède de le remettre en possession de son comté d'Édesse (1108). Tancrède lui donna 30 000 dînârs pour sa rançon, des chevaux et des armes. Mais quand il fut question de rendre Édesse, le prince normand fit la sourde oreille : il y avait quatre ans que, par l'intermédiaire de son cousin Richard de Salerne, il administrait le comté et en touchait les revenus ; il avait pris goût à cet état de fait qui rapportait gros à ses caisses, et ne voulait plus se dessaisir de la terre. Il exigeait en tout cas que Baudouin et Jocelin reconnussent au préalable sa suzeraineté, prétention sans base juridique, car le comté d'Édesse ne relevait que du roi de Jérusalem[195].

Furieux de cette mauvaise foi, Baudouin du Bourg quitta Antioche pour Turbessel où Jocelin, libéré par l'amitié de l'âtâbeg Jâwalî, vint le rejoindre. Mais ils ne tardèrent pas à y être relancés par Tancrède qui voulait se débarrasser d'eux avant que Jâwalî n'accourût à leur secours. On en vint aux mains et Tancrède eut l'avantage, comme il était naturel puisque Baudouin du Bourg et Jocelin se trouvaient sans ressources. Un passage d'Ibn al-A*th*îr nous montre que les chevaliers sentaient l'immoralité d'une lutte fratricide : « Après le combat, les Chrétiens se réunirent ensemble, mangèrent les uns avec les autres et entrèrent en pourparlers[196] ». Ces pourparlers, d'ailleurs, n'aboutirent pas. Tancrède retourna à Antioche sans que rien fût résolu. Devant sa mauvaise volonté, Baudouin du Bourg et Jocelin resserrèrent leur alliance avec l'âtâbeg Jâwalî qui pour lors guerroyait dans la Jazîra, autour de Ra*h*eba et de Raqqa. Accentuant à cet effet sa politique turcophile, Baudouin du Bourg rendit la liberté à cent soixante prisonniers musulmans de la région d'Alep et les renvoya habillés de neuf.

En même temps que l'alliance de Jâwalî, Baudouin du Bourg et Jocelin en recherchèrent une autre, non moins précieuse, celle du chef arménien Kogh' Vasil.

Kogh' Vasil, on l'a vu, s'était au moment de la première Croisade constitué une principauté indépendante autour de Kaisûn ou K'éçoun (au sud de Béhesnî) et de Ra'bân (au sud de Kaisûn, au nord de Dulûk)[197]. Sous sa direction, ce canton du Taurus oriental, face à l'Euphrate, était devenu un solide bastion militaire, refuge de l'Arménie caucasienne, « autour duquel, écrit Matthieu d'Édesse, s'étaient groupés les débris de notre armée nationale »[198]. Kogh' Vasil venait, en 1107, de repousser victorieusement une invasion turque, gagnant ainsi auprès des Arméniens la renommée d'un héros national : « Les Turcs avaient traversé la plaine de Mar'ash, faisant une multitude de captifs. Ils entrèrent ensuite sur les terres de Kogh' Vasil. À la nouvelle de l'invasion Kogh' Vasil ayant réuni la légion arménienne, ses soldats intrépides comme des aigles, courageux comme des lions coururent à l'ennemi et, après une lutte très vive, remportèrent à Pertousd une victoire complète. Ils leur reprirent le butin et les captifs dont ils s'étaient emparés. Kogh' Vasil s'en revint avec la noblesse arménienne, fier et joyeux de ce beau succès, et rentra dans sa ville de K'éçoun »[199]. Un nouvelle attaque turque (provenant sans doute des Seljûqides de Qoniya), du côté de *H*is*n* Man*s*ûr[200], en 1108, au moment de la moisson, – les envahisseurs détruisant la récolte et massacrant les paysans – provoqua à nouveau l'intervention victorieuse de Kogh' Vasil et de sa vaillante légion arménienne : Kogh' Vasil « emmena les Turcs en esclavage en les faisant marcher devant lui. Après ce magnifique triomphe, il rentra chargé de butin dans sa ville de K'éçoun. Il remit en liberté les prisonniers et l'allégresse éclata dans les cœurs des chrétiens »[201]. Le prince arménien jouissait donc d'un prestige considérable lorsque Baudouin du Bourg et Jocelin de Courtenay se rendirent auprès de lui et sollicitèrent son aide pour forcer Tancrède à leur rendre Édesse.

Matthieu d'Édesse nous dit que Kogh' Vasil accueillit Baudouin de la manière la plus amicale et le combla de présents. Le prince arménien avait en effet les mêmes intérêts que ses deux solliciteurs. Tancrède, qui désirait rattacher toute la Cilicie au régime latin (il avait déjà reconquis Mamistra), y faisait forcément une politique aussi antiarménienne qu'antibyzantine. D'autre part son représentant à Édesse, son cousin Richard de Salerne, avait sérieusement mécontenté l'élément arménien par sa cupidité et ses insuccès militaires. À l'été de 1105, notamment, l'âtâbeg Jekermish ayant envahi le pays au moment de la moisson et étant venu menacer Édesse, Richard avait fait décimer les milices arméniennes de la ville dans une sortie malheureuse : la cavalerie turque n'avait eu aucune peine à jeter dans le fossé ces soldats mal aguerris dont elle massacra quatre cent cinquante. « Ils écorchèrent les têtes des cadavres et les emportèrent à Mossoul. Chaque famille (à Édesse) était dans la désolation, chaque maison retentissait de gémissements, toute la campagne, aux environs, ruisselait de sang ». Matthieu d'Édesse ajoute pour ce qui est du gouvernement intérieur de Richard, c'est-à-dire de sa conduite envers la population arménienne : « Lorsqu'il occupait Édesse il causa la ruine d'une foule de personnes »[202]. Au régime normand qui s'était révélé si décevant, la population arménienne d'Édesse préférait à coup sûr le gouvernement de Baudouin du Bourg qui l'avait toujours ménagée et qui par son mariage avec la princesse Morfia était devenu lui-même à moitié Arménien.

Kogh' Vasil en qui s'incarnait le sentiment national arménien devait partager les mêmes sentiments. Il confia à Baudouin du Bourg mille cavaliers et deux mille fantassins arméniens, plus un nombre indéterminé de Turcoples[203]. Ce fut avec cette armée arménienne que Baudouin commença la reconquête de son comté et ce fut de Ra'ban dans les États de Kogh' Vasil qu'il partit pour cela. Cependant après une campagne sans grand résultat – il semble que les deux adversaires aient évité de la pousser à fond – l'intervention du patriarche d'Antioche, Bernard de Valence « qui est pour les Chrétiens, nous apprend Ibn al-A*th*îr, ce qu'est l'imâm pour les Musulmans », amena une réconciliation (18 septembre 1108) : Tancrède rendit enfin Édesse à Baudouin du Bourg[204].

Aussitôt restauré dans Édesse, Baudouin du Bourg, fidèle à son amitié avec Jâwalî, inaugura une politique de détente religieuse dont Ibn al-A*th*îr nous apporte le témoignage : « Il remit aux officiers de Jâwali les prisonniers musulmans qui étaient à sa disposition. En route il brisa les fers d'un grand nombre de captifs originaires de *H*arrân et d'autres villes. La ville de Sarûj renfermait trois cents Musulmans dans la misère[205] ; les officiers de Jâwalî restaurèrent les mosquées de la ville. Le chef de la municipalité de Sarûj était un Musulman qui avait renié l'Islamisme. Les officiers de Jâwalî, lui ayant entendu tenir des propos, défavorables à l'Islamisme, le frappèrent ; un débat eut lieu à cet égard entre eux et les Francs. Quelqu'un ayant parlé de cette affaire au comte, il répondit : "Un tel homme n'est fait ni pour nous ni pour les Musulmans", et il fit mettre à mort le chef de la municipalité »[206]. Notons que tout se passe là comme si le comte d'Édesse, restauré grâce à l'âtâbeg Jâwalî, avait accepté la suzeraineté de ce dernier. Le fait que Jâwalî, cerné entre les Seljûqides d'Alep et les grands Seljûqides de Perse, ne réussit pas à asseoir son autorité dans la Jazîra, devait seul empêcher cette dangereuse situation de se consolider.

*Le choc des deux coalitions franco-turques : Tancrède et Malik Ridwan contre Baudouin du Bourg et l'âtâbeg Jâwalî.*

La réconciliation imposée par le patriarche d'Antioche à Baudouin du Bourg et à Tancrède n'avait pas éteint l'animosité entre les deux barons. Et bientôt leurs alliances musulmanes respectives les entraînèrent dans une nouvelle guerre.

L'ami de Baudouin du Bourg, l'ancien âtâbeg de Mossoul, Jâwalî, depuis qu'il avait été chassé de son gouvernement par ordre du sultan de Perse Mu*h*ammed, cherchait à se tailler un royaume dans la Jazîra. Il n'avait pas tardé à s'y heurter au malik d'Alep, Ri*d*wân, dont les possessions de ce côté atteignaient l'Euphrate du côté de Bâlis, au grand coude du fleuve[207]. Par là le malik d'Alep était à même de couper les communications entre Jâwalî et le comté d'Édesse, Un jour qu'un convoi, escorté de soixante-dix Francs, traversait le pays pour apporter à Jâwalî, de la part de Baudouin du Bourg, des sommes importantes, il fut attaqué par Ri*d*wân près de *S*iffîn, sur l'Euphrate, au sud-est de Bâlis, en face de Qal'at Ja'bar. Le numéraire fut enlevé, l'escorte capturée ou mise en fuite. À la suite de cette chevauchée, Ri*d*wân avait imposé tribut aux Arabes de Raqqa, en pleine Jazîra, dans un domaine que Jâwalî considérait désormais comme sien[208].

La lutte ayant ainsi commencé, Jâwalî vint attaquer la ville de Bâlis, bastion de la puissance alépine de ce côté. La place fut emportée après un siège rapide (septembre 1108). Le vainqueur fit mettre en croix les notables de la ville, tant devenaient inexpiables ces luttes entre Musulmans. De là il prépara une attaque contre Alep.

Menacé d'une invasion de Jâwalî, Ri*d*wân prit peur. Contre les Turcs rompus, les Bédouins de *H*illa, tout le syndicat de mécontents faméliques que l'ancien âtâbeg de Mossoul entrainait avec lui, le malik d'Alep chercha un appui parmi les Francs. Il se tourna vers son voisin, si longtemps son ennemi, Tancrède. « Il écrivit au prince d'Antioche pour lui faire connaître la mauvaise foi, la ruse, les tromperies de Jâwâlî, l'informer que celui-ci marchait contre Alep et que, s'il parvenait à s'en rendre maître, les Francs ne pourraient plus se maintenir en Syrie. En même temps Ri*d*wân invoquait l'appui de Tancrède et proposait de se réunir contre l'ennemi commun ». Tancrède adhéra à la proposition, d'autant plus facilement qu'il ne pouvait oublier que c'était l'intervention de ce même Jâwalî en faveur de Baudouin du Bourg qui avait forcé les Normands à lâcher prise du côté d'Édesse. Spectacle inattendu que celui de ces collaborations franco-musulmanes – alliance entre Baudouin du Bourg et Jâwalî, alliance entre Tancrède et Ri*d*wân – qui, dix ans seulement après la conquête franque, ne peuvent s'expliquer que par l'apaisement simultané de l'esprit de Croisade et de l'esprit de *jihâd*.

Le pacte accepté, Tancrède partit d'Antioche pour venir défendre Alep à la tête de sa chevalerie à laquelle se joignirent six cents cavaliers de Ri*d*wân. Mais alors Jâwalî, de son côté, fit appel au concours de son ami Baudouin du Bourg et, pour décider celui-ci, il lui fit remise de ce qui restait à payer de sa rançon. Le comte d'Édesse vint opérer sa jonction avec Jâwalî à Menbij, à l'ouest de l'Euphrate, sur la route d'Édesse à Alep. Ainsi sans que la médiation patriarcale entre Baudouin du Bourg et Tancrède fût formellement dénoncée, les deux barons francs se trouvaient de nouveau en guerre, parce qu'entraînés par leurs alliances personnelles dans des camps turcs opposés.

Des deux chefs turcs, Jâwalî était le moins solide. Quelle que fût son absence de scrupules, quelle que fût l'avidité des aventuriers turcs ou bédouins dont il s'était fait capitaine, et bien que, pour légitimer son entreprise, il eût inventé comme garantie un prétendant seljûqide[209], son prétendant et plusieurs de ses émirs l'abandonnèrent, peu soucieux d'être mis au ban du sultanat seljûqide de Perse contre l'aveu duquel toute cette équipée était organisée. Jâwalî avait encore un peu plus de deux mille hommes, en y comprenant, semble-t-il, les Francs de Baudouin du Bourg et de Jocelin de Courtenay, lorsqu'il affronta près de Turbessel les Normands de Tancrède – 1 500 chevaliers – renforcés des 600 Turcs d'Alep. Des deux côtés, on le voit, armées singulièrement composites : Jâwalî plaça ses Turcs à sa droite, ses Bédouins à sa gauche (notamment des Banû Mazyad de *H*illa, commandés par un des fils du célèbre émir *S*adaqa), au centre le comte d'Édesse et Jocelin. On eût pu croire que les Francs des deux armées s'éviteraient. Tout au contraire. Tancrède apercevant au centre ennemi Baudouin du Bourg, son vieil adversaire, le chargea furieusement à la tête de la chevalerie d'Antioche et le fit reculer. Mais pendant ce temps les Arabes de Jâwalî taillaient en pièces les fantassins de Tancrède. La situation de ce dernier semblait compromise, lorsque parmi les aventuriers turcs ou arabes qui composaient l'état-major de Jâwalî l'instinct de pillage reprit le dessus. Apercevant derrière leurs lignes les chevaux de rechange que le comte d'Édesse et Jocelin avaient amenés avec eux, ces étranges alliés s'en emparèrent, montèrent dessus et prirent la fuite. En vain Jâwalî courut à leurs trousses pour les ramener, ce que voyant, le reste de son armée se dispersa[210].

Abandonnés par leurs alliés musulmans, Baudouin du Bourg et Jocelin se trouvaient, en face de Tancrède vainqueur, dans la situation la plus critique. Jocelin notamment faillit être capturé. Les deux barons, séparés l'un de l'autre, n'eurent que le temps de courir se réfugier, Jocelin dans sa forteresse de Turbessel, toute voisine, Baudouin du Bourg dans Dulûk (Tulupe) ou Rawendân (Ravendel)[211]. Cette lutte fratricide avait couté la vie à deux mille chrétiens (septembre-octobre 1108)[212].

Albert d'Aix nous dit que Tancrède, exploitant sa victoire, vint assiéger Baudouin du Bourg dans « Tulupe », mais que la crainte d'un retour offensif de Jâwalî l'amena promptement à se retirer.

### *Résultat des guerres civiles entre Francs : la tentative d'émancipation arménienne à Édesse.*

Pendant cettte guerre dont dépendait leur sort, les habitants d'Édesse – en l'espèce la population arménienne, alors beaucoup plus importante que l'élément syriaque – étaient restés dans l'expectative. Après la victoire de Tancrède près de Turbessel, ils avaient cru le règne de Baudouin du Bourg terminé. « Ils furent dans la désolation ; ils regrettaient Baudouin qu'ils croyaient mort ». Par ailleurs ils ne voulaient plus revenir au régime normand : les souvenirs de Richard de Salerne étaient trop mauvais. Dans ces conditions, il semble bien qu'ils aient songé à s'affranchir de la domination latine, peut-être en faisant appel à quelque chef arménien comme Kogh' Vasil. C'est ce que laisse entendre le récit assez embarrassé de Matthieu d'Édesse : « Les habitants d'Édesse tinrent dans l'église de Saint-Jean une assemblée où assista l'archevêque latin, pour se concerter sur le parti à prendre ; car ils craignaient qu'Édesse ne tombât (= ne retombât) entre les mains de Tancrède qui la remettrait sans doute à Richard ; or le gouvernement de ce dernier avait causé la ruine d'une foule de personnes. Dans cette réunion les habitants inculpèrent vivement l'archevêque latin : "Que vos hommes *et les nôtres,* ajoutèrent-ils, gardent la forteresse jusqu'à ce que nous sachions qui est le maître et qui doit nous gouverner"[213]. Il est difficile de ne pas voir là une tentative de restauration arménienne mettant à profit les querelles entre Francs pour affranchir Édesse de la domination franque.

L'entreprise tourna court parce que, deux jours après, Baudouin du Bourg, sauvé, arrivait à Édesse, avec Jocelin de Courtenay. Mis au courant de ce qui venait de se passer, les deux chefs francs mesurèrent la gravité du péril arménien et réagirent énergiquement. « Ils s'enquirent des propos tenus dans l'assemblée de l'église Saint-Jean et les considérèrent comme très dangereux. Ils firent piller les maisons d'un grand nombre d'habitants et crever les yeux de gens qui n'étaient nullement coupables. Ils infligèrent à cette occasion de cruels supplices aux chrétiens (arméniens), car les Francs prêtaient facilement l'oreille aux dénonciations les plus calomnieuses... Ils poussèrent la cruauté à de tels excès qu'ils voulaient priver de la vue l'archevêque arménien Étienne. Les habitants, sachant qu'on n'avait rien à lui reprocher, le rachetèrent pour une somme de mille tahégans »[214].

Si l'on songe que l'auteur de ces lignes est un prélat arménien dont la chronique prend sans cesse le ton d'une apologie ou d'un plaidoyer national, on aura l'impression qu'il y avait bien eu complot arménien et même commencement d'insurrection arménienne pour secouer la domination franque et que le retour inattendu de Baudouin du Bourg et de Jocelin a seul fait avorter le mouvement. Par ailleurs on notera, comme contre-coup de cette tentative manquée, une énergique réaction franque, qui allait changer du tout au tout le caractère du gouvernement de Baudouin du Bourg. Ce gouvernement, jusque-là, avait été marqué par une étroite collaboration franco-arménienne. À partir du complot de 1108, cette collaboration cessera, le pouvoir sera uniquement exercé par les Francs, les Arméniens commenceront à être traités en suspects. Et la situation ne fera qu'empirer, car les Arméniens n'en conspireront que davantage, et en 1112, au moment de la contre-croisade mossoulienne de l'âtâbeg Mawdûd, ils formeront un complot pour livrer la ville aux Turcs. Cette fois la répression sera terrible : Baudouin du Bourg expulsera d'Édesse toute la population arménienne, ne gardant, avec ses Francs, que les Syriens chrétiens, Jacobites ou autres[215].

*Intervention de Tancrède dans l'affaire de succession du « Comté de Tripoli ».*

Tancrède avait en somme échoué dans sa tentative de mainmise définitive sur le comté d'Édesse. Il chercha une compensation d'un autre côté en essayant de se subordonner le comté de Tripoli[216].

Nous avons vu qu'en 1108, Bertrand, fils de Raymond de Saint-Gilles, comte de Toulouse, était parti pour la Syrie avec une escadre génoise afin de revendiquer l'héritage de son père – le futur comté de Tripoli (auquel il ne manquait plus que sa capitale) –, héritage alors détenu par son cousin Guillaume Jourdain, comte de Cerdagne. Mais le jeune homme, nous l'avons signalé, avait encore d'autres prétentions. Pas plus que les Byzantins, ses amis, il ne considérait comme réglée la question d'Antioche : son père Raymond de Saint-Gilles n'avait-il pas, après la conquête de la ville par la Première Croisade, possédé une sorte de condominium avec les Normands, et, en tout cas, reçu en partage dans Antioche certaines tours et palais fortifiés – la Tour du Pont, le château de Yâgî Siyân – dont les Normands l'avaient dépouillé par la violence ?

Comme on l'a dit, Bertrand ayant abordé à Saint-Siméon près Suwaidiya, qui était le port d'Antioche, Tancrède accourut pour l'y recevoir et lui fit le meilleur accueil. Albert d'Aix nous le montre tombant dans les bras de Bertrand et passant la nuit à festoyer avec lui. Mais le lendemain, quand on parla affaires, les rapports ne tardèrent pas à se gâter. Bertrand réclama tout de go la part d'Antioche qui lui revenait. Tancrède, plus roué que lui, se garda bien de refuser. Il mit seulement comme condition que Bertrand l'aiderait à enlever aux Byzantins plusieurs districts de la Cilicie[217]. Mais c'est précisément ce à quoi ne pouvait consentir Bertrand qui venait de s'inféoder étroitement à la politique byzantine. En vain proposa-t-il à Tancrède de l'aider à s'emparer de Jabala sur les Banû 'Ammâr. Tancrède tenait maintenant la preuve que le prince provençal, comme avant lui Raymond de Saint-Gilles, avait partie liée avec la Cour de Constantinople. L'arrivée de ce nouvel adversaire, quand les Normands avaient déjà à faire face en Cilicie aux Byzantins et sur l'Euphrate à Baudouin du Bourg appuyé sur Jâwalî, menaçait d'encerclement la principauté d'Antioche. Rompant les pourparlers, Tancrède invita Bertrand à sortir sur-le-champ de Saint-Siméon et à ne jamais remettre les pieds dans ses États[218]. Bertrand n'avait qu'à obtempérer. Il gagna Tortose où il se mit en mesure d'obliger son cousin Guillaume Jourdain à lui rendre l'héritage libanais de Raymond de Saint-Gilles.

Aussitôt Guillaume Jourdain se jeta dans les bras de Tancrède. Menacés tous deux par les revendications du nouvel arrivant, il était naturel qu'ils s'unissent par une entente étroite. Pour s'assurer l'appui du prince normand, Guillaume Jourdain alla jusqu'à se déclarer son vassal : déclaration singulièrement précieuse, car elle eût étendu jusqu'au Nahr al-Kalb la mouvance de la principauté d'Antioche. Tancrède, joyeux d'un tel accroissement, se prépara à accourir à Tortose au secours de son nouveau vassal.

Mais Bertrand, menacé par cette coalition, ne resta pas inactif. Il implora de son côté l'aide du roi de Jérusalem Baudouin Ier, dont il reconnut la suzeraineté, comme Guillaume Jourdain avait reconnu celle de Tancrède. Entre le royaume lotharingien de Jérusalem et la principauté normande d'Antioche s'ouvrait une redoutable compétition pour la suzeraineté du comté de Tripoli. En d'autres termes, le Liban serait-il rattaché à la Syrie ou à la Palestine ? Telle était la question de fond qui, sous le couvert de la querelle de succession entre Guillaume Jourdain et son cousin Bertrand, se trouvait brusquement posée (mars 1102).

*L'arbitrage de Baudouin Ier. Subordination de la principauté d'Antioche au royaume de Jérusalem.*

Dans cette compétition, Baudouin Ier possédait l'avantage du prestige royal. Il allait en user. Il y avait longtemps qu'il était mécontent des princes normands. À son avènement Tancrède, avec le patriarche Daimbert, avait essayé de l'écarter du trône. Depuis Bohémond et Tancrède avaient encore recueilli à Antioche son ennemi personnel, ce même Daimbert, chassé par lui ; Tancrède avait essayé de le lui imposer de nouveau en septembre 1102, et en décembre 1104 c'était toujours accompagné de Daimbert que Bohémond s'était rendu en Italie. D'autre part Baudouin Ier avait beaucoup d'amitié pour son cousin Baudouin du Bourg à qui, en devenant roi de Jérusalem, il avait cédé son comté d'Édesse. Or, lorsque Baudouin du Bourg avait été fait prisonnier des Turcs à Mossoul, Bohémond et Tancrède s'étaient bien gardés de le racheter malgré les prières du roi (nous avons vu qu'ils l'auraient pu, par l'échange d'une dame turque de haut rang, comme le proposaient les Turcs eux-mêmes). Non seulement ils n'avaient rien fait pour délivrer le comte d'Édesse, ravis qu'ils furent de pouvoir pendant quatre ans gouverner sa terre et en toucher les revenus ; mais, lorsque Baudouin du Bourg était rentré de captivité grâce au bon vouloir des Turcs, Tancrède avait refusé tout net de lui rendre Édesse et lui avait même fait la guerre. Maintenant, il allait intervenir au Liban contre le protégé du roi et osait disputer à la royauté hiérosolymitaine la suzeraineté du comté de Tripoli. On comprend l'irritation de Baudouin Ier.

Le roi de Jérusalem agit avec une rapidité et une autorité telles que ses adversaires furent devancés. Deux de ses fidèles, Payen de Caïffa et Eustache Garnier, apportèrent à Tancrède et à Guillaume Jourdain une véritable mise en demeure : le roi prenait le comte Bertrand sous sa protection. « Au nom de toute l'Église de Jérusalem », il intimait aux deux alliés l'ordre de comparaître devant lui à Tripoli, pour s'y entendre condamner à restituer, Guillaume Jourdain à Bertrand, Tancrède à Baudouin du Bourg et à Jocelin de Courtenay, toutes les terres injustement détenues ou usurpées[219]. Joignant l'acte à la parole, Baudouin Ier se rendit à Tripoli pour instruire sur place la question du litige successoral, en attendant la comparution des deux barons cités à son tribunal.

Guillaume Jourdain qui, lui du moins, pouvait avec quelque raison crier à l'injustice voulait résister. Tancrède, dont la conscience était beaucoup moins tranquille – car son refus de rendre Édesse à Baudouin du Bourg restait sans justification – fut d'avis de s'incliner. Il se rendit à la convocation royale, à Tripoli, non, il est vrai, sans se faire escorter de 700 chevaliers d'élite, escorte suffisante pour le garantir de toute surprise. Peu après arrivèrent de leur côté, également invités par le roi, Baudouin du Bourg et Jocelin de Courtenay.

Dans un plaid solennel, chacun fut alors invité à exposer devant le roi ses griefs et ses demandes, après quoi Baudouin Ier prononça. Nous avons vu comment il partagea la côte libanaise entre les deux prétendants provençaux, le sud, c'est-à-dire la région même de Tripoli passant à Bertrand, le nord, avec Tortose et Arcas, restant à Guillaume Jourdain, le premier demeurant vassal de la couronne de Jérusalem, le second vassal de Tancrède. (Il est vrai que l'assassinat de Guillaume Jourdain, survenu presque aussitôt, modifia ces conditions. Bertrand réunit les deux moitiés du comté provençal qui entra ainsi tout entier dans la mouvance de la royauté hiérosolymitaine.) Quant à Tancrède et à Baudouin du Bourg, il n'y avait pas lieu de les départager territorialement, puisque la pression du patriarche d'Antioche, sans parler de l'aide de l'âtâbeg turc Jâwalî et du chef arménien Kogh' Vasil, avait déjà permis au comte d'Édesse et au sire de Turbessel de rentrer en possession de leur terre. Mais le roi imposa à Tancrède la reconnaissance de cette restauration et même l'obligea à se réconcilier publiquement avec Baudouin du Bourg et avec Jocelin. Pour récompenser Tancrède de son adhésion, il lui rendit à titre personnel la princée de Galilée et de Tibériade et même, à Jérusalem, le *Templum Domini*[220].

Indépendamment de l'intérêt d'un tel accord pour la répartition territoriale de la Syrie franque, nous avons signalé son importance au point de vue du progrès des institutions monarchiques. Le plaid de Tripoli de 1109 marque en effet pour la première fois non seulement la vassalisation du comté de Tripoli par la royauté hiérosolymitaine, mais la subordination de la principauté d'Antioche au royaume de Jérusalem. Entre le prince d'Antioche et le roi les rapports n'avaient jamais été bien définis, car il s'en faut que, dès le début, Baudouin Ier ait pu prétendre à l'hommage de Bohémond et de Tancrède. Au début, si Antioche avait dû logiquement et juridiquement mouvoir d'une autre cour, c'eût été de celle de Constantinople. Ce fut le plaid de Tripoli qui créa le droit en posant le fait. Parce que Baudouin Ier s'était comporté en suzerain et que Tancrède avait dû accepter cette manière d'agir et s'incliner devant les décisions royales, la cour d'Antioche, depuis ce jour, reconnut la suzeraineté de celle de Jérusalem.

Ibn al-A*th*îr nous raconte qu'après la prise de Tripoli par les Francs (12 juillet 1109), Tancrède enleva – ou reprit – aux Musulmans (12-23 juillet) la place de Bâniyâs, la Valania ou Valénie des chroniqueurs, située entre Tortose et Lattaquié et qui fut depuis lors la place la plus méridionale de la principauté d'Antioche du côté du littoral. Fait qui prouve par parenthèse que la marine byzantine n'avait pu y prendre pied et qu'elle était restée jusque là aux Banû 'Ammâr[221].

*Annexion de Jabala à la principauté d'Antioche.*

En rentrant dans le Nord, Tancrède exécuta aussi un projet qui lui tenait à cœur, la conquête de Jabala ou Jébélé, la Gebel ou Gibel ou Zibel majeure des chroniqueurs, au sud de Lattaquié. On a vu que Fakhr al-Mulk Ibn-'Ammâr, le dernier des princes arabes de Tripoli, s'était, après la perte de cette dernière ville, réfugié à Jabala. La petite place, mal approvisionnée, ne put tenir. Elle ouvrit ses portes à Tancrède. Ibn al-A*th*îr spécifie que Ibn-'Ammâr put se retirer sain et sauf (23 juillet 1109)[222]. En 1111 Tancrède devait élargir sa conquête en s'emparant du château de Bikîsrâ'îl, l'actuel Beni-îsrâ'îl, dans les monts des No*s*aîri, en face de Jabala[223]. Albert d'Aix de son côté nous parle, également sous la rubrique de 1111, de la conquête par Tancrède d'un castel appelé *Castellum Vetulae*, situé dans la montagne près de Jabala[224].

Gibel, avec ce système de fortins voisins, avec la forteresse dite Toron de Belda, située un peu plus au sud, à l'embouchure du Nahr al-Sinn[225], et avec Valénie, forma le groupe le plus méridional de la principauté d'Antioche. La frontière de la principauté avec le comté de Tripoli fut marquée par le Nahr Jubar et Valénie (Marqab ne fut occupée par les Francs que plus tard).

*La première contre-croisade de l'âtâbeg Mawdûd :*
*Siège d'Édesse par les Turcs (avril-mai 1110).*

En dépit des désaccords entre les barons, les États francs, grâce surtout à l'action monarchique de Baudouin Ier, se stabilisaient. Le monde musulman sentit aussi le besoin de rassembler ses forces. L'empire seljûqide de Perse était théoriquement unifié sous le sultan Mu*h*ammed, fils du grand Malik shâh. En décembre 1109 Mu*h*ammed décida d'envoyer contre les Francs une puissante armée. L'année 1110 débuta en préparatifs. C'était la contre-croisade turque toujours annoncée, jusque-là toujours remise. Le sultan chargea de la conduite de l'expédition l'émir de Mossoul, Sharaf al Dawla Mawdûd, qui avait remplacé Jâwalî comme prince ou gouverneur de la grande cité. Soqmân al Qu*t*bî, émir de Khilâ*t* et de Maiyâfâriqîn dans la grande Arménie (d'où son titre de Shâh-Armen, ou shâh d'Arménie) et il Ghâzî l'Ortoqide, émir de Mârdîn, au Diyârbekir[226], se joignirent à l'expédition, ce dernier avec un gros corps de Turcomans. Le premier objectif des Turcs était la conquête du comté d'Édesse, à commencer par la ville même d'Édesse que les trois émirs vinrent assiéger (avril-mai 1110).

À l'approche des Turcs, le comte d'Édesse, Baudouin du Bourg, envoya en toute hâte Jocelin de Courtenay en Palestine pour prévenir le roi Baudouin Ier et solliciter un secours immédiat. Quant à Tancrède, qui eût été à même de secourir beaucoup plus rapidement la place assiégée, non seulement le comte d'Édesse ne pouvait faire fond sur lui, mais il l'accusait même – et il le fit savoir au roi – d'avoir suscité l'invasion, tant la méfiance continuait à régner entre les deux princes francs[227]. Cette accusation est reprise tout au long par Albert d'Aix. Pour Matthieu d'Édesse, au contraire, ce sont le comte d'Édesse et Jocelin de Courtenay qui ont fait appel à l'émir de Mossoul pour le lancer contre Tancrède (c'était l'alliance avec Jâwalî reprise avec son successeur). « Mawdûd, affirme Matthieu, acquiesça à cette demande avec empressement, et, ayant rassemblé tous les Turcs, se mit en marche avec des forces imposantes et parvint sur le territoire de *H*arrân. Ayant mandé à lui le comte d'Édesse, celui-ci, effrayé, n'osa pas se rendre à cette injonction. Mawdûd, comprenant que le comte l'évitait, s'avança contre Édesse...[228] ».

De ces accusations contradictoires, il semble résulter que ni Baudouin du Bourg ni Tancrède ne se sentaient la conscience tranquille. Dans leur malheureuse querelle, chacun d'eux avait fait largement appel à l'aide des Turcs. Maintenant que les Turcs arrivaient, chacun des deux accusait l'autre d'avoir provoqué leur intervention. Et tous deux risquaient d'être submergés par cette invasion qui les trouvait divisés. C'était la Contre-Croisade qui déferlait et cela quand le faisceau des forces franques venait de se rompre, au moment où les deux princes francs de la Syrie et de la Jazîra ne songeaient qu'à s'entre-détruire.

Matthieu d'Édesse donne bien la sensation du péril couru. « L'émir Mawdûd déploya son armée sur toute l'étendue de la vaste plaine d'Édesse. Il investit de toutes parts la ville et couvrit de ses soldats les collines et les montagnes. L'Orient entier était rangé sous ses drapeaux. Toutes les populations se sauvèrent et quittèrent le pays qui devint désert, tandis que les assiégés, en butte à des attaques incessantes, étaient consternés. Déjà accablés par les assauts qu'ils avaient à soutenir, ils commencèrent à souffrir de la famine. L'accès et la sortie de la ville étaient empêchés par la multitude des assiégeants qui massacraient tous ceux qui tombaient entre leurs mains. Dans la campagne, aux environs, s'amoncelaient les cadavres. L'incendie dévorait tout, pas un seul édifice qui restât sur pied. Par ce système de dévastations, Mawdûd obéissait aux ordres du sultan. Il détruisit les jardins qui étaient en dehors des murs et démolit jusqu'au fondement les monastères qui s'élevaient sur la montagne. Cette guerre à outrance plongea Édesse dans la désolation[229]. »

*L'intervention de la royauté hiérosolymitaine fédère les Francs et sauve Édesse.*

Ce qui faisait le tragique de la situation, c'est que le roi de Jérusalem, assiégeant alors Beyrouth et sur le point de prendre la ville, ne pouvait venir immédiatement. Beyrouth ayant enfin succombé (13 mai 1110), il accourut. De même que l'émir de Mossoul avait groupé toute les forces turques, il groupa toutes les forces franques. Au commencement de juin 1110 il partit de Jérusalem avec 600 chevaliers d'élite et 300 fantassins. Bien entendu Jocelin de Courtenay, sire de Turbessel, qui était venu solliciter son intervention de la part du comte d'Édesse, l'accompagnait. En vassal fidèle, Bertrand, comte de Tripoli, se joignit au roi avec toute sa chevalerie[230]. Matthieu d'Édesse croit que le roi, en marchant sur Édesse, passa par Antioche où, à force de représentations, il décida Tancrède à l'accompagner[231]. Il se trompe. Comme l'expose Albert d'Aix, Baudouin Ier, connaissant les mauvaises dispositions de Tancrède envers Baudouin du Bourg et surtout courant au plus pressé (Édesse risquait de succomber d'un moment à l'autre), évita le détour d'Antioche et se dirigea à marches forcées droit sur Édesse. En revanche on peut croire avec Matthieu que les princes arméniens de l'Anti-Taurus et de la Commagène contribuèrent aux opérations du roi de Jérusalem, soit en se joignant à lui, soit en opérant d'utiles diversions par le nord. Ce fut ainsi que Kogh' Vasil, seigneur de Kaisûn et de Ra'bân, descendit à la rescousse par la route de Samosate, ainsi que Abelgh'arib, seigneur de Bîrejik[232].

Albert d'Aix nous montre par ailleurs l'armée de Baudouin Ier grossie au passage de tous les contingents francs et arméniens accourus de toutes parts à sa rencontre[233]. En atteignant les bords de l'Euphrate, le roi de Jérusalem avait ainsi ramassé jusqu'à 15 000 hommes.

Albert d'Aix décrit encore l'armée de secours franque arrivant dans la plaine d'Édesse, « les bannières et les casques flamboyant sous les rayons du soleil d'été, les trompettes sonnant bruyamment, tout le tumulte de cette puissante armée. » Les Turcs n'avaient pas attendu. À l'approche des Francs, Mawdûd (nous verrons son calcul) avait levé le siège d'Édesse et reculé sur *H*arrân. Baudouin du Bourg, joyeux de se voir débloqué, put se porter à la rencontre du roi avec toutes les forces du comté : 400 chevaliers francs ou sergents montés et ses 10 000 miliciens arméniens. Ses premières paroles furent pour accuser Tancrède, son ennemi, d'être l'instigateur de l'invasion turque.

Le roi de Jérusalem sentit la nécessité de mettre immédiatement fin à cette détestable rivalité qui depuis deux ans paralysait les forces franques. Contre la coalition turque, dont les 40 000 cavaliers restaient campés à quelques kilomètres, devant *H*arrân, l'apport de la chevalerie d'Antioche ne serait pas de trop. Baudouin Ier envoya donc un courrier à Antioche pour inviter Tancrède à venir rejoindre, avec toutes ses forces, l'armée chrétienne, ajoutant que, si le prince normand avait quelque grief contre le comte d'Édesse, il lui serait loisible de l'exposer devant ses pairs. Si vive était l'animosité de Tancrède contre son voisin qu'il hésita beaucoup à obéir. Il s'y décida cependant sous la pression de son entourage, aux yeux duquel l'abstention, en présence de l'invasion turque, eût été une trahison. Il amenait avec lui 1 500 chevaliers ou sergents à cheval. Correctement, à son arrivée, il vint saluer le roi et reçut de celui-ci un accueil cordial. Après quoi, en présence des seigneurs et des chevaliers, le roi lui demanda les raisons de son attitude – hostilité persistante envers le comte d'Édesse, coquetterie envers les Turcs, neutralité obstinée en présence de l'invasion turque. Tancrède répondit en revendiquant la suzeraineté d'Édesse et des villes voisines, comme ayant appartenu de tout temps à la mouvance d'Antioche. Nous avons déjà vu cette thèse juridique qui se fondait sur le fait qu'à l'époque byzantine ou turque, l'Osrhoène avait dépendu du « duché » ou de l'émirat d'Antioche.

Albert d'Aix nous donne la substance de la réplique de Baudouin Ier, véritable sentence royale, pleine de force et majesté : « Mon frère Tancrède, ce que tu demandes n'est pas juste. Tu te fondes sur le statut du pays au temps de la domination musulmane. Mais tu dois te souvenir que, quand nous sommes partis pour la guerre sainte, il a été convenu que ce que chacun d'entre nous aurait enlevé aux Infidèles, il le garderait. Les raisons tirées du statut musulman antérieur n'ont rien à voir avec notre droit à nous. Du reste vous avez constitué un roi pour qu'il vous serve de chef, de sauvegarde et de guide, dans la conservation comme dans la dilatation de la conquête. C'est pourquoi j'ai le droit, au nom de toute la Chrétienté ici représentée, d'exiger de toi une réconciliation sincère avec Baudouin du Bourg. Sinon, si tu préfères intriguer avec les Turcs, tu ne peux rester des nôtres, et nous te combattrons sans merci ! »[234]. Devant l'assentiment général que rencontra la parole royale, Tancrède s'inclina. Cette fois le faisceau des forces franques était reconstitué. « Les Francs, écrit Kemâl al-Dîn, oublièrent leurs haines en présence de la formidable coalition des Musulmans »[235].

L'armée franque songea un moment à poursuivre les Turcs sur la route de *H*arrân. C'est précisément ce que souhaitait le commandement turc ; son intention était d'attirer les Francs le plus loin possible de leurs bases à l'intérieur de la Jazîra, de renouveler la tactique qui avait si bien réussi lors de la bataille du Balîkh en 1104. Dans ce but, après avoir placé en embuscade dans la ville de *H*arrân un fort détachement, Mawdûd affecta de reculer, comme saisi de crainte, en direction de *H*aséké ou de Raqqa. Mais Baudouin Ier fut averti à temps. Revenant sur ses pas, il se contenta d'assiéger le château de Shenaw, à trois heures au nord-est de *H*arrân. Brusquement, semble-t-il, les vieilles discordes entre Francs se rallumèrent ou furent sur le point de se rallumer, motivant en tout cas un changement stratégique : « Tancrède, affirme Matthieu d'Édesse, ayant su qu'une trame était ourdie contre les siens par les autres chefs, se retira vers Samosate avec le corps qu'il commandait et fit halte sur les bords de l'Euphrate »[236]. Cette scission obligea le roi Baudouin à remonter vers Édesse. Elle lui inspira de plus une grave décision. Le recul de Tancrède, la nécessité où le roi se trouvait lui-même de rentrer prochainement à Jérusalem pour faire face aux attaques égyptiennes, autant de preuves que la grande armée franque ne pourrait s'attarder dans l'Osrhoène. Elle une fois partie, Baudouin du Bourg serait incapable de défendre le plat pays contre les Turcs de Mossoul. Le roi de Jérusalem, évidemment d'accord avec les intéressés, prit donc la résolution de limiter le pays à défendre à l'enceinte même des places fortes – Édesse en premier lieu – et d'évacuer de l'autre côté de l'Euphrate la population chrétienne (arménienne et jacobite) des bourgs ouverts et de la campagne.

*Évacuation des populations rurales arméniennes de la province transeuphratésienne. « Massacres d'Arménie ».*

Conformément à ce plan, l'armée franque ravitailla abondamment Édesse en vivres, en approvisionnements de toute sorte et en munitions et y plaça une garnison capable de repousser toute attaque « Li nostre baron commandèrent que l'en assemblast touz les blez et les autres viandes (= vivres) que l'en porroit trouver par la terre outre le flum d'Elfrate ; lors en chargièrent chevaux et asnes et chameus et bugles (bufles), si en garnirent mout bien à lonc tens les forteresces qui vouloient tenir ; noméement dedenz Rohès (= Édesse) mistrent grant planté de viandes, penz et armeures, si que ele ne les autres citez ne (re-)doutoient siège de grant tens »[237]. Après quoi l'armée franque se retira vers l'Euphrate, en évacuant avec elle la population des campagnes. Cette retraite se fit vers le nord-ouest en direction de Samosate, d'abord parce que le roi et l'armée allèrent rejoindre Tancrède pour reformer l'union des forces franques ; puis parce que c'était de ce côté-là, dans la montagneuse Commagène, à l'abri derrière l'Euphrate, que se trouvait la principauté arménienne de Kogh' Vasil avec les places de Kaisûn et de Ra'bân capables d'abriter les réfugiés de la plaine transeuphratésienne, ainsi que tous les citadins d'Édesse qui désireraient s'associer à cet exode, « les malades, les faibles et les pauvres », dit Ibn al-A*th*îr. Il y eut là une véritable émigration, comme le montre la Chronique de Matthieu : « Les habitants d'Édesse et ceux de la province qui (au moment de l'invasion turque) s'étaient renfermés dans la ville sortirent en masse, jusqu'aux femmes et aux enfants pour suivre les Francs ».

Malheureusement de *H*arrân, où ils avaient reparu, Mawdûd et la grande armée turque étaient à l'affût. Ils venaient d'ailleurs de recevoir un renfort considérable par l'arrivée de l'âtâbeg de Damas, *T*ughtekîn. Avertis de la retraite des Francs et de l'exode des Arméniens, ils suivirent à la piste les colonnes chrétiennes jusqu'à l'Euphrate. Ils attendirent que l'armée franque eût passé le fleuve ; puis, comme le reste du convoi, avec les réfugiés arméniens – 5 000 hommes environ – se préparait à passer à son tour, la cavalerie turque apparut, et, se jetant sur les malheureux, en fit un horrible massacre. La situation était d'autant plus terrible qu'on ne disposait que d'un nombre de bateaux tout à fait insuffisant et que les émigrants, en voulant échapper au sabre turc, surchargèrent la plupart des embarcations qui coulèrent. Sur l'autre rive, les Francs assistaient impuissants à cette affreuse scène. Matthieu d'Édesse a laissé un tableau inoubliable du massacre de ses compatriotes : « Mawdûd s'était mis à leur poursuite. Depuis Édesse jusqu'à l'Euphrate, il versa partout le sang, exterminant les populations. Parvenu au fleuve, il massacra tout ce qu'il rencontra et s'empara des femmes et des enfants. Les Francs avaient déjà gagné le bord opposé. Les fidèles (arméniens), aussi nombreux que des troupeaux de brebis, passèrent sous le tranchant du glaive. L'Euphrate roulait des flots de sang. Beaucoup se noyèrent dans ses eaux. Ceux qui s'y précipitaient à la nage et essayaient d'atteindre l'autre rive ne pouvaient y parvenir. Un nombre plus considérable encore se jetèrent dans les bateaux. Cinq ou six de ces embarcations sombrèrent, pleines de monde, car chacun voulait y trouver place. Ce jour vit dépeupler toute la province d'Édesse. Les Francs qui stationnaient sur la rive occidentale contemplaient ces scènes de désolation sans pouvoir intervenir et versaient des larmes amères. Après ce succès signalé, Mawdûd s'en retourna à *H*arrân avec des masses de captifs et un butin incalculable[238]. »

Le récit de Matthieu d'Édesse fait toucher du doigt les graves conséquences de la contre-croisade turque de 1110. Sans doute l'intervention du roi de Jérusalem, du comte de Tripoli et, finalement aussi, du prince d'Antioche avait empêché la destruction du comté en tant qu'État militaire. Les deux places fortes d'Édesse et de Sarûj, citadelles de la domination franque à l'est de l'Euphrate, restèrent inviolées. Mais la terre elle-même fut détruite, saccagée, dépeuplée. Dans toute la province qui s'étend entre le coude supérieur de l'Euphrate et le Balîkh supérieur, depuis la frontière turco-syrienne actuelle jusqu'en face de Samosate, le pays fut vidé de la population arménienne qui en constituait toute la force. Le comté transeuphratésien était jusque-là (nous l'avons vu par l'âpreté de Tancrède à le garder) une des terres les plus riches de la Syrie franque. Ce premier massacre d'Arménie fut sa ruine. Édesse ne fut plus qu'une citadelle – imprenable sans doute – une garnison avancée dans un désert ennemi.

Après ce massacre, la grande armée turque resta encore quelque temps sur le territoire d'Édesse. Si la ville même, récemment renforcée et ravitaillée par les princes francs, était hors d'atteinte, il restait encore à piller dans la campagne. Baudouin du Bourg, avec ses trois cents chevaliers, avait suivi le roi sur la rive occidentale de l'Euphrate. À la fin, la rage au cœur de voir détruire sa terre, n'y tenant plus, il revint sur la rive orientale et, avec sa poignée d'hommes, voulut tenir tête aux Turcs. Sa folle bravoure faillit causer sa perte. Il n'eut que le temps de se réfugier dans la montagne. Le roi et Tancrède, apprenant le péril qu'il courait, repassèrent à leur tour l'Euphrate pour le dégager. Mais l'armée turque s'était retirée. Ils rejoignirent du moins Baudouin du Bourg et le ramenèrent dans sa ville d'Édesse, inconsolable, pleurant la destruction de sa terre et le massacre de son peuple[239]. Puis le roi reprit le chemin de Jérusalem et Tancrède le chemin d'Antioche.

*Victoires de Tancrède sur les Seljûqides d'Alep.*
*Annexion d'Athâreb et de Zerdanâ à la principauté d'Antioche.*

En rentrant dans sa principauté d'Antioche, Tancrède y retrouva la guerre : le malik d'Alep, Ri*d*wân, l'avait attaqué.

Cette attaque du seljûqide d'Alep a étonné et quelque peu scandalisé les historiens arabes eux-mêmes[240]. Nous avons vu les liens d'amitié qui l'unissaient à Tancrède. Quelques mois auparavant, Tancrède avait, pour lui rendre service et défendre Alep d'une invasion de Turcs rompus et de Bédouins, fait la guerre à l'âtâbeg Jâwalî et même au comte d'Édesse. Du reste Ri*d*wân, l'ami de Tancrède et des Assassins, ne partageait guère les passions panislamiques du milieu turco-arabe. À cet étrange épigone seljûqide l'enthousiasme du *jihâd* resta toujours étranger. Mais, lorsqu'il crut les Francs écrasés au passage de l'Euphrate, il voulut avoir part à la curée. Il voulait surtout reprendre les territoires à l'est de l'Oronte, conquis quatre ans plus tôt par Tancrède. « Il ravagea la principauté d'Antioche et réunit un riche butin, tout cela, fait observer Kemâl al-Dîn, en violation de la trêve qu'il avait conclue avec les Francs ». Cependant ceux-ci lui avaient écrit pour lui rappeler les serments échangés.

Sur ces entrefaites Tancrède revint sain et sauf, son armée intacte, des opérations autour d'Édesse. La colère du prince normand fut terrible. Les scènes d'horreur contemplées sur les bords de l'Euphrate, quand il avait assisté, impuissant, au massacre des réfugiés arméniens, l'avaient évidemment dégrisé de sa turcophilie. L'attaque en trahison de Ri*d*wân acheva de l'exaspérer. Les Turcs d'Alep allaient payer à la fois pour le parjure de leur malik et pour les massacres d'Arméniens perpétrés par les Turcs de Mossoul.

Tancrède se jeta sur les terres de Ri*d*wân avec défense au soldat d'accorder aucun quartier. En rentrant d'Édesse, il assaillit la ville de Naqira, près de Menbij, et l'emporta du premier élan[241]. Les habitants n'eurent que le temps de s'enfuir dans la Jazîra en abandonnant tout ce qu'ils possédaient. De là Tancrède alla assiéger A*th*âreb, le Cerep des chroniqueurs, à une journée seulement au sud-ouest d'Alep, sur l'ancienne route d'Alep à Antioche[242]. « Tout en s'efforçant de rassurer les laboureurs musulmans des alentours (il ne désirait nullement ruiner un pays qui allait devenir sien), il dressa des mangonneaux contre la ville d'A*th*âreb. Il construisit aussi un immense bélier destiné à battre les remparts, et les coups de cet engin de siège s'entendaient à un demi-farsakh (3 kilomètres). » Ri*d*wân qui, au retour de Tancrède, avait couru se renfermer dans Alep, lui offrit 20 000 dînârs, payables sur-le-champ, s'il levait le siège d'A*th*âreb. Tancrède en réclama 30 000, plus la liberté de tous les chrétiens prisonniers à Alep. Ri*d*wân, ne pouvant se résoudre à de telles conditions, « s'abandonna au cours des événements. » Il jouait d'ailleurs de malechance. Son trésorier s'empara des caisses de l'État et les emporta chez les Francs.

À A*th*âreb le bombardement des machines de Tancrède avait fini par provoquer la chute du sommet de la citadelle qui s'effondra sur deux des maîtresses tours. Les assiégés avaient adressé par pigeon un message à Ri*d*wân pour lui avouer qu'ils étaient à la dernière extrémité et réclamer un secours immédiat. L'oiseau fut tué par les Francs, et la dépêche lue par Tancrède dont elle redoubla l'ardeur à presser le siège. Les assiégés pratiquèrent alors une ouverture dans le mur pour tenter une sortie désespérée. Un jeune Arménien de la ville vint à temps avertir Tancrède. La place épuisée finit alors par se rendre (décembre 1110). Kemâl al-Dîn, appuyé par Matthieu d'Édesse, dit que Tancrède accorda libre sortie à la garnison. Ibn al-A*th*îr, au contraire, lui fait massacrer 2 000 des défenseurs d'A*th*âreb et réduire le reste en esclavage[243]. Tancrède conquit – ou reconquit – de même Zerdanâ (Sardone), au sud d'A*th*âreb, au nord-est d'Idlib[244].

*Le malik d'Alep, les émirs de Shaîzar et de* Hamâ *tributaires de Tancrède.*

Tancrède consentit alors à parler de paix, moyennant le paiement immédiat de 20 000 dînârs « plus dix chevaux de prix ». Il pouvait parler haut. La conquête d'A*th*âreb, à moins de 30 kilomètres d'Alep, paralysait Ri*d*wân. D'une telle menace le prince d'Antioche tirait le maximum d'effet. Ce fut ainsi que quelque temps après, au moment de la moisson, il revint s'installer à A*th*âreb, d'où il pouvait à son gré empêcher le travail agricole dans la plaine d'Alep. Cette fois il exigea en plus des conditions précédentes la mise en liberté de tous les prisonniers arméniens. Ri*d*wân, dominé, accepta tout. Tancrède réclama alors un certain coursier célèbre. Ri*d*wân le lui envoya. Tancrède exigea encore qu'on lui renvoyât les familles de laboureurs musulmans de la campagne d'A*th*âreb qui, à l'approche des Francs, s'étaient réfugiés à Alep. Ri*d*wân les renvoya sur-le-champ[245].

Après ce traité draconien, Alep elle-même semblait à la veille d'être conquise par le prince d'Antioche. Déjà nombre d'habitants émigraient, se réfugiaient à Baghdâd. « La terre, écrit Kemâl al-Dîn, produisait peu dans la province d'Alep, depuis que les Francs en occupaient la plus grande partie et menaçaient le reste. » La détresse économique devint telle – exode de la population rurale, abandon des cultures dans la vallée du Quwaiq, interruption des caravanes, arrêt des affaires dans le bazar, disette de la population urbaine et pénurie du trésor – que Malik Ri*d*wân se vit dans l'obligation de vendre à vil prix les terres ravagées par la guerre ; en un seul jour soixante localités furent ainsi adjugées pour essayer d'arrêter l'émigration et la dépopulation[246].

Il ressort de ce tableau que la pression continue de Tancrède, l'occupation d'A*th*âreb par ses troupes, le blocus de la région d'Alep, prise entre la principauté d'Antioche et le comté d'Édesse et parcourue en tous sens par les coureurs francs, avaient provoqué dans la grande cité arabe de la Syrie septentrionale une véritable catastrophe économique. Le bazar d'Alep, naguère centre de tout le commerce entre la Syrie, l'Anatolie et l'Irâq, était en train de mourir. Crise économique qui, après s'être traduite par une période de prostration aboutissant au protectorat normand de 1110, devait finir par provoquer un dangereux bouillonnement populaire, puis le sursaut politico-religieux qui, partant du bazar d'Alep, devait aller jusqu'à la grande mosquée de Baghdâd y soulever une émeute panislamique.

En attendant ce réveil de l'Islam, la paix entre Ri*d*wân et Tancrède, la vassalisation du premier au profit du second, la transformation du malik d'Alep en tributaire du prince d'Antioche laissaient les forces normandes disponibles pour d'autres conquêtes. Sul*t*ân le Munqi*dh*ite, émir de Shaîzar, 'Alî le Kurde, émir de *H*amâ, sentirent le péril. Tancrède, vainqueur du Seljûqide, allait-il se retourner contre eux ? Ils se hâtèrent de se reconnaître, eux aussi, tributaires, du conquérant franc, le Munqi*dh*ite – le plus menacé des deux – pour 4000 dînârs, d'autres disent 10000, l'émir de *H*amâ – moins directement en péril – pour 2000 dînârs[247].

Du reste dès que la trêve avec les Munqi*dh*îtes, accordée pour quelques mois seulement, eut expiré, au printemps de 1111, Tancrède revint sur le territoire de Shaîzar, bloqua la ville et se mit à construire en face, sur la colline d'Ibn Ma'shar, une forteresse destinée à tenir la cité munqi*dh*ite en respect, forteresse dans laquelle il fit creuser des souterrains pour y déposer le blé de la moisson qui s'annonçait[248]. Ce fut alors aussi que, comme on l'a vu, il s'empara du fort de Bikisrâ'îl, l'actuel Qal'at Beni Isrâ'îl, position importante qui dominait les passages du Jebel No*s*airî, dans la montagne entre Shaîzar et Lattaquié[249].

*Origines de la contre-croisade de 1111. Le mécontentement du bazar d'Alep et les émeutes piétistes de Baghdâd.*

Ainsi, au commencement de 1111, le royaume seljûqide d'Alep, avec les émirats secondaires de Shaîzar et de *H*amâ, était réduit au rôle de tributaire tremblant de la principauté d'Antioche. Le malik Ri*d*wân, déconsidéré et ruiné, paraissait ne subsister qu'autant que Tancrède le tolérait encore. L'heure, comme nous le disions plus haut, semblait proche où la grande ville musulmane du Nord subirait à son tour le sort d'Édesse, d'Antioche et de Jérusalem. De l'excès de son abaissement sortit une réaction. Elle n'émana pas de Ri*d*wân, du seljûqide dégénéré qui, de plus en plus inféodé aux Assassins et redoutant bien plus les Turcs de Perse que les Francs eux-mêmes, s'était décidément placé en marge de la société musulmane. Le redressement local contre le péril franc fut un mouvement populaire, proprement arabe, sorti, comme nous l'avons annoncé, du bazar d'Alep, une émeute de boutiquiers et d'armateurs de caravanes ruinés par la crise économique dont ils faisaient remonter la cause au blocus commercial franc. Bien entendu le mouvement prit la forme d'un mouvement de défense religieuse, panislamique. Mais son caractère populaire resta, à ses débuts, très marqué :

« Quelques habitants d'Alep, dit le *Kâmil al-Tewârîkh*, se rendirent à Baghdâd pour demander du secours contre les Francs » (notez qu'il s'agit d'initiatives particulières puisque le malik seljûqide d'Alep, Ri*d*wân, loin de songer à une telle démarche était l'allié des Assassins et de Tancrède !) « À leur arrivée un grand nombre de gens de loi et d'autres personnes se joignirent à eux. Tous, le vendredi suivant, se dirigèrent vers la mosquée du sultan Malik shâh et appelèrent le peuple au secours de l'Islamisme. Ils empêchèrent que la prière publique se célébrât et mirent en pièces le *minbar* du prédicateur. Alors le sultan (Mu*h*ammed) promit de faire partir une armée pour la guerre sainte. En même temps on apporta un nouveau *minbar* du palais du khalife. Mais le vendredi suivant les hommes d'Alep se portèrent vers la Mosquée de la Cour, dans le palais khalifal lui-même. À eux s'étaient jointes plusieurs personnes de la ville. En vain la garde des portes du palais voulut les arrêter. Ils forcèrent le passage, pénétrèrent dans la mosquée, brisèrent le grillage qui défendait l'accès de la *maqsûra* et mirent le *minbar* en pièces. Il devint également impossible ce jour-là de s'acquitter de la prière[250]. »

Les pouvoirs publics – le khalife, le sultan, les âtâbegs – avaient, l'année précédente, envoyé une armée pour essayer de reconquérir la rive orientale de l'Euphrate où la présence des Francs les gênait. Mais pour ce qui est de l'installation des Francs en Syrie et en Palestine, ils avaient fini par en prendre fort bien leur parti. L'émeute piétiste et même proprement panislamique provoquée par les « députés populaires » d'Alep les réveilla. En hâte le khalife, le doux Musta*z*hir, qui avait eu peur, fit aviser à I*s*fahân, où résidait la Cour seljûqide, le sultan Mu*h*ammed, responsable des affaires temporelles de l'empire. Mu*h*ammed, à son tour, ordonna aux émirs de se rendre dans leurs cantonnements et de se préparer à la guerre sainte. Il chargea de la conduite des opérations, sous le couvert de son propre fils Mas'ûd, l'émir Mawdûd ibn Al*t*ûntâsh, âtâbeg de Mossoul, qui s'était signalé l'année précédente par ses succès sur les Francs, la dévastation des campagnes d'Édesse et le massacre des Arméniens.

*Origines de la contre-croisade de 1111. Manœuvres de la Cour byzantine auprès des Turcs contre les Francs.*

Sur les préparatifs de la contre-croisade de 1111 les annalistes musulmans nous donnent un renseignement intéressant que les chroniqueurs latins ont ignoré et que les chronographes byzantins se sont bien gardés de nous fournir car il nous apporte la preuve de la collusion gréco-turque contre les Francs.

Presque en même temps que les députés du bazar de Baghdâd, raconte Ibn al-A*th*ir, le sultan seljûqide Mu*h*ammed avait reçu un ambassadeur byzantin. Alexis Comnène excitait le souverain turc « à faire la guerre aux Francs et à les chasser du pays ». L'arrivée du dignitaire byzantin à Baghdâd précéda même celle des gens d'Alep. Aussi les piétistes musulmans ne manquèrent pas d'en tirer argument pour décider Mu*h*ammed à la guerre : « Tu ne crains donc pas la vengeance d'Allâh, criaient-ils au sultan, toi qui souffres que l'empereur de Constantinople (al-malik al-Rûm) ait plus de zèle que toi pour l'islamisme, toi qui attends qu'il t'envoie un député pour t'exciter à la guerre sainte[251] ! »

Nous n'avons pas besoin de signaler l'importance d'un tel texte. Il constitue contre la politique byzantine un acte d'accusation dont il semble assez difficile de la disculper. Quels qu'aient été les torts des Normands, trop portés à faire commencer la croisade à la conquête de Constantinople, il n'en demeure pas moins vrai que, plutôt que de leur reconnaître la possession d'Antioche, Alexis Comnène – dans le moment même où il prodiguait à l'Occident ses assurances de solidarité chrétienne – préférait voir les Turcs reprendre Antioche et Jérusalem, et explicitement les y excitait. Il est instructif pour l'histoire que la principale contre-croisade turque ait été l'œuvre, en même temps que de la populace alépine, de la grande puissance chrétienne qu'était la Byzance des Comnènes. Aucune plaidoirie historique ne peut aller contre ce fait. Les Byzantins avaient déjà oublié le temps encore si proche – 1095 – où les chevaux seljûqides venaient se baigner dans la Marmara ; oublié que la première croisade seule avait refoulé Qilij Arslàn, de Nicée à Qoniyâ, des approches du Bosphore jusqu'au cœur du plateau d'Anatolie ! Ou plutôt Byzance restait fidèle à elle-même. Elle appelait le Turc sur Antioche et Jérusalem ? Mais n'était-ce pas ainsi que ses propres généraux, au temps de Botaniatès, en 1081, l'avaient installé jusqu'à Nicée ? Une telle politique, jadis inspirée par les compétitions dynastiques, dictée maintenant par la peur de 1204, appelle 1453.

Mais c'est 1204 qu'elle appelle aussi, et plus directement encore. Car de tels actes, bientôt connus de toute la Latinité, n'expliqueront que trop – sans d'ailleurs la justifier – la quatrième Croisade.

### *La deuxième contre-croisade de l'âtâbeg Mawdûd (1111).*

Au printemps de 1111 une véritable mobilisation se produisit donc dans l'empire seljûqide de Perse. Conformément aux ordres du sultan Mu*h*ammed, on vit se rassembler sous le commandement de Mawdûd, gouverneur de Mossoul, tous les autres gouverneurs de provinces, alors en passe de devenir princes et fondateurs de dynasties indépendantes, mais qui, à cette date, obéissaient encore au sultan : tout d'abord, comme l'année précédente, le shâh-Armen Soqmân al Qu*t*bî, qui, de Khilâ*t*, au nord-ouest du lac de Van, gouvernait, on l'a vu, une partie de la Grande Arménie ; puis, nouveaux venus au *jihâd*, les émirs Ylenkî et Zenkî ibn Bursûq, seigneurs de Hama*dh*ân et du Khûzistân ; l'émir A*h*med-beg, seigneur de Marâgha, en A*dh*arbaijân ; l'émir Abu'l Haijâ, seigneur d'Arbil ou Arbelles, à l'est de Mossoul, au Kurdistân. Si, cette fois, Il-Ghâzî l'Ortoqide resta personnellement dans sa principauté de Mârdîn, au Diyârbekir, il envoya son fils Ayâz[252]. En attendant l'arrivée des autres émirs, Mawdûd commença la guerre en s'emparant, en terre édessénienne, de Tell Kurad (al-Kuradî), petite forteresse du Shabakhtân confiée à la garde de quarante Francs qu'il massacra[253]. La concentration générale eut lieu près de Sinjâr, entre Mossoul et le nœud des routes de *H*aséké, qui commande toutes les pistes de la Jazîra[254].

L'armée turque, au grand complet, alla tâter les murailles d'Édesse. Renforcée et ravitaillée comme elle l'avait été l'année précédente par le roi de Jérusalem, la place était imprenable. Renonçant à la forcer ou à l'affamer, Mawdûd passa l'Euphrate à l'ouest de Sarûj pour aller assiéger Turbessel (Tell Bâsher), la ville de Jocelin de Courtenay. Les Turcs ravagèrent cruellement le pays. Mais la place de Turbessel, défendue par Jocelin en personne, résista à tous leurs assauts. Matthieu d'Édesse nous dit qu'un de leurs chefs, A*h*med beg ou A*h*med Yel le Kurde, émir de Marâgha, « qui depuis longtemps avait entendu vanter la bravoure de Jocelin, se lia avec lui, et ils devinrent frères »[255]. Kemâl al-Dîn écrit de son côté : « Les Musulmans étaient sur le point de s'emparer de Tell Bâsher, lorsque le commandant de la place, Jocelin, implora le secours d'A*h*med Yel le Kurde et lui fit porter une somme d'argent en le priant d'éloigner l'armée assiégeante. A*h*med y consentit. Sur ces entrefaites, le malik d'Alep, Ri*d*wân, écrivit à Mawdûd et à A*h*med le Kurde que, réduit à l'extrémité (par Tancrède), il était sur le point d'évacuer Alep, et il les appelait à son secours. A*h*med réussit donc à faire adopter la levée du siège de Tell-Bâsher au moment même où la prise de cette place devenait imminente »[256]. Quelle que soit la version la plus exacte du fait, il est évident que la coalition turque ne conservait plus la cohésion de l'année précédente : les princes francs, qui s'en aperçurent, surent jouer des dissensions de ses chefs.

Dès que Jocelin vit que l'armée assiégeante s'éloignait, il sortit de la ville et la suivit avec cent cinquante chevaliers et cent fantassins. Il réussit à surprendre l'arrière-garde et le convoi, tua mille hommes et rentra à Turbessel avec un gros butin[257]

*La solidarité franco-musulmane locale contre le panislamisme extérieur : Le malik d'Alep s'oppose à la contre-croisade de 1111.*

En arrivant en territoire alépin, les chefs de la contre-croisade turque eurent une singulière surprise.

C'était, on vient de le voir, à l'appel presque révolutionnaire de la population alépine que Mawdûd et ses compagnons d'armes s'étaient mis en mouvement. Pendant qu'ils assiégeaient Turbessel, Ri*d*wân les avait encore pressés d'accourir. Mais quand il vit approcher la grande armée turque, le malik d'Alep prit peur. Tous ces émirs de Mossoul, du Diyârbekir, d'A*dh*arbaijân, d'Arménie et d'Irâq Ajemî ne constituaient-ils pas pour lui un péril plus redoutable que Tancrède lui-même ? Venus pour délivrer Alep de la menace franque, n'allaient-ils pas commencer par s'en emparer ? Ri*d*wân fut, à coup sûr, entretenu dans ces sentiments par ses amis les Assassins. Lié comme il l'était à la secte ismâ'îlienne, il devait n'éprouver qu'une médiocre sympathie pour la guerre sainte orthodoxe que le fanatisme sunnite de la plèbe alépine était allé, sans son aveu, déclencher à Baghdâd.

Les Turcs de Perse se croyaient revenus au temps de la Première Croisade. Mais depuis lors un *modus vivendi* avait fini par s'établir en Syrie, nombre de Musulmans syriens avaient fini par s'accoutumer aux Francs et sans doute préféraient-ils conserver ces derniers comme voisins que risquer, en favorisant la reconquête turque, une redistribution de fiefs dans laquelle les anciennes dynasties musulmanes seraient éliminées. D'instinct, en face de l'invasion turque venue de l'Est qui les menaçait tous deux, le malik turc d'Alep et le prince franc d'Antioche se sentirent solidaires. Ils mirent brusquement fin à leurs querelles de clocher pour défendre ensemble le *statu quo* syrien. C'est ce que marque nettement Albert d'Aix quand il nous montre Ri*d*wân répondant aux chefs de la grande armée turque qu'il ne peut s'associer à eux, puisqu'il vient de conclure la paix avec Tancrède et qu'il entend conserver la neutralité[258].

Kemâl al-Dîn est encore plus explicite : « À l'approche des chefs (de la grande armée turque), Malik Ri*d*wân ferma brusquement les portes d'Alep devant eux. » Restait le péril d'une révolution dans la ville même, d'une émeute populaire en faveur de l'armée du *jihâd* contre le Seljûqide ismâ'îlien. Ri*d*wân sut y parer : « Il prit avec lui, dans la citadelle, des otages choisis parmi la population pour déjouer toute tentative d'ouverture des portes et confia la garde des remparts (contre Mawdûd !) à des soldats et à des Ismâ'îliens attachés à son service. Pendant dix-sept jours, les portes de la ville restèrent rigoureusement fermées ».

L'émeute panislamique que le malik hérétique sentait couver faillit d'ailleurs éclater malgré cet excès de précautions, peut-être pour cela même : « (Les portes étant fermées) les habitants restèrent trois jours sans trouver la moindre nourriture. Les vols se multipliaient de la part des indigents, et les notables commençaient à craindre pour leur propre vie. Les mauvais procédés du malik déchaînèrent contre lui l'opinion populaire. Le blâme et les malédictions étaient sur toutes les lèvres. Ri*d*wân, craignant de plus en plus que le peuple ne livrât la ville à Mawdûd, n'osait plus sortir à cheval. Tantôt il faisait couper le cou à un individu pour avoir sifflé du haut des remparts, tantôt il faisait précipiter par-dessus les murs un malheureux qui avait quitté sa tunique pour la jeter à un autre. » Par ailleurs les émirs turcs venus au secours de Ri*d*wân et qui se heurtaient à son refus de les laisser entrer à Alep le traitaient maintenant en ennemi. « L'armée (turque) confédérée achevait, dans la campagne d'Alep, de ravager ce que les Francs (l'année précédente) avaient épargné ». Inversement « les coureurs de Ri*d*wân surprenaient et faisaient prisonniers tous les gens de Mawdûd qui s'écartaient du gros de l'armée »[259].

### *La solidarité locale franco-musulmane contre le panislamisme extérieur. La contre-croisade de 1111 et les hésitations de l'âtâbeg de Damas.*

La révolution panislamique n'éclatant pas à Alep, matée qu'elle était d'avance par les policiers ismâ'îliens du malik Ri*d*wân, Mawdûd et les autres généraux de la grande armée sultanienne remontèrent la vallée de l'Oronte, pour enlever à Tancrède ses récentes acquisitions dans la région de Ma'arrat al-Nu'mân. Dans ce fertile district leur troupe se remit de ses fatigues. Ils furent rejoints devant Ma'arrat (début septembre) par l'âtâbeg de Damas, *T*ughtekîn, dont le concours semblait devoir compenser l'absence de Ri*d*wân. Mais de ce côté encore la mésintelligence ne tarda pas à se glisser. *T*ughtekîn avait beau être, lui, un sunnite fort orthodoxe, fort dévoué à la guerre sainte, il n'en craignait pas moins, tout comme l'hérétique Ri*d*wân, que les nouveaux venus ne détruisissent à son détriment la répartition des émirats syriens. Le maintien du *statu quo* syrien plutôt que la reconquête du pays par les Turcs de Perse, telle était finalement le désir de l'âtâbeg de Damas comme du malik d'Alep.

Du reste le second ne manquait pas d'encourager le premier dans cette voie : « L'âtâbeg *T*ughtekîn était bien venu rejoindre les Confédérés, note Kemâl al-Dîn, mais un émissaire envoyé par Ri*d*wân sema la mésintelligence entre l'âtâbeg et les autres généraux ». *T*ughtekîn trouva d'ailleurs chez ceux-ci des dispositions malveillantes, exception faite de Mâwdûd, avec lequel il se lia d'amitié. « Il craignait, dit de son côté Ibn al-A*th*îr, que l'armée confédérée ne s'avançât vers Damas pour lui enlever la ville. ». Ibn al-A*th*îr va jusqu'à affirmer que *T*ughtekîn ouvrit secrètement des négociations avec les Francs[260]. La clé de la situation nous est donnée un peu plus loin par Kemâl al-Dîn : « La raison de tout ceci est que les princes (musulmans) de ce temps tenaient à prolonger l'occupation des troupes franques pour se maintenir eux-mêmes au pouvoir[261]. »

Devant Ma'arrat al-Nu'mân, la grande armée turque piétinait. *T*ughtekîn proposa alors aux généraux d'aller reconquérir Tripoli sur les Francs. Il offrait pour cela de prendre l'armée à sa solde, étant entendu que la ville devrait lui revenir. Mais aucun des émirs, sauf Mawdûd, ne consentit à aller guerroyer si loin, pour le seul bénéfice du prince de Damas[262]. Ce désaccord marqua la dissolution de la grande armée turque. Déjà le shâh Armèn, Soqmân al-Qu*t*bî, émir de Khilâ*t*, gravement malade, était mort (à Bâlis sur l'Euphrate) et comme ses gens ramenaient son cercueil dans son pays, ils furent attaqués au passage par Il-Ghâzî ibn Ortoq, émir de Mârdîn, qui voulait s'emparer du bagage du défunt[263]. Un tel acte de banditisme, un tel outrage au cadavre d'un chef mort à la guerre sainte montre mieux que tout commentaire l'impossibilité où on se trouvait de faire l'union de l'Islâm contre les Francs. Bientôt, quittant le camp de Ma'arrat al-Nu'man, A*h*med beg le Kurde, émir de Marâgha, et Bursuq ibn Bursuq, émir de Hama*dh*ân, retournèrent chacun chez soi. De tant de guerriers accourus du Nord et de l'Orient pour la contre-croisade, l'âtâbeg de Mossoul, Mawdûd, resta seul avec *T*ughtekîn...

*Face à la contre-croisade, Baudouin Ier forme le faisceau des forces franques. Campagne de 1111 entre Shaîzar et Apamée.*

Tandis que la coalition turque était en proie à ces dissentiments, les princes francs, fédérés par l'institution monarchique, telle que Beaudouin Ier venait de la faire prévaloir, agissaient en étroite union. Union politique, rigoureuse coordination militaire. Pendant que le gros de l'armée de Mawdûd essayait de pénétrer dans Alep, un autre détachement turc s'était avancé sur les terres de la principauté d'Antioche, avec l'espoir d'attirer Tancrède et de l'écraser isolément. Mais le prudent Normand savait imposer trêve à sa fougue naturelle[264]. Devinant, dit Foucher de Chartres, la tactique turque, il s'était gardé d'y prêter le flanc et avait appelé à son aide le roi Baudouin 1er[265]. Celui-ci était accouru avec le comte de Tripoli, Bertrand, et avait opéré sa jonction avec Tancrède, qui l'y attendait, à Rugia ou Chastel Ruge, à environ 5 kilomètres à l'est de Jisr al-Sughr, le grand pont par où la route d'Antioche à Ma'arrat al-Nu'mân traversait l'Oronte[266] : position excellente pour surveiller toute la région. Bientôt, Baudouin du Bourg et Jocelin de Courtenay arrivèrent à leur tour avec les contingents de l'Euphrate.

Albert d'Aix nous trace une brillante revue de l'armée franque au grand complet réunie sur le moyen Oronte. Énumération digne d'une chanson de geste !

Tout d'abord Baudouin du Bourg, comte d'Édesse, descendu de l'Osrhoène avec deux cents chevaliers et sergents montés ; puis ses vassaux, Payen de Sororge (Sarûj) et Jocelin de Courtenay, sire de Turbessel, conduisant, le premier cinquante lances, le second cent. L'arrivée du comte d'Édesse et de Jocelin pour défendre les terres de Tancrède, leur ennemi des années précédentes, prouvait que la politique royale de réconciliation entre Francs avait enfin porté ses fruits. Tancrède, de son côté, avait rassemblé une solide chevalerie. Albert d'Aix nous donne ici l'énumération de tous ses vassaux au grand complet : Richard de Marash (avec soixante chevaliers) et sergents montés ; Guy le Chevreuil (Capreolus), seigneur de Tarse et de Mamistra ; Enguerrand de Fémie, c'est-à-dire d'Apamée (ou Fâmiya) (avec deux cents lances) ; Bonaple, seigneur de Sarmit (Sarmedâ)[267] ; Guy le Frène (Fraxinus), seigneur de Harenc (*H*ârim)[268] ; Robert du Soudin (= Saint-Siméon, près Suwaidiya) ; Roger de Montmarin, sire de Hap (Burj Hâb, au sud-ouest d'Idlib)[269] ; Pons de Talaminia (Tell Mannas dans la banlieue est de Ma'arrat al-Nu'mân)[270] ; Martin, sire de Laodicée (Lattaquié). Liste brillante qui atteste l'expansion obtenue par la principauté d'Antioche sous la vigoureuse impulsion de Tancrède. Enfin le roi Baudouin Ier accouru de Jérusalem avec le patriarche Gibelin, le comte Bertrand de Tripoli, Eustache Garnier, seigneur de Sidon, Gautier de Saint-Abraham (Hébron), et une escorte évaluée à 4 000 hommes[271].

La grande armée franque, forte de 16000 hommes, alla s'établir sur la rive orientale de l'Oronte, près d'Apamée (Fâmiya, Qal'at al-Mu*d*îq), ville qui, on l'a vu, appartenait à Tancrède. Cherchant à s'appuyer, eux aussi, sur une forteresse solide, Mawdûd et *T*ughtekîn vinrent camper de l'autre côté de l'Oronte, devant Shaîzar (15 septembre 1111). Les deux frères munqi*dh*ites, émirs de Shaîzar, Sul*t*ân et Murshid, qui, les mois précédents, avaient tant eu à souffrir des ravages de Tancrède, accueillirent comme des sauveurs les Turcs de Mossoul et de Damas et mirent à leur disposition 5 000 guerriers arabes[272]. Pour éviter un coup de main franc, ils abritèrent derrière les murailles de Shaîzar le bagage de l'armée du *jihâd*, dressant les tentes sur les toits de la ville, à la manière arabe. Pendant quinze jours les deux armées s'observèrent. Les archers musulmans, installés sur la rive gauche de l'Oronte, empêchaient les Francs, campés sur la rive droite, de s'approcher du fleuve pour abreuver leurs chevaux.

Au fond, ni les uns ni les autres ne désiraient risquer le sort de la guerre dans une action générale. Mais les escarmouches étaient incessantes. La cavalerie légère musulmane avait passé l'Oronte et ses coureurs battaient la campagne pour empêcher les Francs de se ravitailler. Bientôt l'armée franque souffrit de la disette. Le quinzième jour, Baudouin et Tancrède firent mouvement malgré l'ennemi qui, passé sur la rive droite, accepta la lutte. Les trois premières « batailles » qu'ils lancèrent en avant, accablées par une pluie de flèches, reculèrent en désordre sur le gros de l'armée. Les deux princes francs ordonnèrent alors la charge générale. Cette fois les Turcs refusèrent le corps à corps. Selon leur vieille tactique, ils reculèrent par pelotons isolés, n'offrant pas de prise, mais continuant à cribler les chevaliers de flèches[273]. Cependant les Francs étaient maintenant familiarisés avec la guerre turque. Ils se gardèrent de se laisser entraîner trop loin. La nuit venue, ils repartirent en bon ordre vers Apamée. Leur première étape fut Tell Termeisa où ils campèrent. Une deuxième étape les conduisit à Tell Tulûl[274] d'où ils regagnèrent Apamée[275]. Durant toute cette marche la cavalerie turque n'avait pas cessé d'entourer leur colonne, de les harceler et de leur interdire les berges de l'Oronte. Une partie des Turcs, les ayant gagnés de vitesse, tenta même de leur barrer la route d'Apamée.

De brillantes charges individuelles, comme celle du chevalier dont Usâma nous raconte les prouesses, dégagèrent l'armée franque. « L'armée musulmane, écrit Usâma, témoin oculaire, eût voulu couper la retraite aux Francs. Mais un de leurs cavaliers se détacha et s'élança contre nos gens avec une telle impétuosité qu'il arriva jusqu'au milieu d'eux. Son cheval fut tué, son corps criblé de blessures. Il continua la lutte à pied jusqu'à ce qu'il eût rejoint ses compagnons. » L'armée franque, que les Turcs n'avaient pu entamer, rentra menaçante dans Apamée. Quant aux Turcs, bien qu'ils l'aient, comme on l'a dit, talonnée dans sa retraite et qu'ils aient même enlevé des gens de l'arrière-garde, ils ne se sentaient pas davantage victorieux[276]. Tandis que les Francs rentraient dans Apamée, ils retournèrent eux-mêmes à Shaîzar sans pouvoir se vanter d'aucun succès.

« Quelques mois après, poursuit Usâma, il nous arriva (à Shaîzar) une lettre de Tancrède. Le cavalier, porteur de ce message, avait une escorte d'écuyers et de compagnons d'armes. Voici quelle était la teneur de la lettre : Cet homme est un chevalier franc très respecté. Il n'est venu que pour accomplir le pèlerinage et il se propose de retourner dans son pays. Il m'a demandé de l'introduire auprès de vous afin de voir vos cavaliers, et je vous l'ai adressé. – On s'empressa autour de l'étranger. Il était jeune, beau, portait avec élégance le costume. Seulement il était enlaidi par les cicatrices de nombreuses blessures, et sur sa face ressortait une balafre qui lui avait déchiré la peau depuis le sommet de la tête jusqu'au menton. Je demandai qui c'était. C'est, me répondit-on, celui qui s'est élancé seul contre l'armée du général en chef Mawdûd, celui dont le cheval a été tué et qui a continué la lutte jusqu'à ce qu'il eût rejoint ses compagnons »[277].

Cet épisode chevaleresque est intéressant comme symptôme : la ruée des Turcs de l'Est venus pour submerger la Syrie franque n'avait pas plus réussi au point de vue moral qu'au point de vue territorial à modifier le *statu quo* syrien. Mawdûd et ses cavaliers avaient certes pu dans leur ruée vers les terres franques massacrer sans merci les chrétiens, renouveler les exploits sauvages des premières hordes turco-mongoles. À la fin de leur randonnée les relations de courtoisie chevaleresque, les rapports de bon voisinage entre deux guerres, même en pleine guerre, reprenaient en Syrie entre princes musulmans et princes chrétiens. Et les princes musulmans de Syrie, plus effrayés peut-être de leurs barbares auxiliaires que les chrétiens eux-mêmes, se sentaient plus disposés encore que par le passé à s'entendre avec les Francs, pour peu que ceux-ci aient conscience de la même solidarité. C'est déjà le cas du malik d'Alep. Ce sera bientôt le cas de l'âtâbeg de Damas.

Après les manœuvres et les escarmouches sans résultat entre Apamée et Shaîzar, l'émir Mawdûd avait lui-même senti l'inutilité de sa tentative. Remettant à plus tard la contre-croisade, il reprit, par Alep, le chemin de Mossoul, tandis que de leur côté Tancrède rentrait à Antioche, Baudouin du Bourg à Édesse et le roi Baudouin Ier à Jérusalem. En traversant Alep, l'émir de Mossoul essaya du moins, par la persuasion, de ramener le malik Ri*d*wân dans le faisceau de la coalition turque.

Même à ce moment Ri*d*wân eût préféré l'alliance franque : il fit encore proposer son amitié à Tancrède en lui offrant un tribut de 20 000 dînârs, moyennant des concessions dans la question de 'Azâz, mais Tancrède, qui ne pardonnait pas la trahison de 1110, repoussa l'offre. Ri*d*wân accueillit alors à Alep, dans une conférence à trois, Mawdûd et *T*ughtekîn. Mawdûd quittait la Syrie, mais Ri*d*wân et *T*ughtekîn conclurent entre eux un traité d'alliance défensive ; *T*ughtekîn accepta à ce propos que le nom du malik d'Alep figurât dans la khu*t*ba et sur les monnaies de Damas. Mais cette fédération des deux grandes villes syriennes musulmanes devait rester lettre morte, car, nous dit l'historien d'Alep, Ri*d*wân n'observa aucune des clauses du traité[278].

*Le complot arménien de 1112 pour livrer Édesse aux Turcs.*

L'émir de Mossoul, Mawdûd, restait seul à croire à la guerre sainte. À la fin d'avril 1112 il envahit à l'improviste le comté d'Édesse. Il apparut devant la ville le lendemain des Pâques arméniennes. L'effet de surprise ayant échoué, il remonta vers les montagnes de la Mésopotamie arménienne. Matthieu d'Édesse le fait même pousser jusqu'à l'Aghtznik et au Sassoun, mais il semble que ce soit là une erreur. Quoi qu'il en soit, il redescendit ensuite vers Édesse, et, la trouvant toujours aussi imprenable, fit une diversion contre Sarûj (Sororge), la deuxième place franque à l'est de l'Euphrate. Mais le sire de Turbessel, Jocelin de Courtenay, avait eu le temps de se jeter dans Sarûj avec trois cents cavaliers et cent fantassins. Mawdûd, nous dit Ibn al-A*th*îr, ne s'attendait pas à être contre-attaqué et n'avait pris aucune précaution. Il avait divisé ses troupes, une partie devant Sarûj, le reste en observation devant Édesse. Quinze cents chevaux turcs pâturaient dans la campagne de Sarûj, lorsque, le 15 juin 1112, Jocelin fit une brusque sortie, surprit le camp turc, enleva les bagages, une grande partie des chevaux et massacra nombre de soldats. Quand les Turcs purent se ressaisir, il était déjà rentré dans Sarûj avec son butin[279]. Puis, comme les Turcs allaient revenir à leur premier projet contre Édesse, Jocelin, les devançant, courut dans cette dernière ville pour aider Baudouin du Bourg.

Ce secours ne devait pas être de trop, car à ce moment, dans Édesse, certains éléments de la population arménienne étaient en train de trahir.

La tentative de trahison arménienne est attestée par plusieurs chroniqueurs. « En ces jours-là, dit la chronique syriaque de Michel, quelques Arméniens astucieux, voyant que les Turcs s'étaient avancés jusqu'au mur d'Édesse, prêtèrent leur concours aux Turcs et les firent entrer dans une des tours, parce que les Arméniens pensaient que les Turcs s'empareraient de la ville »[280]. Michel le Syrien, patriarche jacobite d'Antioche, détestait cordialement les Arméniens qui n'étaient à ses yeux que des demi-hérétiques. Son témoignage pourrait donc être suspect. Mais Matthieu d'Édesse, qui est Arménien et même Arménien nationaliste, doit, lui aussi, avouer la trahison et le complot, bien qu'en termes pudiques et même réprobateurs et encore qu'il essaye d'excuser l'acte de ses compatriotes par les souffrances de la disette : « Maudoud, nous dit-il, revint de Serouj sur Édesse. Quelques traîtres, accourus vers lui, lui dirent en route : "Fais nous miséricorde et nous livrerons notre ville entre tes mains." Il consentit avec joie. Comme ces gens-là (les Édesséniens) souffraient beaucoup de là disette, dans l'état de détresse où ils se trouvaient ils ne surent pas ce qu'ils faisaient. Ayant pendant la nuit conduit Maudoud et cinq hommes avec lui, ils leur remirent une tour qui dominait la ville du côté de l'est, et ces cinq hommes en prirent possession ; puis ils s'emparèrent de deux autres tours où ils s'établirent en plus grand nombre »[281].

Ce fut Jocelin de Courtenay qui sauva la ville. Instruit de cette trahison, il alerta Baudouin du Bourg et tous deux coururent à la principale des trois tours occupées. « Jocelin, nous dit Michel de Syrien, vit les Turcs qui étaient déjà montés au sommet de la tour. Il entra dans la tour, revêtu de sa cuirasse et son casque recouvert d'un bât d'âne pour ne pas être blessé par les pierres que lui lançaient les Turcs, et, étant monté, il tua trente hommes, et les autres se précipitaient d'eux-mêmes ; il coupa du glaive les échelles de corde et ceux qui y montaient tombèrent et se broyèrent. Et ainsi il délivra la ville »[282]. Mawdûd comprit que l'affaire était manquée. Il alla, pour sauver les apparences, prendre la bourgade fortifiée de Tell Mawzân (Thelmouzen) dans le Shabakhtân occidental, et regagna Mossoul, ayant échoué une fois de plus.

Mais le complot arménien qui avait failli livrer Édesse aux Turcs eut des répercussions graves sur la conduite des Francs envers la population arménienne. Baudouin du Bourg et Jocelin – Jocelin surtout, semble-t-il – exercèrent contre les éléments arméniens qui avaient trahi des représailles impitoyables. Matthieu d'Édesse est ici très gêné. Il s'est félicité de l'échec du complot, il comble Jocelin d'éloges pour avoir sauvé la ville ; mais il gémit sur les châtiments infligés, dus, prétend-il, « à des délations calomnieuses ». Il est certain que les Syriens jacobites, par exemple, ne durent pas se faire faute d'accuser les Arméniens. Mais le symptôme était trop grave pour que les Francs aient eu besoin d'excitations à la rigueur ; la répression fut donc sévère. « Le comte, dans sa colère, nous dit Matthieu, fit couler beaucoup de sang innocent parmi les habitants, ordonnant de les massacrer, de les brûler, de leur infliger de cruels supplices »[283]. En réalité, il y avait si bien, chez certains éléments arméniens, complot permanent contre les Francs, collusion suivie avec les Turcs, que quelques mois plus tard, en 1113, Baudouin du Bourg, prenant une mesure radicale, se verra obligé d'expulser d'Édesse tous les Arméniens[284].

### *La principauté arménienne de Kaisûn et de Ra'bân sous le gouvernement de Kogh' Vasil.*

Les rapports franco-arméniens, partout, se gâtaient. On a vu l'alliance qui, aux mauvais jours, avait uni les Francs à Kogh' Vasil, le prince arménien de Kaisûn et de Ra'bân. En 1112 une brouille éclata entre Kogh' Vasil et Tancrède. Tancrède prit Ra'bân d'assaut. Kogh' Vasil de son côté enleva aux Francs *Hisn* Man*s*ûr, au nord de Samosate. Tancrède alla ensuite assiéger Kaisûn. Kogh' Vasil accourut avec 5 000 hommes pour défendre la ville ; cependant les deux princes n'en vinrent pas aux mains ; la paix se fit, chacun rendant à l'autre ses conquêtes[285].

Kogh' Vasil mourut cette même année, le 12 octobre 1112, Matthieu d'Édesse nous a laissé l'oraison funèbre du héros national arménien : « Ce fut un deuil universel dans notre nation. Autour de lui s'étaient groupés les débris de l'armée arménienne, les troupes des Bagratides et des Bahlavouni. À sa cour résidaient les princes de sang royal et la noblesse militaire d'Arménie où ils vivaient en paix, avec les honneurs dus à leur rang. Le siège du patriarcat avait été transféré dans ses États[286]. Les moines, les évêques, les pères et les docteurs s'étaient rassemblés autour de lui et y passaient leur vie, parfaitement traités »[287]. Ajoutons que ces bénédictions des moines arméniens ont naturellement comme contrepartie les malédictions des moines syriens : Michel le Syrien nous conte tout au long comment Kogh' Vasil, Dghâ Vasil et un de leurs lieutenants, nommé Kurtîg, enlevèrent aux moines syriens, pour les donner à l'Église arménienne, la plupart des couvents de la région de Kaisûn et de Ra'bân : le célèbre Garmir Vank' ou Monastère Rouge, près de Kaisûn « qui appartenait au peuple syrien depuis les premières générations » et où on installa le katholikos arménien Grégoire II, les couvents de Zabar (Beit Qenayê), le couvent de la forteresse d'Arnish, etc. « Kurtîg ordonna que les moines syriens donnassent 2000 dînars, et il les torturait sans pitié, et il les fit disparaître et leurs couvents devinrent déserts »[288].

La paix renouée au dernier moment entre Kogh' Vasil et Tancrède permit à Vasil Dgh'â, fils adoptif du défunt, âgé de vingt-cinq ans, de lui succéder sans difficulté[289]. Le nouveau prince fut intronisé par le katholikos Parsegh ou Basile Anetsi. Il s'était à nouveau concilié la bienveillance de Tancrède en envoyant à celui-ci, en souvenir de Kogh' Vasil, des cadeaux pris dans la succession du défunt, « beaucoup d'argent, des étoffes de brocart, des chevaux et des mulets », et en offrant le diadème de la veuve de Kogh' Vasil à la jeune femme de Tancrède, Cécile de France[290]. Ibn al-A*th*îr prétend qu'à la mort de Kogh' Vasil, Tancrède s'était mis en mouvement pour aller s'emparer de la petite principauté arménienne, mais que la maladie le ramena à Antioche. Une telle tentative n'eût pas manqué, semble-t-il, d'être mentionnée par Matthieu d'Édesse. En tout cas, les cadeaux prodigués par les héritiers au prince d'Antioche durent avoir pour but de la prévenir[291].

*Mort de Tancrède : Caractère de son œuvre.*

Tancrède mourut à Antioche le 12 décembre 1112[292]. Le bruit courut parmi les chrétiens indigènes qu'il avait été empoisonné par le patriarche Bernard de Valence. L'assertion semble ne reposer sur rien. – Quatre ans auparavant il avait épousé la jeune capétienne Cécile de France, fille du roi Philippe Ier, mais il n'en avait pas eu d'enfant. À son lit de mort il confia Cécile à un jeune écuyer qui faisait auprès de lui l'apprentissage des armes et qu'il avait pris en affection : Pons, fils du comte Bertrand de Tripoli. Conformément aux dernières instructions de Tancrède, Pons épousa peu après sa veuve et régna avec elle sur le comté de Tripoli, union qui mettait fin à la vieille querelle entre Normands d'Antioche et Provençaux de Tripoli (1115)[293].

Tancrède fut enterré par le patriarche Bernard de Valence dans l'église Saint-Pierre d'Antioche. « Grant duel (= deuil) en firent toutes manières de genz en la terre d'Antioche ». Ce rude conquérant avait finalement su se concilier l'élément indigène. Les nécrologies que lui consacrent chroniqueurs syriaques ou annalistes arméniens sont probantes à cet effet. Il n'est pas jusqu'aux auteurs arabes qui, dans leurs manières de parler de « ce Satan d'entre les Francs », ne laissent percer une secrète admiration pour son adresse et sa valeur.

Tancrède avait été le véritable fondateur de la principauté d'Antioche. Certes la première idée de l'établissement normand revenait à Bohémond ; c'était Bohémond qui avait jeté son dévolu sur le bassin de l'Oronte inférieur. Mais son génie aventureux l'avait sans cesse lancé dans des équipées lointaines où il avait fini par succomber. Pour ce petit-fils des wikings son duché syrien n'était visiblement qu'un épisode, une étape, un marche-pied. Ce qu'il rêvait ce n'était rien de moins que Constantinople, l'empire d'Orient. Tancrède au contraire s'était uniquement consacré à la Syrie. Durant la longue captivité de son oncle (1100-1103), puis pendant l'absence définitive de celui-ci (1104-1111), c'était Tancrède qui avait assuré la continuité de l'œuvre commune. C'était lui qui, l'une après l'autre, patiemment, avait ajouté à Antioche les diverses villes ou bourgades dont l'ensemble forma la principauté. Chez Bohémond il y avait encore l'inquiétude des grands aventuriers normands du onzième siècle, un Roussel de Bailleul par exemple, aujourd'hui possesseurs de provinces immenses, demain captifs et dépouillés de tout. Tancrède, lui, est déjà territorialement *fixé*. La mauvaise grâce, la mauvaise foi qu'il apporta quand il fallut rendre à Baudouin du Bourg le comté d'Édesse, qu'il avait avec tant de plaisir administré durant la captivité de ce dernier, atteste chez ce Normand un goût de la terre, un enracinement bien caractéristiques. Au même titre que Baudouin I^er^ en Palestine, il a, dans la Syrie du Nord, jeté les bases d'une monarchie et d'une tradition dynastique, gages de durée.

La numismatique de Tancrède est le symbole de son œuvre. Les légendes en sont uniformément en langue grecque : « Tankridos, serviteur du Seigneur » – hommage rendu à l'hellénisme d'une bonne partie de la population indigène d'Antioche (la latinisation n'apparaîtra qu'au règne suivant, sur les monnaies du prince Roger, et encore celui-ci reviendra-t-il bientôt aux légendes grecques que conservera leur successeur Bohémond II). Mais en même temps le chef normand est représenté dans un accoutrement en partie musulman. Si la barbe longue, descendant en pointe sur la poitrine, peut être une mode aussi bien byzantine que musulmane, comme est byzantine la robe ornée de pierreries qui charge ses épaules, sa tête est couverte de l'ample *kaffié* indigène ou châle syrien enroulé en turban, si bien qu'à première vue on croirait avoir affaire à quelque sultan ou à quelque émir. Mieux encore, sur une monnaie de cuivre du prince d'Antioche se lit en effet en caractères grecs le titre inattendu du « *grand émir Tankridos* ». Nul doute que cet aspect d'émir chrétien, déjà adapté au milieu indigène, ne correspondît à la figure que le conquérant normand avait voulu se donner aux yeux de ses sujets orientaux[294].

*Mort de Ridwân, malîk d'Alep. Comment sa politique particulariste et son hétérodoxie ismaïlisante ont favorisé la consolidation de la Croisade.*

Un an après Tancrède, le 10 décembre 1113, mourut son grand adversaire, le malik d'Alep, Ri*d*wân. Ce seljûqide authentique (n'était-il pas fils de Tutush et petit-fils d'Alp Arslân ?) avait eu sur les destinées de la Croisade une influence que les historiens arabes ont été seuls à bien mettre en lumière. En effet la politique particulariste qu'il avait toujours presque cyniquement affichée – particulariste au point de vue politique, hérétique au point de vue musulman – avait constamment entravé ou brisé l'élan de solidarité panislamique nécessaire à la réussite de la Contre-Croisade. Certes il fut souvent en lutte avec les Francs de la principauté d'Antioche, mais ce furent là des querelles de voisinage, de manoir à manoir, pour la possession de tels casaux contestés, de telles bourgades mitoyennes, comme les querelles locales qui, en Occident, mettaient régulièrement aux prises nos barons. Ce petit-fils du « Vaillant Lion » turc s'accommodait parfaitement du voisinage des Tancrède et des Roger, avec lesquels il avait même parfois conclu alliance contre les troupes du sultan. Nul doute que les Francs de la zone côtière ne lui parussent – à condition d'y rester limités – constituer une contre-assurance, une garantie d'équilibre centre les fanatiques de Bagdhâd ou contre les prétentions centralisatrices du sultan de Perse.

Comme sur les Francs, il n'hésitait pas à s'appuyer sur les Ismâ'îliens, qui, grâce à sa protection, se multiplièrent d'une manière alarmante dans la principauté d'Alep. Un de ses principaux familiers, Abu *T*âhir al-*S*âyigh, était d'ailleurs un ismâ'îlien zélé, qui contribua plus que tout autre à propager en Syrie les doctrines de la secte. La faveur dont les Ismâ'îliens bénéficiaient auprès de lui était si notoire, nous dit Kemâl al-Dîn, que nombre de gens, à Alep, se faisaient Ismâ'îliens pour être bien en cour. « Toutes les fois qu'on avait à se défendre contre un ennemi ou un dommage quelconque, c'était à eux qu'on avait recours[295] ». Sous le règne de ce seljûqide inattendu, Alep devint presque une cité ismâ'îlienne, un repaire d'Assassins, en marge de l'Islam[296].

*Chute de la dynastie seljûqide à Alep.*
*La propagande ismâ'îlienne et ses appuis auprès des Francs.*

Ri*d*wân laissait le trône d'Alep à son fils, Alp Arslân, jeune homme de seize ans, mal venu, bègue, « pauvre nature et esprit débile », écrit Kemâl al-Dîn, et qui se révéla un précoce tyran. Le nouveau malik commença par faire tuer ses frères, mais, ajoute philosophiquement Kemâl al-Dîn, Ri*d*wân avait déjà agi de même. L'administration fut confiée à l'eunuque Lûlû, qui acheva de corrompre le jeune homme.

Naturellement les Ismâ'îliens crurent le moment venu de s'emparer du pouvoir. À Alep même ils étaient groupés autour de chefs énergiques, comme *H*usâm al-Dîn ibn Dumlâj et Abû *T*âhir « l'Orfèvre Persan » ; un des lieutenants de *H*usâm, le missionnaire Ibrâhîm al-'Ajemî, Persan comme la plupart de ces sectaires, alla s'emparer de Bâlis ou Qal'at Bâlis, près de l'Euphrate, sur la piste d'Alep à Baghdâd[297]. Le sultan de Perse, Mu*h*ammed, finit par s'inquiéter de cette conquête, tour à tour pacifique ou violente, d'un des principaux royaumes turcs par la redoutable secte. Ce fut un véritable ultimatum qu'il envoya à Alp Arslân, avec ordre d'exterminer les Ismâ'îliens, s'il ne voulait pas être mis au ban de l'empire.

Alp Arslân, comme jadis son père, devait tenir à la secte. Mais le chef de la police et de la milice populaire d'Alep, Abû Bedî', finit par le décider. Dès que l'énergique officier eut obtenu l'adhésion d'Alp Arslân, il fit arrêter et exécuter tous les chefs des Assassins qu'il put saisir, parmi lesquels Abû *T*âhir l'Orfèvre et Ismâ'îl le Missionnaire ; il y eut deux cents arrestations suivies de condamnations immédiates, depuis la confiscation des biens jusqu'à la mort, les plus coupables précipités du haut de la forteresse d'Alep[298]. Ibn al-A*th*îr nous dit que ceux qui échappèrent se réfugièrent chez les Francs[299].

Cette dernière indication est précieuse. Elle nous montre les chefs francs assez politiques pour avoir compris l'intérêt que présentaient pour eux les agissements des Ismâ'îliens, ces merveilleux agents de démoralisation et de dissolution de la société musulmane. Ne nous étonnons donc pas de voir les Francs accueillir avec tolérance et même protéger ouvertement les terribles « Assassins », ces communistes de l'ancien Islam. Les doctrines anti-nationales et anti-sociales des ismâ'îliens faisaient le jeu de nos Croisés. Ces sectaires étaient la plaie saignante au flanc de l'Islam, l'ennemi intérieur qui n'hésiterait pas à le poignarder dans le dos chaque fois que la Croisade l'attaquerait de front. La société franque, au contraire, restait trop saine et d'ailleurs la cloison entre l'Islam et la Chrétienté restait trop étanche pour que les chrétiens pussent redouter une contamination quelconque. Ils n'hésitèrent donc pas à profiter de ces alliés inattendus. L'ambassade de saint Louis au « Vieux de la Montagne » ne fera que manifester avec éclat ces nécessités politiques.

Au point de vue extérieur, le nouveau malik d'Alep hésitait entre la politique plutôt francophile de son père et les sollicitations dont il était l'objet de la part des autres princes turcs. Quand Roger d'Antioche, successeur de Tancrède, lui réclamera le tribut habituel, il le paiera sans hésiter. Mais en même temps, sur le conseil de son entourage, il invita l'âtâbeg de Damas *T*ughtekîn à venir prendre le commandement de l'armée alépine et diriger les affaires du pays. Il y eut alors un rapprochement intime entre l'État de Damas et l'État d'Alep, *T*ughtekîn à Damas reconnaissant le jeune seljûqide comme suzerain, et Alp Arslân confiant le pouvoir à Alep à l'âtâbeg (janvier-février 1114). Alp Arslân fit un voyage à Damas, y fut traité en roi par *T*ughtekîn, puis revint à Alep avec ce dernier. « *T*ughtekîn, nous dit Kemâl al-Dîn, accepta les offres d'Alp Arslân, car il jugeait convenable de prêter assistance à un enfant peu redouté des Francs. Alp Arslân se rendit en personne à Damas avec ses principaux officiers. L'âtâbeg vint à sa rencontre à deux étapes de la ville et l'escorta jusqu'à la citadelle de Damas où il le combla d'honneurs, de bons offices et de témoignages de respect. Il lui fit cadeau d'un plat d'or, d'un oiseau incrusté de pierreries, de plusieurs objets précieux et de chevaux. Après avoir résidé quelques jours à Damas, Alp Arslân reprit le chemin d'Alep le 28 février 1114, accompagné de l'âtâbeg à la tête de son armée »[300].

Cette intime alliance entre l'État d'Alep et l'État de Damas, qui aboutissait à l'unification de la Syrie musulmane, risquait de devenir un grave péril pour les Francs ; mais elle ne se maintint pas. En grandissant, Alp Arslân se révélait comme un tyran vicieux et à moitié fou, une manière de Caligula seljûqide. *T*ughtekîn, vieux soldat et homme de gouvernement comme tant de capitaines turcs ses contemporains, ne tarda pas à s'indigner des crimes du jeune homme. Il quitta Alep et retourna à Damas en abandonnant Alp Arslân à ses folies.

*T*ughtekîn parti, Alp Arslân se livra en effet à toutes ses fantaisies. « Un jour, note Kemâl al-Dîn, il emmenait en promenade à Aîn al-Mubâraka soixante jeunes filles esclaves, y faisait dresser une tente et se livrait à toutes sortes de débauches. Un autre jour, il réunissait plusieurs émirs et les emmenait visiter une sorte de souterrain creusé dans la forteresse. Lorsqu'ils y avaient pénétré : Que diriez-vous, leur demandait-il, si je vous faisais couper le cou à tous ici même ? – Nous sommes des esclaves soumis à vos ordres, répondirent les malheureux, en feignant de prendre la menace pour une bonne plaisanterie, et ce fut d'ailleurs ainsi qu'ils obtinrent leur liberté. » Seulement, le plus énergique d'entre eux, Malik ibn Salam, gouverneur de Qal'at Ja'bar sur l'Euphrate, s'enfuit dans sa ville. L'eunuque Lûlû avait jusque-là défendu son maître parce que l'incurie du jeune homme lui permettait, à lui, de trafiquer des places. À la fin il se sentit lui-même menacé. Craignant pour sa vie, il prit les devants. Avec quelques Turcs il surprit Alp Arslân au lit et l'assomma (septembre-octobre 1114)[301]. Lûlû se barricada ensuite dans l'imprenable citadelle d'Alep et fit proclamer roi un enfant de six ans, Sul*t*ân shâh, frère d'Alp Arslân.

### § 5. — Roger de Salerne, prince d'Antioche.

*Caractère de Roger de Salerne.*
*Son loyalisme envers la royauté hiérosolymitaine.*

En droit féodal, Tancrède, jusqu'à la mort de Bohémond en mars 1111, n'avait gouverné Antioche que comme « bayle » ou régent au nom de ce dernier. Bohémond disparu, il n'eut plus de scrupule à assumer en droit comme en fait le principat. Bohémond avait bien laissé un fils, Bohémond II, qui vivait en Italie auprès de sa mère, Constance de France, mais cet enfant, né vers 1109, n'avait donc que deux ans à la mort de son père. La revendication de ses droits ne pouvait être que fort éloignée. En attendant une si lointaine échéance, Tancrède chercha dans sa famille un homme capable d'assumer la défense d'Antioche. Son choix se porta tout naturellement sur un de ses cousins, présent à ses côtés, Roger de Salerne, fils de ce Richard de Salerne dit Richard du Principat que nous avons vu participer à la Première Croisade, puis administrer un moment Édesse. Toutefois, si une main virile était indispensable dans cette marche-frontière de l'Occident, Tancrède n'entendait nullement nier les droits à venir du jeune Bohémond II. À son lit de mort, en léguant le pouvoir à Roger de Salerne, il lui fit promettre et lui enjoignit même par testament de remettre la couronne d'Antioche à Bohémond II, dès que ce dernier, ayant atteint l'âge de chevalerie, pourrait venir en Orient revendiquer son héritage[302]. Ce fut dans ces conditions qu'après la mort de Tancrède, Roger de Salerne fut intronisé par le patriarche Bernard de Valence (fin décembre 1112).

Notons que, Roger ayant épousé Hodierne (?) de Rethel[303], sœur du comte d'Édesse Baudouin du Bourg, l'alliance de deux États francs du Nord se trouva resserrée. Lorsque Baudouin du Bourg fut devenu, en 1118, roi de Jérusalem, la principauté d'Antioche bénéficia de même de tout l'appui de la royauté franque.

*L'Estoire d'Éracles* reproche à Roger de n'avoir guère gardé sa foi à sa jeune femme, « car il estoit mout luxurieus, ne à soi ne à autrui ne gardoit foi de mariage »[304]. Rey fait remarquer que les princes normands de Sicile avaient rapidement contracté les mœurs des émirs arabes dont ils avaient fait – après les avoir vaincus – leurs compagnons d'armes : la cour normande de Sicile est comparée par Abu'l Fidâ aux cours de Baghdâd et du Caire. Nous savons que l'usage du harem s'y était notamment introduit[305]. Mais sans doute n'est-il pas besoin de ces précédents siciliens pour expliquer que le puissant tempérament de Roger se soit donné libre carrière sous le climat et parmi les mœurs du Levant.

Où le troisième prince d'Antioche se retrouve normand, c'est dans son avidité au gain : « Avers (= avare) estoit et angoisseus (= ici avide) plus que il n'aferist à si haut home. » Mais le Traducteur, malgré le parti pris du texte, est forcé d'ajouter que « sanz faille, chevaliers estoit preuz et seurs ». En fait jamais plus magnifique paladin ne gouverna la Syrie franque. Son court règne (1112-1119) n'est qu'une course épique de victoire en victoire jusqu'au jour où sa folle bravoure lui valut la mort du héros.

Ajoutons que, malgré cette fougue guerrière dont il devait être à la fin la victime, il fut toujours sur le terrain politique un collaborateur loyal de la royauté hiérosolymitaine. Baudouin Ier et Baudouin II n'eurent pas de plus fidèle second.

### *L'intervention de Roger d'Antioche sauve le royaume de Jérusalem.*

Dès son avènement, Roger d'Antioche eut l'occasion de montrer sa valeur en face de la contre-Croisade seljûqide venue de Perse.

L'âtâbeg de Mossoul, Mawdûd ibn Al*t*ûntâsh, n'avait pas oublié la guerre sainte dont l'avait chargé le sultan de Perse Mu*h*ammed. Il y avait chez ce Turc pieux (sa mort sera celle d'un saint) une mentalité de Croisé. De plus pour la Cour d'I*s*fahân[306], le gouvernement de Mossoul constituait comme une sorte de vice-royauté chargée de représenter le sultan dans toute la Jazîra et la Syrie. À ce titre le jihâd relevait de lui. Au printemps de 1113, Mawdûd organisa donc un nouveau groupement de chefs turcs pour envahir les États francs. Y participèrent Temîrek, *s*âhib de Sinjâr, l'émir ortoqide Ayâz fils d'Il-Ghâzî, prince de Mârdîn, et *T*ughtekîn, âtâbeg de Damas. C'était d'ailleurs *T*ughtekîn qui avait suscité la coalition, en se plaignant à Mawdûd des razzias franques qui menaçaient de disette le territoire de Damas. Ce fut en effet vers le royaume de Jérusalem que se dirigea l'armée turque.

Le comte d'Édesse, Baudouin du Bourg, voisin de l'émirat de Mossoul, fut le premier informé. Il se hâta de prévenir, par des coureurs arméniens, le roi Baudouin Ier à Jérusalem. Le roi, comprenant la gravité de la situation, convoqua sur-le-champ ses vassaux les plus proches, Roger d'Antioche et Pons de Tripoli (Édesse, trop menacée elle aussi, avait besoin de garder tous ses défenseurs). Pons et Roger obéirent aussitôt.

Roger notamment qui, tout jeune encore, était déjà un vaillant chevalier, réunit sur-le-champ sept cents cavaliers et cinq cents piétons ; la réunion de l'armement nécessaire prit quelques jours ; dès que tout fut prêt, le jeune paladin s'engagea sur la route de la Palestine[307].

Pendant ce temps, nous l'avons vu[308], Mawdûd et *T*ughtekîn avaient opéré leur jonction à Salamiya, au sud-est de *H*amâ. De là, la grande armée turque, remontant le cours supérieur de l'Oronte en laissant Damas à sa gauche, avait débouché à la frontière de la Galilée, sur le lac de Tibériade. Mawdûd et *T*ughtekîn étaient allés se poster à la pointe méridionale du lac, derrière le point où le Jourdain en sort. Le roi de Jérusalem n'avait qu'à attendre l'arrivée de Roger et de Pons qui accouraient chacun de son côté, à marches forcées. La concentration des troupes franques une fois opérée, il aurait pu affronter sans crainte la coalition turque, renouvelant la tactique d'expectative prudente qui, deux ans auparavant, lui avait permis de faire échouer la première invasion de Mawdûd devant Shaîzar et Apamée. Au lieu de cela, nous avons vu, en parlant du royaume de Jérusalem, comment Baudouin Ier, emporté par sa fougue, prit l'offensive sans attendre ni la chevalerie d'Antioche ni celle de Tripoli « qui devait venir sanz faille lendemain ou au tierz jor » et comment il alla donner sur les excellentes positions turques, à l'est de Sinn al-Nabra. Complètement défait avec de grosses pertes, il essayait de se reformer en battant en retraite vers Tibériade, quand apparurent Roger d'Antioche et le comte de Tripoli. Albert d'Aix nous dit la consternation des deux jeunes princes en constatant qu'ils arrivaient trop tard. Guillaume de Tyr ajoute que Roger et Pons, avec la vivacité de la jeunesse, « quant il oïrent ce que li rois avoit fet, mout l'en blasmèrent »[309]. Du reste, il n'est pas douteux que l'arrivée des chevaliers d'Antioche et de Tripoli sauva l'armée. Le faisceau des forces franques une fois reconstitué, les Turcs ne purent remporter aucun avantage sérieux. Après plusieurs semaines passées à s'observer à l'ouest de Tibériade, comme deux ans plus tôt auprès de Shaîzar, les deux adversaires se séparèrent sans décision. Mawdûd et *T*ughtekîn partirent pour Damas où le premier fut l'hôte du second, après que l'armée turque eut été préalablement licenciée (30 août

1113). Nous avons vu comment, quelques semaines après, un vendredi de septembre, Mawdûd fut assassiné par un Ismâ'îlien dans la grande mosquée de Damas[310].

Le texte d'Ibn al-A*th*ir reste assez énigmatique : « L'intention de Mawdûd était de demeurer auprès de *T*ughtekîn jusqu'au printemps. Le dernier vendredi du mois, il se rendit avec *T*ughtekîn à la grande mosquée pour assister à la prière. Après la prière, ils entrèrent ensemble dans la cour de la mosquée, Mawdûd tenant *T*ughtekîn par la main. Tout à coup un Ismâ'îlien se jette sur Mawdûd et lui fait plusieurs blessures. L'Ismâ'îlien fut tué et ensuite on lui coupa la tête. Ensuite, personne ne le reconnaissant, on brûla ses restes... On dit que les Ismâ'îliens de Syrie avaient conspiré sa mort parce qu'ils avaient peur de lui, d'autres disent que ce fut *T*ughtekîn qui, se défiant de sa politique, aposta l'assassin »[311]. En fait l'opinion publique, nous l'avons vu, tint l'âtâbeg de Damas pour responsable. Commençait-il à trouver son allié gênant ? Éprouvait-il quelque inquiétude à voir Mawdûd s'installer à demeure à Damas et, fort de la délégation sultânienne, y trancher du souverain ? Matthieu d'Édesse va jusqu'à prétendre qu'effectivement Mawdûd, qui se plaisait à Damas, avait projeté d'éliminer *T*ughtekîn et que ce dernier ne fit que prendre les devants en faisant assassiner l'émir par un condamné à mort auquel on avait promis sa grâce, mais qu'on s'empressa naturellement de faire disparaître[312].

En tout cas la mort dramatique de Mawdûd eut les conséquences les plus heureuses pour la Syrie franque. Elle débarrassa les Francs d'un adversaire énergique qui avait fait du *jihâd* sa chose et qui, respectueux de l'autorité du sultân, savait l'imposer aux autres émirs et âtâbegs, reconstituant ainsi aux dépens des Croisés l'union des forces seljûqides. Mais surtout l'assassinat de Mawdûd disqualifia *T*ughtekîn soupçonné d'être l'instigateur du crime. Jusqu'alors défenseur de la société turco-arabe orthodoxe, l'âtâbeg sera désormais suspect, dans le domaine religieux, aux fidèles sunnites, comme, dans le domaine politique, au pouvoir central seljûqide, et se verra rejeté presque en marge de cette société. Comme Ri*d*wân naguère, il sera obligé de se tourner du côté des Francs ; devant les vengeances possibles venues du sultanat de Perse et du khalifat de Baghdâd, il regardera, lui aussi, vers Antioche et Jérusalem. Et lorsque, sur l'ordre de la cour de Baghdâd et de la cour d'I*s*fahân, de nouvelles contre-Croisades arriveront de Mossoul, il n'hésitera pas – comme avant lui le malik Ri*d*wân l'avait fait – à offrir son alliance au roi Baudouin et au prince Roger pour maintenir, contre les nouveaux venus, le *statu quo* syrien.

Il n'est que juste d'ajouter que ce renversement de la situation au profit des Francs n'avait été initialement rendu possible que par l'action personnelle du prince d'Antioche. En accourant avec un parfait loyalisme au premier appel du roi Baudouin, en intervenant au lendemain de la défaite de Sinn al-Nabra avec des forces fraîches, Roger avait réparé cet échec, permis aux Francs de se ressaisir et obligé Mawdûd à ajourner la contre-croisade, ajournement dont les conséquences devaient être si tragiques pour l'âtâbeg et si démoralisantes pour l'Islam syrien.

*La crise économique à Édesse.*
*Baudouin du Bourg disgracie Jocelin de Courtenay.*

La contre-croisade de 1113 avait eu beau se détourner vers la Galilée, le comté d'Édesse, victime des précédentes incursions, n'en était pas moins ruiné. Si les villes elles-mêmes – Édesse, Sarûj – s'étaient révélées imprenables, elles restaient comme campées en pays ennemi. Les dévastations antérieures des bandes turques avaient ruiné la campagne, du moins les districts à l'est de l'Euphrate, et transformé en friche ces fertiles cantons. « Li gaengneur (= les paysans) de la terre n'osoient arer (labourer) ne semer por les Turcs qui tote jor coroient par le païs. » La disette devint telle qu'à Édesse même les plus nobles personnages se voyaient réduits à manger un pain d'orge et de glands. Seule la partie du comté d'Édesse située sur la rive occidentale de l'Euphrate, c'est-à-dire la seigneurie de Turbessel, fief de Jocelin de Courtenay, protégée par le fleuve contre les razzias périodiques des Turcs, n'avait pas été atteinte et, par contraste avec le reste du pays, se trouvait dans une remarquable prospérité, « planteive de blez et de toutes manières de biens ». Malheureusement, Jocelin, au lieu de ravitailler Édesse, profitait de cet avantage pour essayer de supplanter son suzerain : « Il savoit certeinement la soufrète et la mesèse au conte Baudoin qui estoit ses sires et ses cousins et (qui) tout li avoit donné quanque (= de ce qu') il avoit en cele terre ; ne onques, por mesèse qu'il eust, un présent ne li envoia, ne secors ne li fist à lui ne à sa gent. » Une terre ne valait pas seulement pour son titre dans la hiérarchie féodale, mais aussi pour sa valeur économique, et, de ce fait, la seigneurie de Turbessel était en train de primer le comté d'Édesse.

Un incident amena la rupture. « Il avint que li cuens Baudoins envoia messages (des messagers) au prince d'Antioche (Roger), cui (= à qui) il avoit donée une seue sereur à femme. Cil mesage alèrent et vindrent par la terre (de) Jocelin qui assez courtoisement les reçeut et herberja. Mais si com il est costume (= coûtume), maintes foiz les mesniées (serviteurs) commencièrent à parler ensemble, si que li sergent (de) Jocelin distrent aus messages le (= du) conte Baudoin que leur sires estoist povres et mauchevissanz (mal en point) de si grant terre com il avoit ; mès li leur sires Jocelins qui avoit petite terre estoit comble et riches de blez et de vins, d'or et d'argent ; chevaliers et sergenz à pié treoit de sa terre à son besoing plus que mestier ne li estoit... Por ce feist que sages li cuens Baudoins, ce disaient il (= aussi, disaient-ils, Baudouin eût été sage) se il preist grant avoir de leur seigneur et li lessast la conté de Rohèz que il ne pooit ne ne savoit maintenir et s'en retornast en France o (avec) tout le grant avoir que cil li donast. Quant li message (de) Baudoin, qui estoient sage home, oïrent ceste parole, n'en firent onques semblant que li i penssassent nul mal ; mes toutes voies s'aperçeurent il bien que li corages Jocelins (le sentiment de Jocelin) tendait bien là où cil disaient, car maintes foiz avient que par les paroles des mesniées puet l'en connoistre aucune chose du cuer et de la pensée au seigneur. »

Au récit de ses messagers, Baudouin entra dans une violente colère. Ainsi le cousin sans fortune qu'il avait accueilli et richement doté, dont il avait fait un sire de Turbessel, non seulement ne l'avait pas secouru pendant la disette, mais – les paroles des serviteurs trahissaient les pensées du maître – songeait à exploiter la situation pour le supplanter. « En toute la soufrète que il avoit eue por la famine ne li avoit mostré (= montré) nul amour, ne fet présent ne courtoisie nule, ainçois li fesoit reproucher sa povreté ! »

Pour punir l'ingrat, Baudouin du Bourg recourut à la ruse, et c'est là un trait de son caractère que nous avons déjà pu noter lorsque, sous prétexte de sauver sa barbe, il extorqua à son beau-père, le prince arménien de Mélitène, la solde de ses chevaliers. Ce fut une autre scène de comédie qu'il joua ici, une comédie qui faillit d'ailleurs se terminer en une tragédie, et avec des mots d'un bel accent cornélien. Il feint d'être gravement malade, se met au lit et mande Jocelin. Celui-ci, persuadé qu'on ne l'appelle que pour recueillir une succession, accourut sans nul soupçon à Édesse. Alors le dialogue rapporté par *l'Estoire d'Éracles* : « Il trouva le conte en la greigneur forteresse où il se gisoit ; il le salua et li demanda comment il estoit. Cil respondi : "Il m'est ça mout mieuz que tu ne voudroies !" Alors, jetant le masque, Baudouin du Bourg interpelle violemment Jocelin, lui rappelant tous ses bienfaits, tel Auguste à Cinna : "Jocelin, as-tu riens en ceste terre que je ne t'aie doné ?" Cil respondit : "Certes sire, nenil (rien)" – "Dont t'est il donc, fist-il, ce venu que tu (toi), que je avoie si ennoré te enrichi de la moie (mienne) chose, t'es si mauvèsement provez vers moi que tu, en ma soufrete, de riens ne me regardas, qui tout avoies du mien ; ainçois m'as reprochié ma povreté en mauvestié ; et ce que nus sages hom ne poist eschiver, car nus conseus n'est contre Dame Dieu, m'as tenu à folie et à malechevance ? Semble-te-il que je soie si chétis et si malaventureus que je vende ce que Dieus m'a donné, et m'enfuie por ton avoir que tu me donras ? Ne t'es pas bien contenus vers moi de la bonté que je t'avoie fête ; pour ce si est droiz et resons que tu la perdes !" Et après l'avoir accablé de reproches, Baudouin du Bourg fait arrêter Jocelin et le jette dans une étroite prison d'où il ne le délivre qu'en le dépouillant de la seigneurie de Turbessel : "Quant il ot ce dit, commanda qu'il fust pris et mis en bones buies ; en moult pénible prison le tint et assez mésèse li fist soufrir, jusque il li lessa toute la terre qu'il tenoit[313]."

Jocelin, baron sans terre, alla demander l'hospitalité au roi de Jérusalem, Baudouin Ier. Celui-ci, mesurant l'appui qu'un tel auxiliaire vaudrait à son royaume, lui inféoda Tibériade et la « princée » de Galilée. Dans ce nouveau domaine Jocelin fit preuve de ses qualités habituelles. Comme son prédécesseur Hugue de Saint-Omer, il prit pour objectif la ville de Tyr, toujours au pouvoir des Fâ*t*imides, traversant sans cesse le Liban pour aller inquiéter la ville et razzier sa banlieue[314]. Nous verrons qu'il ne devait pas garder rancune à son cousin de la leçon un peu rude que celui-ci lui avait donnée. C'est en effet lui qui, à la mort de Baudouin Ier, assurera, comme premier vassal du Domaine Royal, la couronne à Baudouin du Bourg, lequel, par reconnaissance, non seulement lui rendra Turbessel, mais lui donnera tout le comté d'Édesse.

### *Le complot arménien de 1113 pour livrer Édesse à l'âtâbeg Mawdûd. Mesures répressives de Baudouin du Bourg.*

Baudouin du Bourg ne montra pas une moindre énergie contre les conspirations arméniennes, sans cesse renaissantes. Au début du printemps 1113, quand l'âtâbeg de Mossoul, Mawdûd, avait commencé la contre-croisade en envahissant à son habitude le comté, un nouveau complot avait été fomenté dans certains cercles arméniens de la population d'Édesse. L'occasion semblait bonne. Baudouin du Bourg se trouvait à Turbessel, sans doute pour prendre possession de la ville, qu'il venait d'enlever à Jocelin de Courtenay. Matthieu d'Édesse, dans un récit fort embarrassé, plein de réticences et de lacunes, nous dit seulement que Mawdûd s'avança jusqu'à *H*arrân et que Baudouin du Bourg, sur des dénonciations calomnieuses, châtia sévèrement les Arméniens. Il est difficile de ne pas en conclure que certains éléments arméniens voulaient, une fois de plus, livrer la ville aux Turcs, d'où l'attente de Mawdûd à *H*arrân. « Quelques Francs, gens pernicieux et ruminant le mal, écrit Matthieu d'Édesse, rapportèrent au comte des propos inventés par la méchanceté et la perfidie. Ils lui dirent qu'une foule d'habitants s'étaient ligués pour livrer Édesse aux Turcs. Le comte ajouta foi à ces calomnies. Il envoya sur-le-champ Payen de Sarûj à Édesse, avec ordre d'en faire sortir tous les habitants (lisez : tous les Arméniens) sans exception. » Et le chroniqueur nous montre les Francs courant la ville, l'épée à la main, pour expulser ou massacrer tous les Arméniens, – massacrer les suspects, expulser tout le reste[315].

Cette expulsion des Arméniens d'Édesse par les Francs donna lieu à des scènes dramatiques. C'était le 11 mai 1113, vers midi. « Le père méconnut son fils, le fils renia son père ; les plaintes, les lamentations et les gémissements éclatèrent partout. Chaque maison, plongée dans le deuil, le chagrin et le désespoir, retentissait de cris. Les Francs expulsèrent les habitants de leurs foyers, les chassèrent de la ville et ordonnèrent de brûler ceux que l'on trouverait enfermés dans les maisons. Il n'en resta pas un seul à l'exception de quatre-vingts hommes qui se réfugièrent vers le soir dans l'église de Saint-Théodore et qui furent enfermés dans la forteresse, sous la garde des soldats. Ce fut un jour terrible pour Édesse… Ces infortunés proscrits se retirèrent à Samosate, et Édesse, cette illustre métropole, resta déserte. Elle devint comme une veuve, elle qui auparavant était la mère de tous et groupait autour d'elle les populations dispersées des autres pays… » Suivent de mélancoliques réflexions sur ces Arméniens d'Édesse qui naguère « accoururent avec la croix au-devant des Francs, lorsque les Francs vinrent à eux en mendiants ; et maintenant, pour prix des bienfaits qu'Édesse leur avait prodigués, ils l'ont accablée des plus indignes traitements et ont fait le malheur des fidèles[316] ».

De ce récit unilatéral il semble résulter que Baudouin du Bourg, qui n'était nullement arménophobe (ses liens de famille le prouvent assez), se vit dans la nécessité, pour mettre fin aux perpétuels complots de certains éléments arméniens en faveur des Turcs, de faire un exemple. Il se contenta d'ailleurs de transférer cette population d'Édesse à Samosate, c'est-à-dire toujours sur ses terres, mais sur la rive occidentale de l'Euphrate, où les complots présentaient moins de danger. Du reste, la leçon ayant porté, il ne la prolongea pas. N'avait-il pas intérêt à conserver à Édesse une solide population chrétienne ? Or les chrétiens de rite syriaque étaient en nombre insuffisant. Il fit donc, antérieurement au mois de février 1114, revenir de Samosate les Arméniens exilés, « et au bout de trois jours chacun revit ses foyers ». Mais on n'eut plus à signaler de complot.

*Le chef arménien Vasil Dgh'â, seigneur de Kaisûn et de Ra'ban, sollicite contre les Francs l'aide de l'âtâbeg Bursuqî.*

La plus grande vigilance était d'autant plus indispensable à l'égard des conspirations arméniennes qu'Édesse restait le premier objectif de la reconquête turque.

Après l'assassinat de l'âtâbeg Mawdûd, le sultan de Perse Mu*h*ammed avait inféodé Mossoul à un autre officier turc, Aq Sonqor Bursuqî, jusque-là commissaire du sultan à Baghdâd. Comme son prédécesseur, Bursuqî reçut mission de conduire la contre-croisade. Il se mit en campagne avec 15 000 hommes au milieu de mai 1114. Il avait avec lui le jeune prince Mas'ûd, fils du sultan Mu*h*ammed, le jeune 'Imâd al-Dîn Zengî, destiné à une si brillante carrière, et Temirek, émir de Sinjâr. Bursuqî commença par une expédition contre l'Ortoqide Il-Ghâzî, émir de Mârdîn, qui avait rejeté la suzeraineté du sultan. Il-Ghâzî dut lui prêter pour la guerre sainte un corps de troupes commandé par son propre fils Ayâz. À la tête de ces divers contingents, Bursuqî marcha contre Édesse. La ville, assiégée pendant trente jours, nous dit Matthieu d'Édesse, pendant deux mois, assure Ibn al-A*th*îr, se révéla une fois de plus imprenable. « Les Francs, note Ibn al-A*th*îr, se défendirent avec un grand courage. Dans une embuscade qu'ils avaient dressée aux Musulmans, ils leur enlevèrent neuf hommes. Les hommes furent conduits au sommet des remparts et mis en croix. À cette vue l'ardeur redoubla de part et d'autre, Les Musulmans virent que leur honneur était attaqué, ils redoublèrent avec tant de zèle qu'ils tuèrent cinquante d'entre les principaux guerriers chrétiens[317]. »

Mais l'armée turque manquait de vivres. Bursuqî dut lever le siège en se contentant d'aller ravager la campagne d'Édesse, de Sarûj et de Samosate. Il est vrai qu'une offre d'alliance arménienne bien inattendue vint compenser ses échecs militaires.

Nous avons vu comment le chef arménien Kogh' Vasil s'était constitué une principauté indépendante autour de Kaisûn et de Ra'bân. Quand il mourut en octobre 1112, ses États, nous l'avons dit, étaient passés à sa veuve et à leur fils adoptif, Vasil Dgh'â. Sentant que Tancrède, prince d'Antioche, convoitait leur territoire, tous deux avaient cherché à se le concilier en le comblant de cadeaux. Mais, effrayés de la menace franque, ils jugèrent plus sage, en 1114, de prendre une contre-assurance en sollicitant la protection de l'âtâbeg Aq Sonqor Bursuqî dont ils reconnurent la suzeraineté. Quant à Bursuqî, il envoya à Kaisûn son lieutenant Sonqor le Long, émir du Khâbûr, qui reçut de la veuve et du fils adoptif de Kogh' Vasil l'accueil le plus chaleureux avec un tribut considérable. Mais les Francs alertés accoururent à Kaisûn et attaquèrent les cent cavaliers qu'avait amenés avec lui Sonqor le Long. Les gens de Sonqor furent cependant vainqueurs, évidemment avec l'aide des Arméniens. Bien entendu, après cette trahison envers la chrétienté, Vasil-Dgh'â se vit abandonné par les mercenaires francs qu'il avait recrutés et qui retournèrent à Antioche[318].

La contre-croisade de Bursuqî, malgré cet appui inattendu, tourna court parce que le chef de la Maison ortoqide, Il-Ghâzî émir de Mârdîn, qu'il avait contraint à fournir un contingent pour l'expédition contre Édesse, se brouilla de nouveau avec lui. Bursuqî commit l'imprudence de faire arrêter Ayâz, fils d'Il-Ghâzî, qui commandait ce contingent. Il-Ghâzî et son neveu Dâwûd ibn-Soqmân, seigneur de *His*n Kaîfâ, vinrent alors attaquer Bursuqî et le mirent en fuite[319].

*Baudouin du Bourg annexe au comté d'Édesse les principautés arméniennes voisines : 1° Kaisûn et Ra'bân ; 2° Bîrejik ; 3° Cyrrhus ; 4° Gargar.*

Les Francs ne pouvaient laisser impunie l'inféodation de Vasil Dgh'â aux Turcs. En 1115, le comte d'Édesse, Baudouin du Bourg, prit acte de cette trahison pour venir assiéger Ra'bân. Malgré son blocus et ses assauts, il ne put emporter ce nid d'aigle. Toutefois Vasil Dgh'â, se voyant sérieusement menacé, alla demander secours à l'autre prince arménien indépendant de la région, son voisin Thoros Ier, de la dynastie roupénienne, seigneur de Vahka (ou Vagha), dans le Taurus cilicien[320]. Il sollicitait même la main de sa fille. Mal lui en prit. Thoros avait intérêt, pour rester seul représentant de l'Arménie indépendante, à se débarrasser de l'autre dynastie congénère. Quand Vasil Dgh'â, sur son invitation, se fut rendu auprès de lui, il le fit prisonnier et vint le livrer à Baudouin du Bourg, à Édesse. Baudouin du Bourg, heureux de cette aubaine, ne relâcha Vasil Dgh'â qu'après l'avoir forcé à lui remettre sa double principauté de Kaisûn et de Ra'bân (1116)[321]. Quant à Vasil Dgh'â, après sa dépossession et sa libération, il se réfugia à la cour de Constantinople[322].

Ce n'était là qu'un premier pas. Le programme de Baudouin du Bourg comportait l'annexion des autres principautés arméniennes de la région. L'année suivante, il alla avec son vassal, le sire de Sarûj, attaquer un autre chef arménien nommé Abelgh'arib, seigneur de Birejik, ou al Bîra, la Bile des chroniqueurs.

Bîrejik, on l'a vu, était un point stratégique de première importance au passage de l'Euphrate sur la route d'Édesse à 'Aintâb[323]. Baudouin Ier, qui y avait fait reconnaître son autorité dès 1099, y avait laissé subsister une petite principauté arménienne. Celle-ci s'interposait malencontreusement entre Édesse et Turbessel. Baudouin du Bourg avait besoin d'être maître des passages de l'Euphrate. Il n'hésita donc pas à mettre le siège devant Bîrejik. Matthieu d'Édesse proteste contre cette agression qui n'avait pas les excuses de l'attaque contre Vasil Dgh'â. « Le comte d'Édesse, écrit-il, en voulait encore plus aux chrétiens (c'est-à-dire, ici, aux Arméniens) qu'aux Turcs. » Abelgh'arib, qui disposait d'un millier de soldats, se défendit bien. Le blocus dura près d'un an. Mais à la fin il dut rendre Bîrejik à Baudouin du Bourg et alla vivre à la cour de Thoros, à Vahka (1117)[324].

Baudouin du Bourg céda Bîrejik en fief à un cousin de Jocelin de Courtenay nommé Galéran (1117). Les Francs qui devaient garder ce point stratégique jusqu'en 1145 y élevèrent à l'extrémité nord-ouest de l'enceinte la solide forteresse de Qal'at al-Bei*d*a[325].

Enfin Baudouin du Bourg déposséda encore deux autres chefs arméniens de la région. Il dépouilla tout d'abord Pakrad ou Pancrace, frère de Kogh'Vasil, dont nous avons déjà vu le rôle dans la Première Croisade et qui s'était taillé une seigneurie auprès de Khoros ou Cyrrhus, la Corice des chroniqueurs, sur le haut'Afrîn, au nord d'Alep. En 1117, Baudouin s'en prit de même à Constantin, seigneur de Gargar ou Karkar, en Commagène, un peu au nord de Samosate.

Constantin avait jadis aidé Baudouin Ier à s'emparer d'Édesse. Mais Baudouin du Bourg, qui entendait achever la formation territoriale du comté, n'hésita pas à le dépouiller et à le jeter en prison à Samosate où l'infortuné Arménien devait périr dans un tremblement de terre[326]. Matthieu d'Édesse se fait l'écho de la désaffection que des annexions aussi brutales provoquèrent dans l'opinion arménienne. « Nous aurions voulu, ajoute-t-il, énumérer les nombreux forfaits des Francs, mais nous n'avons pas osé parce que nous étions placés sous leur autorité. »

Complots arméniens avec les Turcs, répression brutale et annexions des Francs, on était loin de l'idylle du début ! Reconnaissons d'ailleurs que le condominium franco-arménien d'abord rêvé était impossible. Mieux valait qu'autour de l'Euphrate la domination franque fût absolue, comme était absolue la domination arménienne dans l'État roupénien de Haute Cilicie. Sur ces bases, du moins, l'amitié franco-arménienne allait se révéler durable et féconde.

*Retour sur la principauté d'Antioche. Le tremblement de terre de novembre 1114 et les menaces d'invasion.*

Pour la clarté du récit nous avons tenu à exposer jusqu'en 1117 les agrandissements territoriaux du comté d'Édesse en terre arménienne. Il convient maintenant de revenir à la guerre franco-turque et à l'histoire de la principauté d'Antioche depuis 1115.

Le 27 novembre 1114 un terrible tremblement de terre avait ruiné en partie la ville d'Antioche et un grand nombre de cités secondaires de la principauté. On pouvait craindre que la régence d'Alep, et l'âtâbeg de Damas, *T*ugtekîn, ne missent la catastrophe à profit pour envahir le territoire franc. Le prince Roger entreprit aussitôt une chevauchée à travers le pays pour mettre châteaux et forteresses à l'abri des coups de main. Pendant ce temps les fonctionnaires de la ville d'Antioche, le « duc » et le « vicomte » locaux, convoquaient les habitants et les invitaient « à contribuer, chacun dans la mesure de ses ressources, à la reconstruction des murailles qui avaient été fort endommagées. Tous, petits et grands, s'imposèsent de lourds sacrifices pour réparer le désastre[327] ».

Il était temps. Une nouvelle contre-croisade seljûqide se formait à Mossoul.

*La contre-croisade seljûqide de 1115. Expédition de l'émir Bursuq. Coalition des Musulmans de Syrie et des Francs contre toute restauration de l'autorité sultanienne.*

L'échec militaire qu'il avait subi devant Édesse avait entrainé la disgrâce d'Aq Sonqor Bursuqî. Le sultan Mu*h*ammed lui retira la direction de la guerre sainte et même le gouvernement de Mossoul et le relégua dans son fief personnel de Ra*h*éba dans la Jazîra, sur la rive méridionale de l'Euphrate, en face du confluent du Khâbûr, loin du théâtre de la guerre. Bursuqî paraît s'être incliné sans discuter, ce qui prouve le rétablissement temporaire de l'autorité seljûqide sous le sultan Mu*h*ammed : la cour d'I*s*fahân qui, à la fin du règne de Barkiyârûq, était réduite à sanctionner les coups de main des émirs, redevenait maîtresse de la distribution des grands fiefs. Le gouvernement de Mossoul fut donné à un ancien mamelûk du sultan, le Turc Uzbeg, dit Juyûsh-beg. Mu*h*ammed adjoignit d'ailleurs au vieil âtâbeg son propre fils, le prince Mas'ûd, chargé de faire à Mossoul l'expérience du gouvernement. Quant à la direction de la contre-croisade, le sultan en chargea un autre de ses fidèles, Bursuq ibn Bursuq – le blaireau fils du blaireau – seigneur de Hama*d*hân et du Khûzistàn (février 1115)[328]. Bursuq était issu d'un des héros de l'épopée seljûqide, compagnon d'armes du conquérant *T*ughril beg. Avec lui et sous ses ordres allaient partir pour la contre-croisade l'émir Juyûsh-beg, déjà nommé, commandant les forces de Mossoul, et Temirek, émir de Sinjâr, avec les forces de la Jazîra[329].

Dans la pensée du gouvernement d'I*s*fahân, ce n'était pas seulement d'une contre-croisade qu'il s'agissait, mais d'une opération plus vaste, destinée à ramener toute la Syrie sous l'autorité du gouvernement central seljûqide, non seulement la Syrie franque, mais aussi la Syrie musulmane. Car *T*ughtekîn à Damas, Badr al-Dîn Lûlû à Alep, Il-Ghâzî et les Ortoqides au Diyârbekir avaient profité de la guerre contre les Francs pour s'affranchir complètement de l'autorité du sultan. On a vu qu'Il-Ghâzî, chef de la maison ortoqide, n'avait pas hésité à attaquer et à battre Aq Sonqor Bursuqî, à cette époque représentant officiel du sultan Mu*h*ammed, non sans se mettre ainsi en état de révolte ouverte contre la cour d'I*s*fahân. C'était contre ces vassaux rebelles, autant que contre Roger d'Antioche ou Baudouin, que la grande armée turque de Bursuq se mettait en mouvement. Dans le même temps qu'il préparait la contre-croisade, le sultan envoyait un message à Il-Ghâzî pour le menacer de son ressentiment.

Les émirs menacés mesurèrent toute l'étendue du péril. Le rétablissement de l'autorité du sultan de Perse ne pouvait avoir lieu que par leur éviction. Il-Ghâzî notamment se vit à la veille d'être dépouillé de son royaume du Diyârbekir. Cherchant un allié, il s'adressa à l'âtâbeg de Damas, *T*ughtekîn, lequel se trouvait à peu près dans le même cas[330].

Nous avons signalé la situation très dangereuse de *T*ughtekîn depuis l'assassinat de l'émir Mawdûd. À tort ou à raison, l'opinion publique l'accusait de ce meurtre qui n'était pas seulement un assassinat ordinaire, mais un véritable crime contre l'Islam et contre le Sultanat, puisque la victime était le représentant officiel du sultan Mu*h*ammed et le chef de la guerre sainte. Comment après un tel forfait l'âtâbeg de Damas n'eût-il pas craint la vengeance de l'armée sultanienne, et que les premiers coups de l'émir Bursuq, successeur de l'infortuné Mawdûd, ne fussent dirigés contre lui ? Comme le dit fortement Foucher de Chartres, il savait qu'il n'était désormais pas moins odieux au gouvernement turc que les Francs eux-mêmes[331]. « Doldequins, li rois de Damas, note de même Guillaume de Tyr, ot peor d'icele assemblée que Borses (= Bursuq) tenoit. Et bien cuidoit que il le feist plus por fere mal à lui et por tolir (enlever) le roiaume se il poist, que por guerroier li Crestiens ; car il avoit esté maintes fois en guerre, où il avoit bien essaié nos chevaliers. Cil meismes le fesoit plus douter, que il savoit bien que l'en li metoit sus la mort à ce haut home, Manduc (= Mawdûd) qui avoit esté ocis à Damas par son porchaz, ce cuidoit l'en... »[332] Gautier le Chancelier, dans sa *Guerre d'Antioche*, nous dit à son tour, et assez joliment, que *T*ughtekîn, ne sachant ce qu'il devait redouter le plus, des Turcs de Perse ou des Francs, préféra s'allier aux Francs, quitte à les perdre ensuite, que s'unir aux Turcs de Perse, que l'expérience lui avait montrés beaucoup plus dangereux comme alliés que comme ennemis[333]. Lorsque Il-Ghâzî vint chercher secours auprès de lui, *T*ughtekîn s'unit donc étroitement à lui contre toute vengeance du sultan. « Ils convinrent de se soutenir réciproquement et de recourir même à l'appui des Francs[334]. »

Badr al-Dîn Lûlû, le maître d'Alep, semblait encore pencher pour le loyalisme seljûqide, mais nous allons voir qu'au dernier moment ses sentiments n'allaient pas tarder à se modifier. Au fond, dans toute la Syrie musulmane, la Cour d'I*s*fâhân ne comptait que deux groupes de partisans sincères : les émirs Munqid*h*ites à Shaîzar, parce que les Francs d'Antioche, installés à leurs portes, à Apamée et à Kafar*t*âb, les menaçaient d'une totale submersion[335], et l'émir de *H*om*s*, Qîrkhân ibn Qarâjâ, parce qu'il désirait enlever à *T*ughtekîn la ville de *H*amâ par laquelle l'âtâbeg de Damas encerclait sa principauté. Comme Il-Ghâzî, revenant de sa conférence avec *T*ughtekîn, remontait vers le nord, Qîrkhân le surprit à al-Restân (Arethuse), entre *H*om*s* et *H*amâ[336], et le fit prisonnier ; ensuite de quoi il écrivit à I*s*fahân pour inviter le sultan à hâter l'envoi de l'armée. Naturellement *T*ughtekîn accourut sous *H*om*s*, exigeant la liberté de son allié. Mais Qîrkhân le menaça, s'il ne s'éloignait sur-le-champ, de massacrer Il-Ghâzî. *T*ughtekîn dut retourner à Damas sans avoir rien obtenu. Cependant, comme l'armée du sultan tardait à arriver, Qîrkhân, craignant les suites de son entreprise, consentit à relâcher Il-Ghâzî, sous condition que le fils de celui-ci, Ayâz, le remplacerait comme otage. D'après Ibn al-A*th*ir, Il-Ghâzî eut le temps de remonter au nord et d'appeler à lui ses Turcomans pour commencer le siège de *H*om*s*, afin d'obtenir la liberté de son fils[337]. Mais l'approche de l'armée sultanienne allait l'obliger à lâcher prise.

Au sortir de la Jazîra, l'armée sultanienne. devait déboucher sur les terres d'Alep. L'attitude du gouvernement alépin allait décider du sort de la Syrie musulmane. Le chef de ce gouvernement, l'eunuque Badr al-Dîn Lûlû al-Bâbâ, avait longtemps évité de prendre parti. Mais sentant la précarité de son pouvoir, il était encore moins désireux que l'Ortoqide et l'âtâbeg de Damas de voir la grande armée du sultan de Perse triompher et redistribuer les fiefs syriens. Après l'assassinat de son maître Alp Arslân, il avait bien écrit au sultan

Mu*h*ammed, à I*s*fahân, une lettre « de forme insidieuse » pour lui offrir de remettre Alep aux autorités sultaniennes. Lettre purement protocolaire, seulement destinée à obtenir sa reconnaissance, avec l'oubli du régicide qui l'avait porté au pouvoir. Mais quand il s'aperçut que la cour d'I*s*fahân avait pris son offre au sérieux, quand les généraux de l'armée sultanienne qui approchait de ses frontières l'invitèrent à leur faire remise effective de la ville, Lûlû et son collègue Shams al-Khawâ*ss*, commandant des troupes alépines, se jetèrent, eux aussi, dans les bras de *T*ughtekîn. Non seulement ils refusèrent d'ouvrir les portes d'Alep à l'armée sultanienne, mais encore ils appelèrent *T*ughtekîn. *T*ughtekîn et Il-Ghâzî accoururent avec 2 000 cavaliers. Ils furent reçus à Alep comme des sauveurs et les habitants, encouragés par leur présence, prirent les armes pour résister à l'armée du Sultan[338].

Ainsi renforcée par les Turcs de Damas et par les Turcomans du Diyârbékir, Alep devenait pratiquement imprenable pour les Turcs de Perse.

Contre la menace seljûqide les Francs n'avaient pas réagi avec moins de rapidité que les Musulmans de Syrie. À la nouvelle qu'une grande armée turque arrivait de Perse sous les ordres de l'émir de Hama*dh*ân, le prince d'Antioche, Roger de Salerne, avait appelé tous les siens aux armes. Gautier le Chancelier nous décrit longuement les mesures de précaution qu'il prit sur-le-champ[339]. Il plaça son armée au Pont de Fer ou Jisr al-*H*adîd, au coude de l'Oronte, position stratégique de premier ordre pour pouvoir à la fois couvrir Antioche et surveiller les avenues d'Alep comme les possessions franques de la rive droite, du côté d'Apamée et de Kafar*t*âb. En même temps avec le commandant d'Antioche, Raoul d'Acre, « homme d'expérience », il munit la capitale de tout le ravitaillement nécessaire. En hâte, chaque commandant de place reçut l'ordre de réparer les fortifications. Puis des services solennels furent célébrés dans les vénérables églises d'Antioche – l'Église de la Vierge, Saint-Pierre et Saint-Paul, Saint-Georges. – Après avoir placé la ville sous la garde du patriarche Bernard de Valence, Roger retourna au Pont de Fer, à la tête de l'armée. Là il apprit que *T*ughtekîn et Il-Ghâzî venaient d'arriver à Alep, y opérer leur jonction avec Badr al-Dîn Lûlû. Se demandant encore s'il ne s'agissait pas d'une concentration dirigée contre lui, il porta son armée à A*th*âreb (Cerep), la place franque la plus avancée en direction d'Alep.

À en croire Gautier, *T*ughtekîn et Il-Ghâzî songeaient en effet à obtenir du sultan le pardon de leur rébellion en livrant Alep à ses troupes. Et ce serait l'arrivée de Roger d'Antioche qui les aurait, soit intimidés, soit rassurés. Cette dernière hypothèse nous semble plus plausible. Quoi qu'en pense Gautier, c'est fort spontanément que l'âtâbeg de Damas et l'émir de Mârdîn, sans parler du gouvernement provisoire d'Alep, recherchaient l'alliance des Francs pour défendre avec eux le *statu quo* syrien contre les redistributions territoriales ordonnées par la cour d'I*s*fahân. Et sans doute, comme le fait observer Gautier, ils risquaient moins que Roger dans une victoire de l'armée seljûqide, puisque, une réconciliation de la dernière heure avec la cour d'I*s*fahân étant pour eux toujours possible, ils pouvaient finalement gagner sur les deux tableaux. Il n'en est pas moins vrai que ce fut à bon escient qu'ils conclurent avec leprince d'Antioche un pacte d'alliance défensive[340].

*Campagne d'Apamée. La coalition franco-musulmane fait échec à la contre-croisade.*

La coalition ainsi constituée réunit 12 000 combattants, 2 000 Francs de Roger et 10 000 Musulmans, Turcs Damasquins de *T*ughtekîn, Turcomans d'Il-Ghâzî, Alépins commandés par Shams al-Khawâ*ss*. Sur l'offre de Roger on choisit comme point de concentration et centre d'opérations la ville franque d'Apamée (Qal'at al-Mu*d*îq), d'où l'on pouvait surveiller tout le moyen Oronte et aller châtier les alliés de l'armée sultanienne, les Arabes de Shaîzar. Usâma nous montre en effet les Francs et *T*ughtekîn venant donner l'assaut à la Forteresse du Pont (Medînat al-Jisr)[341] qui était un des faubourgs avancés de Shaîzar du côté de l'Oronte[342]. Notons ici une divergence entre sources latines et sources arabes. Gautier le Chancelier nous dit expressément que les coalisés vinrent prendre position à Apamée dès avant que Bursuq ait passé l'Euphrate et soit entré en Syrie[343]. Ce serait pour prévenir son arrivée en même temps que pour menacer les Munqi*dh*ites de Shaîzar ses alliés, que Roger d'Antioche, *T*ughtekîn et les autres coalisés seraient allés camper devant Apamée, position centrale pour protéger à la fois l'État d'Alep et l'État de Damas contre un ennemi venant de l'Irâq. Pour Kemâl al-Dîn et Ibn al-A*th*îr au contraire, ce serait après l'entrée de Bursuq en Syrie, devant la menace qu'il faisait peser sur l'État d'Alep et l'État de Damas, après même que Bursuq eut attaqué la ville de *H*amâ, possession de l'âtâbeg de Damas *T*ughtekîn, que le général alépin Shams al-Khawâ*ss* Yâruqtâsh et Il-Ghâzî sollicitèrent l'aide de Roger d'Antioche « pour sauver *H*amâ ». *H*amâ ayant succombé dans l'intervalle, ils vinrent avec Roger prendre position à Apamée, tandis que Bursuq s'installait en face d'eux, à Shaîzar[344]. Quoi qu'il en soit, notons avec Gautier le Chancelier l'étroite fraternité d'armes qui régnait au camp d'Apamée entre Francs et Musulmans alliés[345].

Bursuq avec la grande armée seljûqide était entré en Syrie en traversant l'Euphrate vers Bâlis et Meskéné. Sans doute pensait-il à ce moment se porter sur Alep pour en faire sa base d'opérations. Nous avons vu le message qu'au nom du sultan il avait adressé au régent d'Alep, Badr al-Dîn Lûlû, pour l'inviter à lui remettre la place. Nous avons vu aussi que Lûlû, encouragé par l'arrivée de ses alliés *T*ughtekîn et Il-Ghâzî, accourus à Alep avec 2 000 hommes de renfort, avait répondu à cette sommation par un refus catégorique et mis la ville en état de défense[346]. Les troupes alépines, sous le commandement de Shams al-Khawâ*ss*, se rendirent ensuite au quartier général de la coalition franco-damasquine et ortoqide, autour d'Apamée.

Bursuq, ainsi privé du point d'appui de l'État d'Alep, ne pouvait en réalité compter que sur les Munqi*dh*ites de Shaîzar et sur Qîrkhân de *H*om*s*[347]. De Bâlis il s'était d'abord avancé jusqu'à Naqira, au sud de Menbij, à l'est d'Alep et sur la route de cette dernière ville, dans le moment même où les coalisés, menaçant ses alliés Munqi*dh*ites, opéraient leur concentration autour d'Apamée[348]. Sans doute espérait-il intimider les Alépins. Les Alépins lui faisant définitivement défaut, il dut encore caresser l'espoir de rallier *T*ughtekîn. Mais voici que *T*ughtekîn à son tour levait ouvertement l'étendard de la révolte contre l'autorité sultanienne et n'hésitait pas à s'allier aux Infidèles. Plus furieux de cette défection que de ses autres déboires, Bursuq estima ne plus avoir de ménagements à garder envers lui. De Naqira, il marcha donc sur *H*amâ, ville qui appartenait à l'âtâbeg de Damas et où celui-ci, en se portant vers le nord, avait laissé ses bagages. Avec l'aide de son allié, Qîrkhân, émir de *H*om*s*, Bursuq prit *H*amâ d'assaut et, pendant trois jours, la livra au pillage[349]. Un tel exemple n'était pas fait pour lui rallier les musulmans de Syrie. De plus, en donnant *H*amâ et Rafanîya à Qirkhân, il annonça de la part du sultan que l'émir de *H*om*s* recevrait encore toutes les autres villes dont on ferait la conquête. Paroles malheureuses, car cette perspective ralentit singulièrement l'ardeur de ses lieutenants qui se voyaient frustrés d'avance du bénéfice éventuel de la campagne.

Pendant ce temps l'armée confédérée, avec Roger, *T*ughtekîn, Il-Ghâzî et Shams al-Khawâ*ss*, était toujours campée devant Apamée. Quant à Bursuq, après la prise de *H*amâ, il vint établir ses quartiers sur le territoire de ses alliés Munqi*dh*ites, à Shaîzar. Mais tout en lui réservant le meilleur accueil, l'émir munqi*dh*ite Sul*t*ân évita de cantonner les troupes dans la ville même ; l'occupation de Shaîzar par les troupes, également alliées, de Mawdûd en 1111 avait laissé de trop mauvais souvenirs. En revanche, l'émir Murshid, frère de Sul*t*ân, conduisit à Bursuq les renforts shaîzaris, et l'emmena cantonner dans les villages qui bordent l'Oronte au nord et à l'est de Shaîzar, notamment à Tell Mela*h*[350].

Les deux armées se trouvaient ainsi en présence, dans les mêmes positions qu'en 1111, les Francs avec leurs alliés Turco-Syriens appuyés sur Apamée, les Turcs de Perse appuyés sur Shaîzar. Il y avait deux mois que les premiers s'immobilisaient dans l'expectative à Apamée, lorsque Bursuq envoya un détachement attaquer Kafar*t*âb (Capharda), place franque située à 20 kilomètres au nord-est. Malgré la violence des assauts et la pluie de flèches, la place, pour cette fois, résista[351]. Un des émirs ayant été tué, le détachement turc renonça à sa tentative et regagna Shaîzar.

Il est à remarquer que Roger et ses alliés n'avaient pas tenté de diversion à cette occasion. Kemâl al-Dîn nous dit que ce fut *T*ughtekîn qui l'en dissuada : « L'âtâbeg empêchait les Francs de marcher contre l'ennemi parce qu'il craignait que la Syrie tout entière ne leur appartînt s'ils étaient vainqueurs, ou que, s'ils étaient défaits, l'armée du sultan ne s'emparât de la principauté de Damas »[352]. En réalité Roger lui-même jugeait les forces sultaniennes trop supérieures pour tout risquer d'un seul coup. Il avait fait demander l'aide du roi Baudouin Ier à Jérusalem et du comte Pons à Tripoli. Baudouin Ier lui avait annoncé son arrivée en l'adjurant de ne pas livrer bataille auparavant[353]. Inversement Bursuq chercha à obtenir la décision avant l'arrivée du roi. De fait, après son échec sous Kafar*t*âb, il vint attaquer le camp confédéré entre Apamée et Shaîzar. Les Francs, assaillis par une pluie de flèches, brûlaient de faire une sortie. Roger, domptant sa fougue naturelle, comprit qu'engager l'action avant l'arrivée des gens de Tripoli et de Jérusalem serait recommencer la faute de Sinn al-Nabra. S'élançant à cheval, l'épée nue au milieu de ses chevaliers, il menaça le premier qui voudrait franchir les barrières du camp de lui trancher la tête[354]. Bursuq dut renoncer à attirer les confédérés dans un combat inégal.

Enfin le roi Baudouin Ier et le comte Pons de Tripoli arrivèrent au camp d'Apamée, le premier avec 500 chevaliers et 1 000 piétons, le second avec 200 chevaliers et 2 000 piétons. Gautier le Chancelier nous décrit l'entrée du roi de Jérusalem dans le camp confédéré, un matin, au battement des cymbales, et dans l'envol des oriflammes.

L'arrivée de Baudouin et de Pons assurait aux Francs la supériorité. Il y avait maintenant réunis devant Apamée le roi de Jérusalem, le comte de Tripoli, le prince d'Antioche, l'âtâbeg de Damas, le généralissime d'Alep, l'émir du Diyârbékir. Cette fois ce fut Bursuq qui hésita à affronter la lutte. Il leva son camp et battit en retraite en direction de la Jazîra. Sa ruse réussit. Les confédérés le crurent définitivement parti. Après s'être vengés des Munqi*dh*ites en incendiant le faubourg de Shaîzar du côté de l'Oronte (*H*o*s*n al-Jisr), ils se séparèrent, Baudouin retournant à Jérusalem, Pons à Tripoli, *T*ughtekîn à Damas, Shams al-Khawâ*ss* à Alep, Roger à Antioche, et Il-Ghâzî à Mârdîn[355].

*Dissolution de la coalition franco-musulmane.*
*Prise de Kafartâb par l'armée sultanienne.*

La ruse du capitaine turc avait réussi. Dès que la confédération syrienne se fut dissoute, il reparut devant Kafar*t*âb et, avec le concours des Munqid*h*ites de Shaîzar à qui la place fut promise, recommença le siège[356]. Usâma nous a laissé de ce siège une description prodigieusement vivante, notamment en ce qui concerne les travaux de mine de l'armée turque : « Un tunnel fut percé à partir du fossé jusqu'à la barbacane. Puis les assaillants creusèrent sous le mur de la barbacane, la suspendirent et parvinrent aux fondements du château fort. » La galerie fut remplie de bois auquel on mit le feu et, sous l'incendie, le château s'écroula. Mais les Francs, massés sur la plate-forme, résistaient toujours. « Les Francs, se sentant perdus, mirent eux-mêmes le feu à la citadelle et incendièrent les hourdages. La flamme atteignit et anéantit les chevaux, les bêtes de somme, le menu bétail, les porcs et les captifs. Les Francs restèrent comme suspendus aux murailles sur le sommet de la forteresse. » Les Turcs donnèrent alors l'assaut. « Devant eux était une tour dont la porte était gardée par un chevalier couvert d'une cuirasse, portant son bouclier et sa lance, chargé d'en interdire l'accès. Un Turc grimpa et lui lança un vase rempli de naphte enflammé. Je vis le chevalier rouler vers ses compagnons comme un tison ardent. Un autre Turc monta sur cette même courtine. Il avait son épée et son bouclier. On vit sortir de la tour, à la porte de laquelle le chevalier avait monté la garde, un autre Franc qui s'avançait à sa rencontre, protégé par une double cotte de mailles, brandissant une lance, sans bouclier. Le Turc l'aborda, l'épée à la main et, grâce à son bouclier, détourna le coup de lance du Franc, puis il marcha droit sur lui ; mais le Franc se pencha et préserva sa tête. Le Turc lui asséna plusieurs coups qui ne lui firent aucun mal et le Franc rentra indemne dans sa tour[357]. »

Ce ne fut qu'après plusieurs assauts que les Turcs réussirent à s'emparer des débris de la citadelle de Kafar*t*âb. Les survivants de la garnison furent faits prisonniers et la ville (ou plutôt ses ruines) laissée aux Munqid*h*ites (5 septembre 1115). De là Bursuq se rendit à Ma'arrat al-Nu'mân qu'il avait déjà précédemment dévasté et où, « désormais aussi en sécurité que s'il se trouvait chez lui », il prépara ses machines de siège pour aller prendre Zerdanâ, autre place franque située plus au nord, entre Idlib et Alep[358]. En même temps, il envoyait un fort détachement sous les ordres de Juyûsh beg dans la direction d'Alep où les événements semblaient tourner en sa faveur.

Le régent d'Alep, Badr al-Dîn Lûlû, venait en effet de faire arrêter le commandant des troupes, Shams al-Khawâ*ss* Yâruqtâsh. Celui-ci, pour se venger, aurait écrit à Bursuq en lui proposant de lui faire livrer la place de Bizâ'a à l'est d'Alep, entre Alep et Menbij[359].

Quant à Badr al-Dîn Lûlû, Kemâl al-Dîn nous dit au contraire qu'« il épiait les mouvements des troupes musulmanes pour les révéler aux Francs ». Usâma nous donne une version un peu différente mais au fond assez analogue de ces intrigues. « Nos revers allaient être causés par un stratagème de l'eunuque Lûlû qui dominait alors dans Alep. Il s'était engagé envers le prince d'Antioche à user de ruse à l'égard des Musulmans et à les diviser. Le prince n'aurait plus ensuite qu'à faire sortir d'Antioche son armée et à les tailler en pièces. Lûlû avait donc fait parvenir au généralissime Bursuq un message disant : "Tu m'enverras un émir avec des forces suffisantes pour que je lui livre Alep"[360]. Quel que soit l'instigateur de cette mesure, il est certain que l'envoi du corps de Juyûsh beg vers Bizâ'a et Alep affaiblissait dangereusement les forces de Bursuq. Celui-ci d'ailleurs croyait les Francs hors de cause. "Les soldats turcs pleins de sécurité, dit Kemâl al-Dîn, se répandirent dans le pays, ne songeant plus qu'à boire et à piller".

*Victoire de Roger d'Antioche à Tell-Dânît*h
*(15 septembre 1115). Désastre de la contre-croisade seljûqide.*

Or Roger d'Antioche se préparait. À la nouvelle de la perte de Kafar*t*âb, il avait repris la campagne. Le temps pressait trop pour faire de nouveau appel au roi de Jérusalem ou à l'âtâbeg de Damas[361]. Il se contenta de demander l'aide du comte d'Édesse, Baudouin du Bourg, et alla avec lui se poster à Chastel Ruge ou Rugia, fort situé, semble-t-il, comme on l'a dit, à 2 kilomètres à l'ouest de Tell al-Karsh, en face et tout près de Jisr al-Shughr, de l'autre côté de l'Oronte, pour observer de là les mouvements de Bursuq (lequel se trouvait à ce moment près de Sermîn, dans la banlieue sud-est d'Idlib). Le choix de Rugia, comme point d'observation était, de la part de Roger, fort judicieux, car de là, devant le principal pont du fleuve sur son cours moyen, le prince d'Antioche avait vue sur toute la région battue par l'ennemi autour d'Idlib, entre Ma'arrat al-Nu'mân et Zerdanâ. Ce mouvement avait été accompli dans le plus grand secret, à l'abri de l'Oronte[362].

Roger n'oubliait pas les forces morales. Il fit venir à Chastel Ruge le vénérable patriarche d'Antioche, Bernard de Valence, qui dans un sermon émouvant, le 12 septembre 1115, donna à l'armée une absolution générale. Bernard retourna ensuite à Antioche, dont il avait la garde, mais il fut remplacé à l'armée par Guillaume, évêque de Jabala (Zibel), qui prit la direction spirituelle de la troupe.

L'armée, après avoir tout entière passé l'Oronte à Jisr al-Shughr et campé dans le Rûj, s'engagea donc dans le Jebel al-Summâq, c'est-à-dire dans le district actuel d'Idlib et de Sermîn, et vint camper à Burj al-Hâb (Hapa), au sud-ouest d'Idlib[363]. Notons que le mouvement de l'armée franque était masqué, aux yeux des Turcs campés à l'ouest de Sermîn, par le massif boisé de Feilûn qui couvre les croupes au sud d'Idlib. Les Francs eux aussi n'apercevaient pas les Turcs et craignaient que ceux-ci ne se fussent, une fois de plus, dérobés. Mais voici qu'arrive, ventre à terre, Théodore Barneville, un des chevaliers envoyés en reconnaissance. Tout joyeux, il annonce que l'ennemi se trouve près de là, de l'autre côté des bois, vers Sermîn, en train de dresser ses tentes dans la plus grande sécurité, sans rien soupçonner de l'approche des Francs.

En réalité les Turcs se trouvaient au sud-ouest de Sermîn, au pied de Tell Dânî*th* qui est à 8 kilomètres à l'est de Burj al-Hâb[364] : « De Ma'arrat al-Nu'mân, Bursuq et Jâmdâr (émir de Ra*h*éba) remontaient vers Alep. Jâmdâr s'arrêta dans une ferme aux environs de Dânî*th*, tandis que Bursuq poussait jusqu'à ce bourg » (Kemâl al-Dîn, 609)[365].

Le récit de Gautier le Chancelier (p. 91-92) reflète la joie épique de l'armée normande à la nouvelle de la surprise qui se prépare : « Au nom de notre Dieu, aux armes, chevaliers ! » s'écrie Roger. La relique de la Vraie Croix est présentée aux escadrons qui, aussitôt, montent en selle et s'ébranlent vers Dânî*th*. C'était le 14 septembre, à l'aube. Roger galopait avec le centre, Baudouin du Bourg, comte d'Édesse, avec l'aile gauche ; à droite se trouvaient les Turcoples ; en arrière-garde chevauchait Robert Fulcoy *(Fulcoii)* ou Robert fils de Foulque (Filz-Foulque), dit le Lépreux, seigneur de Zerdanâ et du château de Saone[366].

Quand toute cette cavalerie leur tomba dessus, les Turcs cheminaient vers Dânî*th* dans le plus grand désordre. « L'armée était précédée de ses bagages et des bêtes de somme, les troupes marchaient à la suite des bagages, se donnant la main les unes aux autres ; tous étaient dans la plus grande sécurité, ne pensant pas que personne vînt les attaquer. Le campement, préparé à une étape d'avance, n'avait pas encore été rejoint par la troupe ; les tentes, déjà dressées, restaient encore noccupées, sauf par les valets d'armée. Du reste, comme on l'a vu, Bursuq se trouvait séparé de ses principaux lieutenants, les uns ayant été détachés vers Bizâ'a, les autres s'étant égaillés pour faire cantonner leurs détachements dans les fermes de la région de Sermîn et d'Idlib[367].

La cavalerie franque, lancée en ouragan, tomba d'abord sur le camp presque vide de défenseurs. Les valets d'armée furent massacrés, le camp emporté en un instant. Évitant de s'attarder au pillage, les Francs s'élancèrent ensuite sur les divisions turques qui arrivaient par détachements successifs, en ordre dispersé, et qui se trouvèrent les unes après les autres complètement surprises[368]. Bursuq réussit cependant à regrouper autour de lui huit cents cavaliers avec lesquels il essaya de tenir dans la plaine, mais il fut bientôt rejeté sur la butte du Tell Dânî*th* que Baudouin du Bourg et Guy le Chevreuil avec l'aile gauche franque prirent d'assaut, le premier de plein front, le second de flanc. Bursuq faillit être capturé. Désespéré du désastre auquel il avait conduit les siens, le chef turc voulait attendre la mort du martyr au milieu des Francs. "Plusieurs d'entre les goujats et les valets, dit Ibn al-A*th*îr, entouraient Bursuq et l'empêchaient de descendre de la colline. En vain le pressait-on de se sauver. Il voulait se faire tuer sur place pour la cause d'Allâh. À la fin on le fit changer de résolution et il s'enfuit." Les Francs le poursuivirent pendant un farsakh. "La gent au Prince et au conte de Rohez suivirent les routes des Turcs desconfiz bien largement par deus miles, més il n'estoient mie oiseus en chaçant, ainçois découpoient quanqu'il povoient ataindre, si que là ot mout grant ocision de mescréanz[369]."

L'émir de Sinjâr, Temirek, montra plus de résolution. Ayant rallié 300 cavaliers à l'abri de la butte de Dânî*th*, il vint prendre à revers le centre franc commandé par Roger. Comme celui-ci ne se laissait pas ébranler par la pluie de ses flèches, Temirek se tourna contre les Turcoples de l'aile droite, réussit à les ébranler et les rejeta en désordre sur l'arrière-garde de Robert Fulcoy qu'ils entraînèrent dans leur panique. Robert de Sourdeval, chevalier de Normandie, se fit tuer sans pouvoir arrêter le recul de l'aile droite. Enfin Guy Fresnel, seigneur de Harenc, intervenant avec Alain (d'A*th*âreb ?), rétablit le combat de ce côté[370]. Les Turcs de Sinjâr, enveloppés, furent à leur tour tués ou mis en fuite. La victoire était complète.

Bursuq avait couru d'une traite jusqu'à Tell al-Sul*t*ân, à 12 kilomètres à l'est de Dâni*th*[371]. De là "avec ses troupes battues et en désordre" il fila vers la Jazîra pour regagner la Perse où il ne devait pas tarder à mourir de chagrin. Le corps d'armée de Juyûsh beg, qui opérait en direction d'Alep, prévenu du désastre, s'enfuit de son côté à Mossoul. De nombreux détachements turcs avaient cru se sauver en se réfugiant dans les fermes chez les paysans arabes : ils furent complètement dépouillés par ces derniers[372].

Le butin fait dans le camp seljûqide fut énorme. Rien qu'en numéraire on trouva 300 000 pièces d'or. " Les infidèles, note la *Chronique d'Alep*, ramassèrent un immense butin en équipages, armes, tentes, bêtes de somme, meubles et effets de toute sorte". "Borsequins, écrit de même *l'Estoire d'Éracles*, lessa ses paveillons et sa banière, ses cofres et tout son hernois... L'en amena tout le gaaing et les chevaux ensemble. Li Princes les departi igaument (équitablement) selonc ce que chacuns estoit, car leur anemi avoient lessié leur tentes toutes pleines de richesces et de maintes vitailles que il avoient cueillies par la terre, si que tuit en furent riche. Quant ces choses furent einsi parfetes, li Princes envoia mules et chevaus et chamaus touz chargiez de son gaaing avant lui ; après il entra en Antioche où tuit le receurent à mout grant joie et loèrent Nostre Seigneur qui tele enneur leur avoit fete[373] » (18 septembre).

Naturellement les alliés de l'armée sultanienne payèrent pour elle. Les Munqi*dh*ites de Shaîzar avaient cru gagner à cette alliance Kafar*t*âb. Ils durent l'évacuer précipitamment devant le retour des Francs victorieux. Ceux-ci réoccupèrent la ville, la relevèrent de ses ruines et la rendirent aussi forte que par le passé. Presque tous les survivants de la garnison franque de Kafar*t*âb que les Turcs avaient fait prisonniers et qui attendaient leur sort pour être partagés entre les émirs, se trouvèrent instantanément délivrés[374]. Quant à l'âtâbeg de Damas, la victoire de son allié lui permit d'aller occuper Rafanîya, au détriment de l'émir de *H*om*s*[375].

Les Munqi*dh*ites de Shaîzar ne durent pas seulement rendre Kafar*t*âb à Roger d'Antioche, mais il semble bien qu'ils furent réduits à conclure la paix avec lui, une paix qui les rattacha plus ou moins au système franc. Usâma ibn Munqi*dh* nous montre vers ce temps Roger écrivant à l'émir Sul*t*ân, son oncle, pour lui demander le libre passage d'un chevalier d'Antioche envoyé à Jérusalem. Non seulement l'émir prêta une escorte pour conduire d'Apamée à Rafanîya, le voyageur franc, mais quand celui-ci s'arrêta au passage à Shaîzar, il lui réserva l'accueil le plus amical[376]. La victoire du 14 septembre opérait.

### *Conséquences de la victoire franque de Dânî*th. *L'État d'Alep vassal de la principauté d'Antioche.*

Roger pouvait être fier de sa victoire. L'Islam lui-même en souligna l'importance. Le nom du vainqueur, déformé en *Sîrojâl* ou *Sîrjâl* (sire Roger), allait, comme plus tard celui du roi Richard, s'immortaliser dans la tradition arabe. La journée de Dânî*th*, trop négligée des historiens modernes, se rapproche en importance de la victoire de la Première Croisade à Dorylée. À Dorylée les Croisés de 1097 avaient, dès la première rencontre, fait plier la force seljûqide. À Dânî*th* leurs fils arrêtaient la reconquête seljûqide de 1115. La contre-croisade musulmane était, cette fois, et pour plusieurs années, brisée. Mal reçue et même reçue sur des piques par la plupart des chefs de la Syrie musulmane, il était réservé au prince d'Antioche de lui infliger un désastre total. La victoire de Roger était d'autant plus brillante qu'elle sauvait les Musulmans de Syrie autant que les Francs. Ibn al-A*th*îr nous induit en erreur lorsqu'il prétend que les habitants d'Alep et des autres villes musulmanes furent dans la consternation[377]. Deux pages plus haut, il nous a montré les Alépins et les Damasquins arborant l'étendard de la révolte contre le sultan et fraternisant avec les Francs[378]. Tout au plus purent-ils trouver que la victoire de leurs sauveurs était trop complète. Tel fut sans doute le sentiment de *T*ugtekîn qui, en mars 1116, se rendit à Baghdâd, auprès du sultan Mu*h*ammed, pour se faire pardonner sa défection de l'année précédente ; chez l'âtâbeg de Damas toujours ce même jeu de bascule : chercher auprès des Francs une assurance contre les Seljûqides ; auprès des Seljûqides une contre-assurance contre les Francs. Mu*h*ammed, débonnaire jusqu'à la faiblesse, selon son habitude, lui pardonna et le renvoya à Damas après l'avoir revêtu d'un habit d'honneur[379]

L'inquiétude de l'âtâbeg de Damas se conçoit sans peine. À cette époque, les Francs semblaient avoir acquis une définitive supériorité sur l'Islam. La contre-croisade seljûqide venue de Perse avec l'émir de Hama*dh*ân avait été détruite par Roger d'Antioche à Dânî*th*. L'Islam syrien, morcelé, divisé contre lui-même, paraissait incapable de se défendre. Nul alors n'eût pu prévoir que bientôt se reformerait autour d'Alep un centre de résistance musulmane indigène, capable d'arrêter les progrès des Francs.

La grande ville arabe d'Alep avec son territoire – bien restreint du fait de la progression des Normands d'Antioche jusqu'à A*th*âreb – semblait au dernier terme de la décadence depuis l'usurpation de l'eunuque Badr al-Dîn Lûlû al-Bâbâ. Cet ancien serviteur du roi seljûqide Ri*d*wân, avait gouverné sous le nom du jeune fils de Ri*d*wân, Malik Alp Arslân, puis, profitant des folies meurtrières de ce dernier, il l'avait assassiné et avait, comme régent, gouverné Alep pendant trois ans

(1114-1117). Sa faiblesse l'avait contraint à rechercher l'alliance de l'énergique âtâbeg de Damas, *T*ughtekîn. Mais son pouvoir restait précaire et méprisé. Un complot se forma. Un jour qu'il se rendait à Qal'at Ja'bar, les Turcs de son escorte se mirent à crier : « Au lièvre ! au lièvre ! » et le criblèrent de flèches (mai 1117)[380]. Alep, sans gouvernement, sans armée, était à prendre. Roger d'Antioche envahit le pays et, nous affirme Kemâl al-Dîn, « prit tout ce qu'il put conquérir sur la portion orientale de la province ».

L'eunuque Yâruqtâsh – un renégat arménien – qui essayait de prendre la succession de Lûlû comme régent d'Alep, dut, pour obtenir une trêve, céder au prince d'Antioche la forteresse d'al-Qubba[381] et – concession énorme – le droit de conduire à travers les Marches franco-musulmanes les caravanes de pèlerins allant d'Alep à La Mecque, le droit de prélever sur elles les taxes d'usage[382]. Naturellement les voisins musulmans d'Alep essayaient, eux aussi, de profiter de la situation. C'est ainsi que Bâlis, sur l'Euphrate, jusque-là possession alépine, fut occupée par Il-Ghâzî ibn Ortoq, prince de Mârdîn. Les hostilités ayant éclaté entre la régence d'Alep et la garnison ortoqide de Bâlis, les gens d'Alep demandèrent le concours de Roger d'Antioche. Francs et Alépins allèrent assiéger Bâlis de concert, mais l'arrivée d'Il-Ghâzî les força à s'éloigner.

En 1117-1118, nouvelle intervention franque pour protéger la grande cité musulmane : *T*ughtekîn, âtâbeg de Damas, et Aq Sonqor Bursuqî, pour lors simple émir de Ra*h*éba, ayant à cette époque essayé de s'emparer d'Alep, le régent d'Alep, Ibn al-Mil*h*î, appela de nouveau les Francs d'Antioche, dont l'entrée en scène força les deux agresseurs à se retirer aussitôt.

À cette date de 1118 les Alépins avaient donc accepté un véritable protectorat franc, plutôt, nous dit Kemâl al-Dîn, que de recevoir « un maître venu de l'Orient » ; mot curieux qui nous montre une fois de plus la solidarité entre Francs et Musulmans de Syrie contre l'ingérence des Turcs de Perse. Les Francs d'Antioche agissaient en suzerains reconnus. Certes un tel contrôle de leur part n'allait pas sans abus, mais il semble que Roger ait eu à cœur, ces abus, de les éviter. Il arriva par exemple que les Francs enlevèrent une caravane de vivres qui se rendait de Damas à Alep et qu'ils séquestrèrent caravaniers et denrées dans leurs places de Ma'arrat al Nu'mân et d'Apamée. Sur la demande du régent d'Alep, Ibn Mil*h*î, Roger s'empressa de tout faire rendre aux Alépins, « marchandises et bagages, sans qu'il manquât un seul objet ».

*Conquête de 'Azâz et de Bizâ'a par Roger d'Antioche.*

Malheureusement le protectorat franc finit, malgré tout, par peser aux Alépins. Préférant un maître musulman, ils se donnèrent à l'émir turcoman Il-Ghâzî, fils d'Ortoq, seigneur de Mârdîn au Diyârbekir. Les hostilités ayant donc recommencé, les Francs vinrent assiéger 'Azâz (le Hasart des chroniqueurs), place forte située au nord d'Alep, entre Alep et Killis. Roger d'Antioche obtint pour ce siège le concours des Arméniens de la dynastie roupénienne qui régnaient à Vahka, dans l'Anti-Taurus cilicien. Léon (le futur Léon Ier), frère du roupénien régnant Thoros Ier, vint avec un corps arménien participer au siège et y prit une part fort importante en repoussant une sortie de la garnison turque[383]. Malgré l'offre d'une contribution de guerre, Il-Ghâzî ne put empêcher Roger de prendre la ville. Pour obtenir une trêve il dut même céder à Roger une notable partie du territoire alépin, notamment la forteresse de Tell Hirâq, à l'ouest d'Alep[384], et en général toute la zone à l'ouest et au nord d'Alep. Comme on le verra plus loin, Roger devait compléter ses agrandissements de ce côté en s'emparant encore en 1119 de Bizâ'a, dans la banlieue de l'actuel Bâb, au nord-est d'Alep, à mi-chemin entre Alep et Menbij.

Notons qu'aussitôt en possession de ces nouveaux districts, les Francs, nous dit Kemal al-Dîn, se mirent « à ensemencer et à fournir les ressources nécessaires aux paysans », c'est-à-dire aux paysans arabes. L'exploitation coloniale du pays suivait immédiatement la conquête (*Chronique d'Alep*, 615).

Enfin d'après certaines sources, ce serait également vers cette époque, en 1117-1118, que les Francs auraient occupé[385] l'importante forteresse de Marqab – le Margat des chroniqueurs – située sur la côte des Nosairi, à six kilomètres sud-est du port de Bâniyâs (Valénie) et qui, sur sa montagne triangulaire presque à pic, domine comme une proue la plaine côtière, tandis qu'une étroite crête la rattache vers le sud aux monts No*s*airi. Son gouverneur, Ibn Mu*h*riz, la rendit aux Francs, sous condition de pouvoir continuer à y demeurer, lui et sa famille. Mais les vainqueurs jugèrent plus prudent de l'éliminer et, une fois maîtres de la place, lui assignèrent en échange comme résidence le fort d'al-Manîqa. Pour tenir la position de Marqab, ils y établirent une forte garnison de colons francs et arméniens. Le premier seigneur de « Margat » fut le connétable d'Antioche Renaud Masoier ou Renaud Mansoer, le même qui, de 1132 à juillet 1134, devait remplir les fonctions de bayle de la principauté. Pour d'autres sources, au contraire, – il est vrai, moins sûres – les Francs ne s'emparèrent de Marqab qu'en 1140[386].

Roger s'empara également en 1118, sur un clan de montagnards, de la forteresse de Bala*t*unus, le Balatnous des Francs, l'actuel Qal'at al-Mehelbé, située à une trentaine de kilomètres à l'est de Lattaquié et à dix kilomètres au sud du château de Saone (Sahiyûn), dans le massif du Jebel Arbaîn[387]. Roger donna Bala*t*unus à Robert Fulcoy, seigneur de Saone (Usâma).

*L'Église jacobite et la domination franque.*
*Querelle du patriarche Athanase VII et du métropolite d'Édesse Bar Çabouni. Intervention de Roger d'Antioche.*

Avant d'achever l'histoire de principat de Roger à Antioche, il convient, pour les affaires indigènes, de rappeler un conflit ecclésiastique qui troubla profondément la communauté syriaque. Il s'agit de la querelle, que nous avons déjà mentionnée, du métropolite jacobite d'Édesse, Bar Çabouni, et de son patriarche Mar Athanasius VII.

Athanasius né à Amida, de son nom dans le siècle Abu'l Faraj Barchamoros, était un vieux prélat – il avait été élu en 1090 et ne mourut qu'en 1129 – qui avait toujours montré la plus grande combativité. Il avait dû dès son intronisation lutter contre le prince gréco-arménien de Mélitène, le fameux Gabriel, et c'était seulement grâce à un voyage â Baghdâd auprès du khalife 'abbâside al-Muqtadî qu'il avait obtenu un définitif *barat* d'investiture (1092). Sous le régime franc il se brouilla avec son suffragant pour Édesse, le métropolite Bar

Çabouni, et l'excommunia pour une assez obscure question d'évangéliaires. Baudouin du Bourg chercha vainement à réconcilier les deux prélats. Bar Çabouni eut alors – innovation intéressante – l'idée de faire appel contre son propre patriarche au patriarche latin d'Antioche, Bernard de Valence[388].

Sans doute assez content d'une plainte qui lui donnait prise sur le patriarche jacobite, Bernard se hâta de convoquer Mar Athanasius à son tribunal, à la cathédrale Saint-Pierre, et lui demanda de retirer son excommunication. L'affaire, d'abord, fut conduite avec certains ménagements. « Quand les Francs amenèrent Mar Athanasius à leur église, ils le traitèrent d'abord avec honneur et le prièrent en disant : "Fais grâce à Bar Çabouni, car Édesse est une ville qui nous appartient." Le patriarche répondit : "Il est trop coupable." Or, par malheur, le même mot syriaque *(hayab)* signifiait "coupable" et "débiteur". Les interprètes francs entendirent que le patriarche réclamait de l'argent à son suffragant. Sur ce malentendu, le ton s'échauffa ; Mar Athanasius répondit préférer le martyre à la pression qu'on voulait exercer sur lui. Les Francs étaient sur le point de frapper le pontife quand un des prélats latins leur fit honte de leur violence. Bernard de Valence décida cependant de retenir Mar Athanasius dans une cellule jusqu'à ce qu'il ait réuni un synode jacobite pour examiner l'appel de Bar Çabouni[389]. Mais le prince Roger, appelé à connaître de l'affaire, protesta vivement contre la conduite du patriarche latin : "Tu n'as pas à juger les Syriens, fit-il dire à Bernard, car tu n'as pas autorité sur eux !" Et il permit à Mar Athanasius de quitter librement Antioche. Michel le Syrien ajoute d'ailleurs que les présents considérables que Mar Athanasius avait eu la sagesse d'adresser à Roger avaient singulièrement aidé le prince d'Antioche à juger selon la justice[390],

L'affaire cependant n'en resta pas là, car, après être sorti d'Antioche, Mar Athanasius, ulcéré d'avoir eu à subir les injonctions du patriarche latin, quitta le territoire franc et transporta le patriarcat jacobite en terre turque, à Amida (Diyârbékir), chez les émirs Ortoqides. De là il jeta l'interdit sur l'église syriaque d'Édesse qui traversa alors quelques années de trouble très grand, une partie des fidèles tenant pour leur évêque Bar Çabouni, les autres pour le patriarche. Le résultat fut que, les sacrements étant suspendus dans les églises jacobites, nombre de Syriens d'Édesse firent baptiser leurs enfants dans le rite latin[391]. À la fin Mar Athanasius eut à se repentir de s'être livré aux Turcs qui le traitaient comme un otage[392]. Il fit prier Jocelin de Courtenay, comte d'Édesse, de le délivrer. Jocelin invita aussitôt l'émir du Diyârbékir à laisser partir le vieillard : devant la menace d'une expédition franque, le patriarche put rentrer à Édesse[393].

En général, exception faite de l'indiscrète intervention de Bernard de Valence, les chrétiens indigènes de rite syriaque étaient loin de se plaindre de la domination franque. C'est ce qu'expose en termes remarquables Michel le Syrien : « Les Francs qui occupaient Antioche et Jérusalem avaient beau avoir des évêques (à eux) dans leurs États, les pontifes de notre Église étaient au milieu d'eux sans être persécutés ni molestés ; car, bien que les Francs fussent d'accord avec les Grecs sur la dualité des deux natures du Christ, cependant ils étaient fort éloignés d'eux dans leurs usages. Ils ne soulevaient jamais de difficultés au sujet de la foi, ni pour arriver à une seule formule dans tous les peuples et toutes les langues des Chrétiens. Mais ils considéraient comme chrétien quiconque adorait la croix, sans enquête ni examen[394] ».

Il n'est pas de plus bel éloge de la colonisation franque que cette constatation du grand prélat jacobite.

## CHAPITRE VI

# ARRIÈRE-PLAN DE CROISADE. LE MILIEU MUSULMAN DANS LE PREMIER QUART DU DOUZIÈME SIÈCLE.

### § 1er. — Règne du sultan de Perse Muhammed ibn Malik-shah (1105-1118).

*Les difficultés intérieures du sultanat seljûqide assurent le succès des Francs.*

Le règne du roi de Jérusalem Baudouin Ier (1100-1118) correspond à celui du sultan seljûqide de Perse Mu*h*ammed ibn Malik shâh (1105-1118). Celui du roi Baudouin II (1118-1131) au règne du sultan Ma*h*mûd (1118-1131). Pour comprendre l'histoire franque sur le théâtre syrien, il est nécessaire de ne pas oublier, à l'arrière-plan, celle des sultans turcs, chefs temporels du monde 'abbâside, sur le domaine desquels progressait la Croisade.

Le sultan Mu*h*ammed ibn Malik shâh est loué par les historiens arabes pour avoir arrêté l'empire seljûqide sur la voie de la décadence où il glissait sous Barkiyârûq, et avoir été « l'homme accompli des Seljûqides, leur vigoureux chameau »[1]. De fait, c'est le seul sultan qui, après l'effort éphémère de Kurbuqa pour sauver Antioche, ait réellement tenté d'organiser la contre-croisade. Encore faut-il ajouter avec Ibn al-A*th*îr qu'il n'avait mis en mouvement les armées du *jihâd* que contraint par une émeute populaire et qu'il s'était contenté d'envoyer en Syrie les âtâbegs de Mossoul ou de Hama*dh*ân, sans jamais payer de sa personne. Est-ce ainsi que se seraient comportés les premiers sultans auxquels la race des Seljûq devait l'empire, un *T*ughril-beg, un Alp Arslân, un Malik shâh ? Au lieu de ces rudes sabreurs, Mu*h*ammed et ses frères – si on excepte Sanjar, absorbé par la lutte contre les Barbares aux marches de Transoxiane – n'étaient plus que de pâles épigones, velléitaires, humanitaires et débonnaires à la façon des premiers successeurs de Charlemagne.

Mais Mu*h*ammed était-il libre de s'absenter ? Pouvait-il quitter l'Iran et l'Irâq-'Arabî sans que les émirs en profitassent pour s'affranchir un peu davantage de son autorité ? Nous avons vu, par le seul exemple de la province de Mossoul, à quel point les gouverneurs locaux – les « pères-gouverneurs » ou *âtâbeg*, comme on les appelait – aspiraient à secouer le joug. Émiettement féodal analogue à celui du monde carolingien au dixième siècle, du monde chinois à la fin des T'ang. Mais il n'y avait pas que ce péril, né de la nouvelle féodalité turque. Il y avait, contre la suprématie de la race turque, la révolte arabe en 'Irâq et au désert de Syrie, et, contre toute la construction politico-religieuse du monde musulman, le travail de désagrégation sociale et morale des Ismâ'îliens.

*La révolte arabe contre le sultanat turc.*
*Les Banû Mazyad sous l'émir Sadaqa.*

Parmi les embarras des épigones seljûqides, il faut, si l'on veut comprendre l'histoire des Croisades, mettre au premier rang l'esprit anarchique, l'absence de loyalisme et les empiétements des bédouins établis en bordure du désert, tant sur les confins de la Syrie qu'aux marches du 'Iraq 'Arabî. Ibn al-A*th*îr projette une curieuse lumière sur cet aspect de la question d'Orient au douzième siècle à propos de la biographie de Sadaqa, émir des Banû Mazyad[2].

Les Banû Mazyad étaient une tribu arabe qui habitait en 'Irâq, à l'ouest du Tigre, depuis Bassora (Ba*s*ra) jusqu'à Hît. Leur émir Sadaqa qui les gouverna de 1086 à 1108 profita de l'affaiblissement de l'empire seljûqide pour se tailler un fief important autour de *H*illa, sur la rive occidentale du bas Euphrate. C'était le type même de l'Arabe de grande tente, généreux et chevaleresque au point d'accueillir tout fugitif qui se présentait à lui et de nourrir ainsi une nuée de malheureux, mécène fastueux, collectionneur de beaux livres, épris de poésie et citant à l'occasion des vers charmants.

Théoriquement soumis à la double autorité du khalife de Baghdâd et du sultan seljûqide de Perse – ne se parait-il pas du titre d'« épée de l'empire », Saîf al-Dawla ? – il travaillait en réalité à constituer un royaume arabe indépendant en 'Irâq, et le titre d'émir des Arabes que lui donne précisément Ibn al-*Athî*r est assez caractéristique.

Dans la guerre civile entre les fils de Malik-shâh, Sadaqa avait joué son jeu, favorisant contre le sultan Barkiyârûq le prince rebelle Mu*h*ammed. Celui-ci l'avait récompensé en lui donnant Wâsi*t* et en lui permettant d'occuper Bassora. Mais une fois devenu sultan, Mu*h*ammed finit par prendre ombrage de l'émirat arabe qui était en train de se fonder, d'autant que Sadaqa était shî'ite (certains disaient même ismâ'îlien). En vain, pour obtenir la soumission de l'émir, Mu*h*ammed l'invita-t-il à venir participer à la guerre sainte contre les Francs. Sadaqa étant resté sourd à cette invitation, l'armée de Mu*h*ammed marcha contre lui. À l'appel de l'émir 50 000 guerriers du désert – 20 000 cavaliers et 30 000 fantassins – étaient accourus. C'était la révolte avouée de l'élément arabe contre l'hégémonie de l'élément turc. La bataille se livra sur la rive droite du bas Euphrate en mars 1108. Le vent, se mettant à souffler du nord-est, aveuglait de sable les gens de Sadaqa. La discipline des archers turcs fit le reste ; un page turc trancha la tête de l'émir des Arabes et l'envoya au sultan (mars 1108)[3].

Cependant telle était la popularité du défunt auprès des tribus, si grande l'admiration de tous les fils du désert pour cette chevaleresque figure que Mu*h*ammed n'osa pas supprimer le nouvel émirat. Il accueillit noblement la veuve de Sadaqa et permit à son fils Dubaîs de lui succéder. Nous verrons les embarras que Dubaîs devait susciter un jour aux Turcs de Syrie et l'alliance imprévue que le nouveau « roi des Arabes », comme il s'appelait, devait un moment contracter avec les princes francs.

### *L'Islam miné. Le péril ismâ'îlien.*

Les Ismâ'îliens ou « Assassins » constituaient aussi pour l'Islam iranien et syrien un fléau intérieur toujours menaçant[4]. Tandis que les Musulmans étaient tout à la défense du pays contre les entreprises des Croisés, ils risquaient toujours d'être poignardés dans le dos par la redoutable secte. En temps de paix même les communautés musulmanes n'étaient jamais en sécurité. Rappelons seulement à titre d'exemple ce qui se passa en Syrie aux fêtes de Pâques 1109, lorsque la petite ville de Shaîzar, sur l'Oronte, fief de la famille arabe des Munqi*dh*ites, toujours menacée par les Francs d'Antioche, faillit tomber au pouvoir des sectaires.

Les Munqi*dh*ites étaient descendus de la citadelle de Shaîzar pour assister dans une communauté des environs à la fête des chrétiens indigènes, lorsqu'une centaine d'Ismâ'îliens fermèrent les portes derrière eux. Il fallut un assaut en règle pour chasser les auteurs de ce coup de main. « Les femmes de Shaîzar distribuèrent des armes à quiconque offrait de s'en servir contre les assaillants. On combattit avec rage. » 'Alawân, le chef de ces hallucinés, les avait sans doute gorgés de haschisch pour les prédisposer à leur rôle d'assassins. Dans leur excitation nerveuse, ils avaient, des hauteurs de la forteresse, jeté dans l'abîme béant trois de leurs adversaires dont un, Numair, échappa miraculeusement à la mort. Ce fut lui, peut-être, qui alla prévenir les Munqi*dh*ites, tandis que les femmes, aussi industrieuses que hardies, suspendaient aux embrasures de leurs fenêtres des câbles par lesquels leurs maris seraient ramenés subrepticement dans leurs foyers pour surprendre à leur tour les envahisseurs. « Aussitôt informés, les hommes de Shaîzar étaient accourus vers la barbacane. L'un après l'autre ils s'accrochèrent aux cordes et se laissèrent'hisser jusqu'au sommet. Les émirs Munqi*dh*ites dirigèrent l'opération et rentrèrent les derniers. La lutte acharnée se termina par la défaite et l'extermination des Ismâ'îliens. Ils furent passés au fil de l'épée jusqu'au dernier[5].

Un tel épisode montre mieux que tout développement les périls qui, de l'intérieur, assaillaient la société musulmane à l'heure où l'attaque franque battait son plein.

Il faut rendre cette justice au sultan Mu*h*ammed qu'il avait mesuré toute l'étendue du péril ismâ'îlien. « Quand il vit, dit Ibn al-A*th*îr, que le salut de la religion et du pays dépendait de l'extinction de cette secte et de la conquête des châteaux et forteresses qui en soutenaient l'existence, il n'eut plus d'autre pensée. » Mais le grand maître des « Assassins », leur fondateur *H*asan ibn al-Sabbâ*h*, qui vivait encore à cette époque – il ne mourut qu'en 1124 – était une personnalité autrement forte que le débile épigone seljûqide[6]. De sa forteresse d'Alamût en Mâzendérân, dont il s'était emparé en 1090-1091, il faisait régner la terreur sur toute la province, sans que les armées de Mu*h*ammed aient jamais réussi à y mettre obstacle. Cependant au début de l'année 1118 un effort décisif fut tenté. L'émir Shîrkîr, envoyé par le sultan contre Alamût, entreprit un blocus impitoyable de la place. Les assiégés, réduits à la famine, étaient à la dernière extrémité lorsque la nouvelle de la mort de Mu*h*ammed provoqua la dispersion de l'armée. Ce seul fait, d'ailleurs, en dit long sur la désagrégation féodale du sultanat seljûqide. Depuis la mort du grand Nizâm al-Mulk (1092), il pouvait y avoir encore une famille seijûqide, une armée ou plutôt des armées seljûqides : il n'y avait plus d'État de ce nom[7].

*Abaissement du Khalifat 'abbâside.*

Restait, il est vrai, la papauté sunnite de Baghdâd, le Khalifat 'abbâside. Mais là encore, quelle décadence ! Le Khalife, c'était alors Mustazhir-billah (1094-1118). Ce contemporain de la première croisade n'avait vraiment rien d'un Urbain II ! Ce n'était pas lui qui aurait entraîné les Croyants à la Guerre sainte. Pendant que Musulmans et Chrétiens s'égorgeaient en Syrie, lui faisait des vers précieux à sa bien-aimée :

« L'ardeur de mon amour, au moment où j'ai tendu la main pour dire adieu à ma maîtresse, a fait fondre la glace.

« Mais voilà qu'au moment où la fortune avait tenu tout ce qu'elle m'avait promis, une beauté, semblable à la pleine lune, et qui fait le tourment de ma vie, a violé ses engagements... »

Ce poète était d'ailleurs le meilleur des hommes ; « quand il savait que le peuple était content, il éprouvait du plaisir et de la joie ; et quand le sultan ou quelqu'un de ses lieutenants menaçait de faire de la peine à quelqu'un, il ne pouvait contenir son mécontentement et cherchait à y mettre obstacle. » Ibn al-A*th*îr, pour terminer ce portrait[8], loue Mustazhir de sa belle écriture.

Au temporel, la force turque mollissant avec des sultans sans personnalité ; au spirituel, un Khalife épicurien et tout attendri d'humanitarisme ; dans le domaine intellectuel et social, l'antipatriotisme des « Assassins », – les adversaires de l'Islam ne pouvaient bénéficier de circonstances plus favorables.

## § 2. — Règne du sultan Mahmud (1118-1131).

*La pression des Qarâ-Khitâi,*
*prélude des invasions mongoles au Turkestan.*

Le sultan Mu*h*ammed devait être le dernier des grands Seljûqides. S'il avait échoué dans ses tentatives de contre-croisade, s'il n'avait pas davantage réussi à rétablir l'autorité sultanienne sur les princes turcs du Proche-Orient – les Musulmans de Syrie ayant généralement fait bloc contre lui avec les Francs –, il avait du moins réussi dans la Perse et la Mésopotamie à maintenir son pouvoir et même, dans ce domaine restreint, à arrêter l'empire sur la pente de la désagrégation féodale. Sur la fin de son règne il obtenait une obéissance suffisante des émirs de Mossoul, de Hama*dh*ân et d'I*s*fahân, redevenus des fonctionnaires respectueux. Mais après sa mort, en avril 1118, le processus de désagrégation féodale reprit de plus belle.

Son fils Ma*h*mûd, monté sur le trône à l'âge de quatorze ans, n'était pas sans qualités – on vante sa douceur et son humanité – mais il abandonna tout le pouvoir à ses vizirs pour ne s'occuper que de femmes, d'oiseaux et de chiens de chasse : sa meute portait des colliers ornés de pierres précieuses et des manteaux brodés d'or. Il devait mourir à vingt-sept ans des suites de ses débauches. Ce fut sous son règne que la décadence du sultanat devint irrémédiable.

Il existait cependant encore un seljûqide énergique, la figure la plus chevaleresque même de la dynastie, Sanjar, le dernier fils de Malik-shâh. On aurait pu attendre de ce glorieux guerrier une véritable restauration du grand empire paternel. Mais dans l'héritage de Malik-shâh, Sanjar avait reçu comme lot tout l'Iran Oriental, Khorâsân et Transoxiane. Or il avait trop affaire à défendre ce vaste domaine pour pouvoir s'occuper durablement des affaires de la Perse occidentale, de l'Irâq et de la Syrie. Tandis que ses cousins de l'Ouest avaient à faire face aux Croisés en Syrie, il se trouvait lui-même aux prises en Transoxiane avec l'avance des Qarâ-Khitâi, prélude des invasions mongoles du treizième siècle[9].

C'était en effet l'époque où les Qarâ-Khitâi, venus de Pékin et du sud de la Mandchourie, allaient fonder un empire des steppes dans la Kâshgarie et le nord de l'actuel Turkestan russe (v. 1130). Leur chef, du clan Khitâi des Ye-lou, prenait le titre orgueilleux de *gurkhân* ou empereur du monde, signifiant par là qu'il entendait revendiquer la suzeraineté sur toutes les tribus turco-mongoles de l'Asie Centrale. Péril redoutable pour les Seljûqides, champions de l'islamisme turc, car les Qarâ-Khitâi, nettement bouddhistes de religion et plus Mongols que Turcs d'affinités ethniques, n'avaient que mépris pour ces cousins islamisés, iranisés, abâtardis. Pour comble de malheur le trouble apporté par cette migration enhardissait d'autres clans nomades, et, en premier lieu, les Ghuz ou Oghuz, Turcs barbares de la steppe kirghize dont les bandes, cantonnées dans le Khorâsân oriental, devaient finir par s'y révolter (1153). Il n'était pas jusqu'aux vassaux de Sanjar, comme les shâhs de Khwârezm, dans l'actuel Khiva, qui ne profitassent des embarras du seljûqide pour s'affranchir de sa suzeraineté. La vie de Sanjar devait se passer à défendre l'Iran oriental contre tous ces périls. On comprend que, malgré sa bonne volonté et ses obligations de doyen de la famille seljûqide, il ne put effectuer dans les affaires de la Perse occidentale que de brèves interventions, bien loin de pouvoir prendre la direction de la contre-croisade.

*L'anarchie en Irâq. La lutte pour Baghdâd.*

En Perse, on vient de le voir, le sultan Mu*h*ammed avait eu pour successeur son fils Ma*h*mûd (1118-1131), âgé de quatorze ans seulement[10]. Sous cette minorité les ambitions que Mu*h*ammed avait comprimées relevèrent la tête. En 'Irâq Mu*h*ammed avait mis fin au royaume arabe des Banû Mazyad et tué leur chef *S*adaqa. Dubaîs, fils de *S*adaqa, reçut de Ma*h*mûd l'autorisation de retourner dans son pays de *H*illa et le « royaume arabe » se trouva rétabli sous un malik ambitieux et rusé qui devait se montrer le pire ennemi du sultanat turc[11]. En même temps l'âtâbeg turc Aq Sonqor Bursuqî, que Mu*h*ammed avait dépossédé de Mossoul et réduit au petit fief de Ra*h*eba ou Ra*h*iba, se mettait de lui-même et d'office en possession du poste de haut commissaire à Baghdâd, le second poste de l'Empire qu'il venait d'obtenir du nouveau sultan.

Entre le haut commissaire turc et le « roi des Arabes » la lutte ne tarda pas à éclater, l'enjeu étant la possession effective de l'Irâq 'Arabî. Dès septembre 1118, l'âtâbeg Aq Sonqor Bursuqî marcha contre Dubaîs qui appela aux armes tous les Arabes et tous les Kurdes de la région. Révolte des races indigènes contre le conquérant turc durant laquelle on eût pu penser que tous les Turcs feraient corps avec l'âtâbeg. Or ce fut le moment que choisit le jeune prince Mas'ûd, frère cadet du sultan Ma*h*mûd – ou plutôt, Mas'ûd n'étant qu'un enfant, son gouverneur, Juyûsh beg – pour essayer de profiter du désordre général en y ajoutant encore. Mas'ûd avait reçu en fief Mossoul où il résidait aux côtés de l'âtâbeg Juyûsh beg. Suivi de Juyûsh beg et aussi de Zengi – le futur conquérant de la Syrie –, il se mit en marche de Mossoul vers Baghdâd. Le haut commissaire, effrayé de cette agression imprévue, abandonna la campagne contre les Arabes et revint défendre Baghdâd, mais, avec la versatilité des gens de cette époque, il ne tarda pas à se réconcilier avec Mas'ûd et laissa le jeune seljûqide faire son entrée à Baghdâd et s'y installer à ses côtés en souverain[12].

Alors surgit un nouveau candidat au pouvoir, l'émir turc Manguwîresh, un des principaux généraux du feu sultan Mu*h*ammed. Manguwîresh descendit de Perse sur Baghdâd à la tête d'une armée nombreuse et, pour enlever la ville au haut commissaire Aq Sonqor Bursuqî, n'hésita pas à faire alliance avec les Arabes de l'émir Dubaîs. Le prince Mas'ûd, Bursuqî, Juyûsh beg et Zengi, pris entre l'armée de Manguwîresh et les Arabes de l'émir Dubaîs se trouvèrent encerclés dans le district de Baghdâd. Cette lutte fut une de celles qui causèrent le plus de ruines à l'Irâq, à telle enseigne que le khalife indigné protesta énergiquement contre tous ces chefs d'armée qui se faisaient la guerre chez lui. Finalement Mas'ûd, Bursuqî et leurs partisans sentirent l'impossibilité de se maintenir dans Baghdâd et se retirèrent à Mossoul, tandis que Manguwîresh s'installait dans la ville comme haut commissaire du sultan[13].

Mais, à peine maître de Baghdâd, Manguwîresh s'y conduisit en tyran, maltraitant le peuple, dépouillant les notables. Fait inouï, on vit ses gens faire irruption dans une maison où se célébrait une noce et s'approprier la nouvelle épousée. Ce ne fut qu'après plusieurs mois de tyrannie que, devant les menaces d'émeute et la colère du sultan Ma*h*mûd, Manguwîresh évacua Baghdâd.

Devant ces événements qui avaient si profondément troublé Baghdâd, le sultan Ma*h*mûd n'avait pas bougé. C'est que du Irâq-'Ajémî, où il résidait – tantôt à Hama*dh*ân, tantôt à Reiy –, il était aux prises avec la révolte de son troisième frère, *T*ughril, sire de Sâwa, Awa et Zanjân entre Hama*dh*ân et Qazwîn. Et à peine eut-il chassé *T*ughril qu'il se vit attaqué par son oncle Sanjar, roi du Khorâsân et de la Transoxiane (août 1119).

*L'inutile intervention du sultan Sanjar.*

Le sultan Sanjar, on l'a vu, était le doyen de la famille seljûqide. C'est à ce titre, comme chef de famille et non pas en ennemi, qu'il venait régler les affaires de la Perse occidentale. Son neveu, le nouveau sultan Ma*h*mûd, tout en l'accablant de protestations de respect, lui refusa l'entrée du 'Irâq-'Ajémî ; même, pour l'arrêter, il lui offrit la province de Mâzanderân. Sanjar, traitant son neveu en enfant, continua sa marche. La rencontre eut lieu près de Sâwa. Malgré l'infériorité du nombre, Sanjar, grâce à sa bravoure personnelle et à ses éléphants de guerre, remporta la victoire. Chevaleresque comme toujours, il avait épargné la vie de son neveu : « Prenez garde, s'écriait-il au plus fort de la mêlée, de faire peur à cet enfant. Dirigez les éléphants d'un autre côté ! » Après la victoire, de Hama*dh*ân où il s'installa, il envoya des propositions de pardon et de paix au jeune Ma*h*mûd.

Ma*h*mûd reconnut alors Sanjar comme sultan suprême, suzerain et chef de famille, et Sanjar l'adopta comme héritier présomptif. Il y avait chez ce dernier des paladins turcs des délicatesses infinies. « Ma*h*mûd avait offert à son oncle un présent considérable. Sanjar le reçut extérieurement, mais il le rendit en secret ; la seule chose qu'il accepta ce fut cinq chevaux arabes » (1119)[14].

Le grand sultan, satisfait d'avoir fait reconnaître sa suzeraineté par son neveu, retourna alors chez lui, au Khorâsân et en Transoxiane. Il est curieux de remarquer que, lors de leur accord, quand les forces seljûqides se trouvaient réunies, personne ne songea à la guerre sainte contre les Francs. C'était pourtant l'époque où le nouveau prince d'Alep, Il-Ghâzî envoyait ambassade sur ambassade à Baghdâd et courrier sur courrier au sultan Ma*h*mûd pour provoquer une contre-croisade. Mais les petit-fils d'Alp-Arslân n'étaient plus que des shâhs de Perse dont l'horizon désormais ne dépassait pas le domaine iranien. La menace croissante des Qarâ-Khitâi sur le Sîr-daryâ les inquiétait bien autrement que celle des Francs sur l'Euphrate. Car, on l'oublie trop, l'installation, dans les deux Turkestans, du peuple mongol des Qarâ-Khitâi qui fondaient à cette époque un puissant khanat bouddhiste allant de l'Ili au Sîr-daryâ et de Turfân à la Caspienne était pour le monde musulman un avertissement singulièrement grave, annonciateur de ce que devait être un siècle plus tard la conquête gengiskhanide[15]. Entre le monde mongol, païen ou bouddhiste, et la Croisade latine, l'Islam turco-arabe risquait d'être pris dans un étau.

L'intervention de Sanjar, d'ailleurs, n'avait même pas réussi à rétablir la paix entre ses neveux. Le sultan Ma*h*mûd était toujours aux prises avec la rébellion de son frère Mas'ûd. Celui-ci restait maître de Mossoul et de l'A*dh*ârbaijân. Il bénéficiait en outre de l'appui de l'émir arabe Dubaîs, lequel avait besoin des guerres entre Seljûqides pour asseoir son propre pouvoir sur le 'Irâq 'Arabî. En juin 1120 dans une bataille à Asadâbâd en 'Irâq 'Ajemî, Mas'ûd fut enfin vaincu. Il obtint de Ma*h*mûd son pardon, car chez ces épigones seljûqides l'affaissement de l'énergie ethnique n'allait pas sans un remarquable adoucissement des mœurs[16]. L'émir Bursuqî était l'auteur de cette réconciliation. Ma*h*mûd l'en récompensa en le nommant âtâbeg de Mossoul, poste que l'officier turc occupait, on s'en souvient, pour la seconde fois (mai 1121)[17].

*La révolte arabe contre le sultan et contre le Khalife. Attaque de l'émir Dubaîs contre Bagdhâd.*

La réconciliation des deux princes seljûqides eut pour résultat de faire lever le masque à Dubaîs. Événement singulièrement curieux et que l'historien des Croisades ne doit pas négliger, cette révolte arabe, cette révolte des Bédouins du bas-Euphrate, plus ou moins appuyés sur toutes les tribus du Nejed, contre le sultanat turc, voire contre le Khalifat'abbâside. Car Dubaîs, qui, comme son père *S*adaqa, devait être shî'ite, haïssait secrètement la papauté sunnite. Pendant l'été de 1120, il lâcha ses bédouins sur Baghdâd et la banlieue, razziant, pillant, assassinant sans retenue. On le vit entrer menaçant à Baghdâd et « dresser insolemment sa tente en face du palais khalifal ». Le Khalife, al-Mustarshid-billah, bravé et menacé jusque dans sa demeure, dut appeler à son secours le sultan Ma*h*mûd[18]. Comme celui-ci marchait sur *H*illa, résidence de Dubaîs, l'émir, après une série de ruses et de fallacieuses promesses à la manière bédouine, pilla et détruisit lui-même sa propre capitale et se retira au désert (automne 1120). Du reste, à peine les Turcs avaient-ils tourné le dos que Dubaîs reparaissait à *H*illa. À la demande du Khalife, le sultan Ma*h*mûd envoya contre lui l'âtâbeg de Mossoul, Aq Sonqor Bursuqî, mais dans une bataille sur la rive orientale de l'Euphrate Bursuqî fut défait (1122)[19].

Dubaîs vainqueur redoubla d'insolence. Il jura de se venger du Khalife et de raser Baghdâd. On eut alors le spectacle curieux – inattendu en pleine époque des Croisades – des tribus arabes se préparant à l'attaque de Baghdâd et de la papauté musulmane. Le péril fut si sérieux que le Khalife ne se contenta pas d'appeler de nouveau Bursuqî et ses Turcs à son aide, il ordonna à Baghdâd la levée en masse et prit lui-même, revêtu des vêtements noirs des 'Abbâsides, la direction de ses contingents. La bataille décisive se livra à Mubâraka entre Baghdâd et Kûfa. Dubaîs avait excité ses bédouins par la promesse du pillage de Baghdâd, mais il n'en fut pas moins vaincu (mars 1123). Il s'enfuit d'abord au Nejed, puis, ayant rallié la tribu des Muntafaq, il les conduisit piller Bassora. Cette vengeance exercée, le redoutable émir partit pour la Syrie où, dans sa haine du Khalifat, il lia, comme on va le voir, partie avec les Francs pour les aider à s'emparer d'Alep[20].

De tels faits montrent l'état de décadence où était tombé le sultanat seljûqide. La révolte arabe, doublement caractérisée par les attaques directes des Bédouins et par la réaffirmation du pouvoir temporel du Khalife, annonçait la chute irrémédiable du prestige seljûqide. Le temps approchait où le pouvoir des sultans allait être réduit au 'Irâq 'Ajemî.

### *Les embarras de l'Islam. L'autre danger : la Croisade géorgienne au douzième siècle.*

Au nombre des embarras du monde musulman il ne faut pas oublier de mentionner l'expansion du royaume chrétien de Géorgie au sud du Caucase. Sous le règne du souverain géorgien David II le Réparateur (1089-1125), l'expansion géorgienne, un moment contenue par les sultans Malik-shâh et Mu*h*ammed, s'amplifia à la faveur de la décadence seljûqide et commença la délivrance de la Grande Arménie. En août 1121 le sultan Ma*h*mûd ibn Mu*h*ammed, inquiet, envoya contre les Géorgiens son frère cadet *T*ughril et l'émir ortoqide de Mârdîn, Il-Ghâzî ; mais l'armée d'invasion fut détruite par le roi David II qui reprit définitivement Tiflis aux Musulmans[21]. En 1124 les Géorgiens victorieux entraient à Ani, l'ancienne capitale de la Grande Arménie[22].

Ce désastre turc dans le nord eut un aussi grand retentissement dans le monde islamique que les victoires franques en Syrie. On vit les Musulmans du Caucase se présenter à Baghdâd pour obtenir une contre-croisade antigéorgienne, comme les Musulmans d'Alep y sollicitaient une contre-croisade antifranque. Vains appels. La revanche géorgienne s'accentuera encore à la fin du douzième siècle. Le roi George III (1156-1184) conduira ses campagnes victorieuses contre les Turcs jusqu'au cœur de la Grande Arménie, dans les provinces d'Erzerum, Anî, Dovin, Nakitchevan et Ganja. Sous le règne de la grande Thamar (1184-1211) les armées géorgiennes, commandées par des généraux de la valeur de Zakharé et d'Ivané, parcourront en triomphatrices les provinces d'Erzerum et d'Erzinjan, délivreront et annexeront Kars, vaincront l'âtâbeg d'A*dh*arbaijân et pousseront de ce côté leurs razzias jusqu'à Ardébil et aux portes de Tauris.

Le texte d'Ibn al-A*th*ir, déjà cité, atteste que le monde seljûqide, entre ce réveil de la Transcaucasie chrétienne et l'occupation franque en Syrie, se sentait de toutes parts menacé[23].

*Autre crépuscule d'Islam.*
*Décadence de la dynastie fâtimide d'Égypte.*

En même temps que l'empire turc seljûqide se dissociait sous l'action de ses discordes intérieures et l'attaque de ses ennemis du dehors, l'autre grande puissance musulmane, l'Égypte fâ*t*imide, tombait aussi dans une décadence définitive. Le point de départ de cet effondrement peut être daté de l'assassinat du vizir al-Af*d*al (5 décembre 1121). Comme son père Badr al-Jamâlî, ce grand ministre avait été pendant un quart de siècle le véritable maître de la politique égyptienne (1095-1121). Rarement, semble-t-il, l'Égypte musulmane fut administrée avec autant de sagesse que sous cette dynastie de vizirs arméniens installée aux côtés du khalifat 'alide[24]. Mais à la longue le khalife al-Amir (1101-1130) s'était lassé d'une semblable tutelle. De fait c'est lui qui semble bien avoir machiné l'assassinat d'al-Af*d*al dans le but de récupérer les immenses richesses que ces Arméniens avaient accumulées. En réalité l'Égypte fâ*t*imide venait de perdre son dernier homme d'État. Le successeur d'al-Af*d*al, Abû abd-'Allâh, surnommé al-Mâmûn, ancien maçon parvenu au pouvoir par sa beauté, ne fut même pas capable – on le verra – de ravitailler Tyr assiégée par les Francs (1124). Il devait être crucifié en octobre 1125 par ordre du khalife al-Amir qu'il avait voulu assassiner[25].

Ainsi, dans l'Égypte fâ*t*imide comme dans la Perse seljûqide la décadence des dynasties musulmanes assurait à la Syrie franque des années d'une relative tranquillité. Le règne du roi de Jérusalem Baudouin II, règne assez paisible, exception faite des inévitables mésaventures de la petite guerre locale, et sans menace de contre-Croisade comme sans besoin de Croisade nouvelle, allait bénéficier de cette situation.

# CHAPITRE VII

# RÈGNE DE BAUDOUIN II. – AFFERMISSEMENT DES INSTITUTIONS MONARCHIQUES ET CONSOLIDATION DE LA CONQUÊTE FRANQUE.

## § 1er. — Avènement de Baudouin II.

*La question de succession dans la dynastie ardennaise : Baudouin du Bourg ou Eustache de Boulogne ?*

Le hasard voulut qu'au moment de la mort du roi de Jérusalem Baudouin Ier, son cousin Baudouin du Bourg, comte d'Édesse, venait de se mettre en route pour faire ses dévotions à Jérusalem. Le traducteur de Guillaume de Tyr nous dit qu'il arriva dans la ville sainte le jour même des obsèques du roi : rencontre qui allait permettre de régler rapidement l'affaire de succession.

Pour cette succession en effet rien, semble-t-il, n'avait été prévu. Baudouin Ier, mort sans enfants, n'avait pas pris les mêmes précautions que Tancrède à Antioche. Lors de son mariage avec Adélaïde de Sicile, il avait bien été spécifié que, dans une telle éventualité, la couronne de Jérusalem reviendrait au roi de Sicile Roger, fils de cette princesse, combinaison qui aurait eu le mérite d'assurer à la défense de la Terre Sainte l'appui de l'État latin le plus proche. Mais la répudiation d'Adélaïde avait rendu cette clause caduque. La voie était donc libre lorsque, au lendemain des obsèques de Baudouin Ier, le patriarche Arnoul Malecorne, l'épiscopat et les barons du royaume se réunirent en conseil[1]. – Notons qu'à cette date le plus important des barons hiérosolymitains se trouvait être l'ancien sire de Turbessel, Jocelin de Courtenay, pour lors sire de Tibériade.

Une partie de l'assemblée était d'avis qu'il n'y avait qu'à appliquer à la royauté hiérosolymitaine le principe de l'hérédité monarchique, tel qu'il fonctionnait en Occident. Baudouin Ier déjà n'avait-il pas été choisi comme frère de Godefroi de Bouillon ? La couronne s'étant ainsi fixée dans la dynastie boulonnaise, il n'y avait qu'à inviter à venir régner le troisième frère des deux princes précédents, le comte Eustache de Boulogne. « Cil seigneur qui s'estoient assemblé ne s'acordèrent mie premièrement, car l'une partie d'eus disoit que li roiaumes fu (= avait été) donnez et otroiez au duc Godefroi et à ses oirs après lui. Autresi donques come il eschéi du duc à son frère le roi Baudoin, qui lors estoit morz, par cele reson meismes restoit-il ores escheoiz au tierz frère Eustace, qui estoit cuens de Bologne. » Mais d'autres faisaient remarquer que les conditions particulières de la Syrie franque ne permettaient pas d'affronter l'interrègne que comportait le voyage d'Eustache de France en Syrie : pendant ce délai, la défense du royaume serait paralysée et les Turcs, toujours aux aguets, auraient vingt fois le temps de surprendre Jérusalem. « Li autre ne s'acordoient pas à ce ainçois, disoient que li afères et li estaz de la terre estoit en tel point par les Turc qui avoient lor citez entor eus et de toutes parz estoient en grant pooir, que, se l'en demoroit guères à conseiller le roiaume de seigneur, li périlz i porroit estre si granz que la crestientez du paîs seroit perdue ; et se l'en atendoit le conte Eustace, qui ne porroit mie venir à pièce, endementres porroient li Tur se porprendre le roiaume, que il n'auroit où il se recetast quant il vendroit[2]. »

Ce fut Jocelin de Courtenay qui, d'accord avec le patriarche Arnoul, fit pencher la balance en conciliant les deux thèses. Impossible, il le reconnaissait, d'attendre l'arrivée d'un prince venu de France ; mais on avait justement la chance d'avoir présent en Syrie, mieux encore : à Jérusalem, un membre de la dynastie consacrée, Baudouin du Bourg, comte d'Édesse, qui était le fils de Hugue de Rethel, c'est-à-dire le cousin de Godefroi de Bouillon et de Baudouin Ier : « Beau seigneur, fait dire à Jocelin le traducteur de Guillaume de Tyr, chascuns est tenuz de dire à son escient le meilleur conseil qu'il porra, por aidier à ceste sainte terre où Nostre Sires Jhesuchris vout (= voulut), por nos sauver, nestre et morir. Je me veuil délivrer de dire ce qu'à moi semble, selonc le péril où je voi le païs. A l'atendre le roi à venir de France, ne m'i acort-je mie car fole atendance fet qui tandis pert la chose. Vos avez ci entre vos le conte Baudoin de Rohès qui est venuz en cest païs par aventure (par hasard). Il semble que Nostre Sires (Notre Seigneur) le vos ait envoié par miracle por vostre besoing »

La proposition semblait d'autant plus méritoire, émanant de Jocelin, qu'il venait d'avoir à se plaindre gravement de Baudouin du Bourg. Celui-ci ne l'avait-il pas disgracié, emprisonné, dépouillé de sa seigneurie de Turbessel, chassé de sa présence ? Jocelin, dans le discours que lui prête *l'Estoire d'Éracles*, ne manqua point de faire état de cet argument. « Vos povez bien penser que je ne le die mie pour amour de lui qui assez m'a fet ennuiz et hontes, mès je le di pour conseillier la terre et délivrer ma conscience et ma loiauté devant Dame Dieu. Mès je le connois bien et le vous tesmoing (= témoigne) que il est sages hom et de grant sens ; Nostre Seigneur craint et aime ; droituriers est en jostice, en guerre vigeureus, porvéans (= prévoyant) et esveilliez ; bons et seurs chevaliers ; de nul païs ne porroit venir mieudres de lui (= meilleur que lui) por ce fez soutenir. Il estoit cousins aus deus seigneurs qui le roiaume ont tenu, dont je n'enteng mie qu'il en soit déserité, puisque il remaint en leur lignage. » La solution, on le voit, présentait le double avantage de ménager les droits de la dynastie de Boulogne-Ardenne, et de parer aux nécessités de l'heure, au « besoinz qui est trop granz ».

L'éloge portait d'autant mieux qu'il semblait émaner d'un adversaire. Cependant, comme le fait observer *l'Estoire d'Éracles*, les plus fins devinèrent bien qu'un tel pardon des injures n'était pas entièrement désintéressé : si Baudouin du Bourg obtenait la couronne royale grâce à l'intervention de Jocelin, il y avait quelque chance pour qu'il songeât à Jocelin lorsqu'il s'agirait de trouver un remplaçant pour le comté d'Édesse : « Il avoit iluec assez de ceus qui bien cuidoient que Jocelins, qu'il tenoient à sage, ne deist rien ce se par loiauté non (sinon par loyauté). Car bien estoit espandu par le païs coment li cuens Baudoins l'avoit mis en prison et tolue sa terre et chacié du païs. Por ce fu mieuz creu du conseil qu'il dona.

Mès bien pot estre que il ot aucun regart et entencion que, se li cuens Baudoins avoit le roiaume par l'aide de lui qui ses cousins estoit, il li donast la conté de Rohez (Édesse) qui estoit mout grant chose. »

L'habile politique qu'était le patriarche Arnoul, bien qu'il fût presque à l'agonie, eut encore la force d'appuyer de toute son autorité la thèse de Jocelin, et ce fut lui qui enleva les dernières résistances. Baudouin du Bourg, que nous appellerons désormais Baudouin II, fut élu – à l'unanimité, nous affirme-t-on, – roi de Jérusalem et sacré dans l'église du Saint-Sépulcre le jour de Pâques, 14 avril 1118.

Derrière le récit assez réticent de *l'Estoire d'Éracles*, on devine des intrigues compliquées. L'arrivée inopinée du futur Baudouin II, ce besoin subit de pèlerinage coïncidant si opportunément avec la maladie mortelle de Baudouin I^er^, semblent étranges. Le patriarche Arnoul que nous voyons soutenir si énergiquement au conseil la candidature du comte d'Édesse ne l'aurait-il pas prévenu en hâte de l'affaiblissement et de la maladie du roi ? D'autre part *l'Estoire d'Éracles* révèle sans insister un fait d'importance : aussitôt après la mort de Baudouin I^er^, quelques barons, agissant soit d'après les dernières volontés de ce prince, soit seulement comme représentants d'un groupe de leurs pairs, s'embarquèrent pour la France et vinrent offrir à Eustache de Boulogne la succession de son frère. Or Eustache accepta. Il partit avec eux pour aller prendre possession de son héritage et traversa toute l'Italie. Arrivé dans les Pouilles, il apprit l'élévation de Baudouin du Bourg, son cousin. Ses partisans le poussaient à passer outre, « car sitost com li baron le verroient, il se torneroient devers lui comme à leur droit seigneur ». Mais Eustache, refusant d'aller provoquer une guerre civile en Terre Sainte, retourna en Boulonnais.

Nous tenons à donner ici le texte intégral de *l'Estoire d'Éracles :* « Bien est voirs que, si tost com li Roi fu morz (ce ne saige mie se ce fu par son atirement ou par le conseil des barons), mès bon message murent tantost qui vindrent en France au conte Eustace de Boloigne, por lui venir querre à recevoir le roiaume de Jhérusalem. Il s'en escusa mout, et disoit que il n'auroit pas mestier en la terre delà, car il ne la connoissoit mie si comme si dui frère qui longuement i avoient esté, ainçois qu'ils eussent le roiaume. D'autre part dure chose li estoit à leissier le grant héritage... Li message parlèrent bien et bel encontre et li distrent entre les autres resons que, se il falloit (=faillait) à la Sainte Terre à ce besoing, Nostre Sires l'en sauroit malgré, et li siècles, touz deça mer et de là, le lui tendroit à mauvestié et torneroit à grant desenneur. Cil, qui estoit vaillanz hom et religieus, se lessa aler à leur requestes et leur otroia qu'il iroit là. Son afere atorna bel et bien et mut de son païs, tant qu'il vint jusqu'en Puille. La aprist noveles par certains messages que ses cousins Baudoins de Borc estoit roi coronez en Jherusalem. Quand li message qui le menoient oïrent ce, mout li distrent qu'il ne lessast mie por ce à passer outre, car ce qui estoit fet d'autrui ne devoit mie estres tenu, et sitost com li baron le verroient, il se tourneroient devers lui come à leur droit seigneur. Mès il répondit que ce ne feroit il mie, ne le roiaume que Nostres Sires Jesucrist conquist par son sanc, ne vouloit-il mie troubler. Meismement en icele terre, por cui deffense si frère avoient esté mort saintement, ne vouloit-il mie guerroier por convoitise de soi fere roi. Por ce (re)comanda les messages (= messagers) à Dieu, puis s'en retorna à son païs et cil passèrent outre mer. »

Cette renonciation consolida le trône de Baudouin II. De fait nous ne verrons pas contre lui l'opposition tenace qui avait poursuivi Baudouin Ier et dont la mauvaise humeur persistante de Guillaume de Tyr porte témoignage. *L'Éracles* est même assez indulgent sur l'escamotage de la légitimité dont bénéficia le nouveau monarque. Parlant des deux grands électeurs de Baudouin II, il écrit joliment : « Bien pot estre que l'entencion au patriarche et à Jocelin ne fu mie très pure vers Dame Dieu en cele oevre, mès toutes voies Nostre Sires (Notre Seigneur) le torna en bien, car cil rois fu piteus et droituriers, larges et vigueureus guerriers, si que grant bien en vint à la terre à son tens. »

*Caractère de Baudouin II.*

*L'Estoire d'Éracles*, à ce point de son récit[3], nous trace un portrait fort sympathique de Baudouin II : « Nez fu de France, de l'arceveschié de Rains, filz le (= du) conte Huon

(Hugue) de Restel (Rethel) et de la comtesse Milessent qui mout fu bonne dame... Granz de cors, beaus et clers de visage, cheveus ot blons, mès n'en ot mie moult et furent mellé de chenes (= cheveux blancs). Sa barbe ne fu pas espesse, mès ele fu longue jusque au piz, selon la coutume qui lors coroit en cele terre. Rouelanz (= de teint coloré) fu assez, selon son aage[4] ; mout sist bien à cheval » etc. Ce qui le distinguait de son prédécesseur, c'est qu'à l'âpreté et à la violence brutale dont Baudouin Ier avait si souvent fait preuve il préférait la dissimulation et la ruse, comme il l'avait montré dans la comédie qu'il joua pour faire payer son arménien beau-père, dans l'espèce de guet-apens où il attira en 1113 Jocelin de Courtenay, dans son opportun pèlerinage de 1118. D'autre part, en dépit de l'appui personnel du patriarche Arnoul, la politique monarchique de Baudouin Ier avait été assez antiecclésiastique. Cet émule de notre Philippe le Bel avait fait bon marché des prétentions temporelles du Saint-Siège et de ses représentants. À peine sur le trône de Jérusalem, ce Croisé de la première heure avait professé l'anticléricalisme d'État de nos Capétiens. Du reste, malgré ses scrupules tardifs lors de sa maladie, en 1116, Baudouin Ier avait vécu en marge de l'Église, imposant à celle-ci un patriarche simoniaque, et lui-même restant, pendant plusieurs années, avérément bigame. Baudouin II au contraire était personnellement fort pieux. *L'Estoire d'Éracles*, après nous l'avoir montré le cheveu clairsemé et la barbe rare mais longue, complète le portrait en nous décrivant ses genoux rendus cagneux par la prière ; « en oroisons estoit longuement et tant souvent s'agenoilloit que il avoit ès mains et ès genouz une duresce que l'en claime chauz (= cal) ».

Dans l'ensemble Baudouin II nous apparaît comme un administrateur appliqué et ponctuel – on le surnommait l'Aiguillon, « Aculeus » –, un capitaine consciencieux et méthodique – la manière dont il devait sauver et relever la principauté d'Antioche après le désastre de 1119 est fort remarquable –, un chef d'État prudent sans les coups de risque par lesquels Baudouin Ier avait souvent failli se perdre, sans sa fougue de tempérament non plus. « Mout fu sages homes et de grant proveance (prévoyance) », dit *l'Estoire d'Éracles*. Sa vie privée, au contraire de celle de Baudouin Ier, fut irréprochable.

Il fut toujours fidèle à son épouse arménienne Morfia et lui donna quatre enfants, Mélisende, Alix, Hodierne et Ivette (= « Joie »), cette dernière née depuis son élévation au trône. Sobre et modestement vêtu, « sans bobanz et sans orgueill », il différait encore en cela de son prédécesseur qui s'était toujours montré épris de luxe et de pompe. Économe et même quelque peu avare dans le train de vie ordinaire, il savait cependant, quand il le fallait, donner avec magnificence : « Mout gardoit bien la seue chose, si que l'en disoit qu'il estoit un peu eschars, mès quant besoing estoit, si le despendoit largement qu'il espandoit tout. » Au demeurant il fut à Jérusalem, sur une scène plus large, ce qu'il avait déjà été à Édesse : « mout gouvernoit bien et vigueureusement ; amez estoit de sa gent et mout doutez (redouté) de ses anemis. »

Signalons que la piété de Baudouin II n'eut pas à souffrir de la collaboration du patriarche Arnoul Malecorne, si véhémentement accusé de simonie par Guillaume de Tyr. Arnoul mourut peu après l'élection du nouveau roi, à laquelle il avait si activement contribué. Il fut remplacé par Gormond de Picquigny, prélat originaire du diocèse d'Amiens, dont Guillaume de Tyr nous fait un magnifique éloge[5].

### *Inféodation du comté d'Édesse à Jocelin de Courtenay. Resserrement du lien de vassalité des trois principautés franques envers la royauté hiérosolymitaine.*

Comme il avait sans doute été tacitement convenu lors de l'assemblée qui l'avait appelé au trône, Baudouin II ne devait pas tarder à donner le comté d'Édesse à Jocelin de Courtenay. Notons que l'inféodation d'Édesse à un nouveau seigneur s'imposait, car on ne pouvait, de la Judée, défendre contre les Turcs de Mossoul ou du Diyârbékir les terres de l'Euphrate, et nul ne connaissait mieux le pays que l'ancien sire de Turbessel. « Quant cil noveaus rois fu coronnez, écrit *l'Estoire d'Éracles*, mout se porpensa que il porroit fere, de garder la conté de Rohés (Édesse) qu'il avoit lessié... Au darrenier, ni trova il tel come Jocelin de Cortenai son cosin. Il l'apela et il li dit que il volait amender la honte et l'outrage que il li avoit fet ; por ce li donnoit la conté de Rohez à lui et à son oir, porce qu'il avoit espérance que par lui, qui la terre connoissoit, fust mieuz gardée que par autre. Puis l'en revesti par une banière et prist son homage[6]. » *l'Estoire d'Éracles* ajoute que Jocelin, en allant « prendre la sesine de sa terre », se chargea de faire conduire d'Édesse à Jérusalem la reine arménienne Morfie, femme de Baudouin II, et leurs trois filles, Mélisende, Alix et Hodierne. Toutefois il semble que, pendant quelque temps encore, Jocelin se soit partagé entre le comté d'Édesse et la princée de Tibériade ou de Galilée, puisque nous allons le voir, à ce dernier titre, guerroyer en Transjordanie.

Notons en passant, à quel point la suite des événements resserrait l'unité monarchique de la Syrie franque. Le comté d'Édesse, d'abord totalement indépendant de Jérusalem, avait été déjà une première fois rattaché au royaume lorsque Baudouin I^er^, pour devenir roi, l'avait inféodé à Baudouin II ; ce rattachement devenait plus étroit maintenant que Baudouin II, élu roi à son tour, l'inféodait de même à Jocelin, son cousin. On a vu que, depuis que Baudouin I^er^ avait fait obtenir à Bertrand de Toulouse le comté de Tripoli de préférence à Guillaume Jourdain, Tripoli était semblablement tombée dans la mouvance étroite de la royauté hiérosolymitaine. Enfin la principauté d'Antioche allait suivre les mêmes voies parce que le prince Roger de Salerne avait épousé la sœur de Baudouin II et qu'une réelle affection paraît avoir uni les deux beaux-frères. Mais surtout on verra plus loin comment, après le désastre de 1119 et la mort tragique de Roger, Baudouin II, remplissant les fonctions de régent qui, en pareil cas, incombaient au suzerain, devait assumer la défense et la réorganisation de la principauté d'Antioche. Après avoir sauvé les États de sa sœur, il les réorganisera et pourvoira à tout, comme s'il s'agissait de son propre patrimoine. Le désastre de 1119 allait avoir du moins ceci d'heureux qu'il rattacherait plus étroitement la principauté d'Antioche au royaume de Jérusalem.

### *Révolte de Pons de Tripoli contre la suzeraineté de Baudouin II. Sa soumission.*

Cependant au commencement de son règne Baudouin II eut à défendre l'institution monarchique contre une attaque assez imprévue. Une étroite entente semblait régner entre le monarque et les représentants des trois principautés vassales lorsque, dit *l'Estoire d'Éracles*, « li Deables, qui onques n'ama pais, sema une descorde eu païs ». En 1122, le comte de Tripoli, Pons, refusa l'hommage et le service féodal. Il est possible que cette révolte imprévue se soit produite à l'instigation des Byzantins, bien que Guillaume de Tyr ne veuille rien nous en dire : « Ne sai par quel conseil ne par quel raison, li cuens Poinces de Triple manda au roi Baudoin qu'il ne se tenoit pas à son home (= homme lige, vassal), n'il ne connoissoit mie qu'il li deust servise ne amor. » Révolte qui eût pu devenir singulièrement dangereuse car elle coïncida – nous le verrons – avec une attaque turque du côté d'Antioche.

C'était toute l'organisation monarchique de la Syrie franque, telle que l'avait fait triompher le défunt monarque, qui se trouvait remise en question. Baudouin II, violemment courroucé, fit crier son ban pour marcher contre Tripoli. Le sentiment monarchique était déjà si solide que barons et chevaliers partageaient, remarque *l'Estoire d'Éracles*, l'indignation du roi : « Li Rois semont barons et chevaliers qui sur eus pristrent à grant despit ce que cil Pons avoit fet, et se trestrent vers la terre de Triple por vengier cel outrage. » Ce sentiment paraît avoir été partagé par les chevaliers de Tripoli eux-mêmes, puisque, quand l'armée royale, partie d'Acre, approcha des frontières du comté, ils intervinrent auprès de Pons pour lui démontrer sa folie. Ils l'amenèrent, repentant, au roi et, comme dit *l'Estoire d'Éracles*, « les apaisièrent ensemble ». « Ils redevinrent amis, confirme Foucher de Chartres, le comte revenant à la raison[7]. »

Si vite domptée, la tentative de révolte féodale du comte de Tripoli semble, à cette date, peu de chose. C'est néanmoins à une insubordination analogue que sera due, soixante ans plus tard, la chute du royaume de Jérusalem. Même en 1122 la révolte du comte Pons avait été réduite juste à temps, comme le montrent à la fois Foucher de Chartres et Kemâl al-Dîn, car, au moment où venait de se conclure l'accord entre les deux princes francs, les Turcs Ortoqides d'Alep envahissaient la principauté d'Antioche dont Baudouin II avait en ce temps-là la régence. Nous verrons que la rapide soumission du comte permit à Baudouin d'aller repousser l'ennemi sur l'Oronte.

La vigoureuse politique monarchique de Baudouin II s'imposait comme une nécessité de salut public. Le péril extérieur en dictait l'acceptation aux plus rebelles. Il n'en faut pas moins admirer qu'après deux règnes seulement – alors qu'à la mort de Godefroi de Bouillon on ignorait encore si Jérusalem ne serait pas principauté ecclésiastique –, le principe monarchique se soit déjà trouvé assez solidement enraciné pour qu'un froncement de sourcil du roi ardennais de Palestine ait mis fin à la révolte des Provençaux du Liban.

*Politique économique de Baudouin II. Franchise douanière accordée au commerce de la ville de Jérusalem.*

La politique économique et la politique indigène de Baudouin II ne paraissent pas avoir été moins judicieuses que sa politique monarchique. Baudouin Ier avait repeuplé Jérusalem, en même temps que de « bourgeois » latins, de chrétiens indigènes. Baudouin II compléta cette œuvre en concédant aux uns comme aux autres de larges franchises commerciales. Par une charte de 1120, il accorda en effet à tous les « Latins », c'est-à-dire aux Occidentaux soit établis comme bourgeois, soit pèlerins et voyageurs, complète franchise douanière pour toute entrée ou sortie de marchandises à Jérusalem. En même temps il octroya aux chrétiens orientaux – Syriens, Grecs, Arméniens – et même aux Arabes la libre entrée à Jérusalem pour tous légumes et céréales.

« Li Rois, dit *l'Estoire d'Éracles*, dona une grant franchise aus borjois de Jhérusalem et leur conferma par sa charte seelée de son seel. Il (= on) avoit costume en la cité que l'en prenoit tonlius et paages trop griés des marcheandises et des gens qui venoient en la ville. Et il (Baudouin II) leur otroia la franchise que nus Latins ne nule marcheandise, queus qu'ele fust, ne paiast nule rien à l'entrée à Jhérusalem ne à l'issir ; ainçois vendist chascuns et achatast tout franchement quanqu'il vodroit en la cité. Et si otroia aus Suriens, aus Greus et aus Ermins, aus Sarrazins meismes, que il poïssen t en la cité aporter froment, orge et toute manière de leun, sanz paier nule costume. De la mine à quoi l'en mesure le blé et des balances à quoi l'on poise l'avoir de pois, quita tout et pardona quanque l'on en soloit prendre. Li pueples et li grant home de la ville l'en sorent mout bon gré et mercièrent de bons cuers, et bien entendirent tuit que li Rois leur avoit fet mout grant bonté en ces choses, et que la cité en amenderoit en deus manières, car il i viendroit plus gent por la franchise, et marcheandises i aporteroit l'en plus volentiers, por ce que l'en n'en rendroit paages ne costumes (péages ni coutumes)[8]. »

Nous avons tenu à citer intégralement ce passage. Il montre bien toute l'importance de la charte de 1120. Le libéralisme de Baudouin II qui lui valut une grande popularité contribua beaucoup à la prospérité économique du royaume. L'Orient latin se trouvait « providentiellement situé » pour le commerce du Levant. En supprimant dans sa propre capitale les douanes, tonlieus et péages qui entravaient ce commerce, le roi de Jérusalem montrait son intelligence non seulement des intérêts économiques du pays, mais encore de la situation politique générale et du rôle qu'allait y jouer le facteur commercial : fondé par un élan de mysticisme religieux, le royaume de Jérusalem, au treizième siècle, ne se maintiendra plus qu'en raison des énormes intérêts commerciaux qui y seront engagés.

*Les ordres militaires. Militarisation des Hospitaliers et fondation des Templiers. Avantages et dangers de l'institution pour l'Église et la royauté.*

Ce fut sous le règne de Baudouin II que les deux ordres militaires de l'Hôpital et du Temple attirent notre attention, le premier par sa transformation d'institution hospitalière en ordre militaire, le second par sa création même.

L'Ordre des Hospitaliers tirait son origine d'un établissement de bienfaisance à la fois hôtellerie et hôpital, fondé bien avant la Croisade, en 1070, pour les pauvres pèlerins par des marchands d'Amalfi et établi dans le Mûristân, entre la rue du Bazar et le Saint-Sépulcre[9]. Au moment de l'arrivée de la Première Croisade, l'Hôpital avait à sa tête un certain Gérard, personnage sans doute d'origine amalfitaine, qui rendit de grands services aux assiégeants en leur ménageant de précieuses intelligences dans la place. La conquête de Jérusalem par les Croisés transforma naturellement l'institution. « Aux éléments dont Gérard disposait s'adjoignirent de nouvelles recrues dont le zèle charitable ne se contenta plus de la modeste et pauvre communauté qu'il dirigeait. Sous leur impulsion l'hospitalité se réorganisa et se développa. Les compagnons de Gérard se rendirent indépendants de l'obédience bénédictine à laquelle ils s'étaient jusqu'alors rattachés et, sous le nom d'Hospitaliers, constituèrent un ordre religieux ayant une vie propre[10]. »

Gérard, étant mort vers 1119-1120, fut remplacé par un Français, Raymond du Puy, originaire, semble-t-il, du Dauphiné et qui, pendant son long magistère (entre 1120 et 1158 environ), modifia complètement le caractère de l'Ordre. Sous son impulsion, celui-ci, sans cesser d'être hospitalier, devint surtout militaire. Dès 1126 Delaville Le Roulx signale la présence d'un connétable de l'Hôpital et, à partir de 1137, on voit les Hospitaliers prendre une part active aux luttes contre les Musulmans[11].

L'Ordre du Temple fut, dès le début, un ordre guerrier. Il fut fondé en 1118 par le chevalier champenois Hugue de Payens qui l'installa dans une partie du palais royal, dit alors *Templum Salomonis* (Masjid al-Aqsâ)[12]. « Milice du Temple », comme s'appela cette confrérie, elle se donna pour tâche de veiller à la sécurité des routes de pèlerinage entre le port de Jaffa et Jérusalem. Baudouin II, appréciant l'œuvre de Hugue de Payens, l'envoya en France et en Angleterre pour y implorer des princes chrétiens l'envoi de secours. Hugue assista ainsi en 1128 au Concile de Troyes. Il y fit approuver la règle de son ordre, d'inspiration bénédictine, comme celle de l'Hôpital[13]. « L'ordre comprenait les *chevaliers* qui devaient tous être nobles, les *sergents* pris dans la bourgeoisie, écuyers ou intendants, les *clercs* qui servaient de chapelains. Tous prononçaient les trois vœux monastiques ; ils devaient avoir des armes solides, mais dépourvues de tout ornement ou de dorure ; sur leur haubert de mailles flottait un manteau d'uniforme, blanc pour les chevaliers, noir pour les sergents. Le pape Eugène III y ajouta la croix rouge, tandis que les Hospitaliers avaient la croix blanche[14]. Ils portaient les cheveux ras et la barbe courte “afin de pouvoir regarder devant et derrière”. Les abstinences prolongées leur étaient interdites et ils devaient au contraire se bien nourrir, afin d'entretenir leur vigueur. À la tête de l'Ordre était un véritable gouvernement, composé du grand maître et des officiers, mais les décisions importantes ne pouvaient être prises que par le chapitre des chevaliers »[15].

La fondation du Temple et la militarisation de l'Hôpital fournirent au royaume de Jérusalem ce qui lui manquait le plus, une armée permanente dont les prises d'armes féodales ne lui donnaient pas l'équivalent. Au début, comme on le voit par les témoignages de satisfaction de Baudouin II à Hugue de Payens, les ordres militaires rendirent des services considérables à la royauté.

Mais déjà, dans le domaine ecclésiastique, leur institution n'allait pas sans de graves inconvénients. L'archevêque Guillaume de Tyr, conseiller de plusieurs rois de Jérusalem, a bien marqué le caractère d'Église dans l'Église qu'affectèrent rapidement les deux Ordres militaires. « Au comencement, écrit des Templiers son traducteur, se contindrent sagement en grant humilité, selonc ce que il por Dieu avoient lessié le siècle. Mès après, quant les richesces leur vindrent, il sembla qu'il eussent oublié leur proposement et montèrent en grant orgueil, si que il premièrement se sostrèrent au patriarche de Jhérusalem, et porchacièrent vers l'Apostoile (= s'efforcèrent auprès du Pape) que il (= le patriarche) n'eust nul pooir sur eus qui, au comencement, les avoit establiz et fondez des biens meismes de s'(= son) église ! Aus autres églises qui maintes bèles aumosnes leur avoient données, comencièrent-il à tolir (= enlever) les dîmes et primices et autres rentes qu'il avoient tenues jusque à leur tens ; leur voisins (ils) troublèrent et plédoièrent en maintes manières, si com il font encore. »

Contre les Hospitaliers *l'Estoire d'Éracles* ne dresse pas un réquisitoire moins sévère, « coment li Ospitalier fesoient grant outrage au Clergié ». Depuis qu'ils s'étaient soustraits à l'obédience du patriarche de Jérusalem en obtenant de ne relever que du Pape, ils se montraient insupportables envers les autorités locales. Le clergé jetait-il l'interdit sur un seigneur criminel ? Les Hospitaliers n'en tenaient aucun compte : « Quant li prélat avoient aucun de leur parrochiens escomeniez ou entrediz por leur forfez, li Ospitalier les recevoient en leur églises à messes et à touz autres sacremenz. Se il avenoit que, por les forfez aus princes, li évesque entredeissent (interdisent) citez ou autres terres en que (= où) li Ospitauz eust mesons, lor fesoient soner li Ospitalier lor cloches efforciement et chantoient plus haut que devant en leur chapeles. »

Sous leur deuxième grand maître Raymond du Puy (1125-1158), les Hospitaliers devaient finir par entrer en conflit aigu avec le patriarche de Jérusalem Foucher. Comme celui-ci leur reprochait d'enserrer le Saint-Sépulcre de leurs constructions, ils redoublèrent de taquineries, prenant plaisir, pendant que le patriarche officiait au Saint-Sépulcre, à couvrir du carillon de leurs cloches le son de sa voix[16]. « Devant le leu où Nostre Sires fu crucefiez por nos, dit *l'Estoire d'Éracles*, et devant la sainte église en qui li Sepuchres est où Nostre Sires reposa morz et resordi vis, comencièrent-il à fère par granz cous et par outrageuses despenses hautes mesons plus que l'eglise n'estoit et granz edifices mout près d'iluec. Maintes foiz avint que li Patriarches voloit fere le sermon au pueple, li Ospitalier, por lui troubler et corocier, sonoient à cele ore touz leur sainz ensemble, si que les genz ne pooient oïr le bon home qui s'efforçoit de crier por dire la parole (de) Nostre Seigneur. » Le conflit alla même jusqu'à l'émeute et *l'Estoire d'Éracles*, sous la rubrique de 1155, nous raconte comment les Chevaliers de l'Hôpital firent irruption à main armée dans le Saint-Sépulcre en envoyant autour d'eux une volée de flèches : « Un jor avint que il furent si troublé et à tel forsennerie les esmut li aticemenz du Deable, qu'il corurent aus armes, ne tant ne portèrent d'enneur au plus saint leu qui en terre soit (c'est l'église du Sepuchre) que il n'i voussissent entrer à force, einsi come en une meson de larrons ; et treistrent au mostier grant planté de saiètes (flèches)[17]. »

Querelles de moines, dira-t-on, comme toutes celles dont la garde du Saint-Sépulcre n'a donné que trop souvent le prétexte. Mais outre que de tels procédés ne marquaient pas un bien grand respect de la hiérarchie ecclésiastique, elles révélaient chez les Ordres militaires une indiscipline qui devait à la longue se manifester avec non moins de virulence sur le terrain politique. Tant que la royauté franque resta forte, les Ordres militaires, qui lui tenaient lieu d'armée permanente et dont l'héroïsme était hors de pair, furent pour elle les plus précieux des auxiliaires. Mais après l'affaiblissement de la royauté, à partir de 1173, et surtout après sa disparition de fait en 1185, ces Églises dans l'Église devinrent également autant d'États dans l'État. Sans frein désormais, sans le contrôle vigilant de la royauté, ces puissantes confréries militaires, appuyées sur une organisation bancaire qui doublait leur action, devaient trop souvent poursuivre leur politique propre sans considération pour l'intérêt général.

Au début élément de force au service de la monarchie, les Ordres deviendront un jour, dans la carence de l'institution monarchique, un élément de dissolution. La chute de la colonie franque de Syrie, en 1187, proviendra d'eux.

## § 2. — Baudouin II et la féodalité musulmane de 1119 à 1123. Bella antiochena.

*Formation et échec d'une coalition égypto-damasquine contre Baudouin II. Expéditions franques en Transjordanie et au Jaulân. Conquête de Qasr Bardawîl par Baudouin II.*

Les débuts du règne de Baudouin II virent se produire la conjoncture que les Francs redoutaient peut-être le plus : la coalition des Fâ*t*imides d'Égypte et de l'âtâbeg turc de Damas, *T*ughtekîn, c'est-à-dire la menace d'encerclement la plus grave pour le royaume de Jérusalem.

Pour prévenir cette éventualité, un des premiers actes de Baudouin II avait été l'envoi d'une ambassade à Damas. Le roi de Jérusalem proposait à *T*ughtekîn le renouvellement des trêves, ce qui, dans l'état des relations franco-musulmanes, équivalait à une alliance tacite avec l'âtâbeg. C'était le maintien de la politique de Baudouin Ier aux journées tragiques de 1115. Et sans doute *T*ughtekîn, trois ans plus tôt, avait été bien aise de se rapprocher des Francs pour empêcher la submersion de la Syrie musulmane par les redoutables Seljûqides de Perse. Mais, fidèle à sa politique de bascule, il tenait maintenant à affaiblir les Francs, trop puissants à son gré, en recherchant pour cela l'alliance, non du gouvernement d'I*s*fahân dont l'intervention était toujours à double tranchant, mais celle des Fâ*t*imides d'Égypte dont la puissance bien affaiblie ne présentait plus guère de danger. Aux propositions d'amitié de Baudouin II, il répondit en exigeant que les

Francs renonçassent à partager avec lui les revenus de Sal*t* dans le Jebel Jil'âd, ceux, en Transjordanie, de la partie du Ghûr ou basse vallée du Jourdain située à l'est du fleuve, sans doute aussi ceux du Sawâd, entre 'Al et le lac de Tibériade, dans le Jaulân[18]. Naturellement Baudouin II refusa une rétrocession qui lui eût fait perdre toute prise sur la rive orientale du Jourdain. *T*ughtekîn lui déclara aussitôt la guerre, se jeta sur la Galilée, surprit et pilla Tibériade et ravagea toute la province. De là, il alla donner la main aux Fa*t*imides, à Ascalon.

En effet le gouvernement égyptien – en l'espèce le vizir al-Af*d*al – que Baudouin Ier était allé provoquer chez lui, faisait un nouvel effort contre les Francs. De nombreux navires se rassemblaient à Tyr, le dernier grand port syrien que l'Égypte possédât encore, et une nouvelle armée égyptienne se concentrait à Ascalon. Cette armée – et c'était là le fait nouveau – avait pour instructions de se mettre sous les ordres de l'âtâbeg de Damas et de se conformer en tout à ses volontés ; front unique que les Arabes shî'ites du Caire et les Turcs sunnites de Damas n'étaient pas encore parvenus à réaliser jusqu'à ce jour. De fait *T*ughtekîn vint prendre à Ascalon le commandement des forces égyptiennes.

Seulement Baudouin II, de son côté, avait fait appel au concours des Francs d'Antioche et de Tripoli. Ainsi renforcé, il vint s'établir à Ashdod, au nord d'Ascalon. Pendant trois mois les deux armées s'observèrent sans en venir aux mains, car, ainsi que le dit sentencieusement Foucher de Chartres, « il est plus agréable de vivre que de mourir[19]. » Et à la fin chacun rentra chez soi.

Baudouin II se vengea peu après de l'agression de *T*ughtekîn en allant piller A*d*ra'ât, l'actuel Der'aât, que les Francs appelaient la « Cité Bernard d'Étampes », au *H*aurân, et en s'emparant de *H*abîs Jaldak qui doit être Qa*s*r Berdawîl, au nord de 'Al, à l'est du lac de Tibériade, dans le Sawâd, au Jaulân[20]. Le *H*aurân et le Jaulân étaient alors les greniers de Damas. *T*ughtekîn se hâta d'envoyer à la poursuite des Francs son fils Tâj al-Mulûk Bûrî. À l'approche de celui-ci, les Francs allèrent se retrancher sur une colline voisine. « Bûrî les entoura. En vain *T*ughtekîn, qui s'était rendu auprès de son fils, lui ordonna de renoncer à son entreprise.

Bûrî refusa d'obéir, se croyant à la veille de quelque succès éclatant. Mais les Francs, animés par le désespoir, résolurent de vaincre ou de mourir. Ils chargèrent tous à la fois et avec une telle vigueur les Musulmans qu'ils les mirent en déroute. Beaucoup de Musulmans furent tués, d'autres faits prisonniers. Les débris de l'armée arrivèrent à Damas dans l'état le plus pitoyable[21]. »

Dans sa princée de Tibériade, qu'il n'avait pas encore quittée pour le comté d'Édesse, Jocelin de Courtenay guerroyait lui aussi de son mieux. Vers Pâques 1119 il apprit que l'importante tribu bédouine des Banû Khâled, groupe des Arabes *T*aiy, était en train de transhumer en Transjordanie avec d'énormes troupeaux. Parti de Tibériade, il s'avança en rezzou, surprit ces nomades et enleva leurs troupeaux. Apprenant ensuite que d'autres tribus plus importantes du même groupe, les Banû Rabî'a, pâturaient de leur côté dans la vallée du Wâdî al-Shellâla, affluent de la rive méridionale du Yarmûk, entre le lac de Tibériade et Dera'ât, il prit avec lui Godefroi de Bures[22], chevalier émérite, et son frère Guillaume de Bures, et tous trois partirent de Tibériade pour le Wâdî al-Shellâla. Pour encercler les Bédouins, ils se divisèrent en deux corps, les deux frères de Bures avec 160 cavaliers, Jocelin avec 60. Malheureusement Jocelin s'égara dans les montagnes du 'Ajlûn. L'éveil fut donné aux Bédouins. Quand les frères de Bures, arrivés seuls au rendez-vous, les attaquèrent, l'émir des nomades était sur ses gardes. Il fit viser aux chevaux des Francs. Ceux-ci, démontés, perdirent 70 hommes, dont Godefroi de Bures, sans parler des prisonniers (30 mars 1119)[23].

À la suite de cet incident, Baudouin II entreprit une expédition punitive. Mais quand il fut arrivé à Beisân pour, de là, aller remonter le Yarmûk, les Bédouins vinrent demander l'*amân*, en offrant 4 000 dînârs pour payer le meurtre des chevaliers et aussi pour acheter le droit de transhumer en paix aux confins de la Galilée, du 'Ajlûn et du Jaulân. La paix fut conclue sur ces bases[24].

Le roi de Jérusalem se trouvait à Tibériade, de retour de cette expédition en Transjordanie, lorsqu'il reçut un message du prince d'Antioche l'appelant à son secours contre une nouvelle attaque turque.

*La lutte pour Alep. Guerre de Roger d'Antioche contre Il-Ghâzî (1119).*

Nous avons vu à la fin du chapitre v les conquêtes du prince Roger d'Antioche au détriment du royaume seljûqide d'Alep. Après la mort du seljûqide Alp Arslân, l'eunuque Yâruqtâsh qui s'était emparé du gouvernement avait, pour obtenir l'appui du prince d'Antioche, accepté un véritable protectorat franc, protectorat allant pour Roger jusqu'au contrôle des caravanes du pèlerinage musulman d'Alep à la Mecque et au droit de lever une taxe sur les pèlerins (1117). Même lorsque les Alépins, las de ce protectorat, se furent donné un défenseur musulman dans la personne d'Il-Ghâzî l'Ortoqide, émir de Mârdîn, ni lui ni eux ne purent empêcher Roger de leur enlever encore la place de 'Azâz, au nord d'Alep. Pour obtenir la paix, l'émir ortoqide dut céder au prince d'Antioche toute la partie du territoire alépin située à l'est et au nord d'Alep. Si Roger avait eu la sagesse de s'en tenir là, il serait resté l'arbitre de la Syrie musulmane.

Malheureusement, en 1119, les trêves étant expirées, Roger entreprit une nouvelle expédition en terre alépine. Il s'empara encore de Bizâ'a, place située dans la banlieue de l'actuel Bâb, au nord-est d'Alep, à mi-chemin entre Alep et Menbij[25]. Alep se trouvait ainsi complètement encerclé, et les Francs vinrent l'attaquer. « Il ne se trouvait pas en ce moment dans la ville des provisions pour un seul mois. La terreur était extrême. Si les Francs s'étaient éloignés, tous les habitants en auraient profité pour émigrer, mais toute retraite était devenue impossible. Les Francs consentirent enfin à laisser les habitants en repos, à condition d'entrer avec eux en partage des propriétés situées à la porte de la ville[26]. »

Vue avec le recul de l'histoire, la conduite de Roger d'Antioche envers les Alépins apparaît comme une lourde faute. Alep, depuis l'assassinat du dernier seljûqide local, était une sorte de république arabe, quelque temps administrée par de timides eunuques et qui n'avait accepté que sous la menace des Francs la protection des Turcomans du Diyârbékir, Turcs encore à demi nomades et à demi sauvages, en dépit de leur conversion à l'Islam, « qui n'abitent mie en citez, mès en tentes et en paveillons touzjors », comme dit *l'Estoire d'Éracles*[27]. À pousser à bout la population arabe d'Alep, Roger allait achever de la jeter dans les bras de ces sauvages protecteurs.

Notons que ce fut au khalife de Baghdâd que les Alépins s'adressèrent d'abord, mais la cour 'abbâside se désintéressait des malheurs de l'Islam syrien. Les Alépins se tournèrent donc de nouveau vers Il-Ghâzî. Celui-ci trouva un allié dans la personne de l'âtâbeg de Damas, *T*ughtekîn, que les entreprises de Baudouin II au *H*aurân et en Transjordanie avaient irrité. Ainsi au Diyârbékir et à Damas les deux chefs turcs dont l'opposition à la politique du sultan avait en 1115 fait échouer la contre-croisade seljûqide se retournaient maintenant l'un et l'autre contre les Francs. En revanche, de contre-croisade seljûqide il n'était plus question. Les demandes adressées par l'Islam syrien au nouveau sultan de Perse, Ma*h*mûd, restèrent sans réponse. Ma*h*mûd, on l'a vu, avait trop à faire à se défendre contre les compétitions de sa famille, notamment de son oncle Sanjar, sultan du Khorâsân et de la Transoxiane, pour prêter une aide quelconque aux Turcs de Syrie[28]. Mais, notons-le, ce fut précisément du jour où la direction de la contre-croisade turque cessa d'appartenir au sultanat de Perse pour devenir l'œuvre des âtâbegs et émirs de Syrie qu'elle produisit des résultats sérieux. Au lieu d'un pouvoir encore colossal, mais lointain (comment d'I*s*fahân diriger la guerre sur l'Oronte ?), les Francs eurent désormais affaire à des dynasties locales, singulièrement moindres en apparence, mais installées sur place et concentrant tout leur effort sur les affaires syriennes, les Ortoqides aujourd'hui, les Zengides demain, finalement les Aiyûbides, familles de parvenus qui allaient se révéler infiniment plus redoutables que les empereurs turcs eux-mêmes.

Il-Ghâzî était allé dans son fief de Mârdîn, au Diyârbékir, recruter une puissante armée de Turcomans. Un chef turc de la Grande Arménie, *T*ughân Arslân, émir de Bitlis et d'Arzen, se joignit à lui. Quand il redescendit en Syrie, on vit aussi accourir sous sa bannière plusieurs émirs arabes, notamment le chef bédouin Usâma ibn-Mubârak, de la tribu des Banû Kilâb[29], l'émir Dubaîs ibn-*S*adaqa, de la tribu des Banû Mazyad, ancien « roi des Arabes » de l''Irâq[30], et Abu'l 'Asâkir Sul*t*ân, émir munqi*dh*ite de Shaîzar-sur-l'Oronte[31].

En avril-mai 1119, Il-Ghâzî, renforcé par ces divers contingents, traversa l'Euphrate et envahit le comté d'Édesse (dont le propriétaire était encore, semble-t-il, le roi de Jérusalem Baudouin II). Il pilla copieusement les campagnes de Turbessel (Tell-Bâsher), puis, à la demande des gens d'Alep, de plus en plus vivement pressés par Roger, il descendit la vallée du Quwaiq par Marj Dâbiq, Muslimiya, Alep et Qinnesrîn. On était au commencement de juin 1119[32].

De Qinnesrîn, Il-Ghâzî envoya des détachements dans le canton du Rûj, c'est-à-dire dans le district à l'est de Jisr al-Shughr et s'empara, au sud de ce district, de la forteresse de Qas*t*ûn, située au sud-est de Jisr al-Shughr, à l'ouest de Ma'arrat al-Nu'mân[33]. Incursion dictée par la meilleure stratégie : « Ce district du Rûj, écrit M. Dussaud, que les Francs avaient hérissé de forteresses, constituait pour eux un réduit de premier ordre, couvrant Antioche vers le sud ; en même temps, c'était un pont jeté entre Antioche et Apamée dont les communications étaient ainsi assurées[34]. »

Pendant que la grande armée turque descendait ainsi par le nord, les Munqi*dh*ites de Shaîzar s'étaient chargés eux-mêmes d'opérer par le sud une diversion contre la place franque d'Apamée (Qal'at al-Mu*d*îq), diversion que dirigea Usâma ibn-Munqi*dh* qui nous en a laissé un brillant récit dans ses *Mémoires :* « J'entraînai avec moi une petite bande de vingt cavaliers, suivis d'une masse de pillards et de Bédouins. Nous étions convaincus qu' Apamée était dégarnie de troupes. Parvenus au Wâdî Abû-Maimûn (= la Vallée de Bohémond), nous vîmes fondre sur nous un détachement considérable de Francs. Il leur était arrivé cette nuit même 60 cavaliers et 60 fantassins. Nous fûmes délogés de la vallée et poursuivis. » Et Usâma de nous raconter comment, dans la rencontre qui suivit, il abattit d'un coup en pleine poitrine un chevalier franc, galopant à l'avant-garde, qui avait commis l'imprudence de s'alléger de sa cotte de mailles. « Son cadavre s'envola de la selle, ce que voyant, les Francs battirent en retraite ». Usâma nous fait ensuite assister à la poursuite. « Dans l'arrière-garde des Francs il y avait un chevalier monté sur un rouan cap de more qui ressemblait à un chameau. Le chevalier avait sa cotte de mailles et sa cuirasse. J'avais peur qu'il ne fît un retour offensif sur moi. Tout à coup il éperonna sa monture dont je vis avec joie briller la queue ; elle paraissait épuisée. Je m'élançai alors sur le cavalier et ma lance traversa sa cotte, faisant saillie en avant d'une coudée. La violence du coup que j'avais porté et la rapidité de mon cheval me firent tomber de la selle ». Usâma fut fort étonné quelques mois plus tard d'apprendre que son adversaire, « le chevalier Philippe », avait survécu à ce coup qui n'avait fendu que la cotte de mailles[35].

Ce n'étaient là qu'escarmouches et diversions. Les opérations sérieuses se déroulaient plus au nord, sur la route d'Alep à Antioche.

À la nouvelle de l'invasion turcomane, Roger d'Antioche avait demandé par de pressants messages l'aide du roi Baudouin II et du comte Pons de Tripoli[36]. Baudouin II répondit qu'il allait accourir avec Pons, mais que Roger se gardât de livrer bataille avant leur arrivée[37]. Le patriarche d'Antioche Bernard de Valence qui, le premier, avait conseillé de faire appel au roi, insista vivement pour que Roger se conformât à cet avis et attendît l'armée de Jérusalem et de Tripoli pour entrer en campagne[38]. L'expérience prouvait en effet que la concentration des forces de Jérusalem, d'Antioche, de Tripoli et d'Édesse permettait de tenir en respect n'importe quelle attaque musulmane et que tous les désastres passés provenaient de ce qu'un des quatre princes francs avait voulu commencer la campagne sans attendre l'arrivée des autres. Roger aurait dû se rappeler les vifs reproches qu'il avait lui-même adressés en 1113 au roi Baudouin Ier pour avoir, en enfreignant cette loi d'évidence, provoqué le désastre de Sinn al-Nabra.

### *Désastre de l'Ager sanguinis. Mort de Roger d'Antioche.*

Roger était arrivé avec son armée au Pont de Fer, Jisr al-*H*adîd, au coude de l'Oronte. Tout près, un peu plus au nord, la place forte d'Artésie ou Artâ*h*, boulevard d'Antioche, permettait, si on s'y installait, de couvrir la ville et de surveiller toutes les pistes vers Alep jusqu'à l'arrivée du roi et du comte de Tripoli. « Artaise, note *l'Estoire d'Éracles*, estoit asez covenables à tenir ost, car il i avoit planté de blez et de pastures, et seurement povoit l'en venir, des terres et des citez, à nos genz jusques là[39]. » Mais l'attente autour d'Artâ*h* et du Pont de Fer avait contre elle les châtelains des terres d'outre-Oronte, dont les hordes turcomanes pillaient les biens. Pour préserver leurs fiefs, ils persuadèrent à Roger de passer l'Oronte sans attendre ni le roi ni le comte de Tripoli, et, malgré l'ordre du roi, malgré les avis répétés du patriarche, de livrer bataille à lui tout seul. « Mout li donèrent mauvés conseil, mès li Princes s'i accorda tantost (aussitôt), si que, contre la volenté du Patriarche qui là estoit, il fist son ost deslogier et mouvoir[40]. » Gautier le Chancelier nous décrit la scène pathétiqne dans laquelle le patriarche Bernard, hanté de sinistres pressentiments, après avoir vainement essayé de faire entendre raison à Roger, lui cria malheur[41]. Mais Roger était inébranlable dans sa décision insensée. Il se confessa au patriarche, lui remit son testament. Bernard, après avoir béni l'armée, reprit, les larmes aux yeux, le chemin d'Antioche. Et Roger partit vers son destin.

Le prince d'Antioche, après avoir passé l'Oronte à Jisr al-*H*adîd, alla le 20 juin se poster avec son armée à mi-chemin d'Alep, dans la plaine connue des chroniqueurs francs sous le nom d'*Ager sanguinis* – le champ du sang – située entre Babisqa à l'ouest, Tell 'Ade au nord, Turmanîn et Ar*h*âb à l'est, Tell 'Aqibrîn et Sarmedâ au sud, et au milieu de laquelle s'élève aujourd'hui le village de Dana[42]. La plaine était dominée par la petite forteresse de Tell 'Aqibrîn, édifiée par les Francs près du site d'al-Bâlâ*t*, si bien que la bataille de l'Ager sanguinis sera connue de divers historiens arabes sous le nom de bataille d'al-Bâlâ*t*[43]. Un peu plus au sud s'élevait la place forte d'A*th*âreb (Cerep) occupée par les Francs qui, de là, surveillaient et harcelaient Alep.

Le choix de cette plaine de la part de Roger a été loué par Kemâl al-Dîn. « Position formidable dans une gorge étroite entre deux montagnes, près du défilé de Sarmedâ », écrit de même Derenbourg ; « Roger, en venant s'y établir, espérait compenser l'infériorité du nombre par l'avantage que lui assuraient les obstacles naturels d'un terrain accidenté, presque impénétrable (?) avec une clôture de montagnes »[44]. Mais les avantages de la situation pouvaient se retourner. Dans cette plaine close l'armée franque souffrit vite de la faim et de la soif. Les buttes qui dominaient la position, à l'est du côté d'Ar*h*âb et de Toqat, au sud vers Tell 'Aqibrîn, à l'ouest vers Kafr Diyân et Babisqa, au nord vers Meshat allaient permettre à la cavalerie turcomane d'exécuter, sans être aperçue, une opération d'encerclement.

Il-Ghâzî, des environs de Qinnesrîn où il se trouvait en observation, était renseigné à merveille sur la position du camp chrétien par des espions déguisés en marchands[45]. Cependant, plus prudent que Roger, il préférait ne marcher à l'ennemi qu'après l'arrivée de *T*ughtekîn qui, avec l'armée de Damas, accourait à son aide. Mais ses émirs, bouillant d'impatience, lui forcèrent la main. Laissant ses bagages et ses tentes à Qinnesrîn, il se mit en marche le vendredi 27 juin au matin. Un de ses corps d'armée descendit droit sur A*th*âreb, comme si cette place était l'objectif principal de son mouvement. Roger la nuit précédente avait fait parvenir des renforts à la petite garnison d'A*th*âreb. Les Turcomans envoyés devant la place cherchèrent, suivant leur tactique habituelle, en simulant la fuite, à attirer la garnison loin dans la plaine. De fait le seigneur d'A*th*âreb, Alain le Méchin[46], et un chevalier de Normandie, Robert de Vieux-Pont (= sur Dive), se lancèrent à la poursuite de l'ennemi. Gautier le Chancelier nous raconte les exploits des deux paladins. Robert de Vieux-Pont notamment eut un cheval tué sous lui, sauta sur un autre et continua à combattre en héros de chanson de geste[47].

La nouvelle de cette escarmouche, apportée le soir même à Roger dans l'Ager sanguinis, acheva d'exciter son ardeur guerrière. Il voulut un moment marcher cette nuit même sur A*th*âreb pour dégager la place et, en dépit de la supériorité numérique des Turcomans, attaquer ! Finalement on se borna à envoyer dès l'aube en reconnaissance Mauger de Hauteville avec 40 chevaliers, pendant que 10 autres chevaliers, du haut d'une tour voisine – sans doute de Tell 'Aqibrîn –, scruteraient la plaine dans la direction d'A*th*âreb pour guetter l'arrivée des Turcomans.

La nuit du 27 au 28 juin se passa dans l'inquiétude. À mesure que l'arrivée de l'ennemi devenait plus imminente, l'armée se rendait mieux compte de la folie que l'insistance des seigneurs d'outre-Oronte lui avait fait commettre. Gautier le Chancelier, témoin angoissé, nous raconte l'épisode étrange d'une somnambule qui, dans cette nuit du 27-28, parcourut le camp en prédisant le désastre. Roger en fut si troublé qu'il ordonna à son camérier de retourner à Artésie (Artâ*h*) pour y mettre en sûreté les vases précieux et tous les objets de prix qui avaient suivi l'armée.

Le lendemain, samedi 28 juin, à l'aube, l'archevêque d'Apamée, Pierre, ancien évêque d'al-Bâra, réunit toute l'armée, fit un sermon émouvant, parlant, nous dit Gautier le Chancelier, en prêtre et en soldat[48] ; puis il célébra l'office divin, reçut la confession publique des guerriers, leur donna l'absolution générale. Il confessa en particulier Roger dans sa tente : la vie de ce bouillant paladin était loin d'être édifiante « car – nous l'avons déjà vu – il estoit mout luxurieus, ne à soi ne à autrui ne gardoit foi de mariage, mès, sanz faille, chevaliers estoit preuz et seurs[49] ». Cette « chevalerie », il la montra jusqu'au bout. Après s'être confessé et avoir distribué des aumônes aux pauvres de l'armée, il appela ses écuyers, siffla ses chiens, se fit apporter ses faucons, monta à cheval, et, insouciant du drame qui se préparait, partit à la chasse[50]. Mais bientôt, l'inquiétude le reprenant, il chevaucha « en direction de la tour », c'est-à-dire, sans doute, en direction de Tell 'Aqibrîn. Il rencontra alors un des quarante chevaliers envoyés en reconnaissance, qui accourait lui rendre compte de leur mission : d'énormes masses turcomanes arrivaient non seulement par la route d'A*th*âreb et de Zerdanâ, c'est-à-dire par le sud, d'où on pouvait les attendre puisqu'elles venaient de Qinnesrîn, mais aussi en deux autres corps, qui, traversant les chaînes de hauteurs par des sentiers de paysans, allaient encercler à l'est comme au nord et à l'ouest la plaine où les Francs campaient[51].

Roger donna aussitôt à l'armée les ordres pour le combat : qu'au premier coup de trompette chacun s'arme, qu'au second les escadrons se forment, qu'au troisième l'armée se rassemble. À peine l'ordre était-il donné qu'une seconde estafette arrivait, annonçant que l'ennemi était là. L'armée se forma dans le plus grand ordre. Une dernière bénédiction de l'archevêque d'Apamée. Puis arrivée d'un troisième éclaireur, Aubry le vice-écuyer tranchant, qui, le visage en sang, annonce que la reconnaissance a été détruite, que Jourdain-Filz-Jourdain et Eudes de Forest-Moutiers sont tués. Mauger de Hauteville qui arrive à son tour, bride abattue, confirme que les Turcomans, en escadrons innombrables, encerclent la plaine. Et aussitôt, à l'appui de ses paroles, apparaît couronnaut toutes les hauteurs voisines, parmi les bois d'oliviers, l'armée d'Il-Ghâzî[52].

Le pire était que la retraite sur Antioche était coupée, des éléments de cavalerie turcomane étant allés, par un détour du côté des hauteurs, occuper Sarmedâ (Sarmit) et Babisqa dans le dos de l'armée franque. Roger envoya aussitôt de ce côté un détachement, commandé par Renaud Mansoer ou Masoier[53], depuis connétable d'Antioche, avec ordre de dégager la route de Sarmedâ. Roger lui-même, après s'être jeté une dernière fois au pied de la Croix, donna l'ordre de combat : « Au nom de Notre Seigneur Christ, comme il convient à des chevaliers, pour la défense de la foi, en avant ! » Du côté musulman l'ardeur religieuse n'était pas moindre : « Le qâ*d*i d'Alep, Abu'l Fa*d*l ibn al-Khashshâb, monté sur une cavale et la lance à la main, excitait les guerriers au combat. » Devant l'agitation de l'homme de loi arabe, un de ces Turcomans à demi barbares, à peine musulmans, qui formaient l'armée d'Il-Ghâzî, se mit à rire : « Est-ce pour obéir à cet homme à turban que nous avons quitté notre pays ? » « Mais le qâ*d*î, poursuit Kemâl al-Dîn, continua à parcourir les rangs et, dans une éloquente allocution qui fit verser des larmes, il excita le courage des guerriers[54]. »

L'armée franque qui, d'après Guillaume de Tyr, comptait 700 chevaliers et 3 000 piétons, sans parler des valets et des marchands qui la suivaient[55], allait, par la folie de Roger, se heurter à plus de 40 000 Turcomans ou auxiliaires arabes[56]. Roger la divisa en quatre corps. À l'aile droite, en première ligne, le corps d'armée de Saint-Pierre qui avait gagné son nom sur le champ de victoire de Danî*th* avec le privilège d'occuper cette place[57]. Derrière, en seconde ligne, à droite Geoffroy le Moine, comte de Mar'ash. À gauche, en première ligne, sous le commandement d'un chevalier de Normandie, nommé Robert de Saint-Lô, les Turcoples, les Syriens chrétiens et les Arméniens, ces derniers assez nombreux, si nous en croyons Matthieu d'Édesse[58], et en seconde ligne, Roger lui-même. Enfin, en réserve Guy Fresnel ou Guy Fresmaux, sire de Harenc ou *H*ârim.

Le corps d'armée de Saint-Pierre, lances en mains, chargea brillamment les Turcomans qui lui étaient opposés et, malgré l'infériorité du nombre, faillit les disperser. Geoffroy le Moine, placé en soutien de ce corps, le secondait vaillamment, tandis qu'à l'arrière – car les escadrons turcomans avaient vite encerclé l'armée franque – Guy Fresnel se dégageait par des charges énergiques[59]. Mais ce premier avantage, dû à la furie normande, ne dura pas. Grâce à leur énorme supériorité numérique, les Turcomans revenaient sans cesse à l'attaque, criblant les Francs de javelots et de flèches. Et surtout il se passa ici le même fait que quatre ans plus tôt à la bataille de Dânî*th* : les Turcoples, Syriens chrétiens et Arméniens qui constituaient l'aile gauche, lâchèrent pied. Saisis de panique, ils prirent la fuite sans que rien pût les retenir ou les rallier. Non seulement ils empêchèrent le corps d'armée de Roger, placé derrière eux, de charger, mais, jetant le désordre dans ses rangs, ils en entraînèrent une partie dans leur fuite. Pour comble de malheur il s'éleva à ce moment, venant du nord, un vent violent, véritable cyclone qui, soulevant des colonnes de sable, aveugla pendant quelques instants les chevaliers.

L'armée franque, disjointe par la fuite des Turcoples, écrasée sous le nombre, était presque entièrement détruite. Roger d'Antioche restait seul avec une poignée de fidèles. Ayant refusé d'attendre le roi et le comte de Tripoli, il se savait personnellement responsable du désastre. Il sut mourir en chevalier ou, comme dit le traducteur d'*Éracles* dans la belle langue du treizième siècle « en preudom ». Il ne voulut ni fuir ni regarder en arrière, mais se lança au plus épais des escadrons turcs. Un coup d'épée sur la face, à hauteur du nez, lui donna la mort. Pour cet autre Roncevaux, la traduction de Guillaume de Tyr a ici l'accent d'une chanson de geste : « Quant li princes, qui bons chevaliers estoit, vit qu'il ne porroit mie retenir ses chevaliers qui s'en aloient tuit desconfit, il remest (resta) o (avec) pou de gent entre ses anemis morteus ; ilec se contint come preudom : ès greigneurs presses se metoit et se vendi mout bien. Ilec fu ocis et tuit cil qui remès estoient avec lui[60]. » Il était tombé au pied de la Croix. Les Turcomans s'emparèrent aussitôt de celle-ci et s'en disputèrent violemment la possession, à cause des pierres précieuses et de l'or dont elle était enchâssée[61].

De toute l'armée franque, 140 hommes seulement purent se sauver, dont Robert de Vieux-Pont qui ne dut, semble-t-il, son salut qu'à la mission dont il avait été chargé du côté d'A*th*âreb.

Pendant ce temps, Renaud Masoier qui, avec un détachement, avait été chargé de dégager les derrières de l'armée franque du côté de Sarmedâ, sur la route d'Antioche, avait remporté contre le corps turcoman opposé une véritable victoire[62]. Mais ce succès partiel se perdit dans le désastre général. De nouvelles forces turcomanes accablèrent Renaud qui, gravement blessé, ne put que se jeter dans la tour de Sarmedâ, avec l'espoir d'y tenir jusqu'à l'entrée en scène du roi Baudouin. Mais la tour était trop médiocre pour résister, et les vivres manquaient. Renaud dut capituler ; toutefois sa fière contenance en avait imposé à Il-Ghâzî qui lui accorda la vie sauve et lui promit la liberté au bout d'un mois[63].

*Massacre de la chevalerie normande par les Turcomans.*

Ce fut là une exception unique. Dans tous les autres cas les Turcomans vainqueurs donnèrent libre cours à leur sauvagerie native. Le butin était immense. « Il-Ghâzî s'installa dans la tente de Roger pendant qu'on apportait autour de lui le butin. Il laissa aux soldats tout ce qu'ils avaient pris, à l'exception de quelques armes pour en faire cadeau aux souverains musulmans. » Les prisonniers furent presque tous massacrés soit le jour même, soit le lendemain. À coups de fouet, on les traîna nus, par files de deux ou trois cents, liés ensemble par des cordes, jusqu'auprès de Sarmedâ, où, dans les champs de vignes, les Turcomans se livrèrent sur eux à des inventions d'une cruauté savante. Par cette torride journée de la fin juin, les prisonniers mouraient de soif. Le chef turcoman fit apporter des jarres d'eau qu'on plaça à leur portée : ceux qui s'en approchaient étaient massacrés. Tous auraient péri sur-le-champ si le vainqueur n'avait voulu faire donner au peuple d'Alep le spectacle de son triomphe[64]. L'attente, dans la ville, avait été terrible : « C'était un samedi, vers midi, que le combat s'était engagé. Lorsque le premier courrier arriva à Alep, les fidèles, rangés par files dans la grande mosquée, récitaient encore la prière de midi. On entendait une grande rumeur du côté du couchant, mais aucun soldat musulman n'arriva avant la prière de l'*asr* (3-4 heures de l'après-midi)[65]. » Dans ces foules surexcitées l'arrivée des prisonniers francs donna lieu à des scènes féroces, et, la plèbe arabe se joignant aux soudards turcomans, une partie des captifs périrent au milieu des tortures.

Dans tout l'Islam la victoire d'Il-Ghâzî eut un retentissement inouï. Depuis leur installation au Levant, les Francs avaient pu éprouver des défaites, comme le Balîkh et Sinn al-Nabra. C'était le premier désastre qu'ils essuyaient. Le prince d'Antioche tué, toute la chevalerie normande massacrée. Ce que n'avaient pu obtenir les armées turques régulières, les armées du sultan, depuis Kurbuqa jusqu'à Bursuq, un simple émir du Diyârbékir avec ses Turcomans à demi sauvages y réussissait du premier coup. Interprète de l'opinion panislamique, le poète al-'A*dh*îmî pouvait dire au Ghâzî :

« Dis ce que tu voudras, ta parole sera exécutée. En toi après Allâh est notre confiance.

« Le Qor'ân s'est réjoui du triomphe que tu lui as procuré, et l'Évangile a pleuré la mort de ses enfants ! »[66]

Enfin, de Baghdâd, le Khalife 'abbâside al-Mustarshid envoya au Ghâzî devenu l'Étoile de la Religion – Najm al-Dîn – des vêtements d'honneur[67].

### *Il-Ghâzî laisse échapper le bénéfice de sa victoire. La citadelle d'Artâ*h *sauvée.*

L'émir turcoman allait-il répondre aux espoirs des populations musulmanes ? Il le sembla tout d'abord. La route d'Antioche était libre. Il s'y élança. Tandis qu'on pouvait le croire occupé du côté d'A*th*âreb, il apparut devant Artâ*h* ou Artésie, forteresse qui était, on l'a vu, le boulevard d'Antioche. Une des principales tours de la ville était la tour de l'évêque, ainsi nommée parce qu'elle appartenait à l'évêque d'Artésie. Ce prélat se laissa intimider par Il-Ghâzî et lui rendit la tour, sous condition de pouvoir se retirer à Antioche avec les siens[68]. Mais la citadelle même d'Artésie échappa aux Turcomans grâce à la ruse d'un certain Joseph – peut-être un chevalier arménien qui, en l'absence des chevaliers francs, y commandait. Ce personnage sut persuader aux ennemis qu'il ne demandait qu'à leur livrer la place, mais qu'il fallait le faire avec ménagement, faute de quoi les Francs tueraient son fils qui se trouvait à Antioche ; et qu'en conséquence, au lieu de faire occuper la citadelle, Il-Ghâzî devait simplement y envoyer pour le moment un émir pour y commander[69].

Il-Ghâzî fut dupe de cette ruse qui sauva Artésie. Or Artésie, on l'a dit, était la clé d'Antioche. Et à cette date, Antioche, démoralisée par le désastre, vide de chevaliers francs, avec une population syrienne des plus douteuses, eût été une conquête facile. Nul doute que, si l'armée victorieuse eût été celle d'une grande puissance musulmane organisée, si elle avait eu à sa tête quelque homme d'État envoyé par le gouvernement d'Isfahân pour jeter les Francs à la mer, sa première pensée eût été pour exploiter sa victoire en marchant droit sur Antioche : la Syrie franque s'écroulait. Mais les pâtres turkmènes n'étaient pas faits pour une guerre quelque peu suivie. « La cupidité seule les amenait sous les drapeaux. On les voyait venir un à un, avec un sac dans lequel étaient de la farine et un mouton taillé en bandes qu'on avait fait sécher. Il-Ghâzî était obligé de compter les heures tout le temps que durait la campagne, et il s'en retournait au plus vite. En effet si la campagne se prolongeait, les Turcomans se débandaient, car il n'avait pas d'argent à leur distribuer »[70]. Du reste Il-Ghâzî lui-même n'était qu'un grossier soudard, incapable de conceptions politiques. Satisfait et fier de sa victoire, de ses massacres, de son butin, il se mit à boire, ne trouvant rien de mieux à faire que de célébrer son succès avec ses Turcomans en d'énormes orgies. À ce régime, il tomba malade, achevant ainsi de perdre un temps précieux. « Lorsque Il-Ghâzî, nous avoue Usâma, buvait des liqueurs fermentées, il contractait une fièvre qui durait vingt jours. Il but après l'extermination des Francs et fut pris d'un violent accès de fièvre. Lorsqu'il en guérit, le roi Baudouin était parvenu à Antioche[71] ».

*Le patriarche Bernard de Valence prend en mains la défense d'Antioche. Mesures contre la trahison des chrétiens indigènes.*

Du reste, sans attendre le roi, un homme, à Antioche, avait déjà mis à profit le temps perdu par Il-Ghâzî et pris la situation en mains : le patriarche Bernard de Valence[72]. On a vu avec quelle clairvoyance Bernard avait cherché à retenir le prince Roger partant pour sa folle offensive. Il avait formellement prévu le désastre, avait tout fait pour l'empêcher. Après la catastrophe il fut le sauveur de la cité et de l'État. Il n'y avait plus de prince, plus de chevaliers, « la terre estoit vuide de preudomes ». D'un moment à l'autre on s'attendait à voir paraître sous les murs les 40 000 Turcomans victorieux. Dans Antioche même, les chrétiens indigènes, Syriens, Arméniens, Grecs, conspiraient. Assujétis depuis 1098 à la suprématie latine, ils se réjouissaient de la débâcle franque dans laquelle ils voyaient l'occasion de recouvrer leurs anciens privilèges religieux, moins menacés par les Turcs que par les Latins. Pour le surplus, escomptant la reconquête turque comme inévitable, ils cherchaient déjà à se faire bien voir des vainqueurs. Comme naguère à Édesse, ils étaient donc prêts à ouvrir les portes aux Turcs[73]. Selon la remarque de Gautier le Chancelier, les bourgeois francs d'Antioche, en ces journées tragiques de juillet 1119, redoutaient encore davantage la trahison des chrétiens indigènes à l'intérieur de la ville que l'assaut des Turcs contre les remparts.

Le patriarche Bernard, par quelques mesures énergiques, coupa le mal à sa racine. Après avoir solidement groupé tous les Francs – clercs, bourgeois et marchands, rares chevaliers échappés au désastre –, il désarma les chrétiens indigènes, et, même désarmés, leur interdit de sortir de leurs maisons la nuit sans se signaler au guet par une lanterne[74]. L'accès et la défense des tours furent réservés aux Francs. Ceux-ci, tant clercs et moines que laïcs furent répartis, nuit et jour, à la garde des portes et des murailles. Nuit et jour aussi Bernard, accompagné de sa police, inspectait tous les secteurs, stimulait ces soldats improvisés et vérifiait les postes. Enfin le roi Baudouin II arriva.

*Le roi Baudouin II au secours de la principauté d'Antioche.*

Dès que Baudouin II avait reçu l'appel de Roger d'Antioche, il avait cessé ses opérations contre les Damasquins et s'était mis en marche avec l'archevêque de Césarée, Ebremar, qui portait la Vraie Croix. Il passa par Tripoli où le comte Pons se joignit à lui. À eux deux, ils n'avaient que 250 chevaliers, tant la pénurie d'hommes se faisait sentir dans les colonies franques du Levant[75]. Devinant que le temps pressait, ils coururent à marches forcées vers Antioche. Mais Il-Ghâzî fut prévenu de leur arrivée. Il envoya contre eux un corps de cavalerie de 10 000 Turcomans, avec ordre de tendre des embuscades à la petite troupe à son débouché du Jebel No*s*airî et de l'exterminer avant qu'elle ait pu porter secours à Antioche. Les Turcomans galopèrent donc droit sur Laodicée (Lattaquié) par le Jebel al Aqra', « le Mont Parlier » des Francs, l'ancien Casius[76]. Ils se divisèrent du reste en plusieurs groupes, pour battre plus commodément la campagne. Une partie se dirigea, comme nous le verrons, vers le Port Saint-Siméon près Suwaidiya, à l'embouchure de l'Oronte. Certains remontèrent au nord-ouest jusqu'à la Montagne Noire (Mons Nigra, dénaturé ici en Mons Hingro), à travers le Mont Saint-Siméon ou Montagne Admirable dont les couvents furent saccagés et les moines massacrés[77]. Il n'y a pas lieu de supposer, comme le fait Kemâl al-Dîn, que les coureurs turcomans soient descendus, au sud-ouest, plus bas que Râs al-Bâsit, en direction de Lattaquié[78].

Cependant Baudouin II arrivait par la piste intérieure de Lattaquié à Antioche, dont M. Dussaud a retrouvé chez les chroniqueurs les principales étapes : de Lattaquié, le roi de Jérusalem, remontant la vallée du Nahr al-Kebîr jusque vers Bahluiya, puis la vallée de son affluent le Nahr Zegharo ou Nahr al-Shirân, parvint sans encombre à Lator ou à la Tor, nom que recouvre l'actuel Torosse, à une vingtaine de kilomètres est-sud-est du Râs al-Basît[79]. Pons de Tripoli le suivait à peu de distance et ce fut lui qui eut le premier contact avec des fourrageurs turcomans ; il les attaqua pour leur reprendre leur butin, mais se heurta à une telle résistance qu'il ne put, ce jour-là, rejoindre le roi[80]. Baudouin II, à l'étape suivante, était allé camper à Kesâb, la Casembelle des chroniqueurs francs, gros bourg arménien sur le versant sud-est du Jebel 'Aqra, l'ancien Casius, et à une quinzaine de kilomètres seulement de l'embouchure de l'Oronte[81]. Ce fut là qu'ayant miraculeusement échappé aux coureurs ennemis, Baudouin apprit par des fuyards et des isolés le désastre survenu aux Francs d'Antioche en même temps que la mort de son beau-frère Roger. Du reste, près de Kesâb il trouva la trace d'un campement de 4 000 Turcomans, récemment abandonné.

Résistant à la tentation de les surprendre, il marcha droit sur Antioche où il arriva sans autre incident.

Il était temps. La situation de la grande cité, malgré la fermeté du patriarche Bernard de Valence, devenait critique. Les escadrons turcomans couraient toute la région. Trois mille cavaliers, après avoir chevauché toute la nuit, étaient entrés un matin à l'aube dans Saint-Siméon près de Suwaidiya, le port d'Antioche, avaient massacré une partie de la population encore endormie, forcé le reste à se réfugier sur les navires en rade, et, au retour, ils étaient venus insulter les murailles d'Antioche épouvantée. La milice de clercs, de chevaliers et de bourgeois que le patriarche Bernard de Valence avait constituée pour défendre la ville n'hésita pas à envoyer contre eux une reconnaissance ; mais une charge turcomane ramena les Francs jusqu'au pont sur l'Oronte et à la porte attenante, qu'ils défendirent d'ailleurs avec beaucoup de courage, non sans avoir perdu une trentaine des leurs, tués ou noyés[82]. Mais leur contenance avait été si énergique que le détachement turcoman recula jusqu'à « Corbara » entre Antioche et Jisr al-*H*adîd[83].

Enfin dans les premiers jours d'août le roi Baudouin II arriva à Antioche. Il y fut accueilli comme un sauveur, non seulement par la princesse Hodierne, sa sœur, veuve de Roger, mais par toute la population latine : « Il fu receuz à mout grant joie du patriarche, du clergié et du pueple, car li pais estoit mout espoentez de la grant mesaventure qui avenue leur estoit, mès reconforté furent et asseuré de la venue le (du) Roi ». Conduit solennellement à l'église Saint-Pierre, accueilli par un discours du patriarche Bernard de Valence et mis au courant de la situation, il exécuta d'abord une rapide reconnaissance dans la grande banlieue d'Antioche pour s'assurer du départ des coureurs turcomans. Puis il revint dans la ville afin d'ordonner le gouvernement de la principauté. Dans une grande assemblée tenue à l'église Saint-Pierre sous la présidence du patriarche Bernard, il fut décidé que le roi, en tant que suzerain de tous les États francs[84], assumerait la régence de la principauté jusqu'au jour où l'héritier de la terre, le jeune Bohémond II, fils du grand Bohémond, pourrait venir, d'Italie, en prendre possession[85]. En même temps il fut entendu qu'en ce cas le roi donnerait en mariage une de ses filles à Bohémond II[86]. Baudouin confirma les fiefs et bénéfices existants. Il s'occupa de procéder au remariage de veuves de la dernière guerre, nécessité urgente pour assurer aux divers fiefs des défenseurs qualifiés et à la principauté une nouvelle levée de chevaliers possessionnés[87]. Les cadres politiques et militaires de l'État normand ayant été ainsi recréés, Baudouin II se prépara à marcher à l'ennemi, tâche d'autant plus urgente que ce dernier avait recommencé son offensive.

Il-Ghâzî venait de recevoir un puissant renfort. L'âtâbeg *T*ughtekîn, avec l'armée de Damas, l'avait rejoint devant Artâ*h*. De là, les deux chefs turcs marchèrent sur 'Imm, l'Émine des chroniqueurs, l'actuel Yéni Shéhir (à l'est de Jisr al-*H*adîd), bourg entièrement chrétien et fort riche qui souffrit cruellement de leur passage[88] ; puis ils allèrent assiéger A*th*âreb (Cerep). A*th*âreb était dégarni de troupes, car Baudouin II, courant au plus pressé, qui était la défense d'Antioche, avait mandé dans cette dernière ville le seigneur d'A*th*âreb, Alain, avec ses chevaliers et avec les chevaliers d'Édesse descendus en Syrie. A*th*âreb ne pouvait compter que sur sa milice urbaine. Cependant celle-ci résista aux premiers assauts ennemis. Il-Ghâzî et *T*ughtekîn durent entreprendre un siège en règle avec des machines pour battre les murs, pratiquer des mines et pousser jusque sous les tours des galeries remplies de bois pour incendier les substructures : « Li Tur, dit *l'Éracles*, mistrent les minéeurs de toutes parz en un tertre sur quoi li chastiaus séoit, puis commencièrent à estançonner cele roche por bouter le feu après. » La milice urbaine, alors, prit peur et capitula en obtenant le droit de se retirer à Antioche[89]. Après avoir restauré les fortifications d'A*th*âreb et y avoir placé une garnison musulmane, Il-Ghâzî et *T*ughtekîn allèrent assiéger, au sud-ouest d'A*th*âreb, Zerdanâ, le Sardone des chroniqueurs.

Pendant ce temps, à Antioche, Baudouin II, avec ce qu'il avait amené de gens de Jérusalem et du comté de Tripoli, avec les troupes d'Édesse accourues à son appel, enfin avec les débris des forces d'Antioche regroupées et rééquipées, avait reconstitué l'armée franque. Quand tout fut prêt, il se rendit, pieds nus, en habit de pénitent, dans les églises de la ville. À la cathédrale Saint-Pierre, où tout le clergé et tout le peuple l'accompagnèrent, le patriarche Bernard de Valence, après avoir célébré la messe, lui adressa un sermon plein d'espérance. Bernard escorta ensuite l'armée pendant quelque temps hors de la ville, puis après une dernière bénédiction, les larmes aux yeux, il revint à Antioche avec le clergé, tandis que le roi, le comte de Tripoli et Jocelin d'Édesse partaient vers l'est à la rencontre des Turcomans[90].

*Seconde bataille de Dânî*th *(14 août 1119) :*
*Victoire de Baudouin II.*

Baudouin II, en partant d'Antioche, espérait encore sauver A*th*âreb. Mais le soir même (on était le 11 août) il croisa les défenseurs de la place qui, après avoir capitulé, avaient obtenu de se retirer librement sur Antioche. La chute d'A*th*âreb le contraria vivement, car elle le privait d'un sérieux point d'appui pour le nettoyage du pays d'outre-Oronte. Il modifia son plan. Obliquant vers le sud-est, il quitta l'Oronte à Jisr al-Shughr, et, par Chastel Ruge, près de Tell al-Karsh, et Burj Hâb, le Hapa des chroniqueurs, au sud-ouest d'Idlib, il vint camper à Tell Dânî*th*, point situé à huit kilomètres à l'est de Hâb[91]. C'était, on s'en souvient, le champ de bataille où Roger, quatre ans auparavant, avait écrasé l'armée seljûqide de Bursuq. Là, à l'abri du massif boisé qui s'étend au sud d'Idlib, les Francs pouvaient à la fois couvrir au sud la région de Ma'arrat al-Nu'mân et guetter l'armée turque, qui, au nord-est, assiégeait Zerdanâ.

La situation d'Il-Ghâzî et de son allié *T*ughtekîn devenait moins favorable. Ils n'avaient pu prendre Zerdanâ d'assaut, les défenseurs s'étant en hâte fortifiés. Baudouin II, qui venait d'établir son camp sur le Tell Dânî*th*, y apprit la proximité de l'armée turque et le péril que courait Zerdanâ. À l'aube du 13 août la cavalerie légère turcomane commença à se montrer et à tourbillonner autour des Francs en les criblant de flèches. Baudouin donna des ordres sévères pour que l'armée redoublât de discipline, de cohésion et de vigilance. Par ailleurs l'armée ennemie, qui, dans ce pays dévasté, commençait à manquer de ressources, se voyait affaiblie par les défections. Le sheikh bédouin Dubaîs, n'espérant plus le pillage des grandes villes franques, avait déjà regagné la Jazîra[92]. Comme les Bédouins, les Turcomans se dispersaient pour piller. Il-Ghâzî, que la proximité de l'armée franque n'était pas sans inquiéter, commença à craindre de se voir pris entre elle et les défenseurs de Zerdanâ. D'autant que le sire de Zerdanâ, Robert Fulcoy (ou Filz-Foulque)[93], qui avait évité de se laisser enfermer dans la place, pressait Baudouin de venir la dégager. Il-Ghâzî sentit qu'il fallait à tout prix occuper le château. Désespérant de le prendre de force, il offrit l'amân aux défenseurs, avec liberté de se retirer à Antioche. Ceux-ci, pour la plupart blessés ou à bout de vivres, acceptèrent. Mais à peine en route pour Antioche, ils furent rejoints par les Turcomans qui, violant le serment de l'émir, les massacrèrent presque tous (12 août 1119)[94].

Débarrassé de cet obstacle, Il-Ghâzî et *T*ughtekîn se préparaient à aller surprendre Baudouin II à Dânî*th*. Mais le roi avait été averti de la chute de Zerdanâ par Robert Fulcoy. Trouvant la position de Dânî*th* désormais trop avancée, il ordonna de plier le camp, pour battre en retraite le lendemain matin 14 août sur Burj Hâb. De leur côté Il-Ghâzî et *T*ughtekîn pensaient surprendre les Francs le 14, dès l'aube et que « légière chose leur seroit, car il les troveroient touz endormiz. » Mais, ajoute le traducteur de Guillaume de Tyr, « li rois n'estoit mie endormiz, ainçois metoit grant cure et grant entente à ce que les seue genz fussent bien armées et garnies chascuns selonc ce qu'il estoit. Nus ne dormirent en l'ost ; li un atornoient leur armeures, li autre se fesoient confés. Ebremarz, archevesques de Césaire, portoit la Vraie Croiz. Icist fesoit le sermon au pueple et les amonestoit que il se tenissent bien fermement en la foi Jhesucrist et bone espérance que Nostre Sires leur aideroit. En ceste manière furent bien apareillié et bien armé au matin pour atendre les anemis (de) Dame Dieu[95]. »

Le lendemain, 14 août, fut livrée la bataille qui devait décider du sort de la Syrie. Les Turcs, sous les ordres d'Il-Ghâzî et de *T*ughtekîn, avaient, la veille au soir, transporté toutes leurs forces devant Dânî*th*. Nous ne connaissons pas leur ordre de bataille, mais nous savons qu'ils conservaient une énorme supériorité numérique. Baudouin II, qui avait 700 chevaliers, divisa son armée en neuf corps, parmi lesquels les contingents du comte Pons de Tripoli occupaient l'aile droite. Les Turcs essayèrent d'abord d'intimider l'armée par un tourbillonnement de cavalerie légère lançant une pluie de flèches et de javelots. La masse franque ayant supporté, impassible, ce harcèlement, ils en vinrent au corps à corps. Ils réussirent à faire plier les troupes provençales qui, sous le comte de Tripoli, tenaient l'aile droite et qu'ils rejetèrent sur le corps d'armée du roi. Pons, cependant, ne s'abandonna pas. Entouré d'un groupe de fidèles, il tint bon au milieu des Turcs qui le débordaient. L'aile droite n'en était pas moins entamée, et les Turcs purent venir bousculer les lignes de cavalerie que Baudouin avait disposées pour protéger ses fantassins. Ces derniers, chargés en tous sens par les escadrons turcomans, subirent de très lourdes pertes. « Li Tur, écrit à ce sujet *l'Estoire d'Éracles*, choisirent la gent à pié entre les autres ; efforciément leur corurent sus, pour ce que il pensèrent que plus légièrement feroient leur volenté des autres, se il estoient de ceus délivré. Il en ocistrent la greigneur partie. »

Baudouin II, avec ses troupes fraîches, rétablit le combat et, par son action personnelle, remporta la victoire. « Li Rois, qui n'estoit mie encore assemblez (= engagé avec l'ennemi), vit que ses genz à pié estoient maumenés (et) avoient grant mestier (besoin) d'aide. Lors commanda aus batailles qui avec lui estoient, qu'eles poinsissent toutes ensemble. Mout les ot priez que il pénassent à défendre la foi (de) Jhésuscrist et de garder leur enneurs. Il cria à Nostre Seigneur merci que ce jor secoreust son pueple. Lors féri des esperons touz premiers et se féri en la plus espesse route de ses anemis ; ses genz le sivirent qui bien se plungièrent en la grant presse (= au plus épais de la mêlée). Lors començа li abateis mout aspres et mout i en ot de morz et de navrez. Li nostre, qui estoient ensemble aus premereines batailles, avoient mout longuement soufert et enduré la charge de ces granz genz qui leur coroient sus ; si estoient tuit las et falloient presque tuit ; mès quant il revirent leur gent si bien contenir, si pristrent cuer et refreschirent tuit. Lors corurent sus aux Turs plus fièrement que il n'avoient avant fet... A la fin li Tur ne purent plus endurer, ainz tornèrent en fuie tuit desconfit. Nostre chevalier les commencièrent à sivre par diverses parties, si com il s'enfuioient[96]. » Baudouin II avait eu son cheval blessé au col, mais n'avait reçu lui-même aucune blessure. Plus surprenant encore fut le cas de l'archevêque de Césarée, Ebremar, qui, sans cuirasse, vêtu de ses ornements sacerdotaux et portant la Vraie Croix, était sorti avec une simple égratignure de la mêlée où il anathématisait furieusement les infidèles[97].

Sagement, Baudouin II ne s'associa pas à la poursuite. Maître du champ de bataille, il s'y installa avec sa maison militaire, tandis qu'une partie de ses chevaliers, définitivement victorieux, se lançaient aux trousses des Musulmans en direction d'Alep. Comme d'autre part les escadrons francs défaits au début de l'action, Provençaux et autres, avaient pris la fuite vers Burj al-Hâb, quelques-uns même vers Antioche, le roi de Jérusalem resta avec peu de monde. C'est ce qui a donné à certains historiens du temps l'impression que les deux armées avaient finalement pris la fuite l'une devant l'autre[98]. En réalité le fait que le champ de bataille resta au roi de Jérusalem ne peut être contesté et tranche la question[99]. Pendant ce temps les fuyards turcs couraient jusqu'à Tell al-Sul*t*ân, à la pointe sud des marais (Matkh al-Quwaiq).

Ce qui a permis à Ibn al-A*th*îr de se tromper sur l'issue de la bataille, c'est d'une part la fuite des Provençaux au début de l'action ; puis les aventures survenues à Robert Fulcoy, seigneur de Saone (*S*ahiyûn), de Balâ*t*unus (Qal'at Mahelbé) et de Zerdanâ[100]. Au cours de la bataille de Dânî*th*, ce seigneur avait, avec ses gens, complètement battu et mis en fuite les troupes de Damas et de *H*om*s* qui lui étaient opposées. Dans la joie de sa victoire, il commit l'imprudence de se séparer du roi et courut vers sa ville de Zerdanâ dans l'espoir de la reprendre, puis, jugeant bientôt l'entreprise trop difficile pour sa poignée d'hommes, il voulut revenir à Dâni*th*, mais il tomba sur les forces beaucoup plus nombreuses d'Il-Ghâzî et de *T*ughtekîn et, semble-t-il, sur l'escorte personnelle de ces deux émirs qui dispersèrent ses gens en direction de Burj-Hâb et le forcèrent lui-même à s'enfuir vers le Jebel Summâq (district du Jazr, au nord de Ma'arrat al Nu'mân) ; là il fit une chute de cheval qui le réduisit à l'impuissance et il fut ramassé par des Arabes qui le livrèrent à Il-Ghâzî[101].

Malgré les vicissitudes diverses des combats partiels, Baudouin II n'en était pas moins vainqueur, Il-Ghâzî et *T*ughtekîn s'étant retirés vers Zerdanâ, A*th*âreb et Alep. Cependant les soldats des corps d'armée francs qui avaient pris la fuite au début de la bataille, Provençaux ou soutiens d'infanterie, s'étaient en grande partie arrêtés et rassemblés à Burj al-Hâb. Baudouin II envoya des coureurs leur annoncer la victoire et les inviter à rejoindre. Mais, soit crainte du châtiment, soit honte de leur fuite, ils ne se décidaient pas à revenir. Ce que voyant, Baudouin, qui d'ailleurs manquait de vivres et d'eau sur le champ de mort de Dânî*th*, se rendit lui-même le soir du combat à Burj al-Hâb où il rallia les fuyards. Le lendemain matin il revint avec son armée sur le terrain du combat qu'il parcourut à cheval, faisant enterrer les morts, enlever les blessés et veillant personnellement à l'exécution de ces devoirs. Il put alors mesurer la réalité de sa victoire, chèrement achetée, mais certaine. Deux à trois mille Turcs tués ; parmi les Francs de cinq à sept cents fantassins et cent chevaliers[102].

À Antioche l'émotion avait été grande parce que des fuyards du corps provençal avaient répandu la nouvelle de la défaite de l'armée[103]. Pour rassurer la grande cité, Baudouin II envoya son anneau comme témoignage de sa victoire à sa sœur, veuve de Roger, et au patriarche Bernard de Valence.

*Vengeance turque : le massacre d'Alep.*

Comme Antioche, Alep avait vécu des heures d'angoisse. Le raid de Robert Fulcoy vers Zerdanâ avait fait courir le bruit de la mort d'Il-Ghâzî et de *T*ughtekîn[104]. Il-Ghâzî et *T*ughtekîn, après leur défaite, se hâtèrent de venir à Alep et masquèrent leur échec sous des proclamations de victoire dont le texte de Kemâl al-Dîn nous apporte encore l'écho[105]. Le massacre des derniers prisonniers francs de la précédente campagne, théâtralement organisé, permit de donner le change à la population alépine. La folie du meurtre dépassa même les intentions d'Il-Ghâzî qui songeait à conserver quelques seigneurs pour leur rançon.

« Robert, seigneur de Sahiyûn (= Saone), venait d'être fait prisonnier, nous raconte à ce sujet Usâma. Robert évalua lui-même sa rançon à 10 000 pièces d'or. Il-Ghâzî dit : Amenez-le vers l'âtâbeg (*T*ughtekîn) ; peut-être, en lui faisant peur, lui arrachera-t-on une plus forte contribution. On l'amena. L'âtâbeg buvait dans sa tente. Lorsqu'il le vit s'avancer, il se leva, mit les pans retroussés de sa robe dans sa ceinture, brandit son épée, sortit vers Robert et lui trancha la tête. Il-Ghâzî rejoignit l'âtâbeg et lui fit des reproches : "Nous manquons, lui dit-il, même d'une pièce d'or pour la solde des Turcomans ; voici qu'un prisonnier nous offre 10 000 dînârs pour sa rançon, je te l'envoie pour que, par la terreur, tu lui extorques une plus grosse somme, et voici que tu l'as tué !" L'âtâbeg répondit : "Pour ma part je n'approuve aucun autre procédé pour exciter la terreur ![106]." Notons que Robert, au cours de la guerre de Baudouin Ier et de *T*ughtekîn contre Bursuq en 1115, s'était lié d'amitié personnelle avec *T*ughtekîn, au point qu'Usâma nous cite même les paroles jadis adressées par le seigneur franc au prince turc pour l'autoriser à traverser en tout temps son territoire et à s'y ravitailler à son gré[107]. Mais le chef turc avait repris goût au sang. D'après Gautier le Chancelier, il alla jusqu'à offrir à Il-Ghâzî 40 000 besants si ce dernier lui cédait tous les captifs aux fins de massacre. Il-Ghâzî, qui ne péchait point par excès d'humanité, dut lui faire remarquer une fois de plus qu'il était sage d'épargner les seigneurs soit aux fins de rançon plus considérable, soit pour obtenir, en échange, la reddition de certaines places fortes nécessaires à la sécurité d'Alep, comme 'Azâz par exemple[108].

Si l'âtâbeg n'épargnait même pas un chevalier auquel le liait une vieille camaraderie de guerre et dont on pouvait tirer une riche rançon, on devine ce que les massacreurs turcs durent faire des captifs insolvables. Ce fut, comme si souvent dans l'histoire turque, une boucherie, une boucherie de sang-froid, loin du champ de bataille et après des tortures dignes de l'Extrême-Asie. Les prisonniers, attachés à un poteau, servaient de cible aux Turcomans ivres, sous les yeux d'Il-Ghâzî. À d'autres on coupait les membres, puis on les exposait, vivant encore, dans les rues et sur les places d'Alep. Il-Ghâzî, à la fin complètement ivre comme ses hommes, convia toute la plèbe alépine à assister au massacre d'une quarantaine de captifs qui n'étaient pas assez riches pour pouvoir payer rançon. On les exécuta en sa présence, devant les portes de son palais, qui furent aspergées de sang. Comme un régal il offrit au qâ*d*î de Damas le plaisir de décapiter Arnaud, l'écuyer du comte de Mar'ash. Mais le qâ*d*î se troubla et passa le sabre à un Turc en s'excusant de laisser à un soldat le soin de décapiter un soldat[109]. Gautier nous raconte comment un incident – l'arrivée d'un beau cheval arabe offert par le sheikh Dubaîs – interrompit le massacre, Il-Ghâzî ayant éprouvé le désir immédiat de monter son nouveau coursier.

À la suite de ces sanglantes orgies, Il-Ghâzî retomba dans une crise de fièvre avec convulsions qui le tint quinze jours entre la vie et la mort.

### *Baudouin II sauveur et réorganisateur de la principauté d'Antioche.*

Tandis que les Turcs, pour se dédommager de leur défaite, se livraient au massacre des captifs, le roi Baudouin achevait sa victoire. De Dânî*th* il se porta sur Ma'arrat al-Nu'mân, y fit des prisonniers et ne se retira que devant un corps de Turcomans, sans doute parce que ses forces étaient à ce moment trop dispersées[110]. Il reprit d'ailleurs aussitôt l'offensive. Les Munqi*dh*ites de Shaîzar avaient profité du désastre de Roger pour s'emparer de 'Allârûz, qui est vraisemblablement, selon M. Dussaud, la Rusa ou Russa des chroniqueurs, ville située entre l'Oronte et Ma'arrat al-Nu'mân, à l'ouest d'al-Bâra[111]. Baudouin II battit les Munqi*dh*ites et reconquit le château. La garnison arabe fut autorisée à sortir avec les honneurs de la guerre. De là il alla prendre d'assaut, au sud-ouest de Ma'arrat al-Nu'mân et au sud-est d'al-Bâra, le château de Kafar-Rûma dont la garnison fut passée au fil de l'épée[112]. Puis il se dirigea sur Kafar*t*âb qui avait été également occupé après la défaite de Roger par les Munqi*dh*ites de Shaîzar. L'émir munqi*dh*ite, Sul*t*ân, se sentant incapable de lui disputer la place, le devança du moins à Kafar*t*âb, mit le feu au château et rentra avec la garnison à Shaîzar. Baudouin II, dès qu'il eut réparé le château et installé une garnison franque, se rendit à Sermîn et à Ma'arrat Mesrîn qu'il réoccupa de même, après que les défenseurs eurent capitulé[113]. Il remonta ensuite vers Zerdanâ, mais il ne semble pas s'être attardé devant la place qui ne fut reconquise par les Francs d'Antioche que quelques mois plus tard.

En réalité, Baudouin II, après avoir reconquis les districts de Ma'arrat al-Nu'mân, de Rî*h*â et d'Idlib, avait hâte de retourner à Antioche pour achever de réorganiser l'administration de la principauté que ses armes venaient de sauver.

La rentrée du roi à Antioche fut triomphale. Il avait vengé Roger et la chevalerie normande. Il avait reconstitué presque intégralement le territoire de la principauté[114]. « L'en le reçeut à grant procession et à grant joie en la ville, car selonc la meschéance qu'il avoient eue, le Roi les avoit bien revengiez et confortez. » Il renvoya sous bonne escorte la Vraie Croix portée par l'archevêque de Césarée à Jérusalem où elle arriva pour la fête de l'Exaltation, le 14 septembre 1119. Lui-même passa tout l'automne à Antioche pour réorganiser la principauté. « Li Patriarches, et li autre prélat et tuit li baron de la Princé d'Antioche, par commun acort, otroièrent le (= au) Roi la seigneurie de la terre, si franchement com il fesoit son roiaume. Li Rois leur promist son conseil et s'aide, et les reçeut en sa garde. Il demora là une pièce pour atirier les choses du paîs. Aus enfanz à ceus qui mort estoient en la bataille ou aus plus prochains parens, quant li enfant n'estoient, fist rendre leur héritages ; les vueves dames maria selonc leur avenanz, por alier entr'eus les genz de la terre. Les forteresces que l'on pocit tenir, fist bien garnir d'armes, de genz et de viandes. Lors prist congié por retorner en son paîs et s'en ala, si que le jour de Noël (1119) fist mout haute feste en la cité de Bethléem, et portèrent corone lui et la reine sa femme[115]. »

Ajoutons que Baudouin II sut ménager à la principauté d'Antioche de précieuses amitiés musulmanes. Ce fut ainsi qu'il disjoignit de la coalition les Arabes de Shaîzar, les chevaleresques émirs munqi*dh*ites en les relevant gracieusement du tribut qu'ils devaient à la principauté d'Antioche : « Depuis lors, ajoute Usâma ibn Munqi*dh*, nos relations avec Antioche se maintinrent excellentes[116]. »

Après le départ du roi la garnison turcomane d'Alep continua quelque temps à harceler les terres franques d'outre-Oronte. Jocelin de Courtenay, désormais installé dans son comté d'Édesse, répondit en conduisant dans la province orientale du royaume d''Alep, autour de Menbij et de Naqira[117], une expédition au cours de laquelle il tua ou captura plus d'un millier d'hommes. Cependant près de Râwendân (Ravendal), au sud-est de 'Aintâb, au nord de Killiz, un parti de Turcomans lui infligea, nous dit Kemâl al-Dîn, un échec, échec qui semble avoir été assez léger, car Ibn al-A*th*îr ne le mentionne même pas[118].

### *Deuxième campagne de Baudouin II contre Il-Ghâzî dans la principauté d'Antioche (1120). Rétrocession de la province d'outre-Oronte aux Francs.*

En mai 1120, un neveu d'Il-Ghâzî, l'ortoqide Balak, qu'Il-Ghâzî avait nommé gouverneur d'A*th*âreb, recommença les hostilités. Se mettant à la tête d'une partie de l'armée d'Alep, il envahit les terres franques, mais les troupes d'Antioche marchèrent à sa rencontre et le défirent complètement entre Turmânîn et Tell A'dé, à mi-chemin entre Alep et Jisr al *H*adîd, un peu au nord de l'*Ager sanguinis* où Roger avait, onze mois auparavant, trouvé la mort[119].

Pendant ce temps, Il-Ghâzî lui-même envahissait le comté d'Édesse. Venant du Diyârbékir, il traversa l'Euphrate le 26 mai 1120, à la tête d'une nombreuse troupe de Turcomans et vint camper sous Turbessel, sans d'ailleurs tenter un assaut inutile. Mais, au témoignage de Matthieu d'Édesse, il ravagea tout le pays ouvert, depuis Turbessel jusqu'à Kaisûn, massacrant les hommes, réduisant en captivité les femmes, « faisant brûler et rôtir les enfants avec une barbarie sans exemple ». Le comte d'Édesse, Jocelin de Courtenay, qui se trouvait à ce moment sur le territoire de la ville forte de Ra'bân, courut à Kaisûn et à Behesnî, rassembla ses troupes et réussit à chasser les Turcomans. Matthieu d'Édesse assure même qu'il leur aurait tué un millier d'hommes[120]. Quoi qu'il en soit, Il-Ghâzî, quittant la région de Samosate et de Turbessel, descendit sur 'Azâz, le Hasart des chroniqueurs, qu'il voulait enlever au comté d'Édesse. Il se croyait si sûr du succès qu'il interdit à ses Turcomans d'exercer la moindre déprédation sur les fermes du pays. Puis, au lieu de pousser le siège, il alla essayer d'une offensive brusquée en direction d'Antioche.

Au témoignage de Foucher de Chartres, il se rapprocha tant que les gens d'Antioche osaient à peine s'éloigner à un mille de la cité[121]. Mais les places devaient être bien garnies et Il-Ghâzî dut craindre d'être surpris par la brusque arrivée du roi de Jérusalem, car, au témoignage de Kemâl al-Dîn, il ne resta qu'un jour dans la banlieue d'Antioche. Le même auteur nous le montre mettant ensuite à l'épreuve et sans plus de succès les possessions franques d'outre-Oronte jusque vers le district d'al-Rûj (entre Rî*h*â et Jisr al-Shughr), puis se retirant à Qinnesrîn, en territoire alépin, en partie évidemment devant la menace que constituait l'arrivée imminente de Baudouin II, en partie en raison de l'indiscipline de ses propres troupes. « Un vif désappointement, nous dit Kemâl al-Dîn, éclata parmi ses troupes qui, au lieu d'une riche proie comme celle de l'année précédente, ne pouvaient ni forcer un seul château, ni faire le moindre butin. » Les Turcomans qui ne l'avaient suivi que pour le pillage commencèrent à se rebeller. Pour faire un exemple, il en fit raser et châtrer quelques-uns. Le résultat, c'est qu'une partie des siens l'abandonnèrent et se dispersèrent, et cela au moment le plus critique, car le roi Baudouin II arrivait[122].

Dès la nouvelle de l'invasion d'Il-Ghâzî les gens d'Antioche avaient imploré l'aide du roi qui, comme régent de la principauté, se devait de venir les défendre. De fait Baudouin II accourut sur-le-champ avec la Vraie Croix que, par parenthèse, le patriarche Gormond de Picquigny et le clergé de Jérusalem ne lui virent pas sans quelque inquiétude emporter et exposer une fois encore au hasard des batailles (juin 1120)[123].

Baudouin II, après avoir fait son entrée à Antioche et avoir opéré sa jonction avec Jocelin de Courtenay qui lui amenait l'armée d'Édesse, passa à son tour l'Oronte et se dirigea par Burj-Hâb vers Tell-Dânî*th*, sur le territoire de Sermîn, où il rencontra les Turcs. La situation d'Il-Ghâzî, affaibli par la défection des Turcomans, était si critique que *T*ughtekîn avait cru devoir accourir de Damas à son aide. Pendant trois jours les deux armées s'observèrent devant Tell-Dânî*th* sans en venir au corps à corps. Les Francs comptaient une nombreuse infanterie et un millier de chevaliers ou sergents montés. Enveloppés par les tourbillons de la cavalerie légère turcomane, ils restèrent impassibles, refusant de se laisser attirer dans une poursuite pleine de pièges, mais refusant aussi de reculer. Au contraire, après trois jours d'expectative à Tell Dânî*th*, Baudouin II se mit en marche vers le nord, c'est-à-dire en direction des villes, conquises l'année précédente par Il-Ghâzî, de Zerdanâ et d'A*th*âreb. Progression sans cesse harcelée par la cavalerie turque : « Enveloppés de tous côtés par les Turcs, les Francs marchaient sans qu'un seul homme, cavalier ou fantassin, osât s'écarter des rangs dans la crainte d'être pris. En effet quiconque restait en arrière était tué ; dès qu'un cheval s'abattait il était abandonné et pris. Ils finirent par manquer d'eau. Il-Ghâzî et *T*ughtekîn chassaient à coups de bâtons tous les paysans qui s'approchaient pour leur apporter de l'eau ou des vivres ». Mais Baudouin II par sa vigilance et sa fermeté en imposa malgré tout à l'ennemi. Quand il fut arrivé à Ma'arrat-Mesrîn, au nord d'Idlib, à mi-chemin entre Idlib et Zerdanâ, *T*ughtekîn et Il-Ghâzî renoncèrent à le suivre et rentrèrent à Alep. Ibn al-A*th*îr nous dit que ce fut *T*ughtekîn qui, comparant la maigreur des chevaux turcomans à l'excellent état des coursiers francs, et par ailleurs « craignant que les Francs, excités par le danger, ne fissent un dernier effort et ne se précipitassent sur les Musulmans », jugea sage de décamper[124].

Cette fois encore – et même sans avoir eu à livrer bataille – Baudouin II, par sa tactique à la fois prudente et tenace, restait maître du terrain d'opérations. Il était si bien le vainqueur moral de cette campagne sans bataille qu'Il-Ghâzî conclut avec lui un armistice par lequel l'émir reconnaissait à la principauté d'Antioche la possession de la majeure partie des territoires contestés d'outre-Oronte, savoir (du sud au nord) Kafar*t*âb, Ma'arrat al-Nu'mân, al-Bâra, l'impôt de Burj Hâb, les fermes du Jebel Summâq (qui est l'actuel district du Jazr, au nord de Ma'arrat al-Nu'mân), l'impôt de Tell A'dé, à l'ouest d'Alep, au nord de Sarmeda et de l'*Ager Sanguinis*, les fermes du Jebel Lailûn ou Jebel Barakat, au nord de Tell

A'dé[125], et enfin les fermes du territoire de 'Azâz (Hasart) et l'impôt de cette ville[126].

Comme on le voit, c'était pour Baudouin II un magnifique succès. L'adversaire s'avouait hors de combat. Avant de rentrer à Jérusalem le roi resta quelque temps à Antioche pour vaquer à ses devoirs de régent, méritant le bel éloge de *l'Estoire d'Éracles :* « Mout estoit amez en ces deus terres qu'il tenoit ; en Surie (= Palestine) qui estoit ses roiaumes et en la contrée d'Antioche ; car mout li estoient à cuer li afères de ces deus terres, et sembloit que plus entendist à governer la terre d'Antioche qui li estoit bailliée à garder, que son roiaume qui estoit suens à li et à son oir. En ceste manière se contint tant com li princez fu en sa main[127]. »

Enclave dans la zone reconnue aux Francs, Il-Ghâzî détenait encore la petite place de Zerdanâ, la Sardone des chroniqueurs, conquise par lui après la mort de Roger. En juin 1120, désespérant de pouvoir défendre la ville, il la détruisit[128] (nous verrons qu'elle fut presque aussitôt réédifiée par les Francs). Kemâl al-Dîn note pour le même temps que les Francs « accablaient d'avanies les laboureurs des cantons qu'ils occupaient, leur enlevant en argent et en blés de quoi se fortifier eux-mêmes ». Il faut sans doute voir là une conséquence de la réoccupation par les Francs des districts d'outre-Oronte dont la population rurale arabe avait fait, lors du désastre de Roger, cause commune avec les envahisseurs.

Malgré la trêve, le gouverneur alépin (c'est-à-dire ortoqide) de Menbij enleva des prisonniers sur le territoire d'Édesse. Les réclamations du comte d'Édesse, Jocelin de Courtenay, n'ayant pas eu de suite, ce dernier vint ravager le territoire de Menbij[129] en infligeant aux populations, en représailles des massacres d'Alep, des châtiments sévères (janvier 1121). Le gouverneur d'Alep pour Il-Ghâzi, qui était le fils de ce dernier, Sulaîmân, s'étant plaint auprès de Baudouin II, le roi de Jérusalem déclina toute responsabilité en ce qui concernait les actes du comte d'Édesse lequel, en effet, ne s'était peut-être pas fait inclure dans la trêve[130]. Par ailleurs, dès que les trêves de la principauté d'Antioche avec les Munqi*dh*ites de Shaîzar, eurent expiré, les Francs d'Antioche envahirent le territoire de Shaîzar, y firent un butin considérable et beaucoup de prisonniers. Ils réclamèrent aussi le tribut qu'ils avaient coutume de percevoir avant le désastre de Roger. L'émir munqi*dh*ite Sul*t*ân consentit à le leur payer à condition qu'ils lui restitueraient tout leur butin. Les Francs ayant refusé, Sul*t*ân ne s'en vit pas moins contraint à payer tribut pour obtenir le renouvellement des trêves jusqu'en mars 1122[131].

Profitant de ce qu'Il-Ghâzî prolongeait son séjour dans sa ville de Mârdîn, au Diyârbékir, en négligeant sa nouvelle possession d'Alep, Jocelin de Courtenay vint ravager le district de Siffîn, sur la berge occidentale de l'Euphrate, en face de Qal'at Ja'bar, pays habité par des Arabes et des Turcomans parmi lesquels il fit beaucoup de prisonniers. De là il alla, à mi-chemin entre Menbij et Alep, assaillir Bizâ'a près de Bâb, brûla une partie de murailles et ne se retira que contre forte rançon. Au début de mai 1121, il vint attaquer, au sud-est d'Alep, A*th*âreb, la seule conquête des Alépins en 1119 que ceux-ci possédassent encore, mit la ville basse à feu et à sang et réduisit en captivité tous ceux des habitants qui ne s'étaient pas réfugiés dans le château[132].

La supériorité des Francs était si bien rétablie, le désastre de 1119 si bien effacé qu'Il-Ghâzî donna l'ordre à son fils Sulaîmân, gouverneur d'Alep, « de conclure la paix avec les Francs aux conditions exigées par ceux-ci. » Il leur confirma donc la possession du district d'outre-Oronte, avec le Jazr ou canton au nord de Ma'arrat al-Nu'mân, autour de Sermîn et d'Idlib, et même la partie nord de la terre d'outre-Oronte jusqu'aux abords immédiat d'Alep[133]. « Toute la banlieue environnant Alep, écrit Kemâl al-Dîn, fut partagée par égale moitié, et si exactement que chaque partie contractante eut la moitié du moulin dit Ru*h*â al-'Arabiya et que la forteresse de Tell Hirâq fut démolie afin de n'appartenir ni aux uns ni aux autres. Les Francs avaient réclamé et obtenu d'Il-Ghâzî la cession d'A*th*âreb, mais la garnison refusa de se rendre et cette place resta ainsi au pouvoir des Musulmans. Les négociations avaient été dirigées par Jocelin et Onfroy. Elles furent ratifiées par Baudouin. » L'auteur arabe nous dit encore que Baudouin II fit transformer en forteresse le couvent de Sarmedâ (Deir al-Sarmedâ) et en donna le commandement à l'ancien seigneur d'A*th*âreb, Alain le Méchin[134].

Pendant ce temps, l'âtâbeg de Damas, *T*ughtekîn, jugeant Baudouin II trop occupé avec sa double souveraineté de Jérusalem et d'Antioche, avait fait, avec les Arabes de Transjordanie et du Jaulân, une incursion en Galilée ; « coureurs envoia par toute la contrée por gaster le païs. » Baudouin II marcha aussitôt contre lui, passa le Jourdain sur ses traces le 5 juillet 1121, et se lança à sa poursuite, sans doute à travers le Jaulân. Mais l'âtâheg refusa le combat et se retira vers Damas. Baudouin II dirigea alors une expédition de représailles dans le Jebel 'Ajlûn, l'ancien Galaad, en Transjordanie, où *T*ughtekîn venait, l'année précédente, de fortifier la ville de Jerash (Gérasa). Le roi assiégea la place et réduisit les défenseurs à capituler ; considérant qu'en raison de la distance il lui serait difficile de conserver la forteresse, il la fit démolir[135].

*Troisième campagne de Baudouin II dans la Syrie du Nord (1121). Réoccupation de Zerdanâ par les Francs.*

Dans le nord, la puissance d'Il-Ghâzî fut encore affaiblie par une campagne malheureuse au Caucase, contre le roi de Géorgie David II. Cette campagne avait été entreprise à l'instigation du prince seljûqide *T*ughril, fils du feu sultan de Perse Mu*h*ammed et qui était seigneur de Qazwîn en 'Irâq 'Ajemî[136]. *T*ughril et Il-Ghâzî envahirent la Géorgie, mais éprouvèrent près de Tiflis un véritable désastre, auquel ils n'échappèrent qu'avec peine (août 1121)[137]. Il-Ghâzi rentra en piteux état dans sa ville de Mârdîn.

La victoire du roi chrétien de Géorgie se trouva, par contrecoup, faire sentir son influence bienfaisante jusqu'en Syrie. Le fils d'Il-Ghazî, Sulaimân, que celui-ci avait nommé gouverneur d'Alep, se révolta contre lui. Pour se défendre contre la vengeance paternelle, il dut faire des avances aux Francs d'Antioche. Ceux-ci, enhardis par la division des forces ortoqides, vinrent camper devant Zerdanâ, reconstruisirent la forteresse détruite par Il-Ghâzî, et la rendirent à Guillaume, fils de Robert Fulcoy, l'ancien seigneur de la ville[138]. De là ils poussèrent jusqu'aux portes d'Alep, pillant au passage les tentes dès *T*aiy, tribu arabe qui nomadisait dans la banlieue.

Nâ*s*r, chambellan de l'émir Sulaimân, qui sortit à la tête des troupes alépines, se fit battre et subit des pertes sérieuses.

Le roi Baudouin II jugea la situation assez intéressante pour venir en personne (août-septembre 1121) s'emparer de Khunâ*s*ira (au sud-est d'Alep), dont il fit transporter les portes à Antioche. Après une promenade militaire dans toute la région au nord et au sud-est d'Alep, il revint camper sur les bords du Quwaiq. Sulaimân implora la paix. L'accord ne put d'ailleurs se faire, Baudouin II exigeant la remise d'A*th*âreb, et Sulaimân n'osant inaugurer son règne par un tel abandon.

Cependant Il-Ghâzî quitta Mârdîn pour venir ramener son fils à l'obéissance. Quand le vieil émir approcha, Sulaimân implora son pardon. Il-Ghâzî entra sans résistance à Alep (13 novembre 1121). Il pardonna à son fils, mais infligea des supplices divers aux conseillers de celui-ci : langues fendues, yeux brûlés, jarrets coupés. Pour consolider son pouvoir à Alep, il épousa une princesse seljûqide, fille du feu malik Ri*d*wàn. Avec les Francs d'Antioche, ne se sentant pas en forces, il conclut la paix en leur rétrocédant même les fermes dépendant d'A*th*âreb[139]. Kemâl al-Dîn ajoute qu'il conclut cette paix « pour une longue période ».

*Quatrième campagne de Baudouin II dans la Syrie du Nord (1122) : Balduinus Cunctator.*

En réalité, le Ghâzî ne voulait que gagner du temps pour refaire ses forces. Il rentra au Diyârbékir, y recruta une nouvelle armée de Turcomans et, à la fin de juin 1122, revint en Syrie avec son neveu Balak ibn Bahrâm ibn Ortoq, pour recommencer la guerre. Balak constituait d'ailleurs une recrue précieuse. Cet épigone ortoqide devait se montrer un des hommes les plus énergiques de la famille et, un jour, le véritable successeur d'Il-Ghâzî. Après avoir mis de l'ordre dans les affaires d'Alep, Il-Ghâzî vint assiéger Zerdanâ (27 juillet 1122). Au bout de quelques jours il s'empara de la première enceinte. À la nouvelle de l'invasion ortoqide, nous dit Kemâl al-Dîn, Guillaume de Zerdanâ, après avoir fait jurer à la garnison de défendre la place jusqu'au bout, était allé demander l'aide de Baudouin II, pour lors occupé à réduire, comme on l'a vu, la rébellion du comte Pons de

Tripoli[140]. La réponse que Kemâl al-Dîn met dans la bouche de Baudouin II est caractéristique : « Depuis que nous avons conclu la paix en prenant des engagements réciproques, fidèles à notre parole, nous avons protégé les possessions d'Il-Ghâzî pendant son absence. Nous sommes gentilshommes (mot à mot, "des *sheikhs*"), et je ne redoute pas un acte de déloyauté de sa part. Il se peut cependant qu'il menace Tripoli ou qu'il vienne m'attaquer dans Jérusalem, car la trêve ne concerne que la ville et le territoire d'Antioche[141]. » Texte capital en ce qu'il montre à quel point la noblesse française établie en Syrie apportait dans les relations avec la féodalité musulmane sa conception du droit et de l'honneur.

Mais Baudouin II avait tort de prêter des sentiments de chevalerie au chef turc. Il-Ghâzî, quand Guillaume de Zerdanâ fut de retour en Haute-Syrie, avait déjà poussé avec ardeur le siège de la ville. Le roi de Jérusalem, revenu de ses illusions, hâta sa paix avec le comte de Tripoli auquel il fit promettre de venir le rejoindre, et partit avec la Vraie Croix pour Antioche, d'où il invita également Jocelin de Courtenay, comte d'Édesse, à accourir pour reformer le bloc franc. Déjà les Turcs avaient dressé quatre mangonneaux contre Zerdanâ et enlevé la première ligne de défense. Le siège durait depuis quatorze jours, lorsque Baudouin II et toutes les forces franques arrivèrent et campèrent sous Deir al-Sarmedâ, couvent fortifié, situé en contrebas du bourg même de Sarmedâ[142]. Il-Ghâzî se porta à leur rencontre, de Zerdanâ à Tell-Nawâz (à mi-chemin entre Zerdanâ et Sarmedâ, et au sud-ouest d'A*th*âreb). Il espérait décider les Francs à descendre des hauteurs de la région de Sarmedâ vers la plaine où, grâce à l'arrivée de son allié *T*ughtekîn, sa supériorité numérique – 10 000 cavaliers contre 1 200 – lui aurait permis de les encercler. Mais le prudent Baudouin II se garda bien de donner dans le piège. Il-Ghâzî, ne pouvant l'attirer dans le bled, leva son camp en direction du sud-est, et alla se poster à Tell al-Sul*t*ân près des marais où se jette le Quwaiq, au sud d'Alep, au nord-est de Ma'arrat al-Nu'mân. Son intention était évidemment de s'y dissimuler pour donner le change aux Francs.

Baudouin II descendit en effet de Sarmedâ vers Tell-Nawâz et A*th*âreb. Il entra dans les faubourgs d'A*th*âreb, incendia les greniers et la muraille, mais sans s'attarder au siège du château que le gouverneur ortoqide, Yûsuf ibn Mîrkhân, était venu mettre en état de défense. Puis, satisfait d'avoir dégagé Zerdanâ, il retourna à Antioche. Aussitôt Il-Ghâzî revint contre Zerdanâ dont il attaqua la seconde enceinte. Baudouin II accourut incontinent d'Antioche réoccuper son excellente position stratégique sur les hauteurs de Deir, tandis que Il-Ghâzî, de son côté s'avançait de nouveau jusqu'à Tell Nawâz, espérant toujours attirer les Francs dans la plaine[143]. Mais les Francs connaissaient bien cette tactique de Parthes – le mot est dans Foucher de Chartres – consistant à simuler la fuite pour amener les légions d'Occident à s'aventurer dans la steppe où les légers escadrons turcs, tournoyants et insaisissables, refusant le corps à corps, tout en criblant leur adversaire de flèches, l'avaient épuisé et démoralisé bien avant l'heure du combat décisif[144]. La sage temporisation de Baudouin II ayant refusé aux Turcs le bénéfice de cette manœuvre, ce fut Il-Ghâzî qui se retira, découragé. L'émir souffrait d'ailleurs d'une infection pour abus de viande salée et de pastèques et ce fut gravement malade qu'il rentra à Alep. Jugeant sans doute les terres d'Antioche trop bien défendues, il envoya un corps de mille cavaliers piller la région de 'Azâz (Hasart), pour lors dépendance du comté d'Édesse, mais au retour ce rezzou fut surpris et mis en fuite par Guillaume de Zerdanâ avec quarante chevaliers francs[145].

Quant au roi Baudouin II, après cette heureuse campagne qui, sans coûter une goutte de sang, avait dégagé Zerdanâ, il regagna Antioche, d'où il raccompagna jusqu'à Tripoli la Vraie Croix rentrant à Jérusalem (elle fut de retour à Jérusalem le 20 septembre 1122). Lui-même rebroussa chemin vers Antioche pour y régler quelques affaires de la régence.

### *Capture de Jocelin de Courtenay par les Ortoqides (1122). Baudouin II régent d'Édesse en même temps que d'Antioche.*

L'avantage restait partout aux Francs lorsqu'une surprise priva le comté d'Édesse de son chef, Jocelin de Courtenay. Matthieu d'Édesse nous dit que Jocelin s'était mis en campagne pour essayer de capturer le prince ortoqide Balak ibn

Bahrâm qui traversait les terres d'Édesse en rentrant d'Alep dans son fief de Kharpût. Mais ce fut Balak qui surprit Jocelin près de la ville de Sarûj.

Jocelin et son cousin Galéran du Puiset, seigneur de Bir (Bîrejik)[146], s'avançaient avec cent cavaliers seulement. Balak s'était caché et retranché dans une localité que Matthieu d'Édesse nomme en arménien Daph'thil, « où coulait une rivière (un affluent de la rive occidentale du Bâlikh ?) et que des marais environnaient de toutes parts. » Quand les Francs furent venus buter sur le guet-apens turc, ils s'élancèrent inconsidérément à l'attaque, mais il venait de pleuvoir, l'argile de la Jazîra, détrempée et collante, rendit impossible la charge de la lourde chevalerie franque. Les Francs ne purent même pas franchir les ravins qui protégeaient Balak. Les agiles archers turcomans, plus à l'aise sur leurs maigres chevaux, firent pleuvoir sur l'ennemi enlisé une grêle de traits, en visant particulièrement les coursiers francs, puis ils tombèrent sur les chevaliers démontés et en capturèrent soixante dont Jocelin et Galéran (13 septembre 1122)[147]. Balak proposa aux prisonniers de se racheter sur-le-champ, moyennant cession du comté d'Édesse. Kemâl al-Dîn nous rapporte leur pittoresque réponse : « Nous sommes comme des chameaux chargés de litières ; quand un de ces animaux périt, on passe son bagage à un autre ; de même ce que nous possédons a passé maintenant en d'autres mains »[148]. Paroles remarquables qui montrent quels progrès la notion de l'État avait faits dans la société franque.

Balak conduisit Jocelin et Galéran avec une partie de leurs chevaliers dans la citadelle de sa ville de Kharpût, le « Quart-Pierre » des chroniqueurs. Vingt-cinq autres prisonniers francs furent emprisonnés à Palu, à l'est de Kharpût. Les Francs d'Édesse, d'ailleurs, bien que privés de leur seigneur, ne s'abandonnèrent pas. Un mois après la capture de Jocelin, ils vinrent, de Turbessel, faire une incursion en terre alépine jusqu'à Tell Kubbesîn au nord de l'actuel Bâb[149]. Comme la garnison alépine de Bizâ'a sortait à leur rencontre, ils lui infligèrent une défaite complète (octobre 1122)[150].

Il n'en est pas moins vrai que la capture de Jocelin de Courtenay constituait un grave péril pour le comté d'Édesse. Le prince d'Antioche tué trois ans auparavant, le comte d'Édesse maintenant prisonnier, la tâche du roi Baudouin II, obligé d'assumer la régence de ces deux États en même temps que le gouvernement de Jérusalem, devenait écrasante.

### *Morcellement de l'émirat ortoqide et cinquième campagne de Baudouin II dans la Syrie du Nord (1122-1123) : rétrocession d'*Athâreb *aux Francs.*

Sur ces entrefaites, Il-Ghâzî, malade depuis longtemps, mourut (3 novembre 1122). Le domaine ortoqide fut partagé. Son fils Sulaîmân (Shems al-Dawla Sulaîmân) prit possession de Maiyâfâriqîn (Silvan, entre Amida-Diyârbékir et Bitlis), c'est-à-dire du Diyârbékir septentrional. Le deuxième fils d'Il-Ghâzî, Timurtâsh, prit la vieille capitale paternelle, Mârdîn, avec le Diyârbékir méridional. Balak (ibn Bahrâm ibn Ortoq), neveu d'Il-Ghâzî, conserva la terre de Kharpût et de Palu. Enfin Alep échut à un autre neveu d'Il-Ghâzî, nommé, lui aussi, Sulaîmân – Badr al-Dawla Sulaîmân ibn al-Jabbâr ibn Ortoq.

Le morcellement du royaume ortoqide ne pouvait, évidemment, que soulager les Francs. Ce qui avait fait la force de la domination ortoqide à Alep, c'est qu'elle s'appuyait sur les bandes turcomanes du Diyârbékir. Privé de cet appui, puisque le Diyârbékir appartenait à d'autres Ortoqides, Sulaîmân ibn al-Jabbâr, le nouveau maître d'Alep, allait se trouver dans une situation très affaiblie. Le roi Baudouin II ne manqua pas d'en profiter. Il accourut dans le nord. Avec les chevaliers d'Antioche et d'Édesse auxquels se joignirent des éléments arméniens, il envahit la province de Bizâ'a, province actuelle de Bâb, au nord-est d'Alep. Après avoir reçu la soumission et un tribut des gens de Bâb, il alla, au sud-est, attaquer Bâlis, possession alépine sur l'Euphrate. Mais une sortie de la cavalerie turcomane de Bâlis le força à s'éloigner. Il fut plus heureux contre al-Bîra, petite place au sud de Bâb (au nord-est d'Alep), dont il fit capituler la garnison[151]. Alep se trouvait ainsi complètement encerclé. Les incursions des Francs autour de la grande ville, nous dit Kemâl al-Dîn, se poursuivirent jusqu'à la fin de février 1123. Toutes les pistes de caravanes étaient coupées et Alep presque réduite à la famine. Il fallut traiter. Le 9 avril 1123 l'Ortoqide d'Alep, Sulaîmân ibn al-Jabbâr, obtint la paix de Baudoin II en rétrocédant à la principauté d'Antioche la place forte d'A*th*âreb, le Cerep des chroniqueurs, à trente kilomètres en ligne droite au sud-ouest d'Alep. A*th*âreb, on l'a vu, était l'enjeu de toutes ces guerres. Elle fut rendue à son ancien seigneur Alain le Méchin[152].

*La royauté hiérosolymitaine tutrice des diverses colonies franques. Œuvre salvatrice de l'institution monarchique franco-syrienne.*

Ainsi les dernières conséquences du désastre de l'*Ager Sanguinis* étaient effacées. Patiemment, avec un minimum de batailles rangées, par une série de marches stratégiques et la pratique persévérante du blocus économique, en mettant à profit, avec une remarquable clairvoyance, les divisions politiques de l'ennemi, le roi de Jérusalem avait en quatre ans rétabli la principauté d'Antioche dans ses frontières de 1118. C'est là un des plus beaux chapitres de l'histoire de la monarchie franque. Bien plus que tant d'autres chapitres en apparence plus éclatants – victoires retentissantes, désastres pathétiques – il nous montre à l'œuvre l'institution monarchique hiérosolymitaine, travaillant tenacement pour réparer les désastres sans payer trop cher les victoires, et y réussissant à force de patience et d'opportunisme. Baudouin II nous apparaît ici comme un Philippe-Auguste d'outre-mer, mettant comme ce dernier l'esprit politique au premier plan.

Reconnaissons aussi que l'institution monarchique, telle que les Croisés l'avaient importée de la France capétienne, leur donnait un avantage considérable sur les émirats adverses. C'est qu'elle avait pour elle la continuité et la durée, tandis qu'autour d'elle les empires turcs se morcelaient et s'écroulaient sans cesse aussi vite qu'ils avaient surgi, au hasard des partages familiaux et des révolutions de caserne.

Si l'on ajoute, pour les événements que nous venons de résumer, que l'œuvre de redressement fut accomplie pendant la vacance du trône d'Antioche et bientôt du trône d'Édesse, par le roi de Jérusalem seul, agissant comme régent de ces deux principautés, on verra à quel point la royauté hiérosolymitaine, telle que l'avait créée, malgré l'opposition du patriarcat, Baudouin Ier, répondait à l'objet de sa mission et s'affirmait, à l'expérience, comme l'indispensable armature de la France d'outre-mer.

À peine cette œuvre de restauration accomplie à Antioche, Baudouin II se vit dans l'obligation d'en accomplir une semblable dans le comté d'Édesse que la captivité de Jocelin de Courtenay laissait également privé de chef. « Li Rois s'en ala tout droit en la terre de Rohez (= Édesse) qui trop estoit desconseilliée de la prise le (= du) Comte. Il les voloit reconforter et conseiller de ce que il poïst. Par la terre chevaucha por veoir les forteresces et metoit garnisons là où mestier (= besoin) estoit ; aus barons parloit et aus chevaliers, et leur prioit que il se contenissent com preudrom »[153].

## § 3. — Captivité de Baudouin II. Régence d'Eustache Garnier et de Guillaume de Bures (1123-1124).

*Capture de Baudouin II par les Ortoqides.*

L'institution monarchique, au moment où elle atteignait ainsi son apogée, se trouva mise à l'épreuve la plus rude qu'elle ait eu à subir au cours des quatre-vingts ans de son histoire : le roi fut fait prisonnier et resta deux ans captif[154].

Baudouin II, après avoir imposé une paix victorieuse à l'émirat d'Alep, rétabli dans ses anciennes frontières la principauté d'Antioche et assuré la défense du comté d'Édesse, se mit en devoir d'aller délivrer le comte d'Édesse, Jocelin de Courtenay, toujours prisonnier de l'ortoqide Balak à Kharpût. Cette expédition semblait d'autant plus nécessaire que Balak était venu assiéger la forteresse de Gargar ou Karkar, dépendance du comté d'Édesse située au nord de Samosate[155]. Baudouin II, qui venait de Turbessel et remontait la rive occidentale de l'Euphrate par Dulûk et Ra'bân, était arrivé sur le Sanja, rivière qui coule au nord-ouest de Samosate et va se jeter dans l'Euphrate, non loin de cette ville. Montant toujours en direction de Gargar, il passa le Sanja sur un pont (Qan*t*ara-Sanja) situé en face d'une localité que Kemâl al-Dîn nomme Awrash, près de Shendshrig, ajoute Matthieu d'Édesse. Quel que soit le nom exact de la localité, ce fut là, sur la rive orientale du Sanja, qu'il fit dresser son camp, sans se douter que Balak, avec des forces considérables, s'était posté tout près, en embuscade. « Lorsque l'on eut planté la tente du roi, il voulut se donner le plaisir de la chasse au faucon. Tout à coup Balak se précipita avec tous les siens sur les chrétiens, en fit un massacre épouvantable et s'empara de la personne du roi[156] » (18 avril 1123).

Traînant avec lui son prisonnier, Balak alla d'abord se faire livrer la forteresse de Gargar. Puis il emmena Baudouin II à Kharpût où il le jeta dans les oubliettes de la citadelle avec Jocelin de Courtenay et Galéran.

### *Le roi pris, la monarchie continue. Régence d'Eustache Garnier à Jérusalem et gouvernement du patriarche Bernard à Antioche.*

La captivité de Baudouin II mettait la Syrie franque dans une situation singulièrement inquiétante. Le royaume de Jérusalem, la principauté d'Antioche et le comté d'Édesse se trouvaient simultanément privés de leurs chefs. Un seul des quatre princes francs, le comte Pons de Tripoli, était encore à la tête de ses États.

Une telle situation, quelques années auparavant, eût sans doute entraîné une catastrophe. Mais la domination franque était maintenant assez enracinée pour résister à la tourmente. Surtout l'idée monarchique, au bout d'un quart de siècle de la plus bienfaisante expérience, était si bien ancrée dans les esprits qu'elle continuait à agir en quelque sorte automatiquement, même en l'absence du roi. Épreuve décisive qui allait attester combien solide était déjà la fondation de Baudouin Ier. Le roi pris – sur le moment on le crut même tué –, le patriarche de Jérusalem Gormond de Picquigny, les barons et les prélats du royaume se réunirent en conseil à Saint-Jean-d'Acre pour aviser (mi-mai 1123)[157]. Ils confièrent la régence, jusqu'à la délivrance de Baudouin II, au connétable Eustache Garnier (ou Grenier), comte de Sidon et de Césarée, « sages hom, loiaux et de grant cuer[158] », et la vie du royaume continua comme si le monarque eût été présent. De même à Antioche le vieux patriarche Bernard de Valence reprit une fois encore avant de mourir la direction des affaires, comme aux jours tragiques qui avaient suivi la disparition du prince Roger. La plus stricte vigilance s'imposait en effet, car Balak n'était pas homme à ne point profiter de sa fortune inespérée.

*Balak maître d'Alep. Conquête d'al-Bâra sur les Francs.*

Balak chercha d'abord à refaire contre les Francs l'unité de l'État ortoqide. Bénéficiant du prestige que lui avait valu dans tout l'Islam cette prodigieuse victoire – le roi de Jérusalem et le comte d'Édesse simultanément dans ses fers ! – il en profita pour aller disputer Alep à son cousin Sulaîmân. Ce dernier était déconsidéré par la cession qu'il avait dû consentir d'A*th*âreb aux Francs. La ville d'Alep résista cependant, sans doute à cause de la réputation de brutalité de Balak. Alors celui-ci employa la terreur, mettant la banlieue d'Alep à feu et à sang. À Jibrîn et à Nirâb, il incendie les moissons, selon son habitude, enlève les bêtes de somme. Un paysan arabe s'est vengé d'un soldat turc qui a pris sa chèvre : Balak par représailles fait enfumer 150 paysans dans une caverne. Les femmes et les enfants sont enlevés et vendus. Alep, réduite à la disette, finit par ouvrir ses portes (26 juin 1123). Le 28, Sulaîmân quitta la citadelle et Balak s'y installa le lendemain.

Une fois maître d'Alep, Balak envahit la principauté d'Antioche. Il descendit jusqu'aux abords de Ma'arrat al-Nu'mân et vint assiéger, à l'ouest de cette ville, la place d'al-Bâra. C'était, on s'en souvient, une seigneurie épiscopale et peut être est-ce pour cela que Balak l'attaqua, comme moins bien gardée. De fait la ville fut prise et l'évêque capturé. Balak se dirigea de là vers le sud, évidemment pour donner la main aux Munqi*dh*ites de Shaîzar. Pendant la marche, l'évêque d'al-Bâra s'échappa et courut se réfugier dans Kafar*t*âb. Balak, arrivé devant cette ville se préparait à la prendre d'assaut lorsque – le 7 août 1123 – il reçut la plus incroyable nouvelle : Baudouin II et Jocelin qu'il avait laissés dans les oubliettes de Kharpût venaient de se rendre maîtres de la forteresse[159].

*La romanesque occupation de Kharpût par Baudouin II. Odyssée de Jocelin de Courtenay.*

L'épisode est un des plus romanesques de cette histoire. Enfermé avec Baudouin II dans les oubliettes de Kharpût, Jocelin de Courtenay avait trouvé le moyen d'entrer en rapports avec les Arméniens du pays[160]. Par leur entremise il put faire passer un message à ses sujets arméniens du comté d'Édesse, leur demandant de venir le délivrer. Or, à la différence de Baudouin Ier, le sire de Courtenay, depuis qu'il était devenu comte d'Édesse, avait su se faire aimer de l'élément arménien[161]. Cinquante de ces braves gens, hommes de cœur et de ruse, conçurent pour le délivrer un plan d'une hardiesse inouïe. Ils se déguisèrent les uns en moines, les autres en marchands, d'autres en mendiants – avec des armes cachées sous leurs robes, « portèrent costiaus souz leur fros qui estoient large » – et, d'Édesse ou de Behesnî, se mirent en route vers Kharpût. Arrivés près de la ville, ils jouèrent avec un sang-froid prodigieux le scénario concerté. Se présentant aux portes, ils vinrent se plaindre au gouverneur ortoqide de soi-disant injustices dont ils avaient été victimes. Ceux qui étaient déguisés en moines « au chastel s'en vindrent einsi corne s'il se vosissent clamer d'outrages qu'en leur eust fez en leur abaïes et demandeoient le baillif, cui (à qui) il voloient monstrer leur plaintes. Aucuns i en ot qui se vestirent corne marcheanz qui se revenoient ausi pleindre de ce qu'en les avoit dérobez. L'en les leissa entrer dedenz, porce qu'il sembloient gens de paìs ».

Une fois admis à l'intérieur de l'enceinte, ils se mirent d'intelligence avec les ouvriers arméniens de la ville, puis exécutèrent leur coup de main sur la forteresse dans laquelle étaient gardés les prisonniers francs. « Ils s'élancèrent dans la forteresse, dit Matthieu d'Édesse, et se firent jour jusqu'à la prison. Les soldats qu'ils rencontrèrent dès l'entrée furent égorgés, puis, fermant la porte, ils parvinrent, en poussant de grands cris, jusqu'à celle de la tour où étaient détenus le roi de Jérusalem, Jocelin et Galéran, ainsi que d'autres chefs, et brisèrent leurs liens avec des transports d'allégresse. Ils rendirent ainsi la liberté à une foule de guerriers, d'hommes et de femmes. Quelques habitants du pays (des Arméniens évidemment) s'étaient introduits dans la prison pour aider les libérateurs. Le roi et ses compagnons, dégagés de leurs chaînes, s'emparèrent de la forteresse et de toute la maison de Balak[162] ».

Par un coup de chance inespéré le roi de Jérusalem, hier captif dans les oubliettes de Kharpût, se voyait aujourd'hui maître de cette forteresse, patrimoine de son ennemi. Restait à s'y maintenir ou à en sortir, toutes choses également difficiles, car les Turcs, revenus de leur surprise, bloquaient étroitement la place. Et on se trouvait en plein massif du Taurus Grand-Arménien, au fond de la vallée perdue du Murâd-su. On convint que Baudouin II se maintiendrait avec les Arméniens dans la forteresse, tandis que Jocelin essaierait, à ses risques et périls, d'aller chercher du secours en Syrie. « Li rois se mist en grant cure de garnir ce chastel entre lui et les Ermins qui deslié l'avoient ; mout essaioit se il le poïst deffendre jusque li secors leur venist, de qui il cuidoit bien qu'il ne tarderoit mie. »

L'odyssée de Jocelin de Courtenay de Kharpût en Syrie fut une des plus dramatiques de cette histoire[163]. Il sortit d'Édesse de nuit, avec seulement trois compagnons, trois Arméniens qui connaissaient bien le pays. Il fut assez heureux pour traverser, sans être pris, les campements turcs, renvoya, comme convenu, un des Arméniens à Kharpût pour faire savoir à Baudouin II qu'il avait pu franchir la zone dangereuse, et, avec les deux autres, s'enfonça, à la clarté de la lune, à travers les gorges de Mezré. Se cachant le jour, marchant la nuit – « de nuiz fesoient leur journées, de jorz se tapissoient ès caves et bois » –, ils se dirigèrent vers l'Euphrate. « Par aventure avoient porté avec eus deus bouciaus (petites outres en peau de bouc) de vin et un petit de viande, qui molt leur orent grant mestier, car onques plus n'en orent jusque il vindrent au grant flum d'Eufrate. »

Arrivés au bord de l'Euphrate – sans doute au sud de l'actuel Mezré – il s'agissait pour les trois fugitifs de le traverser pour prendre la route de Samosate et de Turbessel. Point de barques, et Jocelin ne savait pas nager. Il gonfla ses deux outres, se les attacha à la ceinture et poussé par ses deux Arméniens, excellents nageurs, eux, parvint à la rive occidentale. Mais il était épuisé, mourant de faim et de fatigue, les pieds en sang, car ses chaussures s'étaient déchirées pendant la traversée du Mezré-dâgh. « Lors fu li Cuens en mout grant angoisse car il estoit nuz piez en la terre à ses anemis, ne il n'avoit pas apris einsi à aler ; d'autre part grevez estoit de travail, las de fain et de soif. » Il s'écroula au pied d'un noyer, caché derrière des buissons et s'endormit.

Il avait recommandé à un de ses compagnons de se mettre pendant ce temps à la recherche d'un peu de pain. Celui-ci rencontra précisément un paysan, Arménien comme lui, qu'il conduisit à Jocelin avec des figues et du raisin. Mais le paysan reconnut le comte et se jeta à ses pieds en l'appelant par son nom. Jocelin, craignant d'être trahi, essaya un moment de cacher son identité. Comme le paysan s'obstinait à le reconnaître et d'ailleurs l'assurait de son dévouement, Jocelin le pria de l'aider à gagner Turbessel en lui promettant les plus grandes récompenses. Foucher de Chartres nous a transmis le pittoresque dialogue. « Dis-moi quelle est ta fortune, dit Jocelin ; pour que je puisse la décupler ! » – « Je ne te demande rien pour te sauver, répond le paysan. Car jadis, je m'en souviens, tu m'as fait l'aumône et donné du pain. Je vais te rendre ta bonté. Mais, si tu désires le savoir, j'ai une femme, seigneur, un enfant en bas âge, une ânesse et deux bœufs, et aussi un porc. Avec ma famille et mes bêtes je vais te conduire où tu veux. Mais je vais tuer le porc et le faire cuire pour toi ». – « Garde-toi de tuer ton porc, frère, tu attirerais l'attention de tes voisins. Mais partons vite ! » Aussitôt la petite troupe se met en marche, le comte monté sur l'ânesse et portant dans ses bras, pour donner le change, le nourrisson qui hurlait et se débattait.

Le pittoresque cortège arriva enfin à Turbessel. Jocelin était sauvé. Il y retrouva, versant des larmes de joie, sa femme qui l'avait cru mort, et ses chevaliers[164]. Mais l'heure n'était pas aux attendrissements. Après avoir récompensé le bon paysan arménien qui l'avait conduit jusqu'au port, Jocelin courut à Antioche. Mais comme il n'y trouva pas suffisamment de troupes pour aller dégager le roi à Kharpût, il repartit à franc étrier, sur le conseil du patriarche Bernard de Valence, jusqu'à Jérusalem. Là, après être monté au Calvaire où il offrit en ex-voto les chaînes de sa prison de Kharpût, il réunit en hâte, avec le patriarche Gormond de

Picquigny, les barons et les chevaliers, les mit au courant des événements survenus à Kharpût et les invita à partir sur-le-champ avec lui pour cette place, afin de dégager le roi. Sous sa conduite toute la chevalerie de Jérusalem, de Tripoli et d'Antioche partit donc à marches forcées, la Vraie Croix en tête, vers la lointaine citadelle arménienne. L'armée était ainsi arrivée jusqu'à Turbessel, lorsqu'elle apprit que, quelque hâte qu'elle eût mise, elle avait été devancée par Balak qui avait repris Kharpût et refait prisonnier Baudouin II[165].

*La citadelle de Kharpût et le roi Baudouin II retombent au pouvoir des Ortoqides.*

Voici ce qui s'était passé.

En apprenant la surprise de Kharpût par les Arméniens et que Baudouin II et Galéran, hier encore ses captifs, commandaient en maîtres dans son propre château, dans sa résidence familiale, Balak, suffoqué de fureur, avait abandonné le siège de Kafar*t*âb pour remonter en hâte vers le Haut Euphrate. « Voyageant avec la rapidité de l'aigle », il couvrait en quinze jours les quelque 500 kilomètres qui le séparaient de Kharpût. Arrivé au pied des murailles, il offrit à Baudouin II, si celui-ci consentait à rendre la place, de le laisser se retirer librement vers Antioche ou Édesse. Le roi crut devoir refuser, soit qu'il espérât être secouru à temps par Jocelin (lequel accourait effectivement à marches forcées), soit qu'il redoutât, une fois la place livrée, quelque trahison de la part des Turcomans. Mais il avait surestimé la solidité de la forteresse. Elle était construite sur une roche crayeuse, particulièrement tendre, où les mineurs de Balak n'eurent aucune peine à percer, jusque sous les tours, de longues galeries soutenues par des étais de bois. Le travail terminé, on accumula dans ces galeries des planches et des sarments auxquels on mit le feu. Quand les étais furent consumés, une des tours, ne reposant plus que sur le vide, s'effondra. La partie de la citadelle où se tenait Baudouin II était encore debout, mais, comprenant qu'une nouvelle mine aurait également raison de ce quartier, le roi rendit la place en implorant la clémence de Balak (16 septembre 1123).

Le chef turc accorda la vie sauve à Baudouin II, à un neveu de celui-ci qui se trouvait auprès de lui[166] et à Galeran du Puiset. Tout le reste fut massacré avec un luxe de cruauté. « L'émir, écrit Matthieu d'Édesse, fit périr tous les prisonniers au nombre de 65 environ, et 80 femmes charmantes. Il les condamna à être précipités du haut des murailles. » Ce furent surtout les malheureux Arméniens, et au premier rang les auteurs de l'héroïque coup de main du mois précédent, que Balak sacrifia à sa vengeance. « Les Ermins qui son chastel, lui avoient emblé por le Roi et por leur seigneur (Jocelin) délivrer, fist morir de males mors, note *l'Estoire d'Éracles*. Lis uns fist lier à pieus et tréoit en à eus einsi come au bursaut (on tirait sur eux comme à la cible) ; les autres fist escorchier touz vis ; aucuns i en ot pendus, ars (brûlés), trébuchiez de haut. » Baudouin II, son neveu et Galeran, de nouveau chargés de chaînes, furent conduits à *H*arrân (ville que Balak avait récemment enlevée à d'autres Turcs) et étroitement emprisonnés[167].

### *Expéditions de représailles de Jocelin de Courtenay dans la région d'Alep (1123-1124). Mort de l'émir Balak.*

En apprenant ces nouvelles à Turbessel où elle était parvenue, la grande armée de secours franque n'avait plus qu'à prendre le chemin du retour. Mais, la rage au cœur, elle exerça en rentrant de sanglantes représailles. Jocelin de Courtenay descendit de Turbessel sur Alep par la route de Bizâ'a et de Bâb. Il brûla une partie des murailles de Bizâ'a, incendia Bâb, coupa les arbres de la région ; de là il descendit le Quwaiq, en direction d'Alep. Il campa à *H*ailân, d'où partent les canalisations qui irriguent les jardins d'Alep[168], et arriva ainsi devant la grande ville par le nord, du côté de Meshed al-Juff où il dévasta les jardins. La garnison ortoqide d'Alep essaya de faire une sortie. Elle fut repoussée près de Meshed T*h*arûd, dans les jardins dits Bustân al-Baqara. Toutes ses autres sorties devaient avoir le même sort. De là Jocelin transporta son camp à l'ouest de la ville dans le Boqa'a al-Sawdâ, puis il alla détruire les jardins au sud de l'enceinte. Kemâl al-Dîn lui reproche d'avoir fouillé les tombeaux des saints musulmans pour y chercher des trésors. Ce ne fut que le 23 octobre qu'il consentit à s'éloigner. Pour se venger de ses dévastations, le qâ*d*î d'Alep Ibn Khashshâb « fit démolir le chœur des églises chrétiennes qu'il transforma en mihrâbs tournés vers La Mecque ; les portes furent changées de place et les églises devinrent ainsi des mosquées[169]. » Tel fut le sort de la cathédrale chrétienne (c'est-à-dire syriaque ou grecque), attribuée à l'impératrice Hélène, et qui devint la *Madrasa des Confiseurs* (madrasa al-*H*alâwîya). On ne laissa aux chrétiens d'Alep que deux églises[170].

Puisqu'il n'y avait toujours pas de prince d'Antioche et que le roi de Jérusalem, régent d'Antioche, était prisonnier, tout le poids de la guerre dans le Nord incombait au comte d'Édesse. De cette lourde charge Jocelin s'acquitta avec un zèle dont les gémissements de Kemâl al-Dîn portent témoignage. Le 10 novembre 1123 on le voit ravager le canton de Naqira près de Menbij ; puis s'emparer d'un dépôt de 500 chevaux dans la banlieue d'Alep, « de sorte qu'il ne resta plus dans Alep qu'une cinquantaine de cavaliers montés. » Il retourna à Turbessel avec un énorme butin en bêtes de somme et en troupeaux. Après lui, ce fut Alain le Méchin, seigneur d'A*th*âreb, qui vint, de cette ville, razzier à son tour le pays alépin : il enleva notamment une caravane de blé venant de Shaîzar. Puis Jocelin redescendit de Turbessel. Cette fois il pilla la région des étangs salés, au sud d'Alep[171]. – Quant aux Francs de Jérusalem, en rentrant chez eux, ils avaient, de leur côté, razzié à l'est de Bethsân les populations arabes du 'Ajlûn, l'ancien Galaad, en Transjordanie, territoire dépendant du royaume de Damas[172].

Balak fit un vigoureux effort pour ressaisir l'avantage. Arrivé à Alep au commencement de l'année 1124, il reprit la situation en mains. Il commença par expulser les Ismâ'îliens qui s'étaient de nouveau infiltrés dans la ville ; leurs prédicateurs furent arrêtés, leurs biens et leurs meubles furent vendus (janvier 1124). Dans une place sans cesse menacée par l'armée franque, il craignait évidemment quelque trahison de leur part. Puis il renoua son alliance avec l'âtâbeg de Damas, *T*ughtekîn, qui vint le rejoindre avec son armée. Les deux chefs turcs allèrent, au nord d'Alep, mettre le siège devant 'Azâz (Hasart), place importante pour les Francs parce qu'elle assurait les communications entre le comté d'Édesse et la principauté d'Antioche. Les Turcs avaient commencé à pratiquer des brèches dans le mur lorsqu'un gros parti de Francs accourut au secours de la place. Dans la rencontre qui s'ensuivit, les Turcs furent battus et mis en fuite en laissant des morts et des prisonniers. Réduit à la défensive, Balak se contenta d'aller mettre en état les places entre Alep et Menbij, comme Naqira et Nâ'wura[173].

Le lieutenant de Balak à Menbij, le Turc *H*asan ibn Gümüshtekîn, donnait des inquiétudes à son maître qui suspectait sa fidélité. Balak envoya donc à Menbij son cousin, l'ortoqide Timurtâsh (fils d'Il-Ghâzî), avec mission de s'assurer de la personne du rebelle (mars-avril 1124). Timurtâsh entra à Menbij, arrêta *H*asan, le fit bâtonner, traîner nu sur des épines et emprisonner. Mais 'Isâ, frère de *H*asan, barricadé dans la citadelle, refusa de la livrer et écrivit à Jocelin pour implorer son aide. Dans sa terreur de subir le même traitement que son frère, il offrit à Jocelin de se soumettre à lui et « fit proclamer le cri de ralliement du comte sur les murs de la ville ». Jocelin accourut vers Menbij avec Geoffroy le Moine, comte de Mar'ash, un des plus vaillants barons francs du nord, mais il se heurta à Balak devant les murs de la ville et fut repoussé avec pertes. Geoffroy de Mar'ash, enveloppé par un corps de Turcs, tomba de cheval et passa pour mort[174] (5 mai 1124).

Balak, nous dit Kemâl al-Dîn, passa sa nuit à remercier Allâh d'avoir rendu la victoire aux Musulmans, et, au matin, fit exécuter tous les prisonniers francs. Puis il se dirigea vers la forteresse, où le rebelle 'Isâ tenait toujours, pour choisir l'emplacement des mangonneaux. Son intention était de laisser le siège aux soins de son cousin Timurtâsh et d'aller lui-même au secours de Tyr assiégé par les Francs de Jérusalem. Pendant qu'il donnait ses ordres, une flèche partie du rempart, d'aucuns disent lancée par 'Isâ en personne, vint le frapper sous la clavicule gauche. Il arracha le trait et, se sentant mortellement atteint, s'écria : « Ce coup est un coup mortel pour tous les Musulmans ! » Presque aussitôt il expira (6 mai 1124)[175]. Son cousin Timurtâsh, fils d'Il-Ghâzî, lui succéda sans difficulté à Alep. Mais, nous avoue Ibn al-A*th*îr, Timurtâsh aimait avant tout le repos et la tranquillité. Confiant

Alep à un de ses lieutenants, il alla résider à Mârdîn, dans le lointain Diyârbékir, loin du tumulte des combats[176].

Le mot de Balak mourant était assez juste. Ce Turc énergique avait commencé à faire – mieux que son oncle Il-Ghâzî parce qu'avec plus de sens gouvernemental – l'union de l'Islam turc contre les Francs. Qui peut dire ce qu'eût donné son intervention pour prendre à revers les Francs qui assiégeaient Tyr ? Sa mort permit à ceux-ci d'achever la conquête du littoral syro-palestinien par l'annexion du grand port phénicien, – ce qui nous reste à raconter.

*Échec d'une nouvelle tentative des Fâtimides contre Jaffa. Victoire du connétable Eustache Garnier à Ibelin (29 mai 1123).*

Bien que l'opposition religieuse entre les Fâ*t*imides d'Égypte et les Turcs de l'Asie 'abbâside fût un obstacle durable à une action concertée, le gouvernement du Caire ne pouvait manquer de mettre à profit la captivité de Baudouin II. Le royaume de Jérusalem privé de son chef, occasion unique pour les Fâ*t*imides de reprendre les ports palestiniens ! Dès mai 1123 ils concentrèrent donc à Ascalon, leur base en Palestine, une forte armée d'Arabes et d'Africains, qui alla assiéger Jaffa par terre, tandis qu'une escadre de soixante-dix navires l'attaquait par mer. La garnison ne se composait que d'une poignée de Francs. Elle fit des prodiges, les femmes elles-mêmes prirent part à la défense, charriant des blocs de pierre pour écraser les assaillants. Mais les mineurs égyptiens n'en commençaient pas moins à saper les fondations. Déjà, sous le bombardement des machines de siège, la muraille était endommagée sur plusieurs points. Un jour encore et la place allait être prise, lorsque l'approche d'une armée de secours intimida les Égyptiens. Ils démontèrent leurs machines, les chargèrent sur leurs navires, levèrent le camp et reculèrent jusqu'à Ibelin (Yabna) à mi-chemin de leur base d'Ascalon[177].

À la nouvelle de l'invasion, le connétable et bayle du royaume Eustache Garnier (ou Grenier), sire de Césarée et de Sidon, et le patriarche Gormond de Picquigny avaient en hâte appelé aux armes toutes les troupes du pays. Sous les ordres d'Eustache, huit mille hommes avec la Vraie Croix se rassemblèrent à Cachon, l'actuel Qâqûn, au nord-est de la plaine de Saron, point central pour recevoir les contingents de la Judée comme de la Galilée et pour surveiller, au sud du Saron, Jaffa, l'objectif de l'ennemi. Pendant ce temps, écrit Foucher de Chartres, « nous qui restions à Jérusalem, nous allions en procession nu-pieds, d'une église à l'autre, aussi bien Grecs et Syriens que Latins (le détail est intéressant), priant Dieu pour nos frères ». De Qâqûn, l'armée descendit sur Lydda et Ramla. Le 29 mai de bon matin, après avoir reçu la bénédiction du patriarche Gormond, elle se mit en marche vers Ibelin (Yebna) où les Égyptiens s'étaient arrêtés, après avoir levé le siège de Jaffa : « Lors se mistrent nostre baron à la voie. La vraie croiz où il avoient grant espérance, portoient devant eus. Il aloient après, les banières levées, tuit rangié par leur batailles. » Malgré l'énorme supériorité numérique de l'ennemi, les Francs ne paraissent guère avoir été émus. Eux qui avaient appris à respecter le soldat turc, ne considéraient pas les Égyptiens comme des adversaires bien dangereux.

La bataille d'Ibelin – livrée ce même 29 mai 1123 – confirma une fois de plus cette opinion. Les Fâ*t*imides furent battus à plate couture. « Lors, écrit *l'Estoire d'Éracles*, connurent bien cil d'Égypte le hardement et la proesce des Francs dont il avoient maintes fois oï parler et plus les (re-)doutèrent quant ils virent que l'œvre passoit la parole. » La cavalerie égyptienne fut la première à tourner le dos, suivie par les piétons. Les Francs la poursuivirent, tuant encore plus d'ennemis dans cette chasse que dans la bataille elle-même. Le camp égyptien, resté entre leurs mains, leur donna un butin énorme. Foucher de Chartres énumère les bannières et les tissus de luxe, les divans et les coussins, les voitures et leur bagage. Et *l'Estoire d'Éracles*, de son côté, nous montre cette accumulation de butin, les « paveillons trop riches et de diverses façons, les richesces d'Égypte mout précieuses, vessiaus (= vases) mout nobles et autres joiaus estranges, bons et chiers, tant que ce estoit merveilles à regarder ; chevaus, armeures, robes, tant come il en pooient départir entr'eus, en tel manière que, quant ces choses furent departies à chascun selonc ce que il estoit, n'i ot celui qui ne s'en tenist à riche[178]. »

*Régence de Guillaume de Bures.*

Peu après cette victoire, d'autant plus remarquable qu'elle n'avait presque coûté aucune perte aux Francs, le connétable Eustache Garnier mourut (15 juin 1123). Il fut remplacé à la fois comme connétable et comme régent du royaume par Guillaume de Bures, sire de Tibériade, sous le gouvernement duquel allait se produire un des événements les plus heureux de l'histoire franque : la conquête de Tyr. Les troubles dont la grande cité maritime était le théâtre, l'incertitude de son statut entre l'empire arabe d'Égypte et le royaume turc de Damas devaient en effet faire penser aux Francs que l'heure était venue de consommer par sa conquête la soumission du littoral[179].

*Situation de Tyr en 1123 :*
*le condominium égypto-damasquin et ses vicissitudes.*

Tyr, la seule place et le seul port que les Fâ*t*imides eussent conservés en Palestine en dehors d'Ascalon, reconnaissait toujours, théoriquement tout au moins, leur autorité. Nous avons mentionné notamment, à propos des événements de 1111, le gouverneur égyptien 'Izz al-Mulk qui y commandait à cette époque au nom du grand vizir fâ*t*imide al-Af*d*al. Mais les gens de Tyr se plaignaient de l'indifférence du gouvernement du Caire à leur égard. Les Francs, on l'a dit, ne cessaient de diriger des attaques contre la ville qui se trouvait en état de blocus à peu près permanent et ne pouvait être secourue et ravitaillée que par les escadres et les relèves envoyées d'Alexandrie, lesquelles, dit le *Nojûm*, n'arrivaient jamais. Les habitants, sentant le besoin d'être également protégés du côté de la terre, firent appel à l'âtâbeg de Damas, *T*ughtekîn. Ils l'invitèrent à leur envoyer un de ses émirs avec des troupes pour les gouverner et les défendre, faute de quoi ils se verraient dans l'obligation de rendre la place aux Francs. Dès 1112, comme le raconte Ibn al-Qalânisî, le gouvernement de Damas leur avait répondu en leur envoyant un des hommes de confiance de *T*ughtekîn, l'émir Mas'ûd, capitaine expérimenté, avec un corps de troupes, de l'argent et du ravitaillement[180]. Toutefois la prière publique dans les mosquées continua à se faire et la monnaie à être frappée au nom du khalife d'Égypte.

En somme, régime mixte : le prince turc de Damas, bien que sunnite de rite et appartenant personnellement à l'obédience 'abbâside, administrait Tyr au nom du khalifat fâ*t*imide du Caire. Mais ce condominium était imposé par les circonstances ; Tyr, îlot musulman battu par la vague franque, avait besoin pour sa défense de pouvoir compter à la fois sur la flotte fâ*t*imide et sur l'armée de Damas. Ce fut en ce sens que *T*ughtekîn écrivit au vizir d'Égypte al-Af*d*al pour affirmer que son occupation n'était que temporaire, limitée à la durée du péril franc, et qu'il demandait à la marine égyptienne d'assurer comme par le passé la défense du port. Le souple al-Af*d*al, faisant contre mauvaise fortune bon cœur, eut la sagesse d'entrer dans ces vues et envoya une escadre égyptienne concourir avec la garnison damasquine à la défense de Tyr.

Tant que vécut le vizir al-Af*d*al, ce compromis qui assurait à Tyr la protection simultanée de la marine égyptienne et de l'armée damasquine se maintint. Mais très peu après, le 21 décembre 1121, al-Af*d*al fut assassiné au Caire, en pleine rue, comme il se rendait à l'arsenal pour distribuer des armes aux troupes[181]. Les meurtriers appartenaient, semble-t-il, à la secte des Ismâ'iliens qui reprochaient au vizir arménien son indifférence pour le Shî'isme et sa tolérance envers les Sunnites. Mais on soupçonna le khalife fâ*t*imide al-Amir d'avoir armé contre son ministre le bras des assassins. De fait, bien qu'il se montrât officiellement très affecté, al-Amir s'empressa de mettre la main sur les richesses du défunt, qui étaient immenses. Les chroniqueurs nous montrent le khalife passant quarante jours dans les deux hôtels du vizir tué, à inventorier sa fortune. Mais, pour prévaricateur qu'ait pu être al-Af*d*al, c'était le dernier homme d'État de l'Égypte fâ*t*imide. On le vit bien dans les affaires de Tyr.

Le khalife al-Amir, devenu son propre vizir, prit ombrage du *modus vivendi* toléré par al-Af*d*al et qui faisait de la ville une possession damasquine. On a vu qu'à époques fixes, en vertu de l'accord avec *T*ughtekîn, le gouvernement du Caire envoyait à Tyr une flotte destinée à assurer la défense maritime de la ville et chargée de numéraire pour la garnison. En

1122 cette flotte arriva selon l'usage, mais l'amiral qui la commandait avait ordre de s'emparer de la personne du gouverneur damasquin Mas'ûd et de rétablir l'administration directe de l'Égypte. Ainsi fut fait. La flotte ayant jeté l'ancre dans le port, l'émir Mas'ûd se rendit à bord du vaisseau amiral pour les salutations d'usage. Il fut aussitôt mis en état d'arrestation, tandis que les contingents égyptiens débarquaient dans la ville et s'en rendaient maîtres. La cour du Caire se garda d'ailleurs de rompre avec celle de Damas. Elle accueillit avec distinction l'émir Mas'ûd et le renvoya à Damas avec toute sorte de protestations d'amitié. Elle fit dire à *T*ughtekîn que c'était la dureté de l'émir Mas'ûd qui avait motivé son arrestation. Comme le fait remarquer Ibn al-Qalânisî, il était bien possible que l'émir se fût montré impérieux et dur envers les habitants, mais ce soldat était le dernier rempart de Tyr et son renvoi allait avoir pour conséquence la prise de la ville par les Francs[182].

Ce coup de force, pour enveloppé qu'il fût de politesse orientale, n'en excita pas moins les Francs à attaquer une place dont les défenseurs se montraient à ce point divisés. Il est vrai que lorsque l'attaque se précisa, le gouvernement du Caire, incapable de secourir Tyr autrement que par voie de mer, fut bien obligé de faire appel à ce même *T*ughtekîn dont il venait de chasser le représentant. Le khalife fâ*t*imide al-Amir ne vit même qu'une solution pour sauver Tyr : la céder purement et simplement à l'âtâbeg de Damas. *T*ughtekîn prit alors possession de la ville, y introduisit une garnison et des vivres pour le siège qui s'annonçait. Car déjà l'armée franque et l'escadre vénitienne étaient proches.

*La Croisade vénitienne de 1123. Bataille navale d'Ascalon, destruction de la flotte égyptienne.*

La Croisade navale vénitienne de 1123 qui allait permettre aux Francs de s'emparer de Tyr avait été sollicitée depuis longtemps par ceux-ci. C'est, semble-t-il, au moment du désastre de Roger d'Antioche à l'*Ager Sanguinis*, en 1119, que le roi Baudouin II avait écrit, en même temps qu'au Pape, à la République de Venise pour implorer son aide. À cette demande il avait eu soin de joindre les promesses les plus séduisantes dans le domaine commercial ; comme le Pape l'appuya de tout son pouvoir auprès de la République, une grande expédition fut décidée par le doge Domenico Michiel et par le peuple vénitien.

Le 8 août 1122 une escadre de plus de trois cents vaisseaux[183] partit de Venise sous les ordres de Domenico Michiel en personne. Elle avait été équipée pour transporter 15 000 soldats et 300 chevaux. De plus un matériel de siège considérable avait été embarqué.

Malheureusement pour les Francs de Syrie, la République de Venise était à ce moment brouillée avec les Byzantins, l'empereur Jean Comnène venant de dénoncer les traités de commerce. Les Vénitiens inaugurèrent donc leur Croisade par une guerre contre Byzance. Ils débarquèrent à Corfou et entreprirent le siège de sa métropole. Siège interminable qui se prolongea pendant tout l'automne 1122 et tout l'hiver 1122-1123. Déjà la quatrième Croisade ! Au printemps les instances des Francs de Syrie qui envoyaient courriers sur courriers pour réclamer d'urgence l'aide promise finirent par décider le doge Domenico Michiel à lever le siège de Corfou pour venir défendre la Terre Sainte. Aide d'autant plus indispensable, rappelons-le, que la Syrie franque se trouvait comme décapitée de ses chefs – le prince d'Antioche tué, le comte d'Édesse et bientôt (avril 1123) le roi de Jérusalem lui-même prisonniers. L'armada vénitienne impatiemment attendue mit enfin à la voile de Corfou vers Saint-Jean-d'Acre, non sans attaquer encore les Byzantins à chacune de ses escales à Modon, Rhodes et Chypre.

À Chypre, l'escadre vénitienne fut informée de la tentative, toute récente, de l'armée et de la flotte égyptiennes contre Jaffa. Elle accourut à Acre pour se concerter avec les Francs. Ceux-ci apprirent au doge que la flotte égyptienne mouillait dans les eaux d'Ascalon et qu'il était encore temps de la rejoindre et de la couler. Domenico Michiel forma aussitôt son plan de manœuvre. Il divisa sa flotte en deux escadres. La première, de beaucoup la plus forte, dont il prit lui-même le commandement, descendit le long de la côte, en direction de Jaffa, assez lentement d'abord et en évitant de donner l'éveil. La seconde escadre, composée de dix-huit navires, gagna la haute mer, et de là, cingla vers les eaux d'Ascalon, en se donnant l'air de n'être qu'un simple convoi de pèlerins qui, après escale à Chypre, cherchait à aborder en Palestine. Quand elle arriva à hauteur d'Ascalon, « il estoit nuiz. La mer estoit mout qoie (tranquille), le vent avoient tel comme il le devisassent (souhaitaient), li jorz aprochoit, et l'aube aparoit jà ». « Quand li jorz s'esclairci un peu », les amiraux égyptiens, de la côte d'Ascalon, aperçurent ce soi-disant convoi ; ils s'élancèrent aussitôt en haute mer, joyeux de le capturer. Continuant son manège, le convoi feignit de redouter la bataille, recula sans prendre la fuite et sut ainsi amuser l'ennemi assez longtemps pour permettre à la grande flotte du doge, qui accourait maintenant à force de rames et de voiles, d'entrer en jeu. Encerclée entre les deux escadres vénitiennes, mise dans l'impossibilité de fuir, « tuit esbahie », la flotte égyptienne dut accepter un combat inégal et fut presque entièrement détruite. « Cil qui i furent racontèrent que la mer selonc le rivage en chanja sa coleur et fu toute rouge le lonc de deus miles. Des cors i avoit tant que flotoient par la mer et que la mer gitoit à la rive que li païs d'ilec environ, un pou après, en puoit durement[184]. »

Les Vénitiens ne se contentèrent pas d'avoir détruit, pris ou mis en fuite la flotte de guerre ennemie. D'Ascalon ils descendirent le long de la côte, balayant tout jusqu'à al-'Arîsh (Lars des chroniqueurs), où ils capturèrent encore une flotte marchande de dix navires « chargiés des plus riches marcheandises de tout Orient, espices et letuaires, dras de soie, tapiz et pierres précieuses » (30 mai 1123).

Après cette brillante victoire, l'escadre vénitienne, traînant avec elle les navires pris à l'ennemi, regagna le port d'Acre où elle fit une entrée triomphale[185].

### *Les Latins maîtres de la mer. Conquête de Tyr ou d'Ascalon ?*

La destruction de la flotte égyptienne assurait aux Vénitiens la maîtrise absolue de la mer. Les Francs résolurent d'en profiter pour s'emparer avec leur aide des dernières places maritimes qui restassent encore aux Musulmans. Comme nous l'avons vu, le bayle ou régent de Jérusalem, Eustache Garnier, était mort sur ces entrefaites, le 15 juin 1123. Ce fut le nouveau bayle et connétable, Guillaume de Bures, sire de

Tibériade, qui, avec le patriarche de Jérusalem, Gormond de Picquigny, mena à bien cette importante affaire.

À la nouvelle de l'arrivée des Vénitiens et de leur belle victoire navale, Guillaume de Bures, le patriarche, le chancelier Payen et les principaux prélats et barons envoyèrent complimenter le doge à Acre et l'invitèrent à venir à Jérusalem avec les autres capitaines vénitiens. Domenico Michiel et les siens furent fêtés dans la ville sainte privée de son roi un peu comme des sauveurs. « Li Patriarches et baron de la terre les reçeurent mout bel. À grant joie leur firent enneur et compaignie et demorèrent en la ville jusqu'à la feste de Noël (1123). » Après avoir célébré Noël à Bethléem, Guillaume de Bures et les barons demandèrent au Doge de profiter de son séjour pour s'emparer des dernières places maritimes musulmanes, Tyr ou Ascalon. Les Vénitiens s'y engagèrent aussitôt : « leur promistrent fermement que il iroient asseoir (= assiéger) une des citez de la marine, ou Sur (Tyr) ou Escalonne. »

Ici hésitation assez naturelle : les barons de Judée demandaient qu'on prît Ascalon ; ceux de Galilée voulaient Tyr. « Uns grans descors sourdi entre les Barons, car cil de Jhérusalem et de Japhe, de Rames (Ramla) et de Naples (Naplouse) s'esforçoient mout et mostroient maintes raisons que l'en devoit asseoir Escalonne, car ele estoit plus près d'eus et plus faible. Encontre ceus estoient cil d'Acre et cil de Nazareth, de Tabarie (Tibériade), de Saiete (Sidon), de Baruth et des autres citez de cele marine ; cil disoient que greindres mestiers (plus grand besoin) estoit d'asseoir la cité de Sur, qui estoit cité noble et bien garnie ; por ce devroit l'en metre toute la peine qu'en pourroit au conquerre (Tyr), car li Tur porroient bien encore recovrer ce qu'il avoient perdu en païs par la force de cele cité. » Le désaccord était tel qu'il s'en fallut de peu, comme le remarque *l'Estoire d'Éracles*, qu'on ne laissât repartir les Vénitiens sans avoir assiégé ni Tyr, ni Ascalon. L'absence du roi, seul capable d'imposer sa volonté, se faisait cruellement sentir. Finalement, on s'en remit à un moyen de fortune : on tira au sort et le sort par bonheur se prononça pour le siège de Tyr : « Quant il orent longuement contencié, preudome s'en entremistrent por apaisier la descorde : les firent acorder à ce que l'en preist II fuellez de parchemin ; en l'un escristrent Sur, en l'autre Escalonne, et les mistrent sur un autel. Lors apelèrent un enfant simple et innocent qui riens ne savoit de ces choses. Il li distrent qu'il preist lequel ce qu'il voudroit de ces II fuellez. Li enfés prist le fueillet où il (i) avoit escrit Sur. Lors leur covint touz otroier que l'en asserroit cele cité »[186].

Le hasard, disions-nous, s'était ici prononcé dans le sens de la sagesse. Tyr, sur son rocher presque insulaire, possédait, comme réduit fortifié et comme port, une importance bien plus considérable qu' Ascalon dans ses sables. Du reste, elle était depuis longtemps encerclée par les possessions franques. L'hinterland, du côté du Jebel Jumla, appartenait à la seigneurie franque de Toron (Tibnîn) dont le siège était une puissante forteresse et dont le maître, en ce temps-là, Onfroi Ier, se trouvait un des principaux barons du royaume[187]. En arrière de la seigneurie de Toron s'étendait la principauté de Tibériade ou de Galilée, dont le titulaire était le nouveau connétable et régent Guillaume de Bures qui, comme Onfroi de Toron, ne cessait, de ses châteaux du Jebel Safed, de pousser les Tyriens à la mer. Au nord de Tyr, c'était la seigneurie de Sajette (Sidon), dont le dernier titulaire, Eustache Garnier, avait été, avant Guillaume de Bures, connétable et régent du royaume. Enfin au sud de Tyr, le roi Baudouin Ier avait construit la forteresse de Scandelion (Iskanderûna) qui, du Wâdî al-'Azziya à Nâqûra (« Passe Poulain »), barrait la route du Carmel. Tyr se trouvait ainsi depuis longtemps encerclée et virtuellement assiégée quand l'armée franco-vénitienne vint en finir avec elle.

*Le traité de commerce franco-vénitien de 1124.*

Le traité conclu entre le Doge Domenico Michiel et les Vénitiens d'une part, le patriarche Gormond de Picquigny et le connétable Guillaume de Bures d'autre part promit aux premiers pour prix de leur concours les plus larges privilèges économiques et coloniaux. « Il fu acordé et juré des Barons que en toutes les citez le (= du) roi qu'il tendroit en son domaine et en toutes celes que l'en tendroit de lui en fié (c'est-à-dire dans le Domaine Royal et les baronnies du Royaume de Jérusalem), li Vénicien auroient une rue entière, une église, uns bainz et un four que il tendroient à touzjorz, par héritage, quites et frans, sans nule costume, ensi com li Rois doit tenir les seues choses franchement ».

Le traité franco-vénitien de 1124 poursuivait : « En la place de Jhérusalem li Vénicien recevront autant de rente en leur propriété com li Rois i seut avoir[188]. Se il vuelent fere en la cité d'Acre four, moulin, bainz, balances, mines à mesurer le blé, bouz à mesurer vin, huile, miel, dedenz leur rue, tuit cil qui voudront cuire, baignier, mesurer, moudre, le porront fere ausi franchement come se ces choses estoient le (= du) Roi ». Dans les transactions commerciales, les Vénitiens étaient autorisés à se servir de leurs poids et mesures non seulement entre eux, mais en vendant à des tiers. Ce n'était que s'il s'agissait pour eux d'acheter qu'ils étaient tenus à user des poids et mesures du Roi. Surtout franchise douanière absolue. Les commerçants vénitiens étaient exonérés de toute taxe à l'entrée comme à la sortie du royaume, pour l'achat comme pour la vente : « Nullo modo, intrando, stando, vendendo, comparando vel morando aut exeundo, de nullâ penitus causâ aliquam dationem persolvere debent. » Les citoyens vénitiens, spécifie la charte, devaient avoir dans le royaume la même liberté commerciale qu'à Venise même : « Quinetiam nullus Veneticorum in totius terræ regis, suorumque baronum dominio, aliquam dationem in ingrediendo, vel ibi morando ant exeundo per ullum ingenium dare debent, sed sic liber sicut in ipsâ Venetiâ sit. » Ce n'était que lorsqu'ils transportaient des convois de pèlerins que les Vénitiens étaient tenus à reverser au roi, selon la règle générale des pèlerinages, le tiers du prix de transport. Le doge obtint même l'intervention d'une clause par laquelle le Royaume de Jérusalem s'engageait à ne pas relever les droits de douane perçus sur les nations qui faisaient commerce avec les Vénitiens – clause qui liait si étroitement la politique douanière de la Syrie franque à celle de la République de Venise que le roi Baudouin II, de retour de captivité, devait refuser d'y souscrire[189].

Au point de vue territorial, le quartier vénitien à Acre devait être agrandi de quelques pâtés de maisons. Mais surtout les Vénitiens, pour le concours qu'ils allaient apporter à la conquête de Tyr, obtenaient la promesse de recevoir en toute propriété un tiers de cette dernière ville et un tiers des terres, casaux et métairies qui en dépendaient. La charte de 1124 spécifie en effet que ce tiers, les Vénitiens le posséderaient en toute franchise et souveraineté (sauf la suzeraineté du roi, bien entendu) au même titre que le roi posséderait les deux autres tiers, à perpétuité, sans restriction et par droit héréditaire : « Illam tertiam partem libere et regaliter, sicut rex duas, Venetici habituri in perpetuum, sine alicujus contradictionis impeditione, jure hereditario possideant. »

Une autre clause portait que les Vénitiens recevraient annuellement une somme de 300 besants sarrazinois qui leur serait versée par la *fonde* ou caisse des accises royales de Tyr. Enfin le patriarche Gormond de Picquigny s'engageait à faire ratifier le traité sur l'Évangile par le roi Baudouin II, dès que celui-ci serait revenu de captivité. En outre on prévoyait l'extension des clauses générales à la principauté d'Antioche dont Baudouin II était régent.

*Siège de Tyr par les Francs et les Vénitiens.*

L'accord dûment signé, les Francs, sous les ordres du connétable Guillaume de Bures et du patriarche Gormond de Picquigny, et les Vénitiens, sous le commandement du doge Domenico Michiel, se rendirent de Jérusalem à Saint-Jean-d'Acre et, de là, devant Tyr, pour faire le siège de cette dernière ville, l'armée franque attaquant l'isthme et la flotte vénitienne bloquant le port. Le siège commença le 15 février 1124.

Le bon chroniqueur Guillaume qui, en même temps qu'historien des Croisades, fut précisément archevêque de Tyr, insère, à ce point de son récit, une description émue de la ville. C'est aussi une des pages les plus charmantes du Traducteur : « Plenteive (abondante) citez estoit de toutes choses la citez de Sur, et délitable plus que nule autre ville ; car jasoit ce que ele soit dedenz la mer assise et avironée d'eaues de toutes parz, ausi come une isle, ne remaint mie por ce que ele n'ait devant, près de la porte, une granz plains de terre gaaignable (fertile) qui est trop aportanz. D'ilec vient la grant planté de touz biens à la cité. Bien est voirs (vrai) que li gaaingnages (= la terre cultivée) n'est pas mout granz au regart des autres citez, mès les terres sont iluec si bones qu'eles aportent bien autant come les autres qui sont plus larges. Nequedant devers midi, si com l'en vet à la cité d'Acre, la terre gaaingnable dure jusqu'au destroit de Scandelion (= Iskanderûna) où il a bien quatre miles ou cinq. De l'autre part, devers bise (au nord), si com l'en vet à Saiete (= Sidon), redure bien li gaaingnages (= les cultures) autant. De lé (en large), là où il a mains, a bien II miles ou III ». L'excellent prélat se découvre poète – et son traducteur français à sa suite – pour chanter les « nobles fontaines » de sa chère cité : « Là sordent fontaines bèles et mout clères qui grant mestier ont por atemprer le chaut en esté. Entre les autres, la très-noble fontaine sort ilec, que Salemons apele la Fontaine des Cortilz et le Puis des Eaues Vivanz (Râs al-'Ain ?) Ceste fontaine sourt eu plus bas de cele contrée, et si l'a l'en bien hauciée (= élévée) par oevres de mains que l'en l'a fet sordre par desus une tor qui est haute près de V toises. – D'ilec s'en vet à diverses parties par les conduiz qui la reçoivent. Cele fontaine norrit les cortilz (= vergers) où les bonnes herbes croissent et les arbres qui aportent les bons fruiz. Entre les autres précieuses choses nessent ilec les calemeles (cannes à sucre) où il cucres croist, que li marchéant viennent querre et l'emportent par tot le monde. De la gravele (du sable) que l'en quieut en cele terre, fet l'en une manière de voirre (de verre) dont li vessel sont si cler que l'en les vent trop chièrement en autres terres[190]. »

Le gouvernement de Tyr, on l'a vu, venait d'être cédé par le gouvernement égyptien à l'âtâbeg de Damas, *T*ughtekîn. Ce dernier avait eu le temps d'envoyer dans la ville un solide renfort turc de 700 hommes avec le ravitaillement nécessaire. Ce condominium semblait assurer à Tyr l'intervention de la marine égyptienne comme de l'armée damasquine. Ajoutons que la population arabe était fort dense, Tyr ayant successivement reçu les réfugiés de Césarée, d'Acre, de Tripoli et de Sidon. Par sa position même, Tyr était d'ailleurs une des places de Syrie les plus difficiles à prendre. Difficulté du côté de la terre, l'éperon rocheux sur lequel est construit Tyr n'étant rattaché à la terre ferme que par un isthme étroit – l'ancienne digue d'Alexandre – qui, bien qu'élargie par l'ensablement de la côte, conserve encore à la ville presque tous les bénéfices de l'insularité : « Ele siet eu cuer de la mer ; une seule entrée i a par terre, tant com uns ars puet trère. » Obstacles du côté de la mer : à l'exception du port, situé au nord de l'éperon, tout le reste de la presqu'île, du côté du large notamment, est bordé de récifs rocheux qui défendent l'entrée du port lui-même : « I a granz roches près de l'entrée où les ondes hurtent mout durement, et granz montaignes i a, repostes desouz l'eaue, en tele manière que se nés (navire) i venoit, et li governeres ne conneust mie bien la manière du port, ne porroit estre que ele ne périllast. » Les fortifications dont la place était entourée ajoutaient encore aux difficultés de la conquête. « Devers la mer, la citez estoit close de deus peres de murs hauz et forz, torneles (tourelles) avoit grosses et espesses ; devers soleil levant, où l'entrée est par terre, avoit trois peres de murs bien espès, tors i a tres hautes et bien espesses si près à près, que par pou (que c'est à peine si) qu'eles ne sont jointes ensemble ; et un fossé si large et si parfont que sanz grant peine porroit corre la mer de l'un bras en l'autre. Devers bise (= au nord), siet li porz qui est dedenz la ville ; l'entrée s'en passe par entre II tors et li recez est dedenz les murs[191]. »

L'armée franque s'établit du côté des jardins – le Bostân al-Sawdi, les pentes du Tell Ma'shûq, le Shawra – face à la muraille de l'isthme. La colline même du Tell Ma'shûq, située à 2 kilomètres de l'isthme et qui domine au loin la plaine, fut transformée par le commandement franc en camp retranché. Tell Ma'shûq étant le point par où les eaux des sources de Râs al-'Ain étaient amenées par un aqueduc dans la presqu'île tyrienne, les Francs coupèrent ainsi dès le premier jour le ravitaillement en eau potable des assiégés. Les Vénitiens avaient d'abord ancré leur flotte devant le port ; puis, se ravisant, ils jugèrent inutile de tenir la mer en permance, ils tirèrent leurs navires au sec sur le sable, entre Birket al-Ghuwair et le port. Ils ne gardèrent en mer qu'une seule galère à la fois, chargée de surveiller le port.

Les Vénitiens avaient apporté sur leur flotte une grande quantité de bois de construction avec lequel on fabriqua non seulement toutes les machines de siège nécessaires, mais une grande tournelle dominant le rempart. *L'Estoire d'Éracles* nous signale ici l'action personnelle du patriarche Gormond de Picquigny, qui, agissant avec Guillaume de Bures comme remplaçant du roi, convoqua tous les charpentiers et « enginéeurs » du pays franc, et leur fit construire ce « chastel de fust mout haut, dont l'en pooit veoir par desus les murs en la ville ». « Perrières et mangoniaus drecièrent en pluseurs leus, qui tant gitoient pierres que (ceus de la cité) en estoient mout espoenté. » Grands ingénieurs eux-mêmes, les Vénitiens avaient construit de leur côté nombre d'engins de siège. « Mout se pènoient tuit de grever la ville. Granz assauz leur rendoient souvent aus barbacanes et aus barrières[192]. »

La défense ne fut pas moins énergique. *L'Estoire d'Éracles* rend hommage aux capitaines damasquins envoyés par *T*ughtekîn : « Li Tur se défendaient mout bien. » Et plus loin : « Dedenz la ville avoit VII C, que chevaliers (*sic*) que serjanz à cheval de la cité de Damas. Cist estoient plus preu et mieus entremetant de guerre que la gent de la ville qui n'avoient onques apris tele chose, ainz avoient acostumé de mener leur marcheandises et à estre molement en délices. Toustevoies, por eus garantir et défendre, prenoient essample à ceus de Damas. » « Engins dreçoient par la ville contre les noz ausi bons ou meilleurs, qui grosses pierres gitoient sur nos chastiaus (= tours de bois). Cil qui fesoient le gué por garder les chastiaus i demoroient à grant péril, car les grosses pierres descendoient sur eus, et à l'aler et au venir leur traoient (= tirait) l'en espessement d'ars et d'arbalestes qui estoient es hautes tors. Li nostre, qui demoroient es estaches des chastiaus de fust, se penoient mout de trere de forz arbalestes et des ars à ceux qui se mostroient sur les murs. Les perrières féroient si granz cous aus tors que la poudre en voloit si granz com une nue et sembloit que la forteresce s'écrollast toute[193]. »

Foucher de Chartres et *l'Estoire d'Éracles* nous font assister à toutes les péripéties de ce siège mémorable[194]. Un jour la garnison turque et la population arabe font une brusque sortie, surprennent la garde des machines de siège, tuent trente hommes, mettent le feu à la principale pierrière et même à la grande tour de bois. Les Francs se ressaisissent, les repoussent avec pertes et éteignent l'incendie à temps. « Une chose i avint dont mout se merveillèrent maintes genz, car, tandis com cil engins ardoit (brûlait) mout durement, uns bachelers, juenes hom de France, monta tantost sus ; l'en li aportoit les vessiaus (vases) pleins d'eaue et il les prenoit, si les vuidoit sur le feu ; mout longuement i fu. Quant li arbalestier de la ville l'aperceurent et li archier, trestuit commencèrent à trère (tirer) à lui mout espessement ; il n'en leissa onques (il ne cessa pas) à vuidier l'eaue ne ne fina jusque il fu estainz. Quant il descendi, l'en ne trova sur lui une seule bleceure. » Une autre fois, quelques jeunes Arabes de Tyr, profitant d'une nuit particulièrement obscure, gagnèrent à la nage la galère vénitienne de garde devant le port, coupèrent les ancres et réussirent, sans donner l'éveil, à la hâler jusqu'aux quais où les assiégés s'en emparèrent. Une partie de l'équipage fut tué, le reste regagna à la nage l'escadre vénitienne. Une autre fois encore c'est un coup de main des Vénitiens. Montés sur un petit bateau ils vont surprendre une maison adossée au mur du port et rapportent les têtes des habitants.

À travers ces épisodes, l'étreinte des Francs se resserrait. Un renfort sérieux leur fut apporté par l'arrivée du comte Pons de Tripoli avec ses chevaliers. « Li cuens Ponces de Triple, que li baron avoient envoié querre, vint en l'ost et amena mout bele compaignie de gent à cheval et à pié. Li nostre furent mout joieus et esbaudi de leur venue. Li Sarrazin, qui bien le virent des murs et des archières, s'en esmaièrent mout et se commencièrent à désespérer de défendre. » *L'Estoire d'Éracles*, comme Foucher de Chartres, fait d'ailleurs un vif éloge de la conduite du prince toulousain à ce siège, non seulement au point de vue militaire, mais pour sa discipline envers le patriarche Gormond de Picquigny, remplaçant du roi et à ce titre chef suprême de l'armée : « Ponces, li cuens de Triple, mout s'estoit bien entremis des besoignes de l'ost et obéissoit au Patriarche ausi com un des plus bas hom (= comme le dernier des soldats)[195]. »

Renforcés en effectifs par l'arrivée du comte de Tripoli, les Francs accrurent aussi leur « artillerie » de siège. Ce fut l'œuvre d'un ingénieur arménien, nommé Havedik ou Avedik, dont *l'Estoire d'Éracles* écrit : « Virent li baron de l'ost que il avoit dedenz la ville une perrière qui gitoit trop grosses pierres à deus chastiaus de fust, si que trop les avoit maumis et dehoisiez (mis en mauvais état et en pièces), ne il pooient trouver en l'est qui seust guères de teus (tels) engins fere. Por ce tantost envoièrent en Antioche por fere venir un Ermin,

Havedic avait non, qui estoit bons menestrieus de perrières et de mangoniaus. Si tost com il fu venuz, l'en li bailla charpentiers et merien (bois de construction) et deniers tant com il vout. Il ouvra si bien et si bel que dedenz petit tens il ot fet perrières qui gitoient plus loing et plus grosses pierres que ceus de la ville et les fesoit ferir si droit que pou avenist qui fausist (manquât) là où il voloit adrecier (viser)[196]. »

*La diversion fâtimide contre Jérusalem ;*
*ferme attitude de la bourgeoisie hiérosolymitaine.*

Cependant les princes musulmans voisins ne pouvaient, semblait-il, laisser succomber Tyr sans tenter un effort pour la dégager. De fait les Fâtimides d'Égypte et l'âtâbeg de Damas Tughtekîn, qui se partageaient le *condominium* de la ville, et jusqu'à l'émir d'Alep, Balak l'Ortoqide, se mirent en devoir de marcher au secours des assiégés ou tout au moins de tenter une diversion en leur faveur.

Dès la nouvelle du siège de Tyr, la garnison égyptienne d'Ascalon entra en campagne. Ses moyens étaient assez réduits à cause de la défaite que lui avait fait subir en mai 1123 à Ibelin le connétable Eustache Garnier, et surtout à cause de la destruction, le même mois, de l'escadre égyptienne par les Vénitiens dans les eaux d'Ascalon. Faute de marine, les Égyptiens ne pouvaient aller directement secourir Tyr. La garnison d'Ascalon essaya du moins d'une diversion contre Jérusalem. La ville sainte, on le savait, était dégarnie de troupes, toute la chevalerie étant partie au siège de Tyr. Un coup de main pouvait réussir ; en tout cas sa seule annonce devait, semblait-il, forcer les Francs à abandonner le siège de Tyr. La tentative est racontée avec beaucoup de vie par *l'Estoire d'Éracles :* « Il (les Égyptiens d'Ascalon) s'assemblèrent granz genz et passèrent les plains, tant qu'il vindrent aus montaignes où la citez de Jherusalem siet. Ils pensèrent que, porce que l'en ne s'en gardoit, il porroient trover la cité vuide et desgarnie, si que il enterroient enz, ou au mains troveroient-il aucunes genz que il porroient occire ou prendre. En ceste manière s'en alèrent mout grant erre, tant qu'il vindrent devant la ville tout despourveument : aucuns seurpristrent qui estoient aus vignes et aus chans, si en occistrent jusqu'à huit. Mès li citéien de la ville firent le ban crier que tuit s'en ississent fors (dehors). Et se tindrent tuit à pié devant la porte[197]. » Cette résistance de la bourgeoisie franque de Jérusalem mérite d'être signalée. Qu'en l'absence des chevaliers et même de toute cavalerie ces communiers aient osé sortir de leurs murailles et se ranger en bataille en face des soldats professionnels, Arabes ou Soudanais, de la garnison d'Ascalon, voilà qui montre mieux que tout commentaire l'enracinement de la colonisation franque en Syrie.

La ferme attitude de ces roturiers, dignes de nos communiers de Bouvines, intimida les envahisseurs. Pendant trois heures les deux armées s'observèrent face à face sans que l'émir égyptien osât ordonner l'attaque ; bientôt au contraire il donna le signal de la retraite. Devant sa « couardie », ce furent les bourgeois de Jérusalem qui passèrent à l'action. Ils coururent se placer tous près du chemin de retour des ennemis, « entre fosséz, en leus estroit », d'où ils firent pleuvoir une grêle de flèches et de carreaux d'arbalètes sur l'arrière-garde égyptienne. Sans perdre un homme ils tuèrent quarante-deux Égyptiens, en prirent quatre et ramenèrent dix-sept chevaux. Guillaume de Tyr se montre à juste titre très fier de cette victoire sans larmes des communiers de Jérusalem. « Lors s'en retornèrent dedenz lor ville à grant joie et tuit lié (en liesse), comme cil qui bien i avoient fet. »

Peu avant la fin du siège de Tyr, la garnison d'Ascalon exécuta un autre raid à travers les montagnes de la Judée. Cette fois, d'ailleurs, les Égyptiens ne menacèrent pas la ville même de Jérusalem, mais allèrent surprendre à une douzaine de kilomètres au nord, sur la route de Jérusalem à Naplouse, le bourg d'al-Bîra, Byrrha, Belin ou La Mahomerie des chroniqueurs[198]. Les défenseurs de la petite ville furent presque tous massacrés, mais les vieillards, les femmes et les enfants eurent le temps de se barricader dans une tour, récemment construite et qui ne fut pas forcée. Les Égyptiens coururent encore quelque temps la campagne judéenne, massacrant ou réduisant en captivité les paysans chrétiens et les voyageurs isolés, puis ils rentrèrent à Ascalon sans avoir obtenu de résultat[199].

*Échec des diversions turques pour dégager Tyr.*

Beaucoup plus sérieuse pouvait être la réaction de l'âtâbeg de Damas, *T*ughtekîn, directement provoqué, puisque Tyr était sienne, et de son allié Balak l'Ortoqide, roi d'Alep.

À la nouvelle du siège de Tyr, averti par les pressants messages des assiégés, *T*ughtekîn vint se poster à Bâniyâs (Panéas), au sud-ouest de l'Hermon, au nord-est du lac de Hûlé, à quarante-cinq kilomètres à l'est et en ligne droite de Tyr, position excellente pour surveiller cette ville et menacer la Galilée. « Il espérait que les Francs, le voyant si près d'eux, s'éloigneraient de Tyr, mais les Francs restèrent immobiles, décidés à poursuivre le siège. » L'âtâbeg, alors, se rapprocha et vint camper sur le Nahr al-Qâsimîya, fleuve dont l'embouchure n'est qu'à huit ou neuf kilomètres de Tyr. En même temps la nouvelle se répandait qu'une escadre égyptienne arrivait d'Alexandrie et que *T*ughtekîn attendait son entrée en jeu pour passer lui-même sur la rive méridionale du Nahr al-Qâsimîya et venir prendre le camp chrétien à revers[200]. Et tel était bien en effet l'espoir de *T*ughtekîn qui avait envoyé de pressants messages à la cour du Caire pour hâter le départ d'une escadre[201].

À ces nouvelles, les chefs francs prirent une résolution énergique. Il fut décidé que le comte Pons de Tripoli et le connétable Guillaume de Bures, avec tous les chevaliers et une partie des soudoyers à pied, marcheraient à la rencontre de *T*ughtekîn ; que le doge Domenico Michiel avec l'escadre vénitienne se porterait à la rencontre de la flotte égyptienne, et que le reste des Vénitiens, des bourgeois du royaume de Jérusalem et des gens de pied poursuivrait le siège, empêcherait toute sortie des assiégés pour brûler les machines et maintiendrait le bombardement. Ainsi fut fait. Le comte de Tripoli et Guillaume de Bures avec la chevalerie franque remontèrent au nord, vers le Nahr al-Qâsimîya à la recherche de *T*ughtekîn. Ils chevauchèrent pendant deux milles sans rencontrer leur ennemi : à leur approche, *T*ughtekîn avait plié ses tentes et battu en retraite sur Paneas. La chevalerie franque, qui n'avait aucun intérêt à l'y poursuivre, rentra au camp, devant Tyr après avoir écarté la menace damasquine[202].

Pendant ce temps le doge avec l'escadre vénitienne descendait la côte jusqu'à Scandelion (Iskanderûna), au Râs al-

Abyad, à dix kilomètres au nord de Râs Nâqûra, à la recherche de la flotte égyptienne : mais il n'y avait pas de flotte égyptienne. Malgré les appels désespérés des gens de Tyr, malgré les pressantes démarches de *T*ughtekîn, la cour fâ*t*imide, dont l'armada venait quelques mois auparavant d'être détruite par les Vénitiens devant Ascalon, n'avait pu réunir à temps une nouvelle escadre. Peut-être y eut-il aussi dans cette inaction rancune des Fâ*t*imides contre *T*ughtekîn, qui les avait pratiquement éliminés de la ville. C'est le sens de la réponse assez ironique de la chancellerie du Caire, telle que la rapporte le *Mirât al-Zemân :* « Nous avons laissé le soin de cette affaire à *T*ughtekîn. C'est à lui de défendre la ville et de repousser l'ennemi. Nous lui avons laissé pleins pouvoirs à cet effet ![203]. » Le résultat de ces froissements fut que la marine égyptienne ne fit rien pour empêcher la chute du grand port phénicien. Le doge, constatant que nul n'osait lui disputer l'empire de la mer, revint presser, avec une ardeur accrue, le siège de Tyr.

Une seule intervention eût été capable de sauver la ville : celle du redoutable ortoqide Balak, émir d'Alep et du Diyârbékir. De fait, Balak se préparait à venir au secours de la ville à la tête de ses Turcomans lorsqu'il périt, comme nous l'avons vu, d'une main musulmane, le 6 mai 1124, au siège de Menbij[204].

La mort du champion de l'Islamisme enleva tout espoir aux assiégés. Elle accrut au contraire l'audace des Francs, qui n'étaient pas sans redouter l'intervention des forces turcomanes et alépines. La preuve en est dans le soulagement qu'ils manifestèrent en apprenant son décès, d'autant que le comte d'Édesse, Jocelin, se vantait d'avoir tué lui-même l'émir ortoqide (en réalité, nous l'avons vu, celui-ci avait péri en assiégeant la ville de Menbij révoltée contre lui et secourue par Jocelin). Telle fut la joie au camp chrétien devant Tyr que le comte Pons de Tripoli arma chevalier le messager de Jocelin qui avait apporté la bonne nouvelle[205].

### *Prise de Tyr par les Francs. Caractère pacifique de l'occupation.*

Balak mort, le gouvernement égyptien n'envoyant pas de flotte, la situation de Tyr était désespérée. Les vivres manquaient. Si la petite garnison turque envoyée de Damas par

*T*ughtekîn tenait toujours, les riches boutiquiers arabes qui faisaient le fond de la population en avaient assez d'une vie de batailles pour laquelle ils n'étaient point faits. *T*ughtekîn fut le premier à le comprendre. Il revint se poster sur le Nahr al-Qâ-simîya, mais cette fois pour négocier. Pour éviter une prise d'assaut qui eût entraîné le massacre de la population, il offrit lui-même la reddition de la place sous condition que les habitants pourraient se retirer librement en terre musulmane avec leurs biens mobiliers, tandis que ceux qui préféreraient rester sous la domination franque en recevraient l'autorisation : (S'il en i avoit auquns qui voussisent demorer desouz les Crestiens, cil auroient toutes lor teneures et les tendroient à resnable treu (avec raisonnable redevance)[206]. » Les chefs de l'armée franque, à savoir le patriarche Gormond de Picquigny, le comte Pons de Tripoli, le doge Domenico Michiel et le connétable Guillaume de Bures, bayle du royaume de Jérusalem, acceptèrent ces conditions.

La publication de ces clauses provoqua chez les Francs de violentes protestations, presque une mutinerie de la part du menu peuple qui se voyait frustré du pillage : « Quant la menue gent de l'ost entendirent que l'en parloit de pais et que li mueble de la vile seroient garanti aus Turs, si qu'il n'i auroit point de gaaing, près ala (= il s'en fallut de peu) qu'il n'en furent enragié ; et disoient tout apertement que li baron estoient traitor et avoient pris grant loiers por fere pais, et li povre home qui avoient toute la douleur souferte, n'alegeroient leur povreté de nule rien de ceste conqueste. Tant montèrent les paroles qu'il dut avoir grant mellée entre les povres et les riches ». Démagogie de Croisade que, depuis l'équipée de Pierre l'Ermite et la Croisade lombarde de 1101 en Anatolie, nous retrouverons sans cesse au cours de cette histoire où tant de désastres pourront lui être imputés. Cette fois les barons tinrent bon. La reddition de Tyr sans nouvelles pertes pour les Francs, sans massacre, non plus, de la population musulmane offrait trop d'avantages pour que le patriarche, le comte de Tripoli et le connétable dénonçassent l'accord avec *T*ughtekîn.

La tentative de mutinerie apaisée, les Francs occupèrent Tyr en respectant scrupuleusement les clauses du traité. Le 7 juillet 1124 la bannière du roi de Jérusalem fut plantée sur la tour qui dominait la porte principale, car, bien que captif au fond du Diyârbékir, Baudouin II, représenté par le connétable Guillaume de Bures, était toujours moralement présent à la tête de l'armée ; de même la bannière du comte de Tripoli fut arborée sur la Tour Verte, et celle du doge de Venise sur la Tour de la Tannerie.

Ibn al-A*th*îr témoigne de la correction avec laquelle les barons francs exécutèrent les clauses de l'accord. « Les portes de Tyr s'ouvrirent et les Francs en prirent possession. Les habitants évacuèrent la ville et se dispersèrent dans la contrée. Ils prirent avec eux ce qu'ils pouvaient emporter ; ce qu'ils ne purent emporter, ils l'abandonnèrent. Les Francs laissèrent tout le monde libre. Il ne resta dans la ville que les malades et ceux qui ne pouvaient se déplacer[207]. » Le *Nojûm al-Zâhira* écrit de même : « Les habitants obtinrent l'*amân* pour eux, leurs familles et leurs biens, ainsi que le droit pour chacun, soit de rester, soit de s'expatrier. Ces conditions ayant été accordées, *T*ughtekîn vint avec son armée se ranger vis-à-vis des Francs. Ceux-ci prirent position en face de lui, et les habitants sortirent sans être molestés, entre les deux lignes de troupes. Chacun emporta ce qu'il put. Quant aux habitants non valides, ils restèrent dans la place[208]. » *L'Estoire d'Éracles,* plus loquace, nous révèle un épilogue bien inattendu du siège : les émigrants en train sinon de fraterniser avec leurs vainqueurs, du moins de les visiter curieusement : « Venu estoient en la cité de Sur (= Tyr) cil qui devoient conduire les Turs (entendez la population arabe comme la garnison turque) à sauveté. Mès il ne s'en voudrent mie sitost aler, ainz prièrent qu'il lor donassent congié de veoir l'ost des Crestiens. Si veissiez les granz routes (bandes) d'eus issir de la vile où il avoient longuement esté enclos, et venoient regarder les tentes, les armes des noz ; des engins, des chastiaus de fust s'emmerveilloient trop qui les avoient tant grevez. Les barons de l'ost regardoient volentiers, dont il avoient oï tant parler : molt lor estoit de ces choses granz conforz, après le travail qu'il avoient souffert. La notre gent entrèrent en la vile ; volentiers alèrent par les tors et par desus les murs ; le port virent qui estoit si noblement fez dedenz la vile, et connurent les domages que lor engins fesoient dedenz la cité. De toutes les garnisons de blé ne trouvèrent en la vile que cinq muis de froment. D'autre part moult loèrent cil de leenz qui si longuement s'estoient tenu à tel meschief (ils louèrent beaucoup les assiégés d'avoir si longtemps tenu dans de telles conditions)[209]. »

Une telle détente après un siège aussi véhément nous laisse entrevoir les progrès accomplis dans la cohabitation franco-arabe en Syrie. Un *modus vivendi* tendait à s'établir même sous le régime des hostilités à peu près permanentes ; les rapports, en tout cas, devenaient plus courtois ; dans la guerre même, Francs et Musulmans apprenaient à s'estimer.

L'importance de la conquête de Tyr par les Francs ne saurait être exagérée. Elle ne les rendait pas seulement définitivement maîtres du littoral. Elle les mettait en possession d'une place maritime alors de premier ordre, d'un réduit facile à défendre en raison de sa quasi insularité. Lorsque le royaume de Jérusalem s'écroulera sous les coups de Saladin, après le désastre de *Hatt*în en 1187, c'est à Tyr que s'accrochera la résistance des Francs, et c'est de la ville inviolée qu'ils repartiront à la reconquête du pays.

*Privilèges économiques et politiques des Vénitiens à Tyr.*
*Les colonies italiennes dans la Syrie franque.*
*Services qu'elles rendent. Inconvénients qu'elles présentent.*
*Danger qu'elles constituent.*

Les Vénitiens, en permettant aux Francs de Syrie de s'emparer de la cité phénicienne, leur ont donc rendu un inestimable service. Toutefois il convient de se souvenir de quelles concessions énormes les Francs avaient payé ce concours. Sans doute toutes les stipulations du traité de 1124 ne furent pas tenues. Le patriarche Gormond de Picquigny, le connétable Guillaume de Bures et le chancelier Payen avaient, on l'a vu, promis aux Vénitiens un quartier dans chacune des villes du royaume, avec place de marché, bain et four, « quartier où ils devaient être aussi maîtres que le roi chez lui ». Cette clause fut loin d'être partout appliquée. Sauf à Jérusalem, elle ne le fut pas dans les villes de l'intérieur, parce que les Vénitiens eux-mêmes semblent s'en être désintéressés. Elle ne le fut même pas dans toutes les villes du littoral, car c'est seulement à Tyr, à Sidon, à Acre et à Caïffa que nous la voyons entrer nettement en vigueur[210]. Toutefois, là où il y eut vraiment exécution du traité, c'est-à-dire dans ces grands ports où devait finir par se concentrer toute la vie du royaume, l'acte de 1124 accordait aux Vénitiens des privilèges proprement royaux, une véritable participation à la souveraineté : « Vobis (Veneticis) eamdem quam rex habuerit potestatem penitus damus », dit la charte à propos du quartier vénitien d'Acre.

Dans leur quartier d'Acre, surtout dans le tiers à eux accordé de la ville de Tyr, les Vénitiens, désormais, étaient à peu près souverains. Leur quartier d'Acre était aussi exempt de reprises, taxes et redevances que les propriétés royales elles-mêmes, « jure hereditario in perpetuum possidenda, ab omni exactione libera, sicut sunt Regis propria ». À Tyr, dans le tiers qui leur avait été concédé, ils étaient vraiment les maîtres et seigneurs, – seigneurs féodaux, autant que, par exemple, les comtes provençaux pouvaient l'être à Tripoli, le pacte de 1124 dit même : autant que le roi pouvait l'être dans ses deux tiers du même Tyr : « illam tertiam partem, libere et regaliter, *sicut rex duas*, Venetici habituri in perpetuum, jure hereditario possideant ».

À cette seigneurie féodale des Vénitiens dans leur « tiers » de Tyr, qui en faisait une véritable colonie semi-autonome, il faut encore joindre à leur actif l'exterritorialité juridique, la juridiction consulaire dans l'ensemble de leurs comptoirs maritimes. Juridiction qui connaissait non seulement des litiges entre Vénitiens, mais de toute plainte d'un tiers contre un Vénitien : « si aliquis adversus Veneticum querelam aut litigationem se habere crediderit, in eâdem Veneticorum curiâ determinetur ». Le contrevenant vénitien, jugé par ses nationaux, se trouvait ainsi bénéficier d'un traitement de faveur. Ce n'était que si le Vénitien se trouvait demandeur contre un non-Vénitien que la juridiction royale reprenait ses droits.

Ces clauses dont, à l'exemple des Vénitiens, les Génois et les Pisans réclameront le bénéfice, étaient grosses de conséquences. Elles faisaient des comptoirs italiens, au point de vue juridique, de véritables établissements autonomes, analogues, par exemple, aux concessions européennes de Changhaï en attendant d'en faire – au treizième siècle – d'autres Hong-kong et d'autres Gibraltar. Les colonies italiennes de

Syrie, protégées par ces privilèges économiques, juridiques et de souveraineté, assurées du secours immédiat de leur métropole, de l'intervention de sa diplomatie et de ses escadres, ne se laisseront nullement assimiler par le milieu franc, c'est-à-dire français de Syrie. Elles resteront des « italianités » conscientes, regardant bien plus vers Venise, Gênes ou Pise que vers la Cour de Jérusalem ou d'Acre.

Tant que la monarchie franque restera forte, il n'y aura là que demi-mal, parce qu'un Baudouin II, un Foulque, un Baudouin III, un Amaury Ier n'admettront guère plaisanterie sur les droits de la couronne. Baudouin II, une fois revenu de captivité, refusera de ratifier la clause par laquelle l'État franc s'engageait à ne jamais relever les droits de douane perçus sur les nations qui faisaient commerce avec les Vénitiens. Et il obligera les Vénitiens, par une autre novation au traité, à entretenir pour la défense de Tyr une troupe proportionnée au revenu de leur tiers. Le roi Foulque contestera aux Vénitiens la redevance des 300 besants qui devait leur être payée par la caisse des accises royales de Tyr, et ses successeurs feront de même[211]. Ainsi limitées par un pouvoir royal fort, les colonies italiennes seront longtemps, par leur activité commerciale intense, un incontestable facteur de prospérité pour le royaume. Du moins tant qu'il y aura un roi à Jérusalem. Mais du jour où, après le désastre de 1187, la royauté disparaîtra en fait, quand l'institution monarchique, au treizième siècle, ne sera plus qu'une fiction constitutionnelle, couvrant la république féodale des Ibelin, les colonies italiennes, devenues franchement indépendantes, infiniment plus puissantes et mieux organisées que le lamentable pouvoir central, s'affirmeront comme un des facteurs de dissolution les plus actifs du Levant français. D'autant que, divisés comme ils le sont entre eux par des haines inexpiables, Génois contre Pisans, Vénitiens contre Génois, Guelfes contre Gibelins, les colons italiens feront du pays le champclos de leurs querelles, de leurs rixes, de leurs coups de main, et entraîneront même les Français de Syrie dans leurs guerres civiles, politique de suicide qui appellera l'invasion et la reconquête musulmanes. Ce jour-là, les commerçants italiens se rembarqueront sur leurs escadres. Et la population française de Syrie sera massacrée par les Mamelûks.

*Attaque infructueuse des Munqidhites et des Banû Qarâjâ contre Apamée.*

Notons que, tandis que les chevaliers de Jérusalem et de Tripoli faisaient la conquête de Tyr, ceux d'Antioche avaient su résister à une attaque contre Apamée (Fàmiya, Qal'at Mudîq).

Cette attaque était le fait d'une ligue formée par les Munqi*dh*ites de Shaîzar et par Ma*h*mûd ibn Qarâjâ, émir de *H*amâ, jusqu'à ce jour ennemis irréconciliables.

La sécurité d'Apamée, la grande place franque du moyen Oronte, avait longtemps reposé sur la haine que portaient aux Arabes Munqi*dh*ites de Shaîzar les deux frères Banû Qarâjâ, Qîrkhân[212], émir de *H*oms, et Ma*h*mûd, émir de *H*amâ. « La guerre entre nous et eux, écrit Usâma ibn Munqi*dh*, était de celles qu'on boit à petites gorgées, les détachements restant toujours en éveil et les troupes rivalisant de rapidité dans la lutte. » Shaîzar vivait ainsi en alerte perpétuelle devant la menace et les coups de main des Banû Qarâjâ, lorsqu'en 1124[213] une réconciliation intervint entre les deux familles en vue de la guerre sainte contre les Francs. Les Munqi*dh*ites, commandés par Usâma ibn Murshid – l'auteur des célèbres *Mémoires* – et les Banû Qarâjâ conduits par l'émir de *H*amâ, Ma*h*mûd, allèrent ensemble assiéger Apamée. « Avant d'arriver à Apamée, raconte Usâma, nous nous trouvâmes en présence des cavaliers et des fantassins francs dans la région dévastée qui précède la ville. C'est un terrain où les chevaux évoluent difficilement à cause des pierres, des colonnes et des fondements de murailles détruites (les débris de la ville gréco-romaine). Nous fûmes impuissants à déloger les Francs de cet endroit. Un de nos soldats me dit : Tu voudrais les tailler en pièces ? – Certes, répondis-je. – Eh bien, reprit le soldat, dirige-nous vers la porte de la citadelle ! – Je lui dis : Allez-y. – Mon interlocuteur se repentit de sa parole et reconnut que nos ennemis nous fouleraient aux pieds pour arriver avant nous à leur citadelle. Il chercha à me détourner de ce qu'il m'avait d'abord conseillé, mais je ne voulus rien entendre et je pris la direction de la porte. À l'instant où les Francs nous virent engagés dans le chemin de la porte, ils revinrent vers nous, fantassins et cavaliers nous foulèrent aux pieds et passèrent. Leurs cavaliers mirent pied à terre à l'entrée de la porte et renvoyèrent leurs chevaux qu'on fit remonter jusque dans la forteresse même. Ils alignèrent les pointes de leurs lances dans l'espace de la porte. Moi et un de mes compagnons nous nous tenions sous le mur et en face de cette porte, atteints par le nombre des pierres et des flèches, tandis que Ma*h*mûd ibn Qarâjâ, avec son escorte, se tenait à distance pour surveiller les détrousseurs kurdes. Et cependant une flèche lancée de la forteresse atteignit Ma*h*mûd au poignet. » La blessure, « pas plus grosse qu'un grain d'orge », était mortelle, et l'émir de *H*amâ décéda en arrivant chez lui.

Les Munqi*dh*ites, restés seuls, levèrent le siège d'Apamée et retournèrent de leur côté à Shaîzar[214]. L'âtâbeg de Damas. *T*ughtekîn, profita de la mort de son vieil adversaire pour occuper aussitôt *H*amâ qui fut annexé – ou réannexé au royaume de Damas[215]. On sait qu'il avait été moins heureux à la fin d'avril 1123 en essayant d'enlever *H*oms à l'autre frère Banû Qarâjâ, Qîrkhân. Il avait pu incendier la ville basse, mais Qîrkhân, réfugié dans la citadelle, avait forcé l'âtâbeg à la retraite[216]. Les préoccupations de *T*ughtekîn au sujet de ses voisins musulmans, son hostilité permanente contre les Banû Qarâjâ expliquent sans doute la mollesse de son attitude envers les Francs et ses hésitations à se lancer dans une guerre à fond pour délivrer Tyr.

En ce qui concerne les Francs, la brillante résistance d'Apamée complète du côté antiochénien l'œuvre accomplie, du côté hiérosolymitain, par la conquête de Tyr. L'année 1124 se terminait pour eux sur un double succès.

## § 4. — Baudouin II et la féodalité musulmane de 1124 à 1129.

*Liberation de Baudouin II.*
*Amitié du roi de Jérusalem et des émirs munqi*dhites.

Tandis que le régent Guillaume de Bures et le patriarche Gormond de Picquigny faisaient en son nom la conquête de Tyr, le roi de Jérusalem Baudouin II obtenait enfin sa liberté. On se rappelle que Balak l'avait transféré de la prison de

Harrân à celle d'Alep. Après la mort de Balak, le prisonnier passa au pouvoir du nouvel émir ortoqide d'Alep, Timurtâsh ibn Il-Ghâzî. Timurtâsh, Turc indolent qui ne partageait en rien l'humeur belliqueuse de son prédécesseur, ne songea qu'à tirer une bonne rançon de Baudouin II. Des pourparlers s'engagèrent. Pour les mener à bien, Timurtâsh fit appel au concours de l'émir munqi*dh*ite de Shaîzar, Abu'l Asâkir Sultân, l'oncle de l'historien Usâma ; ce grand seigneur arabe était en effet uni au roi de Jérusalem par des liens d'amitié personnelle : « Lorsque Baudouin était monté sur le trône, explique Usâma, nous devions une contribution au maître d'Antioche ; or il nous en avait relevés gracieusement, et, depuis lors, nos relations s'étaient maintenues excellentes[217]. »

Grâce à l'entremise de l'émir de Shaîzar, les négociations entre Timurtâsh et son captif aboutirent assez vite (juin 1124). Baudouin II s'engagea à verser pour sa rançon 100 000 besants michelois, ou 80 000 dînârs, dont 20 000 payables d'avance. De plus Baudouin devait, comme régent d'Antioche, rendre à la principauté d'Alep 'Azâz, A*th*âreb, Zerdanâ, le Jazr et Kafar*t*âb, c'est-à-dire la majeure partie de la terre outre-Oronte. Enfin il devait aider les Ortoqides dans leur querelle contre l'émir bédouin Dubaîs ibn Sadaqa. Le chef bédouin en effet, éternel conspirateur de l'Islam, après avoir essayé de disputer le 'Irâq 'Arabi au Khalife 'Abbâside Mustarshid et avoir été écrasé par lui, s'était réfugié à Qal'at Ja'bar dans la Jazîra ; de là il intriguait maintenant contre les Ortoqides et avait noué un complot avec certains habitants d'Alep pour se faire livrer la ville. Timurtâsh entendait que Baudouin, après sa libération, l'aidât à se défaire de ce dangereux voisin[218].

Les clauses de l'accord une fois acceptées, Baudouin II fut comblé par Timurtâsh de présents et d'attentions. « Délivré de ses fers, nous dit Kemâl al-Dîn, il fut conduit à la réception de Timurtâsh. Après avoir bu et mangé avec le prince, Baudouin reçut en présent une tunique royale, un bonnet d'or et des bottines ornementées. On lui rendit même le cheval de prix que Balak lui avait enlevé le jour où il le fit prisonnier. » Conformément à l'accord conclu par l'entremise des Munqi*dh*ites, Baudouin II fut conduit chez eux, à Shaîzar où il resta quelque temps, en attendant l'arrivée des otages envoyés à sa place, à savoir sa plus jeune fille, Yvette, enfant de cinq ans, et le jeune Jocelin (II), fils du comte d'Édesse Jocelin de Courtenay, avec dix autres jeunes gens. L'émir munqi*dh*ite Sul*t*ân avait, en attendant, envoyé de Shaîzar à Alep, comme répondants pour son ami Baudouin, plusieurs jeunes gens de la famille munqi*dh*ite, dont sans doute son neveu, l'historien Usâma[219].

Baudouin II était arrivé à Shaîzar le 20 juin 1124. Il y resta deux mois encore, comme l'hôte fêté de l'émir Sul*t*ân et des autres princes munqi*dh*ites, en attendant que les premières clauses du traité eussent été exécutées[220]. Dès que Sul*t*ân eut reçu, à destination de Timurtâsh, les jeunes otages francs et les 20 000 premiers dînars de la rançon royale, il envoya le tout, comme convenu, à la cour d'Alep et libéra Baudouin II (29-30 août 1124).

Enfin libre, le roi de Jérusalem se rendit d'abord à Antioche puisque c'étaient les affaires de la principauté qui se trouvaient en jeu. N'avait-il pas dû promettre, pour obtenir sa délivrance, de rendre à l'émir d'Alep A*th*âreb, Zerdanâ, le Jazr et Kafar*t*âb, c'est-à-dire une bonne partie de la province d'outre-Oronte ? Mais, comme régent de la terre (le prince véritable était toujours l'adolescent Bohémond II, alors en Italie), avait-il le droit d'amputer de la sorte l'héritage à lui confié ? Le patriarche d'Antioche, Bernard de Valence, le lui dénia. Nous imaginons d'ailleurs que Baudouin II, tel que nous le connaissons, ne mit aucune difficulté à se laisser convaincre. Mais, avec son habileté coutumière et aussi par prudence, pour ne pas attirer la colère de Timurtâsh sur la petite Yvette et les autres otages, il s'excusa auprès de l'Ortoqide dans un message dont la chronique d'Alep nous a conservé le sens : « Le Patriarche, auquel nous ne pouvons désobéir, a voulu connaître la nature de nos concessions et de ce qui a été convenu entre nous. Quand il a appris que je devais livrer 'Azâz (etc.), il s'y est absolument refusé et m'a ordonné de renoncer à cette clause, en ajoutant qu'il prenait sur lui la faute de la violation du serment. Je ne puis aller contre sa volonté[221]. »

L'excuse était assez habilement présentée pour éviter la rupture avec l'Ortoqide. Kemâl al-Dîn nous dit que les négociations continuèrent à ce sujet – sans aboutir, d'ailleurs, comme bien on pense. Mais, indolent comme il l'était,

Timurtâsh tenait-il tellement à des accroissements territoriaux ? L'essentiel pour lui était de toucher les 60 000 dînârs encore dus, et Baudouin ne s'y refusait pas. Seulement il écoutait en même temps les conseils que lui donnaient à ce sujet les prud'hommes d'Antioche. Le passage, dans *l'Estoire d'Éracles*, est trop savoureux pour ne pas être cité : « Li rois Baudoins... fu délivrés et s'en vint en Antioche. Là fu mout angoisseus coment il porroit paier cel avoir et recovrer ses ostages. Conseil en prist aus sages homes de la terre. Quant il orent assez pensé, si li respondirent que il n'avoit que une voie à sa délivrance : la cité de Halape estoit près d'eus, qui avoit mainte foiz esté si grevée et si tenue courte qu'elle ne povoit estre bien garnie ; de genz meismes i avoit-il poi qui poissent armes porter... Se li Rois asséoit cele ville, il porroit si ceus dedenz destreindre en pou de tans que il li feroient rendre ses ostages et quiter le plus ou le tout de sa raençon[222]. »

En réalité, l'anarchie du monde musulman incitait Baudouin II à éluder les clauses du traité conclu avec l'émir d'Alep et de Mârdîn. La mort de Balak avait marqué la décadence définitive de cette dynastie ortoqide à laquelle avait semblé un moment dévolue la mission de fédérer l'Islam syrien, mission qu'à son défaut devaient mener à bien quelques années plus tard les Zengides et les Aiyûbides. Timurtâsh, le dernier ortoqide, était plus que quiconque incapable d'un tel rôle.

*Alliance franco-arabe contre les Turcs.*
*Pacte du roi Baudouin II et de l'émir Dubaîs pour la conquête du royaume d'Alep.*

Nous avons vu qu'une des conditions que Timurtâsh avait mises à la libération de Baudouin II avait été la promesse par celui-ci de l'aider contre l'émir bédouin Dubaîs ibn *S*adaqa, ancien prince de *H*illa, ancien « roi des Arabes » de l'Irâq 'Arâbî, chassé de cette province par le khalife de Baghdâd et qui cherchait depuis à se tailler un autre royaume en Syrie. Mais Baudouin II, une fois libre, ne tarda pas, tout au contraire, à se rapprocher du chef bédouin.

Les Francs, qui entretenaient déjà avec les Munqi*dh*ites de Shaîzar des rapports de courtoisie et même de cordialité sur lesquels les mémoires d'Usâma ne nous laissent aucun doute, et qui ne craignaient même pas de s'entendre avec la secte ismâ'îlienne, avaient tout intérêt à favoriser dans l'Islam syrien la renaissance arabe au détriment des Turcs, leurs plus redoutables ennemis. Ils ne pouvaient à cet égard trouver interlocuteur mieux disposé que l'ancien émir de *H*illa. L'homme dont nous avons vu les haines inexpiables contre tous les pouvoirs établis de la société sunnite, le chef de nomades qui avait passé sa vie à lutter contre le khalifat 'abbâsside et contre le sultanat seljûqide ne pouvait avoir aucune répugnance à s'allier aux Francs. Le roi Baudouin II et le comte d'Édesse Jocelin de Courtenay n'eurent garde de négliger de telles dispositions. Ils se rapprochèrent de Dubaîs et eurent avec lui, au témoignage de Kemâl al-Dîn, de fréquentes entrevues. Le résultat fut entre le souple bédouin et l'habile roi de Jérusalem une alliance en bonne forme en vue du démembrement de l'émirat ortoqide. Il fut entendu que les Francs aideraient Dubaîs à se rendre maître d'Alep où il régnerait sous leur protectorat en leur abandonnant certains avantages financiers ainsi que diverses localités voisines[223].

Signalons cette alliance des Arabes de la Jazîra avec les Francs contre la domination turque, alliance qui, si elle avait pu aboutir à la fondation d'un royaume arabe francophile à Alep, aurait sans doute changé le cours de l'histoire syrienne.

En plus de l'aide des Francs, l'émir Dubaîs escomptait d'actives sympathies dans la ville même d'Alep. N'était-il pas shî'ite, confession qui comptait de si nombreux adhérents dans la grande cité syrienne[224] ? Ses premières opérations militaires furent d'ailleurs heureuses. De son quartier général établi sur l'Euphrate, du côté de Qal'at Ja'bar, il marcha contre Timurtâsh et le battit à Marj Dâbiq, sur le Quwaiq supérieur, au nord d'Alep, à l'est de 'Azâz. Bientôt Baudouin II, rompant les trèves, marcha, de son côté, d'Antioche sur Alep. Après avoir ravagé la vallée du Quwaiq, le roi de Jérusalem commençai blocus d'Alep (19 octobre 1124). Pendant ce temps le comte d'Édesse, Jocelin, descendant de Turbessel, ravageait avec Dubaîs la région de Bâb à l'est d'Alep où les deux alliés faisaient dans les champs de coton et de millet pour 100 000 dînars de dégâts. Tous deux opérèrent ensuite leur jonction avec Baudouin II devant Alep.

*Baudouin II, chef de la coalition musulmane contre Alep. Siège de la ville par les coalisés.*

Baudouin II, Jocelin et l'émir Dubaîs, les chevaliers d'Antioche et d'Édesse et les guerriers Banû Mazyad entreprirent alors de concert le siège d'Alep. Pour compléter cette coalition franco-musulmane, ils furent rejoints sous les murs de la grande cité par un nouvel associé – associé assez inattendu, – le jeune Sul*t*ân-shâh, fils du feu malik Ri*d*wân ; le descendant de la dynastie seljûqide d'Alep, détrônée par les Ortoqides, accourait dans l'espoir d'une restauration légitimiste.

On remarquera ici l'adresse de Baudouin II qui, pour en finir avec la domination turcomane à Alep, avait su grouper dans son alliance à la fois l'héritier des rois Seljûq, représentant de la légitimité turque, et l'émir de la Jazîra, l'aventurier de grande tente, champion de la revanche arabe contre la domination turque. Baudouin II, spéculant sur les dissensions de la famille de Timurtâsh, obtint même le concours d'un cousin de celui-ci, le cadet ortoqide Yâghî Siyân, seigneur de Bâlis.

Le camp des assiégeants francs, arabes et seljûqides autour d'Alep formait, nous dit Kemâl al-Dîn, 300 tentes, dont 200 aux Francs et 100 à leurs alliés musulmans. Baudouin II tenait le secteur ouest, face au Bâb An*t*âkiya. Jocelin de Courtenay occupait le secteur nord sur la route de 'Azâz. Dubaîs et ses Arabes et le seljûqide Sul*t*ân shâh occupèrent le secteur nord-est, et Yâghî Siyân le secteur est[225]. Kemâl al-Dîn ne mentionne pas d'investissement vers le sud du côté de Bâb al-Qinnesrîn et de Bâb al-Maqâm, ce qui permettait à la garnison d'exécuter des sorties et des coups de main dans le camp chrétien. Kemâl al-Dîn souligne du côté des assiégeants comme des assiégés des actes de cruauté envers les prisonniers, amputation des mains, castration, etc. Il montre aussi les Francs déterrant les cadavres musulmans et les traînant « comme les cadavres de Mahomet et de 'Alî », ou attachant des Qorans sous la queue de leurs chevaux. Ces sacrilèges paraissent difficilement admissibles en la circonstance, quand Baudouin II avait comme compagnons l'émir Dubaîs, Sul*t*ân shâh et Yâghî Siyân. Du reste les injures lancées du haut des murailles par les assiégés sembleraient prouver qu'ils en voulaient beaucoup plus à Dubaîs et à ses Bédouins qu'aux Francs eux-mêmes[226].

La situation d'Alep était d'autant plus tragique que le maître de la ville, l'Ortoqide Timurtâsh, l'avait lâchement abandonnée à son destin pour se réfugier dans son domaine du Diyârbékir, à Mârdîn. Tout le poids de la lutte incombait aux notables : Badr al-Dawla Sulaîmân et le chambellan 'Omar al-Khâ*ss*, chargés de la défense, mais qui n'avaient plus sous leurs ordres que 500 cavaliers, et le raiys Abu'l Fa*d*l ibn Khashshâb, préposé aux distributions de blé, mais dont les stocks étaient presque entièrement épuisés. On mangeait les chiens et les cadavres, et la dysenterie sévissait[227].

En cette extrémité, les notables envoyèrent le qâ*d*î Abû Ghânem Mu*h*ammed, aïeul de l'historien Kemâl al-Dîn, auprès de Timurtâsh, pour le supplier d'accourir. Le qâ*d*î fut assez heureux pour traverser de nuit les lignes ennemies, échapper aux coureurs francs et atteindre Mârdîn. Mais l'indolent Timurtâsh, fort occupé à se mettre en possession de Maiyâfâriqîn dont le décès d'un de ses frères lui assurait l'héritage, ne prêta aucune attention aux instances des envoyés alépins. Bientôt même, agacé des plaintes des Alépins, il fit jeter en prison le qâ*d*î et les autres délégués. Ceux-ci, comprenant qu'il n'y avait rien à obtenir de l'Ortoqide dégénéré, s'échappèrent et coururent implorer l'aide d'un autre chef turc : l'âtâbeg de Mossoul, Aq Sonqor Bursuqî[228].

*Intervention de l'âtâbeg Bursuqî ; délivrance d'Alep.*

Bursuqî, le Faucon Blanc (Ap Sonqor) était au terme d'une longue carrière mouvementée. Après avoir été une première fois gouverneur de Mossoul pour le compte du sultan de Perse Mu*h*ammed, avoir été mis à la tête de la Contre-Croisade et avoir échoué contre Édesse (1114), il avait été cassé du gouvernement de Mossoul (1115) ; rentré en grâce, il avait été nommé commissaire du nouveau sultan de Perse, Ma*h*mûd, auprès du khalife de Baghdâd (1118) ; enfin sa situation à Baghdâd étant devenue impossible par suite d'une brouille avec le khalife Mustarshid, le sultan venait de lui rendre par compensation le gouvernement de Mossoul avec la mission, attachée à ce poste, de s'occuper de la guerre sainte contre les Francs (1124). Ce fut peu après qu'il reçut la délégation des notables d'Alep le suppliant de sauver la ville[229].

Bursuqî paraît avoir accepté avec joie l'occasion de s'illustrer dans la guerre sainte tout en ajoutant Alep à son gouvernement de Mossoul. Il était malade. Il se trouva guéri, réunit ses contingents et partit pour la Syrie. Mais il n'entendait pas travailler pour d'autres. Il fit savoir aux Alépins qu'il ne continuerait sa route et ne viendrait les délivrer qu'à condition qu'ils l'acceptassent pour maître et que, pour commencer, ils aient à remettre la citadelle à ses lieutenants. Les Alépins y consentirent aussitôt et, effectivement, remirent la citadelle aux officiers qu'il leur envoya (rappelons que le blocus d'Alep n'était pas complet, le secteur sud, vers Bâb al-Maqâm restant libre)[230]. Alors Bursuqî hâta son arrivée. De Ra*h*eba, il enjoignit à *T*ughtekîn, âtâbeg de Damas, et à Qîrkhân ibn Qarâjâ, émir de *H*oms, de venir joindre leurs forces aux siennes, et, le 29 janvier 1125, il apparut devant Alep[231].

Bien que les coalisés aient dû être avertis de l'approche de Bursuqî, ils paraissent s'être laissé plus ou moins surprendre par la rapidité de sa marche, peut-être, comme le dit Foucher de Chartres, parce qu'il arriva de nuit[232]. Toujours est-il qu'ils durent abandonner précipitamment leur camp qui fut aussitôt pillé par les Alépins, et battirent en retraite sur le Jebel Jawshen à l'ouest d'Alep. Kemâl al-Dîn nous montre l'émir Dubaîs « déployant ses enseignes blanches » et rejoignant Baudouin II sur les hauteurs. Bursuqî, acclamé comme un sauveur par les Alépins, alla avec eux déloger les coalisés de leur nouvelle position et y réussit. Du reste, les deux armées évitèrent d'en venir à une action décisive. Baudouin II, estimant l'occasion manquée, ne désirait que rentrer à Antioche, tandis que Dubaîs, son rêve alépin ayant échoué, songeait déjà à partir pour la Perse où les querelles de la famille seljûqide promettaient à ses intrigues un nouveau champ d'activité[233]. Quant à Bursuqî il refusa d'écouter les conseils du qâ*d*î Ibn al-Khashshâb qui aurait voulu poursuivre les

Francs et les acculer à la bataille. L'armée de Mossoul était trop faible, la population alépine trop épuisée pour risquer les conséquences d'une autre défaite[234]. L'armée franque put se retirer, intacte, à l'abri de la forteresse d'A*th*âreb (Cerep)[235].

Le roi Baudouin II n'avait donc pas réussi à placer un émir vassal sur le trône d'Alep ; sans doute cet échec est-il imputable aux compétitions entre les divers prétendants musulmans – l'émir mazyadite, l'héritier seljûqide, le cadet ortoqide – qui, bien que pour l'instant associés, escomptaient chacun pour soi le trône d'Alep. Trop d'arrière-pensées et de divisions latentes avaient dû paralyser l'action des alliés musulmans de Baudouin II, fait éterniser le siège et finalement donné à l'âtâbeg de Mossoul le temps d'intervenir. Baudouin II, obligé de ménager ces associés incertains, avait dû laisser échapper une occasion peut-être unique de s'emparer d'Alep. Ajoutons qu'il avait du moins réussi à éluder les rétrocessions territoriales imposées à sa libération : A*th*âreb, Zerdanâ et les autres places d'outre-Oronte restaient à la principauté d'Antioche. En somme, grâce à sa prudence et à son adresse, il sortait sans dommage de la fâcheuse aventure de sa captivité. D'A*th*âreb il ramena son armée à Antioche et partit pour Jérusalem. Son retour dans la ville sainte le 3 avril 1125, après une absence de deux ans, fut accueilli par de touchantes démonstrations populaires : « Là le vit l'en volentiers, que mout l'avoient désiré. Chascuns en fesoit si grant joie com se il fust ses pères[236]. »

Cependant Baudouin II ne put s'attarder longtemps à Jérusalem. Ses fonctions de régent de la principauté d'Antioche l'obligèrent de nouveau à remonter vers le Nord-Est.

### *Le danger qui vient de l'Est. Les émirats de Mossoul et d'Alep une première fois réunis dans la même main. Bursuqî et le rétablissement de l'autorité sultanienne dans la Syrie musulmane.*

La réunion d'Alep et de Mossoul sous l'autorité de Bursuqî constituait un péril sérieux pour la colonisation franque. Ce grand émirat turc, allant du Quwaiq au Tigre, c'était déjà l'amorce de l'empire Syrien musulman unitaire des Zengides, des Aiyûbides et des Mamelûks.

Jusque-là les Francs, étroitement unis entre eux grâce à l'institution monarchique, n'avaient trouvé en face d'eux qu'une Syrie musulmane morcelée en un damier féodal qui la réduisait à l'impuissance. Tant qu'Alep avait appartenu à la dynastie ortoqide, la grande cité arabe du Nord n'avait pu jouer qu'un rôle intermittent, quelle que fût par ailleurs l'énergie individuelle d'un Il-Ghâzî ou d'un Balak, et même la capture de Baudouin II par Balak avait été sans lendemain. L'annexion d'Alep par l'âtâbeg de Mossoul marquait au contraire le début de ce rassemblement de la terre musulmane dont devait périr un jour la Syrie franque.

Le fait était d'autant plus dangereux que Bursuqî se présentait comme un fonctionnaire seljûqide, mandataire officiel – ce qu'il était en effet – du sultan de Perse, et, à ce titre, revêtu de la seule autorité légitime au milieu de tant d'émirats de hasard. Tel, il paraissait capable de fédérer l'anarchie musulmane en la ramenant au respect du pouvoir impérial turc.

Dès que Bursuqî eut réorganisé l'administration d'Alep, nous le voyons en effet opérer en suzerain une tournée d'inspection chez les principaux princes musulmans de Syrie. À Tell al-Sul*t*ân, au sud-ouest des marais du bas Quwaiq, il eut la satisfaction de voir arriver à lui Qîrkhân ibn-Qarâjâ, l'émir de *H*oms, qui lui amenait ses troupes. Le 15 mars 1125 il était, à Shaîzar, l'hôte des Munqi*dh*ites, ces chevaliers sans peur et sans reproche de la cause musulmane. L'émir munqi*dh*ite Sul*t*ân lui abandonna les otages francs reçus en garantie de l'exécution du traité entre Baudouin II et Timurtâsh : la petite Yvette, fille de Baudouin II, Jocelin le Jeune, fils du comte d'Édesse, et leurs dix compagnons. Bursuqî, qui parait avoir été un Turc assez humain, devait d'ailleurs, comme on le verra, rendre bientôt la liberté à ces jeunes gens, moyennant 80 000 dînârs, payés comptant. – De Shaîzar il se porta à *H*amâ, sur les terres de l'âtâbeg de Damas, *T*ughtekîn, lequel vint, lui aussi, l'y rejoindre avec toutes ses troupes.

Bursuqî était désormais à la tête de toutes les forces de la Syrie musulmane, sans parler des contingents seljûqides de sa vice-royauté de Mossoul. Avec elles il recommença alors la guerre sainte, envahit la principauté d'Antioche, vint assiéger

Kafar*t*âb et, avant que Baudouin II ait pu intervenir, fit capituler la place moyennant promesse de vie sauve pour les défenseurs (9 mai 1125)[237]. Il donna Kafar*t*âb à l'émir de *H*oms, Qîrkhân ibn-Qarâjâ.

*Bataille de 'Azâz : Baudouin II écrase la coalition musulmane (22 mai-13 juin 1125).*

Dès la nouvelle de l'invasion de leurs terres d'outre-Oronte, les barons d'Antioche s'étaient mis en campagne, mais, se jugeant en nombre insuffisant contre la grande coalition musulmane, ils évitèrent de renouveler la folie de Roger en 1119, appelèrent Baudouin II à leur secours et, sagement, attendirent son arrivée pour accepter la bataille. « Li baron d'Antioche, écrit *l'Estoire d'Éracles*, etoient issu hors de la ville et chevauchoient par leur chastiaus près de Bursequins por veoir son covine (ses projets). Mès bien virent qu'il ne porroient mie assembler à lui sanz trop grant meschief ; por ce, se trestrent arrières ; messages envoièrent hastivement au Roi, à qui il avoient dès pièça (auparavant) bailliée la cure de leur païs. Si li prièrent et requistrent doucement qu'il les venist secorre sanz demeure, ou ce se non tout avoient (= auraient) perdu. ».

L'excellent chroniqueur nous avoue que, malgré la sollicitude que Baudouin II portait à la principauté d'Antioche, ce ne fut pas sans combat intérieur qu'il s'arracha de nouveau à sa terre de Jérusalem. Après ses deux ans de captivité, il n'avait pu s'accorder qu'un mois de repos, étant arrivé à Jérusalem le 3 avril 1125, et voilà que le 9 mai la prise de Kafar*t*âb par les Turcs l'obligeait à repartir, et à repartir pour ces terribles guerres d'Antioche où son beau-frère Roger avait trouvé la mort, qui lui avaient valu à lui-même deux ans de séquestration dans les cachots de Kharpût, de *H*arrân et d'Alep. « Li Rois qui avoit longuement eues deus charges sur soi, du roiaume de Surie (= Jérusalem) et du princé d'Antioche, avoit touzjorz esté plus grevez de garder le princé que le roiaume ; ce qu'il pooit aporter d'autres terres, li covenoit là à dépendre (dépenser) ; ses cors meismes i avoit esté pris et tenu en prison deus anz, assez à grant mésèse. Es besoignes du règne (= du royaume de Jérusalem, ou Palestine) l'avoit (au contraire) Nostre Sires gardé, que il ne li estoit avenue nule mésaventure (de ce côté). Por ces choses, se doutoit (= redoutait) il mout de metre soi en la peine por garantir cele terre et mout i pensa. » Le sentiment du devoir l'emporta cependant sur le désir bien naturel d'un minimum de repos : « Au derrenier li fu avis qu'il n'auroit mie enneur de lessier la terre (d'Antioche) en si grant aventure. Por ce fist sa semonce, et prist tant de gent com il pot avoir en si pou de tens et s'en vint vers Antioche[238]. »

Foucher de Chartres, témoin oculaire, avoue de même que Baudouin II ne put amener de Palestine à Antioche que peu de troupes, parce que les chevaliers et les sergents étaient épuisés par deux ans de guerre incessante – siège de Tyr, siège d'Alep – et qu'il était difficile, quand il y avait à peine un mois qu'ils avaient regagné leurs foyers, de les mobiliser à nouveau.

Raison de plus, en ce cas, pour refaire le faisceau des États francs. Baudouin II passa par Tripoli, prit avec lui le comte Pons et gagna la principauté d'Antioche où il fut rejoint par le comte d'Édesse, Jocelin de Courtenay.,

Pendant ce temps, Bursuqî, *T*ughtekîn, Qîrkhân et les autres émirs, après avoir pris Kafar*t*âb, étaient allés assiéger plus au nord la place de Zerdanâ. Mais la garnison, nombreuse et sur ses gardes, repoussa toutes leurs attaques[239]. Remontant alors au nord d'Alep, ils vinrent mettre le siège devant 'Azâz, le Hasart des chroniqueurs, place très importante parce qu'elle servait de lien entre la principauté d'Antioche et le comté d'Édesse (auquel, d'après certains médiévistes, elle appartenait, du moins à cette époque). La garnison de 'Azâz était peu considérable et les assiégeants mirent en jeu un grand nombre de pierrières et de mangonneaux. La place, dont Bursuqî avait fait miner les fondations, allait succomber quand l'armée royale arriva.

Foucher de Chartres et Guillaume de Tyr sont d'accord pour nous montrer l'armée franque s'avançant dans un ordre parfait, en treize bataillons, puis se déployant devant 'Azâz en trois corps, l'aile droite formée des chevaliers d'Antioche, l'aile gauche avec les deux comtes Pons de Tripoli et Jocelin d'Édesse, le centre, qui formait la masse principale et se prolongeait en arrière-garde, sous les ordres du roi Baudouin II.

En tout 1100 chevaliers et 2000 piétons. L'armée turque aurait été de 15000 hommes. D'après Matthieu d'Édesse, les Turcs avaient, à leur habitude, organisé des embuscades dans lesquelles devaient tomber les charges de cavalerie franques. Baudouin, pour se dégager, dégager 'Azâz et forcer les embuscades à se démasquer, feignit au contraire de battre en retraite sur A*th*âreb, puis, quand les Turcs se furent lancés à sa poursuite, ce fut lui qui, leur empruntant leur tactique, se retourna brusquement, fit front et chargea[240]. Bataille acharnée, animée, comme le dit *l'Estoire d'Éracles*, de toute la haine des guerres de religion : « je ne cuit (pense) mie que genz d'une (même) loi et d'une (même) créance poïssent avoir les uns vers les autres cuers si hayneus com cil qui sont de diverses lois » *(Éracles*, 580).

Rencontre unique en effet que celle qui mettait aux prises en bataille rangée, d'un côté le roi de Jérusalem, régent d'Antioche, le comte de Tripoli et le comte d'Édesse, de l'autre l'âtâbeg de Mossoul et d'Alep, l'âtâbeg de Damas-*H*amâ et l'émir de *H*oms. Renonçant à leur méthode habituelle, les Turcs avaient abandonné l'arc et le tourbillonnement éparpillé, pour accepter le corps à corps, la mêlée des épées et des lances[241]. À ce jeu la lourde chevalerie franque reprenait tout l'avantage, annihilant sous son poids la supériorité du nombre. Les Turcs furent complètement défaits avec de grosses pertes : deux mille tués, disent les chroniqueurs latins, – plus de mille, reconnaît Ibn al-A*th*îr, « gens du commun et de basse classe », remarque pour se consoler Kemâl al-Dîn. Ils prirent la fuite « si lèdement que li uns ne regarda onques celui qui derrières lui estoist »[242]. Bursuqî lui-même courut d'une traite jusqu'à Alep, d'où il rentra à Mossoul.

Le butin fait par les Francs fut très considérable. Baudouin II eut pour son lot tous les prisonniers, et les barons, spontanément, lui donnèrent encore une part de leur propre gain pour lui permettre de payer la rançon de sa fille, la petite Yvette, toujours gardée en otage par les Turcs. « Mout gaaingnièrent nostre gent en cele bataille, li Rois meismes, qui ot touz les prisons et que li autre baron aidièrent largement de leur gaainz, en ot grant avoir ; tant que il envoia raembre (racheter) sa fille (Yvette) qui avoit cinq anz et estoit en ostages por sa raençon[243] ».

La délivrance de ces otages, parmi lesquels, à côté d'Yvette, fille du roi de Jérusalem, figurait le jeune Jocelin, fils du comte d'Édesse, donna lieu à de romanesques péripéties. Aussitôt leur rançon payée, l'émir munqi*dh*ite Sul*t*ân qui avait sous sa garde, en son château de Shaîzar, une partie de ces prisonniers (mais, on le verra, ni Jocelin, ni Yvette), leur avait rendu la liberté. Mais à peine avaient-ils quitté la ville qu'ils furent capturés sous les murs mêmes de Shaîzar par l'émir de *H*om*s* Qîrkhân ibn Qarâjâ, prince-brigand qui désolait les environs et était d'ailleurs, on l'a vu, l'ennemi héréditaire des Munqi*dh*ites. Les frères Munqi*dh*ites, Sultân et Murshid, n'hésitèrent pas. Chevaleresques comme toujours, ils envoyèrent aussitôt Usâma (fils de Murshid) délivrer les captifs. Usâma lui-même nous a raconté ce noble fait d'armes : « Le guetteur prévint mon père et mon oncle (Sul*t*ân) qui montèrent aussitôt à cheval, se postèrent en évidence et envoyèrent tous ceux qui les rejoignirent à la délivrance des otages. Je vins, moi aussi, et mon père me dit : "Suis leurs traces avec tes compagnons, ne reculez pas devant la mort pour le salut des otages !" Je partis, j'arrivai juste à temps après avoir galopé la plus grande partie de la journée, je les délivrai, eux et leur escorte, je pris quelques cavaliers de *H*om*s*, mais j'admirai surtout la parole de mon père : "Ne reculez pas devant la mort pour le salut de vos otages[244] !"

Cet exemple, l'exemple de Saladin, ce Kurde arabisé, montrent les relations de haute courtoisie chevaleresque qui s'étaient établies entre grands seigneurs arabes et Francs. Quel contraste avec la brutalité déloyale qu'il faut si souvent déplorer chez les héros turcs, un *T*ughtekîn, un Il-Ghâzî, un Baibars !

Quant à Jocelin le Jeune et à la petite Yvette de Jérusalem que Bursuqî avait emmenés avec lui en rentrant à Mossoul et déposés à mi-chemin dans le château de Qal'at Ja'bar sur l'Euphrate[245], l'âtâbeg, ayant touché leur rançon, les rendit vers le même temps à leurs parents.

Baudouin II « joieus et ennorez » fit à Jérusalem une rentrée triomphale. Il avait dispersé la grande coalition musulmane, sauvé une fois de plus la principauté d'Antioche, recouvré sa fille. Kemâl al-Dîn ajoute que Bursuqî, pour éviter des représailles contre Alep, conclut la paix avec lui, en confirmant le *statu quo* dans le partage des terres et revenus du Jebel Summâq ou Jazr, c'est-à-dire du pays au nord de Ma'arrat al-Nu'mân, exception faite toutefois pour la place de Kafar*t*âb qui, conquise par Bursuqî et donnée par lui à l'émir de *H*oms, Qîrkhân ibn Qarâjâ. continua à appartenir à ce dernier jusqu'en 1128, époque où elle fut reconquise par le prince d'Antioche Bohémond II[246].

Après quelque repos à Jérusalem, Baudouin II alla élever au Liban la forteresse de Mont Glavien ou Mont Glainen « chastel mout fort en la montaigne desouz Baruth » (d'après Rey, Deir al-Qal'a, localité célèbre par ses couvents maronites)[247].

Quand les trêves eurent expiré, Baudouin II alla razzier les marches du royaume de Damas dont le chef, l'âtâbeg *T*ughtekîn, sans doute pour se faire pardonner sa trahison de 1115-1116 envers l'Islam, se montrait depuis plusieurs années le pire ennemi des Francs. Le roi de Jérusalem se retourna ensuite contre la garnison égyptienne d'Ascalon.

Cette garnison était, nous dit Guillaume de Tyr, renouvelée quatre fois par an, tant était pénible la garde qu'elle devait monter sur cette triste côte sablonneuse avec la double mission de repousser les assauts des Francs et de tenter des raids de représailles en direction de Jérusalem. Tâche ingrate, car l'indolente vie égyptienne ne prédisposait guère les recrues fâ*t*imides à cette guerre de guérillas dans les rochers et les gorges de l'âpre massif judéen, auquel la chevalerie franque était maintenant si bien accoutumée ; « car il (les Égyptiens) venoient d'une terre délicieuse, si n'avoient mie les armes aüsées (accoutumées), ne se connoissoient mie en ce païs, si bien com nos genz qui chascun jour estoient au palet (à l'escrime) ». Baudouin II, profitant d'une récente relève qui avait envoyé en garnison des recrues égyptiennes sans expérience, vint se poster en embuscade près d'Ascalon, puis il envoya quelques pelotons de cavalerie légère provoquer la garnison. « Il prist les meilleurs chevaliers qu'il avoit avec soi et se mit en embuschement, et envoia de ses chevaucheeurs devant la ville, bien montez et armez légièrement. Cil s'en vindrent là et firent semblant de querre la proie ; tout à escient s'aprochoient por eus mostrer à ceus (de) dedenz. (Les Égyptiens) qui novelement venu estoient à la guerre et guères n'en savoient, hastivement se corurent armer, puis montèrent ès chevaus et issirent des portes. Si comencièrent à chacier les coureeurs qui s'enfuioient devant eus et il les emmenèrent à escient par devant le guet où li Rois estoit ». La manœuvre réussit en perfection. Le roi, dans son ravin ou derrière sa butte, laissa passer la poursuite égyptienne ; puis, quand elle voulut regagner Ascalon, il se démasqua, lui barra le chemin du retour et tua une quarantaine des meilleurs officiers ou guerriers fâ*t*imides. Le lendemain il vint insulter les murs de la ville. Simple épisode, mais qui prouve à quel point les chevaliers avaient su adopter la tactique turcomane[248].

*Expédition de Baudouin II contre Damas à travers le Haurân. Victoire de Shaq*hab. *La poursuite jusqu'à Kiswé (1126).*

Au commencement de 1126, Baudouin II dirigea une nouvelle expédition contre l'émirat de Damas. Expédition de grande envergure, comportant un plan stratégique étudié. Il ne s'agissait de rien moins que de pénétrer au *H*aurân en remontant la vallée du Yarmûk et de faire ensuite un redressement en direction nord par les plaines d'al-Nuqra, du Marj al-*S*uffar et du Wâdî al-'Ajam pour aller surprendre Damas du côté du midi.

Toute l'armée de Jérusalem, chevaliers et piétons, se dirigea en deux colonnes vers la Transjordanie. L'une, dans la zone sud, partie de Jaffa, Ramla et Lydda, fit route par Naplouse et Bethsân, en ramassant les contingents des places situées sur son passage. L'autre, partie d'Acre et de Tyr, dans la zone nord, laissant à sa droite les sources de Sephorie (Saffûriya) et le massif du Thabor, se dirigea sur Tibériade[249]. Les gens de Jérusalem, de leur côté, montèrent directement vers le nord-est et la concentration générale dut s'opérer au passage du Jourdain, qui dut être franchi au sud de l'embouchure du Yarmûk, du côté du Jisr al-Mujâmi', au nord de l'embouchure du Wâdî al-'Arab. Le 13 janvier, par un temps clair, l'armée campa sur la rive orientale du fleuve dans le nord de la province de 'Ajlûn, l'ancienne terre de Galaad.

« Avant l'aube, écrit Foucher de Chartres, la trompette donna le signal du départ. On plie les tentes, on se hâte. Les ânes ruent, les chameaux crient leur "bla-bla" caractéristique, les chevaux hennissent. Les guides conduisent la colonne sur les pistes choisies ; comme on s'enfonçait dans une terre ennemie, chacun s'arme pour éviter une surprise. »

L'armée, remontant la rive méridionale du Yarmûq, dépassa Abil, traversa l'étroit oued dit Gorge de Roob (Wâdî al-Râhûb), affluent sud-ouest du Wâdî al-Jallâla, lui-même affluent méridional du Yarmûk[250] et arriva à la plaine d'al-Meddân, située au sud de Muzeirîb, au nord-ouest de Der'ât et où, quand le pèlerinage de La Mecque y faisait halte, se tenaient de grandes foires musulmanes[251]. Les Francs s'y reposèrent deux nuits, détruisirent dans la région une tour damasquine, puis remontèrent vers le nord en suivant sans doute à peu près la voie ferrée actuelle d'al-Muzeirîb à Damas. À *S*anamein, environ à mi-chemin de cette ligne, ils trouvèrent une population de Syriens chrétiens qui vinrent en procession au-devant d'eux. De là, marchant toujours droit vers le nord, en direction de Damas, ils débouchèrent dans la grande plaine dite Marj al-Suffar qui s'étend dans la région au midi de Damas et du Jebel al-Aswad, entre Kiswé au nord et Tell al-Shaq*h*ab au sud[252]. Les Francs d'ailleurs n'arrivèrent pas jusqu'à Kiswé. À hauteur de Tell al-Shaq*h*ab, à 35 kilomètres au sud de Damas[253], ils rencontrèrent l'armée damasquine accourue pour leur barrer la route.

L'approche des Francs, venant prendre Damas par le sud, du côté du *H*aurân où nul ne les attendait, avait causé une véritable panique dans la capitale musulmane. L'âtâbeg *T*ughtekîn réclama l'appui des émirs voisins et recruta en hâte tous les Turcomans sans emploi et jusqu'à la populace de Damas, à tous les gens de la Ghû*t*a et du Marj[254]. Avec ce qu'il put ramasser, il alla se poster à l'entrée du Marj al-*S*uffar, tandis que son fils, Tâj al-Mulk Bûrî, resté à Damas, achevait les enrôlements, en attendant de venir lui-même le rejoindre. Quand *T*ughtekîn eut en mains une armée suffisante, il s'avança jusqu'à Tell al-Shaq*h*ab pour offrir la bataille aux Francs (25 janvier 1126).

Au témoignage d'Ibn al-Qalânisî comme de Foucher et de l'*Éracles* ce fut une des batailles les plus disputées de l'époque. Elle dura de la troisième heure jusqu'au soir. Les Francs un moment, plièrent, mais ils se ressaisirent. « Einsi se tindrent longuement que nus ne savoit liquel en avoient le meilleur. Li Rois chevauchoit parmi la bataille, les bons chevaliers apeloit par leur nons et les amonestoit de bien fere. Bien leur disoit que grant despit devoient avoir quant cil chien se tenoient tant contr' eus. Il meismes touz premerains se feroit ès greigneurs presses (= au plus fort de la mêlée) et les départoit à l'espée. Si chevalier se penoient tuit de lui suivre et vengier les outrages qu'il leur avoient fet maintes foiz. Dodequins (*T*ughtekîn), de l'autre part, se recontenoit mout vigueureusement. Aus siens disoit que bien se combatissent, car il défendoient leur vies, leur païs, et leur femmes et leur enfanz. En tel manière durèrent les meslées mout longuement... Li Rois s'en aloit einsi come uns lions. A destre et à senestre grant essart (vide) fesoit de ses anemis : bien povoit l'en passer largement après sa route[255]. »

*L'Estoire d'Éracles* signale aussi l'excellente conduite des fantassins, gens de commune et sergents à pied. « Au darrenier avint que la gent à pié de l'ost le (du) Roi se férirent eu plus espés de la bataille trop (très) hardiment. Li Tur qu'il trovèrent abatuz furent morz tantost (ils les tuèrent aussitôt) ; les noz genz remontèrent ; les navrez des nos (= nos blessés), (ils les) conduisaient jusques aus tentes, puis commencièrent à ocirre les chevaus des Sarrazins mout efforciement. Ce fu une chose qui grant avantage fist à nostre gent[256]. »

D'après Ibn al-Qalânisî[257] les Turcomans surprirent d'abord le bagage des Francs et enlevèrent même la chapelle royale, puis toute l'armée damasquine chargea et contraignit les Francs à la retraite. Mais les Francs, vivement pressés, déclanchèrent une brusque contre-attaque. Ils mirent en fuite la cavalerie turque qui se dispersa. D'après Ibn al-A*th*îr, *T*ughtekîn tomba de cheval, ce qui contribua à la débandade des siens. Les Francs massacrèrent alors la multitude des fantassins musulmans. Ils poursuivirent les débris de l'armée ennemie jusqu'à Sho*h*ûrâ. Ibn al-A*th*îr prétend qu'au début ils avaient perdu la plupart de leurs fantassins : sans doute simplement les valets d'armée et gardiens des bagages, car on ne voit rien de tel chez Foucher de Chartres, historien contemporain. Au contraire nous lisons que les Francs ne perdirent qu'une centaine de fantassins et que Baudouin II coucha sur le champ de bataille. Du reste le *Mirât al-Zemân*, après nous avoir dit que les Turcomans et la populace de Damas, qui avait suivi l'armée, pillèrent le camp chrétien, confirme que les Francs revinrent, culbutèrent les pillards et les poursuivirent depuis la lisière de la prairie du *S*offar jusqu'au col du Sho*h*ûrâ, dans le Jebel Aswad, près de Kiswé[258]. Le *Mirât al-Zemân* répète que les Francs tuèrent alors une foule de Turcomans et de fantassins musulmans ; que *T*ughtekîn arriva le soir avec les fuyards à Damas, après avoir perdu beaucoup de soldats et abandonné aux Francs un butin plus considérable que jamais ; que les Francs couchèrent à Sho*h*ûrâ, près de Kiswé, avec, un moment, l'intention de surprendre Damas le lendemain, et que l'âtâbeg se préparait à soutenir un siège, quand, au matin, on s'aperçut que les Francs avaient renoncé à leur projet et regagné leurs quartiers (de Tell al-Shaq*h*ab)[259].

C'était donc pour Baudouin II une brillante victoire. Cependant la résistance des Turcs avait été trop vigoureuse pour que le roi pût songer à marcher sur Damas. Il reprit le chemin de la Palestine, sans doute (puisqu'on était entre Shaq*h*ab et Kiswé) par Qunei*t*ra, Jisr Banât Ya'qûb et Tibériade. En traversant le Jawlân, il prit deux forts turcs ; le premier fut emporté d'assaut et la garnison massacrée ; la garnison du second se rendit et eut la vie sauve.

Cette extraordinaire chevauchée à travers la Nuqra et la plaine de Damas paraît avoir vivement frappé l'imagination des contemporains, Francs comme Musulmans. « D'ilec, écrit *l'Estoire d'Éracles*, s'en vint li Rois jusqu'en Jherusalem mout ennoréement, com cil qui avoit eue une des plus beles aventures qui onques avenist à la terre. » Mais le roi ne put se reposer longtemps à Jérusalem. Le comte de Tripoli, Pons, réclamait en effet son aide pour assiéger la place de Raphanée.

*Conquête de Rafaniya par le comte Pons de Tripoli.*

La Raphanée des chroniqueurs, l'actuel Rafaniya ou Rafniya, était située dans l'hinterland de Tortose, au sud-est de Ma*s*yâf, sur le versant oriental des monts No*s*airî, point d'où on pouvait surveiller toute la vallée musulmane du haut

Oronte entre *H*amâ et *H*oms. Elle s'élevait d'ailleurs sur la route de Tripoli à *H*amâ par 'Arqa, Tell Kalakh et Ma*s*yâf[260]. Comme *H*amâ, elle dépendait de l'âtâbeg de Damas, *T*ughtekîn, lequel en avait chassé les Francs après une première et très brève occupation par ceux-ci, en octobre 1115[261]. Mais, nous dit Guillaume de Tyr, le comte Pons de Tripoli avait construit, sur une hauteur dominant Raphanée, une forteresse, évidemment Ba'rîn, le Montferrand des chroniqueurs[262], dont la garnison tenait la ville musulmane en alerte perpétuelle, dans un état de quasi-blocus : « la garnison coroit chascun jorz devant Rafanée, ne leur soufroit riens à metre dedenz la ville, et ce qu'il trovoient dehors emmenoient tout. »

Le seigneur de Rafaniya était Shams al-Khawâ*ss* Yâruqtâsh, ancien général des troupes d'Alep[263]. Menacé par les Francs, il confia la défense à son fils et courut demander du secours à l'âtâbeg d'Alep et de Mossoul, Bursuqî. Pons de Tripoli, qui désirait annexer la place, fit de son côté appel à Baudouin II.

Baudouin « qui n'estoit mie pareceus » partit aussitôt pour Tripoli, d'où Pons et lui allèrent mettre le siège devant Rafaniya. Remarquons qu'en accomplissant ainsi sans compter son devoir de suzerain – et il fut le type du suzerain parfait à Tripoli, comme à Antioche, comme à Édesse – le roi de Jérusalem accroissait singulièrement l'autorité de la couronne sur les grands fiefs secourus par lui et acquérait de la sorte un prestige juridique et moral analogue à celui que devait obtenir en France, par les mêmes vertus, notre Louis IX.

Pressée par l'armée royale en même temps que par le comte de Tripoli, Rafaniya ne résista que dix-huit jours. Le 31 mars 1126 le fils de Shams al-Khawâ*ss* rendit la forteresse qui fut annexée au comté de Tripoli[264]. De là les chevaliers de Tripoli allèrent ravager la banlieue de *H*oms. Quant à Baudouin II, il fut de retour à Jérusalem pour les fêtes de Pâques 1126.

### *L'attaque simultanée des Turcs de Mossoul et de la flotte égyptienne contre les États francs : son échec.*

Cependant l'âtâbeg Bursuqî dont l'ancien émir de Rafaniya était allé implorer le secours s'était mis en marche de Mossoul vers la Syrie par la route de Menbij. Ce dernier district était en proie aux razzias périodiques du comte d'Édesse, Jocelin de Courtenay. Bursuqî négocia avec Jocelin une trêve locale, comportant le partage des terres comprises entre 'Azâz (Hasart) et Alep[265], c'est-à-dire de la région de Tell Refad, Defterdar, Kullankeuï, Kefr Na*sih*, Tell Susein et Muslimiya : condominium qui établissait les Francs d'Édesse jusque dans la banlieue nord d'Alep.

Bursuqî avait voulu la paix de ce côté pour pouvoir arrêter les Francs sur le haut Oronte. De fait il envoya son fils 'Izz al-Dîn Mas'ûd à *H*om*s*, d'où le jeune homme éloigna les Francs. Par ailleurs des Turcomans, dans une escarmouche, capturèrent près de Ma'arrat al-Nu'mân Geoffroy Blanc, seigneur de Basarfû*th* dans le Jebel Sem'ân[266]. Bursuqî lui-même alla, en terre d'Antioche, mettre le siège devant A*th*âreb, « le noble chastel de Cerep », forteresse franque toujours convoitée parce qu'elle dominait la banlieue ouest d'Alep. En même temps un de ses lieutenants, Bâbak ibn *T*almâs, faisait capituler au nord-ouest d'A*th*âreb, sur la route d'Antioche, le petit fort nouvellement bâti du couvent de Sarmedâ (*H*o*s*n al-Deîr) ; la garnison put s'échapper, mais les femmes et les enfants furent pris. « L'armée de Bursuqî ravagea les moissons, pilla les paysans et envoya les récoltes à Alep ». Elle s'empara même des deux enceintes extérieures d'A*th*âreb, mais, avant qu'elle ait pu prendre la forteresse elle-même, le roi Baudouin II accourut de Jérusalem à Antioche[267].

Cette nouvelle invasion turque en terre d'Antioche, nous dit Guillaume de Tyr, plongea Baudouin II dans une grande perplexité, car il venait d'apprendre en même temps qu'une escadre égyptienne avait pris la mer pour venir attaquer les ports palestiniens. Réflexion faite, la menace turque lui parut plus dangereuse et il partit pour Antioche où le comte d'Édesse, Jocelin de Courtenay, vint le rejoindre. Avant d'entrer en campagne il aurait, d'après Kemâl al-Dîn, envoyé de Artâ*h* (Artésie) une sorte d'ultimatum à Bursuqî : « Éloigne-toi du pays, ensuite nous nous mettrons d'accord sur les propositions de l'année dernière et nous te rendrons Rafaniya. » La promesse d'une rétrocession de Raphanée est difficilement croyable, à moins qu'il ne se soit agi d'une ruse diplomatique. En réalité l'arrivée de Baudouin II et de Jocelin d'Édesse força Bursuqî à lever le siège de la citadelle d'A*th*âreb et à renoncer à ses projets. C'est ce qu'avoue Kemâl al-Dîn : « Bursuqî renonça à combattre, de peur que les Musulmans ne subissent le même sort que devant 'Azâz et il conclut une trêve avec les Francs. On convint que le blocus d'A*th*âreb serait levé... » Baudouin II, il est vrai, feignit un instant, pour gagner du temps, d'envisager l'évacuation d'A*th*âreb, mais, une fois maître de la situation, non seulement il se refusa à cette cession, mais ce fut lui qui réclama de nouveaux territoires[268].

La suite du texte achève en effet de prouver la supériorité de Baudouin II : « Mais les Francs, revenant sur leurs promesses, déclarèrent ne consentir à la trêve que si les territoires partagés par la convention de l'année précédente (entre 'Azâz et Alep) leur étaient abandonnés entièrement avec renonciation complète de la part des Musulmans. Bursuqî refusa et resta quelque temps encore à Alep, échangeant des messages avec l'ennemi sans parvenir à une entente[269]. »

Bursuqî se résigna alors à une nouvelle campagne. Ayant appelé à son aide l'âtâbeg de Damas *T*ughtekîn, il pénétra sur les terres franques d'outre-Oronte du côté de Fu'a (au nord-est d'Idlib), Sermîn (sud-est d'Idlib) et Dânî*th* (est de Burj Hab). Mais les places franques étaient bien gardées et, de Ma'arrat Me*s*rîn au nord d'Idlib où il s'était établi, Baudouin II surveillait l'armée turque et l'empêchait de rien entreprendre de sérieux. Le site de Ma'arrat Me*s*rîn où se trouvaient de bons réservoirs permit au roi de maintenir son guet jusqu'au 6 août. Après cette longue expectative, les belligérants s'éloignèrant sans avoir rien fait. Baudouin II rentra à Jérusalem, et Bursuqî à Alep. Puis laissant à Alep comme gouverneur son fils 'Izz al-Din Mas'ûd, Bursuqî reprit le chemin de Mossoul où, comme nous le raconterons plus loin, il devait être assassiné par des Ismâ'îliens le jour même de son arrivée (26 novembre 1126)[270].

Pendant que Baudouin II défendait victorieusement la principauté d'Antioche contre les Turcs de Mossoul et d'Alep, ses sujets de la côte libanaise repoussaient l'agression de l'escadre égyptienne. Les amiraux égyptiens venus d'Alexandrie et de Damiette en suivant la côte par al-'Arîsh, Gaza et Ascalon, croisèrent longuement devant les ports chrétiens, Jaffa, Césarée, Acre, Tyr, Sidon, Beyrouth, guettant l'occasion d'un coup de main. Mais les places maritimes avaient été alertées et nulle part un débarquement ne s'annonçait facile. Cependant le manque d'eau douce se fit sentir sur les navires égyptiens. Ils jetèrent l'ancre près de Beyrouth pour permettre à leurs marins d'aller à l'aiguade, à l'embouchure du Nahr-Beyrouth, semble-t-il. Seulement ils avaient compté sans les habitants de la ville. Ceux-ci n'hésitèrent pas à sortir en masse de leurs murailles avec les chevaliers et les archers de la garnison ; ils tombèrent sur les marins ennemis, en massacrèrent cent trente et forcèrent les autres à se rembarquer précipitamment. Après avoir constaté que Tripoli était aussi bien défendue que les ports du royaume, l'escadre égyptienne rentra en Égypte par les eaux de Chypre[271].

La menace de la flotte égyptienne contre les ports palestiniens, concordant avec l'invasion des Turcs de Mossoul et d'Alep sur l'Oronte, montrait une fois de plus la difficulté qu'avait Baudouin II à défendre simultanément son royaume de Jérusalem et la principauté d'Antioche. Depuis 1119, époque où la mort tragique de Roger de Salerne l'avait obligé à assumer la régence d'Antioche, le meilleur de son temps s'était passé à guerroyer pour la défense de cette terre. Lourde surcharge quand il n'avait pas de trop de toute son activité pour protéger la Palestine exposée à une guerre permanente sur deux fronts, au sud-ouest contre les Fâ*t*imides toujours incrustés à Ascalon, au nord-est contre le royaume turc de Damas, où l'âtâbeg *T*ughtekîn, bien revenu de sa francophilie de 1115, se montrait maintenant le plus tenace adversaire des chrétiens. Aussi fut-ce avec un singulier soulagement que, dans la seconde moitié de l'année 1126, il dut apprendre que Bohémond II s'était embarqué pour la Syrie.

*Bohémond II, prince d'Antioche.*

Bohémond II, fils du grand Bohémond de Tarente et de la princesse capétienne Constance, fille du roi de France Philippe Ier, était né en 1108 ou 1109. Après la mort de son père, il avait passé toute sa jeunesse avec sa mère en Italie, à Tarente ou à Bari[272]. Héritier du glorieux fondateur de la principauté d'Antioche, il était universellement reconnu comme son successeur légitime, aussi bien en Syrie qu'en

Italie. S'il était resté en Pouille jusqu'en 1126, si sa principauté syrienne avait été jusque-là gouvernée par d'autres, son cousin Tancrède d'abord (1111-1112), son autre cousin Roger de Salerne ensuite (1112-1119) et finalement le roi Baudouin II (1119-1126), c'était que son jeune âge ne lui permettait pas encore de venir diriger une marche-frontière, nous dirions un « secteur de front », où la guerre était la vie quotidienne. Mais ses droits n'avaient pas cessé d'être expressément réservés par Tancrède comme par Roger, comme par le roi Baudouin II. Tancrède, à son lit de mort, avait formellement spécifié que Roger remettrait la principauté à Bohémond II dès que ce dernier pourrait venir exercer le pouvoir. Quant au reproche que fait Guillaume de Tyr à Roger d'avoir cherché à prolonger son mandat au delà de la majorité de Bohémond II[273], il repose sur une erreur, Bohémond II n'ayant à cette époque (1119) que dix ou onze ans. C'était au nom du jeune prince de Tarente que Tancrède, Roger et Baudouin II avaient administré l'État franc de l'Oronte. En tout cas, si Tancrède et Roger auraient pu avoir quelque regret à abandonner au jeune homme la terre d'Antioche, tel n'était certainement pas, nous l'avons dit, l'état d'esprit de Baudouin, depuis longtemps désireux de remettre en mains qualifiées la Syrie du Nord pour pouvoir enfin se consacrer tranquillement au domaine royal palestinien.

Après avoir confié sa terre de Tarente à son cousin Roger II, roi de Sicile, Bohémond II s'était embarqué à Otrante à la mi-septembre 1126 avec une escadre de vingt-deux navires, dont dix grandes galères et douze navires chargés de troupes, de chevaux et de ravitaillement. Foucher de Chartres nous fait part de l'inquiétude des Francs de Syrie à la pensée qu'il aurait pu être enlevé par les corsaires égyptiens qui, on l'a vu, croisaient à cette époque jusque dans les eaux de Tyr[274]. En réalité le danger n'était pas là, car l'escadre normande suivit une navigation plus septentrionale, le long des côtes byzantines, par Modon, les Cyclades, Rhodes, la Lycie, la Pamphylie, et Sattalie (Adalia). Ce qu'on pouvait craindre, c'était quelque attaque de la part des Byzantins, vieux ennemis de la dynastie italo-normande. Cette attaque ne se produisit pas, et au début d'octobre 1126 Bohémond II jeta l'ancre à l'embouchure de l'Oronte près de Séleucie

(Suwaidiya), le port d'Antioche. À Antioche il trouva le roi Baudouin II qui l'attendait pour lui remettre la principauté. Avec raison le jeune homme ne doutait pas que le roi ne lui remit son héritage : « Mout se fioit en la loiauté le (= du) Roi et avoit ferme espérance que, si tost com il vendroit là et demanderoit son héritage, que li Rois le li feist avoir sanz contenz (= conteste). Quant li Rois le sot, qui demoroit en ces parties, il vint encontre (à sa rencontre). Mout le reçut bel et le mist dedenz Antioche, la cité li rendit et tout la princé. Par le commandement le (= du) Roi, lui firent tuit si baron homage en son palais. »

Le nouveau prince d'Antioche conquit tous les cœurs par sa beauté juvénile, sa noblesse et sa bonne grâce. Il avait dix-huit ans et c'était déjà un chevalier accompli. *l'Estoire d'Éracles* nous a transmis l'impression qu'à son débarquement ce prince charmant produisit sur le roi et les barons. « Buiémont estoit bien d'aage entor dis huit anz, granz et droiz et mout biaux ; cheveus avoit blons, visage mout bien fet, dous et gracieus. Entre toute l'autre gent, pouist l'en connoistre que ce fust li sires. » Il était tout jeune, écrit Matthieu d'Édesse, n'avait pas plus de vingt ans et son menton était sans barbe, mais déjà il avait fait sa preuve dans les combats. Il était de haute taille, à face de lion ; il avait les cheveux de couleur blond clair. » « De paroles estoit moult sages et (de) meurs, » note encore *l'Estoire d'Éracles*. Disert comme un Normand, dès qu'il parlait, il faisait la conquête de ses interlocuteurs. « Son ascendant était irrésistible, » dira Matthieu d'Édesse. Libéral avec cela et magnifique à la manière du grand Bohémond, son père, et de l'illustre Robert Guiscard, son aïeul. Ajoutons qu'il était Capétien par sa mère Constance, fille du roi de France Philippe Ier. « Madame Constance qui fu mère à cest juene Buiémont, dit avec respect *l'Estoire d'Éracles*, fu si haute femme comme fille le (= du) roi de France Philippe[275]. »

Cette brillante réception se termina, comme dans une chanson de geste, par un mariage. Le roi Baudouin II accorda au blond jeune homme la main de sa deuxième fille Alix. Décision heureuse qui devait resserrer encore les liens qui unissaient la principauté d'Antioche au royaume de Jérusalem[276]. Les gens d'Antioche y virent avec joie l'assurance que Baudouin II qui les avait si souvent sauvés accorderait encore au jeune prince l'appui de sa longue expérience. « Grant joie en firent cil de la terre, car il se pensèrent que li rois en ameroit mieuz le païs et plus volentiers les secorroit à leur besoing[277] » (mi-octobre).

Un passage de l'historien arabe Usâma, à propos d'un détail que celui-ci n'a pas compris, montre avec quel scrupule Baudouin II remit à son gendre l'héritage paternel. L'ambassadeur munqi*dh*ite auprès de Baudouin II vit le roi faire acheter au marché, le soir même de l'entrée de Bohémond, l'orge nécessaire aux chevaux de l'armée hiérosolymitaine, alors que les greniers d'Antioche regorgeaient de grain[278]. Geste de haute courtoisie par lequel Baudouin II signifiait ne plus vouloir être, dans la ville qu'il avait si longtemps administrée, que l'hôte de son gendre.

*Reprise de Kafartâb par Bohémond II.*

Pour ses premières armes, Bohémond II fit un coup d'éclat. On a vu qu'en mai 1125 l'âtâbeg de Mossoul et d'Alep, Aq Sonqor Bursuqî avait enlevé à la principauté d'Antioche la place de Kafar*t*âb (Capharda), dans la terre d'outre-Oronte[279]. Bohémond II mit un point d'honneur à reconquérir cette part manquante de son héritage. « Il assembla chevaliers et serjanz tant com il en pot avoir, engins fist porter des meilleurs qu'il ot et mena avec lui de bons engignéeurs assez qu'il trova en la terre : lors assist le chastel. Les engins fist drecier et giter dedenz la ville à mout grand esploit. Ses genz fist asaillir au chastel mout hardiement, il meismes se tenoit près por veoir et connoistre qui bien le feroit. Si asprement emprist la besoigne que li chastiaus fu pris en pou de tens. Il trova léanz de grans prisons (= prisonniers) et de riches qui mout voloient doner or et argent por sauver leur vies, mès il n'en vout onques rien prendre, ainçois leur fist couper les testes, et dist qu'en ceste manière vouloit estrener la guerre de lui et des Turs[280]. » Comme tous les Croisés fraîchement débarqués, ce capitaine de dix-huit ans ne comprenait évidemment rien à la sage politique musulmane des barons franco-syriens. Éternelle révolte de l'esprit de croisade contre l'esprit colonial qui sera, un jour, fatale aux possessions franques…

Un autre épisode, conté, celui-là, par l'émir Usâma ibn-Munqi*dh*, nous montre la témérité du jeune prince d'Antioche. Il s'agit d'une attaque – non datée – contre l'émirat munqi*dh*ite de Shaîzar. Bohémond II vint dresser son camp aux portes mêmes de la ville. D'abord tournois individuels entre émirs et chevaliers, sur les bords de l'Oronte, devant les deux armées immobiles. « Un de mes cousins, Lai*th* al-Dawla Ya*h*yâ, écrit Usâma, sortit de nos rangs dans la direction de l'Oronte. Nous nous imaginions qu'il allait abreuver sa jument, mais il se jeta à l'eau, franchit le fleuve et se dirigea vers un petit détachement de Francs, immobiles auprès de leurs tentes. Lorsqu'il se fut approché d'eux, un de leurs chevaliers vint à sa rencontre. Les deux adversaires s'élancèrent l'un contre l'autre, mais chacun d'eux esquiva le coup de lance qui lui était destiné. » Puis, des deux côtés la charge, à laquelle prennent part Usâma d'une part, Bohémond II de l'autre. J'arrivai en hâte vers les deux combattants, avec d'autres jeunes hommes comme moi. Le détachement s'ébranla. Bohémond monta à cheval ainsi que ses soldats. Ils se précipitèrent, rapides comme le torrent. Les premières lignes de nos cavaliers se heurtèrent aux premières lignes de leur cavalerie. Dans nos troupes il y avait un Kurde nommé Mîkâ'îl qui avait assailli leur avant-garde. Sur ses derrières, un cavalier franc l'avait percé de sa lance. Le Kurde, étendu devant lui, gémit bruyamment et poussa de hauts cris. Je le rejoignis. Quant au Franc, il s'était détourné du cavalier kurde et avait filé loin de ma route à la poursuite de cavaliers à nous postés en nombre au bord du fleuve sur notre rive. J'étais derrière lui, éperonnant mon cheval pour le rattraper et pouvoir le frapper, mais je n'y réussis pas. Le Franc ne faisait pas attention à moi ; il était uniquement préoccupé de nos cavaliers groupés. Enfin il les atteignit, toujours poursuivi par moi. Mes compagnons portèrent à son cheval un coup de lance mortel, mais ses compagnons étaient sur sa trace, trop nombreux pour que nous puissions rien contre eux. Le cavalier franc partit sur son cheval expirant, rencontra ses soldats, les ramena tous en arrière et s'en retourna sous leur protection. Or ce cavalier, encore adolescent, n'était autre que Bohémond, seigneur d'Antioche[281]... »

Usâma reproche ici au jeune homme de s'être laissé impressionner, malgré sa bravoure, par la mort de son cheval. Dans une autre incursion de Bohémond II sur le territoire de Shaîzar, il est sans doute question, pense Derenbourg, de la campagne de 1129 où le prince s'empara temporairement du château de Qadmûs ou « Cademois » dans la montagne des Nos*a*iri, entre le port de Bâniyâs et Ma*s*yâf[282] ; nous le voyons alors avec sa fougue juvénile s'emporter, non sans une folle injustice, contre ses chevaliers, vainqueurs de vingt batailles : « Un seul cavalier musulman suffit à repousser deux Francs, vous n'êtes pas des hommes, vous êtes des femmes[283] ! »

### *L'anarchie à Alep et la compétition de Bohémond II et de Jocelin de Courtenay. Arbitrage du roi Baudouin II.*

Le Proche-Orient turc entrait dans une nouvelle période d'anarchie. Nous avons mentionné l'assassinat du vice-roi de Mossoul et d'Alep, Bursuqî. Après avoir conduit la contre-croisade dans la principauté d'Antioche, il était rentré d'Alep à Mossoul en novembre 1126. Le 26, comme c'était un vendredi, il alla faire ses dévotions à la grande mosquée. Au moment où il arrivait sous le *minbar*, huit Ismâ'îliens, déguisés en derviches, l'assaillirent et malgré sa cotte de mailles, le criblèrent de coups de couteau. Il expira le jour même. Détail qui donne une idée des progrès effroyables accomplis dans la population arabe par la terrible secte : la mère d'un des Assassins, croyant d'abord que son fils était mort en tuant, fière d'avoir donné naissance à un tel héros, se peignit les yeux au khol en signe d'allégresse. Apprenant ensuite qu'il s'était échappé, elle se rasa la tête et se noircit le visage[284].

Le complot avait été ourdi à Alep même, dans la maison d'un cordonnier. Sous les menaces, celui-ci finit par avouer que les Assassins logeaient chez lui depuis plusieurs années, avec l'idée fixe d'exécuter leur dessein et que, s'ils ne l'avaient pas fait plus tôt, c'était faute d'occasion. On lui coupa les mains, les pieds et les parties sexuelles, mais la contagion de l'assassinat ne fit que croître dans cette société désaxée[285].

Le fils de Bursuqî, 'Izz al-Dîn Mas'ûd, se trouvait à Alep. Détail curieux, ce fut le prince d'Antioche qui lui annonça la nouvelle, « tant les Francs, dit Ibn al-A*th*îr, mettaient de soin à s'instruire de ce qui survenait d'important dans les provinces musulmanes »[286]. Mas'ûd, confiant Alep à son lieutenant Qûmân[287], alla à Baghdâd se faire donner l'investiture d'Alep ainsi que de Mossoul par le sultan de Perse Ma*h*mûd. L'hérédité des gouvernements devenait une institution dans l'empire seljûqide. À peine investi, Mas'ûd se brouilla avec l'âtâbeg de Damas, *T*ughtekîn, dont il se proposait d'envahir les États quand il mourut, peut-être empoisonné, à Ra*h*éba. « Ses troupes se dispersèrent, cherchant à se piller entre elles. Son cadavre fut laissé sur un tapis sans que personne songeât à l'ensevelir. »

Alep traversa alors quelques mois d'anarchie. Un mamelûk du sultan Ma*h*mûd nommé Qutlugh s'en rendit pour quelque temps maître (juillet 1127) ; mais bientôt ses cruautés révoltèrent les Alépins qui l'assiégèrent dans la citadelle et rappelèrent (octobre 1127) l'ortoqide Sulaîmân (Badr al-Dawla) ibn Abd al-Jabbâr, ibn Ortoq, lequel avait jadis, en 1122-1123, possédé la ville et en avait été chassé par Balak.

À la nouvelle de ces événements, le comte d'Édesse, Jocelin, accourut devant Alep, espérant profiter de l'anarchie pour prendre la ville. Mais il accepta de s'éloigner au prix d'une forte contribution. Pendant ce temps, le fils de l'ancien roi seljûqide Ri*d*wân accourait à son tour dans l'espoir d'une restauration, tandis que Qutlugh, assiégé dans la citadelle, y résistait toujours (il tint jusqu'à la fin décembre 1127). Des tranchées avaient été creusées entre la citadelle et la ville et, durant tout ce temps, ce fut entre l'une et l'autre la guerre civile en permanence. Le prince d'Antioche Bohémond II jugea, comme tout à l'heure le comte d'Édesse, l'occasion bonne pour tenter la conquête d'Alep. Il accourut avec son armée, mais il semble qu'à ce moment il ait été tout à coup paralysé par l'hostilité ouverte de Jocelin[288].

L'arrivée de Bohémond II, en effet, avait fait un mécontent, le comte d'Édesse Jocelin de Courtenay. Le vieux baron fut-il jaloux de voir l'adolescent recueillir sans effort un plus bel héritage que le sien ? Comme cousin de Baudouin II, Jocelin avait peut-être espéré obtenir un jour la couronne de Jérusalem : le mariage de Bohémond II avec la fille du roi parut-il de nature à faire évanouir cette espérance ? *L'Estoire d'Éracles*, notre seule source désormais, n'est pas très explicite. « Riens ne puet estre longuement en pais où li diables (ne) mete descorde. Je ne vous sai mie à dire porquoi ce fu, mès entre le prince Buiemont et le conte Joscelin de Rohès sordirent haines et anémistiez trop granz. » Contre son jeune voisin, le comte d'Édesse n'hésita pas à appeler les Turcs. « Li cuens en fist une chose qui trop fu vilaine et de mauvèse essample, car il fist tant vers les Turs que par prière que par loier (solde) il les amena avec soi en princé d'Antioche, et par leur aide gastoit les villes et les ardoit. Ce fu une chose qui mout fist blasmer le conte Jocelin à touz les Crestiens qui ce oïrent dire[289]. »

Indépendamment du scandale causé au point de vue religieux, il y allait de l'unité de la Syrie franque. La royauté qui, avec Baudouin Ier et Baudouin II, avait tout mis en jeu pour créer et maintenir cette unité, ne pouvait laisser compromettre son œuvre. Baudouin II accourut à Antioche, pour se concerter avec le patriarche. L'intervention de ce dernier devait être en effet indispensable pour ramener Jocelin dans le devoir puisqu'il fallut menacer le rebelle des foudres de l'Église. « Li Rois, écrit *l'Estoire d'Éracles*, oï novele de cele descorde ; mout li desplot pour ces deus resons : l'une fu que ce povoit estre trop grant péril à la terre, car quant li anemi de la foi verroient ces deus homes afebloiez de (= par) leur guerre, plus legièrement leur corroient sus et gasteroient leur terres ; l'autre resons fu por ce qu'il li apartenoient ambedui (tous deux) : li cuens Joscelins estoit ses cousins germains ; Buiémonz avoit sa fille qu'il li avoit donée novelement. » Cette double parenté, accroissant l'autorité royale, lui donnait tout titre à arbitrer le différend. Avec le concours du vénérable patriarche Bernard de Valence, il rétablit rapidement la concorde. Il y eut d'ailleurs moins de peine qu'il n'aurait pu le craindre, une opportune maladie de Jocelin ayant ramené celui-ci à la peur salutaire de l'enfer.

### *L'ordre social chrétien et l'anarchie de la société politique musulmane.*

Comparons la royauté franque, telle qu'elle nous apparaît dans de tels actes, empreinte de majesté, de force et de douceur, à l'anarchie musulmane que nous venons d'entrevoir.

Tandis que le roi de Jérusalem, agissant en père de famille autant qu'en suzerain, réconcilie le prince d'Antioche et le comte d'Édesse, souvenons-nous du dernier âtâbeg de Mossoul et d'Alep, dont le cadavre est abandonné de tous, tandis que ses mamelûks se battent pour se disputer ses dépouilles : royautés et dynasties de hasard, élevées et renversées suivant les caprices d'une société anarchique, la force turque n'arrivant à se créer une légitimité ni au regard des légistes arabes, ni même – car le mamelûk chasse le mamelûk – à ses propres yeux.

Le khalifat 'abbâside et le sultanat seljûqide, il est vrai, eussent dû assurer à la société musulmane le principe de stabilité et de légitimité qui lui faisait défaut. Malheureusement ces deux pouvoirs usaient leurs dernières forces dans une autre lutte du sacerdoce et de l'empire – sacerdoce arabe contre empire turc –, lutte généralement sourde, mais quelquefois ouverte comme en 1126-1127. L'exemple est trop caractéristique pour ne pas l'évoquer ici.

Le khalife Mustarshid alors régnant (1118-1135) avait inquiété la cour seljûqide par ses prétentions à l'indépendance temporelle, allant – chose inouïe pour le temps – jusqu'à commander lui-même ses troupes. Le sultan Ma*h*mûd, inquiet de ces préparatifs militaires, descendit de Perse sur Baghdâd à la tête d'une armée. Le khalife essaya de l'arrêter par l'offre d'une contribution. Comme le sultan poursuivait sa marche, le khalife passa avec tous les siens sur la rive occidentale du Tigre en faisant mine de transporter ailleurs le siège pontifical, sur quoi le peuple de Baghdâd prit fait et cause pour lui. « Au moment où le khalife sortit du palais avec toute sa famille, le peuple tout entier se mit à fondre en larmes. » Le geste de l'Abbâside prenait les proportions d'une révolte arabe contre le pouvoir turc. Atmosphère de fièvre mystique : « Le jour de la fête des sacrifices, le khalife adressa un discours au peuple et fit la prière avec lui ; puis le peuple prononça une nouvelle prière après son discours. » Le sultan essaya de calmer le khalife pour obtenir le retour de celui-ci dans son palais, seule mesure capable d'arrêter l'émeute grondante. Le khalife, se sentant appuyé par la population, refusa : « Que le sultan retourne d'abord en Perse ! Le peuple se meurt de misère. Ma religion ne me permet pas de laisser s'aggraver ainsi les malheurs publics. S'il ne s'en retourne pas, je quitterai moi-même l'Irâq, pour ne pas voir la misère des habitants s'accroître avec l'arrivée de son armée. »

Le sultan Ma*h*mûd poursuivit néanmoins sa marche, tandis que le khalife restait retranché sur la rive droite du Tigre. Un des officiers sultâniens, Zengî, qui commandait à Bassora, battit complètement à Wâsi*t* les troupes du khalife. Le sultan arriva devant Baghdâd en janvier 1127. Des escarmouches commencèrent à se produire entre les deux armées que séparait le Tigre. Exaspérés, les Turcs pillèrent le palais khalifal, allant jusqu'à enlever la couronne du khalife. Mais le khalife avait laissé mille gardes cachés dans les souterrains du palais : ces gardes sortirent, se jetèrent sur les pillards et en capturèrent plusieurs, tandis que le peuple allait saccager, par représailles, le palais du commissaire sultânien. Le khalife, enhardi, rentra à Baghdâd, à la tête de 30 000 partisans armés et s'y barricada. La situation du sultan resté hors de la ville, dans les faubourgs orientaux, devint alors assez critique. Il fallut que Zengî accourût en hâte de Wâsi*t* avec des renforts en remontant le Tigre sur tous les bateaux qu'il put trouver. Son arrivée allait permettre au sultan d'ordonner l'assaut de Baghdâd, quand le khalife, effrayé, céda enfin. Il paya une contribution, remit ses armes, ses chevaux et la réconciliation se fit, au moins en apparence. L'antagonisme du khalifat et du sultanat n'en subsistait pas moins, avec, comme conséquence, leur affaiblissement réciproque[290].

Ajoutons – une fois encore – à toutes ces causes d'anarchie la pire de toutes, la secte des Assassins, partout florissante. Songeons au détraquement mental que révèle l'existence d'une telle *maffia*. Notre société monarchique et féodale franco-syrienne du douzième siècle, si stable, si saine, pouvait s'estimer heureuse d'avoir en face d'elle – pour quelques années encore – un Islam en tel état de décomposition.

Dans le monde latin de Syrie, en effet, l'ordre social chrétien est alors à son apogée. Le féodalisme quelque peu anarchique du début s'est ordonné sous l'influence d'institutions monarchiques beaucoup plus solides qu'on ne l'a dit, car la pratique royale, ici, a plus d'importance que la théorie des juristes féodaux. Une dynastie bien assise s'est imposée, très ferme dans la défense de ses droits – Tancrède et Guillaume Jourdain naguère, Pons de Tripoli ensuite, maintenant Jocelin d'Édesse en ont fait l'expérience –, scrupuleuse observatrice de ses devoirs – les gens d'Antioche en ont eu la bienfaisante preuve durant la longue régence qui a suivi chez eux la mort tragique de Roger. Dans cette France d'outre-mer, le même phénomène s'était produit, qui commençait à peine à se faire sentir dans la France originelle. Et même, le péril extérieur hâtant l'évolution, on pouvait voir ici, dès la première moitié du douzième siècle apparaître l'équivalent des grands Capétiens tuteurs et justiciers de notre treizième siècle. Succédant aux Croisés du début, à ces aventuriers épiques auxquels le dépaysement avait achevé sur le moment de faire perdre toute notion de légitimité et de droit, un Baudouin II nous montre le type accompli du souverain féodal respecté de ses vassaux en raison même de son esprit de justice envers eux. Et ce n'est pas un des spectacles les moins instructifs de l'histoire que de voir cette royauté de Jérusalem – royauté de hasard et dynastie d'aventure s'il en fut – réussir, par la seule force de l'institution monarchique, à créer de toutes pièces une tradition juridique si solide qu'au bout d'un quart de siècle à peine nulle domination de droit divin n'était mieux enracinée.

### *Politique ecclésiastique de Baudouin II. Patriarcat d'Étienne de Chartres : reprise du programme de principauté ecclésiastique de Daimbert. Patriarcat de Guillaume de Messine : retour à la collaboration de l'Église et de la royauté.*

Malgré sa grande piété qui rappelait Godefroi de Bouillon, Baudouin II sut maintenir envers le patriarcat comme envers les grands vassaux les droits de la couronne. Là encore d'ailleurs il sut agir avec assez d'adresse et de tact pour n'avoir pas à recourir aux mesures quelque peu violentes qui avaient caractérisé le règne de Baudouin I^er^.

L'excellent patriarche de Jérusalem Gormond de Picquigny, prélat plein de sainteté et collaborateur fidèle de la politique de Baudouin II, était mort en 1128. On élut pour le remplacer un Français, Étienne de la Ferté, abbé de Saint-Jean-en-Vallée, à Chartres[291]. C'était un parent de Baudouin II, qui avait renoncé au siècle. Il semblait que l'accord dût être parfait entre le patriarche et le roi, d'autant qu'avant d'entrer dans les ordres, Étienne avait été chevalier et même vicomte de Chartres : il comprendrait donc mieux que quiconque les nécessités du pouvoir temporel. Ce fut le contraire qui arriva. Le nouveau patriarche apporta dans la défense des prétentions ecclésiastiques une fougue de chevalier et une intransigeance de féodal. On le vit tout de suite reprendre à son compte les ambitions territoriales que Daimbert avait caressées avant la fondation du royaume, la prétention de transformer la Judée en Domaine Temporel du Siège Patriarcal. À peine sacré, on l'entendit réclamer la ville de Jaffa en ajoutant que Jérusalem même devrait lui être remise dès que le roi aurait conquis Ascalon sur les Fâ*t*imides, car, dans ce beau programme, la couronne devait être reléguée à Ascalon.

Étienne de Chartres apportait la plus grande véhémence à défendre ce qu'il considérait comme son droit, – *erat in proposito constans, jouis sui sollicitus prosecutor* – ; l'ancien baron transparaissant sous le prélat – *homo magnificus,* – c'était un anti-roi qui se dressait en face de Baudouin II. La tension devint extrême et le conflit menaça de dégénérer en lutte ouverte. On ignore comment les choses auraient fini. Si Baudouin II répugnait aux coups de force de son prédécesseur, l'adresse et la ruse l'avaient souvent fait triompher d'obstacles plus dangereux ; mais il n'eut pas à y recourir. La mort d'Étienne de Chartres vers le commencement de 1130 résolut la question. Naturellement on ne manqua pas de soupçonner un empoisonnement, perpétré soit à l'instigation du roi, soit pour lui rendre service. Guillaume de Tyr, toujours défenseur de la thèse ecclésiastique et qui se fait le propagateur de ces bruits très vraisemblablement calomnieux, avoue d'ailleurs qu'il n'y eut nulle preuve : « *nos pro certo id compertum non habemus* ». Ce qui est vrai, c'est que la disparition d'Étienne arrangea les affaires de la couronne. Comme le roi venait visiter le prélat à ses derniers jours et lui demandait de ses nouvelles, le mourant eut un joli mot : « Je vais comme vous le souhaitez, sire ! (Sire rois, il m'est ore si com vos voulez)[292]. »

Étienne eut pour successeur un prêtre flamand, Guillaume de Mécine ou Messines[293], prieur du Saint-Sépulcre, dont Guillaume de Tyr nous dit d'assez mauvaise humeur qu'il était « religieus home et de bone vie, moult loiaus », mais « simples et pou letrez ». Surtout le nouveau patriarche revint à la politique d'entente avec la royauté, et le chroniqueur est obligé de reconnaître qu'il n'en fut que plus populaire : « Bien avoit la grâce du roi et des barons et de tout le pueple[294]. »

*Le choix d'un héritier pour la couronne de Jérusalem. Désignation de Foulque V d'Anjou.*

Une question particulièrement importante pour la jeune dynastie hiérosolymitaine fut le choix, par le roi Baudouin II, d'un successeur.

Baudouin II, nous l'avons vu, n'avait eu de sa femme, la princesse arménienne Morfia, que des filles, Mélisende, Alix, Hodierne et Yvette. En 1126, il avait marié la seconde, Alix, à Bohémond II, le nouveau prince d'Antioche. Mais il ne songea nullement, malgré les splendides qualités militaires du jeune homme, à faire de lui son héritier. La direction de la Syrie franque voulait un chef autrement expérimenté. En 1128, il envoya en France le connétable Guillaume de Bures et le seigneur de Beyrouth, Guy Brisebarre[295] pour s'enquérir d'un prince digne de continuer la dynastie ardennaise. Le roi de France Louis VI, consulté, lui indiqua le comte d'Anjou Foulque V, dit Foulque le Jeune, un des plus puissants barons du royaume.

Foulque accepta l'offre qui lui était faite. Après une heureuse navigation, il aborda à Saint-Jean-d'Acre avec Guillaume de Bures et Guy Brisebarre vers le milieu du printemps 1129. Peu avant la Pentecôte (2 juin 1129), il épousa la princesse héritière Mélisende « à grant joie de toute la terre et à si grant feste comme il aferoit à fille de roi et à si grant home. » Baudouin II donna à son gendre comme apanage le territoire de Tyr et d'Acre. Foulque ne démentit aucune des espérances fondées sur lui. Il se montra un gendre et un vassal modèle : « Mout fu obeissanz à toute la volenté le (= du) roi tant com il vesqui. Tous ses commandemenz fesoit doucement et volontiers com s'il fust sez (son) filz de sa char, et se contenoit en toutes les manières par quoi il cuidoit plus avoir sa grace[296]. »

*Le grand projet de Baudouin II : la conquête de Damas.*

Peu après le mariage de sa fille avec Foulque d'Anjou, le roi Baudouin II entreprit avec lui la conquête de Damas. Entreprise de première importance qui, dans la pensée de ses auteurs, devait être comme une seconde vague d'assaut lancée contre l'Islam. La première vague, celle de 1097-1099, avait recouvert la bande littorale, et tout ce que faisaient depuis lors les princes francs consistait à réduire les îlots musulmans qui s'étaient encore maintenus dans cette zone et à organiser le terrain conquis. Mais la vague de la Croisade s'était, à peu de chose près, arrêtée au Jourdain, au Liban et à l'Oronte. C'était la Syrie intérieure qu'il s'agissait maintenant d'emporter en commençant par sa capitale naturelle, la grande ville de Damas. Pour un tel effort, peut-être plus difficile que le premier, car on approchait du désert au seuil duquel l'Islam recouvrait sa force, c'était l'élan de la première croisade qu'il eût fallu retrouver. Baudouin II et Foulque d'Anjou le sentaient si bien qu'ils envoyèrent en France le grand maître du Temple Hugue de Payens « por requerre aide et secors à la terre d'outre-mer, tant que il peussent asseoir (assiéger) cele noble cité de Damas[297]. »

Ce dessein, chez Baudouin II et Foulque d'Anjou, atteste l'excellence de leurs renseignements sur l'état de la grande cité musulmane. L'âtâbeg *T*ughtekîn qui la gouvernait depuis 1103 était arrivé au terme de sa vie. Son pouvoir, jadis si ferme, se détendait et d'étranges ferments d'anarchie apparaissaient, dont sa mort prochaine allait révéler toute la nocivité.

*L'agitation révolutionnaire à Damas. La propagande des Assassins et le pacte franco-îsmâ'îlien de 1129.*

La principauté de Damas était en effet victime du même malaise religieux et social que, précédemment, celle d'Alep. Un chef ismâ'îlien, Bahrâm d'Asterabad, venu de Perse à Alep, puis à Damas, avait obtenu la protection de l'âtâbeg *T*ughtekîn ou plutôt du vizir de celui-ci, Abû 'Alî *T*âhir al-Mazdaghâni, ambitieux politique qui entendait se concilier l'appui des Ismâ'îliens pour ses projets ultérieurs. Fort de la tolérance des pouvoirs publics, Bahrâm prêcha ouvertement l'ismâ'îlisme à Damas. Mais, comme il redoutait le fanatisme de la majorité sunnite de la ville, il demanda et obtint du vizir et, par celui-ci, de *T*ughtekîn vieilli et affaibli, l'octroi d'une place de sûreté, en l'espèce l'importante citadelle de Bâniyâs ou Paneas, au sud-ouest de l'Hermon, sur la frontière nord-est de la Galilée franque[298]. À peine maître de cette ville, il en fit naturellement le lieu de refuge de tous les Ismâ'îliens de la contrée. La proximité des territoires francs lui permettait d'échapper, le cas échéant, à la vengeance des Sunnites et même de narguer leur hostilité. Ce fut là la première possession officielle de la secte en Syrie. Péril redoutable pour la société musulmane. « Ce fut un fléau pour le pays », nous confie Ibn al-A*th*îr qui nous montre « les gens de la loi, les hommes de science et les personnes pieuses » molestés par ces hérétiques, mais n'osant bouger devant la faveur dont le gouvernement de *T*ughtekîn entourait les Ismâ'iliens et aussi devant la terreur qu'inspirait le poignard de ces derniers[299].

Le grand nom de *T*ughtekîn, sa réputation de terrible énergie tenaient encore en respect les Ismâ'îliens à l'intérieur, les Francs aux frontières. Ce simple capitaine turc – son appellation de « Seigneur Porte-Étendard » rappelait ses modestes origines mamelukes – avait su éliminer sans violence la dynastie seljûqide locale, et, aux enfants de son maître Tutush, substituer sa propre maison tout en se parant en quelque sorte de la légitimité seljûqide qu'il semblait continuer. Quand il fut décédé, le 12 février 1128, son fils, Tâj al-Mulûk Bûrî, fut reconnu sans difficulté. Mais l'élément ismâ'ilien n'en profita pas moins du changement de règne pour organiser un vaste complot.

Le chef ismâ'îlien Bahrâm, désormais solidement établi à Paneas, y commandait en maître. De là, il dirigeait l'action de ses affidés dans Damas où leur propagande faisait sans cesse de nouveaux prosélytes. Certains d'entre eux réussirent en même temps à s'emparer de diverses forteresses du Jebel No*s*airî, du côté du château de Qadmûs[300]. Bahrâm, il est vrai, fut tué dans une expédition contre un émir arabe de la région de Ba'albek, mais son principal lieutenant, Ismâ'îl al 'Ajemî, lui succéda sans difficulté à Paneas. À Damas le nouvel âtâbeg, Bûrî, avait d'ailleurs conservé comme vizir *T*âhir al-Mazdaghânî lequel était, on l'a vu, ouvertement favorable aux Ismâ'îliens. Rendu plus audacieux par la disparition de *T*ughtekîn et l'inexpérience de Bûrî, le vizir acheva de lier partie avec les sectaires et accorda toute sa confiance à leur nouveau représentant à Damas. Abu'l Wefâ. « Cet homme acquit un tel ascendant qu'il était comme le maître des musulmans, gémit Ibn al-A*th*îr ; son pouvoir était plus grand que celui du prince Tâj al-Mulûk Bûrî lui-même. » Bientôt le vizir sentit le terrain suffisamment préparé pour mettre ses projets à exécution en s'alliant aux Francs. Il leur proposa de leur ouvrir les portes de Damas si les Francs lui cédaient, à lui et aux Ismâ'iliens, la ville de Tyr en échange[301].

Le marché paraissait avantageux pour les deux parties. Les Ismâ'îliens, une fois établis à Tyr, s'y trouveraient dans une place de sûreté, protégés contre les persécutions de l'orthodoxie musulmane par la barrière des États francs. De leur côté, si les chrétiens faisaient un sacrifice en envisageant la cession de Tyr, ils savaient pouvoir tenir cette place à leur merci et ils acquerraient en échange la grande ville toujours convoitée, la cité musulmane inviolée, Damas, véritable capitale de la Syrie dont la conquête compléterait l'œuvre des Croisades. L'accord fut conclu sur ces bases. Il fut convenu que les Francs se présenteraient à jour déterminé devant Damas – un vendredi afin que, tandis que les musulmans seraient à la mosquée, le vizir et les Ismâ'îliens pussent ouvrir les portes[302].

*La contre-révolution damasquine de septembre 1129 : massacre des Ismâ'îliens. Les Francs protecteurs des sectes révolutionnaires musulmanes. Remise de Paneas à Baudouin II par les Ismâ'îliens.*

Le complot allait réussir lorsqu'il fut éventé. Le chef de la police de Damas, Wajîh al-Dîn Mufarraj et le chambellan Firûz persuadèrent à l'âtâbeg Tâj al-Mulûk Bûrî de se défaire des sectaires et de leur protecteur par un massacre. Bûrî attira le vizir auprès de lui sous prétexte d'une audience. « À la fin de l'entretien, dit le *Mirât-al-Zemân*, comme le vizir se levait pour sortir, il fut poignardé dans le vestibule du palais par les gardes. » Bûrî fit brûler son corps et suspendre sa tête à la porte de la citadelle. On envahit ensuite l'hôtel de la mission ismâ'îlienne, et tous ceux qui s'y trouvaient furent égorgés. La populace de Damas, lâchée au massacre, se rua sur les Ismâ'îliens et tua tous ceux qu'elle put saisir, six mille, dit Ibn al-A*th*ir, vingt mille, renchérit le *Mirât al-Zemân ;* « les uns furent égorgés, d'autres lapidés, d'autres pendus au haut du rempart[303] (début de septembre 1129). »

À la nouvelle du massacre de ses coreligionnaires, Ismâ'îl, le chef ismâ'îlien qui commandait à Paneas, craignant pour lui-même, appela les Francs à son secours. Il leur remit Paneas et alla s'établir avec les siens en terre franque[304]. Notons en passant le nom sous lequel le *Mirât al Zéman* désigne ce personnage : al-'Ajémî, « le Persan ». De fait la nationalité iranienne de la plupart des dignitaires Assassins explique en partie leur totale indifférence pour la guerre que Turcs et Arabes menaient contre les Francs, de même que leur shî'isme exaspéré fait comprendre qu'ils ne se soient sentis en rien solidaires du monde sunnite.

Il semble que les Francs – en l'espèce le roi Baudouin II – aient sérieusement misé sur l'alliance ismâ'îlienne. Dans leur lutte quotidienne contre l'Islâm, ils avaient cette chance de trouver des alliés inattendus dans la société musulmane : telle était la haine de ces révolutionnaires, de ces anarchistes, de ces illuminés pour leur patrie et sa religion qu'ils préféraient livrer le pays au Franc, voir s'écrouler l'Islâm en même temps que la société plutôt que de renoncer à leur millénarisme. Jamais, jusqu'à des exemples tout récents, l'histoire ne présenta partisans plus enragés du suicide national et social. Tout en regardant avec quelque étonnement cette étrange folie, les chefs francs, positifs comme ils l'étaient, n'hésitèrent pas, de Baudouin II à Louis IX, à accueillir l'offre ismâ'îlienne. Peu leur en importait, à coup sûr, les mobiles, et que ce fût par une sorte de radicalisme de l'idéologie et de la mystique musulmanes que les Assassins en vinssent à une telle aberration, l'Ismâ'îlisme n'étant à bien des égards qu'une forme exaspérée du shî'isme, comme le shî'isme n'était que la pure flamme de l'Islam. Peu importait de même aux Francs que les Assassins couvrissent de meurtres le monde oriental, puisque la société chrétienne était à l'abri de la contagion mentale et que les victimes étaient presque toujours les chefs de la Contre-Croisade, un Mawdûd, un Bursuqî. Si les révolutionnaires ismâ'îliens détruisaient de l'intérieur la société musulmane, les barons ne pouvaient après tout qu'en être satisfaits. Si les chefs ismâ'îliens allaient jusqu'à la trahison ouverte envers l'Islam, c'était mieux encore. À cet égard la remise par Ismâ'îl al-'Ajemî à Baudouin II de la place frontière de Paneas constituait déjà un gage singulièrement précieux, car Paneas, assise, comme elle l'était, au pied de l'Hermon, après avoir servi aux Damasquins de poste avancé vers Tyr et la Haute Galilée, ouvrait maintenant aux Francs la grande route de Damas, à flanc méridional du Iqlim al-Bellân, par al-*H*a*d*r, Beit Jenn, Mazra'at Dêr el-'Ashâir, Kafr *H*auwar, Betîma, al-Qa*t*anâ et Kafr Sûsa dans la banlieue ouest de la grande ville[305].

*Seconde expédition de Baudouin II contre Damas (1129).*

Paneas occupé, Baudouin II organisa l'expédition contre Damas ; sans doute l'exécution du vizir de Damas et le massacre des Ismâ'îliens de la ville privaient les Francs d'un concours inestimable. « Ils en furent très affligés, note Ibn al-A*th*îr, le désastre des Ismâ'îliens les frappait pour ainsi dire eux-mêmes, ils n'avaient plus les mêmes chances de subjuguer Damas. » Malgré la perte de ces alliés dans la place, ils poursuivirent leur dessin. On a vu que Baudouin II avait envoyé en France le Grand Maître du Temple, Hugue de Payens, pour demander l'envoi de renforts. Hugue ramena un assez grand nombre de chevaliers et de fantassins, mais sans avoir pu entraîner aucun haut baron. Abstention singulièrement regrettable, car l'occupation de Damas était indispensable à la sécurité de la colonie franque. Du moins, tous les princes francs de Syrie vinrent avec leurs contingents se placer sous les ordres du roi : Foulque d'Anjou, comte d'Acre et de Tyr, Pons, comte de Tripoli, Bohémond II, prince d'Antioche, Jocelin de Courtenay, comte d'Édesse. D'après l'évaluation de Guillaume de Tyr, ils avaient en tout 2 000 cavaliers et un nombre indéterminé de fantassins.

Devant une telle menace, l'âtâbeg de Damas, Bûrî, envoya à Baghdâd le faqîr 'Abd al-Wâ*h*id pour implorer du Khalife

Mustarshid l'envoi immédiat d'une armée de secours. Le Khalife donna au délégué une robe d'honneur, fit de belles promesses et s'en tint là. Aussi l'armée franque ne rencontra-t-elle aucun obstacle dans sa marche sur Damas (novembre 1129). Les Francs vinrent camper à l'entrée du Marj al-Suffar, devant le Jirs al-Khashab ou Pont-de-bois, lequel, d'après M. Dussaud, n'est autre que le pont de Kiswé sur le Nahr al-A'waj dans la grande banlieue sud de Damas, à 14 kilomètres au sud du faubourg actuel du Meidân[306]. Aucune force damasquine n'osait tenir la campagne contre eux. « Il fesoient assez de leur volenté, que nus ne leur contredisoit. »

Afin de se ravitailler avant de commencer le siège, l'armée franque détacha un corps assez important de fantassins pour fourrager dans la plaine du Marj al-Suffar, qui s'étend, comme on le sait, au sud de Kiswé jusqu'à Tell Shaq*h*ab sur la route du *H*aurân. Quelques détachements devaient pousser au sud jusqu'à Burâq, à la pointe nord-est du massif de laves du Lejâ, l'ancienne Trachonitide et même, affirme Ibn al-Qalânisî, jusqu'au *H*aurân. Guillaume de Tyr nous dit qu'il s'agissait de gens de peu, piétons, ribauds, valets d'armée, ravitailleurs professionnels de la troupe. Cependant ce devait être en l'espèce un véritable corps de fantassins, puisque le roi envoya avec eux, pour les protéger, la moitié de sa cavalerie, « mil chevaucheeurs » sous les ordres du connétable Guillaume de Bures.

Malheureusement ces troupes envoyées au ravitaillement se mirent à piller pour leur propre compte et, dans ce but, s'égaillèrent dans toute la région, sans observer ni discipline ni prudence. « La gent à pié s'espendirent par le païs. Li esquier meismes, por convoitise de gaaingnier, perçoioient les villes et en apportoient maintes manières de gaainz. » Gagnés par la contagion, les chevaliers et les sergents à cheval que le roi avait chargés de guider les fantassins se débandèrent pour fourrager et piller à leur tour, « s'espandirent par la terre il meisme, ne oncques puis ne se tindrent ensemble[307] ».

À Damas l'âtâbeg Bûrî ne manqua pas d'être informé de cette situation. Il réunit sa cavalerie, la plaça sous le commandement de l'émir Shams al-Khawâ*ss* et la chargea d'aller surprendre les bataillons francs dispersés. Le roi Baudouin II avec le gros de l'armée franque restait, il est vrai, toujours posté autour de Kiswé, face au faubourg de Meidân. Mais Shams al-Khawâ*ss* sortit par la porte orientale ou Bâb al-Sherqî, par une sombre nuit d'hiver que rendait plus opaque une pluie abondante. Les troupes de Guillaume de Bures, sourdes à tout conseil de prudence, fourrageaient au sud de l'Ar*d* al-Khunâfis ei de Burâq, district nord du massif du Lejâ. Par petits groupes dispersés, elles y continuaient leur maraudage, persuadées que l'armée royale, campée au nord de Kiswé et de la ligne du Nahr al-A'waj, les mettait à l'abri de toute menace. Pour achever de dépister Baudouin II, Shams al-Khawâ*ss* dut sans doute descendre la rive droite du Baradâ jusqu'aux approches du Ba*h*rat al-'Ateibé, vers *H*arrân al-'Awâmid, al-Jadaîda et al-Hîjâné, puis, galopant droit au sud entre le Tell Abû Shajara et le marais (matkh) de Burâq, il tomba à l'improviste sur les gens de Guillaume de Bures[308]. « Si trova la nostre gent espandue par divers leus ; tantost (aussitôt) les courut sus et les commença à ocirre partout là où il les trouvoit. » Ibn al-Qalânisî et Ibn al-A*th*îr affirment que les Francs, malgré leur surprise, se défendirent avec beaucoup de bravoure. Sans doute s'agit-il ici de quelques pelotons de chevaliers, car les fantassins, égaillés comme ils l'étaient, ne purent se reformer et furent presque tous tués ou pris. « Il ne se sauva, dit Ibn al-A*th*îr, que le chef de détachement (Guillaume de Bures) avec quarante de ses hommes. Les Musulmans s'emparèrent de tout ce que le détachement emmenait avec lui : c'étaient dix mille bêtes de somme chargées et trois cents prisonniers : ils rentrèrent à Damas sans avoir éprouvé la moindre perte. »

C'était un désagréable épisode. Ce n'était nullement un désastre, puisque, du côté du Jebel al-Aswad, le gros de l'armée franque, sous Baudouin II, continuait à assiéger Damas. Mais la nouvelle, apportée à l'armée par les fuyards de Burâq, causa une vive émotion. Le roi et les barons firent aussitôt crier aux armes, prêts à se porter contre l'ennemi. Malheureusement, au moment où l'armée allait faire mouvements pour attaquer, des pluies diluviennes se mirent à tomber « si que li uns ne veoit l'autre. Et venz sordi si forz que à poines se povoient-il tenir sur leur chevaus ; esclairs et tenoirres i avoit si granz que touz les espoentoient. Parmi les chemins venoient si grant rudes eaues qui li cheval n'i povoient passer. »

Il était impossible dans de telles conditions atmosphériques de poursuivre le siège de Damas. Baudouin II, sagement, ordonna la retraite (5 décembre 1129). L'armée se retira donc, sans doute par la route de Bâniyâs ; les Damasquins, enhardis par leur succès, la poursuivirent jusqu'au lac de Tibériade, sans oser l'affronter en bataille rangée, mais en massacrant tous les traînards.

En rentrant en Palestine, nous dit énergiquement *l'Estoire d'Éracles*, « li baron se départirent comme désespéré de lor emprise, et s'en retorna chascun en la seue chose »[309]. Ce désespoir se comprend. Les Francs avait perdu une occasion unique de conquérir la capitale de la Syrie musulmane.

Cette occasion, à vrai dire, s'était déjà évanouie le jour où l'âtâbeg Bûrî avait fait massacrer le groupe ismâ'îlien qui avait partie liée avec les Francs, car la complicité d'un élément aussi actif de la population pouvait seule, par une révolution intérieure coïncidant avec leurs assauts, leur assurer la possession de la turbulente cité. Le massacre préalable des sectaires, puis la folle imprudence des fourrageurs, enfin l'espèce de déluge des premiers jours de décembre 1129 firent échouer le programme de Baudouin II.

Cet échec, trop négligé de la plupart des historiens, marqua peut-être le tournant de la Croisade, car l'occasion manquée ne se représenta plus. La révolution ismâ'îlienne une fois noyée dans le sang, le fanatisme sunnite de la populace damasquine refit à jamais de Damas la citadelle inviolée de l'Islam. L'autorité du nouvel âtâbeg, Bûrî, se consolida. Surtout un pouvoir nouveau allait surgir dans le Nord, celui de Zengî, fondateur d'une monarchie syro-musulmane solide, qui devait un jour réduire les Francs à la défensive. En tout cas, les chrétiens, jusque-là maîtres de l'heure, n'allaient plus avoir à eux seuls l'initiative des événements. Ils n'allaient plus pouvoir attaquer à leur guise tel émirat local sans que d'Alep un principe fédérateur formât aussitôt le faisceau des forces musulmanes, comme le roi de Jérusalem formait sans cesse depuis trente ans le faisceau des forces franques. En face de la monarchie franque, la monarchie musulmane venait de naître.

### § 5. — Baudouin II et la fondation de la monarchie musulmane syrienne (1129-1131).

*Les origines du royaume musulman unitaire de Syrie : l'âtâbeg Zengî.*

Imâd al-Dîn Zengî (ou Zenkî) était fils du capitaine turc Aq Sonqor, « le Faucon blanc », lieutenant du grand sultan seljûqide Malik-shâh. Malik-shâh avait donné à Aq Sonqor le gouvernement d'Alep (1092). Mais en 1094, on se le rappelle, Aq Sonqor avait été mis à mort par Tutush, frère de Malik-shâh et fondateur du royaume seljûqide d'Alep. Son fils, Zengî, réduit par cette catastrophe à un rôle secondaire, avait fait ses premières armes sous les ordres des âtâbegs successifs de Mossoul, Jâwalî et Bursuqî. Il avait commencé sa fortune dans le différend entre le sultan de Perse Ma*h*mûd et le khalife de Baghdâd Mustarshid, en décembre 1126, époque où, simple gouverneur de Ba*ss*ora, il battit à Wâsi*t* les troupes du khalife. On a parlé plus haut des batailles dont Baghdâd fut alors le siège et l'enjeu entre khalifiens et sultaniens, entre Arabes Iraqis et Turcs Seljûqides. Si le sultan Ma*h*mûd l'emporta, il le dut pour une bonne part à l'activité de Zengî qui, ayant recruté des troupes de renfort, remonta le Tigre avec elles sur une flottille de Wâsi*t* à Baghdâd, renfort qui permit au sultan d'imposer ses conditions au Khalife (janvier 1127)[310].

À la suite de ce service, le sultan nomma Zengî haut commissaire dans l'Irâq, poste qui faisait de lui le second maître à Baghdâd et le tuteur du khalifat. Ce n'était là qu'un premier échelon (avril 1127). Peu après mourut, comme on l'a dit, l'âtâbeg de Mossoul et d'Alep, Mas'ûd ibn Bursuqî. Les notables de la ville de Mossoul se rendirent en Perse à la cour du sultan en vue de la nomination d'un nouveau gouverneur, et, à la suite d'une intrigue assez compliquée, ils proposèrent Zengî. Le discours que leur prête Ibn al-A*th*îr quand ils furent reçus par le grand vizir est bien caractéristique : « Vous savez, toi et le sultan, que la Mésopotamie et la Syrie sont à la merci des Francs. Leur puissance s'est fortifiée, ils se sont rendus maîtres de la majeure partie du pays, et maintenant leur domination s'étend depuis l'émirat de Mârdîn jusqu'à la frontière d'Égypte. Quelques portions seulement de ces vastes contrées restent encore dans les mains des Musulmans. Pendant longtemps Bursuqî était parvenu, par sa bravoure, son expérience de la guerre et le dévouement de ses troupes pour lui, à repousser en partie les agressions des Chrétiens et à punir leur méchanceté. Mais, depuis qu'il a été assassiné, leur audace s'est accrue. Le fils qu'il a laissé n'est qu'un enfant. Il faut confier l'autorité à un homme brave, un homme de tête et d'expérience qui prenne la défense du pays, qui le protège et en garde les avenues[311] ».

Le sultan désigna Zengî. L'homme qui avait arrêté la révolte arabe et maté le Khalifat allait se mesurer avec les Francs. Avec ce Turc énergique, tout proche encore, par son père, de l'épopée seljûqide, la Contre-Croisade, jusque-là piétinante, allait recevoir une impulsion nouvelle.

*Zengî maître de Mossoul et d'Alep (1128).*

Zengî alla d'abord prendre possession de Mossoul. Le mameluk Jâwalî, qui y commandait depuis la mort de l'âtâbeg Mas'ûd ibn Bursuqî, n'essaya pas de résister, « il sortit à la rencontre de Zengî, descendit de cheval dès qu'il l'aperçut et baisa la terre devant lui ». Zengî réorganisa le gouvernement de Mossoul (septembre 1127), puis, après avoir enlevé Ni*s*îbîn aux Ortoqides[312], il se rendit à *H*arrân. La ville, on l'a vu, avait échappé à la conquête franque, mais, restant sous la menace quotidienne des incursions franques venues d'Édesse, de Sarûj et d'al-Bîra, c'était comme une ville assiégée ; « elle n'avait personne qui s'intéressât à sa défense », sa position excentrique la laissant hors de l'action des âtâbegs de Mossoul ou d'Alep comme des émirs de Mârdîn. Les habitants comprirent qu'avec Zengî au contraire la situation allait changer. Ils se portèrent à sa rencontre et se donnèrent joyeusement à lui.

Cependant en arrivant dans la région, Zengî envoya demander au comte d'Édesse, Jocelin, une trêve, qui fut accordée Le clairvoyant âtâbeg, avant de commencer la guerre sainte, voulait prendre possession d'Alep et réorganiser militairement le pays[313].

Nous avons vu dans quel état d'anarchie Alep se trouvait depuis la mort de l'âtâbeg Mas'ûd ibn Bursuqî. Le mameluk turc Qutlugh (ou Khutlugh), qui s'était emparé de la citadelle, la tenait toujours, mais y était assiégé par la population de la ville, révoltée contre lui. Dans la ville même, l'ortoqide Sulaîmân et le seljûqide Ibrâhîm ibn Ri*d*wân briguaient le pouvoir. Enfin, le prince d'Antioche, Bohémond II, avait essayé de profiter de ces troubles pour s'emparer de la ville[314].

Zengî, grâce à l'investiture que lui avait accordée le sultân et qui légitimait son pouvoir, put imposer son autorité aux divers partis. Il se fit précéder par ses lieutenants Sonqor Dirâz (Sonqor le Long) et *H*asan Qarâqûsh, qui rétablirent l'ordre et occupèrent solidement la ville. Les prétendants, Qutlugh et Sulaîmân l'Ortoqide, incapables de résister, se soumirent, soit qu'ils se soient rendus en personne auprès de Zengi à Mossoul, comme le veut Ibn al-A*th*ir, soit qu'ils aient attendu l'arrivée de Zengî devant Alep pour se donner à l'âtâbeg, comme le veut Kemâl al-Dîn[315].

Quoi qu'il en soit, Zengî fit le 18 juin 1128 son entrée solennelle dans Alep. Elle y provoqua « une telle explosion de joie et d'allégresse qu'Allâh seul en peut mesurer l'étendue »[316]. Détail caractéristique, son premier soin fut pour donner une sépulture royale aux restes de son père Aq Sonqor, ancien seigneur de la ville de par l'investiture du grand sultan seljûqide Malik shâh. L'âtâbeg marquait ainsi la légitimité de son pouvoir : sa nomination n'était qu'une restauration ; le règne de sa dynastie, interrompu pendant trente-quatre ans (1094-1128), reprenait son cours. Dans l'intervalle les divers pouvoirs qui s'étaient succédé à Alep étaient des pouvoirs de fait. Celui de la dynastie zengide au contraire était doublement consacré en droit turc, naguère par l'investiture des sultans Malik shâh et Barkiyârûq, aujourd'hui par celle du sultan Ma*h*mûd. La dynastie zengide, dans son œuvre de construction d'un royaume musulman unitaire de Syrie, allait ainsi se trouver la mandataire et l'héritière du sultanat turc expirant.

L'heure, comme le remarque Ibn al-A*th*ir, était favorable. L'âtâbeg de Damas, *T*ughtekîn, qui avait si longtemps exercé l'hégémonie dans la Syrie musulmane, venait de mourir le 12 février 1128 et son fils Bûrî avait assez affaire à défendre sa ville de Damas contre Baudouin II sans songer à des ambitions plus vastes. Dans cette carence des autres maisons princières turques, Zengî apparaissait pour l'Islâm syrien comme un sauveur providentiel. « Avouons, écrit Ibn al-A*th*ir, que si Allâh n'avait pas fait aux Musulmans la grâce de mettre les contrées de la Syrie sous l'autorité de Zengî, les Francs s'en seraient rendus maîtres. » Désormais la contre-croisade aura un chef. Ce chef pourra mourir, il sera toujours remplacé. Après Zengî, ce sera son fils Nûr al-Dîn, puis le lieutenant de Nûr al-Dîn, Saladin. En face de la royauté franque du littoral, voici apparaître la royauté musulmane de la Syrie intérieure.

*Le programme de Zengî : unification de la Syrie musulmane. Mainmise sur* Hamâ, *attaque contre* Homs, *rupture avec les Damasquins.*

Pour achever de légitimer cette royauté et de l'asseoir sur des bases juridiques solides, Zengî accomplit deux actes fort importants. D'une part il épousa la fille du malik Ri*d*wân ; héritière des droits de l'ancienne dynastie seljûqide d'Alep, la khâtûn faisait entrer ces droits dans la maison zengide. D'autre part, il alla en Perse faire sa cour au sultan Ma*h*mûd (1129). Il se fit donner par celui-ci un diplôme impérial « lui conférant l'autorité sur tout l'Occident », en d'autres termes une délégation sultanienne sur toute la Syrie musulmane, à unifier sous ses ordres, et sur la Syrie franque, à conquérir[317]. Zengî revint alors à Alep, résolu à exécuter ce double mandat.

Il commença par entreprendre le rassemblement des terres musulmanes. Entreprise menée avec autant d'énergie que de souplesse, avec une totale absence de scrupules, sans aucune considération pour la foi jurée, car chez ce fondateur d'empire le résultat comptait seul.

En dehors du royaume d'Alep, qu'il possédait, le reste de la Syrie musulmane était partagé entre : 1° l'âtâbeg turc Bûrî fils de *T*ughtekîn, qui possédait le royaume de Damas : Damas, avec *H*amâ au nord et le *H*aurân au sud (*H*amâ formait une vice-royauté pour Séwinj, un des fils de Bûrî) ; 2° le Turc Qîrkhân ibn Qârajâ, émir de *H*oms ; et 3° l'émir arabe Sul*t*ân, de la famille Munqi*dh*ite qui possédait Shaîzar. Le

Munqi*dh*îte, petit seigneur local, tout de suite rallié à la suzeraineté zengide, comme le prouve le séjour d'Usâma à Mossoul, ne pouvait porter ombrage au grand âtâbeg[318]. L'émir de *H*om*s*, Qîrkhân ibn Qarâjâ, autre prince secondaire, était venu, dès l'installation de Zengî à Alep, lui rendre hommage avec l'espoir de gagner un agrandissement territorial en l'aidant contre l'âtâbeg de Damas, Bûrî. Ce dernier était en effet le seul prince capable de disputer à Zengî l'hégémonie de la Syrie musulmane, comme Damas avait toujours disputé la prééminence à Alep.

Bûrî, cependant, qui sortait à peine de l'invasion franque de novembre-décembre 1129, se trouvait toujours sous la menace d'une nouvelle attaque de Baudouin II. Aussi, lorsque Zengî lui écrivit pour lui proposer une action commune contre les Francs, y consentit-il volontiers. Les deux âtâbeg se jurèrent fidélité, et Bûrî envoya à Alep, comme contingent à l'armée zengide, son propre fils Sewinj, vice-roi de *H*amâ, ainsi que le général Shams al-Khawâ*ss* avec 500 cavaliers damasquins. Zengî accueillit ces alliés avec affabilité, et leur désigna comme objectif la conquête de la ville franque de 'Azâz ; puis, démasquant ses intentions, il fit arrêter Sewinj et ses officiers, les jeta dans les prisons d'Alep, courut à *H*amâ dépourvue de défenseurs et s'en empara (14 septembre 1130). Cette insigne trahison fut suivie d'une autre, pire encore. Après la prise de *H*amâ, Zengî vendit la ville pour une forte somme à son allié Qîrkhân, émir de *H*om*s*. Le 20 septembre Qîrkhân prit possession de *H*amâ, « ses fanfares retentirent et son nom fut proclamé en chaire ». Mais le soir même, Zengî le fit arrêter, jeter en prison et s'empara de son camp et de son bagage, après quoi, il alla assiéger *H*om*s*, comptant s'en emparer comme il s'était emparé de *H*amâ. Le siège dura quarante jours. De temps à autre il faisait torturer Qîrkhân devant les assiégés pour les forcer à se rendre. Mais, sauf la prise du faubourg, il n'obtint aucun succès et finit par rentrer à Alep (novembre-décembre 1130)[319]. Cet échec retarda de plusieurs années l'unification politique de la Syrie musulmane.

La féodalité musulmane n'était pas sans discerner le péril que lui faisait courir la politique de centralisation sans scrupules de Zengî. La maison ortoqide qui avait jadis régné sur

Alep fut la première à réagir. Timurtâsh ibn Il-Ghâzî, émir de *His*n Kaîfâ, et les autres émirs Ortoqides du Diyârbékir se liguèrent contre Zengî avec 20 000 Turcomans, mais ils furent vaincus entre Mârdîn et Ni*s*îbîn, défaite qui consacra la domination de Zengî dans la région du haut Jaghdjash et surtout l'éviction définitive de la maison ortoqide au profit de la dynastie zengide dans l'hégémonie de la Syrie septentrionale[320].

*La malheureuse expédition de Cilicie de février 1130 : mort du prince d'Antioche Bohémond II.*

À l'heure où le péril zengide apparaissait si menaçant, les Francs faisaient une perte fort grave : le prince d'Antioche, Bohémond II, venait d'être tué.

Ce drame qui devait avoir les conséquences les plus funestes pour l'avenir de la Syrie franque se produisit à l'occasion des affaires de Cilicie. Le prince arménien Thoros I^er^ (1100-1129), de la dynastie roupénienne, qui, de son nid d'aigle de Vahka, avait fait la conquête d'une partie de la plaine cilicienne en enlevant aux Byzantins les districts de Sis et d'Anazarbe, était mort en 1129 et son décès avait été l'occasion de troubles sérieux. Son fils Constantin périt empoisonné à la suite d'un complot sur lequel les chroniqueurs arméniens sont sobres de détails[321], et la principauté arménienne de Cilicie passa au frère de Thoros I^er^, Léon I^er^. Le domaine roupénien, tel que l'avait constitué Thoros, avec le massif de Kozan, le haut et le moyen Jihûn, se trouva, à la faveur de ces troubles, convoité par ses deux voisins : au nord par l'émir dânishmendite de Cappadoce Il-Ghâzî, au sud-est par le prince d'Antioche Bohémond II. Bohémond, jugeant l'occasion bonne pour reprendre pied en Cilicie, comme jadis son père et son cousin Tancrède, marcha sur Anazarbe avec, semble-t-il, une assez faible escorte. Il pensait n'avoir affaire qu'aux Arméniens de Léon I^er^. Or, tandis qu'il remontait la vallée du Jihûn, les Dânishmendites la descendaient en force.

La rencontre, imprévue des deux côtés, se produisit dans un lieu que Guillaume de Tyr appelle *Portus Pallorum* « le Pré des Pailles », situé, semble-t-il, sur le moyen Jihûn, entre Mamistra et Anazarbe. « Les Francs, dit Michel le Syrien, n'avaient point connaissance de la présence des Turcs, ni les Turcs de celle des Francs, mais des deux côtés Francs et Turcs en voulaient aux Arméniens. En arrivant dans la plaine d'Anazarbe, les Turcs virent Bohémond avec quelques cavaliers : ils engagèrent le combat. Après de nombreuses pertes, les Francs, épuisés, montèrent sur une colline où les Turcs les entourèrent de tous côtés et les tuèrent tous. Ils tuèrent Bohémond parce qu'ils ne le reconnurent pas. Ils se retirèrent en emportant sa tête et les armures des Francs. Léon, de son côté, massacra un grand nombre de Francs. Quand les Turcs rapportèrent la tête de Bohémond à l'émir Ghâzî, celui-ci la fit préparer et l'envoya avec divers présents, armures et chevaux au khalife de Baghdâd »[322] (février 1130).

La mort de Bohémond II fut une catastrophe. Ce jeune paladin, si bien doué, était l'espoir de la Syrie franque. « De son aage n'avoit l'en pièça veu en la terre nul plus vaillant home, car il estoit sages et de grant cuer, bons Crestiens et larges et mout amoit la besoigne (de) Nostre Seignor. En maintes choses mostroit bien qu'il deust estre, s'il vesquit, uns des meilleurs princes de la Crestienté. Mès Nostre Sire (N. S. Jésus Christ) souffri qu'il fu morz en ceste manière dont touz li pueples d'Antioche fist mout grant duel (deuil), car il avoient grant espérance qu'il deussent estre souz lui en grant pais et en grant enneur ; ores estoient cheoit (chus) eu (au) (même) péril qu'il orent avant. Sanz seigneur et sanz chevetaine demoroient entre leur anemis comme gent abandonée »[323].

Ces graves paroles ne se comprennent que trop. Le court règne du jeune prince normand – trois ans et trois mois à peine (octobre 1126-février 1130) – avait fait naître toutes les espérances. Fils du grand Bohémond, il allait enraciner solidement en Syrie la dynastie normande comme les Baudouin avaient enraciné en Palestine la dynastie ardennaise, car une dynastie solide n'était pas moins indispensable sur l'Oronte que sur le Jourdain. Et voici qu'il disparaissait au cours d'une rencontre de hasard, dans une campagne épisodique, à l'heure où, pour la première fois depuis 1097, surgissait dans le monde d'Islam une force organisée égale à la force franque, quand l'âtâbeg Zengî était prêt pour la revanche musulmane.

Comme après la mort de Roger de Salerne en 1119, les Francs d'Antioche implorèrent le secours de Baudouin II : « Il ne sorent que un conseil : il envoièrent au roi hastivement qui autrefoiz les avoit gardez et deffenduz ; la mésaventure de son gendre li firent asavoir et li crièrent merci, qu'il venist en la terre por eus conseillier. » Une fois de plus la royauté se montra tutélaire et salvatrice. Comme onze ans auparavant, le vieux roi reprit le chemin d'Antioche : « Quant li rois oï cele novele, molt en fu courociez et esbahiz ; peor ot que la terre d'Antioche ne fust domagiée durement s'ele demoroit longuement sanz garde ; por ce ne regarda onques les suens aferes que il avoit granz et perilleus en son regne (= en son royaume personnel). Ainçois prist compaignie avecques lui en pou de tans, et s'esmut à granz jornées, tant qu'il vint vers Antioche[324]. »

*Complot de la princesse Alix d'Antioche avec l'âtâbeg Zengî. L'intervention du roi Baudouin II sauve la principauté. Seconde régence de Baudouin II à Antioche.*

Baudouin II, cette fois encore, se trouvait doublement qualifié pour intervenir, comme suzerain tenu à exercer la régence pendant la minorité du vassal, et comme père de la princesse Alix, veuve de Bohémond II. Ce fut précisément de ce dernier côté que vint le plus imprévu des obstacles.

Alix, la fille cadette du roi Baudouin et de l'Arménienne Morfia, oubliait simultanément ses devoirs de princesse franque et son hérédité arménienne. Comment expliquer pareilles fautes ? Toujours est-il que dans la catastrophe qui la privait de son beau paladin normand elle ne vit qu'une chose : la perte possible du pouvoir. Sans doute elle avait eu de Bohémond II une fillette Constance, dont la minorité lui assurait une bonne part dans la régence. Mais précisément parce qu'en droit féodal c'était la petite Constance qui héritait de la principauté paternelle et non pas Alix, cette dernière conçut le projet, digne d'une impératrice byzantine, d'écarter sa fille pour rester souveraine maîtresse de la principauté. « L'entencions à ceste dame estoit tele que, se ele vousist remanoir veve ou ele se mariast, à touzjorz tenist la princée d'Antioche ; et sa fille, qui en estoit droiz oirs (héritière), pensoit à fère nonain ou à marier en bas leu. » Mère dénaturée, fille révoltée, Franque félonne à sa race et à sa foi, la belle Levantine, dans son aberration, n'hésita pas à envoyer un message secret à Zengî, à Alep, pour demander l'aide de l'âtâbeg : sachant que son usurpation allait se heurter à l'opposition du roi son père comme de la population franque d'Antioche, elle se jetait dans les bras du chef turc, prête à lui rendre hommage pour conserver le pouvoir. « Ele li manda par letres et par messages qu'il li aidast à tenir la terre d'Antioche, car ele savoit bien que, s'il voloit, nus ne la li toudroit (enlèverait) par force, ainçois la tendroit malgré tous les barons du païs. » Femme et coquette, elle envoya en cadeau à l'âtâbeg un cheval de prix richement harnaché : « Por ce envoia ele à ce Tur par un suen message (messager) molt bel palefroi qui estoit plus blans que nois (que neige), ferré d'argent ; li frains et li poitrax estoient d'argent moult bien ovré, la sele fu molt richement coverte de samit blanc. » Mais le messager fut arrêté au passage : conduit au roi, il avoua tout.

Baudouin II, stupéfait et furieux d'une telle trahison venant de sa propre fille, fit pendre le messager et hâta sa course vers Antioche. Mais Alix, levant le masque, poussa la révolte jusqu'au bout : elle fit fermer à son père les portes de la ville, ainsi qu'aux barons accourus avec lui, Foulque d'Anjou et Jocelin d'Édesse. En distribuant sans compter les largesses, elle avait cherché à se créer un parti dans la population, pensant, dans sa folie, pouvoir ainsi « tenir la cité contre le roi ». Mais les notables de la ville se révoltèrent contre une telle félonie. Conduits par Guillaume d'Aversa – sans doute un chevalier normand de Sicile – et par un moine de Saint-Paul nommé Pierre le Latinier, ils envoyèrent un messager au roi et lui ouvrirent les portes. D'accord avec eux Foulque d'Anjou se saisit de la Porte du Duc (nord-ouest de l'ancienne ville), Jocelin d'Édesse de la Porte Saint-Paul (côté nord de la ville) et le roi, reçu par eux, fit son entrée. Il prit possession d'Antioche sans rencontrer d'opposition, car Alix, terrifiée, était allée se barricader dans une tour.

Cette fois encore les notables s'interposèrent. Entre la fille coupable et le père irrité ils ménagèrent une entrevue. Alix repentante descendit de son refuge et vint se jeter aux pieds de son père. « Elle s'agenoilla devant lui et li cria merci ;

mout li promist que du tout se contendroit à son proposement. » Malgré son violent courroux, Baudouin II laissa parler l'amour paternel. Ou plutôt, avec sa haute sagesse, il se conduisit à la fois en père et en roi. Il enleva à Alix la ville d'Antioche et tous droits sur la régence. Il se proclama lui-même régent de la principauté au nom de sa petite-fille Constance et assura à la ville une garde sûre ; il se fit jurer fidélité à lui et à l'enfant, « à la petite damoiselle Constance » et prit toutes mesures pour qu'Alix ne pût plus intervenir « car il (re)doutoit trop la malice de la mère à l'enfant, qu'ele ne la deséritast, einsi com ele voult (= voulait) fere autrefoiz ». Puis il assigna à Alix comme fief et comme résidence les deux places maritimes de Laodicée (Lattaquié) et de Gibel (Jabala), ou plutôt il lui laissa ce fief que son époux Bohémond II lui avait jadis donné en douaire. Concession, si l'on veut, à la fille du roi, à la veuve du prince, mais aussi relégation, loin de la grande ville, à l'écart, sans possibilité pour la coupable de renouer le contact avec les Turcs d'Alep[325].

*À quelle date Zengî enleva A*th*âreb à la principauté d'Antioche.*

La rapidité avec laquelle avait agi Baudouin II avait sans doute prévenu un désastre en empêchant Zengî de profiter de l'appel d'Alix pour tenter quelque coup de main sur Antioche. Si nous en croyons Kemâl al-Dîn, l'âtâbeg n'eut pas le temps d'agir, et ses troupes durent se borner à aller attaquer, à la faveur des troubles d'Antioche, les faubourgs d'A*th*âreb et ceux de Ma'arrat Me*s*rîn[326]. D'après le même auteur, Zengî ne put prendre A*th*âreb que cinq ans plus tard, en avril 1135[327]. Pour Ibn al-A*th*îr au contraire, ce fut dès 1130 que l'âtâbeg s'empara d'A*th*âreb[328]. Ce qui est certain, c'est que ce devait être là un des premiers objectifs de Zengî, la première page de toute reconquête de la Syrie du Nord par la nouvelle dynastie turque. Située seulement, on se le rappelle, à une quinzaine de kilomètres d'Alep, A*th*âreb, le Cerep des chroniqueurs, surveillait si étroitement la grande cité, que les Alépins devaient partager avec sa garnison franque les revenus de toute la partie occidentale de leur territoire. « Les tributs levés par les Francs s'étendaient jusqu'au moulin situé hors de la porte des jardins et qui n'est séparé de la ville que par la largeur du chemin. De ce fait, les Alepins vivaient dans une gêne extrême et dans une inquiétude continuelle. »

À une date qu'Ibn al-A*th*îr place donc en 1130 et que Kemâl al-Dîn recule jusqu'en 1135, Zengî entreprit le siège d'A*th*âreb. Une armée franque de secours – évidemment venue d'Antioche – s'étant présentée, il réussit à ranimer le courage des émirs locaux qui parlaient déjà de retraite ; interrompant le siège, il se porta au-devant des Francs et, après un combat acharné, les battit. De nombreux prisonniers étant tombés entre ses mains, il ordonna de ne faire aucun quartier. Au témoignage d'Ibn al-A*th*îr, il entendait imprimer à la guerre sainte un caractère de terreur. De fait, après l'espèce de *modus vivendi* qui avait fini par s'établir entre Francs et Musulmans de Syrie, c'était bien le *jihâd*, la contre-croisade qui commençait. A*th*âreb une fois pris, la consigne inexorable fut exécutée. Puis la forteresse elle-même fut démolie, « brisée à coups de marteau », rasée du sol. Plus près de l'Oronte, au sud-est du Pont de Fer, l'autre grande forteresse franque, *H*ârim ou Harenc, menacée d'un sort pareil, ne se racheta qu'au prix d'un lourd tribut : la moitié du revenu des habitants.

Toute la question pour l'histoire générale est maintenant de savoir si ces événements se placent, ainsi que le veut Ibn al-A*th*îr, à cette date de 1130, comme contre-coup de la mort de Bohémond II et du complot d'Alix, ou, comme le pense Kemâl al-Dîn, en 1135, lors de la grande campagne victorieuse de Zengî qui fit tomber entre les mains de l'âtâbeg les autres places d'outre-Oronte. Disons seulement qu'étant donné la supériorité des assertions chronologiques de Kemâl al-Dîn sur celles d'Ibn al-A*th*îr, surtout quand il s'agit de la région alépine, il nous semblerait préférable de reporter la chute d'A*th*âreb à 1135.

### *Mort de Baudouin II. La situation de la Syrie à son décès. Monarchie franque contre monarchie musulmane : l'équilibre des forces.*

L'intervention de Baudouin II à Antioche, pour devancer Zengî appelé par la félonie de la princesse Alix, fut le dernier exploit du roi. Il mourut à Jérusalem le 21 août 1131 dans la treizième année de son règne. Ses derniers moments furent ceux d'un saint. « Quant il commença à estre grevez du mal, bien senti qu'il ne vivroit pas longuement ; lors se repenti mout de ses pechiez vraiement et cria à Nostre Seigneur merci ; puis se fist porter en la meson au patriarche, porce qu'ele estoit plus près du Sepucre où Nostre Sires Jesucrist fu morz, porce que il vouloit mourir près de ce leu. Lors fist venir sa fille (sa fille aînée, Mélisende) et son gendre (Foulque d'Anjou) devant lui et un leur petit enfant de deus anz qui avoit non Baudoin (le futur Baudouin III) ; li patriarches estoit présanz et pluseurs des autres barons du roiaume. Ilec lessa le roiaume et s'en devesti devant eus. Si le bailla à son gendre et à sa fille et leur dona sa benéiçon ; après dist qu'il voloit mourir en povreté, por enneur de son Sauveur qui por lui et por les autres Crestiens avoit esté povres en ce siècle. Tantost guerpi abit et autres choses qui à roi apartenoient, et vesti robe de religion, si devint chanoines riglez de l'ordre de l'église du Sepucre. Ne demora mie que l'ame s'en parti, qui s'en ala, si com l'en doit croire, eu la compaignie des anges. Grant duel en firent petit et grant, tel com l'en doit fere de roi preudome quant il muert[329]. »

Après les règnes conquérants de Godefroi de Bouillon et de Baudouin Ier, celui de Baudouin II le Sage fut marqué par la consolidation de la conquête. De cette consolidation la transmission des pouvoirs entre Baudouin II et son gendre Foulque d'Anjou est la meilleure preuve. En dépit de l'absence d'héritier mâle la couronne devenait ainsi nettement héréditaire. Elle se transmettait désormais régulièrement, sans les hésitations qui avaient jadis marqué l'avènement de Baudouin Ier et de Baudouin II lui-même.

Cette consolidation de l'institution monarchique était singulièrement opportune. En effet l'apparition avec Zengî d'un pouvoir fort dans la Syrie musulmane annonçait que l'Islam, lui aussi, allait faire son unité politique. La lutte, relativement assez facile, de la monarchie franque contre la féodalité musulmane, telle qu'on l'a suivie dans le premier quart du douzième siècle, va faire place au duel, beaucoup plus serré, de deux monarchies organisées. C'est ce qu'a remarquablemement discerné l'historien arabe Ibn al-A*th*îr. « Précédemment, écrit-il, les chrétiens n'aspiraient à rien moins qu'à subjuguer toute la contrée, et maintenant leur ambition se bornait à conserver ce qu'ils avaient dans leurs mains[330]. » Ce changement était sans doute le résultat du redressement moral opéré par Zengî parmi les populations musulmanes : l'entrée en scène de cette forte personnalité transforma jusqu'à l'opinion que les Musulmans avaient d'eux-mêmes. Mais ce fut surtout l'apparition d'un principe d'unité dans la Syrie musulmane qui allait condamner les Francs au *statu quo*.

Du moins – et c'est le mérite de Baudouin II et de son œuvre – pour les Francs rien n'est encore compromis. Si, avec l'avènement du grand royaume zengide de Mossoul-Alep, l'heure de la prépondérance franque est passée, la création de cette puissante monarchie musulmane reste contrebalancée par le maintien, en face d'elle, d'une monarchie franque plus solide encore. À défaut de l'hégémonie chrétienne telle qu'elle s'était affirmée de 1100 à 1128, c'est du moins l'équilibre des forces.

C'est cette nouvelle phase des rapports franco-musulmans qu'il nous restera à étudier dans le prochain volume.

# NOTE
# SUR LA CHRONOLOGIE DE LA PÉNÉTRATION FRANQUE AU SAWAD, AU 'AJLÛN ET EN TRANSJORDANIE

Les chroniques arabes et latines ne nous permettent guère d'établir une chronologie absolue sur les progrès de la pénétration franque en Transjordanie et au 'Ajlûn. Nous avons vu les éléments assez pauvres que nous fournissent les Latins sur le « *Grossus Rusticus* », émir de la terre de Suète, c'est-à-dire du Sawâd (p. 245)[331]. La chronique d'Ibn al-Qalânisî, que nous avons eu l'occasion d'utiliser plusieurs fois, nous livre quelques éléments originaux, sur lesquels il importe de revenir. Sous la rubrique de l'année de l'Hégire 500 (2 septembre 1106-21 août 1107) l'auteur, après avoir rappelé les ravages des Francs au Sawâd, au Jebel 'Awuf ('Ajlûn) et au *H*aurân, nous montre l'âtâbeg de Damas *T*ughtekîn marchant contre eux et allant établir en face d'eux son camp au Sawâd. Cette campagne est rattachée par l'auteur à la guerre quotidienne de la garnison fâ*t*imide de Tyr contre la forteresse franque, récemment construite, de Toron (Tibnîn). « L'émir 'Izz al-Mulk, gouverneur de Tyr, venait d'envoyer une expédition contre Tibnîn. Il avait attaqué les faubourgs, massacré les habitants et tout pillé. À cette nouvelle, le roi Baudouin était accouru de Tibériade. L'âtâbeg *T*ughtekîn en profita pour marcher contre un château franc voisin de Tibériade, l'enleva, tua tous les chevaliers qui s'y trouvaient et se retira à al-Meddân (à l'est de la vallée du haut Yarmûk). Les Francs se retournèrent contre lui. À leur approche les troupes musulmanes se retirèrent vers le district de Ezra', au *H*aurân. Après des escarmouches d'avant-garde, les Francs rentrèrent à Tibériade. » (*Ibn al-Qalânisî*, trad. H. A. R. Gibb, *Damascus chronicle*, 75.)

Il apparaît que les événements ainsi rapportés par l'historien damasquin se relient aux luttes de Gervais de Basoches, le maître de Toron, contre les défenseurs de Tyr, racontées plus haut (pages 300-304).

Sous rubrique de même année, fin 1106, début 1107, Ibn al-Qalânisî nous parle de la tentative de *T*ughtekîn pour défendre le Moab et la Belqa' (Transjordanie), le Wâdî Mûsâ et l'al-Sherâ contre Baudouin Ier en les inféodant à un émir turcoman désigné sous le titre d'Ispahbad (= général de cavalerie). « Les Francs venaient de ravager ce pays, pillant, massacrant et réduisant en esclavage les habitants. L'Ispahbad s'établit au milieu des populations pour les rassurer. Mais les Francs, survenant à l'improviste par la voie du désert, surprirent son campement, massacrèrent sa troupe et le forcèrent à s'enfuir vers le *H*aurân. » (Ibn al-Qalânisî, 81-82.) L'Ispahbad dont il est ici question semble avoir succédé dans la Transjordanie et le 'Ajlûn damasquins au « Grossus Rusticus » d'Albert d'Aix. L'épisode doit être rapproché de ce que nous dit Albert (sous la rubrique assez hypothétique de 1107) sur l'expédition conduite par Baudouin Ier, de connivence avec le prêtre indigène Théodore, pour chasser du Wâdî Mûsâ un corps d'occupation damasquin ? (cf. *supra*, 305).

De même nous avons mentionné (p. 304) le récit assez romanesque d'Albert d'Aix sur la paix conclue entre le roi Baudouin Ier et *T*ughtekîn en ce qui concerne le Sawâd. Il convient ensuite de citer aussi le texte d'al-Qalânisî (p. 171-172) se référant à août 1109 ou 1110, où l'on nous dit que Baudouin Ier fit une expédition vers Ba'albek pour piller la Beqâ'a, mais que, *T*ughtekîn étant entré en correspondance avec lui, on convint qu'un tiers des récoltes de la Beqâ'a appartiendrait aux Francs et que les deux tiers resteraient aux Musulmans.

Pour le commencement de juillet 1111, Ibn al-Qalânisî (p. 178) nous parle d'événements qui, semble-t-il, ne sont pas en désaccord avec la chronologie des chroniqueurs francs : Baudouin Ier et Bertrand de Tripoli, rompant les trêves (?), concentrent leurs armées à Tibériade, pour attaquer la Damascène. *T*ughtekîn les arrête à hauteur de *S*anamein et un accord intervient : Baudouin aura la moitié des récoltes du Sawâd et du Jebel 'Ajlûn (Jebel 'Awuf). Si cet accord local se place bien en juillet 1111, il nous montre que *T*ughtekîn, dans le moment même où il allait se joindre à l'anticroisade seljûqide de Mawdûd (p. 318-320), n'hésitait pas à conclure une contre-assurance locale avec les Francs. Quant à la répartition des récoltes de Sawâd, il y a lieu de la rapprocher de ce que dit l'auteur sous la rubrique de 1108-1109 (1/3 pour les Francs, 2/3 pour les Musulmans. Cf. *supra*, p. 304).

Un autre renseignement curieux apporté par Ibn al-Qalânisî (p. 195-196) a trait au printemps 1113. Après avoir évoqué Jocelin de Courtenay chassé de Turbessel par Baudouin du Bourg, recueilli par le roi Baudouin Ier et investi par celui-ci de la principauté de Tibériade, le chroniqueur arabe nous montre Jocelin entrant en rapports (du consentement du roi) avec *T*ughtekîn. Jocelin offre à l'âtâbeg de Damas paix et amitié et propose de lui céder le château de Thamânîn (près de Tibnîn ?) et le Jebel 'Amila, si au Sawâd les Damasquins rendent Habîs Jaldak avec la moitié de cette province. Mais *T*ughtekîn refuse : on sait que son jeu de bascule le reportait à ce moment vers l'alliance seljûqide et qu'avec l'âtâbeg Mawdûd il allait battre Baudouin à Sinn al-Nabra (vers le 30 juin 1113, le 28 d'après la *Chronique de Damas*). Cf. *supra*, p. 322.

# NOTE
# SUR L'OCCUPATION DE MARQAB
# PAR LES FRANCS.

Nous avons indiqué les années 1117-1118 comme marquant, à la veille du désastre de l'*Ager sanguinis*, l'apogée de la domination franque en Syrie. Il n'est pas de meilleur exemple de ce fait que la remise pacifique aux Francs de la puissante forteresse de Marqab (Margat), une des maîtresses positions du Sahel syrien.

Répétons à ce propos, malgré une théorie récente, que, si les Byzantins occupèrent réellement Marqab en 1104, comme le supposait Chalandon, ils ne purent s'y maintenir que très peu de temps. Comme nous l'avons dit page 549, Marqab en 1116 appartenait à un chef musulman nommé Ibn Mu*h*riz. Pressé par les Francs, Ibn Mu*h*riz offrit à l'âtâbeg de Damas, *T*ughtekîn, de lui céder la place. Mais comme à cette époque les Francs disputaient à *T*ughtekîn la possession de Rafaniya, le prince d'Antioche, Roger, proposa à celui-ci un échange : les Francs laisseraient Rafaniya en paix si l'âtâbeg leur laissait annexer Marqab. *T*ughtekîn accepta et écrivit sur-le-champ à Ibn Mu*h*riz de remettre Marqab à Roger. Ibn Mu*h*riz, abandonné de tous, s'aboucha directement avec les Francs pour obtenir les meilleures conditions possibles : il accepta de leur remettre Marqab s'ils lui permettaient de rester avec sa famille dans la place. Comme nous l'avons vu, les Francs feignirent de conclure le marché, prirent possession de la forteresse, puis obligèrent Ibn Mu*h*riz à se contenter de Manîqa (1117-1118) (Cf. la traduction du *Tashrîf* dans Van Berchem, *Voyage en Syrie*, I, 318.)

Nous avons insiste sur cet épisode, car la cession amiable d'une forteresse aussi importante met en pleine lumière l'hégémonie franque dans le Nord avant 1119.

FIN DU TOME PREMIER

# TABLEAUX GÉNÉALOGIQUES

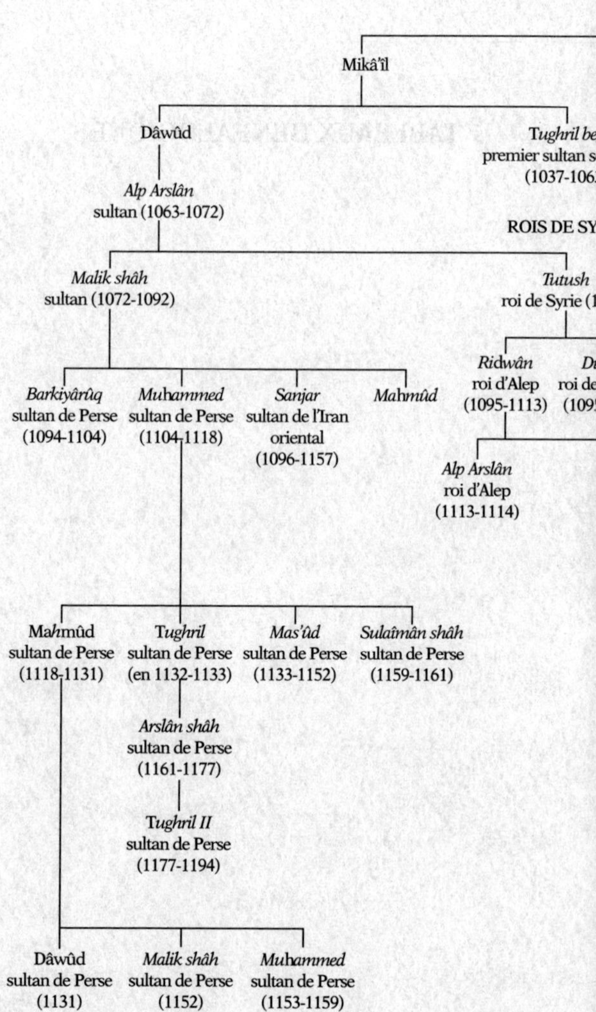
SULTANS TU
SULTANS DE PERSE
Mikâ'îl
Dâwûd
Tughril be
premier sultan s
(1037-106
Alp Arslân
sultan (1063-1072)
ROIS DE SY
Malik shâh
sultan (1072-1092)
Tutush
roi de Syrie (1
Ridwân
roi d'Alep
(1095-1113)
roi de
(109
Barkiyârûq
sultan de Perse
(1094-1104)
Muhammed
sultan de Perse
(1104-1118)
Sanjar
sultan de l'Iran oriental
(1096-1157)
Mahmûd
Alp Arslân
roi d'Alep
(1113-1114)
Mahmûd
sultan de Perse
(1118-1131)
Tughril
sultan de Perse
(en 1132-1133)
Mas'ûd
sultan de Perse
(1133-1152)
Sulaîmân shâh
sultan de Perse
(1159-1161)
Arslân shâh
sultan de Perse
(1161-1177)
Tughril II
sultan de Perse
(1177-1194)
Dâwûd
sultan de Perse
(1131)
Malik shâh
sultan de Perse
(1152)
Muhammed
sultan de Perse
(1153-1159)

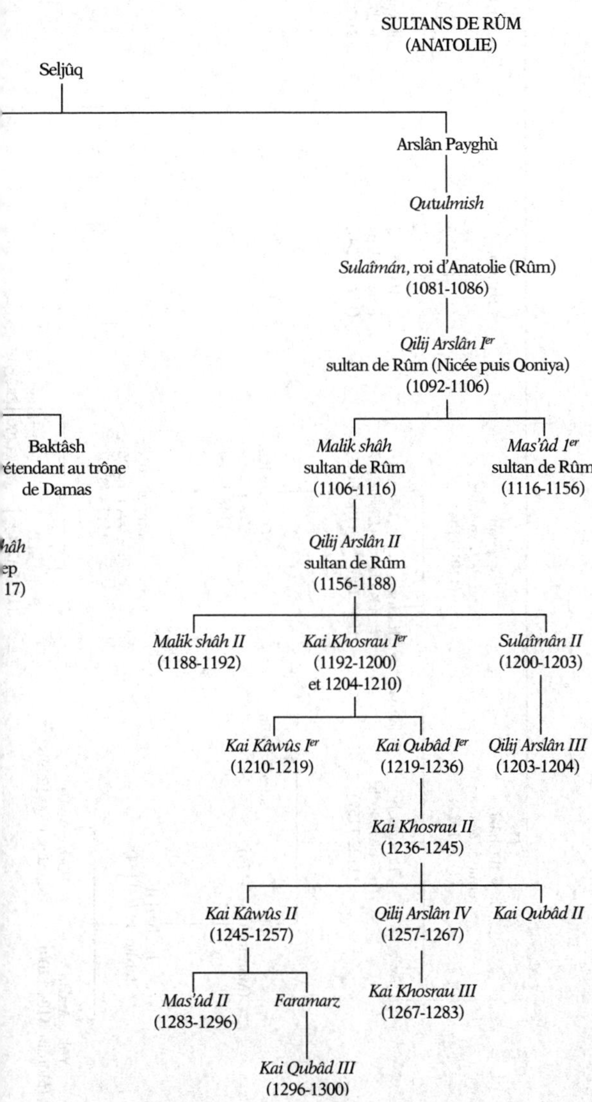

QIDES
SULTANS DE RÛM
(ANATOLIE)
Seljûq
Arslân Payghù
Qutulmish
Sulaîmán, roi d'Anatolie (Rûm)
(1081-1086)
Qilij Arslân Ier
sultan de Rûm (Nicée puis Qoniya)
(1092-1106)
Baktâsh
étendant au trône
de Damas
Malik shâh
sultan de Rûm
(1106-1116)
Mas'ûd Ier
sultan de Rûm
(1116-1156)
hâh
ep
17)
Qilij Arslân II
sultan de Rûm
(1156-1188)
Malik shâh II
(1188-1192)
Kai Khosrau Ier
(1192-1200)
et 1204-1210)
Sulaîmân II
(1200-1203)
Kai Kâwûs Ier
(1210-1219)
Kai Qubâd Ier
(1219-1236)
Qilij Arslân III
(1203-1204)
Kai Khosrau II
(1236-1245)
Kai Kâwûs II
(1245-1257)
Qilij Arslân IV
(1257-1267)
Kai Qubâd II
Mas'ûd II
(1283-1296)
Faramarz
Kai Khosrau III
(1267-1283)
Kai Qubâd III
(1296-1300)

# ÉMIRS ORTOQIDES

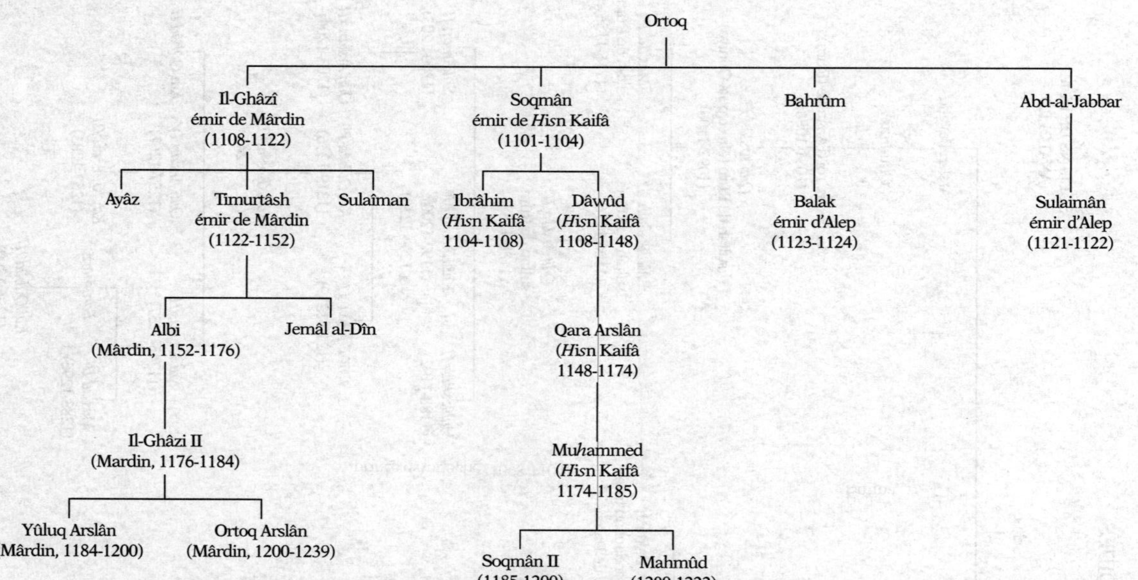

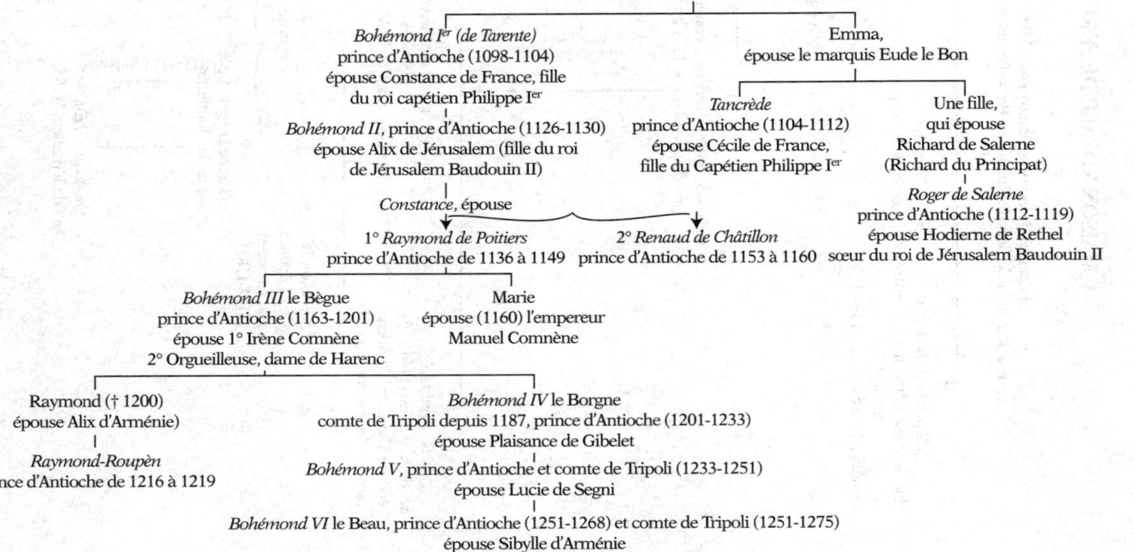
MAISON PRINCIÈRE D'ANTIOCHE (DYNASTIE NORMANDE-POITEVINE)
Robert Guiscard
duc normand de Pouille et Calabre († 1085)
*Bohémond Ier (de Tarente)*
prince d'Antioche (1098-1104)
épouse Constance de France, fille
du roi capétien Philippe Ier
Emma,
épouse le marquis Eude le Bon
*Tancrède*
prince d'Antioche (1104-1112)
épouse Cécile de France,
fille du Capétien Philippe Ier
Une fille,
qui épouse
Richard de Salerne
(Richard du Principat)
*Bohémond II*, prince d'Antioche (1126-1130)
épouse Alix de Jérusalem (fille du roi
de Jérusalem Baudouin II)
*Roger de Salerne*
prince d'Antioche (1112-1119)
épouse Hodierne de Rethel
sœur du roi de Jérusalem Baudouin II
*Constance*, épouse
1° *Raymond de Poitiers*
prince d'Antioche de 1136 à 1149
2° *Renaud de Châtillon*
prince d'Antioche de 1153 à 1160
*Bohémond III* le Bègue
prince d'Antioche (1163-1201)
épouse 1° Irène Comnène
2° Orgueilleuse, dame de Harenc
Marie
épouse (1160) l'empereur
Manuel Comnène
Raymond († 1200)
épouse Alix d'Arménie)
*Raymond-Roupèn*
prince d'Antioche de 1216 à 1219
*Bohémond IV* le Borgne
comte de Tripoli depuis 1187, prince d'Antioche (1201-1233)
épouse Plaisance de Gibelet
*Bohémond V*, prince d'Antioche et comte de Tripoli (1233-1251)
épouse Lucie de Segni
*Bohémond VI* le Beau, prince d'Antioche (1251-1268) et comte de Tripoli (1251-1275)
épouse Sibylle d'Arménie
*Bohémond VII*, comte de Tripoli (1275-1287)

## MAISON ROYALE DE JÉRUSALEM

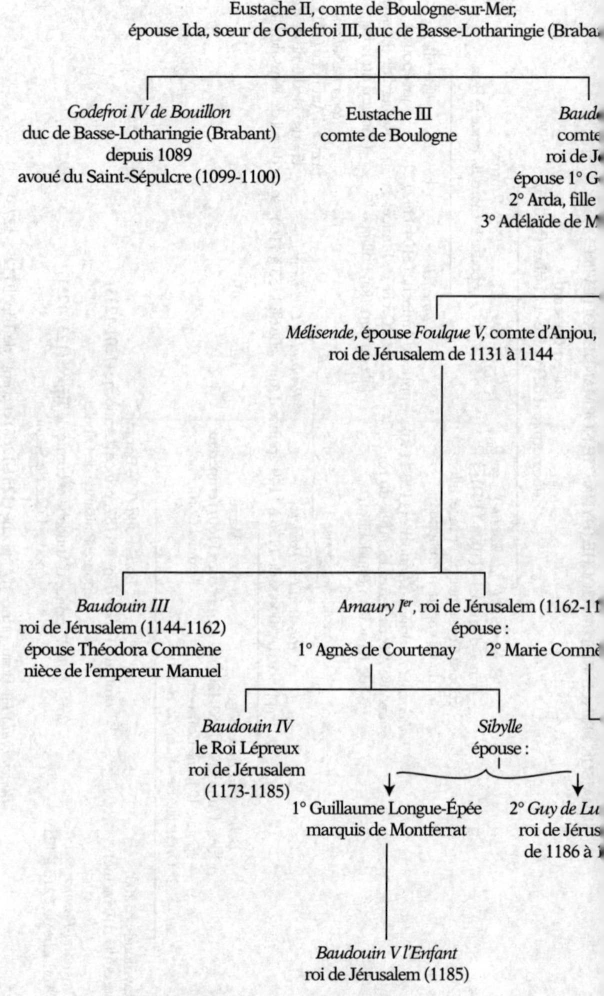

# NASTIE DE BOULOGNE-ARDENNE-ANJOU)

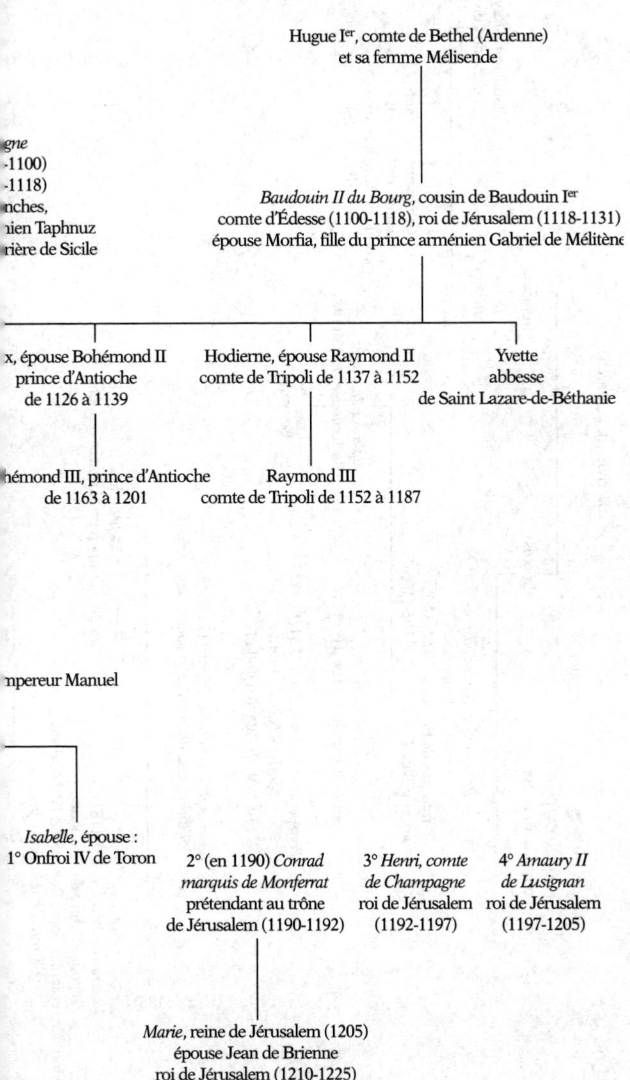

## MAISON COMTALE DE TRIPOLI (DYNASTIE DE TOULOUSE-PROVENCE)

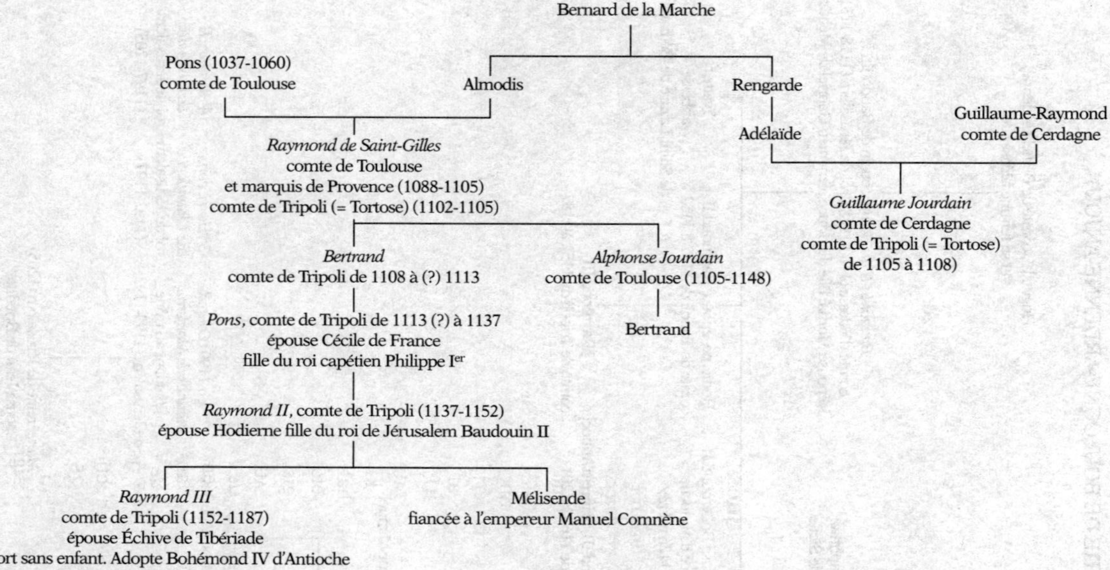

# NOTES

## Introduction

1. Cf. *L'Estoire de Éracles, empereur, et la conqueste de la Terre d'Outremer*, in : *Historiens Occidentaux des Croisades*, t. I, et l'édition de Paulin Paris, plus correcte (*Guillaume de Tyr et ses continuateurs, texte français du treizième siècle, revu et annoté par Paulin Paris*, Paris, Firmin-Didot, 1879). Nous citons volontiers, à cause de sa belle langue, la traduction de GUILLAUME DE TYR en vieux français, bien que composée seulement au treizième siècle et en France, mais nous donnons, quand il le faut, l'original latin. Rapppelons que, pour la période entre 1095 et 1143, Guillaume travaille sur les chroniqueurs antérieurs, comme Albert d'Aix, Tudebode, Foucher de Chartres. De 1143 à 1184 il fait œuvre originale.

2. GUILLAUME DE TYR, I. 14.

3. Ici le khalifat 'abbâside, qui comprenait en effet l'Irâq et l'Iran.

4. Le khalifat fâ*t*imide qui, à l'époque où commencent les Croisades, était établi en Égypte.

5. « Magis in armis strenuus. » GUILLAUME DE TYR, I, 15 ; II, 915.

6. GUILLAUME DE TYR, I, 15. Cf. GRAEFE, *Hâkim bi Amri'llâh*, in *Encyclop de l'Islam*, liv. 21, p. 238. Et sur la tolérance générale des Fâ*t*imides envers les Coptes et la place officielle que l'Église copte occupait dans l'Égypte fâ*t*imide, l'article de Gaston WIET, *Kibt*, in *Encyclop. de l'Islam*, livr. 33, 1053 et, du même, *Précis de l'histoire d'Égypte*, II, 181.

7. Traduction de GUILLAUME DE TYR, 22.

8. *Ibid.*, 25.

9. Belfeth, du surnom d'Abu'l Fata*h*, sous lequel Alp Arslân est souvent désigné. Cf. BAR HEBRAEUS, *Chron. syr.*, p. 242.

10. GUILLAUME DE TYR, 29.

11. Texte de cette lettre dans G. SCHLUMBERGER, *Nicéphore Phocas*, p. 427-430.

12. Cf. G. SCHLUMBERGER, *Épopée byzantine*, I, 233-234.

13. La Syrie du Nord, avec Alep, fit aussi tout d'abord partie de l'émirat ikhshîdite, mais elle fut presque immédiatement (944) enlevée aux Ikshîdites par le *h*amdânide Saîf al-Dawla.

14. Bibliographie dans SOBERNHEIM, *Hamdânides, Encyclop. de l'Islam*, II, p. 263-265. Sur la dynastie kurde des Marwânides qui régna à la même époque au Diyârbékir (990-1096), voir l'article de ZETTERSTÉEN, *Encyclop. de l'Islam*, liv. 42, p. 356. Sur Alep, bonne monographie par SOBERNHEIM. *Halab, Encyclop. de l'Islam*, livr. 21, p. 241-252.

15. Les Phocas, comme les Argyres et les Maleinos, avaient leurs domaines en Cappadoce ; Tzimiscès et Gourgèn étaient Arméniens ; les terres des Doukas s'étendaient entre la Bithynie et la Paphlagonie ; les Comnènes étaient installés près de Kastamon (Qas*t*amûnî) en Paphlagonie ; les Dalassènes dans le Thème Arméniaque (entre Paphlagonie et Pont) ; les Kékauménos, à Colonée, dans le Pont (Thème Chaldaïque) ; les Diogènes dans le Thème de Kharsian (Cappadoce centrale) ; les Botaniatès et les Bourtzès dans le Thème des Anatoliques (sud-ouest de la Phrygie, autour d'Amorium). Cf. J. LAURENT, *Byzance et les Turcs Seldjoucides*, p. 103.

16. Mala*t*iya fut par la suite (969) repeuplé par l'empereur Nicéphore Phocas et, grâce au patriarche jacobite Mar Yo*h*annan Sarîgtâ, avec une importante immigration syriaque jacobite. Cf. BAR HEBRAEUS, *Chronic. ecclesiast.*, éd Abbeloos-Lamy, I, 411. – HONIGMANN, *Malatya, Encycl. de l'Islam*, liv. 40, p. 210.

17. RAMBAUD, *Constantin Porphyrogénète*, 422-433.

18. Cf. SCHLUMBERGER, *Nicéphore Phocas*, 32-251.

19. *Nicéphore Phocas*, 243.

20. SCHLUMBERGER, *Nicéphore Phocas*, 427-430.

21. *Nicéphore Phocas*, 476.

22. SCHLUMBERGER, *Nicéphore Phocas*, 472-502. – HONIGMANN, *Missis, Encyclop. de l'Islam*, livr. 46, p. 593.

23. L'établissement de la domination byzantine à Antioche devait avoir pour conséquence d'accroître l'immigration arménienne dans cette ville ; dès 978 les Arméniens étaient assez nombreux à Antioche pour y fomenter une émeute contre le gouverneur byzantin (J. LAURENT, *Byzance et les Seldjoucides*, 69).

24. Cf. SCHLUMBERGER, *Sigillographie byzantine d'Antioche et de Chypre*, 1. *Ducs byzantins d'Antioche*, in *Archives de l'Orient latin*, I, 423. Voici d'après Schlumberger la liste des ducs byzantins d'Antioche : Michel Bourtzès, 976. – Damianos, vers 1002. – Nicéphore Ouranos, 1003. – Michel Spondyle, 1025-1030. – Constantin Caranti-

nos, beau-frère de l'empereur Romain III Argyre, 1030. – Nicétas de Misthée, 1030-1034. – Nicétas, frère de l'empereur Michel IV le Paphlagonien, 1034. – Constantin, autre frère de Michel IV, 1034-1037 ? – Skléros, 1054. – Nicéphore Katakalon (Kekauménos), 1054 ?-1056. – Michel Ouranos, cousin de l'empereur Michel IV Stratiotikos, 1056-1059. – Nicéphore le Bucellaire, 1059-1060. – Khatchatour d'Ani, 1060-1073. – Joseph Tarkhaniotès, 1073-1074. – Isaac Comnène, 1074-1078 ? – Philaretos Brakhamios, 1078 ?-1085.

25. Cf. SCHLUMBERGER, *Nicéphore Phocas*, 695-735.

26. SCHLUMBERGER, *Épopée*, I, 243-259. – E. Honigmann a établi que ce n'est qu'au cours de cette campagne de Jean Tzimiscès, en 974, que les Byzantins s'emparèrent de la forteresse de Menbij, l'ancienne Bambyke-Hierapolis, dont certains auteurs attribuent par erreur la conquête à Nicéphore Phocas en 968. Cf. HONIGMANN, *Manbidj*, in *Encyclop. de l'Islam*, livr. 40, p. 249.

27. *Ibid., Épopée*, I, 280-308.

28. *Ibid.*, 296.

29. Lettre de Jean Tzimiscès à Ashod III d'Arménie, d'après la *Chronique de Matthieu d'Édesse, Recueil des historiens des Croisades, Documents arméniens*, I, 13-20.

30. C'est-à-dire que là comme à Damas, Tzimiscès accorda l'investiture aux chefs musulmans locaux qui reconnaissaient de bonne grâce sa suzeraineté. Sauf à Antioche, la croisade byzantine n'entraîna nulle part la dépossession des autorités musulmanes, mais seulement leur vassalité.

31. Les Fâ*t*imides d'Égypte.

32. MATTHIEU D'ÉDESSE, *Chronique*, in *Recueil des historiens des Croisades, Documents arméniens*, I, p. 18.

33. Cf. DUSSAUD, *Topographie historique de la Syrie*, 151-152.

34. SCHLUMBERGER, *Épopée*, I, 307.

35. Et aussi d'Édesse, qui, on le verra, fut byzantine de 1031 à 1077, ou même, si l'on compte Philaretos comme gouverneur byzantin, jusqu'en 1087.

36. Voici la liste de ces *H*amdânides d'Alep : Saîf al-Dawla (944-967), Sa'ad al-Dawla, fils de Saîf (967-991), Sa'îd al-Dawla, fils de Sa'ad (991-1001).

37. SCHLUMBERGER, *Épopée*, II, 59-98.

38. Ou plus exactement sogdienne.

39. Cf. SCHLUMBERGER, *Épopée*, III, 88-90.

40. *Ibid.*, 97-120.

41. La résidence des rois pagratides fut à Kars de 928 à 961, puis à Ani de 961 à 1041, lorsque le roi Ashod III eut donné Kars à son frère cadet Mousheg qui y fit souche d'une dynastie particulière.

42. En 970, puis en 982, deux autres fiefs se détachèrent du domaine royal pagratide, celui de Siounie, au nord de l'Araxe, entre Érivan et Djoulfa, et celui de Lori, sur la frontière géorgienne.

43. La détermination de Sénékérim lui fut en partie inspirée par l'apparition de pillards turcs, avant-coureurs de l'invasion seljùqide, qui, en 1021, vinrent ravager le Vaspourakan (cf. J. Laurent, *Byzance et les Seldjoucides*, p. 16-17).

44. En échange de leurs États héréditaires, les princes arméniens dépossédés reçurent de l'Empire byzantin des fiefs en Cappadoce. Ce fut ainsi qu'en échange du Vaspourakan, le roi Sénékérim reçut la région de Sîwâs (1021). De même le roi Kakig II, en échange d'Ani, reçut un fief dans le thème de Lykandos, au sud-est de Qai*s*ariya (1045). Quant à Kakig de Kars, il reçut en fief Amasia et Comana dans le nord de la Cappadoce (1064).

45. De même Streck : « Une bande avide d'ecclésiastiques grecs prit possession des riches évêchés, abbayes et prébendes d'Arménie. Les Orthodoxes exercèrent d'interminables persécutions et la mauvaise humeur causée aux Arméniens par leur gouvernement insensé nous donne aussi la clef du succès des Seljûqides. » Répétons toutefois que ce fut la menace de l'invasion turque qui détermina les princes arméniens à céder leurs domaines à l'Empire byzantin estimé seul capable de défendre le pays contre un tel péril : l'invasion turque de 1021 au Vaspourakan détermine le roi du pays, Sénékérim Ardzrouni, à céder ce pays à l'empereur Basile II. C'est l'approche des Seljûqides qui détermine de même, en 1021-1022, Sempad III, roi d'Arménie (Ani), à faire un testament en faveur de Basile II et à le reconnaître, en attendant, comme suzerain. En 1043 c'est le péril seljûqide, de plus en plus menaçant, qui détermine l'empereur Constantin Monomaque à réclamer l'exécution du testament de Sempad III, et c'est encore le péril turc qui pousse enfin le roi Kakig II à accepter la remise d'Ani aux Impériaux contre cession d'un fief en Cappadoce (1045). Enfin la remise de Kars aux Impériaux par le dernier roi local, Kakig, en 1064, fut le contre-coup direct de l'invasion du sultan seljûqide Alp Arslân. Cf. J. Laurent, *Byzance et les Seldjoucides*, 16-21.

46. Mais sans Tovin, au nord-est, qui dépendait des émirs d'Adharbaijân, ni Khilâ*t* (au nord-ouest du lac de Van) qui dépendait des émirs Merwânides du Diyârbékir, maîtres de *His*n Kaifâ, de Maiyâfâriqîn et d'Amida.

47. Cf. J. H. Kramers, Article *Sultân*, in *Encyclopédie de l'Islam*, liv. J, 569 (1928). Sur les Turcs avant leur pénétration en Iran, le dernier aperçu général est celui du regretté W. Barthold, Article *Türks*, dans l'*Encyclopédie de l'Islam*, liv. 0, p. 947.

48. Cf. Mas'udî, *Prairies d'or*, I, 337,

49. Cf. HOUTSMA, *Tughrilbeg*, in *Encyclop. de l'Islam*, 872 (1930).

50. Cf. Carl NEUMANN, *Situation mondiale de l'empire byzantin avant les Croisades*, trad. Renauld et Kozlowski, 1905, p. 80-93.

51. Je me conforme ici à l'orthographe habituelle. La véritable forme turque du nom paraît avoir été Qu*t*lumish.

52. SCHLUMBERGER, *Épopée byzantine*, III, 542-564. L'insuccès relatif des Chrétiens s'explique par le fait que la majeure partie des troupes byzantines avaient dû aller en Europe défendre l'empereur Constantin Monomaque contre la révolte de Léon Tornikios (J. LAURENT, *Byzance et les Seldjoucides*, 22).

53. *Épopée*, 600-609. Noter que ce fut un mercenaire latin ou « franc » qui alla jusque dans le camp turc incendier la plus dangereuse machine de siège.

54. Certaines sources placent la prise d'Ani au 6 juin, d'autres au 16 août 1064.

55. Menbij passa par la suite au prince arménien Philaretos. Les Turcs ne s'en emparèrent qu'en 1075.

56. Les Byzantins rendirent responsables de cette défaite les Arméniens, entre autres les princes Ardzrouniens Adom et Abousahl, fils du dernier roi de Vaspourakan, établis autour de Sébaste, qui auraient trahi Alexis Comnène. En 1071 Romain Diogène se rendit à Sébaste, mit à sac les établissements arméniens, déposséda les Ardzrouniens de leurs fiefs et les chassa.

57. Reconstitution chronologique de J. LAURENT, *Byzance et les Seldjoucides*, 25-26.

58. Le 26 août d'après NEUMANN. Le 19 août d'après J. LAURENT, *Byzance et les Seldjoucides*, p. 43, note 10.

59. On s'en tient d'ordinaire pour cette bataille à la forme populaire Manazgherd, mais la transcription correcte du nom est Malâzgerd. Cf. BÜCHNER, *Malâzgerd*, in *Encyclop. de l'Islam*, liv. 40, p. 214.

60. Pour ces événements, critique des sources in : RAMBAUD, *Michel Psellos (Revue historique*, 1877, 275). – G. SCHLUMBERGER, *Deux chefs normands du onzième siècle, Hervé et Roussel de Bailleul* (*Revue historique*, 1881, 297-298). – Carl NEUMANN, *Situation mondiale de l'empire byzantin avant les Croisades*, trad. Renauld, 105-108. – J. LAURENT, *Byzance et les Seldjoucides*, 59-61.

61. Cf. HOUTSMA, *Malik shâh*, in *Encyclop. de l'Islam*, fasc. 40, 225.

62. ZETTERSTÉEN, *Sulaimân b. Qutulmish* (*Encyclop. de l'Islam*, 558).

63. SCHLUMBERGER, *Deux chefs normands au onzième siècle* (*Revue historique*, 1881, 298-301). – Parmi les petits émirs turcs qui se taillèrent alors des fiefs en Anatolie orientale, citons notamment Mengü-

chek qui s'établit à Erzinjân, Colonia et Diwrigi. Cf. HOUTSMA, *Mengucek* (*Encyclop. de l'Islam*, liv. 45, p. 525).

64. Botaniatès revêtit les insignes impériaux dans son gouvernement des Anatoliques le 2 juillet 1077. Il fut acclamé empereur à Sainte-Sophie le 7 janvier 1078.

65. J. LAURENT, *op. cit.* 96 note 1 ; 97 note 3 ; 98 note 2.

66. *Ibid., op. cit.*, 98, note 3.

67. J. LAURENT, *Byzance et les Seldjoucides*, 96.

68. Discussion d'après les sources, in J. LAURENT, *Byzance et les Seldjoucides*, p. 12, note 1. Cf. HONIGMANN, *Iznîq*, in *Encyclop. de l'Islam*, II, 606.

69. Cf. MORDTMANN, *Izmîd* (*Encyclop. de l'Islam*, II, 603), d'après Anne Comnène, éd. Reifferscheidt, I, 212, 247, et II, 72.

70. Nous ne connaissons ce personnage que par son nom hellénisé et d'après Anne Comnène. Cf. MORDTMANN, *Izmîr*, in *Encyclop. de l'Islam*, II, 604.

71. Voir plus bas, pages 322-332 *(Raymond de Saint-Gilles et les croisades d'Anatolie)*.

72. J. LAURENT, *Byzance et les Seldjoucides*, 13.

73. Trébizonde était encore aux Byzantins en 1071. Après une brève occupation turque, ils l'avaient déjà recouvrée en 1075 (J. LAURENT, *op. cit.*, 67, 2).

74. J. LAURENT, *op. cit.*, p. 12, note 2.

75. *Ibid.*, p. 109.

76. K. V. ZETTERSTÉEN, *Sulaiman b. Qutulmish*, in *Encyclop. de l'Islam*, 558.

77. Philaretos fit d'abord gouverner Mèlitène par un autre chef arménien, Thoros, fils de Héthoum (que nous verrons ensuite gouverneur d'Édesse) ; après Thoros, Mélitène fut administrée par d'autres lieutenants de Philaretos, l'Arménien Hareb, Bala*t*ianos, et enfin le célèbre Gabriel (MICHEL LE SYRIEN, III, 173-174, et HONIGMANN, *Malatya, Encyclop. de l'Islam*, 211).

78. MICHEL LE SYRIEN, *Chronique*, éd. Chabot, III, fasc. 2, 173.

79. J. LAURENT, *Byzance et les Seldjoucides*, p. 84. – L'autre grande ville syrienne occupée par les Byzantins, Césarée (Shaîzar) de l'Oronte, leur fut arrachée vers cette même époque par les Arabes. Le 19 décembre 1081, l'émir arabe 'Alî ibn Munqi*dh* enleva la citadelle de Shaizar à l'évêque qui l'administrait pour le compte de l'Empire (MICHEL LE SYRIEN, III, II, 178). Ibn Munqi*dh* fut le fondateur de la dynastie munqi*dh*ite qui posséda Shaîzar de 1081 à 1157. Cf. HONIGMANN, *Shaizar* (*Encyclop. de l'Islam*, E, 297).

80. D'autre part les chroniqueurs syriaques, comme Michel le Syrien (III, II), l'ont exécré à la fois comme Arménien et comme Grec. Les Arméniens, pour des raisons confessionnelles, l'ayant éga-

lement renié, Philaretos a eu une très mauvaise réputation dans l'histoire.

81. Les 'Oqailides avaient occupé Mossoul en 996 sous leur émir *H*usâm al-Dawla Muqallad. Ils conservèrent cette ville jusqu'en 1096, époque où ils furent dépossédés par le capitaine turc Kurbuqa, lieutenant des Seljûqides. – Les événements que nous rappelons ci-dessus se déroulent sous le règne du 'oqailide Sharaf al-Dawla Abu'l Makârim Muslim ibn Quraish, émir de Mossoul de 1061 à 1085.

82. Ibn al-A*th*îr affirme de même : « Philaretos se mit entre les mains du sultan Malik-shâh qui lui confia (= confirma) le gouvernement d'Édesse. Après la mort de Philaretos, Édesse tomba au pouvoir de l'émir Buzân » (*Hist. Or.*, T, 244).

83. Cf. DULAURIER, in MATTHIEU D'ÉDESSE, Doc. arméniens, I, p. 30, note 1. – HONIGMANN, *Malatya*, in *Encyclop. de l'Islam*, livr. 40, p. 211.

84. Le prince mirdâside alors régnant à Alep était Abu'l Fa*d*â il Sâbiq qui fut le dernier de la dynastie (1076-1079).

85. Cf. HOUTSMA, *Tutush*, in *Encyclop. de l'Islam*, livr. P, p. 1034, et SOBERNHEIM, *Halab, ibid.*, livr. 21, p. 246.

86. IBN AL-A*TH*ÎR, éd. Tornb., X, 70-72.

87. Notons que, dans cette redistribution, les émirs munqidhites de Shaîzar durent abandonner au sultan seljûqide le port de Lâdhiqiya ou Lattaquiè, Cf. HONIGMANN, *Ladhiqiya*, in *Encyclop. de l'Islam*, 37, 3.

88. Tutush ne paraît pas avoir protesté contre les décisions de son frère aîné, mais, après la mort de celui-ci, il devait chercher à se venger sur ses neveux de sa déconvenue de 1086.

89. Cf. HOUTSMA, Article *Malik shâh*, in *Encyclop. de l'Islam*, III, 226. Et H*asan ibn al-Sabbah* (*Encyclop. de l'Islam*, livr. 22, p. 293).

90. Cf. DEFRÉMERY, *Recherches sur le règne du sultan seldjoukide Barkiarok*, in *Journal asiatique*, avril-mai 1853, 425. – ZETTERSTÉEN, Article *Barkiyârûq*, in *Encyclop. de l'Islam*, I, 678-679. – HOUTSMA, *Muhammad ibn Malik shâh*, in *Encyclop. de l'Islam*, livr. 48, p. 718.

91. On trouve chez les historiens musulmans les deux orthographes ; Barkiyûrûq ou Barkiyâruq.

92. Ce fut pratiquement la fin de la dynastie 'oqailide à Mossoul.

93. Le dernier marwânide, dépossédé par Barkiyârûq, fut Man*s*ûr ibn Na*s*r (1079-1093).

94. L'émir d'Antioche, Yâghî Siyân, resta fidèle à Tutush.

95. La disparition de Buzân permit au chef arménien Thoros, ancien lieutenant de Philaretos, de se rendre pacifiquement maître d'Édesse, d'ailleurs, semble-t-il, avec l'assentiment et sous la suzeraineté de Tutush. Tutush étant mort peu après, Thoros devint indépendant à Édesse, où la première croisade le trouva solidement établi. Cf. MICHEL LE SYRIEN, III, II, 183.

96. Barkiyârûq obligea seulement Ri*d*wân à relâcher l'émir Kurbuqa fait prisonnier quelques mois plus tôt par Tutush. Une fois libre, Kurbuqa alla, avec le consentement de Barkiyârûq, enlever Mossoul au dernier émir arabe de la dynastie 'oqailide, 'Alî ibn Muslim qui y avait été laissé par Tutush. Kurbuqa s'empara de Mossoul après un siège de neuf mois (octobre-novembre 1096). Nous le verrons encore en possession de l'émirat de Mossoul au moment de la première croisade.

97. Cf. K. V. Zetterstéen, *Mazyadites* (*Encyclop. de l'Islam,* 496).

98. Cf. article S*adaqa* par Zetterstéen, *Encyclop. de l'Islam,* 37.

99. Defrémery, *Recherches sur le règne de Barkiarok,* J. A., septembre-octobre 1853, 292.

100. Cf. Zetterstéen, *Mazyadites,* in *Encyclop.* de l'Islam, livr. 44, p. 496.

101. *Ibid., Sukmân ibn Ortok,* in *Encyclop. de l'Islam,* livr. I, 534-535. – Süssheim, *Il Ghâzî,* livr. 25, 495.

102. La date d'août 1096 donnée par certaines sources pour la reconquête de Jérusalem par les Fâ*t*imides paraît beaucoup moins plausible que celle d'août 1098. Cf. F. Buhl, *Al Kuds,* in *Encyclop. de l'Islam,* p. 1163 ; Zetterstéen, *Sokmân ibn Ortok* (*Encyclop. de l'Islam,* 534) ; – Hagenmeyer, *Chronologie de la Première Croisade* (*Rev. de l'Orient latin,* 1899-1900, 320-322).

103. Ibn al-A*th*îr, *Hist. orient.,* I, 197-198.

104. Abû *T*âlib Amin al-Dawla al-*H*asan.

105. Jalâl al-Mulk Abu'l-*H*asan Alî, neveu et successeur du « Qâ*d*î ».

106. Abû'Alî Fakhr al-Mulk 'Ammâr ibn Mu*h*ammed, frère et successeur de Jalâl al-Mulk.

107. Sobernheim, *Ibn 'Ammâr,* in *Encyclop. de l'Islam,* livr. 23, p. 382-383.

108. Guillaume de Tyr, *Hist. occ.,* II, 1015-1016.

109. Anne Comnène, *Alexiade,* VI, 304, cité par Chalandon, *Alexis Comnène,* 100.

110. Chalandon, *Alexis Comnène,* 101.

111. Cf. *Kilidj Arslân,* in *Encyclop. de l'Islam,* livr. 33, p. 1065.

112. Chalandon, *Alexis Comnène,* 147.

113. Cf. Mordtmann, *Dânishmendiya, Encyclop. de l'Islam,* I, 937.

114. Citations groupées par J. Laurent, *Byzance et les Seljûqides,* 51 et 74.

115. Michel le Syrien, éd. Chabot, III, ii, 181.

116. Chalandon, *Alexis Comnène,* 60-94.

117. Voir plus bas, p. 369.

## Chapitre I

1. Robert Ier le Frison, comte de Flandre de 1071 à 1093. Cf. Pirenne, *Hist. de Belgique*, I, 98.

2. *Gesta Dei per Francos*, in *Historiens occidentaux des Croisades*, IV, 131-132. Cf. Riant, *Inventaire des lettres historiques des Croisades* (*Archives de l'Orient latin*, I, 71-89.

3. Thèse solidement étayée par Chalandon, *Alexis Comnène*, 325-326.

4. Rappelons en effet que sur cette question de la lettre d'Alexis Comnène à Robert de Flandre, Rœhricht est beaucoup moins négatif que Riant et Chalandon. Rœhricht, se fondant sur deux textes d'Ekkehard, admet, comme d'ailleurs Hagenmeyer, l'authenticité de la lettre à Robert, sinon dans la forme à nous transmise, au moins pour le fond. Voir Rœhricht, *Geschichte des ersten Kreuzzuges*, 16. Cf. Hagenmeyer, *Der Brief des Kaisers Alexios an den Grafen Robert* (*Byzantinische Zeitschrift*, VI, 1-32). – Hagenmeyer, *Epistolœ et chartœ ad historiam primi belli sacri spectantes*, 1901.

5. *Chronique de Michel le Syrien, patriarche jacobite d'Antioche (1166-1199)*, trad. Chabot, III, fasc. 2, p. 182.

6. Chalandon, *Histoire de la Première Croisade*, 20-37.

7. Foucher de Chartres, *Historiens occidentaux*, III, 323 ; Robert le Moine, *ibid.*, III, 727 ; Baudri de Bourgueil, *ibid.*, IV, 12 ; Guibert de Nogent, *ibid.*, IV, 137.

8. Baudri de Bourgueil, *Histor. occid.*, III, 15. – Foucher de Chartres, *Histor. occid.*, IV, 323.

9. *Ibn al-Athîr*, X, 46, 61, 68.

10. Foucher de Chartres, *loc. cit.*, IV, 323.

11. Robert le Moine, *Histor. occid.*, III, 729.

12. Michel le Syrien, *Doc. arm.*, I, 327.

13. Chalandon, *Première Croisade*, 47-49, analysant Baudri de Bourgueil (*Histor. occid.*, IV, 16).

14. La légende de Pierre l'Ermite, telle qu'elle a été cristallisée par la suite, se trouve tout au long dans l'*Historia Belli Sacri* (*Histor. occid.*, III, 166. Voir aussi Guillaume de Tyr, *Histor. occid.*, I, 34.

15. Cf. Chalandon, *Première Croisade*, p. 61-62.

16. Récit tendancieux dans Albert d'Aix, *Histor. occid.*, IV, 276.

17. Chalandon, *Première Croisade*, 68-78.

18. *Histoire anonyme de la Première Croisade*, trad. Bréhier. *Classiques de l'Histoire de France au moyen âge*, 1924, p. 7.

19. *Première Croisade*, 76-77.

20. *Histoire anonyme*, éd. Bréhier, p. 6-7.

21. *Histoire anonyme*, éd. Bréhier, p. 9. – Anne Comnène, *Alexiade*, X, 6, p. 77.

22. Anne Comnène appelle le chef turc qui a battu les Croisés à Xérigordon, Elkhanès (*Alexiade*, I, II, 8 A). C'est là simplement le titre d'*ilkhân*.

23. *Histoire anonyme*, p. 11.

24. Cf. ALBERT D'AIX (I, 22, p. 289). Ce fait infirme ce que l'*Histoire anonyme* (p. 13) nous dit de la joie qu'Alexis Comnène aurait éprouvée à la nouvelle du désastre.

25. Cf. *Relation* de Salomon bar Simeon, publiée in NAUBAUER et STERN, *Quellen zur Geschichte der Juden*, II, 1892.

26. Le témoignage des écrivains juifs, notamment Salomon Bar Siméon et Eliezer Bar Nathan, in NEUBAUER et STERN, *Quellen zur Geschichte der Juden*, II, est résumé et analysé dans CHALANDON, *Première Croisade*, 96-107.

27. Récit de Ya*h*yâ d'Antioche, in VINCENT et ABEL, *Jérusalem*, II, 243.

28. Baudouin du Bourg est donné comme le cousin de Godefroi et de Baudouin de Boulogne dans les *Lignages d'outre-mer* (*Assises de Jérusalem*, t. II, p. 441). Hugue Ier de Rethel ne mourut qu'en 1118.

29. Baudouin II, comte de Hainaut de 1071 à 1098.

30. Grez, dans le Brabant méridional.

31. Luxembourg actuel. – Cf. ALBERT D'AIX, *Histor. oecid.*, IV, 299.

32. GUILLAUME DE TYR, livr. IX, chap. V, p. 371. – GUIBERT DE NOGENT, liv, VII, chap. XI, p. 229.

33. ALBERT D'AIX, *Historia Hierosolymitana*, in *Histor. occid.*, IV, 299-520.

34. CHALANDON, *Première Croisade*, 291.

35. GUILLAUME DE TYR, liv. X, chap. II, p. 401-402. GUIBERT DE NOGENT, liv. VII, chap. XXXIX, p. 255.

36. DODU, *Institutions monarchiques du royaume de Jérusalem*, 137.

37. ALBERT D'AIX, *Histor. occid.*, IV, 299-304.

38. ALBERT D'AIX, 304-305.

39. *Alexiade*, I, X, 9, 53.

40. CHALANDON, *Alexis Comnène*, 176-177, et *Première Croisade*, 117-119.

41. Cf. Anne COMNÈNE, *Alexiade*, I, X, 7, 36, 39, et la démonstration qu'en tire CHALANDON, *Première Croisade*, 121.

42. Il est à remarquer que l'historien lotharingien Albert d'Aix, pour désigner Alexis Comnène, traduit souvent *basileus*, non par *imperator* mais par *rex Grœciœ* (*Historia Hierosolymitana*, 305).

43. CHALANDON, *Alexis Comnène*, 178-179.

44. ALBERT D'AIX, 306 ; GUILLAUME DE TYR, 83

45. Critique des sources (ALBERT D'AIX, 307-308, et *Alexiade*, I, 10, 9, 48) dans CHALANDON, *Alexis Comnène*, 180-182, et *Première Croisade*, 126-128.

46. CHALANDON, d'après l'*Alexiade*, I, X, 55 ; ALBERT D'AIX, 310 ; GUILLAUME DE TYR, I, 87-88.

47. *Histoire anonyme de la Première Croisade*, éd. Bréhier, collection Halphen, 19-20. – On sait que Bohémond, né entre 1052 et 1060, était le fils aîné de Robert Guiscard. Cf. CHALANDON, *Histoire de la domination normande en Italie*, I, p. 302.

48. Tancrède était né vers 1072. Il était fils du marquis Eude de Bon. Sa mère, Emma, était la sœur de Bohémond. Cf. REY, *Histoire des princes d'Antioche, Revue de l'Orient latin*, 1896, II-III, 323-324. – F. DE SAULCY, *Tancrède*, Biblioth. de l'École des Chartes, t. IV, 1842, p. 301-315.

49. Connu sous le nom de « Richard du Principat », c'est-à-dire de la Principauté (de Salerne). Il était le fils de Guillaume du Principat, comte de Salerne, frère de Robert Guiscard.

50. *Histoire anonyme*, éd. Bréhier, 22-23.

51. *Histoire anonyme*, p. 24-25 ; RAOUL DE CAEN, *Gesta Tancredi, Histor. occid.*, III, 607-610.

52. *Alexiade*, X, 11, 63-65, 97-98.

53. *Histoire anonyme* ; 31.

54. *Ibid.*, 33-35 ; RAOUL DE CAEN, *Gesta Tancredi, Histor. occid.*, III, 612-614.

55. Transformé en Gaston de Béziers par ALBERT D'AIX, IV, 316.

56. Raymond D'AGILES, *Historia Francorum qui ceperunt Jherusalem*, in *Historiens occidentaux*, III, 235 236.

57. Respondit comes : « Se ideo non venisse ut dominum alium faceret aut alii militaret, nisi Illi propter quem patriam et bona patriæ suæ dimiserat. Et tamen fore, si imperator cum exercitu iret Iherosolimam, quod se et sua omnia illi committeret. » Sed imperator excusat iter, dicens : « Præmetuere se Alemannos et Ungaros et Comanos, aliasque feras gentes, quæ imperium suum depopularentur, si ipse transitum cum peregrinis faceret. » Raymond D'AGILES, *Histor. occid.*, III, 238.

58. Raymond D'AGILES, III, 238.

59. FOUCHER DE CHARTRES, *Historia Iherosolymitana, Histor. occid.*, III, 331-332.

60. « In veritate tibi dico, hodie talis vivens homo non est sub cœlo ! » *Epistolœ Stephani, comitis Carnotensis ad Adelam, uxorem suam* (*Histor. occid.*, III, 885).

61. CHALANDON, *Alexis Comnène*, 188.

62. Cf. MORDTMANN, *Iznîk*, in *Encyclop. de l'Islam*, II, 606.

63. Matthieu d'Edesee, *Doc. arméniens*, I, 28 ; Michel le Syrien, 187.

64. *Histoire anonyme*, p. 35.

65. *Histoire anonyme*, p. 37.

66. Beau récit épique dans l'*Histoire anonyme*, 37-39.

67. *Histoire anonyme*, p. 41.

68. Anne Comnène, liv. XI, p. 248.

69. Parmi les prisonniers turcs faits à Nicée, citons la propre femme du sultan Qilij Arslân, fille de l'émir de Smyrne, Tzakhas, et leurs enfants. La khâtûn seljûqide fut conduite à Constantinople d'où Alexis Comnène, courtoisement, la renvoya peu après à son époux. Cf. Guillaume de Tyr, *Histor. occid.*, I, p. 125 : « comment li Crestienz pristrent la fame Solimanz » ; et p. 128 : « la fame de Soliman et si dui fill furent menez sauvément à l'empereur qui fist mout grant feste à la dame et aus enfans ; tant com il furent en la ville, les tint il mout ennorablement ; après, dedenz brief terme les renvoia à Soliman touz quites et touz délivrés sans raençon. »

70. Sentiment exprimé notamment par l'historien provençal Raymond d'Agiles, III, 239-240.

71. *Alexiade*, XI, 3, 83-34.

72. Petrus de Alpibus, Pierre, seigneur d'Aups (département du Var), était un seigneur provençal qui avait jadis servi dans les armées des Normands d'Italie, sous Robert Guiscard, puis qui, du service de Guiscard, était passé à celui d'Alexis Comnène. Cf. Bréhier, *Histoire anonyme de la Première Croisade*, p. 61, note 7.

73. D'après l'*Historia Belli Sacri (Hist. occidentaux des Croisades*, III, p. 181), Alexis Comnène avant de prendre congé des Croisés leur donna l'excellent conseil d'envoyer une ambassade au gouvernement égyptien. Cf. Hagenmeyer, *Revue de l'Orient latin*, 1898, 491.

74. *Histor. occid.*, III, 240.

75. *Ibid.*, IV, p. 328 : « Qualiter ex consultu principum populus Dei in duas partes divisus sit. »

76. Discussion sur la localisation de la bataille dans Hagenmeyer, *Chronologie de la première Croisade* (*Rev. de l'Orient latin*, 1898, 495). Il semble qu'il faille s'en tenir à l'avis de J. H. Mordtmann : « Eskishéhir a remplacé le Dorylaeon des Byzantins, tandis que la ville antique était située près du Shar Uyuk actuel, à 3 kilomètres plus au nord, etc. » (Mordtmann, *Eskishéhir*, in *Encycl. de l'Islam*, II, 35).

77. Cf. J. H. Mordtmann, *Dânishmendiya*, in *Encycl. de l'Islam*, I, 937.

78. *Histoire anonyme*, trad. Bréhier, 47.

79. *Histoire anonyme*, trad. Bréhier, 45-47.

80. *Ibid.*, 51.

81. Guillaume de Tyr, I, 129-130.

82. ALBERT D'AIX, p. 331.

83. *Histoire anonyme*, éd. Bréhier, p. 48.

84. *Autobiographie d'Ousâma*, trad. Derenbourg, *Rev. Or. Lat.*, 1894, III-IV, 456.

85. Faut-il voir dans ces mots une allusion à l'époque où le clan des Seljûq, nomadisant encore dans la steppe kirghize, penchait plutôt vers le nestorianisme que vers l'Islam ? Mais l'auteur des *Gesta* ne pouvait être au courant de ces faits.

86. *Histoire anonyme*, trad. Bréhier, 51-53.

87. *Ibid.*, trad. Bréhier, 55-57. Albert d'Aix, (p. 340-341) raconte que dans cette région, près d'Antioche de Pisidie (région actuelle d'Aq-shéhir et de Yalovaj), Godefroi de Bouillon, au cours d'une chasse, fut blessé grièvement par un ours (vers le 1er août 1097).

88. GUILLAUME DE TYR, I, p. 138. *Histoire anonyme*, p. 55.

89. *Histoire anonyme*, p. 57.

90. *Ibid.*, 57. Cf. *Alexiade*, XI, 3, où Anne Comnène (qui appelle Héraclée Hebraiké) nous apprend que c'était Qilij Arslân en personne qui s'était posté devant la ville pour essayer de s'opposer une dernière fois à la marche des Croisés.

91. Le Buthrentot ou Butrenton des chroniqueurs latins.

92. *Histoire anonyme*, trad. Bréhier, 61.

93. BAUDRI DE BOURGUEIL, I, p. 39.

94. *Histoire anonyme*, 61.

95. Cf. R. BLANCHARD, *L'Asie occidentale*, tome VIII de la *Géographie universelle Vidal-Lablache et Gallois* (Colin), p. 75.

96. *Histoire anonyme*, p. 65. Cf. ALBERT D'AIX, 357.

97. H. HONIGMANN, *Mar'ash, Encycl. de l'Islam*, p. 285.

98. MICHEL LE SYRIEN, *Chronique*, éd. Chabot, 173-174.

99. *Ibid.*, p. 174, note.

100. Au sud de Behesnî, de l'autre côté de la rivière Araban.

101. Ne pas confondre *Ra'bân*, près de Kaisûn, à l'ouest de l'Euphrate, et *Gaban*, l'actuel Kéban (Andérin), à l'ouest de Mar'ash, au sud de Kokusos.

102. *Histoire anonyme*, 65.

103. CHALANDON, *Alexis Comnène*, 220. Il semble qu'Alexis Comnène ait nommé gouverneur de Marash l'Arménien Thatoul, qui resta en possession de la ville jusque vers 1104, époque où il fut éliminé par les Croisés (par Jocelin de Courtenay, sire de Turbessel, et par Bohémond, prince d'Antioche). Cf. CHALANDON, *Les Comnènes*, II, 105.

104. DUSSAUD, *Topographie historique de la Syrie*, 171.

105. Nous ne connaissons que la transcription grecque du nom de cet émir, nom dans lequel entrait évidemment la racine turco-mongole *Tengri*, « Ciel ».

106. Anne COMNÈNE, *Alexiade*, liv. XI, 5, p. 92-95.

107. Néanmoins cette première réoccupation de la Phrygie par les Comnènes dut être assez superficielle puisque à la date de 1118 le sultan seljûqide Mas'ûd, fils et successeur de Qilij Arslân, était encore en possession de Sozopolis (Oloburlu) et avait même enlevé aux Byzantins Laodicée (près de Denizli). Nous verrons que l'empereur Jean Comnène lui reprit Laodicée et reconquit définitivement Sozopolis en 1119. Cf. CHALANDON, *Les Comnènes*, II, 46-47.

108. La source principale de ces faits est naturellement fournie par l'*Alexiade*. Nous suivons ici les résultats de l'examen critique du regretté CHALANDON, *Alexis Comnène*, 196-198.

109. NERSÈS DE LAMPRON, *Réflexions sur la messe* (*Doc. arm.*, I, 576). MICHEL LE SYRIEN, éd. Chabot, III, II, p. 187-188).

110. MICHEL LE SYRIEN, éd. Chabot, III, II, 173.

111. Anne COMNÈNE, *Alexiade*, liv. XII, p. 276-277. Anne désigne Oshin sous le nom d'Aspiétès, de son titre arménien d'*asbed*, « général en chef ».

112. RAOUL DE CAEN, *Histor. occid.*, III, 634 ; ALBERT D'AIX, *Histor. occid.*, IV, 683 ; CHALANDON, *Les Comnènes*, II, 105.

113. Cf. ALBERT D'AIX, *Histor. occid.*, IV, p. 350 ; GUILLAUME DE TYR, I, p. 283-284 ; et la note de DULAURIER, in *Doc. arméniens*, I, p. 35. Ce Pakrad avait pour frère Kogh Vasil, autre chef arménien que nous avons vu fieffé à Kaisun et à Ra'ban, à l'est de Mar'ash. Cf. *supra*, p. 40.

114. GUILLAUME DE TYR, I, 140.

115. ALBERT D'AIX, IV, 343.

116. ALBERT D'AIX, IV, 344.

117. RAOUL DE CAEN, III, 630, 633.

118. ALBERT D'AIX, 346-347.

119. De Flandre, d'Anvers, de Gueldre et de Frise, spécifie Albert d'Aix, p. 348 et 500.

120. RIANT, *Les Scandinaves en Terre Sainte*, 134 et sq.

121. GUILLAUME DE TYR, I, 146.

122. *Ibid.*, I, 148.

123. *Ibid.*, I, 142.

124. *Histor. occid.*, III. 634.

125. CHALANDON, *Les Comnènes*, II, 105.

126. Cf. HONIGMANN, *Missis*, in *Encyclop. de l'Islam*, liv. 46, 594.

127. ALBERT D'AIX, IV, 349.

128. *Ibid.*, 341.

129. GUILLAUME DE TYR, I, 148.

130. Cf. discussion des sources, in CHALANDON, *Alexis Comnène*, 221, 223 ; CHALANDON, *Jean et Manuel Comnène*, 108-109.

131. Ce fut pendant ce bref séjour à Mar'ash, vers le 15 octobre, que Baudouin perdit sa femme, Godvère ou Godehilde de Toëni (ALBERT D'AIX, III, XXVII). On verra qu'il épousa presque aussitôt en secondes noces la fille d'un chef arménien que les chroniqueurs latins appellent « Taphnuz » ou « Tafroc », personnage qu'on a identifié soit avec le roupénien Thoros, seigneur de Vahka, soit avec Thathoul, seigneur de Mar'ash.

132. Cf. HONIGMANN, *Malatiya*, in *Encyclop. de l'Islam*, liv. 40, p. 211.

133. GUILLAUME DE TYR, I, P. 437. C'est pourquoi Gabriel est qualifié de Grec par Michel le Syrien (éd. Chabot, III, II, p. 179) et par Bar Hebraeus Abu'l Faraj *(Chron. syr.*, p. 283). Le seul élément qui lui ait été irréductiblement hostile était l'élément syriaque, comme on le voit par le ton de Michel le Syrien et d'Abu'l Faraj à son égard. Même raison pour l'hostilité syriaque envers Philaretos.

134. MICHEL LE SYRIEN, III, II, 179.

135. *Ibid.*, éd. Chabot, III, II, p. 185-186. Michel le Syrien, bien que coreligionnaire de l'évêque Jean qu'il considère comme un saint, est bien obligé de laisser entendre que l'attitude de son héros fut plus que suspecte. « Alors un officier du sultan (qui assiégeait Mélitène) s'approcha du rempart comme parlementaire et demanda que le vénérable Jean se penchât sur le mur pour écouter ses paroles. Sur l'ordre du gouverneur Gabriel, le vénérable monta sur le mur, tandis que Gabriel se tenait près de lui, dans une cachette et écoutait. L'officier dit : "Le sultan vous fait « dire de livrer la ville et il vous accordera la paix, sinon il la prendra « d'assaut et Dieu vous demandera compte du sang du peuple." Jean répondit, il est vrai, que la ville était imprenable, mais une fois seul avec Gabriel, il lui conseilla de capituler : "Maintenant, tu as entendu, seigneur, ce qui nous a été dit : il convient donc de nous livrer volontairement !" Quand Gabriel entendit cela, il commença à détester le vénérable évêque. » Du reste, les Grecs et les Arméniens pensaient comme Gabriel et « accusaient continuellement Jean de vouloir livrer la ville aux Turcs ». Le défaitisme de l'élément syriaque devint tel que, pour éviter une trahison ouverte (les Seljûqides assiégeaient toujours Mélitène), Gabriel exaspéré le fit exécuter : « Un vendredi le vénérable récitait l'hymne de la Croix et tout le peuple gémissait. Gabriel et les siens, voyant combien le peuple lui était attaché, prirent la résolution de le tuer. Quand le vénérable descendit, on lui parla d'un fidèle (= syriaque) que Gabriel avait condamné à mort. Le vénérable courut, accompagné de prêtres, intercéder pour le criminel afin qu'il ne soit pas exécuté. Ils trouvèrent Gabriel qui était sorti dehors entre les deux murs. Il était à cheval, entouré de fantassins. Alors le vénérable se mit à le supplier. « Aie pitié, ô prince, aie pitié des malheureux ;

on tue au dehors, qu'on ne tue pas à l'intérieur ! » Comme Gabriel avait médité déjà la mort de l'évêque, il répondit : « Et toi, tu veux donc livrer la ville aux Turcs ? » Et irrité, il donna l'ordre à un de ses lanciers et dit : « Frappe ! » Comme celui-ci n'osait frapper, il prit lui-même la lance, frappa le saint à la tête et le tua » (4 juillet 1096). Ce récit montre bien le défaitisme invétéré, né d'une longue servitude, chez l'élément syriaque, tandis que l'élément arménien était encore viril.

136. MICHEL LE SYRIEN, 179.

137. MICHEL LE SYRIEN, 187.

138. GUILLAUME DE TYR, I, 437.

139. Cf. CHALANDON, *Les Comnènes*, II, 105 ; HONIGMANN, *Mar'ash, Encyclop. de l'Islam*, n° 41, p. 285.

140. GUIBERT DE NOGENT, III, XIV, p. 165.

141. MATTHIEU D'ÉDESSE, éd. Dulaurier. p. 219-220, et *Doc. arm.*, I, 35 ; MICHEL LE SYRIEN, éd. Chabot, III, II, 187.

142. GUILLAUME DE TYR, I, p. 153.

143. GUILLAUME DE TYR, I, p. 153 ; ALBERT D'AIX, *Histor. occid.*, IV, 350.

144. ALBERT D'AIX, p. 351. – Notons que Pakrad, après avoir été chassé de Râwendân par Baudouin, se maintint cependant dans les montagnes de la région de Turbessel, grâce à l'appui de son frère Kogh Vasil, toujours maître de Kaisûn et de Ra'bân.

145. MATTHIEU D'ÉDESSE, *Doc. arm.*, I, 35.

146. *Ibid.*, p. 36.

147. GUILLAUME DE TYR, I, 156.

148. *Doc. arm.*, 36, note 2.

149. Naturellement Albert d'Aix (p. 353) rejette la responsabilité de cet échec sur les Arméniens, tandis que Matthieu d'Édesse (p. 37) semble l'imputer aux Francs. Guillaume de Tyr pallie la déroute (p. 157-158).

150. GUILLAUME DE TYR, I, 156.

151. GUIBERT DE NOGENT, *Histor. occid.*, IV, 165.

152. Deux des reliques les plus vénérées de l'ancienne Arménie.

153. MATTHIEU D'ÉDESSE, *Doc. arméniens*, I, 37-38.

154. ALBERT D'AIX, *Hist. occid.*, 354-355.

155. GUILLAUME DE TYR, *Hist. occid.*, I, 156-159.

156. Cf. J. LAURENT, *Byzance et les Turcs Seldjoucides*, p. 21, 80, 86.

157. GUILLAUME DE TYR, *Histor. occid.*, I, 159.

158. Ce serait, d'après Matthieu d'Édesse, un fils cadet de Ghâzi, l'émir dânishmendite de Sîwâs. Cf. DULAURIER, in *Doc. arméniens*, I, p. 36, note 2.

159. GUILLAUME DE TYR, p. 159.

160. Albert d'Aix, p. 356-357 et p. 394, note *e*. Aussi *Documents arméniens* (Matthieu d'Édesse), p. 94, note 1.

161. Albert d'Aix, 356-357 et 445-446.

162. Cf. Guillaume de Tyr, 160.

163. Matthieu d'Édesse, *Documents arméniens*, 53 ; Albert d'Aix, 357 et 446.

164. Guillaume de Tyr, 160.

165. *Kâmil al-tewârîkh*, 208 ; Zetterstéen, *Sukmân ibn Ortok, Encyclop. de l'Islam*, 534-535.

166. Rey, *Colonies franques*, 306 ; Streck, *Biredjik, Encyclop. de l'Islam*, I, 742.

167. Dulaurier, in *Documents arméniens*, I, p. 25, note 2.

168. Honigmann, *Mar'ash, Encyclop. de l'Islam*, liv. 41, p. 285.

169. Albert d'Aix, *Histor. occid.*, IV, p. 361 ; Guillaume de Tyr, 402.

170. « Universi pene majores nostri exercitus, sed et de popularibus infiniti, ut contra imminentes paupertatis angustias aliquod reperirent solatium, ad dominum comitem prædictum certatim confluebant. Quos omnes in tanta suscipiebat honorificentia, et tanta remittebat liberalitate, ut ipsi etiam qui ad hoc venerant, mirarentur. Factum est itaque quod, nostrorum turbis ad urbem confluentibus, tanta erat in ea Latinorum multitudo, quod civibus jam inciperet esse molestum ; frequentes enim eis in hospitio suscepti inferebant molestias, supra modum in populo dominari volentes, jamque civium consilio nobilium, quorum beneficio tantam urbem acquisierat, minus et minus utebatur » (Guillaume de Tyr, t. I, p. 284). De même Albert d'Aix : « Plurimi de exercitu viri nobiles et ignobiles, Drogo de Nahella, Reinardus de Tul, Gastus de Bederz, Folkerus Carnotensis, ceterique primates et commilitones per centenos et quadringenos, alii equo, alii pede, venerunt ad civitatem Rohas, ut a Baldawino pro obsequio militari præmia mererentur, moram aliquam apud eum facientes. Erant enim summa necessitate gravati et longa expeditione rebus exhausti necessariis. Affluebant et accrescebant singulis diebus in numero et virtute, dum fere tota civitas a Gallis obsessa, et eorum hospitalitate occupata est. Baldewinus singulis, de die in diem, in bisantiis auri, in talentis et vasis argenteis dona plurima conferebat ; regiones et cuncta sibî adversantia congressione belli edomebat, Turcos et omnes in circuitu subjugabat, donec fœdus nobiliores et præponentes terræ cum eo percussent. Hanc Francorum gentem prævalere in omni actu et arte duodecim principes et indigenæ civitatis Edessæ intuentes, eorumque consilia suis præponi, et cum eis de omni re et negotiis terræ Baldewinum agere, eosque et decreta eorum plus solito negligere, vehementi indignatione adversus eum suosque exarserunt » (Albert

d'Aix, *Histor. occid.*, t. IV, p. 442). – Remarquons que de tels passages sont tout à l'honneur de l'impartialité d'Albert d'Aix et de Guillaume de Tyr comme historiens.

171. « Unde vehementi indignatione adversus eum suosque succensi sunt, pœnitentes admodum quod eum sibi præfecissent, timentes una die ab eo qui nihil, sufficere videbatur bonis omnibus spoliari » (Guillaume de Tyr, p. 285). « Et omnino ab his (= Francis) exterminari æstimantes, nimium pœnituit eos quod Baldewinum ducem ac dominum civitati præfecissent (Albert d'Aix, p. 442).

172. Albert d'Aix, p. 443 ; Guillaume de Tyr, p. 285.

173. Cf. Rey, *Colonies franques*, p. 346.

174. Guillaume de Tyr, I, p. 161.

175. *Topographie historique*, p. 227.

176. Guillaume de Tyr, I, p. 161 ; Albert d'Aix, IV, p. 358. Faits confirmés du côté musulman par Kémâl al-Dîn : « Les habitants des places fortes et des châteaux du voisinage se révoltèrent contre les garnisons qui s'y trouvoient cantonnées et les massacrèrent ou les forcèrent à fuir. Les habitants d'Artâ*h* suivirent cet exemple et réclamèrent l'assistance des Francs. Telles furent les conséquences des excès et de la tyrannie de Yâghî Siyân dans les pays qu'il gouvernait » (*Chronique d'Alep*, in *Hist. orientaux*, III, 578).

177. Cf. Dussaud, *Topographie historique*, 171-172

178. Albert d'Aix, I, p. 363.

179. *Histoire anonyme*, p. 67.

180. Abu'l Fidâ, *Hist. orient.*, I, p. 3.

181. Kemâl al-Dîn, *Chronique d'Alep, Hist. orient.*, III, 578.

182. Guillaume de Tyr, I, p. 174-175.

183. *Kâmil al-Tewârikh, Hist. orient.*, 192.

184. *Histoire anonyme*, p. 69.

185. *Histoire anonyme*, p. 69.

186. Dussaud, *Topographie historique*, p. 341 ; Honigmann, *Suwaidîya, Encyclop. de l'Islam*, J, p. 600 (1928).

187. Cf. Raymond d'Agiles, *Histor. occid.*, III, p. 242 ; Cafaro, *Lib. civ. Orientis*, in *Hist. occid. d. Crois.*, V, 50.

188. Sur Lattaquié, cf. Honigmann, *Lâdhikîya, Encyclop. de l'Islam*, liv. 37, p. 3.

189. Chalandon, *Alexis Comnène*, 210-212.

190. *Histoire anonyme*, p. 71. La construction du château de Malregard dut être décidée vers le 23 novembre 1097. Cf. Hagenmeyer, *Chronologie*, R. O. L., 1898, 520.

191. Guillaume de Tyr, I, 180. *Histoire anonyme*, p. 71.

192. Guillaume de Tyr, I, 179 ; Raymond d'Agiles, III, p. 243.

193. *Histoire anonyme*, p. 74.

194. Cf. RAYMOND D'AGILES, III, p. 243-244 ; *Histoire anonyme*, p. 75.

195. Kemâl al-Dîn lui donne le titre de roi, *malik* (*Hist. orient.*, III, 579).

196. Avant Janâ*h* al-Dawla, *H*om*s* était déjà tombé au pouvoir de la tribu bédouine Banû Mulâ'ib, dans la personne de Khalaf ibn-Mulâ'ib. Vers 1090, Khalaf, qui s'était rendu odieux aux gens de *H*om*s* en raison de ses vexations, avait été détrôné par ordre du sultan seljûqide Malik-shâh. *H*om*s* échut alors à Tutush, frère de Malik-shâh, puis à Ri*d*wân, fils de Tutush et son successeur à Alep. Vers 1097 Ri*d*wân rendit *H*om*s* à Janâ*h* al-Dawla ibn Mulâ'ib parce que ce dernier était devenu son beau-père. Cf. SOBERNHEIM, Hi*ms*, *Encyclop. de l'Islam*, p. 328.

197. Cf. RAYMOND D'AGILES, p. 244 ; *Histoire anonyme*, 73 ; GUILLAUME DE TYR, I, p. 184.

198. DUSSAUD, *Topographie historique*, p. 170.

199. KEMAL AL-DÎN, *Chronique d'Alep, Hist. orient.*, III, 579.

200. RAYMOND D'AGILES, p. 245.

201. *Histoire anonyme*, p. 77.

202. Il s'agit respectivement de Constantin Ier, le second des princes roupéniens, seigneur de Partzerpert et de Vahka ou Vahga († en 1100) ; d'Oshin Ier, seigneur de Lampron, fondateur de la maison héthoumienne, et de son frère Pazouni.

203. MATTHIEU D'ÉDESSE, *Doc. arm.*, I, p. 33.

204. GUILLAUME DE TYR, I, p. 188.

205. *Histoire anonyme*, p. 77-79.

206. Récit de RAYMOND D'AGILES, p. 245-246. Cf. CHALANDON, *Alexis Comnène*, 201, et *Première Croisade*, 193.

207. Anne COMNÈNE, *Alexiade*, I, XI, 4, 87 ; CHALANDON, *Alexis Comnène*, 202.

208. RAYMOND D'AGILES, p. 246.

209. *Histoire anonyme*, p. 73, 81.

210. GUILLAUME DE TYR, I, p. 190.

211. Cf. C.-H. BECKER, *Badr al-Djamâlî, Encyclop, de l'Islam*, I, 571, et du même, *Al-Afdal, ibid.*, I, p. 148. WIET, *Précis*, II, 186.

212. Le texte principalement invoqué pour fixer à 1096 la reprise de Jérusalem par les Fâ*t*imides était celui d'Ibn al-A*th*îr (*Hist. orient.*, I,197-198). Mais le contexte ajoute que l'événement fut postérieur à la victoire remportée par les Francs sur les Turcs devant Antioche. Or la bataille d'Antioche est du 28 juin 1098. Ibn al-A*th*îr est d'ailleurs un auteur tardif. La meilleure source, Ibn al-Qalânisî, un contemporain, place la reprise de Jérusalem par les Fâ*t*imides à août 1098 (p. 45).

213. Cf. RIANT, *Inventaire des lettres des Croisades, Archives de l'Orient latin*, I, 162.

214. Adaptation française de GUILLAUME DE TYR, I, p. 191-192.

215. Exemples dans GRAEFFE, *Fâtimites*, in *Encyclop. de l'Islam*, p. 95-96.

216. Cf. ZETTERSTÉEN, *Sokmân ibn Ortoq*, in *Encyclop. de l'Islam*, 534 ; F. BUHL, *Al Kuds*, in *Encyclop. de l'Islam*, 1163.

217. L'état d'esprit des Fâtimides est bien rendu par Guillaume de Tyr lorsqu'il nous raconte qu'après la bataille du pont de l'Oronte (7 mars 1098), les Francs vainqueurs envoyèrent trois cents têtes de Turcs au port de Saint-Siméon où les ambassadeurs égyptiens, avant de se rembarquer, eurent le temps de les voir : « Li message (messagers) au calife d'Égypte ne s'estoient encore partiz d'ilec ; quant il virent ce, liez (joyeux) furent de la mort à leur anemis, mès poor (peur) orent en avant de la nostre gent » (GUILLAUME DE TYR, I, p. 205).

218. *Hist. orient.*, I, 193.

219. Cf. *Chronique d'Alep*, in *Hist. orient.*, III, 579.

220. GUILLAUME DE TYR, *Hist. occid.*, I, p. 194.

221. CHALANDON, *Première Croisade*, 195.

222. GUILLAUME DE TYR, 196. Cf. HATEM, *Poèmes épiques*, 190.

223. *Histoire anonyme*, p. 85.

224. GUILLAUME DE TYR, I, p. 196. – *Chronique d'Alep, Hist. orient.*, III, p. 579.

225. RAYMOND D'AGILES, p. 242-243.

226. GUILLAUME DE TYR, p. 198.

227. *Histoire anonyme*, p. 91 ; RAYMOND D'AGILES, p. 248 ; GUILLAUME, p. 199.

228. GUILLAUME DE TYR, ou plutôt le Traducteur dont on admirera ici la noble éloquence, déjà classique, et la belle langue, p. 200.

229. Cf. lettre d'Étienne de Blois, in *Epistulœ et chartœ*, p. 151 ; GUILLAUME DE TYR, p. 201.

230. *Histoire anonyme*, p. 94.

231. GUILLAUME DE TYR, p. 204. Voir aussi dans RAYMOND D'AGILES (p. 249) les prouesses du provençal Isard de Die.

232. RAYMOND D'AGILES, p. 250.

233. GUILLAUME DE TYR, p. 207.

234. *Histoire anonyme*, p. 99.

235. *Ibid.*, p. 95.

236. GUILLAUME DE TYR, p. 212.

237. *Anonyme*, p. 101.

238. *Chronique d'Alep, Hist. orient.*, III, 580-581.

239. GUILLAUME DE TYR, p. 212.

240. « Quidam de turcatis qui erat in civitate », p. 251. Cf. HATEM, *Poèmes épiques des Croisades*, 205.

241. *Chronique d'Alep, Hist. orient.*, III, 581.

242. *Histoire anonyme*, p. 103.

243. G. T., 215-220. Cf. HATEM, *Poèmes épiques*, 211 et sq. M. Hatem a très heureusement groupé dans la *Chanson d'Antioche* les renseignements originaux qui pourraient être attribués à Richard le Pèlerin.

244. GUILLAUME DE TYR, p. 228 ; RAOUL DE CAEN, p. 654 ; RAYMOND D'AGILES, p. 251.

245. GUILLAUME DE TYR, p. 231.

246. Récit d'Ibn al-A*th*îr dans le *Kâmil al-Tewârikh, Hist. orient.*, I, 193. Pour la localisation, voir DUSSAUD, *Topographie historique*, p. 168-169. Armenaz est au centre de hauteurs boisées à l'est de l'Oronte, au sud-est de Jisr al-*H*adîd. Rubea était situé entre 'Allaruz et Ma'arrat al-Nu'mân, sur la route qui va de l'Oronte (de Jisr al-Shughr) à Ma'arrat al-Nu'mân.

247. Cf. DUSSAUD, *Topographie*, p. 168 et 220-227.

248. KEMAL AL-DÎN, *Chronique d'Alep, Hist. orient.*, III, p. 582.

249. Cf. ZETTERSTÉEN, *Kurbuka*, in *Encyclop. de l'Islam*, p. 1195-1196.

250. GUILLAUME DE TYR, *Hist. occid.*, I, 216-217.

251. DUSSAUD, *Topographie*, p. 474.

252. *Ibid.*, p. 183.

253. *Chronique d'Alep, Hist. orient.*, III, 580.

254. *Ibid.*, 582. *Histoire anonyme*, 115.

255. 8 juin 1098. Cf. ALBERT D'AIX, p. 252-253 ; GUILLAUME DE TYR, p. 244.

256. GUILLAUME DE TYR, p. 259.

257. *Histoire anonyme*, p. 113 ; *Chronique d'Alep*, p. 582.

258. *Kâmil al-tewârîkh*, p. 139 ; GUILLAUME DE TYR, p. 240.

259. GUILLAUME DE TYR, p. 240 ; *Chronique d'Alep*, p. 582.

260. *Chronique d'Alep*, p. 583.

261. *Histoire anonyme*, p. 127-129.

262. Sur ce fils de Robert Guiscard passé aux Byzantins mais qui, devant le péril couru par son frère Bohémond, sentait se réveiller en lui le sang normand, cf. CHALANDON. *Histoire de la domination normande en Italie*, I, p. 282-283 ; CHALANDON, *Alexis Comnène*, p. 92, 182, 203, 245. Son intervention est racontée d'une manière fort pathétique par l'Anonyme (*Histoire anonyme*, p. 143-145). Peut-être Guy aurait-il entraîné le *basileus* son maître à aller secourir les Francs à Antioche, si le lâche Étienne de Blois, craignant de perdre la face, n'avait encore affirmé la destruction de la Croisade.

263. Chalandon, *Alexis Comnène*, p. 203 ; *Alexiade*, XI, vi, p. 119-120 ; *Histoire anonyme*, p. 141-147 ; Guillaume de Tyr, p. 250-254 ; Albert d'Aix, *Hist. occid.*, IV, p. 416-417.

264. Traduction de Guillaume de Tyr, I, p. 254.

265. *Ibid.*, I, p. 246.

266. *Ibid.*, I, p. 243.

267. Guillaume de Tyr, p. 255 ; *Histoire anonyme*, p. 137.

268. *Ibid.*, p. 255.

269. Raymond d'Agiles, p. 253-257 ; *Histoire anonyme*, p. 133-135, 147. Cf. Chalandon, *Histoire de la Première Croisade*, 210-218.

270. *Histoire anonyme*, p. 147.

271. « Herloinz avoit non, loïaus et de grant sens, qui bien savoit parler sarrazinois et noméement le langage de Persse » (Guillaume de Tyr, p. 258).

272. *Ibid.*, p. 149.

273. Pour Matthieu d'Édesse, les Croisés auraient simplement proposé à Kurbuqa de lui rendre Antioche s'il leur laissait la vie sauve, avec, sans doute, faculté de continuer leur pèlerinage (*Doc. arméniens*, I, 41). Mais on ne trouve rien de tel chez les témoins oculaires, comme Raymond d'Agiles (p. 260) et l'anonyme des *Gesta Francorum* (p. 149).

274. Kemal al-Dîn, *Chronique d'Alep, Hist. orient.*, III, p. 582-583.

275. *Hist. orient.*, I, p. 4.

276. *Chronique d'Alep, Hist. orient.*, III, p. 583.

277. *Kâmil al-tewârîkh, Hist. orient.*, I, p. 195.

278. *Histoire anonyme*, p. 155.

279. *Ibn al-Athîr*, p. 195.

280. *Histoire anonyme*, p. 159.

281. *Histoire anonyme*, p. 159.

282. Kemal al-Dîn, *Chronique d'Alep, Hist. orient.*, III, p. 584.

283. *Histoire anonyme*, p. 159. Hatem, *Poèmes épiques*, 234.

284. Raymond d'Agiles, p. 261-262.

285. *Ibid.*, p. 262. – Dès le 14 juillet 1098 nous voyons Bohémond se conduire en maître d'Antioche en concédant aux Génois dans la ville l'église Saint-Jean, avec un puits, un fondacho et un quartier comprenant trente maisons. Donation assez habile qui le montre se ralliant les représentants de la puissante république maritime. Cf. Rey, *Histoire des princes d'Antioche, Rev. or. lat.*, 1896, II-III, p. 326.

286. Albert d'Aix, p. 434, confirmé par Guillaume de Tyr, p. 274 : « La seignorie de la cité, com tuit li baron avoient promis et fiancé, otroièrent à Buiemont par bon acort, fors le conte de Toulouse qui tenoit la porte du Pont et ne sai quantes tors iluecques que il avoit garnies, que il ne vost pas rendre, ainçois disoit que c'estoit sa part… »

287. Par Chalandon, notamment

288. Godefridus dux, Robertus Flandriensis, Robertus Nortmannorum princeps, nolentes fidem et sacramentum imperatori Constantinopolis factum violare... juraverant enim ut, si caperetur Antiochia, qui de regno ejus erat, sicut Nicaea,... suæ majestati restituerent. » (ALBERT D'AIX, p. 434).

289. *Histoire anonyme*, p. 161.

290. GUILLAUME DE TYR, p. 277.

291. CHALANDON, *Alexis Comnène*, p. 206-207.

292. RAYMOND D'AGILES, p. 286, et GUILLAUME DE TYR, p. 307.

293. CHALANDON, *Alexis Comnène*, p. 214.

294. CHALANDON, p. 207.

295. Rappelons que le patriarche d'Antioche était un des plus hauts dignitaires de l'Église grecque. De lui dépendaient les métropolites de Tarse, Anazarbe, Hierapolis (Menbij), Édesse, Laodicée, Apamée, Emèse *(Homs)*, Damas et Tyr. Les autres patriarcats grecs étaient ceux de Constantinople, Jérusalem et Alexandrie.

296. « Decenter in cathedra sua relocaverunt, et principem Antiochenæ Ecclesiæ cum omni subjectione et religione præfecerunt » (ALBERT D'AIX, p. 433).

297. « ...Cultores catholicos in exsequendis ibidem divinis mysteriis restituentes ex omni clero, tam Græcorum quam Latinorum » (ALBERT D'AIX, *loc. cit.*).

298. « Dominum patriarcham, Johannem nomine, qui, tanquam verus confessor, post nostrerum adventum infinita ab infidelibus pertulerat supplicia, in sede propria cum multo honore locaverunt ; per urbes finitimas, quæ cathedralem consueverant habere dignitatem, constituentes episcopos » (GUILLAUME DE TYR, p. 274).

299. « Nostræ vero latinitatis patriarcham, eo (Iohanne) vivente, qui pridem ibi ordinatus fuerat, eligere vel consecrare non præsumpserunt, ne duo unum et eumden obtinere thronum viderentur, quod manifeste contra sacros canones et contra sanctorum constituta Patrum esse dignoscitur » (GUILLAUME DE TYR, *ibid.*, p. 274).

300. « Sed tamen, post modum, vix evoluto biennio, videns ipse (Iohannes) quod non satis utiliter præesset Græcus Latinis, urbe cedens, Constantinopolim abiit. Post cujus discessum, convenientes ejusdem civitatis clerus et populus, Artasiensem episcopum, Bernardum nomine, natione Valentinum, qui, in eadem expeditione dominum Podiensem episcopum secutus, fuerat capellanus ejus, sibi præfecerunt patriarcham » (GUILLAUME DE TYR, p. 274-275).

301. *Chronique de Michel le Syrien*, III, II, p. 191. Cette liste n'est pas complète. En réalité le patriarcat latin d'Antioche eut dans sa dépendance les archevêchés de Korikos, Tarse, Mamistra, Cyrrhus, Hiérapolis, Édesse et Apamée, et les évêchés d'Albara, Laodicée,

Gabala (Jabala), Valanie, Antaradus, Tripoli et Byblos (Gibelet). Comme on le voit, le patriarcat latin d'Antioche fut moins étendu que le patriarcat grec. Le patriarche latin n'eut pas sous son obédience l'archevêché de Tyr et les évêchés de Beyrouth, Sidon, Acre et Panéas qui dépendirent du patriarche latin de Jérusalem, mais qui avaient fait partie du patriarcat grec d'Antioche. Cf. GUILLAUME DE TYR, I, p. 502-505.

302. « Etenim eo tempore, ita territæ atque confectæ timore Saracenorum civitates in fuga Turcorum fuerunt ut, si tunc equitassent nostri Franci, non esset usque in Iherusalem civitas quæ lapidem, ut nos credimus, eis remitteret. » RAYMOND D'AGILES, p. 262.

303. DUSSAUD, *Topographie historique*, p. 172. Cf. HONIGMANN, *Ma'arrat Mesrîn* et *Ma'arrat al-Nu'mân*, in *Encyclop. de l'Islam*, liv. 37, p. 60-64.

304. La « Marra » et la « Talamannia » des *Gesta Francorum, Histoire anonyme*, p. 162 et 165.

305. *Histoire anonyme, ibid.*, et KEMAL AL-DÎN, *Chronique d'Alep*, p. 584.

306. KEMAL AL-DÎN, *Chronique d'Alep*, p. 584.

307. *Histoire anonyme*, p. 165.

308. Sur les difficultés que présente la chronologie de l'histoire cilicienne à cette époque, cf. CHALANDON, *Les Comnènes*, II, p. 108-109.

309. KEMAL AL-DÎN, *Chronique d'Alep, Hist. orient.*, III, 586.

310. Femme de Fulbert de Bouillon qui venait d'être surpris et tué par les gens de 'Azâz. ALBERT D'AIX, p. 436.

311. Cette expédition est située vers le 14-17 septembre 1098. – Cf. ALBERT D'AIX, p. 439. – GUILLAUME DE TYR, p. 283.

312. KEMAL AL-DÎN, *Chronique d'Alep*, p. 586. – *Histoire anonyme*, p. 167-169. – RAYMOND D'AGILES, p. 266.

313. Cf. HAGENMEYER, *Chronologie de la première croisade, Revue de l'Orient latin*, 1899-1900, p. 324-325.

314. CHALANDON, *Alexis Comnène*, p. 207, 213. – CHALANDON, *Première Croisade*, p. 239.

315. « Saint Gilles, écrit l'Anonyme (p. 169), ne se laissait attendrir par aucune convention avec Bohémond parce qu'il craignait de se parjurer avec l'empereur. » Prétexte purement politique, comme le remarque Bréhier, et qui impliquait même une erreur matérielle, puisque ce fameux serment, il ne l'avait précisément pas prêté.

316. RAYMOND D'AGILES, p. 267 : At comes : « Imperatori juravimus super dominicam crucem et spineam coronam, quia nec civitatem, nec castellum de omnibus pertinentibus ad imperium ejus retineremus sine ejus voluntate. »

317. *Histoire anonyme*, p. 102 et 169.

318. RAYMOND D'AGILES, p. 267.

319. *Histoire anonyme*, p. 171.

320. Sur l'identification de Rugia ou Chastel Rouge comme située près de Kashfahàn, vers l'actuel Tell al-Karsh, à environ 7 kilomètres à l'est, sud-est de Jisr al-Shughr, et non à Rîhà, voir la démonstration de M. Dussent, *Topographie*, p. 166-170, 175-176, 243.

321. ALBERT D'AIX, p. 268-269.

322. *Histoire anonyme*, p. 175.

323. IBN AL-ATHÎR, *Kamil al-tewârîkh, Hist. orient.*, I, p. 196.

324. KEMAL AL-DÎN, *Chronique d'Alep*, p. 587. – *Histoire anonyme*, p. 177.

325. RAYMOND D'AGILES, p. 271.

326. Cf. DUSSAUD, *Topographie*, p. 177

327. Savoir le château de Yâghî Siyân et la Tour du Pont.

328. *Histoire anonyme*, p. 179.

329. RAYMOND D'AGILES, p. 271.

330. *Ibid.*, p. 271. Écho de cette démolition dans la *Chronique d'Alep* de KEMAL AL-DÎN, p. 587 : « Ils démolirent les fortifications, brûlèrent les mosquées et les maisons et brisèrent les chaires. »

331. M. Bréhier fait remarquer que, dans les chapitres qui traitent des principautés arabes, le ton des *Gesta Francorum* devient beaucoup moins agressif envers les musulmans que dans les chapitres consacrés aux États turcs (édition de l'*Histoire anonyme*, p. 181).

332. Rappelons en effet que c'est vers 1025 que Sali*h* ibn Mirdâs avait donné aux Munqi*dh*ites la région autour de Shaîzar, à une époque où la ville elle-même restait encore byzantine. Le munqi*dh*ite Muqallad se rendit en outre maître de Kafar*t*âb (1041). Usâma Abu'l Mutawwaj Muqallad, son petit-fils († 1059), s'agrandit jusqu'à l'Oronte. Le fils d'Usâma, 'Izz al-Dawla Sadîd al-Mulk Abu'l *H*assan 'Alî, fit capituler le 19 décembre 1081 la citadelle de Shaîzar, jusque-là possession byzantine. La garnison grecque sortit librement. Après lui régnèrent son fils 'Izz al-Dawla Abu'l Murhaf Nasr (1082-1098), puis le fils de ce dernier, 'Izz al-Dîn Abu'l Asâkir Sul*t*ân (1098-1154), contemporain de la Croisade. Cf. E. HONIGMANN, *Shaîzar*, in *Encyclop. de l'Islam*, p. 297-298, et la *Vie d'Ousâma* par DERENBOURG, I, p. 1-40.

333. GUILLAUME DE TYR, p. 295 ; *Histoire anonyme*, p. 181 ; DERENBOURG, *Ousâma ibn Mounkidh*, I, I, p. 67-68.

334. DUSSAUD, *Topographie historique*, p. 241.

335. Eosque conducerent ubi invenire possent ad capiendum, *Histoire anonyme*, p. 180-181.

336. Cf. DUSSAUD, *Topographie*, 189.

337. C'est ce que pense Bréhier d'après l'Anonyme, *op. laud.*, p. 181, note 6.

338. *Histoire anonyme,* p. 181.

339. RAYMOND D'AGILES, p. 272.

340. RAYMOND D'AGILES, p. 273.

341. Man*s*ûr, père d'Abû Mu*h*ammad, était qâ*d*î de Jahala à l'époque où les Byzantins étaient encore maîtres de ce port, et exerçait ses fonctions sous leur protectorat. Quand les Byzantins durent retirer leur garnison, au moment de la débâcle de 1081, il resta qâ*d*î, mais sous la suzeraineté de la maison arabe des Banû 'Ammâr, qui possédait la principauté de Tripoli. Abu Mu*h*ammad, fils de Man*s*ûr, essaya de secouer la domination des Banû 'Ammâr. Ses luttes avec eux sont longuement contées par Ibn al-A*th*îr, *Hist. orientaux,* I, p. 204-206.

342. RAYMOND D'AGILES, p. 273 : « Eamus in Iherusalem, pro quâ venimus et revera Deus donabit nobis eam. Et tunc, solo timore eorum qui venient de terra nostra, hæ civitates, Gibellum et Tripolis et Sur et Accaron quæ sunt in itinere nostro, ab incolis relinquentur. »

343. « Quoddam arabum castrum », *Histoire anonyme,* p. 183. – E. HONIGMANN, article *Masyâd,* in *Encyclop. de l'Islam,* p. 458.

344. Mauvaise lecture : Kephalia, pour Raphalia, cf. DUSSAUD, *Topographie,* p. 98, et sa carte VIII, A, 3.

345. *Histoire anonyme,* p. 182.

346. ALBERT D'AIX, p. 451.

347. *Histoire anonyme,* p. 183.

348. « La forteresse doit son nom à une garnison de Kurdes qui y furent établis par Shibl al-Dawla Na*s*r, prince d'Alep, dans la première moitié du onzième siècle. » Cf. SOBERNHEIM, *Hisn al-Akrâd, Encyclop. de l'Islam,* 23. p. 339.

349. *Histoire anonyme,* p. 183.

350. RAYMOND D'AGILES, p. 274.

351. Janâ*h* al-Dawla, émir de *H*om*s* de 1098 à 1102 (cf. *Kâmil al-tewârikh, Hist. orient.,* 194, 197, 213.

352. *Histoire anonyme,* p. 183-185.

353. IBN AL-A*TH*ÎR, *Kâmil al-tewârikh, Hist. orient.,* I, p. 197. Cf. RAYMOND D'AGILES, p. 275 : « Erant eo tempore nobiscum legati de amirato Cameha (= l'émir de *H*om*s*) et a rege Tripolis. »

354. SOBERNHEIM, *Ibn 'Ammâr, Encycl. de l'Islam,* 382. – BUHL, *Tarabulus, ibid.,* 693. – WIET, *Inscription d'un prince de Tripoli,* Mémorial Basset, 279.

355. Derenbourg, essayant d'interpréter les données d''Ibn al-A*th*îr, ne plaçait la mort de Jalâl al-Mulk Abu'l *H*asan et l'avènement d'Abû'Alî Fakhr al-Mulk que « vers 1101 » *(Vie d'Ousâma,* I, 75, note 8). Mais, d'après les évaluations plus récentes de Sobernheim, le

changement de règne eut lieu dès 492 de l'Hégire, soit 1099 (*Encyclop. de l'Islam*, p. 383).

356. Sur le vieil opportunisme des 'Ammâr, WIET, *Mél. Basset*, 284.

357. « Rex Tripolis signa comitis in castellis suis posuit. » RAYMOND D'AGILES, p. 275.

358. DUSSAUD, *Topographie historique*, p. 84, citant BENEDICTUS DE ACCOLTIS, *Hist. occid.*, V, p. 597, et RAOUL DE CAEN, *ibid.*, III, p. 680. « Archis, écrit de même Guillaume de Tyr, est une cité de la terre de Fenice, qui siet au pié del mont que l'en claime Libane, en un tertre mout fort ; quatre milles ou cinq a, d'ilec à la mer. Mout a pleinteive terre entor et délitables de pastures et d'eaues » (GUILLAUME DE TYR, p. 297-298).

359. *Histoire anonyme*, p. 185-187.

360. RAYMOND D'AGILES, p. 276.

361. « Venerant ad nos naves nostræ ab Antiochia et Laodicia et multee aliæ naves Veneticorum et Græcorum » (RAYMOND D'AGILES, p. 276).

362. Identification de M. DUSSAUD, *Topographie historique*, p. 126.

363. *Histoire anonyme*, p. 187.

364. IBN AL-AL*th*ÎR, *Hist. orient.*, I, p. 204. Cf. DUSSAUD, *Topographie*, p. 136.

365. FOUCHER DE CHARTRES, *Hist. occid.*, III, 353.

366. « Nuntiatum est nobis quod papa Turcorum *(sic)* veniret contra nos in prælium », RAYMOND D'AGILES, p. 277. Pour Guillaume de Tyr, ce serait non pas le khalife, mais le sultan seljûqide de Perse, Barkiyârûq, qui, d'après la rumeur mise en circulation, accourait à la tête du *jihâd* : « li soudans de Perse avoit eu mout grant courrouz de ce que Corbogaz (= Kurbuqa), ses conestables, avoit été desconfiz » (p. 302). Du reste, comme on le verra, pour Guillaume de Tyr comme pour Albert d'Aix, c'est Raymond de Saint-Gilles qui aurait inventé cette fable parce que le qâ*d*î de Jabala l'avait acheté pour provoquer le départ de Godefroi de Bouillon de devant Jabala. En réalité, Ibn al-A*th*îr (*Hist. orient.*, I, p. 205) dit expressément que le qâ*d*i de Jabala, Abû Mu*h*ammad 'Ubaîd-Allâh, « pour éloigner les Francs, répandit le bruit que le sultan Barkiyârûq accourait au secours de la Syrie. Les Francs s'étant assurés que le sultan était occupé ailleurs, le qâ*d*î leur fît croire qu'une armée égyptienne s'avançait contre eux. » La rumeur une fois lancée, l'émir de Tripoli, de son côté, dut s'empresser de la faire propager dans le camp de Raymond de Saint-Gilles.

367. *Histoire anonyme*, p. 187. – ALBERT D'AIX, p. 453 : « Sarraceni... infinitatem duci Godefrido et Roberto Flandriensi pecuniam obtulerunt, quatenus urbs Gibel a facie eorum, cum civibus suis,

vinetis et omnibus frugibus, intacta permanerent, et alias eorum migraret exercitus, etc. »

368. Le chroniqueur lotharingien Albert d'Aix se fait par ses accusations l'écho de cette mauvaise humeur : le qâ*d*î de Jabala, pour provoquer le départ de Godefroi de Bouillon, aurait, comme on l'a dit, acheté le comte de Toulouse qui, par la fausse nouvelle d'une contre-croisade khalifale, aurait en effet amené la levée du siège de Jabala, etc. (ALBERT D'AIX, p. 453). Même version violemment antiprovençale chez Guillaume de Tyr (p. 302).

369. DUSSAUD, *Topographie*, p. 91-92.

370. *Histoire anonyme*, p. 189.

371. Guynemer de Boulogne, s'étant réconcilié ensuite avec Edgar Aetheling, concourut avec lui à assurer à la Croisade la maîtrise de la mer et un ravitaillement régulier.

372. ALBERT D'AIX, p. 380.

373. RAYMOND D'AGILES, p. 290 : « Angli, ingressi mare Anglicum et cirsinata Hispania, transfretantes per mare Oceanum, atque sic Mediterraneum mare sulcantes, portum Antiochiæ atque civitatem Laodiciæ, laboriose obtinuerunt. Profuerunt nobis eo tempore tam istorum naves, quam et Genuensium. Habebamus enim ad obsidionem, per istas naves et per securitatem eorum, commercia a Cypro insula et a reliquis insulis. Quippe hæ naves quotidie discurrebant per mare et ob ea Græcorum naves sesuræ erant quia Sarraceni eis incurrere formidabant. »

374. RAYMOND D'AGILES, p. 278 ; ALBERT D'AIX, p. 454-455.

375. Les ambassadeurs byzantins, nous dit Guillaume de Tyr, rappelaient « que tuit les barons estoient devenuz si home et li avoient juré sur saintes évangiles que, des citez ne des chastiaux qui eussent onques esté de l'empire de Costantinoble, ne retendroient à leur oes, einz li rendroient si tost com il les auroient pris par tote la terre jusque en Jérusalem » ; « promiserant quod neque de oppidis neque de civitatibus aliquam, quæ de imperio ejus fuerant, usque Hierosolymam, detinere præsumerent, sed, ea capta, ejus imperio resignarent » (GUILLAUME DE TYR, p. 307).

376. RAYMOND D'AGILES, p. 286. Cf. CHALANDON, *Alexis Comnène*, p. 214.

377. RAYMOND D'AGILES, p. 279-285. Cf. FOUCHER DE CHARTRES, p. 344-345, et RAOUL DE CAEN, p. 682.

378. Guillaume de Tyr qui, quatre-vingts ans plus tard, écrivit la version officielle de ces événements, bien que très nettement antiprovençal, donne tort à Arnoul, qui « bien estoit lettrez hom, mes n'estoit pas de bone vie ; malicieus estoit trop et porchacieres de descordes » (GUILLAUME DE TYR, p. 304).

379. Écoutons le chroniqueur lotharingien Albert d'Aix nous expliquer « qualiter crevit murmur in populo Dei, quod tam diu differetur via in Iherusalem » (p. 455). « Dux Lutharingiæ maxime volebat hoc iter et plebem ad hoc commonefaciebat », avoue l'historien provençal Raymond d'Agiles (p. 289).

380. « Conturbabatur comes usque ad lacrymas et usque ad sui atque suorum odium » (RAYMOND D'AGILES, p. 289).

381. RAYMOND D'AGILES, p. 285 ; GUILLAUME DE TYR, p. 308-309.

382. *Histoire anonyme*, p. 189.

383. Le qâ*d*i de Jabala, de son côté, craignant que les Croisés ne se retournassent contre lui après avoir abandonné le siège de 'Arqa, leur offrit des conditions analogues (5 000 *aurei*, etc.). Cf. RAYMOND D'AGILES, p. 278.

384. RAYMOND D'AGILES, p. 289.

385. *Histoire anonyme*, p. 191. La promesse de conversion d'Ibn 'Ammâr au christianisme paraît fort douteuse, bien que Raymond d'Agiles signale que, durant le siège de 'Arqa, on réussit à faire baptiser quelques musulmans : « Baptizabantur etiam aliqui Saracenorum, timore et zelo nostræ legis, anathematizantes Mahumet et progeniem ejus omnem » (RAYMOND D'AGILES, p. 278).

386. ALBERT D'AIX, p. 457.

387. *Ibid.*, p. 457.

388. GUILLAUME DE TYR, p. 310.

389. ALBERT D'AIX, p. 457.

390. ALBERT D'AIX, p. 458 ; *Histoire anonyme*, p. 193.

391. IBN AL-A*th*ÎR, *Kâmil al-Tewârikh, Hist. orient.*, I, p. 197 ; F. BUHL, *Al Kuds*, in *Encyclop. de l'Islam*, p. 1163 ; ZETTERSTÉEN, *Sokmân ibn Ortok*, in *Encyclop. de l'Islam*, p. 534.

392. Cf. C. H. BECKER, *Badr al-Djamâli*, in *Encyclop. de l'Islam*, I, p. 571.

393. C. H. BECKER, *Al-Afdal*, in *Encyclop. de l'Islam*, I, p. 148.

394. *Extraits d'Ibn-Muyassar*, in *Hist. orient.*, III, p. 461-462.

395. Adaptation française de GUILLAUME DE TYR, I, p. 191-192.

396. *Ibid.*,I, p. 205.

397. *Hist. orient.*, I, p. 197, confirmé par GUILLAUME DE TYR, I, p. 306. On remarquera une fois de plus le sens politique de Guillaume et sa connaissance du milieu oriental. Quant au texte d'Ibn al-A*th*îr, il établit nettement que la reconquête de Jérusalem par les Fâ*t*imides fut postérieure à la victoire des Francs sur Kurbuqa devant Antioche, laquelle est du 28 juin 1098. Ce contexte prouve que la date de shabân 489 (août 1096) donnée par Ibn al-A*th*îr pour la reconquête de Jérusalem par les Égyptiens est le résultat d'une erreur. Il ne peut être question que d'août 1098, conformément à IBN AL-QALÂNISÎ, contemporain (p. 45). Opinion partagée par

BECKER, *Al-Afdal, Encyclop. de l'Islam*, I, p. 148, et par HAGENMEYER, *Chronologie de la Première Croisade, Revue de l'Orient latin*, 1899-1900, p. 322, où l'auteur établit solidement la même thèse.

398. IBN AL-A*th*ÎR, *Kâmil al-tewârîkh, Hist. orient.*, I, p. 197-198 (cf. *ibid*, p. 758, note sur la question chronologique). – *Extraits d'Ibn-Muyassar, Hist. orient.*, III, p. 462. Surtout IBN AL-QALÂNISI, 45.

399. GUILLAUME DE TYR, I, 305-306.

400. ALBERT D'AIX, p. 458.

401. GUILLAUME DE TYR, p. 311.

402. *Ibid.*, p. 312.

403. ALBERT D'AIX, p. 460.

404. GUILLAUME DE TYR, p. 313 ; ALBERT D'AIX, p. 450-461 ; *Histoire anonyme*, p. 193.

405. ALBERT D'AIX, p. 292.

406. *Ibid.*, p. 462.

407. FOUCHER DE CHARTRES, p. 354-355.

408. ALBERT D'AIX, p. 462.

409. *Ibid.*, p. 462.

410. Traduction ou plutôt ici adaptation de GUILLAUME DE TYR, p. 316.

411. GUILLAUME DE TYR, 318, résumant les récits antérieurs.

412. IBN AL-A*th*ÎR, p. 198.

413. RAYMOND D'AGILES, p. 293-294 ; *Histoire anonyme*, p. 199.

414. « Tam Arabes quam Æthiopes », FOUCHER DE CHARTRES, *Hist. occid.*, III, p. 359.

415. Le nom de Porte Saint-Étienne est aujourd'hui donné au Bâb Sitti Mariyam, situé au nord-est du *H*aram al-Sherîf, sur la face est de l'enceinte. Au douzième siècle, au contraire, on appelait Porte Saint-Étienne l'actuel Bâb al-'Amûd ou Porte de Damas, sur la face nord-nord-ouest de l'enceinte.

416. ALBERT D'AIX, p. 463 ; RAYMOND D'AGILES, p. 293 ; *Histoire anonyme*, p. 195.

417. ALBERT D'AIX, p. 464.

418. *Histoire anonyme*, p. 195.

419. *Histoire anonyme*, p. 197 ; RAYMOND D'AGILES, p. 294.

420. HEYD, trad. Furcy Reynaud, *Histoire du commerce du Levant*, I, p. 134-135.

421. *L'Estoire d'Éracles*, p. 338 : « La cité de Jaffe estoit toute vuidée de gent et déserte, car li citéien de la ville ne se fioient mie bien en lor forteresce ; porquoi il s'en estoient tuit fuiz, dès un pou de tens ainçois que nostre gent venissent. Dont il avint que nostre gent ne gardoient lors que la tor. »

422. *Histoire anonyme*, p. 199.

423. RAYMOND D'AGILES, p. 295.

424. « Extraverunt de navibus suis cordas et malleos ferri atque clavos et ascia atque dolabra et secures quæ per maxime nobis necessariæ fuerunt. » RAYMOND D'AGILES, p. 298.

425. « In quibusdam montibus versus plagam Arabiæ. » ALBERT D'AIX, p. 467.

426. RAYMOND D'AGILES, p. 297.

427. *Continuation de Tudebode*, p. 219.

428. RAOUL DE CAEN, *Hist. occid.*, III, p. 689.

429. RAYMOND D'AGILES, p. 296-297 ; ALBERT D'AIX, p. 470 ; GUILLAUME DE TYR, p. 340.

430. Lire de même sur la carte, p. 155, le nom de la « porte d'Hérode ».

431. RAYMOND D'AGILES, p. 298. GUILLAUME DE TYR, p. 338 et 343. Cf. VINCENT et ABEL, *Jérusalem*, I, p. 945.

432. GUILLAUME DE TYR, p. 345.

433. Cf. discussion de Bréhier, in *Histoire anonyme*, p. 202, note 3

434. ALBERT D'AIX, p. 477.

435. *Histoire anonyme*, p. 203.

436. *Ibid.*, p. 205.

437. *Hist. orient.*, I, p. 199. Le *Mirât al-Zemân* (*Hist. orient.*, III, p. 518) donne pour la Sakhra et l'al-Aqsâ soixante-dix lampes, dont vingt en or et cinquante en argent. Cf. aussi FOUCHER DE CHARTRES, *Hist. occid.* III, p. 359-360. Sur la Sakhra, cf. J. WALKER, *Kubbat al-Sakhra, Encyclop. de l'Islam*, livr. 34, p. 1152.

438. ALBERT D'AIX, p. 479.

439. *Histoire anonyme*, p. 205-207 ; ALBERT D'AIX, p. 483. Cf. CHALANDON, *Histoire de la Première Croisade*, p. 277.

440. L'historien provençal Raymond d'Agiles (p. 300) oppose ici comme à son ordinaire les Provençaux, sujets du comte de Toulouse, et les Français *(Francigeni)* qui englobent tous les autres Croisés des Gaules, y compris les Lotharingiens.

441. *Histoire anonyme*, p. 203-205 ; RAYMOND D'AGILES, p. 299-300 ; FOUCHER DE CHARTRES, p. 359.

442. FOUCHER DE CHARTRES, p. 361.

443. IBN AL-A*th*ÎR, *Hist. orient.*, I, p. 198 ; *Histoire anonyme*, p. 205.

444. ALBERT D'AIX, p. 483. La preuve que toute la population arabe de Jérusalem ne fut pas massacrée est fournie par le fait que le grand faubourg de Sâli*h*iyé, au nord de Damas, fut fondé par les fuyards de la ville sainte, lors de la première Croisade. Cf. DUSSAUD, *Topographie historique de la Syrie*, p. 311.

445. ABU'L FIDA', p. 4 ; IBN AL-A*thîr*, p. 198.

446. LAMMENS, *La Syrie*, I, p. 213.

447. GUILLAUME DE TYR, I, p. 341.

448. IBN AL-A*th*ÎR, *Hist. orient.*, I, 199.

449. Cf. F. Buhl, *Al-Kuds, Encyclop. de l'Islam*, p. 1163.

450. « Tanta autem per urbem erat strages hostium, tantaque sanguinis effusio, ut etiam victoribus posset tædium et horrorem ingerere. » Guillaume de Tyr, I, p. 354.

451. *Mirât al-Zemân, Hist. orient.*, III, p. 520-521.

452. Il est vrai qu'un passage de Foucher de Chartres pourrait servir à prouver qu'au contraire l'exemple du massacre de Jérusalem empêcha certaines villes arabes de prolonger la résistance. Foucher nous dit en effet que si les gens d'Arsûf, en 1100, se rendirent à Baudouin Ier, ce fut pour éviter une prise d'assaut suivie d'un égorgement comme à Jérusalem : « In die tertia, castrum regi reddiderunt. Timebant enim, si Francorum gens per vim caperet eos, sicut in Jerosolyma de ceteris Saracenis fecerant, sic de eisdem facerent ; nullus eorum manu Francorum evaderet quin gladiis eorum perimeretur. Et quia sane castrum reddiderunt, rex eos cum pecunia sua tota vivos abire permisit » (*Hist. occid.*, III, p. 388).

## Chapitre II

1. Guillaume de Tyr, I, p. 357. Albert d'Aix (p. 489) nous parle également des bonnes dispositions du patriarche grec de Jérusalem, Siméon, envers les Francs. De Chypre où il s'était réfugié par crainte des représailles des autorités musulmanes lorsque les Croisés arrivèrent à Antioche, il envoya à diverses reprises aux barons francs des présents et des vœux. À cette date on pouvait encore envisager la possibilité d'un patriarcat grec coexistant avec une royauté franque, comme le fait remarquer Albert d'Aix *(loc. cit.)*.

2. Adaptation de Guillaume de Tyr, I, p. 357.

3. Albert d'Aix, *Hist. occid.*, IV, p. 489.

4. Raymond d'Agiles, p. 300-301.

5. Guillaume de Tyr, I, p. 365.

6. Guillaume suit ici Raymond d'Agiles qui écrit d'Arnoul Malecorne : « Erat de genere sacerdotali et in itinere nostro de incontinentiâ accusabatur, adeo ut vulgares cantus de eo inhoneste composuissent » (Raymond d'Agiles, p. 302). Arnoul Malecorne était, semble-t-il, originaire de Rœux, en Hainaut.

7. Par la suite Arnoul changera complètement d'attitude. Contre Daimbert, champion de la théocratie, il se fera le défenseur des idées royalistes.

8. Raymond d'Agiles, p. 301.

9. Albert d'Aix, p. 485.

10. En réalité les premiers rois de Jérusalem devaient s'installer dans la mosquée al-Aqsâ ou Templum Salomonis. La Tour de David fut confiée à la garde d'un officier royal, le « châtelain » de Jérusa-

lem. BUHL, *Al-Kuds, Enc. de l'Isl.*, 35, p. 1164-1165. VINCENT et ABEL, 969.

11. GUILLAUME DE TYR, p. 368.

12. ALBERT D'AIX, p. 303.

13. CHALANDON, *Première Croisade*, p. 291.

14. Traduction de GUILLAUME DE TYR, I, p. 366.

15. « Ille nec canonum decreta reveritus, tanta ambitione tentus, nec generis nec consciencíæ infamiam, contra bonos populum concitavit atque se cum hymnis et canticis in sede patriarchali, magno populorum plausu, elevari fecit. »

16. Traduction de GUILLAUME DE TYR, p. 369.

17. RAYMOND D'AGILES, p. 302.

18. *Ibid.*, p. 302.

19. *Histoire anonyme*, p. 209 ; GUIBERT DE NOGENT, p. 304.

20. *Histoire anonyme*, p. 209.

21. IBN MUYASSAR, *Extraits, Hist. orient.*, III, p. 463.

22. *Hist. orient.*, III, p. 520. Cf. GUILLAUME DE TYR, I, p. 378.

23. *Histoire anonyme*, p. 211.

24. GUILLAUME DE TYR, p. 380.

25. *Hist. orient.*, I, p. 202.

26. *Histoire anonyme*, p. 217-219. – ALBERT D'AIX, p. 497. – IBN MUYASSAR, *Hist. orient.*, III, p. 464. – Énumération émerveillée des trésors trouvés dans le camp fâ*t*imide, in FOUCHER DE CHARTRES, *Hist. occid.*, III, p. 363.

27. RAOUL DE CAEN, *Hist. occid.*, III, p. 703. *Tudebodus imitatus, ibid.*, p. 225 ; ALBERT D'AIX, IV, p. 497-498.

28. ALBERT D'AIX, p. 498.

29. Le siège sans résultat d'Arsûf par Godefroi de Bouillon dura du 15 octobre au 15 décembre 1099 (cf. HAGENMEYER, *Chronologie de la Première Croisade, Revue de l'Or, lat.*, 1899-1900, p. 496). Par la suite, quand les gens d'Arsûf apprirent que Godefroi et Raymond s'étaient réconciliés, ils jugèrent prudent de se reconnaître spontanément vassaux du premier et lui envoyèrent des otages. De son côté, Godefroi leur envoya, comme garant de sa bienveillance, Gérard d'Avesnes, mi-otage, mi-résident. Cf. ALBERT D'AIX, p. 499.

30. Albert d'Aix nous dit des Croisés qui se rembarquaient pour l'Europe après la victoire d'Ascalon : « Viam remensi sunt per easdem civitates et montium difficultates, juxta mare Palæstinum, qua et venerant in Iherusalem : ubi illis ab omnibus prædictis civitatibus, Ptolemaida, Tyro et Sidone, Tripla et Baurim, reliquis etiam civitatibus, concessa est emendi et vendendi vitæ necessaria licentia. Ab omni denique impetu et insidiis a facie eorum quieverunt gentes, urbesque eorum pavidæ et tremefactæ sunt super contritione regis Babyloniæ et victoria quæ ipsis Fidelibus a Deo vivente donata est.

Sic igitur pacifice et secure loca hæc et hæc transeuntes, pauca quidem arma habentes sed palmas in signum victoriæ portantes, in regionem civitatis Gibel declinaverunt. » (ALBERT D'AIX, p. 499-500.)

31. « ...Ut sui memores existant, confratres christianos admoneant quatenus ad Domini sepulcrum venire non dubitent, sibi ceterisque consociis in exilis remanentibus auxilio de die in diem, adversus tot barbaras nationes concurrant. » ALBERT D'AIX, p. 499.

32. À l'exception du comte de Toulouse qui resta en Orient, mais qui, lui aussi, s'embarqua peu après pour Constantinople. Cf. ALBERT D'AIX, p. 503.

33. RAOUL DE CAEN, *Gesta Tancredi* (*Hist. occid.*, III, p. 703) : « Tancredus... sub rege *(sic)* tamen novo militat, nec jugum indignans, nec solitudinem expavescens. » – *Tudebodus imitatus*, p. 226 : « Tancredus, pro divino amore ac Christianitate ibi augendâ simulque tuendâ, sub novo rege Ierosolymitano militare non dedignatur. »

34. GUILLAUME DE TYR, I, 384.

35. RAOUL DE CAEN, *Gesta Tancredi*, p. 703. *Continuation de Tudebode*, p. 226.

36. *Baldrici episcopi Dolensis historia jerosolimitana, Hist. occid.*, IV, p. 111.

37. ALBERT D'AIX, p. 517-518.

38. REY, *Colonies franques de Syrie*, p. 430.

39. RAOUL DE CAEN, *Gesta Tancredi*, p. 703-704.

40. *Tudebodus imitatus, Historia Peregrinorum*, p. 226. – D'après le continuateur de Tudebode comme d'après Raoul de Caen (p. 704), il semble que ce ne fut qu'après sa campagne au sud-est de la Galilée, pour fortifier Bethsan, que Tancrède alla, sur la côte, s'emparer de Caïffa L'occupation de la Galilée et l'interruption du commerce des caravanes arabes à travers la plaine d'Esdrelon, du Jourdain au Carmel, avaient d'ailleurs dû complètement démoraliser les gens de Caïffa.

41. GUILLAUME DE TYR, I, p. 384.

42. *Baldrici episcopi Dolensis*, etc., *Hist. orient.*, IV, p. 111.

43. GUILLAUME DE TYR, I, p. 393.

44. *Ibid.*, p. 394

45. Albert d'Aix ne trouve à citer que quatre seigneurs de marque qui aient accompagné Godefroi à ce siège. Ce sont Guillaume (ou Guilhen) de Montpellier, Garnier de Grès, Geldemar Carpenel et Wicher Aleman (*Historiens occidentaux*, IV, p. 507).

46. *Ibid.*, p. 511.

47. ALBERT D'AIX, *Hist. occid.*, IV, p. 513-514.

48. *Ibid.*, p. 516.

49. « Dux, volens amplius adhuc urgere et subjugare Ascalonam et cæteras urbes de regno Babyloniæ opprimere ac debellare, Joppen,

antiquo exterminio dirutam, reædificari murisque constituit muniri, quatenus illic portus navium fieret, et ab hac cæteris Gentilium civitatibus locus esset resistendi ac nocendi. Firmata igitur et renovata civitate, ab omnibus regnis et insulis Christianorum mercatores, vitæ necessaria afferentes, ad ejus portum accedebant. Peregrini quoque advenantes usquequaque secure illuc descendebant, corpora sua hospitio et quiete curantes. » (ALBERT D'AIX, p. 515.)

50. ALBERT D'AIX, p. 515.

51. ALBERT D'AIX, p. 516.

52. *Ibid.*, p. 516.

53. Aussi suivi que le permettait la présence trop intermittente des escadres italiennes, provençales, normandes ou catalanes dans les eaux du Levant.

54. ALBERT D'AIX, chap. XIII, p. 515, et chap. XIV, p. 516.

55. DUSSAUD, *Topographie historique*, p. 381-382. C'est le pays de 'Al, Fiq, Seqûfiya, le Qal'at al-Hosn du Jaulân, etc. (DUSSAUD, carte I, C, 3).

56. ALBERT D'AIX, I, p. 633 : « ...in terram Grossi Rustici, nomine Suet » *Ibid.*, p. 517.

57. Je ne sais si c'est à ces campagnes dans le Sawâd que fait allusion Guillaume de Tyr quand il nous parle (t. I, p. 398) de fructueuses razzias conduites par Godefroi de Bouillon chez les Arabes de Transjordanie, dans l'ancien pays d'Ammon, lequel correspond plutôt à la Belqâ.

58. ALBERT D'AIX, p. 518.

59. *Ibid.*, p. 518.

60. *Ibid.*, p. 519. Sur l'histoire du Sawâd, voir plus bas, p. 678.

61. « Quia pulvis es, et in pulverem reverteris. »

62. GUILLAUME DE TYR, I, 396, quelque peu embelli par le Traducteur.

63. Rappelons que, quand Guillaume de Tyr parle d'*Arabes*, *l'Éracles* traduit souvent par *Turcs*. En réalité le personnage mis en scène était bien un sheikh arabe, comme le spécifie l'original latin.

64. GUILLAUME DE TYR, p. 398-399.

65. HEYD, trad. Furcy Reynaud, *Histoire du commerce du Levant*, I, p. 121-122.

66. ALBERT D'AIX, *Histor. occid.*, IV, 512.

67. En même temps que les Pisans de Daimbert et avec eux étaient arrivés des marins de Ravenne. Cf. *Gesta Francorum Iherusalem expugnantium*, p. 518

68. Cf. CHALANDON, *Alexis Comnène*, p. 210-212. Parmi les défenseurs de Laodicée, il y avait sans doute, à côté des Byzantins, des gens du comte de Toulouse. Pour la lutte qui faillit éclater à propos de la ville entre Normands et Provençaux, voir p. 318 et 372.

69. Guillaume de Tyr (p. 385) qui juge après coup, en homme d'État hiérosolymitain, affecte de croire que c'était par suite d'une répartition officielle de la besogne à accomplir que Bohémond avait été chargé par les Croisés de tenir Antioche, et Baudouin Édesse, tandis que Godefroi se consacrerait à Jérusalem. La réalité avait été beaucoup plus empirique.

70. Foucher de Chartres (p. 365) estime à 25 000 hommes, tant chevaliers que piétons, le groupe formé par la jonction de Bohémond, de Baudouin d'Édesse et des Pisans pour accomplir le pèlerinage du Saint Sépulcre.

71. Dussaud, *Topographie historique*, p. 127-128.

72. Chalandon, *Alexis Comnène*, p. 208, 210.

73. « Ibique fixerat, invitis civibus, sua tentoria. » Guillaume de Tyr, p. 386.

74. Cf. Chalandon, *Alexis Comnène*, p. 208-210.

75. Guillaume de Tyr, p. 386. Détails de ces misères dans Foucher de Chartres, qui a suivi le convoi, *Histor. occid.*, III, p. 365-366.

76. Guillaume de Tyr, ou plus justement le « Traducteur », 386-387.

77. *Gesta Francorum Iherusalem expugnantium, Hist. occid.*, III, p. 519 : « Pisanos enim et Januenses, cum quibus Daimbertus venerat, in sua quasi potestate habebat, ut quidquid ipse vellet, ipsi vellent et facerent. »

78. Albert, 512. Sur la déposition d'Arnoul, Guibert de Nogent. 233.

79. Les *Gesta Francorum Iherusalem expugnantium* (p. 519 du tome III des *Hist. occid.*) disent carrément que Daimbert fut nommé patriarche du consentement de Bohémond, sans même mentionner Godefroi : « Daimbertum, annuente Boamundo, in patriarcham elegerunt. »

80. Guillaume de Tyr, p. 387. Le texte latin et la traduction française sont également explicites.

81. Foucher de Chartres, p. 367-368 ; Guillaume de Tyr, p. 387-388.

82. Le 2 février 1100.

83. Notons que ce don d'un quart de Jaffa à un patriarche pisan profita grandement à la république de Pise. « Il se forma bientôt à Jaffa une colonie considérable de Pisans » (Heyd, trad. Furcy-Raynaud, I, p. 134). L'auteur des *Gesta Francorum Iherusalem expugnantium* note d'ailleurs que, si les Pisans avaient tant tenu à faire nommer leur archevêque patriarche de Jérusalem, c'était pour les privilèges commerciaux qu'ils devaient en retirer dans les ports palestiniens conquis ou à conquérir : « (Pisani) necessarium et valde

opportunum reipublicæ suæ duxerunt si talem virum haberent cujus industriâ et solertiâ civitates super mare sitas navigio caperent » (*Hist. occid.*, III, p. 519).

84. Traduction de GUILLAUME DE TYR, p. 388.

85. Adaptation du Traducteur, conforme au sens du texte latin, I, 389.

86. Vers le 10 juin (HAGENMEYER, *Chronologie, Rev. or. lat.*, 1900-1901, p. 333).

87. HEYD, *Commerce du Levant*, I, p. 136.

88. *Translatio Sancti Nicolai Venetiam* (*Hist. occid. des Croisades*, V, p. 272-275).

89. ALBERT D'AIX, p. 521.

## Chapitre III

1. Guillaume de Tyr spécifie qu'il y avait bien eu testament écrit : « ...hi quibus de supremâ voluntate mandaverunt testamenti sui executionem... » (GUILLAUME DE TYR, I, p. 403). Et encore : « ...sicut testamenti tabulis continebatur... » (*Ibid.*, p. 404).

2. ALBERT D'AIX, p. 526.

3. *Ibid.*, p. 526 : « Conspiraverunt enim se non alium recipere nisi fratrem aut virum de sanguine illius (Godifridi) propter inestimabilem illius bonitatem et nimiam largitatem, et propter jusjurandum quo firmaverunt se nunquam pati alienigenam regnare aut sedere in throno Iherusalem. »

4. GUILLAUME DE TYR, p. 404. Historien officiel du royaume et de la dynastie de Jérusalem, Guillaume de Tyr a, tout à l'heure, blâmé le patriarche d'avoir arraché à la faiblesse de Godefroi le testament qui supprimait dynastie et royaume. Mais, homme d'Église et légiste, il ne peut s'empêcher maintenant de blâmer la révolte de Garnier contre l'autorité patriarcale, fondée sur un testament officiel. Contre Baudouin Ier et surtout contre Arnoul, sa bête noire, il devient, finalement, daimbertiste.

5. Comparaison qui prouve que, dans la pensée de Daimbert, il s'agissait bien de fonder à Jérusalem un autre Patrimoine de Saint-Pierre.

6. GUILLAUME DE TYR, p. 406.

7. ALBERT D'AIX, p. 524.

8. HAGENMEYER, *Chronologie, Rev. or. lat.*, 1900-1901, p. 351.

9. Kemâl al-Dîn dans la *Chronique d'Alep* (*Hist. orient.*, III, p. 589) nous dit que la bataille où Bohémond fut fait prisonnier eut lieu sur le territoire de Mar'ash.

10. GUILLAUME DE TYR, *Hist. occid.*, I, p. 401.

11. *Ibid., Hist. occid.*, p. 402-403.

12. L'actuel Mala*t*iya.

13. ALBERT D'AIX, p. 525-526.

14. « Milites et principes regni Iherusalem, hactenus sub christianissimo Duce servientes, te unanimiter invitant ut, festinato veniens, loco fratris regnum suscipias » (ALBERT D'AIX, p. 526).

15. FOUCHER DE CHARTRES, *Historiens occidentaux*, III, p. 373. Observation plus dure encore chez Albert d'Aix : « Hac tristi legatione auditâ, in nimium ploratus et lamenta cor Baldewini defluxit ; sed tamen, ut vir miræ abstinentiae, longe aliter simulavit ex carissimi fratris occasu quam in ejus corde esset » (ALBERT D'AIX, *Hist. occid.*, IV, p. 526).

16. Baudouin du Bourg, fils du comte Hugue de Rethel. Baudouin du Bourg avait jusque-là résidé à Antioche comme lieutenant de Bohémond (ALBERT D'AIX, p. 526).

17. ALBERT D'AIX, p. 527.

18. GUILLAUME DE TYR, p. 407.

19. ALBERT D'AIX, p. 528.

20. Comme nous l'avons dit, nous pensons avec Sobernheim, contrairement à Derenbourg, que Abû 'Alî Fakhr al-Mulk Ibn 'Ammâr succéda à son frère Jalâl al-Mulk Abu'l *H*asan Ibn 'Ammâr dès 1099 et non, seulement, en 1101.

21. *Estoire d'Éracles*, I, 407. Les *Gesta Francorum Iherusalem expugnantium* sont encore plus explicites : « (Baldunius) Tripolim usque pervenit ; ibique ante urbem hospitatus, a rege Tripolitano est honorifice susceptus ; erant enim adinvicem amici rex Tripolitanus et Baldumus ; pane quoque et vino necnon et silvestri melle muneribusque donatis, intimatum est ei ab eodem, quod Ducach, rex Damascenorum, et Gynaholdes (= Janâ*h* al-Dawla), amiraldus quidam, cum multitudine Turcorum Arabumque ei obiter insidiarentur. Quare cavendum erat ne ex improviso aq eis circumvenirentur » (*Hist. occid.*, III, p. 520).

22. QALÂNISÎ, 52. WIET, *Mémorial H. Basset*, 284.

23. FOUCHER DE CHARTRES, 374-376 ; GUILLAUME DE TYR, 407.

24. *Gesta Francorum Iherusalem expugnantium, Hist. occid.*, p. 521.

25. FOUCHER, 375 ; ALBERT D'AIX, 528-530 ; GUILLAUME DE TYR, 407-410.

26. FOUCHER DE CHARTRES, p. 377.

27. GUILLAUME DE TYR, p. 410.

28. HAGENMEYER, *Chronologie, Rev. or. lat.*, 1900-1901, p. 374.

29. GUILLAUME DE TYR, p. 412.

30. ALBERT D'AIX, *Hist. occid.*, IV, p. 533 ; FOUCHER DE CHARTRES, *ibid.*, III, p. 378.

31. « Syri autem, quia Christianos se confitebantur, illæsi dimissi sunt » (*Gesta Francorum Iherusalem expugnantium*, p. 522).

32. « Assumptis quibusdam indigenis qui de Saracenis effecti fuerant Christiani » (*Hist. occid.*, III, p. 522).

33. ALBERT D'AIX, p. 523 ; FOUCHER DE CHARTRES, p. 381.

34. ALBERT D'AIX, p. 533-536 ; FOUCHER DE CHARTRES, p. 379-381 ; GUILLAUME DE TYR, p. 411-412.

35. Certains chroniqueurs disent même que Tancrède s'était vu interdire l'entrée de Jérusalem. Il s'agissait surtout en l'espèce de l'entrée de la citadelle ou Tour de David, comme l'établit le contexte d'Albert d'Aix lui-même.

36. ALBERT D'AIX, VII, XXXV-XXXVI, p. 531. – *Historia belli sacri, Hist. occid.*, III, p. 227.

37. *Alias* Hugue de Faukenberge.

38. ALBERT D'AIX, p. 537-538.

39. FOUCHER DE CHARTRES, *Hist. occid.*, III, 382-384.

40. GUILLAUME DE TYR, I, p. 414-415.

41. ALBERT D'AIX, 541-542. Notons que la chronique d'IBN AL-QALÂNISÎ est peu développée pour cette période (*Damascus Chronicle*, 49-56).

42. La flotte génoise était arrivée vers le 25 septembre 1100 à Laodicée (Lattaquié). Elle hiverna dans ce port, puis partit pour Caïffa où elle aborda vers le 17 mars. Le 15 avril elle se rendit à Jaffa, où Baudouin Ier vint à sa rencontre. Cf. CAFARO, *Liberatio civit. Orientis*, in *Hist. occid.*, V, p. 60-61 ; FOUCHER DE CHARTRES, p. 385.

43. On serait tenté de penser que l'hostilité de Baudouin Ier pour son patriarche pisan n'était pas étrangère à son amitié pour les Génois, rivaux traditionnels de Pise. Albert d'Aix (p. 542) affirme, il est vrai, qu'une escadre pisane participa avec l'escadre génoise à la conquête d'Arsûf. Il ajoute (p. 543) qu'il s'agissait précisément de l'escadre pisane qu'avait commandée le patriarche Daimbert et qui, après avoir hiverné à Laodicée (Lattaquié), venait de redescendre à Jaffa pour la fête de Pâques, mais il semble qu'Albert ait confondu Pisans et Génois. Foucher de Chartres (p. 388) et Guillaume de Tyr (p. 419) ne mentionnent que les Génois.

44. FOUCHER DE CHARTRES, 388 ; CAFARO, 62 ; IBN AL-QALÂNISÎ, 51.

45. ALBERT D'AIX, VII, LV, p. 543. – FOUCHER DE CHARTRES, p. 389. – CAFARO, p. 63. – Cf. HAGENMEYER, *Chronologie du royaume de Jérusalem, Rev. or. lat.*, 1902, p. 429-432.

46. GUILLAUME DE TYR, p. 422-423. Cf. FOUCHER DE CHARTRES, p. 389-390.

47. Albert d'Aix (p. 544) nous dit qu'à côté de l'escadre génoise, des navires pisans avaient participé à la prise de Césarée. Mais, même si le fait est exact, il est possible que Baudouin Ier, qui se

méfiait des Pisans à cause du patriarche Daimbert, ait, après la prise de la ville, particulièrement favorisé les intérêts économiques des Génois.

48. Quant à la flotte génoise, elle quitta Césarée vers la fin juin ou le début de juillet pour remonter vers la Syrie du Nord. Sur la plage du « Mont Parlier » (l'ancien Casius, l'actuel Jebel Aqra), au sud-ouest d'Antioche, le butin fut partagé entre les équipages. Puis, comme nous le verrons, les Génois conclurent des accords de commerce avec Tancrède, prince d'Antioche (juillet 1101), avant de remettre à la voile pour l'Italie. Cf. CAFARO, p. 65.

49. IBN AL-Athîr, *Kâmil al-tewârikh*, p. 214-215.

50. Chronologie reconstituée par HAGENMEYER, *Rev. or. lat.*, 1902, p. 428-463.

51. EKKEHARD D'AURA, *Hierosolymita, Hist. occid.*, V, p. 34.

52. Albert d'Aix attribue à l'armée égyptienne 200 000 hommes. « De quibus Rex et omnes qui cum eo erant non solum mirati, sed et terrore concussi sunt. » ALBERT D'AIX, p. 549.

53. *Ibid.*, p. 549.

54. FOUCHER DE CHARTRES, p. 394 ; GUILLAUME DE TYR, p. 426.

55. *Ibid.*

56. ALBERT D'AIX, p. 550.

57. « Si autem fugere volueritis, Francia equidem longe a vobis ! » FOUCHER DE CHARTRES, p. 392. Je préfère cette apostrophe au prêche forgé par les *Gesta Francorum Iherusalem expugnantium*, p. 528.

58. « Ipse vero equum ascendens, qui, lingua saracena, Gazela appelatur, eo quod ceteris æquis cursu sit potentior. » ALBERT D'AIX, p. 550. « Equum velocissimum ascendens qui pro velocitate Gazela vocabatur. » *Gesta Francorum Iherusalem expugnantium*, p. 534.

59. Traduction de GUILLAUME DE TYR, p. 426.

60. ALBERT D'AIX. p. 551.

61. IBN AL-Athîr, *Hist. orient.*, I, p. 215.

62. FOUCHER DE CHARTRES, p. 394 ; GUILLAUME DE TYR, p. 426.

63. ALBERT D'AIX, p. 553.

64. FOUCHER DE CHARTRES, p. 394-395 ; GUILLAUME DE TYR, p. 427.

65. FOUCHER DE CHARTRES, p. 395-396 ; GUILLAUME DE TYR, p. 426-428 ; *Gesta Francorum Iherusalem expugnantium*, p. 530.

66. 6 avril 1102. Cf. GUILLAUME DE TYR, I, p. 428 ; *Gesta Francorum Iherusalem expugnantium*, p. 533.

67. Cf. IBN AL-Athîr, *Hist. orient.*, I, p. 213 ; 215 ; FOUCHER DE CHARTRES, p. 397 ; ALBERT D'AIX, p. 591.

68. *Gesta Francorum Iherusalem expugnantium*, p. 533.

69. GUILLAUME DE TYR, p. 430.

70. « Quod si quis fugere tentaverit, jam non est spes evadendi. » FOUCHER DE CHARTRES, p. 401.

71. HAGENMEYER, *Rev. or. lat.*, 1907, p. 166.

72. ALBERT D'AIX, p. 593 ; FOUCHER DE CHARTRES, p. 397-401. Pour la date du 17 mai 1102, cf. HAGENMEYER, *Chronologie du royaume de Jérusalem, Rev. de l'Or. lat.*, 1907, p. 162-166.

73. « Baudouin dans sa fuite, écrit Ibn al-A*th*îr, se cacha dans des champs de roseaux. Le feu ayant été mis aux roseaux, il s'enfuit vers Ramla. » (*Kâmil al-Tewârîkh*, p. 213.)

74. GUILLAUME DE TYR (p. 431-432) est le seul chroniqueur qui raconte cette histoire. ALBERT D'AIX (p. 593), FOUCHER DE CHARTRES (p. 402) et les *Gesta Francorum Iherusalem expugnantium* (p. 534) nous disent simplement que Baudouin s'évada de Ramla assiégée, força le blocus ou y échappa, et gagna la montagne.

75. Cf. GUILLAUME DE TYR, I, p. 414-415.

76. GUILLAUME DE TYR, p. 432.

76bis. *Gesta Francorum Iherusalem expugnantium*, p. 534. Cf. FOUCHER DE CHARTRES, p. 401-402.

77. Cf. ALBERT D'AIX, p. 593.

78. ALBERT D'AIX, p. 594 ; *Gesta Francorum*, p. 534.

79. GUILLAUME DE TYR, p. 431. Cf. FOUCHER DE CHARTRES, p. 402. Incertitudes sur la fin d'Étienne de Blois dans GUIBERT DE NOGENT, p. 245. – *Cartulaire de N.-D. de Chartres*, publié par L'ÉPINOIS et MERLET, III, p. 115. – HAGENMEYER, *Chronologie, Rev. or. lat.*, 1907, p. 168-171.

80. *Hist. orient.*, I, p. 215. Comme on le voit, l'historien arabe donne pour l'armée franque un chiffre bien supérieur à celui des chroniqueurs occidentaux. Il est vrai que ceux-ci ne parlent que des deux cents chevaliers *(milites)* ; il est possible qu'il faille ajouter cinq cents sergents à cheval et piétons.

81. *Hist. occid.*, I, p. 432.

82. Les *Gesta Francorum* (p. 534) nomment ici Lithard, le vicomte de Jaffa, et un écuyer. Albert d'Aix (p. 594) parle seulement de Gutman de Bruxelles.

83. *Gesta Francorum*, p. 534 ; GUILLAUME DE TYR, p. 433.

84. ALBERT D'AIX, 594.

85. ALBERT D'AIX, p. 595.

86. *Ibid., ibid.* ; ORDERIC VITAL, éd. Le Prévost, IV, p. 134 ; FOUCHER DE CHARTRES, p. 402.

87. FOUCHER DE CHARTRES, p. 403 ; *Gesta Francorum*, p. 535.

88. ALBERT D'AIX, p. 595.

89. GUILLAUME DE TYR, p. 434.

90. Cf. HAGENMEYER, *Chronologie, Rev. or. lat.*, 1907, p. 171-172.

91. FOUCHER DE CHARTRES, p. 403 ; ORDERIC VITAL, éd. Le Prévost, p. 134.

92. FOUCHER DE CHARTRES, p. 403-404 ; BARTOLF DE NANGIS, *Hist. occid.*, III, p. 535.

93. FOUCHER DE CHARTRES, p. 404. Ailleurs 90 chevaliers et 200 autres soldats (*Gesta Francorum*, p. 535).

94. Date établie par HAGENMEYER, *Chronologie du royaume de Jérusalem, Rev. de l'Or. latin*, 1907, p. 176-180.

95. FOUCHER DE CHARTRES, p. 404-405. – Cf. GUIBERT DE NOGENT, p. 245 ; EKKEHARD D'AURA, *Chronicon, H. E.*, p. 325.

96. GUILLAUME DE TYR, p. 435.

97. *Hist. orientaux*, I, p. 216.

98. *Chronologie* de HAGENMEYER, *Rev. or. lat.*, 1907, p. 463-464. Cf. ALBERT D'AIX, p. 597 ; RAOUL DE CAEN, p. 707.

99. ALBERT D'AIX, p. 598-599 ; IBN AL-A*th*ÎR, *Kâmil al-Tewârîkh*, p. 216

100. Pour Baudouin du Bourg, la subordination devait être beaucoup plus effective, mais pour une raison purement locale, parce que le roi Baudouin Ier avait personnellement inféodé son comté d'Édesse à Baudouin du Bourg.

101. ALBERT D'AIX, p. 598.

102. *Ibid.*, p. 600.

103. Vers le 10 octobre 1102 d'après les calculs d'HAGENMEYER, *Chronologie, Rev. or. lat.*, 1903, p. 473.

104. ALBERT D'AIX, p. 601.

105. Entre le 12 avril et le 16 mai 1103 d'après les calculs d'HAGENMEYER, *Chronologie, Rev. or. lat.*, 1903, p. 71-72.

106. C'est le Belus ou Nahr al-Na'main. Cf. GUILLAUME DE TYR, p. 440.

107. ALBERT D'AIX, p. 601-602 ; FOUCHER DE CHARTRES, p. 406. Cf. IBN AL-A*th*ÎR, *Hist. orient.*, I, p. 213.

108. Au treizième siècle, Pierre-Encise sera connue sous le nom de Château-Pèlerin. Cf. REY, *Monuments*, 94.

109. GUILLAUME DE TYR, p. 440.

110. Cf. ALBERT D'AIX, p. 603 ; FOUCHER DE CHARTRES, p. 407 ; BARTOLF DE NANGIS, p. 536. C'est Albert d'Aix qui donne la date de juillet.

111. ALBERT D'AIX, p. 603-604 ; IBN AL-A*th*ÎR, *Kâmil al-Tewârîkh*, p. 216.

112. Albert d'Aix note aussi, aux côtés de l'escadre génoise, la présence de navires pisans qui concoururent au siège d'Acre (p. 605, 607). De même Bartolf de Nangis (p. 537).

113. GUILLAUME DE TYR, p. 442.

114. *Ibid.*, p. 445.

115. ALBERT D'AIX, p. 606-607. Notons qu'au témoignage du voyageur arabe Alî al-Herasî, les Francs, après la conquête d'Acre, laissè-

rent au culte musulman le meshed de 'Alî. Cf. *Extraits d'Aly el-Heresy, Archives de l'Orient latin*, I, p. 597.

116. *Charta Balduini I regis Hierusalem*, in *Liber jurium Reipublicœ Genuensis*, I, p. 16-17. – CAFARO, *Liberatio civitatum Orientis, Hist. occid.*, V, p. 17. – GUILLAUME DE TYR, I, p. 445. – HAGENMEYER, *Rev. or. lat.*, 1911, p. 288-289.

117. Khalife d'Égypte de 1101 à 1130.

118. *Nojûm al-Zâhira*, p. 488.

119. Cf. ZETTERSTÉEN, *Tughtegîn*, in *Encycl. de l'Islam*, M *bis*, p. 873.

120. IBN AL-QALÂNISÎ, p. 64 ; IBN AL-A*th*ÎR, *Hist. orient.*, I, p. 223-224 et 229. Cf. ALBERT D'AIX, *Hist. occid.*, IV, p. 622. – Dans le même ordre d'idées, Ibn al-A*th*îr nous parle d'un chef arabe nommé ABû 'Imràn Fa*d*l, de la tribu des Taiy, en Transjordanie, qui « s'attachait tantôt au parti des Francs, tantôt au parti des Égyptiens », si bien que *T*ughtekîn finit par le chasser de la Syrie. (*Hist. orient.*, I, p. 250.)

121. Cf. FOUCHER DE CHARTRES, p. 411 ; ALBERT D'AIX, p. 622 ; BARTOLF DE NANGIS, p. 539 ; GUILLAUME DE TYR, p. 454 ; *Kâmil al-Tewârîkh*, p. 228 ; IBN MOYESSER p. 466.

122. ALBERT D'AIX, p. 622. Cf. IBN AL-QALÂNISÎ, 70.

123. FOUCHER DE CHARTRES, p. 412.

124. *Ibid*, p. 413.

125. GUILLAUME DE TYR, I, p. 455.

126. Je ne sais si le mot *Æthiopes* dans Foucher de Chartres désigne les Soudanais en particulier ou, plus probablement, les Africains en général, c'est-à-dire ici les Égyptiens. Cf. FOUCHER DE CHARTRES, p. 414.

127. *Gesta Francorum Iherusalem expugnantium*, p. 541 ; IBN AL-A*th*ÎR, *Hist. orient.*, I, p. 229.

128. FOUCHER, p. 414 ; BARTOLF DE NANGIS, p. 541 ; ALBERT D'AIX, IX, L, p. 623.

129. ALBERT D'AIX, p. 632, 634.

130. GUILLAUME DE TYR, 459. Cf. IBN AL-QALÂNISÎ, 75. ABEL, *Géographie*, 60.

131. L'émir du Sawâd était toujours le personnage désigné par les Francs sous le sobriquet de *Grossus Rusticus* (ALBERT D'AIX, 633). Cf. *infra*, 678.

132. En effet en décembre 1105, *T*ughtekîn s'empare de 'Al (QALÂNISI, 72).

133. Il allait par cette route rejoindre Baudouin Ier au siège de Sidon. Cf. IBN AL-A*th*ÎR, 229-230 ; ALBERT D'AIX, 633-634, et notre Appendice, p. 678.

134. Fin déc. 1105 pour QALÂNISÎ, 72, fév.-mars 1106 pour le *Mirât*, 530. Les auteurs arabes placent donc la prise de 'Al entre fin décem-

bre 1105 et mars 1106. Or, d'après Albert d'Aix, la mort de Hugue se situe au moment du siège de Sidon, au printemps ou à l'été de 1106. Faut-il admettre deux campagnes distinctes : 1° Fin décembre 1105 une expédition de l'âtâbeg de Damas qui surprend les défenseurs de 'Al et rase la forteresse, 2e au printemps ou à l'été de 1106 la razzia de Hugue qui se termine par sa défaite et sa mort ? Mais en ce cas il est étrange que les auteurs occidentaux ne nous disent rien du premier événement, ni les auteurs arabes du second.

135. IBN AL-QALÂNISÎ, 86. Cf. ALBERT D'AIX, p. 635.

136. ALBERT D'AIX, p. 635-637.

137. Rey (*Colonies franques,* p. 381), *après de Saulcy* (*Voyage en Terre Sainte,* I, 87), identifie le Chastel-Arnaud avec la petite forteresse ruinée d'al-Bureij qui commandait la route de Lydda à Jérusalem. Voir la carte de Th. MENKE, *Hand-Atlas für die Geschichte des Mittelalters,* n° 85, où Castellum Arnaldi est placé au sud-est de Betenoble, l'actuel Beît Nûbâ. Notons que sur la route de Ramla à Jérusalem, entre Qariyat al-'Inab et Qalôniya, se trouve, près des ruines du couvent de Qebâla, une hauteur de 808 mètres avec une bourgade encore appelée al-Qa*st*al (Castellum).

138. ALBERT D'AIX, p. 637-638.

139. Identification de REY, *Colonies franques,* p. 405. Rey note aussi que le Castellum Beroardi peut être également recherché du côté de Mînet Rûbîn, le port de Yebnâ.

140. Ancienne prononciation turco-arabe (madda initial), de préférence à l'orthographe arabe classique (hamza initial) qui fausse l'étymologie.

141. 1-5 janvier 1107. Cf. IBN AL-QALÂNISI, 75 ; ALBERT D'AIX, 642-643.

142. IBN AL-QALÂNISI, 81-82, nous parle d'un émir turcoman que *T*ughtekîn avait établi en Transjordanie et au Wâdi Mûsâ et qui en fut chassé à cette époque par les francs (1106-1107). Cf. notre *Appendice,* p. 679-680.

143. REY, *Colonies franques,* p. 396.

144. ALBERT D'AIX, p. 644-645.

145. *Ibid,* p. 646-647. Épisode à situer vers juin 1107.

146. ALBERT D'AIX, p. 648.

147. *Ibid.,* p. 653. À situer vers août 1108.

148. *Hist. orient.,* I, p. 272.

149. ALBERT D'AIX, 657. *Mirât al-Zemân,* 536. QALÂNISÎ, 87.

150. « Tam crudelem famam universi qui audierunt de tam egregio milite et interitu suorum, dolore vehementi cum fletu et ejulatu magno planxerunt diebus multis ; quin Baldewinus rex, licet feritate leonis et apri ad omnia semper adversa inflexus, nunc consternatus animo, læto tamen vultu ompino dolore dissimulato. »

151. ALBERT D'AIX, 658. Cf. GUIBERT DE NOGENT, 259 ; IBN AL-QALÂNISÎ, 87.

152. ALBERT D'AIX, p. 654-655 ; IBN AL-QALÂNISÎ, 87.

153. ALBERT D'AIX, p. 656.

154. FOUCHER DE CHARTRES, p. 421 ; ALBERT D'AIX, p. 671.

155. GUILLAUME DE TYR, p. 475. – Notons que le premier seigneur connu de Beyrouth fut Gautier Ier Brisebarre, attesté en 1125 et 1126. Cf. REY, *Les seigneurs de Barut, Rev. or. lat.*, 1896, I, p. 13.

156. Ramla, Arsûf, Jaffa, Caïffa et Césarée.

157. ALBERT D'AIX, p. 676-677.

158. ALBERT D'AIX, p. 677. – GUILLAUME DE TYR, I, p. 476. – Cf. RIANT, *Expédition et pèlerinages des Scandinaves en Terre Sainte*, p. 190 et sq.

159. ALBERT D'AIX, p. 678.

160. HEYD, trad. Furcy-Raynaud, *Hist. du commerce du Levant*, I, p. 142.

161. Il est à signaler qu'Albert d'Aix, dont cependant l'histoire prend ici les allures d'une biographie de Baudouin Ier, ne cite pas cette anecdote, non plus que plusieurs traits pittoresques qu'on ne trouve que chez Guillaume de Tyr, lequel écrivait quelque soixante-dix ans plus tard...

162. IBN AL-A*th*ÎR, *Hist. orient.*, I, p. 276 ; IBN AL-QALÂNISÎ, 107.

163. GUILLAUME DE TYR, I, p. 478.

164. « Ruricolæ christianis fœderati remanserunt et subjecti », *Secunda pars historiæ hierosolymitanœ*, in *Hist. occid.*, III, p. 570.

165. Sur Eustache Garnier et ses successeurs, cf. SCHLUMBERGER, in *Archives de l'Orient latin*, I, p. 673 ; DU CANGE, 431.

166. HEYD, trad. Furcy-Raynaud, I, p. 142.

167. IBN AL-A*th*ÎR, 276 ; QALÂNISÎ, 108-110 ; ALBERT D'AIX, 679-680.

168. « Iherusalem idem ammiraldus, fide datâ et acceptâ, ad Regem intrayit, omnia ei locutus, sicut in corde et animo devoverat de urbis traditione et ipsius Regis et suorum intromissione, de fidelitatis devotione erga Regem et suos habendâ. » ALBERT D'AIX, p. 680.

169. IBN AL-A*th*ÎR, *Hist. orient.*, p. 277 ; ALBERT D'AIX, p. 681.

170. IBN AL-QALÂNISÎ, 98. *Mirât al-Zéman*, p. 538.

171. ALBERT D'AIX, p. 689 et 690. – Albert d'Aix semble dire que 'Izz al-Mulk fit venir les 500 soldats damasquins avant l'arrivée de Baudouin. Pour Ibn al-A*th*îr, au contraire (p. 284), les renforts damasquins (ici 200 cavaliers) ne furent demandés et n'arrivèrent à Tyr que lorsque le siège était déjà commencé.

172. ALBERT D'AIX, p. 690.

173. Boutoumitès avec sa flotte avait été envoyé auparavant à Tripoli où il avait essayé d'entraîner le comte Bertrand à une attaque

contre les Normands d'Antioche. Cf. CHALANDON, *Alexis Comnène*, p. 252-253.

174. « A mari vero in ipso urbis latere et portu, navalis obsidio non magnæ virtutis et armaturæ fuit. Promiserat enim rex Græcorum illuc per àquas copias affuturas ; sed, hieme inchoante, minimæ collatæ sunt » (ALBERT D'AIX, p. 690).

175. ALBERT D'AIX, p. 691. Cf. FOUCHER DE CHARTRES, p. 464.

176. ALBERT D'AIX, p. 692.

177. IBN AL-A*th*ÎR, *Kâmil al-Tewârîkh*, p. 284. – *Nojûm al-Zâhira*, p. 491-492. – ALBERT D'AIX, p. 692.

178. IBN AL-A*TH*ÎR, p. 284-285.

179. 'Izz al-Mulk al-A'azz est désigné par le *Mirât al-Zémân* sous le nom de 'Izz al-Mulk Anûshtekîn al Af*d*alî (*Mirât al-Zéman*, p. 545).

180. *Mirât al-Zemân*, 546. Surtout IBN AL-QÂLINISÎ, 119-130.

181. DUSSAUD, *Topographie*, p. 383 ; IBN AL-A*th*ÎR, p. 286, 819 et 826.

182. Sur la pénétration franque au Sawâd, au Jaulân et en Transjordanie sous Baudouin Ier, d'après Ibn al-Qalânisî, voir plus bas, p. 678.

183. ALBERT D'AIX, p. 692 ; IBN AL-QALÂNISÎ, 121.

184. ALBERT D'AIX, p. 693 ; IBN AL-A*th*ÎR, p. 286. Voir le *Nojûm al-Zâhira* (p. 491) où on nous dit qu'après le départ de Baudouin, *T*ughtekîn se présenta devant Tyr, dans l'espoir qu'elle se donnerait à son sauveur, mais que les habitants, restés fidèles à l'Égypte, lui fermèrent leurs portes, non sans ingratitude. – Récit de première main dans IBN AL-QALÂNISÎ, 126.

185. ALBERT D'AIX, p. 693. – Anne COMNÈNE, *Alexiade*, p. 259. Cf. CHALANDON, *Alexis Comnène*, p. 252-253.

186. ALBERT D'AIX, p. 693. IBN AL-QALANISÎ, 130.

187. Voir plus loin, p. 463. Cf. IBN AL-A*th*ÎR, p. 280-283.

188. ALBERT D'AIX, p. 681 ; IBN AL-QALÂNISÎ, p. 114.

189. IBN AL-A*th*ÎR, *Hist. orient.*, I, p. 282 : « *T*ughtekîn ne tarda pas à reconnaître chez les émirs qui entouraient Mawdûd des dispositions peu bienveillantes à son égard, et il craignit que l'armée ne marchât sur Damas pour la lui enlever. Il ouvrit donc secrètement des négociations avec les Francs. »

190. ALBERT D'AIX, p. 683. – IBN AL-A*th*ÎR, *Kâmil al-Tewârîkh*, p. 283.– KEMAL AL-DÎN, *Chronique d'Alep*, p. 601. – DERENBOURG, *Vie d'Ousâma*, I, p. 90-91.

191. DERENBOURG, *Vie d'Ousâma*, p. 92. – IBN AL-QALÂNISÎ, 118.

192. KEMAL AL-DÎN, *Atabegs*, p. 601. – DERENBOURG, *Vie d'Ousàma*, I, p. 92.

193. ALBERT D'AIX, p. 684.

194. Voir plus bas, pages 467-472. Cf. IBN AL-A*th*ÎR, p. 283.

195. Ibn al-Athîr, *Hist. orient.*, p. 291.
196. Ibn al-Athîr, *ibid.*, p. 288.
197. Cf. Kramers, *Salamiya, Encyclop. de l'Islam*, p. 96.
198. Guillaume de Tyr, p. 484.
199. *Histoire des âtâbegs de Mossoul*, p. 34-35.
200. Albert d'Aix, p. 694.
201. Cf. Ibn al-Athîr, *Kâmil al-Tewârîkh*, p. 288. Le nom d'al-Qahwâna, ou al-Qahwâni – le *Cavam* des chroniqueurs occidentaux – est encore donné à la plaine du Jourdain au point où celle-ci est traversée par la ligne de chemin de fer entre Jisr al-Mujâmi', Semakh et al-*H*ammî.
202. *Mirât al-Zemân*, p. 546-547 ; Ibn al-Qalânisî, 134-136.
203. Guillaume de Tyr, p. 485. Cf. Foucher de Chartres, p. 426.
204. Ibn al-Athîr, p. 289 ; Ibn al-Qalânisî, 137.
205. « Illi (Turci), scientes reliquas regni partes militiâ vacare, missis de suo exercitu ad varias partes, terram universam coeperunt cursitare, cædes passim per vias publicas operari, incendia procurare, effringere suburbana, captivare colonos, ita libère per universam se habere regionem, tanquam sibi omnia subjecissent » (Guillaume de Tyr).
206. Le texte latin est encore plus significatif : « Recesserant etiam a nobis per illos dies nostri domestici, et suburbanorum nostrorum quæ casalia dicuntur habitatores Sarraceni ; et hostium adjuncti cohortibus, alios erudiebant in nostram perniciem ; qui tanto id melius facere poterant quanto status nostri pleniorem habebant scientiam. Nulla enim pestis efficacior ad nocendum quam familiaris inimicus. His ergo ducibus hostes freti et eorum fortiores facti solatio, villa circuibant et castella, prædas et mancipia secum trahentes » (Guillaume de Tyr, p. 486).
207. *Kâmil al-Tewârîkh*, p. 289.
208. Foucher de Chartres, p. 426-427.
209. Guillaume de Tyr, p. 487.
210. Albert d'Aix, p. 696.
211. Ibn al-Athîr, *Atabegs*, p. 35.
212. Cf. Dussaud, *Topographie*, p. 314 et 317.
213. Dates d'Ibn Khallikân (*Biographical dictionary*, I, p. 227) et d'Ibn al-Qalânisi, 139-141. Cf. Derenbourg, *Vie d'Ousâma*, I, p. 96.
214. Ibn al-Athîr, *Atabegs*, p. 36, et *Kâmil al-Tewârîkh*, p. 290.
215. *Kâmil al-Tewârîkh*, 290. Ibn al-Qalânisî, 141, reste très « officiel ».
216. Guillaume de Tyr, p. 487. Albert d'Aix (p. 700) est encore plus formel : « Quomodo princeps Damascenorum fraudibus occiderit alium principem Turcorum. »
217. *Kâmil al-Tewârîkh*, p. 290.

218. « Hac de causâ, Dochinus (= *T*ughtekîn) semper suspectus et sollicitus, nunc regi Baldewino et christianis fœderatus integrius adhærabat ; Turcis usquequaque nocere non desistebat » (ALBERT D'AIX, p. 702).

219. IBN AL-A*thî*R, *Kâmil al-Tewârîkh*, p. 296.

220. ALBERT D'AIX, p. 701. Les identifications sont celles de M. DUSSAUD, *Topographie*, p. 174-177.

221. *Kâmil al-Tewârîkh*, 696. Qalânisî passe pudiquement là-dessus.

222. « Jure fœderis obligatum » (GUILLAUME DE TYR, XI, XXIII).

223. « Rex Balduinus, invitatus ad auxilium militum Christi, et cum eo Dochinus (= *T*ughtekîn), princeps Damasci, nunc ipsi Regi fide alligatus, in plurimo equitatu versus Antiochiam iter acceleravit » (ALBERT D'AIX, p. 701).

224. Tell Mannas ou Menis est le Thalamania d'Albert d'Aix, déformé en Talamria par le copiste. Restitution de M. Dussaud (*Topographie*, p. 174). Cf. ALBERT D'AIX, p. 701. Pour cette guerre, voir plus bas, p. 500-506.

225. GUILLAUME DE TYR, I, p. 493.

226. GUILLAUME DE TYR, p. 494-495.

227. Bibliographie dans HONIGMANN, *Shawbak*, in *Encyclop. de l'Islam*, F, p. 352 (1926). Cf. ABEL, *Géographie de la Palestine*, I, 461.

228. Est locus commoditates habens fœcundi soli, frumenti, vini et olei copias uberes ministrantis (GUILLAUME DE TYR, p. 500).

229. GUILLAUME DE TYR, I, p. 499. Le premier seigneur de Montréal et de la Terre d'Outre-Jourdain fut Romain du Puy, qui aurait reçu ce fief vers 1118 et en aurait été dépossédé, ainsi que son fils Raoul, antérieurement à 1128, date où Payen le Bouteiller en fut investi par Baudouin II. Cf. REY, *Les seigneurs de Montréal, Rev. Orient lat.*, 1896, I, 19.

230. « Novarum rerum semper avidus. » ALBERT D'AIX, p. 702.

231. Cf. MUSIL, *Aïla*, in *Encyclop. de l'Islam*, I, p. 214.

232. GUILLAUME DE TYR, p. 505.

233. En 1116, les couvents grecs du Sinaï avaient pour archevêque le prélat Zacharie (1114-1143). Cf. CHEIKHO, *Les archevêques du Sinaï*, Beyrouth, 1907, et CHABOT, *Revue de l'Orient latin*, 1908, p. 496.

234. ALBERT D'AIX, p. 703.

235. Cf. DUSSAUD, *Topographie*, 21.

236. Traduction de GUILLAUME DE TYR, I, p. 507.

237. ALBERT D'AIX, 705. Cf. ABEL, *Géographie*, 103-104, 433.

238. Cf. *Hist. orient.*, p. 314.

239. GUILLAUME DE TYR, p. 508.

240. Voir plus bas, p. 531.

241. GUILLAUME DE TYR, 500. Cf. MARTIN, *Journ. asiat.*, 1888, 471.

242. GUILLAUME DE TYR, I, p. 501.

243. Nam qui fuimus occidentales, nunc facti sumus orientales. Qui fuit Romanus aut Francus, hac in terra factus est Galilæus aut Palestinus. Qui fuit Remensis aut Carnotensis, nunc efficitur Tyrius vel Antiochenus. Jam obliti sumus nativitatis nostræ loca ; jam nobis pluribus vel sunt ignota, val etiam inaudita. Hic jam possidet domos proprias et familias quasi jure paterno et hæreditario, ille vero jam duxit uxorem non tantum compatriotam, sed et Syram aut Armenam et interdum Sarracenam, baptismi autem gratiam adeptam. Alius habet apud se tam, socerum quam nurum, seu generum sive privignum, necne vitricum. Nec deest huic nepos, seu pronepos. Hic potitur vineis, ille vero culturis. Diversarum linguarum coutitur alternatim eloquio et obsequio alteruter. Lingua diversa jam communis facta utrique nationi fit nota, et jungit fides quibus est ignota progenies. Scriptum quippe est : *Leo et bos simul comedent paleas*. Qui erat alienigena, nunc est quasi indigena, et qui inquilinus est, utique incola factus. Nos nostri sequuntur de die in diem propinqui et parentes, quæcumque possederant omnino relinquentes, nec etiam volentes. Qui enim illic erant inopes, hic facit eos Deus locupletes. Qui habuerant nummos paucos, hic possident bizantios innumeros ; et qui non habuerat villam, hic, Deo dante, jam possidet urbem. Quare ergo reverteretur in Occidentem qui hic taliter invenit Orientem ? » (FOUCHER DE CHARTRES, chap. XXXVII, *Hist. occid.*, III, p. 468.)

244. ALBERT D'AIX, p. 536. GUILLAUME DE TYR, I, p. 413.

245. Erreur de Guillaume de Tyr. Bohémond était alors prisonnier des Dânishmendites en Cappadoce. Il ne peut être question que de son neveu, Tancrède, régent d'Antioche, à sa place.

246. GUILLAUME DE TYR, encore « renforcé » par le Traducteur, 438-439.

247. « Rex patriarcham de perfidiâ quam egerat cum Tancredo adversus se, ne dignus hæres Godefrido succederet, sed Boemundus, externus sanguis, possideret regnum, coram omni Ecclesia interpellavit. » ALBERT D'AIX, p. 538.

248. Cf. RIANT, *Inventaire des lettres des Croisades, Arch. Or. lat.*, I, p. 211. Rappelons que le cardinal-légat Maurice était arrivé à Laodicée (Lattaquié) avec une flotte génoise dans les derniers jours de septembre 1100. Les Génois avaient hiverné à Laodicée. Au début de mars 1101, ils avaient mis à la voile pour Caïffa, toujours avec le légat. Cf. CAFARO, *Liberatio civit. Orientis, Hist. occid.*, V, p. 60.

249. ALBERT D'AIX, p. 540-541.

250. ALBERT D'AIX, p. 545.

251. « Die quadam factum est ut Patriarcha cum fratre Mauricio, solito more, in domo suâ accubuisset, variisque cibis splendide epularetur, vinum quoque non modice biberet. » ALBERT D'AIX, p. 546 (cf. *ibid.*, 541).

252. ALBERT D'AIX, p. 547.

253. *Ibid.*, p. 548.

254. GUILLAUME DE TYR, p. 459.

255. ALBERT D'AIX, p. 597-598 ; cf. HAGENMEYER, *Chronologie, Rev. de l'Or, lat.*, 1908, p. 463-464.

256. ALBERT D'AIX, p. 599.

257. Baudouin, évêque de Césarée.

258. Robert, évêque de Ramla ou Rama.

259. Cf. CHALANDON, *Alexis Comnène*, p. 215.

260. Vers le 8 octobre 1102 d'après HAGENMEYER, *Chronologie, Rev. Or. lat.*, 1908, p. 471-472.

261. ALBERT D'AIX, p. 600.

262. GUILLAUME DE TYR, I, p. 439. Cf. BARTOLF DE NANGIS, p. 538. D'après Hagenmeyer (*R. 0. L.*, 1908, p. 475), l'élection d'Ebremar se placerait vers le 10 octobre 1102.

263. GUIBERT DE NOGENT, *Hist. occid.*, IV, p. 233.

264. ALBERT D'AIX, p. 622.

265. GUIBERT DE NOGENT, p. 233.

266. GUILLAUME DE TYR, I, p. 457. Cf. HAGENMEYER, *Chronologie, R. 0. L.*, 1911, p. 304-305 et 312.

267. ALBERT D'AIX, p. 658.

268. GUILLAUME DE TYR, p. 456-457.

269. *Ibid.*, I, p. 457.

270. ALBERT D'AIX, p. 659.

271. Rappelons que les origines de la reine Arda sont mal établies et que, pour plusieurs arménisants, elle était fille du roupénien Thoros, frère de Constantin Ier, seigneur de Vahka et de Partzerpert, tandis que pour Honigmann, elle est fille d'un autre chef arménien, Thathoul, seigneur de Mar'ash.

272. GUILLAUME DE TYR, p. 451-452. Guibert de Nogent nous renseigne sur le prétexte qu'avait invoqué Baudouin pour répudier sa femme. On se rappelle qu'en 1100, tandis que le roi descendait d'Édesse sur Jérusalem, il avait fait faire à sa femme le voyage par mer (de Saint-Siméon à Jaffa). Au cours de cette navigation, des pirates auraient abusé d'elle. Mais ce ne serait là qu'un prétexte décent pour une inconduite plus générale (incontinentiam ethnicam rex habens, non sine ratione, suspectam). *Gesta Dei per Francos*, p. 259.

273. « Ipse vero gaudet vivere cælebs, quia non est ei colluctatio adversus carnem et sanguinem, sed contra mundi rectores » (GUIBERT DE NOGENT, p. 259).

274. GUILLAUME DE TYR, p. 473-474.

275. G. T, 479. Tout en suivant fidèlement le texte de Guillaume, le traducteur, par sa belle langue, lui rend une vie, une verdeur nouvelles.

276. GUILLAUME DE TYR, p. 488.

277. ALBERT D'AIX, p. 697.

278. GUILLAUME DE TYR, I, p. 488.

279. ALBERT D'AIX, p. 697.

280. GUILLAUME DE TYR, p. 489.

281. ALBERT D'AIX, p. 697.

282. GUILLAUME DE TYR, p. 499.

283. ALBERT D'AIX, p. 704.

284. GUILLAUME DE TYR, p. 506.

285. Je cite le texte en entier, tant il a grande allure : « Cujus legatos Rex benigne audiens, statim Paganum de Cayphas accitum et Eustachium cognomine Granarium, Tancredo et Willelmo in hæc verba direxit : Bertrannum, confratrem et conchristianum, filium comitis Reimundi, a nobis scitote quæsisse auxilium super injuriis quas sibi nunc infertis de terra et urbibus patris sui, quod sic nequaquam fiat. Placet enim universæ Ecclesiæ Jherusalem, ut ad nos Tripolim descendentes, injuste ablatas civitates restituatis, tam Bertranno quam Baldewino de Burg et Gozelino de Turbaysel, et sic invicem conventu et consilio habito, in concordiam redeamus. Alioquin terram, quam nuper intravimus adversus inimicos hos in circuitu, Turcos et Sarracenos, nequaquam poterimus retinere. » ALBERT D'AIX, p. 667.

286. ALBERT D'AIX, p. 667.

287. GUILLAUME DE TYR, p. 469. – « Ita captam â Christianis, Tripolim Bertrannus comes, rege concedente, possedit, regi proinde fidelis homini fœdere dedicatus » (*Historia Hierosolymitana*, p. 569).

288. ALBERT D'AIX, p. 667 : « Quod rex Baldewinus Wilhelmum et Tancredum apud Tripolim sibi occurere mandavit ; Tancredus, Regis voluntate et nunciis auditis, Willelmum ab irâ et omni assultu compescuit, donec Regi ore ad os loquerentur, et ad eum Tripolim profiscicerentur. Qui statim, adunatis septingentis viris, equitibus egregiis, Tripolim diverterunt. »

289. « Quos post paululum Baldewinus de Rohas et Gozelinus de Cortenai, juxta mandatum regis, in equitatu magno subsecuti sunt » (ALBERT D'AIX, *ibid.*).

290. « Qualiter apud Tripolim Rex quatuor principes pacificaverit » (ALBERT D'AIX, *ibid.*).

291. « His omnibus collatis, et cunctis injuriis utrimque coram Rege et fidelibus suis recitatis, consilio vero Regis utrimque remissis et compositis, Baldewinus de Burg et Tancredus reconciliati sunt, Baldewino quæ injuste obtinuerat a Tancredo benigne remissis. Bertrannus et Willelmus pariter concordes facti sunt, ea tamen conditione ut Willelmus Archas et cetera quæ acquirire posset, pacifice obtineret, Bertranno acquisita patris sui nemo impediret. Rex vero Tancredo Cayphas civitatem, templumque Domini, Tabariam simul et Nazareth cum omnibus reditibus, acceptâ ab eo fidelitate, reddidit, quatenus deinceps in ejus obsequio et dilectione stabilis permaneret » (ALBERT D'AIX, p. 668).

292. ALBERT D'AIX, p. 670-675.

293. « Frater mi Tancrede, non justam rem exigis, nec adversus Baldewinum (de Burg) justam habes molestiam, de aliquo loqui debes tributo quod Antiochiæ hactenus reddebant civitates, cum nihil inter nos de jure Gentilium simus habituri de cunctis quæ Deus nostræ subjecit ditioni. Nosti et universis notum est Christianis qualiter, cum a terrâ et cognatione nostrâ exivimus, pro nomine Ihesu exilia quærentes, decrevimus ut quidquid in terrâ hac peregrinationis nostræ quisque de regnis et terris Gentilium expugnatis apprehenderet, pacifice et libere obtineret. Et ideo scias quia non justam adversus Baldewinum habes querelam, cum Gentilium decreta et nostra non conveniant, et stabili consilio de hoc in unum consenserimus, nisi res Christianorum adeo in sublime procederet ut regem constitueremus quem caput, rectorem ac defensorem ad nostra retinenda et propaganda subjecti sequeremur. Unde ex timore Dei et justo judicio omnium qui nunc adsunt Christianorum, oportet te in concordiam redire, et ab omni molestia quam habes adversus Baldewinum (de Burg) revocari. Alioquin, si Gentilibus vis sociari et nostris moliri insidias, nequaquam frater Christianorum poteris remanere. Nos quoque confratri christiano juxta decretum nostrum coadjutores et defensores ad omnia parati erimus » (ALBERT D'AIX, p. 673).

294. ALBERT D'AIX, p. 709.

295. GUILLAUME DE TYR, p. 502.

296. GUILLAUME DE TYR, I, p. 503.

297. *Ibid.*, I, p. 504-505.

298. Foucher de Chartres, comme chapelain de Baudouin Ier, prit une part personnelle à ces incidents.

299. MATTHIEU D'ÉDESSE, p. 54-55. – FOUCHER DE CHARTRES, p. 385. – CAFARO, *Liberatio civitatum Orientis*, p. 61. – La vie paisible des couvents et sanctuaires chrétiens non catholiques sous la domination franque est attestée par de nombreux textes. Citons (s'il est authentique) le pèlerinage de la princesse Euphrosine de Polovtsk à Jérusa-

lem en 1173, qui nous montre la prospérité du couvent orthodoxe, dit russe, voisin de l'église de la Vierge, du couvent de Saint-Sabbas, du couvent de la Vierge de Théodose, etc. Cf. KHITROWO, *Rev. Or. Lat.*, 1895, I, p. 32.

300. BEHA' AL-DÎN, *Vie du sultan Yûsuf*, p. 58.

301. Rappelons que le roi de Jérusalem résidait dans le Masjid al-Aq*s*â ou *Templum Salomonis*, transformé en palais après la prise de Jérusalem par les Croisés, tandis que le Qubbat al-*S*akhra avait été transformé en église *(Templum Domini)*. Cf. ACHARD D'ARROUAISE, *Poème sur le Templum Domini*, publié par le marquis de Vogüé, *Archives de l'Orient latin*, I, p. 562-579. Notons aussi qu'en adaptant à leurs besoins le Masjid al-Aq*s*â, les Francs y conservèrent plusieurs chefs-d'œuvre de l'art musulman, comme le mihrab de Dâwud et celui d'Omar (*Extraits d'al-Herâsî, Archives de l'Orient latin*, I, p. 601).

## Chapitre IV

1. Voir plus haut, p. 119.

2. *Histoire anonyme*, édition Bréhier, p. 169.

3. RAYMOND D'AGILES, p. 286 ; CHALANDON, *Alexis Comnène*, p. 214.

4. GUIBERT DE NOGENT, p. 254.

5. Nous suivons ici Chalandon (*Alexis Comnène*, p. 210-212) qui a restitué l'ordre chronologique des événements, après une judicieuse critique des données fournies par Albert d'Aix (p. 500-501), Raoul de Caen (p. 649), Guibert de Nogent (p. 254) et Anne Comnène.

6. Comes Reimundus, post captionem Antiochiæ, decreto itinere suo cum cæteris in Iherusalem, imperatori Constantinopolis Laodiciam civitatem restituit, ut sic fidem inviolatam servaret. Juraverat enim sibi fœdusque percusserat cum eo, una cum ceteris principibus, de cunctis urbibus, terris et castellis ad regnum ejus pernitentibus, nihil quidquam de omnibus retinere aut mentiri. ALBERT D'AIX, p. 501.

7. ALBERT D'AIX, p. 501.

8. ALBERT D'AIX, p. 502.

9. Notons que Raymond de Saint-Gilles était accompagné de plusieurs autres barons qui, revenant avec lui de Jérusalem, rentraient, leur vœu accompli, en Occident : Robert Courte-Heuse, comte de Normandie, Gaston de Béarn, Conan de Montaigu, etc.

10. ALBERT D'AIX, p. 503-504.

11. ALBERT D'AIX, p. 505.

12. FOUCHER DE CHARTRES, p. 368.

13. Voir plus haut, p. 205.

14. Cf. CHALANDON, *Alexis Comnène*, p. 222-223. Notons qu'en se rendant à la Cour de Constantinople, Saint-Gilles laissa à Laodicée sa femme et la majeure partie de sa « mesniée » (GUILLAUME DE TYR, p. 416).

15. RAOUL DE CAEN, p. 706-707.

16. Laodicée ne fut prise par Tancrède que dans la seconde moitié de 1102. Cf. RAOUL DE CAEN, p. 708 ; CHALANDON, *Alexis Comnène*, p. 232-233 ; Résumé de l'histoire de la ville par HONIGMANN, *Lâdhiqîya*, in *Encyclop. de l'Islam*, fasc. 37, p. 3.

17. Albert d'Aix est notamment très sévère pour la conduite des Lombards (p. 561-562).

18. EKKEHARD D'AURA, *Hierosolymitana*, chap. XXIII, p. 29 ; ALBERT D'AIX, p. 560-562.

19. GUILLAUME DE TYR, I, p. 416.

20. ALBERT D'AIX, p. 563.

21. Malik Ghâzî Gümüshtekîn, fils et successeur de Malik Dânishmend A*h*med Ghâzî, aurait régné sur la Cappadoce turque de 1084 ( ?) à 1126. Mais cette chronologie est incertaine. Cf. MORDTMANN, *Dânishmendïya*, in *Encyclopédie de l'Islam*, p. 937.

22. GUILLAUME DE TYR, I, p. 417.

23. Qilij Arslân Dâwûd, fils de Sulaîmân ibn Qu*t*ulmish, et sultan seljûqide d'Anatolie de 1092 à 1106.

24. ALBERT D'AIX, p. 564. – *Alexiade*, I, II, p. 71. – Cf. IBN AL-A*thî*R, *Hist. orient.*, I, p. 203.

25. Tomaschek (*Zur historischen Topographie von Kleinasien*, p. 87), suivi par Chalandon (*Alexis Comnène*, p. 227), restitue en Amasia l'impossible Maresch d'Albert d'Aix (p. 568). Mais il semble bien que l'ancienne identification avec Merzifûn reste valable. Sur cette dernière ville, cf. Fr. BABINGER, *Merzifûn, Encyclop. de l'Islam*, p. 531. Du reste, Anne Comnène dit expressément que la bataille fut livrée sur les limites du Thème Paphlagonien et du Thème Arméniaque (*Alexiade*, livre XI, p. 262-263). Or cette limite longe (d'assez loin) la rive occidentale de l'Halys ou Qizil Irmâq, laissant Gangra (Kangheri) et Kastamon (Qas*t*amûnî) en Paphlagonie, Sinope et tout le cours de l'Halys chez les Arméniaques. Si les Croisés sont parvenus à l'est de Merzifûn, c'est le maximum de leur avance. Si on s'en tient à l'*Alexiade*, ils n'ont guère dépassé le Qizil Irmâq.

26. Vers le 5 août, pense Hagenmeyer, *Chronologie*, 450-456.

27. ALBERT D'AIX, p. 569-570. – FOUCHER DE CHARTRES, p. 398. – ORDERIC VITAL, éd. Le Prévost, IV, p. 126. – *Alexiade*, I, II, p. 71. – IBN AL-A*thî*R, *Hist. orient.*, I, p. 203. – HAGENMEYER (*Chronologie*, p. 458) place vers les 12-13 août l'arrivée de Raymond de Saint-Gilles à Sinope et son embarquement pour Constantinople.

28. ALBERT D'AIX, p. 571-572.

29. *Ibid.*, p. 574.

30. *Ibid.*, p. 574. Cependant Alexis se radoucit bientôt : il y avait une trop grande solidarité d'intérêts entre lui et le comte de Toulouse. Anne Comnène, très favorable à l'allié de son père, essaie de l'excuser (*Alexiade*, livre XI, p. 262-263).

31. HAGENMEYER, *Chronologie du royaume de Jérusalem, Rev. or. lat.*, 1902, p. 438-439.

32. Vers le 25 juillet 1101, calcule Hagenmeyer (*Chronologie*, p. 449).

33. Vers la mi-août d'après Hagenmeyer (*Chronologie*, p. 459-460).

34. ALBERT D'AIX, p. 575-578.

35. Guillaume IX s'était mis en marche vers le milieu de mars 1101. La Croisade bavaroise se mit en mouvement vers la fin mars ou le début d'avril. Cf. HAGENMEYER, *Chronologie du royaume de Jérusalem, Rev. de l'Orient latin*, 1902, p. 409-410, 414-416.

36. EKKEHARD D'AURA, *Hierosolymitana*, chap. XXIII, *Hist. occ.*, V, p. 29.

37. MATTHIEU D'ÉDESSE, *Hist. arm.*, I, p. 59.

38. Hagenmeyer (*Chronologie*, p. 457) place vers le 10 août 1101 l'occupation et le pillage de Philomelion par les Aquitains et les Allemands.

39. Cette rivière qui sort du Bulghar dagh arrose Eregli, puis se ramifie en un delta et finit dans l'Aq göl.

40. L'histoire de la Croisade aquitano-bavaroise est racontée par Ekkehard d'Aura (*Chronicon universale, Monumenta Germaniœ*, SS, t. VII). Ekkehard d'Aura accuse les Byzantins de tous les malheurs de la Croisade. C'est d'ailleurs un leit-motiv dans la littérature du temps. L'Arménien Matthieu d'Édesse (p. 59) va jusqu'à leur reprocher la formation désertique de l'Anatolie intérieure !

41. FOUCHER DE CHARTRES, p. 399 ; GUIBERT DE NOGENT, p. 243. Cf. HAGENMEYER, *Chronologie du royaume de Jérusalem, R. O. L.*, 1903-1904, p. 392.

42. Cf. DUSSAUD, *Topographie*, p. 431.

43. HAGENMEYER (*Chronologie du royaume de Jérusalem*, 1903-1904, p. 396-398) place entre novembre-décembre 1101 et janvier 1102 l'arrivée et l'emprisonnement de Raymond de Saint-Gilles dans la principauté d'Antioche. – D'après MATTHIEU D'ÉDESSE (*Doc. arm.*, I, p. 57), Tancrède aurait fait conduire son prisonnier dans la forteresse cilicienne de Sarouantavi (Sarfandkiâr), au sud-ouest d'Anazarbe. Mais il y a évidemment plutôt lieu de se fier aux chroniqueurs latins qui nous disent que Bernard l'Étranger ayant livré Raymond à Tancrède, ce dernier garda son prisonnier près de lui dans Antioche même.

44. MATTHIEU D'ÉDESSE, *Documents arméniens*, I, p. 58.

45. ALBERT D'AIX, p. 582-583.

46. En réalité Raymond de Saint-Gilles avait juré à Tancrède de renoncer à toute conquête entre Antioche et Acre. En jetant son dévolu sur la côte libanaise, il manquait donc à sa promesse. Mais Tortose et Tripoli étaient trop loin d'Antioche pour que leur occupation pût vraiment porter ombrage à Tancrède. Le principal pour celui-ci était que Saint-Gilles eût renoncé à toute revendication sur Antioche et sur Laodicée.

47. RAYMOND D'AGILES, p. 289.

48. Les comtes de Blois et de Bourgogne, Guillaume d'Aquitaine, Blandrate, le connétable Conrad. Seuls le duc Welf de Bavière et Renaud de Bourgogne refusèrent de participer au siège et poursuivirent sur Jérusalem (ALBERT D'AIX, p. 583).

49. HAGENMEYER, *Chronologie du royaume de Jérusalem, Rev. de l'Orient latin*, 1903-1904, p. 400-405. Cf. HEYD, trad. Furcy-Raynaud, *Histoire du commerce du Levant*, I, p. 139 ; CAFFARO, *Liberatio civitatum Orientis, Hist. occid.*, V, p. 69 C.

50. ALBERT D'AIX, p. 583 ; GUILLAUME DE TYR, p. 418.

51. Cf. FOUCHER DE CHARTRES, p. 399 (mauvaise humeur des barons quand Raymond annonce sa décision de rester dans Tortose conquise).

52. Les Banû 'Ammâr gardaient, comme princes (*sahib*) de Tripoli, le simple titre de *qâdî* correspondant à la fonction qu'ils avaient exercée comme mandataires du gouvernement fâ*t*imide, avant de se rendre indépendants. Cf. SOBERNHEIM, *Ibn 'Ammâr*, in *Encyclopédie de l'Islâm*, p. 382.

53. Comes Tripolim obsidebat, tot millia, unus (p. 707).

54. IBN AL-A*th*ÎR, p. 211-212.

55. *Ibid.*, p. 212. Cf. RAOUL DE CAEN, p. 707.

56. GUILLAUME DE TYR, p. 441. Cf. HAGENMEYER, *Chronologie du royaume de Jérusalem, Rev. de l'Or. lat.*, 1907, p. 145-149.

57. DUSSAUD, *Topographie*, p. 100-101.

58. *Kâmil al-Tewârîkh*, p. 211-212.

59. *Mirât al-Zemân*, p. 525-526. – *Kâmil al-Tewârîkh*, p. 213. – KEMAL AL-DÎN, *Hist. d'Alep*, p. 590.

60. KEMAL AL-DÎN, *Chronique d'Alep*, p. 589-591 ; IBN AL-A*th*ÎR, *Kâmil al-Tewârîkh*, p. 212-213.

61. KEMAL AL-DÎN, *Chronique d'Alep*, p. 591.

62. IBN AL-QALÂNISÎ, 60. *Kâmil al-Tewârîkh*, 219.

63. ALBERT D'AIX, p. 606. – CAFARO, *Liberatio civitatum Orientis*, p. 71. – CAFARI, *Annales Genuens. (Mon. Germ. Script.*, XVIII, 14, 45). – Cf. HAGENMEYER, *Chronologie, Rev. Or. lat.*, 1909, p. 93-95.

64. Cf. HEYD, trad. Furcy-Raynaud, *Histoire du commerce du Levant*, I, p. 139-141, 150, 158.

65. Cf. DUSSAUD, *Topographie historique*, p. 75. – Fr. BUHL, T*arâbulus*, in *Encyclop. de l'Islâm*, p. 693.

66. ALBERT D'AIX, p. 610.

67. *Alexiade*, liv. XI, p. 106. Cf. CHALANDON, *Alexis Comnène*, p. 232, et IBN AL-A*thî*R, *Kâmil al-Tewârîkh*, p. 236.

68. GUILLAUME DE TYR, p. 441. Cf. CAFARO, *Liberatio civitatum Orientis*, p. 70. – RAOUL DE CAEN, p. 226. – VAN BERCHEM, *Voyage*, 116.

69. *Kâmil al-Tewârîkh*, p. 212.

70. GUILLAUME DE TYR, p. 441 : « ...Unde Tripolitanis civibus incessanter diebus pene singulis inferebat molestias, ita ut universæ regionis incolæ et etiam ipsius civitatis habitatores annua eidem persolverent tributa ; nec minus ei obedirent in omnibus quam si urbem ipsam sine contradictore possideret. » Cf. ALBERT D'AIX, p. 610, et RAOUL DE CAEN, p. 707.

71. Le texte latin dit au contraire que l'enfant naquit « in eodem loco », ce qui, en raison du contexte, désigne non Tortose, mais le manoir du Mont Pèlerin (GUILLAUME DE TYR, p. 441).

72. *Mirât al-Zemân*, p. 528.

73. *Kâmil al-Tewârîkh*, p. 235-236.

74. *Mirât al-Zemân*, p. 528.

75. BARTOLF DE NANGIS, p. 539. – CAFARO, *Liberatio civitatum Orientis*, p. 72. – ALBERT D'AIX, IX, XXXII, p. 610. – GUILLAUME DE TYR, XI, 2, p. 452.

76. GUILLAUME DE TYR, p. 454-455.

77. Parenté assez indirecte. La mère de Guillaume Jourdain, Adélaïde (femme de Guillaume-Raymond, comte de Cerdagne), était fille de Rangarde qui était la tante maternelle de Raymond de Saint-Gilles (Rangarde étant sœur d'Almodis, mère de Raymond de Saint-Gilles). Cf. ALBERT D'AIX, p. 623, note *C*. – VAISSETTE, *Histoire du Languedoc*, nouv. édit., V, n° 340. – Guillaume est connu des historiens arabes sous son titre de comte de Cerdagne (*al-Sardânî*). Cf. *Autobiographie d'Usâma*, trad. Derenbourg, *Rev. Or. lat.*, 1894, 3-4, p. 378, 379.

78. Cf. CHALANDON, *Alexis Comnène*, p. 238, d'après l'*Alexiade*, I, XI, 9, p. 111.

79. *Kâmil al-Tewârîkh*, p. 236.

80. *Ibid.*, p. 226-227 et 236.

81. Cf. DUSSAUD, *Topographie*, p. 98.

82. *Kâmil al-Tewârîkh*, p. 230, place à tort l'événement en 1106.

83. On sait que Tripoli renfermait une nombreuse population marchande, notamment une importante colonie juive qu'y avait installée le khalife Mu'âwiya (F. BUHL, d'après Balä*d*hûrî, art. T*arâbulus*, *Encyclop. de l'Islam*, p. 693).

84. *Kâmil al-Tewârîkh*, p. 236-237.

85. IBN AL-QALÂNISÎ, 83.
86. *Kâmil al-Tewârîkh*, p. 255 ; *Mirât al-Zemân*, p. 534.
87. DUSSAUD, *Topographie*, p. 139.
88. Le khalife était toujours al-Mustazhir (1094-1118).
89. *Kâmil al-Tewârîkh*, p. 256.
90. À Jâwalî Saqâwa. Cf. *Mirât al-Zemân*, p. 535.
91. *Kâmil al-Tewârîkh*, p. 257.
92. Cf. *Kâmil al-Tewârîkh*, p. 274 ; *Mirât al-Zemân*, p. 536 ; *Usâma*, 81.
93. *Nojûm al-Zâhira*, p. 490.
94. DUSSAUD, *Topographie*, p. 84.
95. DUSSAUD, *op. laud.*, p. 80-88.
96. IBN AL-A*th*ÎR, *Hist. orient.*, I, p. 269.
97. DUSSAUD, *Topographie*, p. 95.
98. DERENBOURG, *Vie d'Ousâma*, I, p. 76 ; *Autobiographie d'Ousâma, Rev. Or. lat.*, 1894, 2-3, p. 378-379.
99. ALBERT D'AIX, p. 663.
100. IBN AL-A*th*ÎR, p. 270.
101. Bertrand était fils de la première femme de Raymond de Saint-Gilles, fille elle-même de Bertrand, marquis de Provence.
102. « Eodem anno, Martio mense inchoante », écrit Albert d'Aix (p. 664). D'après le contexte, Rœhricht en déduit que Bertrand s'embarqua « au commencement de mars 1108 » (*Geschichte des Königreichs Jerusalem*, p. 79). Mais comme Bertrand n'arrivera à Tripoli qu'au début de mars 1109, on ne voit pas très bien comment sa navigation, même avec le détour sur Constantinople, aurait pu durer un an.
103. Albert d'Aix nous dit qu'il s'arrêta à *Pise* et que ce fut là qu'il s'entendit avec les Genois. Il semble qu'il faille lire : *Gênes*.
104. HEYD, *Histoire du commerce du Levant*, I, p. 140.
105. « Bertrannus... de mari per Brachium Sancti Georgii descendens cum quibusdam de comitatu electis, Imperatori suo in palatio locutus, *sacramento ei conjunctus et subjectus factus est.* » ALBERT D'AIX, p. 664.
106. ALBERT D'AIX, p. 665-666.
107. Cf. FOUCHER DE CHARTRES, p. 419.
108. ALBERT D'AIX, p. 666.
109. Nous sommes amenés à revenir sur des évènements que nous n'avons fait qu'esquisser au point de vue de l'histoire du royaume de Jérusalem, pour les reprendre plus en détail ici dans l'histoire du comté de Tripoli.
110. ALBERT D'AIX, p. 667.
111. ALBERT D'AIX, p. 668 ; GUILLAUME DE TYR, p. 466.
112. GUILLAUME DE TYR, p. 466.

113. Ibn al-Qalânisî, 89. *Nojûm*, 490. Ibn al-Athîr, 273-274.

114. Guillaume de Tyr, p. 468. Le texte latin dit : « Si egredi volentibus libere et sine difficultate liceret et familias suas cum omni supellectile ad loca optata ; nolentibus autem exire, si sub certa pensione domino comiti annuatim persolvenda, tute et tranquille in domibus suis manere et possessiones suas colere concedatur. »

115. Ibn al-Athîr, *Hist. orient.*, I, p. 274.

116. Je crains que l'épisode romanesque de la garnison musulmane cachée dans des caves pour préparer la nuit suivante le massacre des vainqueurs, avec l'histoire de la vieille femme arabe qui révèle à temps cette machination, que tous les détails donnés par Albert d'Aix (p. 669) ne soient qu'inventions après coup destinées à excuser le parjure des marins italiens.

117. Foucher de Chartres, p. 420.

118. Guillaume de Tyr, p. 469.

119. La donation fut faite en faveur de l'église Saint-Laurent, cathédrale de la ville de Gênes. La cathédrale de Gênes fut considérée comme seigneur de Gibelet et ce fut à elle que les Embriaci, quand ils devinrent concessionnaires de la petite ville syrienne, eurent à payer leur redevance (Rey, *Les seigneurs de Giblet, Rev. Or. lat.*, 1895, III, p. 399).

120. D'après Rey, la Seigneurie de Gênes n'aurait pas concédé Gibelet à Ugone, mais à son père, Guglielmo (Ier) Embriaco, personnage qui avait pris part à la Première Croisade et à la conquête de Jérusalem. Ugone Embriaco n'aurait reçu Gibelet qu'à la mort de Guglielmo (cf. Rey, *Les seigneurs de Giblet*, p. 399-400).

121. Rey, *Seigneurs de Giblet*, p. 400.

122. Date approximative (Rey, p. 402).

123. Rey, p. 402.

124. *Ibid.*, p. 403.

125. Heyd, *Commerce du Levant*, I, p. 141 ; Dussaud, *Topographie*, p. 82.

126. Traduction de Guillaume de Tyr, I, p. 466.

127. Albert d'Aix, 669.

128. Foucher de Chartres, 420.

129. Dussaud, *op. cit.*, 127. Orthographe de l'*Enc. de l'Islam*, I, 664.

130. Ibn al-Qalânisî, 90 ; *Kâmil al-Tewârîkh*, p. 274-275.

131. Ibn al-Qalânisî, 92 ; *Mirât al-Zemân*, p. 537 ; *Vie d'Usâma*, I, 81-83.

132. Ibn al-Qalânisî, 93 ; *Mirât al-Zemân*, 537. Cf. Dussaud, p. 72, 397.

133. Honigmann, *Masyâd*, in *Encyclop. de l'Islam* (1931), p. 458.

134. Ibn al-Qalânisî, p. 93, 99, 127. *Mirât al-Zemân*, p. 539.

135. Cf. DESCHAMPS, *Le krak des Chevaliers, Gazette des Beaux-Arts*, janvier 1929 et du même, même titre, volume sous presse (Geuthner).

136. ALBERT D'AIX, p. 670-672.

137. ALBERT D'AIX, p. 677.

138. *Ibid.*, p. 678-679.

139. *Ibid.*, p. 684.

140. *Alexiade*, liv. XIV, 2, p. 259-260 ; CHALANDON, *Alexis Comnène*, p. 252-253.

141. GUILLAUME DE TYR, I, p. 483.

142. En 1115 d'après Albert d'Aix, p. 701.

143. Rappelons ici l'histoire analogue, arrivée dans cette même ville d'Antioche, et dont les héros sont Séleucos Ier, sa jeune femme Stratonice et son fils Antiochos. Cf. BOUCHÉ-LECLERCQ, *Hist. des Séleucides*, I, p. 40.

144. ALBERT D'AIX, p. 701.

145. *Kâmil al-Tewârîkh*, p. 298-299. – *Mirât al-Zemân*, p. 555, 557.

146. *Mirât al-Zemân*, p. 557.

147. Rapprochement de Rœhricht, *Geseh. d. Kônig. Jerusalem*, p. 108. – Cf. DUSSAUD, *Topographie*, 174.

148. FOUCHER DE CHARTRES, p. 480. – *Chronique d'Alep*, p. 652.

149. GUILLAUME DE TYR, XIV, VI, p. 614-615. – *Kâmil al-Tewârîkh*, p. 399-400.

150. Par exemple chez Albert d'Aix, Guillaume Jourdain est appelé seigneur de *Homs* : « Camelæ dominus Willelmus de Sartangis » (p. 623), et Bertrand réclame à Guillaume la terre de *Homs* : « terram de Camolla a Willelmo petit Bertrannus » (p. 666).

151. La Chronologie du comté de Tripoli manque souvent de précision, aussi bien chez les chroniqueurs latins que chez les annalistes arabes. Souvent la seule datation se trouve chez Ibn al-Qalânisî ; mais si celui-ci est fort exact quand il s'agit de faits damasquins, il l'est moins pour la Syrie du Nord. On peut le croire quand il précise que la victoire de Raymond de Saint-Gilles sur la coalition des Musulmans de Tripoli, Damas et *Homs* (*supra*, p. 338) est du 14 avril 1102. Il date du 12 septembre 1104 le coup de main des Banû 'Ammâr contre le Château Pèlerin (*supra*, 343), mais il se trompe ensuite sur la date de la mort de Raymond. Il est plus sûr quand il nous dit que la conquête de Rafaniya par *T*ughtekîn sur les Provençaux (*supra*, 347) est d'avril-mai 1105. Notons qu'il est assez peu explicite sur la tentative de *T*ughtekîn pour débloquer 'Arqa assiégé par Guillaume Jourdain en 1108. Il ne dit pas, comme ses imitateurs, que le mauvais temps a empêché *T*ughtekîn de se porter au secours de 'Arqa. Au contraire il semble insinuer que l'âtâbeg parvint jusqu'en vue de la place, mais recula à l'aspect des forces pro-

vençales en se contentant d'aller assiéger de son côté le fort provençal d'al-Akma. L'auteur arabe spécifie du reste que l'âtâbeg ne put prendre al-Akma, puisqu'il fut tout de suite rejoint, surpris et battu par Guillaume Jourdain (*supra*, 351). C'est encore Ibn al-Qalânisî qui est notre meilleur garant pour la conquête du futur Krak des Chevaliers en 1109-1110 par Tancrède qui descendait du nord, après une tentative de coup de main sur Shaîzar (*supra*, 363). De même pour la date de la surprise de la garnison provençale de Raphanée par *T*ughtekîn : 22 octobre 1115 (*supra*, 366). Notons que la surprise nocturne infligée à Pons qui pillait la Beqa' par *T*uhgtekîn, aidé de l'âtâbeg Bursuqî, est transformée par le chroniqueur damasquin en une grande victoire, ce qui, en tout état de cause, semble fort exagéré : simple choc de deux rezzous, même si les Provençaux, surpris par les Turcs, ont perdu plusieurs de leurs chefs, « au point que Pons et son connétable échappèrent presque seuls ». En tout cas, aucune conséquence territoriale. Mais cette fois l'année seulement est indiquée (H. 510, soit mai 1116-mai 1117). Cf. *supra*, p. 366.

## Chapitre V

1. Traduction, ici tendancieuse, de GUILLAUME DE TYR, 385.
2. GUIBERT DE NOGENT, *Hist. Occid.*, IV, p. 253.
3. ALBERT D'AIX, *Hist. Occid.*, IV, p. 500.
4. *Ibid.*, p. 448.
5. Cf. MORDTMANN, *Lâdhikîya*, in *Encyclop. de l'Islam*, liv. 37, p. 3.
6. Cf. p. 319 et CHALANDON, *Alexis Comnène*, p. 210-212. – ALBERT D'AIX, p. 500. – ORDERIC VITAL, p. 70. – RAOUL DE CAEN, p. 649. – GUIBERT DE NOGENT, p. 254.
7. La nécessité d'exposer successivement la formation territoriale du royaume de Jérusalem, celle du comté de Tripoli et celle de la principauté d'Antioche nous oblige à revenir ici sur des événements auxquels il avait été fait allusion plus haut.
8. *Alexiade*, p. 116-120. – ALBERT D'AIX, p. 599-600. – Cf. CHALANDON, *Alexis Comnène*, p. 215.
9. « Nuntiatum est quoniam Boemundus, avaritiâ aggregandi et acquirendi insaturatus, Laodiciam urbem et habitationem catholicorum *(sic)* Græcorum, longâ obsidione occupasset » (ALBERT D'AIX, p. 500).
10. Même remarque qu'à la page précédente. Nous avons déjà évoqué ces événements dans la mesure où ils intéressaient l'histoire de Raymond de Saint-Gilles et les origines du comté de Tripoli. Nous en donnons ici le détail en fonction de l'histoire de la principauté d'Antioche.
11. ALBERT D'AIX, p. 501, 502.

12. ALBERT D'AIX, p. 501-503.
13. *Ibid.*, p. 504.
14. *Ibid.*, p. 511.
15. Cf. *supra*, p. 194 ; ALBERT D'AIX, p. 511-512.
16. Cf. CHALANDON, *Histoire de la domination normande en Italie*, I, p. 277 ; FLICHE, *Histoire du moyen âge* (collection Glotz), p. 420.
17. GUILLAUME DE TYR, I, p. 405.
18. Khalaf ibn-Mulâ'ib avait déjà possédé une première fois Apamée à la fin du onzième siècle. Comme il terrorisait la contrée par ses brigandages, le général seljûqide Aq Sonqor l'en avait chassé en août 1091 et avait donné la ville aux émirs Munqidhites de Shaîzar. Khalaf reprit Apamée par un coup de main en 1096. Cf. DERENBOURG, *Vie d'Ousâma*, I, p. 29 et 70.
19. IBN AL-A*THÎR*, *Kâmil al-Tewârîkh*, p. 204.
20. *Chronique d'Alep*, 588.
21. DUSSAUD, *Topographie*, p. 190.
22. KEMAL AL-DÎN, *Extraits de la chronique d'Alep, Hist. orient.*, III, p. 588.
23. DUSSAUD, *Topographie*, p. 179.
24. *Ibid., Topographie*, p. 190. Sur la région d'outre-Oronte, voir aussi deux bons articles de HONIGMANN, *Ma'arrat Masrîn*, et *Ma'arrat al-Nu'mân*, in *Encyclop. de l'Islam*, liv. 37, p. 60-64.
25. KEMAL AL-DÎN, *Chronique d'Alep*, in *Hist. orient.*, III, p. 588-589.
26. MATTHIEU D'Édesse, *Doc. arm.*, I, p. 50.
27. Voir plus haut, p. 50.
28. MICHEL LE SYRIEN, éd. Chabot, III, III, p. 187.
29. MATTHIEU D'Édesse, *Doc. arm.*, I, p. 51.
30. MATTHIEU D'Édesse, p. 52.
31. ALBERT D'AIX, p. 524. Ibn al-A*thîr* (p. 203) nous parle de cinq mille hommes.
32. Gabriel, le seigneur de Mélitène, était Arménien de race, mais plus ou moins Grec de rite. « Cil Gabriel, écrit Guillaume de Tyr (I, p. 437), estoit nez d'Ermenie ; d'abit et de langage se contenoit comme Hermins, mès de foi et de créance estoit il Grifons (Grec). » D'autre part on sait de quelle haine Michel le Syrien (III, II, p. 188) poursuit cet hérétique, ce « Grec ». Comment s'étonner des trahisons nées de ces haines empoisonnées entre sectes ? Du reste, il y avait à coup sûr des Grecs dans la ville. Ne serait-ce pas eux qui auraient averti les Turcs de l'approche de Bohémond, cet ennemi juré de Byzance ?
33. MATTHIEU D'ÉDESSE, p. 52.
34. Dans sa haine pour les Arméniens, le chroniqueur syriaque Michel accuse Gabriel d'avoir attiré Bohémond dans ce piège : « Quand Bohémond arriva en pays occupé par les Arméniens, ils lui

tendirent des embûches, parce qu'ils craignaient qu'il ne les chassât quand il régnerait. Ils envoyèrent donc avertir en secret Tanoushman (Ibn Dânishmend) ; et le maudit Gabriel lui-même, quand il vit que Bohémond était arrivé à l'endroit appelé Gafina, se repentit et ne voulut pas le laisser entrer, mais il s'efforçait de le retarder en le trompant par des paroles mensongères, de sorte que Tanoushman put arriver, tendit des embûches à Bohémond et s'empara de lui. Ainsi, par la faute de Gabriel et des Arméniens, les Turcs devinrent plus puissants » (MICHEL LE SYRIEN, p. 88). Il est vraisemblable qu'il ne faut voir dans ces accusations que le résultat de haines de sectes. Toutefois ce que nous dit Albert d'Aix (p. 526) de la méfiance de Baudouin de Boulogne pour les « pièges des faux chrétiens » de cette région nous incline à ne pas écarter absolument l'hypothèse d'une trahison, sinon de Gabriel lui-même, du moins de l'élément chrétien indigène, arménien ou peut-être grec.

35. ALBERT D'AIX, p. 525 ; MATTHIEU D'ÉDESSE, p. 52.

36. ALBERT D'AIX, p. 526.

37. « Gaveras (= Khôril, Gabriel) benigne eum et in fide suscipiens, in manu et tutamine illius urbem reddidit. » ALBERT D'AIX, p. 526.

38. Chevaliers *(milites)* ? ou jeunes soldats, recrues *(tirones)* ? Albert d'Aix (p. 526) emploie les deux expressions.

39. MICHEL LE SYRIEN, éd. Chabot, III, II, p. 188. Cf. HONIGMANN, *Malatya*, in *Encyclop. de l'Islam*, p. 211. Avec Chalandon (*Les Comnène*, II, p. 41 et 104), je préfère pour la prise de Mélitène par les Dânishmendites la date de 1103, car elle nous laisse le temps de situer le mariage de Baudouin du Bourg avec Morfia, fille de Gabriel, et les tours pendables joués par le gendre à son beau-père (GUILLAUME DE TYR, I, p. 469).

40. « Tanushman (= Ghâzî ibn Dânishmend) ne laissa périr personne. Il fit rentrer les habitants dans leurs maisons, fit venir dans la contrée du pain, des bœufs et les autres choses nécessaires et les leur donna. Il en libéra plusieurs qui étaient en captivité dans ses États depuis de longues années et les renvoya à Mélitène. Et Mélitène éprouva de nombreux bienfaits du temps de Tanushman. L'abondance et la prospérité s'accrurent. Il y établit comme *catépan* un nommé Bâsîlîg, homme juste et craignant Dieu » (MICHEL LE SYRIEN, éd. Chabot, III, II, p. 188). On retrouve ici l'islamophilie persistante des Jacobites qui préféraient la domination des Dânishmendites et des Ortoqides à celle des Arméniens ou des Francs.

41. Asfûna, à l'ouest de Sermîn, près d'Idlib (DUSSAUD, *Topographie*, p. 186, 191).

42. Kemâl al-Dîn dans RŒRICHT, *Beiträge zur Geschichte der Kreuzziige*, p. 231, et *Chronique d'Alep*, 590.

43. GUILLAUME DE TYR, I, p. 413 ; FOUCHER DE CHARTRES, p. 384.

44. ALBERT D'AIX, p. 524 et 531.

45. *Continuation de Tudebode, Hist. occid.*, III, p. 228. – ALBERT D'AIX, p. 537. Pour le détail de ces événements, voir *supra* l'histoire du domaine royal de Jérusalem, page 217.

46. Traduction de GUILLAUME DE TYR, I, p. 413.

47. Cf. HAGENMEYER, in *Rev. Or. lat.*, 1902, p. 445.

48. CHALANDON, *Alexis Comnène*, p. 221 ; HONIGMANN, *Missis, Encyclop. de l'Islam*, liv. 46, p. 594.

49. RAOUL DE CAEN, p. 706. Hagenmeyer place la conquête des trois villes ciliciennes à la fin de 1101 (*R. O. l.*, 1903-1904, p. 395).

50. RAOUL DE CAEN, p. 706-707.

51. ALBERT D'AIX, p. 502-504.

52. Cf. HAGENMEYER, *Chronologie du royaume de Jérusalem, Rev. Or. lat.*, 1903-1904, p. 396-398.

53. ALBERT D'AIX, p. 582. D'après Matthieu d'Édesse, Tancrède emprisonna Raymond dans la citadelle de Saruantavi (Serfend-kiar, au sud-ouest d'Anazarbe, en Cilicie) *(Doc. arm.*, p. 56).

54. MATTHIEU D'ÉDESSE, *Doc. arméniens*, I, p. 58.

55. ALBERT D'AIX, p. 582-583. Cf. *supra*, page 333-334.

56. CHALANDON, *Alexis Comnène*, p. 233. Hagenmeyer place la conquête de Laodicée par Tancrède seulement entre février et avril 1103. *Chronologie du royaume de Jérusalem, Rev. Or. lat.*, 1908, 484-485, et 1909, p. 68-70.

57. RAOUL DE CAEN, p. 708-709.

58. ALBERT D'AIX, p. 433.

59. Cf. REY, *Dignitaires de la principauté d'Antioche, Rev. Or. lat.*, 1900-1901, p. 131 et 145.

60. Cf. *supra*, p. 292. ALBERT D'AIX, p. 598-600.

61. KEMAL AL-DÎN, *Chronique d'Alep, Hist. orient.*, III, p. 589. Sur Asfûnâ, DUSSAUD, *Topographie*, p. 186, 191.

62. KEMAL AL-DÎN, *Chronique d'Alep, Hist. orient.*, III, p. 590. – *Mirât al-Zemân*, p. 525.

63. KEMAL AL-DÎN, *Hist. orient.*, III, p. 591.

64. MATTHIEU D'ÉDESSE, *Hist. arm.*, I, p. 119.

65. MATTHIEU D'ÉDESSE, p. 70-71. Le katholikos dont il est ici question est Basile ou Parsegh Anetsi (d'Ani), qui fut d'abord vicaire patriarcal de son oncle Grégoire II (1074-1105), puis katholikos (1105-1113). Cf. TOURNEBIZE, *Hist. politique et religieuse de l'Arménie*, p. 166-167.

66. MICHEL LE SYRIEN, éd. Chabot, III, II, 197.

67. GUILLAUME DE TYR, I, p. 437.

68. GUILLAUME DE TYR, I, p. 469-472. L'histoire dont il s'agit doit être placée entre 1100, date de l'avènement de Baudouin du Bourg

comme comte d'Édesse, et 1103, date où Mélitène (Mala*t*iya) fut conquise par l'émir dânishmendite Ghâzî qui fit périr Gabriel. Cf. MICHEL LE SYRIEN, éd. Chabot, III, II, p. 188, et CHALANDON, *Les Comnènes*, II, p. 104. Notons que, dans sa haine pour la race arménienne et le rite grec auxquels appartenait Gabriel, le chroniqueur syriaque Michel se réjouit du supplice de Gabriel et de la conquête turcomane. Il nous avoue bien que le Dânishmendite pilla Mélitène, mais il ajoute qu'il épargna les gens, et surtout qu'il libéra les captifs, c'est-à-dire les éléments syriaques, et leur rendit leurs biens. « Et Mélitène éprouva de nombreux bienfaits du temps du Dânishmendite. L'abondance et la prospérité s'y accrurent. Il y établit comme catépan un nommé Basîlîg, homme juste et craignant Dieu. » Quant à Gabriel, le chroniqueur syriaque raconte avec satisfaction que, si « les Turcs le firent cruellement souffrir, quelques chrétiens (lisez : les éléments syriaques) surajoutaient encore et tiraient vengeance de lui, en lui rappelant le massacre du saint évêque », c'est-à-dire de Jean Sa'îd bar Çabouni (ou Sabuni), évêque syriaque que Gabriel avait fait exécuter en juillet 1096 pour avoir conseillé de capituler devant une attaque seljûqide (MICHEL LE SYRIEN, III, II, 185-186.)

69. Jocelin de Courtenay était fils d'une tante paternelle de Baudouin du Bourg.

70. Cf. GUILLAUME DE TYR, I, p. 437 ; REY, *Colonies franques*, p. 301-322 ; DUSSAUD, *Topographie historique*, p. 467, 468, 470-472 : HONIGMANN, *Tell Bâshir, Encyclop. de l'Islam*, M, p. 759 (1930).

71. IBN AL-A*th*ÎR, *Hist. orient.*, I, p. 217.

72. ALBERT D'AIX, *Hist. occid.*, IV, p. 356-357.

73. Appelé aussi Foulque de Chartres.

74. MATTHIEU D'ÉDESSE, *Doc. arm.*, I, p. 53-54 ; IBN AL-A*th*ÎR, *Hist. orient.*, I, p. 208.

75. MATTHIEU D'ÉDESSE, *Doc. arm.*, I, p. 70.

76. IBN AL-A*th*ÎR, *Hist. orient.*, I, p. 217. Cf. DUSSAUD, *Topographie*, p. 479-481, 491.

77. Cf. REY, *Colonies franques*, 321-322, et la carte *Mardine* du service géographique de l'Armée du Levant, 1920.

78. IBN AL-A*th*ÎR, *Hist. orient.*, I, I, p. 209.

79. *Ibid.*, I, p. 208-211.

80. ALBERT D'AIX, p. 610.

81. ALBERT D'AIX, p. 610-612.

82. Keîsûn ou Kaîsûn ou Keîsûm ou K'éçoun, au sud de Behesnî, à l'est de Mar'ash, à l'ouest de Samosate.

83. Rabân ou Ra'bân, à quelques kilomètres au sud-ouest de Kaîsûn. Ne pas confondre avec Gaban ou Keban, autre forteresse arménienne, située, celle-là, très à l'ouest de Mar'ash, de l'autre côté du Pyrame ou Jihûn.

84. Cf. *supra*, p. 52. Kogh Vasil, dans Matthieu d'Édesse, est considéré comme le héros arménien par excellence. C'est « le grand prince arménien Kogh Vasil, l'illustre guerrier autour duquel s'étaient groupés les débris de notre armée nationale ». Le couvent de Garmir Vank près de sa résidence de Kaisûn donna asile au grand katholikos Grégoire II qui y acheva ses jours sous sa protection. Cf. MATTHIEU D'Édesse, p. 76.

85. MATTHIEU D'Édesse, *Doc. arm.*, I, p. 69-70.

86. IBN AL-A*th*ÎR, *Hist. orient.*, I, p. 212-213.

87. ALBERT D'AIX, p. 613-614.

88. À l'été 1103 d'après Chalandon. En mai 1103, rectifie Hagenmeyer d'après Albert d'Aix (*Chronologie, Rev. Or. lat.*, 1909, p. 73-76).

89. GUILLAUME DE TYR, I, p. 438.

90. RAOUL DE CAEN, p. 709 : « Reddit ei Tancredus quod acceperat et quod non acceperat : alterum quidem libens, atque alterum coactus. Laodiciam, Mamistram, Adanam, Tharsum, proprio sudore partas, reddere cogitur, alioquin catenis et ferro mancipandus. Sic bonis omnibus, socia etiam militia nudato, vix tandem oppidula duo supplici supplentur. » Cf. FOUCHER DE CHARTRES, p. 407.

91. Faits restitués par CHALANDON, *Alexis Comnène*, I, p. 233-234, d'après l'*Alexiade*, liv. XI, 9, p. 111-113.

92. MATTHIEU D'ÉDESSE, *Doc. arm.*, I, p. 75, à rectifier par CHALANDON, *Alexis Comnène*, p. 234. Cf. HONIGMANN, *Mar'ash, Encyclop. de l'Islam*, n° 41, p. 285.

93. *Oraison funèbre de Baudouin, comte de Marash et de Keçoun*, in *Doc. arm.*, I, p. 203-222. Cf. REY, *Colonies franques*, p. 316-317.

94. IBN AL-A*th*ÎR, *Hist. orient.*, I, p. 212-213.

95. DUSSAUD, p. 473.

96. *Chronique d'Alep, Hist. orient.*, III, p. 591.

97. *Ibid.*, p. 592. – D'après Hagenmeyer, Basarfû*th* (ou Basrafû*th* fut conquis par Bohémond le 29 mars 1104 (*Chronologie, Rev. Or. lat.*, 1909, p. 102-103).

98. Ce massif situé au nord de la route d'Alep à Antioche, au sud du grand coude du 'Afrîn, est marqué par les localités de Qal'at Se'mân et Sheikh Bereket. M. Dussaud a prouvé que c'était là qu'il fallait localiser le site, si recherché, de Basarfû*th* (DUSSAUD, *Topographie*, p. 199 et 223).

99. DUSSAUD, *Topographie*, p. 207.

100. *Hist. orient.*, I, p. 218.

101. DUSSAUD, *Topographie*, p. 480 et sq.

102. GUILLAUME DE TYR, I, p. 444-445.

103. IBN AL-A*th*ÎR, *Hist. orient.*, I, p. 220-221. – Les mœurs de cette société musulmane du douzième siècle, que certains historiens veulent préférer à la société franque, sont sans cesse caractérisées par

cette déloyauté et ces atrocités. Certes la société franque était singulièrement rude. Elle était cependant plus équilibrée, ne serait-ce qu'à cause de la stabilité dynastique et de la régularité successorale, qui ont toujours fait défaut aux pays d'Islam.

104. GUILLAUME DE TYR, I, p. 441.

105. ALBERT D'AIX, p. 614 ; MATTHIEU D'ÉDESSE, p. 71.

106. MICHEL LE SYRIEN (éd. Chabot, III, II, 195), chez qui Baudouin du Bourg diffère l'entrée à *H*arrân de peur que la ville qui va être sienne ne soit pillée par ses alliés.

107. GUILLAUME DE TYR, I, p. 445-446.

108. IBN AL-A*th*ÎR, *Hist. orient.*, I, p. 221 ; ALBERT D'AIX (p. 615) leur donne 30 000 hommes.

109. ALBERT D'AIX, p. 615.

110. HAGENMEYER, *Chronologie du royaume de Jérusalem, Rev. de l'Or. lat.*, 1909, p. 97-102 ; IBN AL-QALÂNISÎ, p. 60.

111. IBN AL-A*th*ÎR, *Hist. orient.*, I, p. 221-222 ; ALBERT D'AIX, p. 615 ; RAOUL DE CAEN, p. 710-711.

112. Telle est l'explication d'Ibn al-A*th*îr. Elle paraît beaucoup plus sérieuse que celle de Matthieu d'Édesse (p. 72) pour qui Baudouin du Bourg et Jocelin ont placé Bohémond et Tancrède à un poste éloigné pour avoir seuls les honneurs de la victoire. Pour Raoul de Caen, qui raconte l'histoire de Tancrède en manière d'épopée, son héros a seul tenu tête à l'ennemi, seul il s'est trouvé prêt pour la bataille, tandis que Bohémond lui-même n'a rien prévu, récit commandé d'ailleurs par l'habituel feu roulant d'allitérations et de calembours, indispensable à notre narrateur.

113. Cf. FOUCHER DE CHARTRES, p. 409.

114. IBN AL-A*th*ÎR, *Hist. orient.*, I, p. 222-223.

115. ALBERT D'AIX, p. 616.

116. ALBERT D'AIX, p. 617 ; *Kâmil al-Tewârikh*, p. 223.

117. ALBERT D'AIX, p. 617-619.

118. *Hist. occid.*, I, I, p. 444. Inversement, chez de nombreux historiens latins des Croisades, les Seljûqides de Perse sont des Parthes. Cf. par exemple *les Guerres d'Antioche* de GAUTIER LE CHANCELIER, *Hist. occid.*, V, I, p. 81-132.

119. Cette révolte signalée par la *Chronique d'Alep*, de KEMAL AL-DÎN (*Hist. orient.*, III, p. 592) est confirmée par RAOUL DE CAEN, *Vita Tancredi*, p. 712 : « Divulgato per urbes finitimas Francorum damno, Syri... exsultant, subacti pariter aut subigendi. Hi metum de corde excutiunt, illi de vertice jugum. »

120. DUSSAUD, *Topographie*, p. 213-215. – REY, *Colonies franques*, p. 340, 353. Ma'arrat Mesrîn et Fû'a sont au nord-est de la localité, aujourd'hui plus importante, d'Idlib. Sermin est au sud-est d'Idlib.

121. Kemal al-Dîn, *Chronique d'Alep, Hist. orient.*, III, p. 592 ; Dussaud, *Topographie*, p. 208.

122. Al-Bâra, au nord-ouest de Ma'arrat al-Nu'mân, entre cette ville et le pont de l'Oronte à Jisr al-Shughr. Dussaud, 173, 180. L'archevêque Pierre d'Albara s'enfuit devant Ri*d*wân. Albert d'Aix, 620.

123. Ma'arrat al-Nu'mân, cf. Dussaud, p. 178-187.

124. Kafar*t*âb, à mi-chemin entre Ma'arrat al-Nu'mân et Shaîzar, au nord-est de Fâmiya ou Apamée. Cf. Dussaud, *Topographie*, p. 191.

125. Tell La*t*mîn au nord de Shaîzar, et en face, mais de l'autre côté de l'Oronte. Cf. Dussaud, *Topographie*, p. 208.

126. Hâb, ou Burj Hâb, au sud-ouest d'Idlib, au nord-ouest de Ma'arrat al-Nu'mân. Cf. Dussaud, p. 175.

127. Raoul de Caen, p. 712 ; Dussaud, p. 225-226.

128. *Hist. orient.*, III, p. 593.

129. Ablastaîn avait été occupé très peu auparavant par Bohémond. Cf. Michel le Syrien, éd. Chabot, III, ii, p. 195.

130. Matthieu d'Édesse, *Hist. arm.*, I, p. 80-81.

131. Rey, *Colonies franques*, p. 330. – Derenbourg, *Vie d'Ousâma*, I, p. 70. – Dussaud, *Topographie*, p. 186 et 191. – Date : 25 juillet 1104.

132. Derenbourg, *Ousàma ibn Mounqidh*, I, 69-72.

133. Raoul de Caen, p. 712.

134. Chalandon, *Alexis Comnène*, p. 238-239.

135. Raoul de Caen, p. 272.

136. Chalandon, *Alexis Comnène*, p. 235-236. – Dussaud, *Topographie*, p. 119. – Honigmann, *Markab*, in *Encyclop. de l'Islam*, p. 312-313.

137. Ibn al-A*th*îr, *Hist. orient.*, I, p. 207, 274.

138. dussaud, *Topographie*, p. 126-127, 229.

139. *Alexiade*, XI, 11, p. 123 et sq ; Chalandon, *Alexis Comnène*, p. 236.

140. « Magna opus est, o proceres, hac in tempestate providentiâ, quam si negligimus, perimus. Invaluit contra nos gentilitas, vias nobis circumcirca obstruxerunt Græci et Turci. Geminas totius urbis opulentissimas exasperavimus potestates, Constantinopolim et Persida. Oriens nos per terram territat. Occidens vero et terra et mari. Nam, ut alia omittam, Arthasiam, hactenus Antiochæ clypeus fuit : modo arcus intendit, modo in nos acuit sagittas. Nos pauci sumus et semper tamen de paucis fimus pauciores... Expectandæ sunt nobis vires transmarinæ, Galliarum populi concitandi ; audacia illa aut nos liberabit, aut nulla ! » (Raoul de Caen, *Hist. occid.*, III, p. 712-713).

141. RAOUL DE CAEN, p. 713. – HAGENMEYER (*Chronologie, R. 0. l.*, 1911,p. 295-298) place le départ de Bohémond un peu plus tôt, vers septembre-octobre 1104. – Sur Richard de Salerne comme régent d'Édesse, cf. MICHEL LE SYRIEN, éd. Chabot, III, II, p. 195 ; MATTHIEU D'ÉDESSE, *Doc. arm.*, I, p. 79.

142. GUILLAUME DE TYR, I, p. 450.

143. IBN AL A*th*ÎR, *Hist. orient.*, I, 242, 246. Cf. ALBERT D'AIX, p. 651 *(de trecentis mililibus Boemundi occisis à Turcopolis).*

144. GUILLAUME DE TYR, I, p. 450-451. Cf. FOUCHER DE CHARTRES, p. 410 ; ALBERT D'AIX, p. 620 ; *Historia Belli Sacri*, p. 228. – Le mariage de Bohémond et de Constance de France fut célébré à Chartres. Sur la discussion de date, cf. HAGENMEYER, *Chronologie, Rev. Or. lat.*, 1911, p. 324-326.

145. D'après CHALANDON, *Alexis Comnène*, p. 246-247, analysant l'*Alexiade*, liv. XIII, 12, p. 228-239. Je ne crois pouvoir mieux faire ici que de citer presque textuellement Chalandon lui-même.

146. Historiens des Croisades, *Historiens grecs*, I, p. 181-182 ; CHALANDON, *Alexis Comnène*, p. 247-248. L'identification des noms byzantins des localités énumérées dans le texte est donnée par DUSSAUD, *Topographie*, p. 441.

147. Le 6 mars 1111 d'après le *Nécrologe de l'abbaye de Molesmes*, cité par REY, *Histoire des princes d'Antioche*, (*Rev. Or. lat.*), 1896, II, III, 334.

148. KEMAL AL-DÎN, *Histoire d'Alep*, p. 593.

149. DUSSAUD, *Topographie*, p. 227.

150. IBN AL-A*th*ÎR, *Hist. orient.*, I, p. 228.

151. ALBERT D'AIX, p. 620.

152. « Sperantes, ut est moris, fugiendo gyrare, gyrando sagittare » (RAOUL DE CAEN, p. 715).

153. Ibn al-A*th*îr raconte autrement la bataille en expliquant que les chevaliers francs ont – indûment ! – appliqué la tactique turque : « Les Francs prirent la fuite sans combat. Ensuite ils dirent : Retournons à la charge et attaquons les Musulmans tous à la fois ! Si le mouvement réussit, tant mieux ; s'il ne réussit pas, nous nous retirerons ! » Ils revinrent donc au combat et les Musulmans ne purent soutenir le choc. Beaucoup de Musulmans furent tués, d'autres furent faits prisonniers. Quant à l'infanterie, elle avait pénétré dans le camp des chrétiens aussitôt après leur déroute et s'était mise à piller les bagages. Les Francs revinrent sur elle et la passèrent au fil de l'épée. Il ne s'en sauva qu'une très petite partie qui fut faite prisonnière » (*Kâmil al-Tewârîkh*, p. 228). Cf. KEMAL AL-DÎN, *Chronique d'Alep*, p. 593 : « L'infanterie musulmane tint ferme, mais la cavalerie plia et prit la fuite. Alors toute la violence du combat retomba sur l'infanterie. Les Francs en firent un grand carnage. Il périt dans

cette action 3 000 hommes environ, tant de la cavalerie que de l'infanterie de Ri*d*wân. » Cf. RAOUL DE CAEN, p. 714-715. – IBN AL-A*th*ÎR, p. 227-228.

154. Cf. DUSSAUD, *Topographie*, p. 216, 223, 441. C'est l'actuel Jebel Barakat, au sud du grand Jebel Sem'ân, au nord de la route d'Antioche à Alep.

155. DUSSAUD, p. 213.

156. DUSSAUD, p. 216, 223 ; REY, p. 353.

157. IBN AL-A*th*ÎR, *Hist. orient.*, I, p. 233.

158. DUSSAUD, p. 190.

159. KEMAL AL-DÎN, *Hist. orient.*, III, p. 593-594.

160. Cf. IBN AL-A*th*ÎR, *Hist. orient.*, I, p. 232 ; DERENBOURG, *Vie d'Ousâma*, p. 28, 70-71 ; M. SOBERNHEIM, H*ims*, *Encyclop. de l'Islam*, p. 328.

161. Kemâl al-Dîn donne le nom de ce personnage : Abu'l Fat*h* Sermînî.

162. IBN AL-A*th*ÎR, *Hist. orient.*, I, p. 233-235.

163. Il se nommait Musabbi*h*. Cf. DERENBOURG, *Vie d'Ousâma*, I, p. 75.

164. Abû *T*âhir put regagner ainsi Alep où, Ri*d*wân lui continuant sa faveur, il se consacra plus que jamais à la propagande ismâ'îlienne. Il ne devait être disgracié que sous Alp Arslân, successeur de Ri*d*wân, qui le fit mettre à mort en 1113. Cf. *Kâmil al-Tewârîkh*, p. 235, 278-280, 291.

165. IBN AL-A*th*ÎR, I, p. 235, et ALBERT D'AIX, p. 641-642. Si l'on y regarde de près, les deux récits ne se contredisent pas.

166. DERENBOURG, *Vie d'Ousâma*, I, p. 101.

167. Cf. *Autobiographie d'Ousâma*, p. 453.

168. Sans doute le Behetselin de REY, *Colonies franques*, p. 372. Position à retrouver (DUSSAUD, *Topographie*, p. 191, 210).

169. *Autobiographie d'Ousâma, R. 0. l.*, 1894, III-IV, p. 399.

170. DERENBOURG, *Vie d'Ousâma*, I, p. 77-78 ; *Autobiographie d'Ousâma, Rev. Or. lat.*, 1894, III-IV, p. 394. Et un peu plus loin cet autre témoignage de l'émulation chevaleresque entre émirs et Francs : « Il y avait à Apamée un des plus vaillants chevaliers francs, nommé Badrhawâ (= Pedrovant ?). Il disait : Tu verras ce qui se passera le jour où je me rencontrerai dans le combat avec Jam'a. Et Jam'a disait : Tu verras ce qui se passera le jour où je me rencontrerai avec Badrhawâ ! Or l'armée d'Antioche vint camper contre Shaîzar. Entre nous et les Francs était l'Oronte. Un cavalier se mit à chevaucher hors de leurs tentes, s'avança et s'arrêta au-dessous de notre détachement, le fleuve le séparant de nos troupes. Il leur cria : Jam'a est-il parmi vous ? C'était Badrhawâ, etc. » (*Autobiographie d'Ousâma, R. O. l.*, 1894, III-IV, p. 396).

171. Raoul de Caen, p. 712, 715-716.

172. Raoul de Caen, p. 715-716.

173. Heyd, trad. Furcy-Raynaud, *Hist. du commerce du Levant*. I, p. 145-146. Des concessions analogues furent faites par Tancrède aux Génois. Les Génois avaient déjà reçu des concessions de Bohémond au Soudin (Suwaidiya, Saint-Siméon), port situé à l'embouchure de l'Oronte (cf. Dussaud, *Topographie*, p. 431). Les possessions des Génois à Saint-Siméon et à Laodicée furent concédées par la République de Gênes à Nicolas Embriaco, membre de la famille déjà fieffée par les comtes de Tripoli à Gibelet. Cf. Rey, *Les seigneurs de Giblet, R. O. l.*, 1895, III, p. 399.

174. Dussaud, *Topographie*, p. 149, 190.

175. Guillaume de Tyr, I, p. 456.

176. Chalandon, *Alexis Comnène*, p. 250, d'après l'*Alexiade*, XII, 2, p. 138-139. Cf. Honigmann, *Missis*, in *Encyclop. de l'Islam*, liv. 46, p. 594.

177. Ibn al-A*th*îr, *Hist. orient.*, I, p. 224-225.

178. *Hist. orient.*, I, p. 225-226.

179. *Hist. orient.*, I, p. 231-232.

180. Le titre de sultan pris par Qilij Arslân constituait une usurpation, ce titre impérial étant réservé en droit aux Seljûqides de Perse. Aussi les historiens arabes, comme Ibn al-A*th*îr, lui donnent seulement le titre de roi ou *malik* (*Hist. orient.*, I, p. 239).

181. Ibn al-A*th*îr, *Kâmil al-Tewârîkh*, I, p. 240-244.

182. *Ibid., Hist. orient.*, I, p. 246.

183. *Ibid.*, p. 247.

184. *Ibid.*, p. 246-247.

185. Ibn al-A*th*îr, *Hist. orient.*, I, p. 259-261.

186. Cf. K. V. Zetterstéen, *Mazyadites, Encyclop. de l'Islam*, p. 497.

187. Matthieu d'Édesse, *Doc. arm.*, I, p. 73.

188. Michel le Syrien, III, ii, p. 195.

189. Ibn al-A*th*îr, *Hist. orient.*, I, p. 261.

190. Ibn al-A*th*îr, I, p. 261.

191. Cf. Dussaud, *Topographie*, p. 458.

192. Bar Hebraeus (Aboulfaradj), *Chron. syr.*, p. 290-291.

193. Michel le Syrien, III, ii, p. 196.

194. Ibn al-A*th*îr, *Hist. orient.*, I, p. 261.

195. Matthieu d'Édesse, *Doc. arm.*, I, 86.

196. Ibn al-A*th*îr, *Hist. orient., I*, p. 262.

197. Ce Ra'bân ou Rabân de la Commagène doit être distingué du Gaban cilicien à l'ouest de Mar'ash, sur la rive occidentale du Jihûn. Voir la carte de J. Laurent, *Byzance et les Turcs Seldjoucides*.

198. *Documents arméniens*, I, p. 77.

199. MATTHIEU D'ÉDESSE, *ibid.*, p. 83-84.

200. Au nord de Samosate, tout près de cette ville.

201. MATTHIEU D'ÉDESSE, p. 35.

202. MICHEL LE SYRIEN, III, II, p. 195. MATTHIEU D'ÉDESSE, p. 79 et 87-88.

203. Chiffres donnés par Ibn al-A*th*ir. Matthieu d'Édesse, qui tend à dégager le héros arménien du reproche d'avoir participé à cette guerre entre chrétiens, ne lui fait prêter à Baudouin que huit cents soldats arméniens, tout le reste étant formé de Turcoples Petchénègues provenant des garnisons byzantines de Cilicie : de sorte que l'odieux de cette lutte fratricide retombe en plus grande partie sur les Byzantins. Il est d'ailleurs naturel que les Byzantins à qui Tancrède venait d'enlever Mamistra aient collaboré à la coalition formée contre lui. Matthieu d'Édesse nous dit précisément que les Turcoples dont il s'agit provenaient de l'ancienne garnison byzantine de Mamistra.

204. IBN AL-A*th*ÎR, p. 263.

205. Sarûj, la Sororgie des chroniqueurs, à mi-chemin entre Édesse et l'Euphrate, sur la route d'Édesse à Menbij et à Alep, était un des fiefs les plus considérables du comté d'Édesse. Cf. REY, *Colonies franques*, p. 320.

206. IBN AL-A*th*ÎR, *Hist. orient.*, I, p. 263.

207. Cf. DUSSAUD, *Topographie*, p. 452.

208. IBN AL-A*th*ÎR, p. 264.

209. Ce prétendant s'appelait Beqtâsh ibn Takash et il était petit-fils d'Alp Arslân.

210. IBN AL-A*th*ÎR, p. 266-267. Cette mésaventure mit fin aux tentatives de l'âtâbeg Jâwalî pour se tailler un royaume en Syrie. Ne voyant pas d'autre issue, il prit le parti d'aller implorer le pardon de son maître, le sultan seljûqide Mu*h*ammed. Arrivé à la cour de ce prince, à I*s*fahân, il se présenta, « tenant son linceul à la main ». Le sultan, avec cette incohérence débonnaire qui caractérise les derniers Seljûqides comme nos derniers Carolingiens, lui pardonna. L'aventurier turc reçut même peu après un gouvernement dans le Fârs.

211. Matthieu d'Édesse (p. 87) dit Râwendân ; Albert d'Aix (p. 649), Dulûk.

212. *Ibid.*, p. 87.

213. *Ibid.*, p. 87-88.

214. MATTHIEU D'ÉDESSE, p. 88.

215. *Ibid.*, p. 102, et MICHEL LE SYRIEN, III, II, p. 196.

216. J'ai exposé en détail ces évènements à propos de l'histoire du comté de Tripoli (p. 353-362). Je suis obligé d'y revenir rapidement ici pour l'histoire de la principauté d'Antioche.

217. À en croire Albert d'Aix (p. 665), Tancrède demanda aux Provençaux de l'aider à aller assiéger Mamistra, mais il semble que Mamistra ait déjà été reprise par Tancrède quelques mois auparavant (1108). Cf. CHALANDON, *Alexis Comnène*, p. 250. La demande de Tancrède devait donc viser d'autres villes de Cilicie, comme Adana et Tarse.

218. ALBERT D'AIX, p. 665-666.

219. Le libellé est celui d'une véritable citation juridique : « Placet enim universæ ecclesiæ Jerusalem, ut, ad nos Tripohm descendentes, injuste ablatas civitates restituatis tam Bertranno quam Baldewino de Burg et Gozelino de Turbaysel, et, sic invicem conventu et consilio habito, in concordiam redeamus » (ALBERT D'AIX, p. 667).

220. ALBERT D'AIX, p. 668.

221. IBN AL-A*th*ÎR, *Kâmil al-Tewârikh*, p. 274.

222. Ibn al A*th*îr (p. 274) dit formellement que ce fut Tancrède qui conquit en 1109 Jabala (déformé par le scribe en Jebail, mais Jebail avait déjà été conquis en avril 1104, comme le prouve le contexte, p. 219). Du côté latin, comme ni Raoul de Caen ni Albert d'Aix ne parlent de l'affaire, nous sommes réduits au témoignage tardif de Guillaume de Tyr (p. 467) qui a tout brouillé, confondant réellement, lui, Jabala et Jebail puisqu'il applique à la conquête de Jabala (1109) toutes les circonstances relatives à la prise de Jebail (1104), notamment le rôle des Embriaci, les privilèges concédés à leur famille, etc. Dans ces conditions, il y a lieu de s'en tenir à la leçon d'Ibn al-A*th*îr qui fait conquérir Jabala par Tancrède, surtout si on se rappelle que Jabala, une fois conquis, fit partie de la principauté d'Antioche, non du comté de Tripoli. Cf. DERENBOURG, I, 81.

223. Cf. DERENBOURG, *Vie d'Ousâma*, I, p. 91. DUSSAUD, *Topographie*, p. 141.

224. ALBERT D'AIX, p. 685-686 ; DUSSAUD, *Topographie*, p. 137.

225. Sur ce fort, appelé aussi Toron de Boldo ou de Baude, cf. DUSSAUD, *Topographie*, p. 134 ; REY, *Colonies franques*, p. 332-333.

226. La date à laquelle Il Ghâzi ibn Ortoq acquit « la forteresse imprenable de Mârdîn » est incertaine (entre 1105 et 1108). Cf. SÜSSHEIM, *Il Ghâzi, Encyclop. de l'Islam*, livr. 25, p. 495.

227. « Legati Baldewini de Burg a civitate Rohas venientes affuerunt, nuntiantes regi quod, ex instinctu et suggestione Tancredi, principes Turcorum in multitudine gravi civitatem Edissam obsedisseut. » ALBERT D'AIX, p. 670.

228. MATTHIEU D'ÉDESSE, p. 91.

229. *Ibid.*, p. 93.

230. ALBERT D'AIX, p. 672.

231. MATTHIEU D'ÉDESSE, p. 92.

232. Birejik sur l'Euphrate, à l'ouest d'Édesse (cf. DUSSAUD, *Topographie*, p. 448). Cet Abelgh'arib, de la noble famille arménienne des Bahlavouni ou Pahlavouni, était fils de Vaçag et petit-fils de Grégoire Magistros dont nous avons vu le rôle dans l'histoire byzantine.

233. « Quibus, Regis audito adventu, a diversis locis et præsidiis per centenos, sexagenos et quinquagenos plurimi, tam Galli quam Armenici conchristiani, concurrentes, auxilio juncti sunt » (ALBERT D'AIX, p. 672).

234. ALBERT D'AIX, p. 673.

235. KEMAL AL-DÎN, *Chronique d'Alep, Hist. orient.*, III, p. 596.

236. MATTHIEU D'ÉDESSE, p. 93.

237. GUILLAUME DE TYR, p. 463.

238. MATTHIEU D'ÉDESSE, p. 93-94.

239. ALBERT D'AIX, p. 675.

240. IBN AL-A*th*ÎR, *Hist. orient.*, I, p. 281. – KEMAL AL-DÎN, *Chronique d'Alep, Hist. orient.*, III, p. 596-597.

241. Cf. DUSSAUD, *Topographie*, p. 184-185 ; KEMAL AL-DÎN, *Chron. d'Alep*, 597.

242. « La place forte la plus avancée que les Croisés aient conquise en direction d'Alep » (DUSSAUD, *Topographie*, p. 219. Cf. REY, *Colonies franques*, p. 330).

243. *Documents arméniens*, I, p. 95, note 2 ; KEMAL AL-DÎN, *Hist. orient.*, III, p. 597-598. ALBERT D'AIX, p. 684-686 ; *Kâmil al-tewârîkh*, 278.

244. DUSSAUD, *Topographie*, p. 213 ; REY, *Colonies franques*, p. 352.

245. KEMAL AL-DÎN, *Chronique d'Alep, Hist. orient.*, III, p. 598.

246. *Ibid., Chronique d'Alep, Hist. orient.*, III, p. 598-599.

247. DERENBOURG, *Vie d'Ousâma*, I, p. 88.

248. DERENBOURG, *Vie d'Ousâma*, I, p. 91 ; DUSSAUD, *Topographie*, p. 191.

249. DUSSAUD, p. 141.

250. IBN AL-A*th*ÎR, *Kâmil al-Tewârîkh*, p. 279.

251. IBN AL-A*th*ÎR, *Kâmil al-Tewârikh*, p. 280.

252. IBN AL-A*th*ÎR, p. 280. Il Ghâzî ne voulut pas se joindre personnellement à la contre-croisade parce qu'il était irrité contre le sultan Mu*h*ammed qui l'avait, en 1105, relevé des fonctions de gouverneur de Baghdâd. Cf. SÜSSHEIM, *Il Ghâzi, Encyclop. de l'Islam*, livr. 25, p. 495.

253. KEMAL AL-DÎN, *Chronique d'Alep*, p. 599 ; REY, *Colonies franques*, p. 321 ; MATTHIEU D'ÉDESSE, p. 96.

254. Cf. DUSSAUD, *Topographie*, p. 482, 487 et carte XV.

255. MATTHIEU D'ÉDESSE, p. 97.

256. *Chronique d'Alep, Hist. orient.*, III, p. 599-600.

257. ALBERT D'AIX, p. 681.

258. ALBERT D'AIX, p. 682 : « Quia pax inter eum et Tancredum erat, hoc tantum eis promisit quod nulli parti hinc vel hinc auxilio haberetur. »

259. KEMAL AL-DÎN, *Chronique d'Alep*, in *Hist. orient.*, III, p. 600.

260. *Hist. orient.*, I, p. 282. *Ibid.*, III, p. 600.

261. KEMAL AL-DÎN, *Chronique d'Alep, Hist. orient.*, III, p. 606-607.

262. *Ibid.*, p. 601.

263. IBN AL-A*th*ÎR, p. 282.

264. Notons qu'on ne le vit jamais se livrer aux chevauchées irréfléchies qui firent qu'un Bohémond, un Baudouin Ier et un Baudouin du Bourg faillirent tomber ou même tombèrent aux mains des Turcs.

265. FOUCHER DE CHARTRES, p. 423.

266. En effet, comme nous l'avons vu, Rugia ou Chastel Ruge, qui parait correspondre Kashfahân arabe, semble devoir être localisé à 2 kilomètres à l'ouest de l'actuel Tell al-Karsh, sur les contreforts du Jebel al-Ustani, en face de Jisr al-Shughr, de l'autre côté de l'Oronte. Identifications par M. DUSSAUD, *Topographie*, p. 166 et 174-176 (et pour la question de Kashfahân, solidaire de celle de Rugia, *ibid.*, p. 157-159).

267. Sarmedâ à l'ouest d'Alep, entre Alep et Jisr al-*H*adid. Ne pas confondre avec Sermîn au sud-est d'Idlib. Cf. DUSSAUD, *Topographie*, p. 221-222.

268. DUSSAUD, *Topographie*, p. 171.

269. *Ibid.*, p. 175, 213.

270. *Ibid*, p. 173.

271. ALBERT D'AIX, p. 683.

272. DERENBOURG, *Vie d'Ousâma*, I, p. 92.

273. ALBERT D'AIX, p. 684.

274. *Autobiographie d'Ousâma*, p. 397 ; DUSSAUD, *Topographie*, p. 208.

275. Il s'agit de toutes petites étapes, entre 5 et 10 kilomètres, ce qui prouve à quel point la colonne franque était harcelée.

276. FOUCHER de CHARTRES, p. 424.

277. DERENBOURG, *Vie d'Ousâma*, I, p. 93 ; *Autobiographie d'Ousâma, R. O. I.*, 1894, p. 398.

278. KEMAL al-DÎN, *Chronique d'Alep*, in *Hist. orient.*, III, p. 601-602.

279. IBN AL-A*th*ÎR, p. 287. MATTHIEU D'ÉDESSE, p. 100.

280. MICHEL LE SYRIEN, éd. Chabot, III, II, p. 196.

281. MATTHIEU D'ÉDESSE, p. 101.

282. MICHEL le SYRIEN, p. 196 (faussement daté 1118).

283. MATTHIEU D'ÉDESSE, p. 102.

284. *Ibid.*, p. 105.

285. *Ibid.*, p. 102.

286. C'était le katholikos-coadjuteur Parsegh ou Basile Anetsi qui, après 1105, transféra le siège patriarcal d'Ani à Shoughr, entre Sis et Mar'ash, aux confins du district de Kaîsûn où régnait Kogh' Vasil. Cf. TOURNEBIZE, *Histoire politique et religieuse de l'Arménie*, p. 167.

287. *Hist. orient.*. I, p. 103.

288. MICHEL LE SYRIEN, éd. Chabot, III, II, p. 199.

289. Vasil Dghâ (Dghâ Basil) ne devait être dépossédé qu'en 1116 par Baudouin du Bourg, comte d'Édesse. Cf. p. 493.

290. MATTHIEU D'ÉDESSE, p. 103.

291. IBN AL-A*th*ÎR, p. 287.

292. FOUCHER de CHARTRES, p. 425.

293. Épisode raconté à propos de l'histoire du comté de Tripoli, cf. *supra*, p. 365.

294. Cf. SCHLUMBERGER, *Numismatique de l'Orient latin*, p. 45, 46. – SCHLUMBERGER, *Les principautés franques du Levant d'après les plus récentes découvertes de la numismatique*, p. 16-17. – REY, *Histoire des princes d'Antioche, R. O. L.*, 1896, p. 335.

295. KEMAL AL-DÎN, *Chronique d'Alep, Hist. orient.*, III, p. 603. Cf. IBN AL-A*th*ÎR, *Hist. orient.*, I, p. 291.

296. Aussi quels éloges funèbres lui consacrent les historiens arabes ! Par exemple le *Nojûm* : « Prince peu recommandable, il avait mis à mort ses deux frères, Abû *T*âlib et Bahrâm. Le premier à Alep il construisit une maison de propagande ismâ'îlienne ; il était injuste, avare, ladre, de mauvaises mœurs, sans pitié ni miséricorde pour les Musulmans. Les Francs faisaient des incursions, enlevaient des prisonniers et exerçaient des déprédations jusqu'aux portes d'Alep sans qu'il fît de sorties contre eux » (*Nojûm*, p. 497).

297. DUSSAUD, *Topographie*, p. 453.

298. KEMAL AL-DÎN, *Hist. orient.*, III, 604-605.

299. IBN AL-A*th*ÎR, p. 291.

300. *Chronique d'Alep*, p. 605.

301. Le 5 septembre 1114 d'après certains chroniqueurs arabes (*Lex. biog.*, p. 730). Cf. IBN AL-QALÂNISÎ, trad. Gibb, 148.

302. FOUCHER DE CHARTRES, p. 425. – *Suite de Tudebode*, p. 229. – GUILLAUME DE TYR, p. 483 et 526.

303. GUILLAUME DE TYR, p. 490. Rey suppose que la sœur de Baudouin II, femme de Roger, est cette Hodierne qui, après la mort de Roger, se maria avec Herbrand de Hierges. Mais Ch. Kohler se demande si la sœur de Baudouin II qui avait épousé Roger ne serait pas, au lieu d'Hodierne, une certaine Cécile « dame de Tarse » mentionnée dans une charte de l'abbaye Notre-Dame de Josaphat en 1126 (*Revue de l'Orient latin*, 1899-1900, p. 123).

304. GUILLAUME DE TYR, p. 526 ; FOUCHER DE CHARTRES, p. 442.

305. REY, *Histoire des princes d'Antioche, Rev. Or. lat.*, 1896, II-III, p. 341-342.

306. Je rappelle que les sultans seljûqides de Perse, Malik-shâh, Barkiyârûq, Mu*h*ammed, Ma*h*mûd, eurent en général Isfahân pour capitale.

307. ALBERT D'AIX, p. 693.

308. Voir plus haut, à l'histoire de Baudouin Ier, page 269-275.

309. GUILLAUME DE TYR, I, p 486 ; ALBERT D'AIX, p. 696.

310. IBN AL-A*th*ÎR, *Kâmil al-Tewârikh*, p. 290.

311. *Hist. orient.*, I, 290. – IBN AL-QALÂNISÎ, *Damascus Chronicle*, 140.

312. MATTHIEU D'ÉDESSE, p. 107-108.

313. Traduction de GUILLAUME DE TYR, p. 490-491.

314. *Ibid.*, p. 492. Cf. AL-QALÂNISÎ (trad. Gibb), 133 (sub anno 1113).

315. MATTHIEU D'ÉDESSE, p. 104-105.

316. *Ibid.*, p. 105-106.

317. IBN AL-A*th*ÎR, p. 292. Cf. MATTHIEU D'ÉDESSE, p. 109.

318. IBN AL-A*th*ÎR, p. 293-294. Cf. MATTHIEU D'ÉDESSE, p. 109.

319. La brouille des Ortoqides se produisit pendant que la contre-croisade était allée ravager le Shabakhtân (cf. page 394).

320. Thoros Ier, le véritable fondateur de l'État arménien de Cilicie, régna de 1100 environ à 1129.

321. MATTHIEU D'ÉDESSE, p. 116-117.

322. CHALANDON, *Comnènes*, II, p. 101-102.

323. STRECK, *Biredjik, Encyclop. de l'Islam*, I, p. 742.

324. MATTHIEU D'ÉDESSE, p. 117.

325. REY, *Colonies franques*, p. 306.

326. MATTHIEU D'ÉDESSE, p. 117 et 36.

327. REY, *Hist. des princes d'Antioche, Rev. Or. lat.*, 1896, II-III, p. 343. Cf. GAUTIER LE CHANCELIER, p. 85.

328. Aq Sonqor Bursuqî était un ancien mamelûk du premier Bursuq, d'où son surnom de Bursuqî, « l'homme de Bursuq ». Bursuq ibn Bursuq et Aq Sonqor Bursuqî ont été fréquemment confondus par les historiens des Croisades.

329. IBN AL-A*th*ÎR, p. 295, 300.

330. *Kâmil al-Tewârikh*, p. 294.

331. FOUCHER DE CHARTRES, p. 429.

332. GUILLAUME DE TYR, p. 493.

333. *Galterii cancelarii Antiocheni, Bella Antiochena*, p. 86.

334. *Kâmil al-Tewârikh*, 294, d'après lequel Roger serait venu prendre part, près du lac de *Homs*, à la conférence des deux émirs.

335. DERENBOURG, *Vie d'Ousâma*, p. 99.

336. DUSSAUD, *Topographie*, p. 110.

337. IBN AL-Athîr, I, p. 294-295.

338. *Kâmil al-Tewârîkh*, p. 296.

339. GAUTIER LE CHANCELIER, *Bella Antioehena*, p. 85.

340. « Loco assignato conveniunt, ibique, firmatis conventionibus, quasi amici facti sunt. » GAUTIER LE CHANCELIER, p. 86.

341. Medînat al-Jisr doit être le *Gistrum* de Gautier le Chancelier (p. 84).

342. DERENBOURG, *Vie d'Ousâma*, I, p. 98, et aussi p. 12 et 15.

343. « Siquidem ante Apamiam castrametati per duos menses morati sunt, antequam eis certus Parthorum nuntiaretur accessus. Mense vero augusti, Burso, Parthorum dux militiæ... ultra Eufraten jam venisse atrociterque partes Syriæ invasisse nuntiatur » (GAUTIER LE CHANCELIER, *Bella Antiochena*, p. 87).

344. KEMAL AL-DÎN, *Chronique d'Alep*, p. 608 ; IBN AL-Athîr, *Kâmil al-Tewârikh*, p. 296-297.

345. GAUTIER, p. 87 : « Nostrates (= les alliés) Apamiam proficiscunturubi velut filii et parentes societate, hospitalitate, vinculo etiam dilectionis integræ videbantur convenire, licet numeri ac probitatis differant quantitudine ; pars etenim principis ultra duo milia pugnatorum non poterat inveniri, pars autem diversæ societatis a multis reputatur æquipollere decem millibus ; hæc tamen, quod majus numero, probitate quidem minus obtinebat, etc. »

346. IBN AL-Athîr, *Kâmil al-Tewârîkh*, p. 296.

347. KEMAL AL-DÎN, *Chronique d'Alep*, p. 608.

348. DERENBOURG, *Vie d'Ousâma*, I, p. 98.

349. IBN AL-Athîr, p. 296.

350. DERENBOURG, *Vie d'Ousâma*, I, p. 100 ; GAUTIER LE CHANCELIER, *Bella Antiochena*, p. 87-88 ; DUSSAUD, *Topographie*, p. 208-209.

351. GAUTIER, p. 88.

352. KEMAL AL-DÎN, p. 608. Notons que l'attitude, pleine d'arrière-pensées, de *T*ughtekîn, telle que la décrit Kemâl al-Dîn, nous est dépeinte dans des termes analogues par Gautier le Chancelier : « Dodechinus, licet utrorumque, christicolarum Parthorumque, potentiam formidabilem vereretur, maluit tamen simulatâ pace cum christicolis concordari, ut ipsos duceret ad perniciem, quam Parthis adquiescere, quos multo crudeliores sibi in pace quam in bello cognoverat » (GAUTIER LE CHANCELIER, p. 86).

353. GAUTIER, p. 87.

354. GAUTIER, p. 88.

355. GAUTIER, p. 89 ; IBN AL-Athîr, p. 297. Cf. VAN BERCHEM, *Voyage*, 188.

356. KEMAL AL-DÎN (*Chronique d'Alep*, p. 609) écrit que Bursuq, après avoir levé son camp de Shaîzar, se porta devant le Krak des chevaliers (*Ho*sn al-Akrâd) qu'il faillit surprendre. Gautier le Chan-

celier ne mentionne rien de tel. Il parle seulement de l'attaque contre Kafar*t*âb.

357. DERENBOURG, *Vie d'Ousâma*, I, p. 101-105 ; *Autobiographie*, p. 401-404.

358. GAUTIER, p. 90 ; KEMAL AL-DÎN, p. 609.

359. DUSSAUD, *Topographie*, p. 175.

360. KEMAL AL-DÎN, p. 609 ; DERENBOURG, *Vie d'Ousâma*, I, p. 106 ; *Autobiographie d'Ousâma*, p. 405.

361. ALBERT D'AIX, p. 702.

362. GAUTIER, p. 90 ; DUSSAUD, *Topographie*, p. 174.

363. GAUTIER, p. 91.

364. REY, *Colonies franques*, p. 337 et 351. – DUSSAUD, *Topographie*, p. 175. – DERENBOURG, *Vie d'Ousâma*, p. 105.

365. La date de la bataille chez lui est fausse. Lire 14 septembre.

366. Gautier et Kemâl al-Dîn nous présentent Robert comme sire de Zerdanâ (Sardoine) tandis qu'Usâma le donne comme seigneur de *S*ahiyûn (= Saone) et de Balâ*t*unus (Balatnous, Qal'at Mehelbé), châteaux situés au nord-est et à l'est de Lattaquié (DERENBOURG, *Vie d'Ousâma*, I, 120). Difficulté signalée par M. Cl. CAHEN, *Syria*, 1931, 154. Mais Robert a pu posséder les deux seigneuries. – Fulcoy est une graphie moderne.

367. KEMAL AL-DÎN, p. 609. *Kâmil al-Tewârîkh*, p. 297.

368. *Kâmil al-Tewârîkh*, p. 298.

369. GUILLAUME DE TYR, p. 498.

370. Guy Fresnel, Frémauz ou Frémaux. Riant l'identifie à Guy le Frène (Fraxinus), cité p. 469. GAUTIER, 93-94.

371. Cf. REY, *Colonies franques*, p. 351.

372. KEMAL AL-DÎN, p. 609-610.

373. GUILLAUME DE TYR, p. 498.

374. DERENBOURG, *Vie d'Ousâma*, p. 105-106. – *Autobiographie*, p. 405.

375. KEMAL AL-DÎN, p. 610.

376. *Autobiographie d'Ousâma*, p. 416.

377. *Kâmil al-Tewârîkh*, p. 298.

378. *Ibid.*, p. 296. Ibn al-A*th*îr apporte souvent dans l'histoire de la première moitié du douzième siècle « une mentalité aiyûbide » qui en fausse le sens. Le panislamisme à la manière de Saladin, le sentiment de l'unité musulmane étaient des conceptions assez indifférentes à la féodalité turco-arabe de 1115.

379. *Kâmil al-Tewârîkh*, p. 300.

380. KEMAL AL-DÎN, *Chronique d'Alep*, p. 611.

381. Ou Qubbat Mula'ib. Sur la route d'Alep à Salamiya, district de *H*amà ? Cf. DUSSAUD, *Topographie*, p. 209, n. 12.

382. KEMAL AL-DÎN, p. 612 ; *Mirât al-Zemân*, p. 559.

383. MATTHIEU D'ÉDESSE, p. 121.

384. DUSSAUD, *Topographie*, p. 470. Et pour Bizâ'a, *ibid.*, 475.

385. Sur l'occupation de la forteresse par les Francs, cf. VAN BERCHEN, *Voyage en Syrie*, 318 ; et notre Appendice, p. 681.

386. Cf. REY, *Colonies franques*, p. 120-125, 346. – RÖHRICHT, *Geschichte des Königreichs Jerusalem*, p. 115, note 2, et 220, note 6. – DUSSAUD, *Topographie*, p. 127. – HONIGMANN, *Markab*, in *Encyclop. de l'Islam*, livr. 41, p. 232. Sur Manîqa, DUSSAUD, *Topographie*, p. 140-141. Sur Renaud Masoier, REY, *Dignitaires de la principauté d'Antioche, Rev. Or. lat.*, 1900-1901, p. 117. VAN BERCHEM, *Voyage en Syrie*, 297.

387. REY, *Colonies franques*, p. 331-332 ; R. HARTMANN, *Balatunus, Encycl. de l'Islâm*. I, p. 629 ; DUSSAUD, *Topographie*, p. 150. Cf. *infra*, p. 507.

388. Bernard de Valence, patriarche d'Antioche de 1101 à 1135. Cf. REY, *Dignitaires de la principauté d'Antioche, Rev. de l'Orient latin*, 1900-1901, p. 131.

389. BAR HEBRAEUS, *Chron. syr.*, éd. Abbeloos et Lamy, II, p. 474.

390. MICHEL LE SYRIEN, éd. Chabot, III, II, p. 207-210.

391. MICHEL LE SYRIEN, III, II, p. 212-213.

392. La raison de ces nouvelles difficultés fut que Mar Athanasius, qui avait décidément la manie de l'anathème, excommunia le diacre Isaac, protégé de l'émir ortoqide Ibrâhim ibn Soqmân. Ibrâhim fit arrêter le patriarche et déclara qu'il le retiendrait prisonnier tant qu'on n'aurait pas levé l'excommunication. Cf. BAR HEBRAEUS, *Chron. eccles.*, éd. Abbeloos et Lamy, II, p. 475-476.

393. MICHEL LE SYRIEN, III, II, p. 228. Mar Athanasius, après être venu à Édesse remercier Jocelin à qui il devait sa délivrance, ne resta pas dans la ville que les intrigues de Bar Çabouni continuaient à troubler. Il se retira au couvent de Bar Çauma en maintenant l'interdit contre l'église d'Édesse. D'où nouvelles interventions du comte d'Édesse auprès de l'irascible prélat. « Jocelin dut joindre plusieurs de ses chevaliers à la délégation des notables d'Édesse envoyés à Mar Athanasius pour le prier de mettre un terme à cet état de choses ».

394. *Ibid.*, III, II, p. 222.

## Chapitre VI

1. Cf. HOUTSMA, *Muhammed ibn Malikshâh*, in *Encyclop. de l'Islam*, liv. 48, p. 718.

2. *Kâmil al-Tewârikh*, I, p. 247-249. – Cf. ZETTERSTÉEN, art. *Sadaka*, in *Encyclop. de l'Islam*, S, p. 37. – ZETTERSTÉEN, *Mazyadites, Encyclop. de l'Islam*, p. 496-497.

3. *Kâmil al-Tewârikh*, I, p. 247-249.

4. Pour la bibliographie, cf. *Encyclop. de l'Islam*, articles *Assassins* (t. I, p. 498) et *Ismâ'iliya* (II, p. 585).

5. DERENBOURG, *Vie d'Ousâma*, I, p. 78-79. Cf. IBN AL-A*th*ÎR, *Kâmil al-Tewârihk*, p. 272.

6. Bibliographie à l'article *Hasan ibn al-Sabbâh, Encyclop. de l'Islam*, livr. 22, p. 293.

7. *Kâmil al-Tewârikh*, p. 304-305.

8. *Kâmil al-Tewârikh*, p. 311.

9. Cf. René GROUSSET, *Histoire de l'Extrême-Orient*, I, p. 374-375, et II, p. 407-408, 418-420. – W. BARTHOLD, *Kara Khitni*, in *Encyclop. de l'Islam*, II, p. 782-784. – BARTHOLD, *Turkestan down to the Mongol invasion* (1928), p. 323-380. – ZETTERSTÉEN, *Sandjar, ibid.*, C. 157.

10. *Kâmil al-Tewârikh*, p. 310 ; HOUTSMA, *Mahmûd ibn Muhammed*, in *Encyclop. de l'Islam*, livr. 39, p. 138.

11. Cf. article *Dubais ibn Sadaqa*, in *Encyclop. de l'Islam*, I, p. 1110.

12. *Kâmil al-Tewârikh*, p. 312.

13. *Kâmil al-Tewârikh*, p. 313.

14. *Kâmil al-Tewârikh*, p. 323.

15. Sur le désastre que les Qarâ-Khitâi infligèrent à Sanjar à Qa*t*wân près Samarqand en sep. 1141, cf. BARTHOLD, *Turkestan*, 326.

16. *Kâmil al-Tewârikh*, p. 327-329.

17. *Ibid.*, p. 341-342.

18. *Ibid.*, p. 329.

19. *Ibid.*, p. 345.

20. IBN AL-ATHÎR, p. 347-349.

21. Cf. MINORSKY, *Tiflis*, *Encyclop. de l'Islam*, p. 794. – BROSSET, *Histoire de la Georgie*, I, p. 336.

22. Cf. MATTHIEU D'ÉDESSE, 140. BARTHOLD, *Ani*, in *Encyclop. de l'Islam*, I, p. 360.

23. *Kâmil al-Tewârikh*, p. 331-332. BROSSET, *Histoire de Géorgie*, I, 383 et sq. et *Additions*, XVI.

24. Cf. BECKER, *Al-Afdal, Encyclop. de l'Islam*, I, p, 148.

25. M. Wiet fait remarquer toutefois que l'histoire officielle des Fâ*t*imides a été écrite par leurs ennemis, les chroniqueurs d'époque aiyûbide ou mamelouke, et que malgré sa décadence militaire le khalifat égyptien présentait encore une brillante apparence extérieure. Cf. WIET, *Précis de l'histoire d'Égypte*, II, 190 et sq.

## Chapitre VII

1. GUILLAUME DE TYR p. 513-516.

2. GUILLAUME DE TYR, XII, 3, p. 514. D'après Albert d'Aix : « ...dicentes non esse utile consilium ut Rege ac defensoris solatio

locus et gens diu careret, et locus et terra a nullo defensa periret » (ALBERT D'AIX, *Hist. occid.*, IV, p. 709.

3. *Hist. occid.*, I, p. 516.

4. Colore vivido et, quantum ætas illa patiebatur, roseo.

5. GUILLAUME DE TYR, I, p. 519. Gormond de Picquigny resta patriarche de Jérusalem jusqu'à sa mort (à Sidon) en 1128.

6. *Ibid.*, XII, 4, p. 517.

7. GUILLAUME DE TYR, p. 536-537 ; FOUCHER DE CHARTRES, p. 447 ; KEMAL AL-DÎN, *Chron. d'Alep*, p. 632.

8. GUILLAUME DE TYR, I, p. 534-535. Cf. FOUCHER DE CHARTRES, p. 445 : « Absolvit rex Balduinus secundus ab omni exactione omnes qui per portas Iherusalem frumentum aut hordeum, sive legumina inferre volue rint : ut absque molestia tam Christiani quam Sarraceni habeant liberam facultatem ingrediendi et egrediendi atque vendendi, ubi et quibuscumque voluerint. »

9. DELAVILLE LE ROULX, *Les Hospitaliers en Terre-Sainte et en Chypre*, p. 29-30. – Les Hospitaliers se réclamèrent à l'époque franque de saint Jean l'Évangéliste. Delaville-Le Roulx se rallie à cette opinion. Ch. Kohler pense qu'il s'agissait primitivement, à l'époque de l'hôpital amalfitain, de saint Jean l'Aumônier, comme l'atteste d'ailleurs Guillaume de Tyr (*Revue de l'Orient latin*, 1903-1904, p. 474).

10. DELAVILLE LE ROULX, p. 38.

11. En cette année 1137, le roi Foulque confie aux Hospitaliers la garde de la forteresse de Gibelin (Beit-Jibrîn) (DELAVILLE LE ROULX, p. 47).

12. Bientôt les rois francs, émigrant dans la Tour de David, abandonnèrent tout le *Templum Salomonis* aux Templiers. Comme témoins du séjour de ceux-ci, mentionnons l'actuelle Mosquée Blanche ou mosquée des femmes, long corridor à deux nefs à voûte brisée, attenant au transept (à l'ouest) du Masjid al-Aq*s*â, l'oratoire de Zacharie, dans un enfoncement de l'al Aq*s*â, à l'est, avec sa rosace du douzième siècle, et aussi les restes d'un cloître extérieur situé entre l'al-Aq*s*â et l'actuel musée arabe. Cf. VINCENT et ABEL, *Jerusalem*, I, 970. VOGUE, *Le Temple de J.*, 90.

13. Cf. DE CURZON, *Règle du Temple, Soc. de l'Histoire d France*, 1886. – TRUDON DES ORMES, *Maisons et dignitaires du Temple, R. 0 L.*, 1897, 389.

14. Pendant la maîtrise de Hugue de Revel, le Pape autorisa les Hospitaliers à porter en temps de paix un manteau noir et à la guerre un surtout rouge à croix blanche (DELAVILLE LE ROULX, *Les Hospitaliers*, p. 229).

15. BRÉHIER, *L'Église et l'Orient au moyen âge*, p. 96-97.

16. Cf. DELAVILLE LE ROULX, *Hospitaliers*, p. 55-56.

17. GUILLAUME DE TYR, p. 821.

18. IBN AL-Athîr, *Kâmil al-Tewêrikh*, p. 315.
19. FOUCHER DE CHARTRES, *De Gestis Balduini secundi*, in *Hist. occid.*, III, p. 441.
20. DUSSAUD, *Topographie*, p. 383-384. Voir notre *Appendice*, p. 678.
21. IBN AL-Athîr, p. 315-316.
22. « Parisius », dit Albert d'Aix. Il s'agit en effet de Bures près de Palaiseau. ALBERT D'AIX, p. 710.
23. IBN AL-Athîr, p. 325-326. Cf. ABEL, *Géographie*, carte 8.
24. ALBERT D'AIX, p. 712.
25. DUSSAUD, *Topographie*, p. 475.
26. IBN AL-Athîr, *Kâmil al-Tewârikh*, p. 323.
27. GUILLAUME DE TYR, ou plutôt le Traducteur, p. 523.
28. IBN AL-Athîr, *Kâmil al-Tewârikh*, p. 318-323. Cf. plus haut, p. 525.
29. IBN AL-QALÀNISÎ, p. 158-160. *Kâmil al-Tewârîkh*, p. 323.
30. La présence de Dubaîs dans l'armée d'Il-Ghâzî n'est attestée que par Gautier le Chancelier, 120, et Guillaume de Tyr, XII, chap. IX, p. 523.
31. DERENBOURG, *Vie d'Ousâma*, I, p. 113.
32. Cf. DUSSAUD, *Topographie*, p. 474.
33. KEMAL AL-DÎN, p. 616-617 ; DUSSAUD, *Topographie*, p. 169.
34. DUSSAUD, p. 170.
35. DERENBOURG, *Vie d'Ousâma*, I, p. 113-116.
36. GUILLAUME DE TYR, XII, chap. IX, p. 523.
37. ORDERIC VITAL, IV, p. 244.
38. GAUTIER LE CHANCELIER, p. 100-101.
39. Cf. DUSSAUD, *Topographie*, p. 225-226.
40. GUILLAUME DE TYR, p. 523-524.
41. « Patriarcha vero, luce veritatis intuens communis utilitatis effectum, cum ipsum principem pluresque alios inemendatos et contra justitiam ire persensisset, evidentissimis rationibus eos, ubi erat timor non trepidare et ubi non erat trepidare comprobavit, et quod ante figurata locutione prædicaverat, aperte principi digito « Væ ! Væ ! » illud demonstravit, sicut eidem majorique suorum parti non multo post contigit ». GAUTIER LE CHANCELIER, p. 101.
42. Cf. DUSSAUD, *Topographie*, cartes X (B, 2) et XII (B, 2).
43. *Ibid.*, 220, 221. WETTERN, *Villes mortes de Haute Syrie*, 51, 117.
44. DERENBOURG, *Vie d'Ousâma*, I, p. 112.
45. GAUTIER LE CHANCELIER, p. 101.
46. C'est-à-dire le jeune *(Adolescens)*. Sur ce surnom, restitué par Riant d'après Kemâl al-Dîn, cf, *Hist. orient.*, III, p. 628, note 1, et RIANT, *in* éd. de Gautier le Chancelier, p. 102. – DERENBOURG. *Vie d'Ousâma*, I, p. 132, note 4.

47. GAUTIER, p. 102-103.

48. « In utraque militiâ vir elegantissimus, et de cœlesti et de terrestri sermocinando. » GAUTIER, p. 104.

49. GUILLAUME DE TYR (humanisé par son traducteur), p. 526.

50. GAUTIER, p. 105.

51. *Ibid.*, p. 105.

52. *Ibid.*, p. 106.

53. Ou encore Le Masoir (RIANT *in* GAUTIER LE CHANCELIER, 107).

54. KEMAL AL-DÎN, p. 617.

55. GUILLAUME DE TYR, XII, 9, p. 524.

56. Chiffre de Kemâl al-Dîn, p. 616.

57. GAUTIER LE CHANCELIER, p. 94, 107.

58. MATTHIEU D'ÉDESSE, p. 123.

59. GAUTIER, p. 107-108.

60. GUILLAUME DE TYR, XII, 10, p. 525-526.

61. GAUTIER, p. 108.

62. ORDERIC VITAL, éd. Le Prévost, IV, p. 244-245.

63. GAUTIER, p. 109-110.

64. *Ibid.*, p. 112-113.

65. KEMAL AL-DÎN, p. 618.

66. Cité par Ibn al-A*th*îr, p. 325.

67. IBN AL-A*THÎR*, p. 332.

68. GAUTIER, p. 114.

69. GAUTIER, p. 114.

70. IBN AL-A*THÎR*, p. 332-333.

71. DERENBOURG, *Vie d'Ousâma*, I, p. 117.

72. Bernard de Valence devait être à ce moment très âgé. Rappelons qu'il avait été nommé patriarche d'Antioche dès la conquête de la ville, en 1098. Il devait mourir en 1132. Cf MAS-LATRIE, *Patriarches d'Antioche, Rev. Or. lat.*, 1894, II, p. 192-193.

73. C'est ce qui ressort nettement du récit de Gautier le Chancelier (p. 114-115). Ajoutons que l'élément syriaque jacobite qui était très nombreux dans les États des Ortoqides, du côté de Mârdîn, où il vivait en paix sous cette dynastie, avait de grandes sympathies pour elle. Cf. STRECK, *Tûr 'Abdin, Encyclop. de l'Islam*, livr. N, p. 918-920 ; MINORSKY, *Mârdîn, Encyclop. de l'Islam*, livr. 41, p. 292.

74. « Statuit ut, ubicumque et undecumque sint in civitate diversarum nationum populi, exceptis Francis, omnes inermes existant, et nunquam a domibus suis nocte sine lumine egredi præsumant. » GAUTIER, p. 115.

75. FOUCHER DE CHARTRES, p. 443.

76. GAUTIER, p. 115 ; DUSSAUD, *Topographie*, p. 422.

77. BAR HEBRAEUS, p. 306. La Montagne Noire *(Montana Nigra)* est le prolongement méridional de l'Amanus entre le lac d'Antioche (lac

de Amq) et le Râs al-Khanzîr, depuis Alexandrette jusqu'à l'embouchure de l'Oronte, c'est-à-dire le Jebel Mûsâ, le Jebel A*h*mar et le massif que coupe la passe de Beylân, au sud de l'Amanus proprement dit. (Cf. DUSSAUD, *Topographie*, p. 440.) Elle se termine au sud-ouest par le Petit Jebel Sem'ân (Mont Saint-Siméon ou Montagne Admirable), situé à l'est de Suwaidiya.

78. *Hist. d'Alep*, p. 619.

79. Identification de M. DUSSAUD, *Topographie*, p. 423.

80. C'est cet épisode, mal compris, qui a fait croire à Kemâl al-Dîn que Baudouin II s'était heurté aux avant-gardes turcomanes et avait dû, après un premier échec, échapper à leur barrage et cela dès Râs Balda al-malik, au sud de l'embouchure du Nahr al-Sinn, entre Jabala et Bâniyâs, version acceptée par REY, *Rev. Or. lat.*, 1896, p. 348. Cf. identifications de DUSSAUD, *Topographie*, p. 133.

81. GAUTIER LE CHANCELIER, p. 116 ; DUSSAUD, p. 423.

82. GAUTIER, p. 116 ; KEMAL AL-DÎN, p. 619.

83. HAGENMEYER, éd. de Gautier le Chancelier, p. 262, note 38.

84. « Decretum est, ut Rex cui, æquus et summus arbiter, fere omne regnum orientalium christicolarum subdiderat... » GAUTIER, p. 117-118.

85. En 1119 Baudouin II qui vivait à Bari, en Pouille, auprès de sa mère, Constance de France, n'avait encore que dix ans.

86. GAUTIER, p. 118.

87. Cf. KEMAL AL-DÎN, p. 619.

88. GAUTIER, p. 118 ; DUSSAUD, *Topographie*, p. 227, 231.

89. GUILLAUME DE TYR, XII, 11, p. 527 ; GAUTIER, p. 118 ; KEMAL AL-DÎN, p. 620.

90. GAUTIER LE CHANCELIER, p. 119.

91. GAUTIER, 119 ; GUILLAUME DE TYR, 528 ; DUSSAUD, *Topographie historique*, 175 et 192 ; REY, *Colonies franques*, 337 et 351. Le Rubea de Gautier (119) doit être lu Rugia.

92. GAUTIER, p. 120.

93. Robert Fulcoy, on l'a vu, paraît avoir possédé des fiefs assez étendus dans la principauté d'Antioche. Il n'était pas seulement sire de Zerdanâ, mais aussi du château de Saone (*S*ahiyûn) et de Balâ*t*unus (l'actuel Qal'at Mehelbé), comme l'atteste formellement Usâma (*Autobiographie, Rev. Or. lat.*, 1894, III-IV, p. 445. Cf. *supra*, 507.

94. GAUTIER, p. 120 ; KEMAL AL-DÎN, p. 620.

95. GUILLAUME DE TYR, XII, 12, p. 528-529.

96. GUILLAUME DE TYR, XII, 12, p. 529-530.

97. GAUTIER LE CHANCELIER, p. 121-123 ; FOUCHER DE CHARTRES, p. 443-444.

98. MATTHIEU D'ÉDESSE, p. 124. Usâma ne sollicite guère moins la vérité que Matthieu d'Édesse quand il nous dit : « Le choc entre Il-

Ghâzî et Baudouin ne tourna à l'avantage ni de l'un ni de l'autre. Des compagnies franques mirent en déroute des compagnies musulmanes ; et des compagnies musulmanes mirent en déroute des compagnies franques. De part et d'autre on perdit beaucoup de monde. » (*Autobiographie*, p. 445.)

99. Cf. GAUTIER LE CHANCELIER, p. 122.

100. Cf. DESCHAMPS, *Le château de Saone*, 342, et CLAUDE CAHEN, *Seigneurs de Saone et de Zerdana*, Syria, 1931, 154. À notre avis, opinions nullement inconciliables (*supra*, 507, n. 2).

101. DUSSAUD, p. 214. KEMAL AL-DÎN, p. 620-622.

102. GAUTIER, p. 123. Silence complet chez IBN AL-QALÂNISÎ, p. 161.

103. GAUTIER, p. 124.

104. KEMAL AL-DÎN, p. 621.

105. KEMAL AL-DÎN, p. 620-622.

106. DERENBOURG, *Vie d'Ousâma*, I, p. 121 ; *Autobiographie*, p. 445-446.

107. « Robert était un ancien ami de *T*ughtekîn et il avait accompagné Il-Ghâzi lorsque à Apamée celui-ci s'était associé aux Francs contre les armées orientales venues en Syrie sous le commandement de Bursuq. Robert avait dit alors à *T*ughtekîn : « Je ne sais comment exercer envers toi les devoirs de l'hospitalité, mais dispose des pays que je gouverne, fais-y pénétrer tes cavaliers, qu'ils y passent librement, pourvu qu'ils ne fassent pas de prisonniers et qu'ils ne tuent pas. Pour les troupeaux et les denrées, qu'ils en disposent à leur guise. » (*Autobiographie d'Ousâam*, p. 445).

108. GAUTIER, p. 127.

109. GAUTIER, p. 128.

110. KEMAL AL-DÎN, p. 622.

111. DERENBOURG, *Vie d'Ousâma*, I, p. 122 ; DUSSAUD, *Topographie*, p. 167, 176, 192.

112. REY, *Colonies franques*, p. 343.

113. KEMAL AL-DÎN, p. 623.

114. Il ne restait à recouvrer encore que les deux places de Zerdanâ et d'A*th*âreb qui ne devaient d'ailleurs pas tarder à faire elles aussi retour aux Francs. Comme on le verra, ceux-ci réoccupèrent Zerdanâ en 1121 et A*th*âreb en 1123.

115. GUILLAUME DE TYR, XII, 12, p. 531.

116. *Autobiographie d'Usâma, Rev. Or. lat.*, 1894, p. 446.

117. Ce Naqira voisin de Menbij ne doit pas être confondu avec le Naqira voisin de Ma'arrat al-Nu'mân. Cf. DUSSAUD, *Topographie*, p. 184-185.

118. KEMAL AL-DÎN, p. 623.

119. *Ibid.*, p. 623.

120. MATTHIEU D'ÉDESSE, p. 127. Cf. KEMAL AL-DÎN, p. 623-624.

121. FOUCHER DE CHARTRES, p. 446.
122. KEMAL AL-DÎN, p. 625.
123. FOUCHER DE CHARTRES, p. 445-446.
124. KEMAL AL-DÎN, p. 624-625 ; IBN AL-ATHÎR, p. 332 ; FOUCHER DE CHARTRES, p. 446.
125. DUSSAUD, p. 216, 223.
126. KEMAL AL-DÎN, p. 625.
127. GUILLAUME DE TYR, XII, 14, p. 533-534.
128. KEMAL AL-DÎN, p. 625 ; IBN AL-QALÂNISÎ, 162.
129. Notamment du côté de Naqira. Cf. DUSSAUD, p. 185.
130. KEMAL AL-DÎN, p. 627.
131. DERENBOURG, *Vie d'Ousâma*, p. 122-123.
132. Kemâl al-Dîn introduit à ce point de son récit (p. 627) une expédition de Baudouin II contre la ville d'Alep. « Baudouin s'empara de prisonniers et de chevaux dans la banlieue et dans les caravansérails sis hors des murs et enleva un grand nombre de bêtes de somme. » Comme les faits relatés se situent au plus tôt vers mai-juin 1121, on peut se demander s'ils ne doivent pas être reportés à la campagne suivante de Baudouin II, mentionnée par le même Kemâl al-Dîn (p. 629) (contre Khunâsira) sous la date d'août 1121. N'oublions pas que le 5 juillet Baudouin II nous est signalé bien loin de là, dans le Jaulàn.
133. Y compris de Jebel LAILÛN, ou Jebel Barakat, expressément mentionné, cette fois encore, par Kemâl al-Dîn.
134. KEMAL AL-DÎN, *Chronique d'Alep*, in *Hist. orient.*, III, p. 628.
135. FOUCHER DE CHARTRES, p. 446-447 ; GUILLAUME DE TYR, p. 535.
136. Cf. HOUTSMA, T*ughril I*, in *Encyclop. de l'Islam*, p. 871.
137. KEMAL AL-DÎN, p. 628 ; MATTHIEU D'ÉDESSE, p. 129-130 ; BROSSET, *Histoire de Georgie*, I, 367-370 et *Additions*, 228-242.
138. KEMAL AL-DÎN, p. 629.
139. Mais non A*th*âreb même, contrairement à ce que pense Röhricht (*Gesch. d. Königreichs Jerusalem*, p. 152). Le texte de Kemâl al-Dîn (p. 631 et 633) est formel. A*th*âreb ne fut réoccupé par les Francs que l'année suivante.
140. Cf. *supra*, p. 538.
141. KEMAL AL-DÎN, p. 632.
142. REY, *Colonies franques*, p. 337. Cf. DUSSAUD, 222.
143. KEMAL AL-DÎN, p. 632-633.
144. « Gens illa Parthica, in procinctu vel apparatu bellico moraliter nunquam in eodem statu permanentes, nunc enim visum, nunc dorsum obsistentibus opinione celerius vertunt et præter spem simulate fugiunt, et recursu repentino impetunt, etc. FOUCHER DE CHARTRES, p. 448.
145. KEMAL AL-DÎN, p. 633.

146. C'est en 1117 que Jocelin de Courtenay avait donné le fief de Bir ou Bile (Birejik) à son cousin Galéran du Puiset. Cf. REY, *Colonies franques*, p. 306.

147. MATTHIEU D'ÉDESSE, p. 131-132.

148. KEMAL AL-DÎN, p. 634 ; IBN AL-A*th*ÎR, p. 344.

149. Cf. DUSSAUD, p. 475.

150. KEMAL AL-DÎN, p. 634

151. DUSSAUD, *Topographie*, carte XIII, A, 3.

152. KEMAL AL-DÎN, p. 627-628 ; IBN AL-A*th*ÎR, p. 349-350.

153. GUILLAUME DE TYR, XII, 17, p. 537.

154. « Nihil paganis jucundius, nihil christianis horribilius » FOUCHER DE CHARTRES, p. 450.

155. D'après la chronique syrienne, le seigneur arménien de Gargar, Michel, fils de Constantin, venait de se jeter dons les bras des Francs, offrant même de leur céder sa ville par peur de Balak que ses razzias dans la terre de Mala*t*iya avaient poussé à bout. Balak avait déjà dirigé contre Gargar une expédition punitive en janvier 1122. Jocelin l'aurait alors une première fois chassé du pays. *Michel*, III, II, 205-206, 210.

156. MATTHIEU D'ÉDESSE, p. 133. Cf. KEMAL AL-DÎN, p. 635-636.

157. Il semble que ce fut sur la fausse nouvelle de la mort de Baudouin II que certains barons palestiniens songèrent à proposer la couronne de Jérusalem au comte de Flandre Charles le Bon. Cf. KERVYN DE LETTENHOVE, *Histoire de Flandre*, I, p. 115.

158. GUILLAUME DE TYR, XII, chap. XVII, p. 538. – « Eustachium, hominem probum et more honestum » (FOUCHER DE CHARTRES, p. 450).

159. KEMAL AL-DÎN, p. 636-637.

160. Cf. J.-H. KRAMERS, *Kharpût, Encyclop. de l'Islam*, liv. 32 *bis*, p. 968.

161. GUILLAUME DE TYR, XII, 18, p. 538-539 : « Il avoit Ermins en la terre (de) Jocelin, qui mout l'amoient ; grant duel (deuil) et grant despit en prenoient sur eus de leur seigneur qui einsi estoit pris. »

162. MATTHIEU D'ÉDESSE, p. 133-134. Cf. BAR HEBRAEUS, *Chronique syrienne*, p. 303. Pour Michel le Syrien (éd. Chabot, III, II, p. 211), le coup de main qui délivra le roi fut surtout l'œuvre d'ouvriers arméniens qui travaillaient aux réparations de la forteresse de Kharpût et qui simulèrent une grève tumultueuse pour s'emparer des portes.

163. FOUCHER DE CHARTRES, p. 455-456 ; GUILLAUME DE TYR, XII, 20, p. 541.

164. Rappelons que Jocelin avait épousé une princesse arménienne, fille du roupénien Constantin Ier, seigneur de Vahka, en Haute Cilicie.

165. Guillaume de Tyr, XII, 20, p. 541 ; Foucher de Chartres, p. 457.

166. Peut-être Manassé de Hierges. Cf. Guillaume de Tyr, I, p. 511.

167. Foucher de Chartres, p. 458. Guillaume de Tyr, XII, 19, p. 511 ; Matthieu d'Édesse, p. 135.

168. Cf. Dussaud, *Topographie*, p. 473.

169. Kemal al-Dîn, p. 638-639.

170. Sobernheim, *Halab, Encyclop. de l'Islam*, livr. 21, p. 250-251.

171. Kemal al-Dîn, p. 639-640.

172. Guillaume de Tyr, XII, 20, p. 542 ; – Foucher de Chartres, p. 458.

173. Cf. Dussaud, p. 474.

174. *Chronique de Michel le Syrien*, éd. Chabot, III, ii, p. 211. – Matthieu d'Édesse, *Doc. arm.*, I, p. 138. Geoffroi le Moine en réchappa puisqu'on le retrouve en 1131 chez Guillaume de Tyr (I, p. 610).

175. Kemal al-Dîn, p. 642.

176. Ibn al-Athîr, p. 356. – Cf. Minorsky, *Timur-tâsh*, in *Encyclop. de l'Islam*, M *bis*, p. 822.

177. Foucher de Chartres, p. 450-451 ; Guillaume de Tyr, XII, 21, p. 543.

178. Guillaume de Tyr, XII, 21, p. 545 ; – Foucher de Chartres, p. 451.

179. *Kâmil al-Tewârikh*, p. 356.

180. Ibn al-A*th*îr (*Kâmil al-Tewârikh*, p. 343) nous dit qu'al-Af*d*al fut tué le 5 décembre 1121. Or plus loin (*ibid*., p. 356) il prétend que l'occupation de Tyr par les Damasquins eut lieu en 1122 et qu'elle fut sanctionnée par al-Af*d*al. Il est évident que si la date de la mort d'al-Af*d*al est exacte, comme il semble, et que l'occupation damasquine ait eu lieu de son vivant, cette occupation doit être avancée. Du reste Ibn al-Qalânisî, la meilleure source, donne (p. 128, 142) la date exacte : fin 1112.

181. *Mirât al-Zemân*, p. 563 ; *Kâmil al-Tewârikh*, p. 357.

182. Ibn al-Qalânisî, *Damascus chronicle*, 165, 170, et le *Mirât al-Zemân*, 564 ; aussi le *Nojûm*, 493, qui attribue la perte de Tyr aux fautes commises par le khalife Amir, d'abord en faisant assassiner le sage vizir al-Af*d*al, puis en enlevant la défense de Tyr à l'énergique émir Mas'ûd.

183. Je donne le chiffre auquel s'est arrêté Chalandon (*Comnènes*, II, 157). Foucher de Chartres, p. 449, ne parle que de 120 grands navires.

184. Guillaume de Tyr, XII, 23, p. 546-547.

185. Foucher de Chartres, p. 452-453.

186. Guillaume de Tyr, XII, 24, p. 574.

187. *Ibid.*, p. 459.

188. Le texte latin est plus net et prouve qu'il s'agit de biens-fonds : « In platea Hierusalem (c'est-à-dire sur le terrain à bâtir de Jérusalem), tantum ad proprium habeant, quantum rex habere solitus est » (Guillaume de Tyr, p. 551).

189. Heyd, *Hist. du commerce du Levant*, I, p. 145.

190. *Éracles*, 559-560. Cf. Abel, *Géographie de la Palestine*, I, 444.

191. Traduction de Guillaume de Tyr, I, p. 562.

192. Guillaume de Tyr, I, p. 563.

193. *Ibid.*, I, p. 564, 565.

194. Foucher de Chartres, p. 464 ; Guillaume de Tyr, p. 569.

195. Traduction de Guillaume de Tyr, I, p. 565 et 571. – De même Foucher de Chartres, p. 466 : « Benedicatur autem Pontius Tripolitanus, quoniam adjutor nobis affuit fidelissimus. » Foucher a seulement tort de reprocher aux Francs d'Antioche de n'avoir pas imité l'exemple de ceux de Tripoli. Les chevaliers d'Antioche, privés de leur prince et même du roi, leur régent, avaient assez à faire à se défendre contre les Ortoqides d'Alep-Mârdin, Balak, puis Timurtâsh.

196. Guillaume de Tyr, I, p. 570.

197. « Cives, autem, etsi pauci numero, tamen fide ferventes, zelo justissimo pro patriâ, pro liberis et uxoribus succensi, armis correptis, urbem egrediuntur, unanimiter hostibus occurentes ». Guillaume de Tyr, p. 566

198. Rey, *Colonies franques*, p. 387.

199. Foucher de Chartres, p. 465 ; Guillaume de Tyr, I, p. 572.

200. Guillaume de Tyr, I, p. 567-568.

201. Ibn al-Athîr, p. 358.

202. Guillaume de Tyr, I, p. 568.

203. *Mirât al-Zemân, Hist. orient.*, III, p. 564.

204. Kemal al-Dîn, *Chronique d'Alep, Hist. orient.*, III, p. 642.

205. Guillaume de Tyr, I, p. 571.

206. Guillaume de Tyr, I, p. 574 ; Foucher de Chartres, p. 465 ; Ibn al-Athîr, p. 358 ; Ibn al-Qalânisî, *Damascus Chronicle*, 172.

207. Ibn al-Athîr, p. 359.

208. *Nojûm*, p. 494 ; Ibn al-Qalânisî, *Damascus Chronicle*, 172.

209. Adaptation de Guillaume de Tyr, 575-576.

210. Heyd, *Histoire du commerce du Levant*, I, p. 148 et 151.

211. Heyd, *Histoire du commerce du Levant*, 144, 145, 156.

212. Les auteurs arabes orthographient ce nom Qîrkhân ou Khîrkhân.

213. Derenbourg, *Vie d'Ousâma*, I, p. 127-129. Ibn al-Qalânisî (169) situe ces faits en 517 H (mars 1123-mi-février 1124).

214. DERENBOURG, *Vie d'Ousâma*, I, p. 129-130 ; *Autobiographie d'Ousâma, Rev. Or. lat.*, 1894, III-IV, p. 375.

215. *Kâmil al-Tewârikh*, 355 ; IBN AL-QALÂNISÎ, *Damascus Chronicle*, 169.

216. *Kâmil al-Tewârikh*, p. 354. QALÂNISÎ, 167.

217. DERENBOURG, *Vie d'Ousâma*, I, p. 135.

218. KEMAL AL-DÎN, *Chronique d'Alep*, p. 643-644.

219. DERENBOURG, *Vie d'Ousâma*, p. 134-135.

220. « Mon père et mon oncle, écrit Usâma, rendirent de nombreux services à Baudouin. Quand on nous l'envoya à Shaîzar, ils le traitèrent avec de grands égards. » (*Autobiographie*, p. 446.)

221. KEMAL AL-DÎN, *Chronique d'Alep*, p. 644-645.

222. G. DE TYR, 576, auquel le Traducteur ajoute sa malice narquoise.

223. KEMAL AL-DÎN, *Chronique d'Alep*, p. 645.

224. *Kâmil al-Tewarikh*, 360.

225. KEMAL AL-DÎN, *Chronique d'Alep*, p. 646.

226. KEMAL AL-DÎN, p. 647.

227. *Ibid.*, p. 647.

228. *Ibid.*, p. 648.

229. IBN AL-A*thîr*, *Kâmil al-Tewârikh*, p. 292, 310, 341, 345, 359.

230. IBN AL-A*thîr*, p. 361.

231. KEMAL AL-DÎN, p. 649.

232. FOUCHER DE CHARTRES, p. 469.

233. IBN AL-ATHÎR, p. 362.

234. KEMAL AL-DÎN, p. 650.

235. GUILLAUME DE TYR, XIII, 15, p. 577.

236. *Ibid.*, XIII, 15, p. 577.

237. KEMAL AL-DÎN, p. 651 ; FOUCHER DE CHARTRES, p. 471 ; GUILLAUME DE TYR, XIII, 16, p. 579.

238. Traduction de GUILLAUME DE TYR, XIII, 16, p. 579.

239. FOUCHER DE CHARTRES, p. 471 ; GUILLAUME DE TYR, XIII, 16, p. 580.

240. MATTHIEU D'ÉDESSE, p. 144.

241. FOUCHER DE CHARTRES, p. 472.

242. 22 mai 1125 pour Kemâl al-Dîn, 651, 11-13 juin pour Matthieu d'Édesse (145) et Foucher (472).

243. GUILLAUME DE TYR, XIII, 16, p. 580.

244. DERENBOURG, *Vie d'Ousâma*, I, p. 38 (sub anno 1124 ?)

245. MATTHIEU D'ÉDESSE, *Hist. arm.*, I, p. 145.

246. KEMAL AL-DÎN, p. 651. Cf. GUILLAUME DE TYR, XIII, 21, p. 589.

247. GUILLAUME DE TYR, XIII, 16, p. 580 ; FOUCHER DE CHARTRES, p. 473 ; REY, *Colonies franques*, p. 524 ; DUSSAUD, *Topographie*, p. 73.

248. Guillaume de Tyr, XIII, 17, p. 581 ; Foucher de Chartres, p. 474.

249. Foucher de Chartres, p. 477.

250. Identifications de Wetzstein dans Delitzsch, *Job*, Leipzig, 1864, adoptées par Van Berchem, J. A., 1902, I, 25-26 et Röhricht, p. 178, note 1.

251. Dussaud, *Topographie historique*, p. 340.

252. Dussaud, *Topographie*, p. 314 et 317 ; Lammens, *Mardj al-Suffar* in *Encyclop. de l'Islam*, liv. 41, p. 294.

253. Dussaud, *Topographie*, p. 322.

254. *Mirât al-Zemân*, p. 566 ; Ibn al-Qalânisî, 176.

255. Guillaume de Tyr, XIII, 18, p. 585. Cf. Foucher de Chartres, p. 478. « Optime se habuit rex noster in die illa ! »

256. *Ibid.*, XIII, 50.

257. Ibn al-Qalânisî, 175-177, mieux informé que Ibn al-A*th*îr, 372.

258. Cf. Dussaud, *Topographie*, p. 317-318, 320-321.

259. Ibn al-Qalânisî, *Damascus Chronicle*, 177 ; *Mirât al-Zemân*, 566.

260. Dussaud, *Topographie*, p. 98.

261. Et battu Pons dans la Beqâ'a (1116). Ibn al-Qalânisî, 151, 154.

262. Dussaud, *Topographie*, p. 99.

263. Kemal al-Dîn, *Chronique d'Alep*, p. 592, 606, 608, 610.

264. Kemal al-Dîn, p. 652 ; Foucher de Chartres, p. 480 ; Guillaume de Tyr, XIII, 19, p. 586 ; Ibn al-Qalânisî, 180.

265. Kemal al-Dîn, p. 652.

266. Dussaud, *Topographie*, p. 199, note 5.

267. Kemal al-Dîn, p. 653.

268. Röhricht (*Gesch. König. Jerus*. 180) semble croire que le seigneur d'A*th*âreb, Alain le Méchin, évacua réellement la citadelle. Il n'en est rien. Au témoignage de Kemâl al-Dîn (p. 653) il n'y eut de la part de Baudouin II que promesse de cession, et promesse non tenue, en réalité une ruse de guerre. « On convint que le blocus d'A*th*âreb (par les Turcs) serait levé, pour que le gouverneur (franc) puisse en sortir avec ses troupes et ses biens. Mais les Francs, revenant sur leurs promesses, etc. » Du reste le contexte du même Kemâl al-Dîn (p. 661, 670) prouve qu'A*th*âreb resta bien aux Francs.

269. Kemal al-Dîn, p. 653.

270. Kemal al-Dîn, p. 654.

271. Foucher de Chartres, 481 ; Guillaume de Tyr, XIII, 20, 587-588.

272. Constance de France devait mourir à Bari en 1126.

273. Guillaume de Tyr, XII, 10, p. 526.

274. Foucher de Chartres, p. 481-482.

275. Guillaume de Tyr, p. 559 ; Matthieu d'Édesse, p. 147.

276. Le mariage, décidé sans doute dès la réception de Bohémond II, peut n'avoir été consommé qu'en septembre 1127.

277. Guillaume de Tyr, p. 588. Cf. Foucher de Chartres, p. 485 ; Orderic Vital, éd. Le Prévost, t. IV, p. 246.

278. Derenbourg, *Autobiographie d'Ousâma, Rev. Or. lat.*, 1894, p. 446, et *Vie d'Ousâma*, I, p. 136-137.

279. Kemal al-Dîn, p. 651.

280. Traduction de Guillaume de Tyr, I, p. 589.

281. Derenbourg, *Autobiographie d'Ousâma*, p. 447, et *Vie d'Ousâma*, I, p. 137-138.

282. Dussaud, *Topographie*, p. 140.

283. Derenbourg, *Vie d'Ousâma*, I, p. 139.

284. Kemal al-Dîn, p. 654.

285. Ibn al-A*th*îr, p. 366.

286. *Ibid.*, p. 366.

287. Lecture du *Kâmil al-Tewârikh* (p. 378), sans doute préférable au Tûmân de la *Chronique d'Alep* (p. 655).

288. Ibn al-A*th*îr, 379.

289. Guillaume de Tyr, I, p. 590. – Michel le Syrien, tout en reconnaissant que Jocelin prit l'offensive, lui donne raison contre Bohémond II : « Bohémond se montra vain et orgueilleux et voulut soumettre tous les Francs (entendez, peut-être, qu'il prétendait à l'hommage du comte d'Édesse). Il y eut parmi les Francs des divisions et des combats. C'est pourquoi Jocelin s'empara de tout ce qu'il trouva dans la région d'Antioche à l'exception des gens » (Michel le Syrien, III, ii, p. 224).

290. Cf. Ibn al-A*th*îr, p. 368-371.

291. Guillaume de Tyr, I, p. 594.

292. Guillaume de Tyr, I, p. 595.

293. Dit encore Guillaume de Malines. – Patriarche de 1130 à 1145 (Rey, in *Revue de l'Orient latin*, 1893, I, p. 18).

294. Guillaume de Tyr, I, p. 598.

295. Guy aurait succédé comme seigneur de Beyrouth à son frère Gautier Ier Brisebarre vers 1127 (Rey, *Les seigneurs de Barut, R. 0. L.* 1896, I, 13). Le départ des deux envoyés pour la France eut lieu vers octobre 1128.

296. Guillaume de Tyr, I, p. 594.

297. Guillaume de Tyr, p. 596.

298. Ibn al-A*th*îr, *Kâmil al-Tewârikh*, p. 367 et 789.

299. *Ibid.*, 368. Ibn al-Qalânisî. *Damascus Chronicle*, 180.

300. Ibn al-A*th*îr (p. 383) semble dire que les Ismâ'îliens conquirent Qâdmûs même dès 1129. En réalité ils ne l'acquirent qu'en 1133-1134 d'un certain Ibn 'Amrûn (DUSSAUD, *Topographie*, p. 140).

301. *Kâmil al-Tewârikh*, p. 382-383.

302. *Ibid.*, 384. IBN AL-QALÂNISÎ. *Damascus Chronicle*, 187-191.

303. *Mirât al-Zemân*, p. 567. IBN AL-QALÂNISÎ, 192-194.

304. *Kâmil al-Tewârikh*, p. 384-385.

305. Cf. Fr. BÜHL, *Bâniyâs, Encycl. de l'Islam*, I, p. 664.

306. DUSSAUD, *Topographie*, p. 315, note 3.

307. GUILL. DE TYR, 596 ; IBN AL-QALÂNISÎ *Damascus Chronicle*, 197.

308. « L'armée damasquine vint se poster à Burâq pour y attendre et surprendre les fourrageurs francs à leur retour du *H*aurân. » IBN AL-QALÂNISÎ, 197 ; IBN AL-A*TH*ÎR, 385-386 ; *Mirât al-Zemân*, 567-568.

309. GUILLAUME DE TYR, p. 598. Cf. IBN AL-QÂLANISÎ, 199-200.

310. *Kâmil al-tewârikh* 369-371. Le traducteur du même auteur dans *Atâbegs*, 53-57, situe ces événements en janvier 1126 au lieu de 1127.

311. IBN AL-A*TH*ÎR, p. 377-378.

312. La ville dépendait de l'ortoqide Timurtâsh, émir de Mârdîn et ancien émir d'Alep (IBN AL-A*TH*ÎR, p. 377).

313. IBN AL-A*TH*ÎR, p. 378.

314. *Ibid., Kâmil al-Tewârikh*, p. 379.

315. *Ibid.*, p. 380 ; KEMAL AL-DÎN, p. 657.

316. IBN AL-A*th*ÎR, *Atâbeks*, in *Hist. orient.*, II, II, p. 69.

317. KEMAL AL-DÎN, p. 658 ; IBN AL-QALÂNISÎ, 200.

318. DERENBOURG, *Vie d'Ousâma*, p. 142-143, 146.

319. KEMAL AL-DÎN, p. 660.

320. IBN AL-A*th*îr, p. 389-390.

321. Cf. *Chronique rimée* de VAHRAM, *Doc. arm.*, 500.

322. D'après MICHEL LE SYRIEN, III, II, p. 227.

323. GUILLAUME DE TYR, I, p. 599.

324. Cf. GUILLAUME DE TYR, I, p. 599-600.

325. GUILLAUME DE TYR, I, p. 599-601 ; KEMAL AL-DÎN, p. 660-861.

326. KEMAL AL-DÎN, p. 661.

327. *Ibid.*, p. 670.

328. IBN AL-A*th*ÎR, *Kâmil al-Tewârikh, Hist. orient.*, I, p. 388-389. *Hist. des Atabegs, Hist. orient.*, II, II, p. 71-76.

329. Traduction de GUILLAUME DE TYR, I, p. 601-602.

330. IBN AL-A*thÎR*, p. 389.

331. Sur la « Terre de Suète, » cf. cependant VAN BERCHEM, *J. A.*, 1902, I, 411. Sur le Jebel 'Awuf, CLERMONT-GANNEAU, *E. A. O.*, II, 140.

# INDEX

## B

## C

**D**

F

## H

## J

## M

## R

## S

## T

## U



## V



## W



## X



## Y

## Z

CARTES

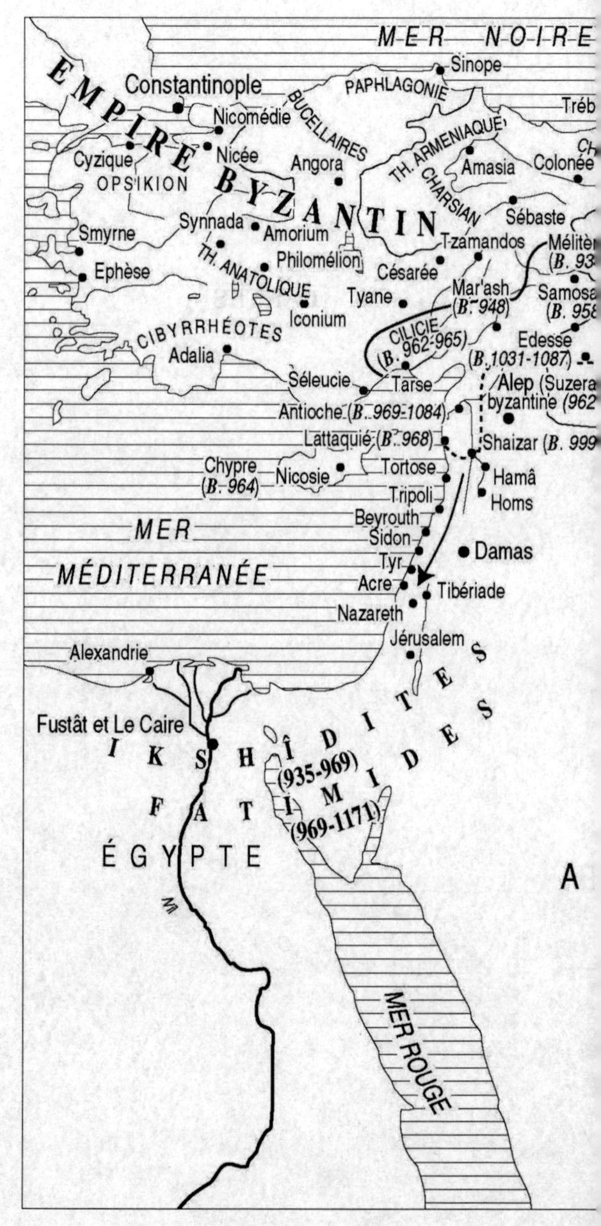
MER NOIRE
EMPIRE BYZANTIN
Constantinople
Sinope
PAPHLAGONIE
BUCELLAIRES
Nicomédie
Nicée
Cyzique
OPSIKION
Angora
TH. ARMENIAQUE
Amasia
Colonée
CHARSIAN
Sébaste
Synnada
Amorium
Smyrne
TH. ANATOLIQUE
Philomélion
Tzamandos
Césarée
Ephèse
Tyane
Mar'ash
(B. 948)
Iconium
CIBYRRHÉOTES
CILICIE
(B. 962-965)
Adalia
Edesse
(B. 1031-1087)
Séleucie
Tarse
Alep
byzantine
Antioche (B. 969-1084)
Lattaquié (B. 968)
Shaizar
Chypre
(B. 964)
Nicosie
Tortose
Hamâ
Tripoli
Homs
Beyrouth
MER
MÉDITERRANÉE
Sidon
Damas
Tyr
Acre
Tibériade
Nazareth
Jérusalem
Alexandrie
Fustât et Le Caire
IKSHÎDIDES
(935-969)
FATIMIDES
(969-1171)
ÉGYPTE
MER ROUGE
A

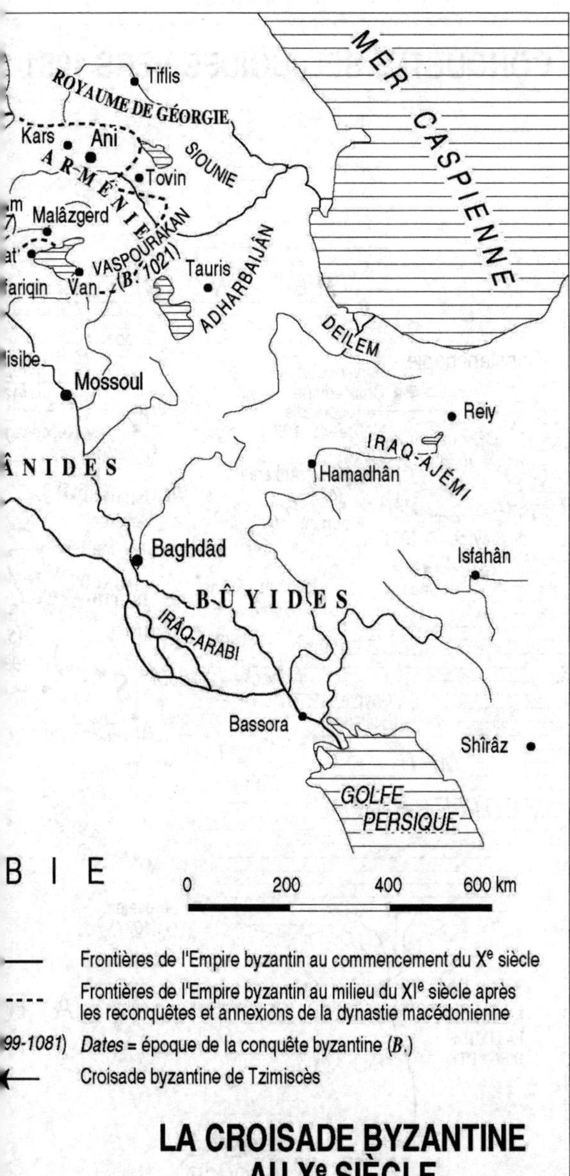


**LA CROISADE BYZANTINE AU Xe SIÈCLE**

CONQUÊTES SELJÛQIDES VERS 1081-1
MER NOIRE
Sinope
Constantinople
Chrysopolis
Chalcédoine
Nicomédie
Nicée (S. 1081)
Cyzique
(S. 1078)
CONQUÊTES DE SULAIMÂN (VERS 1081)
Kyzil Irmak
Amasia
Néocésare
Siwâs
Ankara
DÂNISHMENDITES
Amorium
Césarée
Smyrne (T. 1081)
Colonée
Mélitène
Méandre
Chones
Iconium
(S. v.1080)
Tyane
PRINCIPAUTÉ DE PHILARETOS (V. 1078-1085)
Tarse
Adana
Antioche (S.1085)
Alep (S.108
Chypre
(Byzantins)
Lattaquié
Shaizar
(Munqidhites 1081)
S U L
MER
MÉDITERRANÉE
Tripoli
Beyrouth
Damas
(S. 1075)
Tyr
ROYAUME DE TUTUSH (1079-1095)
Jérusalem
(T. 1071)
Le Caire
KHALIFAT
FÂTIMIDE
D'ÉGYPTE
Nil
A R
MER
ROUGE

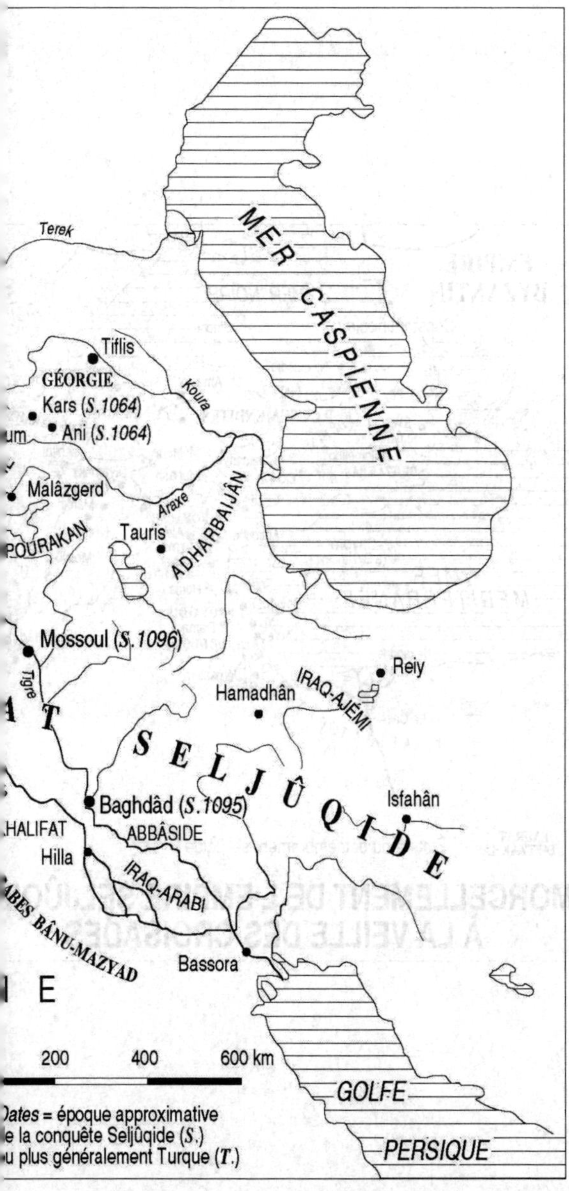
MER CASPIENNE
Terek
Tiflis
GÉORGIE
Kars (S.1064)
Ani (S.1064)
Koura
Malâzgerd
Araxe
ADHARBAIJÂN
POURAKAN
Tauris
Mossoul (S.1096)
Tigre
Reiy
IRAQ-AJÉMI
Hamadhân
S E L J Û Q I D E
Isfahân
Baghdâd (S.1095)
ABBÂSIDE
Hilla
IRAQ-ARABI
BÂNU-MAZYAD
Bassora
E
200
400
600 km
GOLFE
PERSIQUE
e la conquête Seljûqide (S.)
u plus généralement Turque (T.)

MORCELLEMENT DE L'EMPIRE SELJÛQIDE
À LA VEILLE DES CROISADES

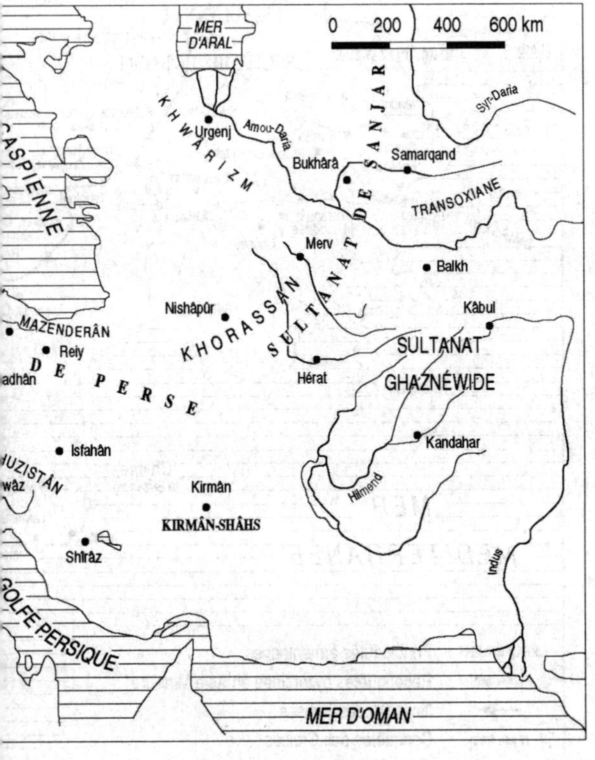

MER D'ARAL
0 200 400 600 km
KHWARIZM
Urgenj
Amou-Daria
Syr-Daria
SULTANAT DE SANJAR
Samarqand
Bukhârâ
TRANSOXIANE
CASPIENNE
Merv
Balkh
Nishâpûr
Kâbul
MAZENDERÂN
KHORASSAN
SULTANAT GHAZNÉWIDE
Reiy
DE PERSE
Hérat
Isfahân
Kandahar
Hilmend
Kirmân
KIRMÂN-SHÂHS
Shîrâz
Indus
GOLFE PERSIQUE
MER D'OMAN

EMPIRE
BYZANTIN
MER
Possessions byz
Constantinople
Chrysopolis
Chalcédoine
Héraclée
Nicomédie (reconquêtes avant la croisade
MER
ÉGÉE
Civitut
Cyzique
Prusa
BITHYNIE
Nicée (26 juin 1097)
Ankara
SULTANAT
Dorylée (1er juillet et 1097)
SELJÛQIDE DE ROUM
Lesbos
ÉMIRAT (TZAKHAS)
(juin 1097)
Magnésie
Nymphaeum
Synnada
Polybotos (victoire byzantine
printemps 1098)
Chio
Smyrne
Sardes (1097)
Philadelphie (1098)
Philomélion
(Alexis Commène, juin
Ephèse
Sozopolis
Antioche
de Pisidie
Tyriaion
Laodicée
ÉMIRAT DE TANGRIPERME
(juin 1097)
Hiérapolis
et Laodicée
Sublaion
Chonae
Cos
Adalia
Laranda
Rhodes
Rhodes
Chypre
(à Byzance)
MER
MÉDITERRANÉE
Baffo
ROUPÉNIENS Principautés arméniennes
(juin 1098) Reconquêtes byzantines en Asie Mineure
Itinéraire des Croisés
(2 juin 1099) Conquêtes des Croisés
Territoires récupérés par les Byzantins
sur les Turcs à la faveur de la Première Croisade
KHALIFAT

LA PREMIÈRE CROISADE

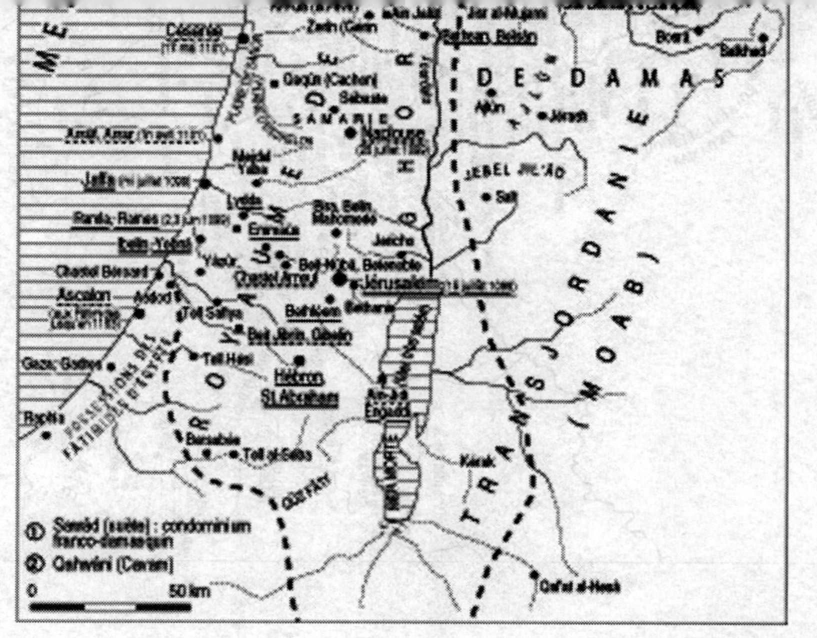
DE DAMAS
TRANSJORDANIE
(MOAB)
SAMARIE
JEBEL JIL'ÂD
Césarée
Zerin (Gerin)
Beisan, Belsin
Bosra
Salkhad
Ajlûn
Jérash
Salt
Jaffa
Lydda
Emmaüs
Jéricho
Jérusalem
Bethléem
Ascalon
Gaza, Gadres
Tell Hési
Hébron
St Abraham
Rapha
Bersabée
Tell al-Safia
Kérak
Qalaat al-Hasa
POSSESSIONS DES FATIMIDES D'ÉGYPTE
① Sawâd (suite) : condominium franco-damasquin
② Qahwâni (Cavam)
0
50 km

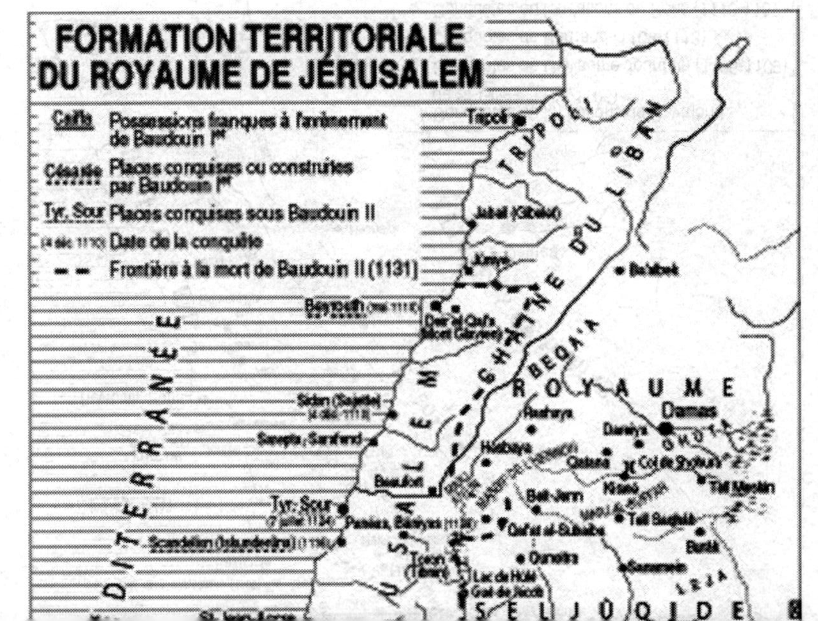
FORMATION TERRITORIALE
DU ROYAUME DE JÉRUSALEM
Places conquises ou construites par Baudouin Ier
Tyr, Sour Places conquises sous Baudouin II
Date de la conquête
Frontière à la mort de Baudouin II (1131)
TRIPOLI
Tripoli
LIBAN
BEQA'A
ROYAUME
Damas
Ba'albek
SELJÛQIDE
Tyr, Sour

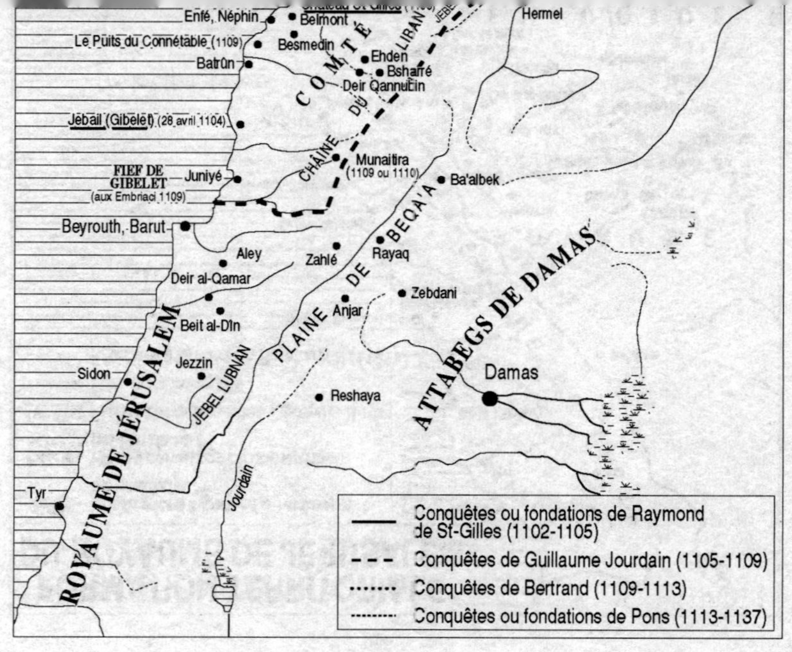

Enfé, Néphin
Belmont
Le Puits du Connétable (1109)
Besmedin
Batrûn
COMTÉ
Ehden
Bsharré
Deir Qannubin
Jebail (Gibelet) (28 avril 1104)
CHAÎNE DU LIBAN
Munaitira (1109 ou 1110)
FIEF DE GIBELET
(aux Embriaci 1109)
Juniyé
Ba'albek
Hermel
Beyrouth, Barut
Aley
Zahlé
Rayaq
Deir al-Qamar
PLAINE DE BEQA'A
Zebdani
Anjar
Beit al-Dîn
ATTABEGS DE DAMAS
ROYAUME DE JÉRUSALEM
Jezzin
JEBEL LUBNÂN
Sidon
Damas
Reshaya
Tyr
Jourdain
Conquêtes ou fondations de Raymond de St-Gilles (1102-1105)
Conquêtes de Guillaume Jourdain (1105-1109)
Conquêtes de Bertrand (1109-1113)
Conquêtes ou fondations de Pons (1113-1137)

FORMATION TERRITORIALE DU COMTÉ DE TRIPOLI
Limites approximatives du Comté de Tripoli au moment de sa plus grande extension (vers 1132)
0
50 km
ER MÉDITERRANÉE
PRINCIPAUTÉ D'ANTIOCHE
Laodicée
Mehelbé
Jabala
Qal'at Beni Isra'il
Apainée
Kafartâb
Shaîzar
Oronte
Kaukab
Bâniyâs
Ollaiqa
Marqab (vers 1117-1118)
MONTS ANSARIYÉS
ÉMIRAT DE SHAÎZAR (MUNQIDHISTES)
Hamâ
Salamiya
Maraclée
Al Kahf
Qadmus
Masyaf
Al-Khawabi
Ba'rîn, Montferrand (1132)
Tortose (18 février 1102)
Al-Restân
Île de Ruau
Chastel Blanc
Raphanée (31 mars 1126)
Miriyamin
Chastel Rouge
Tell Tubân (Tubanie)
Araïma
Homs
Le Krak des Chevaliers (1110)
Tell Kalakh
PLAINE DE LA BOQUÉE
ÉMIRAT
IPOLI
Lac de Homs
Qubaiyât
Arqa Arcas

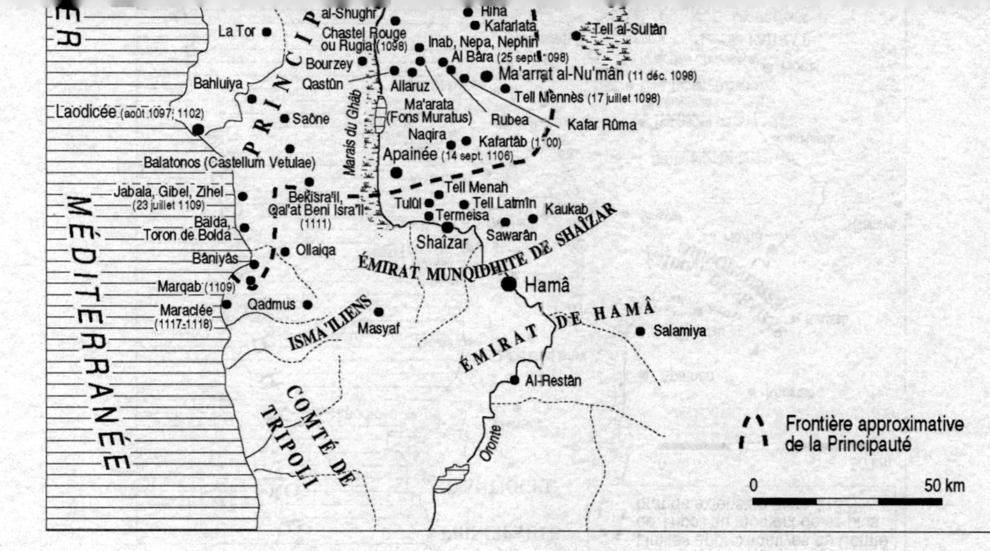

ER
MÉDITERRANÉE
PRINCIP
COMTÉ DE TRIPOLI
ISMA'ILIENS
ÉMIRAT MUNQIDHITE DE SHAÏZAR
ÉMIRAT DE HAMÂ
al-Shughr
Riha
Kafarlata
Tell al-Sultân
La Tor
Chastel Rouge ou Rugia (1098)
Inab, Nepa, Nephin
Al Bâra (25 sept. 1098)
Bourzey
Ma'arrat al-Nu'mân (11 déc. 1098)
Bahluiya
Qastûn
Allaruz
Tell Mênnès (17 juillet 1098)
Ma'arata (Fons Muratus)
Rubea
Kafar Rûma
Laodicée (août 1097; 1102)
Saône
Marais du Ghâb
Naqira
Kafartâb (1100)
Apainée (14 sept. 1106)
Balatonos (Castellum Vetulae)
Jabala, Gibel, Zihel (23 juillet 1109)
Bekisrâ'îl, Qal'at Beni Isrâ'îl (1111)
Tell Menah
Tulûl
Tell Latmîn
Termeisa
Kaukab
Bâlda, Toron de Bolda
Shaîzar
Sawarân
Ollaiqa
Bâniyâs
Marqab (1109)
Hamâ
Maraclée (1117-1118)
Qadmus
Masyaf
Salamiya
Al-Restân
Oronte
Frontière approximative de la Principauté
0
50 km

PRINCIPAUTÉ D'ANTIOCHE
AU MOMENT DE SA PLUS
GRANDE EXTENSION
(vers 1118-1119)
CILICIE
COMTÉ D'ÉDESSE
D'ANTIOCHE
ROYAUME TURC
Golfe d'Alexandrette
Payas
Alexandrette
Port des Francs
Raz al-Khanzir
Beylan
Baghras
Darbsak
MONTAGNE NOIRE
Antioche
(3 juin 1098)
St-Siméon
Mont Admirable
Suwaidiya
Lac de Amy
ou d'Antioche
Jisr al-Hadid
(Le pont de Fer)
Qosair
Harim
Keilâ (1100)
Tell Nawaz
Imm
Artâh
(oct. 1097)
Babisga
Afrin
Qara Sou
Qal'at Basût
Deir Semân
Tizin
Danat
Tell Adé (1105)
Qal'at Semân
Turmanin
Basarfuth (1105)
Athâreb (déc. 1100)
Ma'rata
JEBEL SEMÂN
Azaz
Hasart
(oct. 1097)
Corice
Tell Refat
Ravendel
(oct. 1097)
Killis
Alep
Hailan
Muslimiya (1103)
Nirâb
Jebrîn
Defterdar
Marj Dâbiq
Quwaiq
Bâb
Biza'a (1119)
Dulûk
Aintâb
Turbessel
Jerablos
Menbij
Euphrate

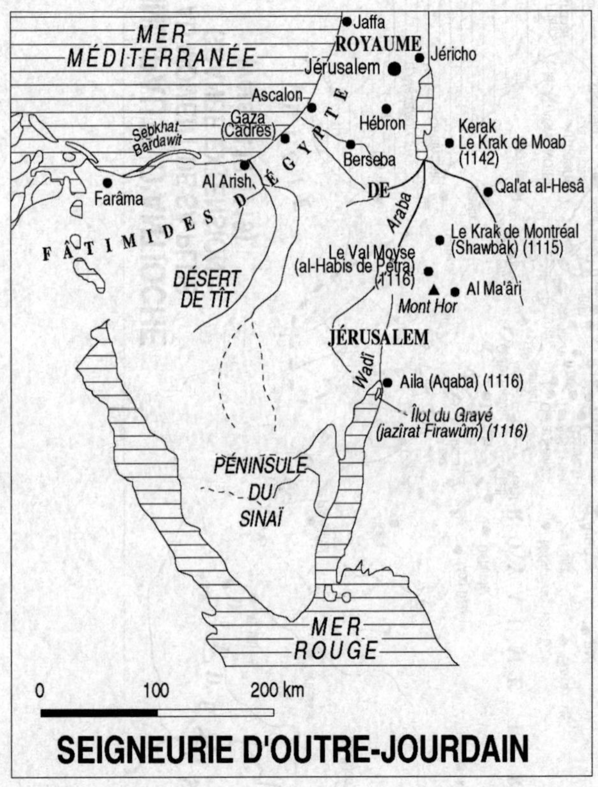


SEIGNEURIE D'OUTRE-JOURDAIN

# LE COMTÉ D'ÉDESSE

Domaine approximatif du Comté d'Édesse à son extension maxima

**Édesse** et **Turbessel** Résidences des Comtes d'Édesse

Principaux fiefs francs

ÉMIRAT DÂNISHMENDITE
SULTANAT SELJÛQIDE DE RÛM
ROUPÉNIENS
ANTI-TAURUS
MONT TAURUS
CILICIE
COMTÉ D'ÉDESSE
PRINCIPAUTÉ D'ANTIOCHE
ATABEGS D'ALEP
JAZÎRA
ORTOQIDES
ÉMIRATS
SASSOUN
SHÂHS-ARMÊN
ATABEGS DE MOSSOUL
MER MÉDITERRANÉE
Golfe d'Alexandrette
Lac de Van
Kyzyl Irmak
Euphrate occidental
Euphrate oriental
Euphrate
Oronte
Khabour
Tigre
Qaisariya
Goeksun (Coxon)
Albistan
Mélitène
Monastère de Bar Sauma
Gakhta
Kharpût
Mezré
Palu
Khilât
Maiyefariqîn
Diyârbékir (Amida)
Hisn Kaifa
Jazîrat ibn Omar
Gargar
Behesni
Hisn Mansur
Kaisûn
Sâmosate
Partzerpert
Vahka
KOZAN
Gaban
Sis
Butrenton
Anazarbe
Shoughr
Duluk
Raban
Rûmqai'a
Bîra
Ravendel
Aintâb
Sarûj
Corice
Azaz
Turbessel
Jérablus
Adana
Mamistra
Tarse
Antioche
St. Siméon
Alep
Bizâ'a
Menbij
Bâlis
Qal'at Ja'bar
Siffîn
Raqqa
Harrân
Édesse
Tell Muzen
Mârdîn
SHABAKHTAN
TUR-ABDIN
Tell Guran
Nisîbîn
Râs al-Ain
Haseke
Sinjar
Mossoul
Arbil
Deir al-Zor
Rahéba
0 200 km

# TABLE



## INTRODUCTION.

## LA QUESTION D'ORIENT À LA VEILLE DES CROISADES

### § 1er. — LA QUESTION D'ORIENT D'APRÈS GUILLAUME DE TYR.



### § 2. — L'AFFAISSEMENT DE LA PUISSANCE ARABE : LE MORCELLEMENT DE L'EMPIRE 'ABBASIDE ET LA CROISADE BYZANTINE DU DIXIÈME SIÈCLE.



### § 3. — LA CONQUÊTE SELJÛQIDE. EFFONDREMENT DE LA PUISSANCE BYZANTINE.



### § 4. — L'ÉCLIPSE DE LA PUISSANCE TURQUE : MORCELLEMENT DE L'EMPIRE SELJÛQIDE.

## CHAPITRE PREMIER

## LA PREMIÈRE CROISADE

### §1er. — Prédication de la Croisade.



### § 2. — La première Croisade et l'Eempire byzantin.



### § 3. — La Première Croisade et les Seljûqides d'Anatolie.



### § 4. — La Première Croisade et le peuple arménien. Fondation du comité d'Édesse.



### § 5. — La Première Croisade et les Seljûqides de Perse. Prise d'Antioche.

§ 4. — POLITIQUE COLONIALE DE BAUDOUIN I^er^.



§ 5. — POLITIQUE INTÉRIEURE DE BAUDOUIN I^er^ : AFFERMISSEMENT DU PRINCIPE MONARCHIQUE.



§ 6. — CONCLUSION SUR L'ŒUVRE DE BAUDOUIN I^er^.



## CHAPITRE IV

## LA PROVENCE AU LIBAN. FONDATION DU COMTE DE TRIPOLI

§ 1^er^. — RAYMOND DE SAINT-GILLES ET LES CROISADES D'ANATOLIE.



§ 2. — RAYMOND DE SAINT-GILLES AU LIBAN. OCCUPATION DE TORTOSE.

## CHAPITRE VII

## RÈGNE DE BAUDOUIN II. AFFERMISSEMENT DES INSTITUTIONS MONARCHIQUES ET CONSOLIDATION DE LA CONQUÊTE FRANQUE

### § 1er. — Avènement de Baudouin II.



### § 2. — Baudouin II et la féodalité musulmane de 1119 à 1123 : Bella antiochena.

collection tempus
Perrin

DÉJÀ PARU

50. *Histoire de l'Allemagne* – Henry Bogdan.
51. *Lieutenant de panzers* – August von Kageneck.
52. *Les hommes de Dien Bien Phu* – Roger Bruge.
53. *Histoire des Français venus d'ailleurs* – Vincent Viet.
54. *La France qui tombe* – Nicolas Baverez.
55. *Histoire du climat* – Pascal Acot.
56. *Charles Quint* – Philippe Erlanger.
57. *Le terrorisme intellectuel* – Jean Sévillia.
58. *La place des bonnes* – Anne Martin-Fugier.
59. *Les grands jours de l'Europe* – Jean-Michel Gaillard.
60. *Georges Pompidou* – Eric Roussel.
61. *Les États-Unis d'aujourd'hui* – André Kaspi.
62. *Le masque de fer* – Jean-Christian Petitfils.
63. *Le voyage d'Italie* – Dominique Fernandez.
64. *1789, l'année sans pareille* – Michel Winock.
65. *Les Français du Jour J* – Georges Fleury.
66. *Padre Pio* – Yves Chiron.
67. *Naissance et mort des Empires.*
68. *Vichy 1940-1944* – Jean-Pierre Azéma, Olivier Wieviorka.
69. *L'Arabie Saoudite en guerre* – Antoine Basbous.
70. *Histoire de l'éducation,* tome III – Françoise Mayeur.
71. *Histoire de l'éducation,* tome IV – Antoine Prost.
72. *La bataille de la Marne* – Pierre Miquel.
73. *Les intellectuels en France* – Pascal Ory, Jean-François Sirinelli.
74. *Dictionnaire des pharaons* – Pascal Vernus, Jean Yoyotte.
75. *La Révolution américaine* – Bernard Cottret.
76. *Voyage dans l'Égypte des Pharaons* – Christian Jacq.
77. *Histoire de la Grande-Bretagne* – Roland Ma rx, Philippe Chassaigne.
78. *Histoire de la Hongrie* – Miklós Molnar.
79. *Chateaubriand* – Ghislain de Diesbach.
80. *La Libération de la France* – André Kaspi.
81. *L'empire des Plantagenêt* – Martin Aurell.
82. *La Révolution française* – Jean-Paul Bertaud.
83. *Les Vikings* – Régis Boyer.
84. *Examen de conscience* – August von Kageneck.
85. *1905, la séparation des Églises et de l'État.*

86. *Les femmes cathares* – Anne Brenon.
87. *L'Espagne musulmane* – André Clot.
88. *Verdi et son temps* – Pierre Milza.
89. *Sartre* – Denis Bertholet.
90. *L'avorton de Dieu* – Alain Decaux.
91. *La guerre des deux France* – Jacques Marseille.
92. *Honoré d'Estienne d'Orves* – Etienne de Montety.
93. *Gilles de Rais* – Jacques Heers.
94. *Laurent le Magnifique* – Jack Lang.
95. *Histoire de Venise* – Alvise Zorzi.
96. *Le malheur du siècle* – Alain Besançon.
97. *Fouquet* – Jean-Christian Petitfils.
98. *Sissi, impératrice d'Autriche* – Jean des Cars.
99. *Histoire des Tchèques et des Slovaques* – Antoine Marès.
100. *Marie Curie* – Laurent Lemire.
101. *Histoire des Espagnols,* tome I – Bartolomé Bennassar.
102. *Pie XII et la Seconde Guerre mondiale* – Pierre Blet.
103. *Histoire de Rome,* tome I – Marcel Le Glay.
104. *Histoire de Rome,* tome II – Marcel Le Glay.
105. *L'État bourguignon 1363-1477* – Bertrand Schnerb.
106. *L'Impératrice Joséphine* – Françoise Wagener.
107. *Histoire des Habsbourg* – Henry Bogdan.
108. *La Première Guerre mondiale* – John Keegan.
109. *Marguerite de Valois* – Eliane Viennot.
110. *La Bible arrachée aux sables* – Werner Keller.
111. *Le grand gaspillage* – Jacques Marseille.
112. *« Si je reviens comme je l'espère » : lettres du front et de l'Arrière, 1914-1918* – Marthe, Joseph, Lucien, Marcel Papillon.
113. *Le communisme* – Marc Lazar.
114. *La guerre et le vin* – Donald et Petie Kladstrup.
115. *Les chrétiens d'Allah* – Lucile et Bartolomé Bennassar.
116. *L'Égypte de Bonaparte* – Jean-Joël Brégeon.
117. *Les empires nomades* – Gérard Chaliand.
118. *La guerre de Trente Ans* – Henry Bogdan.
119. *La bataille de la Somme* – Alain Denizot.
120. *L'Église des premiers siècles* – Maurice Vallery-Radot.
121. *L'épopée cathare,* tome I, *L'invasion* – Michel Roquebert.
122. *L'homme européen* – Jorge Semprún, Dominique de Villepin.
123. *Mozart* – Pierre-Petit.
124. *La guerre de Crimée* – Alain Gouttman.
125. *Jésus et Marie-Madeleine* – Roland Hureaux.
126. *L'épopée cathare,* tome II, *Muret ou la dépossession* – Michel Roquebert.
127. *De la guerre* – Carl von Clausewitz.
128. *La fabrique d'une nation* – Claude Nicolet.

129. *Quand les catholiques étaient hors la loi* – Jean Sévillia.
130. *Dans le bunker de Hitler* – Bernd Freytag von Loringhoven et François d'Alançon.
131. *Marthe Robin* – Jean-Jacques Antier.
132. *Les empires normands d'Orient* – Pierre Aubé.
133. *La guerre d'Espagne* – Bartolomé Bennassar.
134. *Richelieu* – Philippe Erlanger.
135. *Les Mérovingiennes* – Roger-Xavier Lantéri.
136. *De Gaulle et Roosevelt* – François Kersaudy.
137. *Historiquement correct* – Jean Sévillia.
138. *L'actualité expliquée par l'Histoire.*
139. *Tuez-les tous! La guerre de religion à travers l'histoire* – Elie Barnavi, Anthony Rowley.
140. *Jean Moulin* – Jean-Pierre Azéma.
141. *Nouveau monde, vieille France* – Nicolas Baverez.
142. *L'Islam et la Raison* – Malek Chebel.
143. *La gauche en France* – Michel Winock.
144. *Malraux* – Curtis Cate.
145. *Une vie pour les autres. L'aventure du père Ceyrac* – Jérôme Cordelier.
146. *Albert Speer* – Joachim Fest.
147. *Du bon usage de la guerre civile en France* – Jacques Marseille.
148. *Raymond Aron* – Nicolas Baverez.
149. *Joyeux Noël* – Christian Carion.
150. *Frères de tranchées* – Marc Ferro.
151. *Histoire des croisades et du royaume franc de Jérusalem*, tome I, *1095-1130, L'anarchie musulmane* – René Grousset.
152. *Histoire des croisades et du royaume franc de Jérusalem*, tome II, *1131-1187, L'équilibre* – René Grousset.
153. *Histoire des croisades et du royaume franc de Jérusalem*, tome III, *1188-1291, L'anarchie franque* – René Grousset.
154. *Napoléon* – Luigi Mascilli Migliorini.
155. *Versailles, le chantier de Louis XIV* – Frédéric Tiberghien.
156. *Le siècle de saint Bernard et Abélard* – Jacques Verger, Jean Jolivet.
157. *Juifs et Arabes au XXe siècle* – Michel Abitbol.
158. *Par le sang versé. La Légion étrangère en Indochine* – Paul Bonnecarrère.
159. *Napoléon III* – Pierre Milza.
160. *Staline et son système* – Nicolas Werth.
161. *Que faire?* – Nicolas Baverez.
162. *Stratégie* – B. H. Liddell Hart.
163. *Les populismes* (dir. Jean-Pierre Rioux).
164. *De Gaulle, 1890-1945,* tome I – Eric Roussel.
165. *De Gaulle, 1946-1970,* tome II – Eric Roussel.
166. *La Vendée et la Révolution* – Jean-Clément Martin.

167. *Aristocrates et grands bourgeois* – Eric Mension-Rigau.
168. *La campagne d'Italie* – Jean-Christophe Notin.
169. *Lawrence d'Arabie* – Jacques Benoist-Méchin.
170. *Les douze Césars* – Régis F. Martin.
171. *L'épopée cathare,* tome III, *Le lys et la croix* – Michel Roquebert.
172. *L'épopée cathare,* tome IV, *Mourir à Montségur* – Michel Roquebert.
173. *Henri III* – Jean-François Solnon.
174. *Histoires des Antilles françaises* – Paul Butel.
175. *Rodolphe et les secrets de Mayerling* – Jean des Cars.
176. *Oradour, 10 juin 1944* – Sarah Farmer.
177. *Volontaires français sous l'uniforme allemand* – Pierre Giolitto.
178. *Chute et mort de Constantinople* – Jacques Heers.
179. *Nouvelle histoire de l'Homme* – Pascal Picq.
180. *L'écriture. Des hiéroglyphes au numérique.*
181. *C'était Versailles* – Alain Decaux.
182. *De Raspoutine à Poutine* – Vladimir Fedorovski.
183. *Histoire de l'esclavage aux Etats-Unis* – Claude Fohlen.
184. *Ces papes qui ont fait l'histoire* – Henri Tincq.
185. *Classes laborieuses et classes dangereuses* – Louis Chevalier.
186. *Les enfants soldats* – Alain Louyot.
187. *Premiers ministres et présidents du Conseil* – Benoît Yvert.
188. *Le massacre de Katyn* – Victor Zaslavsky.
189. *Enquête sur les apparitions de la Vierge* – Yves Chiron.
190. *L'épopée cathare,* tome V, *La fin des Amis de Dieu* – Michel Roquebert.
191. *Histoire de la diplomatie française,* tome I.
192. *Histoire de la diplomatie française,* tome II.
193. *Histoire de l'émigration* – Ghislain de Diesbach.
194. *Le monde des Ramsès* – Claire Lalouette.
195. *Bernadette Soubirous* – Anne Bernet.
196. *Cosa Nostra. La mafia sicilienne de 1860 à nos jours* – John Dickie.
197. *Les mensonges de l'Histoire* – Pierre Miquel.
198. *Les négriers en terres d'islam* – Jacques Heers.
199. *Nelson Mandela* – Jack Lang.
200. *Un monde de ressources rares* – Le Cercle des économistes et Erik Orsenna.
201. *L'histoire de l'univers et le sens de la création* – Claude Tresmontant.
202. *Ils étaient sept hommes en guerre* – Marc Ferro.
203. *Précis de l'art de la guerre* – Antoine-Henri Jomini.
204. *Comprendre les Etats-unis d'aujourd'hui* – André Kaspi.
205. *Tsahal* – Pierre Razoux.
206. *Pop philosophie* – Mehdi Belahj Kacem, Philippe Nassif.
207. *Le roman de Vienne* – Jean des Cars.
208. *Hélie de Saint Marc* – Laurent Beccaria.

209. *La dénazification* (dir. Marie-Bénédicte Vincent).
210. *La vie mondaine sous le nazisme* – Fabrice d'Almeida.
211. *Comment naissent les révolutions.*
212. *Comprendre la Chine d'aujourd'hui* – Jean-Luc Domenach.
213. *Le second Empire* – Pierre Miquel.
214. *Les papes en Avignon* – Dominique Paladilhe.

## À PARAÎTRE

*Jean Jaurès* – Jean-Pierre Rioux.
*La Rome des Flaviens* – Catherine Salles.
*6 juin 44* – Jean-Pierre Azéma, Robert O. Paxton, Philippe Burrin.
*Eugénie* – Jean des Cars.
*L'homme Robespierre* – Max Gallo.
*Les Barbaresques* – Jacques Heers.
*L'élection présidentielle en France* – Michel Winock.

*Impression réalisée par*

La Flèche (Sarthe), le 23-04-2010
pour le compte des Éditions Perrin
76, rue Bonaparte
75006 Paris

N° d'édition : 2186 – N° d'impression : 57813
Dépôt légal : octobre 2006
*Imprimé en France*